中华国学文库

水经注校证

〔北魏〕郦道元 著

陈桥驿 校证

中华书局

图书在版编目(CIP)数据

水经注校证/(北魏)郦道元著;陈桥驿校证.—北京:中华书局,2013.1(2023.11 重印)
(中华国学文库)
ISBN 978-7-101-09017-8

Ⅰ.水… Ⅱ.①郦…②陈… Ⅲ.①古水道-历史地理-中国 ②《水经注》-注释 Ⅳ.K928.4

中国版本图书馆 CIP 数据核字(2012)第 258601 号

书　　名　水经注校证
著　　者　〔北魏〕郦道元
校 证 者　陈桥驿
丛 书 名　中华国学文库
责任编辑　张　巍
责任印制　管　斌
出版发行　中华书局
(北京市丰台区太平桥西里 38 号　100073)
http://www.zhbc.com.cn
E-mail:zhbc@zhbc.com.cn
印　　刷　河北新华第一印刷有限责任公司
版　　次　2013 年 1 月第 1 版
2023 年 11 月第 5 次印刷
规　　格　开本/880×1230 毫米　1/32
印张 30⅝　插页 2　字数 800 千字
印　　数　17001-18000 册
国际书号　ISBN 978-7-101-09017-8
定　　价　98.00 元

中华国学文库出版缘起

《中华国学文库》的出版缘起，要从九十年前说起。

1920年，中华书局在创办人陆费伯鸿先生的主持下，开始编纂《四部备要》。这套汇集三百三十六种典籍的大型丛书，精选经史子集的"最要之书"，校订成"通行善本"，以精雅的仿宋体铅字排印。一经推出，即以其选目实用、文字准确、品相精美、价格低廉的鲜明特点，最大限度地满足了国人研治学问、阅读典籍的需要，广受欢迎。丛书中的许多品种，至今仍为常用之书。

新中国成立之后，党和国家倡导系统整理中国传统文献典籍。六十馀年来，在新的学术理念和新的整理方法的指导下，数千种古籍得到了系统整理，并涌现出许多精校精注整理本，已成为超越前代的新善本，为学界所必备。

同时，随着中华民族以前所未有的自信快速发展，全社会对中国固有的学术文化——国学，也表现出前所未有的关注和重视。让中华文化的优秀成果得到继承和创新，并在世界范围内进行传播和弘扬，普惠全人类，已经成为中华民族的历史使命。当此之时，符合当代国民阅读需要的权威的国学经典读本的出现，实为当务之急。于是,《中华国学文库》应运而生。

《中华国学文库》是我们追慕前贤、服务当代的产物,因此,它自当具备以下三个基本特点:

一、《文库》所选均为中国学术文化的“最要之书”。举凡哲学、历史、文学、宗教、科学、艺术等各类基本典籍,只要是公认的国学经典,皆在此列。

二、《文库》所选均为代表当代最新学术水平的“最善之本”,即经过精校精注的最有品质的整理本。其中既有传统旧注本的点校整理本,如朱熹《四书章句集注》,也有获得学界定评的新校新注本,如余嘉锡《世说新语笺疏》。总之,不以新旧为别,惟以善本是求。

三、《文库》所选均以新式标点、简体横排刊印。中国古籍向以繁体竖排为标准样式。时至当代,繁体竖排的标准古籍整理方式仍通行于学术界,但绝大多数国人早已习惯于现代通行的简体横排的图书样式。《文库》作为服务当代公众的国学读本,标准简体字横排本自当是恰当的选择。

《中华国学文库》将逐年分辑出版,每辑十种,一次推出;期以十年,以毕其功。在此,我们诚挚希望得到学术界、出版界同仁的襄助和广大读者的支持。

中华书局自1912年成立,至今已近百岁。我们将《中华国学文库》当作向中华书局百年诞辰敬献的一份贺礼,更是向致力于中华民族和平崛起、实现复兴大业的全国人民敬献的一份厚礼。我们自当努力,让《中华国学文库》当得起这份重任,这份荣誉。

中华书局编辑部

2010年12月

目　录

代序　我校勘水经注的经历

我撰写我读水经注的经历〔一〕一文，迄今已达二十五年。中国的古籍浩如瀚海，据韩长耕教授的统计：“中国古代文献包括现存的和有目无书即散佚的，大概不下十五万种，而其中尚存世流传可供披览检证的，也仍在十二万种以上。”〔二〕一部水经注在中国古籍中无非是沧海一粟。而且像我这辈年纪的读书人，哪有不读古书的，如我在拙著郦学札记卷首自序中所说：“我是从童年时代就开始诵读水经注的，其事属于一种偶然的机遇，后来逐渐成为一种爱好，对于历代以来的许多知识分子，这是一种极为普通的事。”为什么当年竟要对此区区一书小题大作，撰写一篇经历，而发表以后又为不少书刊所转载，所以必须说明几句。

那是一九七七年岁尾，由于政治气氛的稍有松动，竺可桢先生主编的中国自然地理中的历史自然地理分册，经过多年的搁置而又开始启动，如我在上述札记自序所写：

> 十几位学者在上海华东师范大学集中了近两个月，我与我尊敬的谭其骧先生隔室而居，朝夕过从，所以对他在灾难年

头所受的折磨，当时已经洞悉。而在这项工作的后一阶段，我所尊敬的另一位前辈侯仁之先生为了商讨发展历史地理学的问题从北京来到上海，这是我们经过这场生死大难以后的第一次见面，在“乍见反疑梦，相悲各问灾（原诗作‘年’）”的心情下，不免要互说这些年代的遭遇。我向他诉说了我因读郦而遭受的坎坷以及在“牛棚”中继续冒险读此书的事，他不仅敦促我把此事经过写出来，而且还透露了我的这番经历，以致书林主编金永华先生不久专程到杭州求索此稿。我才痛定思痛，写了这篇短文。好在此文如上所述已在多处转载，并且流传到了国外，所以不必赘述。

原来从上世纪五十年代以来，我们曾经经历过一个“读书有罪”、“读书人有罪”的时代，我在拙撰记一本好书的出版〔三〕文中提及：“像我这一辈年纪的知识分子，绝大多数都是无端被剥夺了二十多年工作时间的。”这不仅是像我这类的普通读书人，高层次的读书人也是一样。中华读书报记者曾经访问过著名生物学家邹承鲁院士：“您当年回国是否后悔？”邹先生回答：“我回国已经有半个世纪了，其中最初的二十六年时间中只做了十年的工作，而如果不回来可以连续做二十六年，我只是对这一点后悔。”记者随即插入了重要的一句：“而且当年正是壮年的时候。”〔四〕

以上就是我当年撰写我读水经注的经历一文的缘由。

其实，从上世纪七十年代末期起，读书人读书开始有了相对的自由。而水经注其书，如我在札记自序中所说：“假使此书出于先秦，恐怕也不会列入秦始皇这个大暴君的焚坑之列。”所以虽然心有馀悸，却已有较多时间重温此书了。由于此书版本极多，而不同版本之间甚有差异甚至抵牾，我一直留意于此。谭其骧先生素悉我对此书的爱好，曾几次嘱咐我重视版本的问题。所以在撰写经历以前，我实已草就了论水经注的版本初稿，承他于一九七八年初夏大病以后在上海龙华医院针灸疗养之时为我审阅了此文，得到他的指导和鼓励〔五〕。

说起来颇感惭愧，在我撰写此文之时，我所披览过的此书版本只不过十馀种，在郦学领域中还属于孤陋寡闻。不过有一点我已经明白，郦学史中的最佳版本，即全、赵、戴和杨熊共四种，我必须反复细读；并且也已经确认，戴本（指殿本〔六〕）是几种佳本中可以作为圭臬的本子。我当然有校勘郦注的计划，我的校勘工作必须以殿本作为底本，在版本一文中，我实际上已经透露了这种意向，只是因为经历一文的发表和报刊的几次转载，使我的校勘计划受到一些干扰。因为学术界获悉我在灾难年代冒险抢救出数十年中积累的读郦笔记，于是，承各方垂询索稿，几个出版社都提出要我将这批从"焚坑"危境中抢救出来的笔记整理出版。我不忍拂逆他们的美意，这样就不得已分头工作，而这批劫后馀烬，就成为我从一九八五年起陆续出版的约二百万字的四部论文集和郦学札记，拖延了我的校勘计划。

不过在上述多书的整理出版过程中，我自问并没有放松校勘郦书的准备工作，而且进一步加强了以殿本作底的决心。自从一九八〇年起，我不仅走遍国内收藏此书佳本、名本的图书馆，而且由于连年出国讲学，也饱览了国外图书馆所藏的不少版本。我当然也发现殿本的不少缺陷，并且写过殿本尚可再校〔七〕的笔记，但这并不影响殿本在总体上高出各本的地位。在现在流通的各种郦注版本中,水经注疏是一种公认的佳本,但它的重要缺陷之一是,此书采用了明朱谋㙔的水经注笺作为底本。熊会贞在乃师杨守敬故世后对此书底本的决定,其难言之隐是为了"戴、赵相袭案"的干扰〔八〕。由于杨守敬生前认定戴书袭赵而鄙视戴震其人其书,熊氏为了避免是非而舍戴求朱,他在其死前的十三页〔九〕中说:"通体朱是者作正文,非者依赵、戴等改作正文,不能如合校本之尽以戴作正文也。此点最关紧要,必如此,全文方有主义。"由于认定"戴书袭赵"而排斥殿本,这实在是郦学校勘史中一件不幸的事。我在拙撰戴震校武英殿本水经注的功过〔一〇〕一文中,曾经对此事作过一个玩世不恭的比喻:"打个比方说,人类的旅行已经从坐轿子的时代发展到了坐汽车的时代,但是由于对于汽车的发明人有了争论,竟因此立誓不坐汽车而坐轿子,这是多么荒唐可笑。"

感谢上海古籍出版社,由于获悉我有校勘殿本的意愿而主动约请我承担这种任务。特别承情的是,他们虑及我物色版本的难处(因殿本存在各地翻刻的大量版本),特为复制了商务印书馆的四部丛刊本,此本原是上海涵芬楼从武英殿原本影印而来,是各种流行的殿本中的最好本子。我在这个校勘本卷首前言中对此曾作过一点说明:

> 此本问世以后,从同治到光绪之间,各省书局纷纷翻刻,我曾经过目的本子,如湖北局刊本、江西局刊本、浙江局巾箱本、苏州刊本、福州刊本等,在翻刻前估计都不曾作过校对,因而原本有讹者,各本均同其讹;原本未讹者,各本因校对不精而出错的亦在不少。因此,这些本子,都无对勘的价值。翻刻本中校对较精的有光绪三年的湖北崇文书局刊本、光绪二十

三年的湖南新化三味书室刊本、光绪二十五年的上海广雅书局刊本。此外,殿本系统的刊本(按指正文依殿本),如光绪十八年的王先谦合校本,光绪二十三年的杨希闵汇校本等,在付刊前也都作过较好的校对,所有这些,我都据以对勘。殿本系统中还有一部清沈钦韩的水经注疏证,这是北京图书馆所藏的一部稿本,我曾藉旅京之便,部分地作过对勘。

我大概花了两年多时间才完成此书的校勘工作,而上海古籍出版社的江建中先生也在编审工作中花了大量精力。此书于一九九〇年出版,出版社对此十分重视,特请顾廷龙先生题写了书名。由于殿本在上世纪三十年代以后就没有重印,所以学术界对此书很予重视,先后发表了不少评论文章,获得许多好评。特别是我所尊敬的前辈杨向奎先生,他的读水经注一文,开头就提出:"我这次读水经注是用陈桥驿教授点校的本子。陈先生说:'我所采用的底本是商务印书馆的四部丛刊本……在所有不同版本的殿本中,无疑是最好的本子。'最好的本子加上陈先生的点校,当然是现在通行最好的一种版本〔一一〕。"

遗憾的是,在我以后对此书的检索利用中,仍然发现由于我校勘和校对的不慎,书内还遗留了若干错误。因为正是那几年,我频频出国讲学,特别是在最后一次校样的校阅时,恰逢我身在国外,是由我的几位研究生操作的,他们缺乏校对经验,也是让此书留下缺陷的原因,但主要的责任当然应由我承担。尽管此书比上世纪二三十年代商务、世界各书局的排印本,包括四部丛刊和四部备要〔一二〕诸本都有了进步,但缺陷仍然不少,我对此深表歉疚。

我所校勘的另一部郦注版本是水经注疏。此书是历来注疏量最大的版本，是杨守敬与其门人熊会贞毕生心血凝成的巨构。但科学出版社于一九五七年影印出版的此书，却是错误百出，许多文字至于不堪卒读，令人失望〔一三〕。我虽然早有校勘此书的意愿，但至少在上世纪八十年代，自忖绝无从事的时间，所以并未列入我的校勘计划。此书校勘在我的计划中提前进行，而且事出仓卒，我在后来校勘的简化字本水经注的后记中有一段话的说明：

一九八〇年，日本的著名郦学家森鹿三教授去世。他的高足藤善真澄教授把森氏主译的郦注日本译本水经注（钞）寄给了我。我撰成评森鹿三主译水经注（钞）一文，发表于杭州大学学报哲学社会科学版一九八一年第四期（译载于日本关西大学史泉第五十七号，又收入于水经注研究）。由于森鹿三在其译本卷末提及他曾参校台北中华书局一九七一年出版的水经注疏，我的书评引及此语。书评发表以后，我随即收到段熙仲教授一九八二年初的来信。信中说："我从大作中得知杨、熊两先生水经注疏的传钞本之一在台湾已经出版了十一年。"又说："当初不匆匆接受任务，是可以注意到质量更多些。"说明段老的点校工作，到一九八二年初已经完成。当初，由于他没有见过台北本，所以信上只说"可以注意到质量更多些"的话。其实，一九八一年中，藤善教授已把台北本十八巨册寄赠给我，而我评论此本的上述书评，到一九八二年四月才正式发表。段老骤见我以渐江水一篇的两本对勘以后，立刻发现他辛勤数年的点校工作，由于没有与台北本对勘，显然很有不足。于是他立刻寄来一封言辞恳切的长信，提出即从渐江水一篇来看，他的点校与台北本还有不少差距。因此希望能与我合作，由我在他的基础上，按照台北本和我历年来的校勘成果复校一次，然后以两人名义出版。由于我手头的工作实在太多，无法接受段老的请求，只是由于他当时已届八十五高龄，我对这位前辈的复信，不能用我平时惯说惯写的断然语气，而是措辞委婉地加以推辞。并且建议，要他请出版社通过香港或日本的关系，从台北购入此书（因台湾与大陆当时尚无来往），而此项工作仍以他赓续为宜。以后几个月中，他曾多次来信，而我都礼貌地婉谢。这年秋季，我出访南、北美洲，在巴西和美国耽了颇久。回国以后，已有好几封他的来信积压着，语气诚恳而坚定，要求我务必同意复校，并为此本撰写序言。当时由于积压的信件太多，一时还来不及给他复信，但段老却请他亲戚用一辆小轿车把全部他的点校稿件从南京送到我家中。我实在为他的诚挚所感动，只好收下这批稿件，堆满了我的这个小小书房。从此我原来的工作计划顿时大乱，整整两年中，除了出国讲学几个月外，全部花在这部书稿上，最后终于在一九八四年底完成了工作，并且按段老的嘱咐写了一篇一万多字的序言。由于北京本贺昌群的序言题目是影印水经注疏的说明，我的序言就循贺氏作排印水经注疏的说明（收入水经注研究二集）。为此书忙到这年年底，而一九八五年初，因为聘约关系，我又到日本讲学半年。从此连续几年，我成了学术界的一个大负债户，许多书稿都因此拖欠下来，弄得手忙脚乱。但段老为此感到满意，不仅夸奖我的复校，对我的那篇作为序言的说明也备加赞赏。既然我的工作能让一位耄耋老人多年辛勤的成果得以问世，我虽遭遇一时的困难，但也感到心安了。可惜段老竟不及看到此书的出版，于一九八七年因脑溢血逝世。逝世前不久还给我写信，说起出版社重视此书，正由四位责任编辑分头整理〔一四〕，他正盼望着此书的早日出版。言念及此，能不黯然。

江苏古籍出版社对此书确实予以极大重视。责任编辑张惠荣先生曾多次奔波于宁、杭之间，与我面商此书从校勘内容到体例形式的种种问题。由于我的复校是在段老的工作基础上进行的，我们之间，或许是由于年龄和时代的差异，见解确实有些不同。但段老毕竟是我的前辈，所以凡是我可以苟同的问题，都尽可能尊重他的校勘成果。举个简单例子：在卷首郦氏原序中有一句话："十二经通，尚或难言。"段老在其校勘中凡遇书名都加书名号，但这一句中的"十二经"未加书名号。显然是把此"经"字理解为大河或主流，则郦氏之意为："在十条大河中能否叙清两条，还很难说。"但我理解这"十二经"是书名，案庄子天道："于是繙十二经以说。"说明在郦氏时代，十二经之名早已流行。尽管十二经的名称，到唐人才有解释，而宋晁公武郡斋读书志中列举的十二经，即易、书、诗、周礼、仪礼、礼记、春秋左传、公羊、穀梁、论语、孝经、尔雅，在郦注中全有引及，则郦氏之意很可能是："读通了十二经，也或许说不清河川的脉络。"这样的例子不少，其实也是古籍校勘中常有的事，我无非在此说明一下。对于此书的校勘，动手实比上海古籍出版社委校的要晚，由于已经有了段老的基础，而出版社又全力以赴，所以出书竟后来居前，比上海早了近一年。

我校勘的第三部郦注是一九九九年在杭州大学出版社出版的水经注校释。此书是我多年来校读各种版本所积累的作品。前面提及，在上世纪七十年代后期撰写版本一文时，我见到的不同版本还不过十多种，但我当时就已洞悉不同版本对于校勘此书的重要性。胡适以其毕生的最后二十年时间从事此书研究，他曾于民国三十七年（一九四八）十二月北京大学五十周年校庆举行过一次水经注版本展览，展出了各种版本共九类四十一种〔一五〕。他曾经说过“所见的本子越多，解答的问题越多”的话〔一六〕，虽然此话对他从事的课题（重审“赵、戴相袭案”）来说并非一定如此，但对于一个从事郦学研究特别是校勘郦注的人，版本的广泛披览，显然是非常重要的手段。所以从上世纪八十年代起，我除了跑遍国内收藏郦注稀见版本的所有图书馆以外，还藉历次出国讲学的机会，在国外图书馆披阅、钞录、复制有价值的版本，让我获悉了一大批不同版本的渊源来历及其相互间的差异情况。所有这些，我都陆续写成笔记。由于其他事务的纷繁，我既缺乏时间，也不曾计划让这部本子早日问世。为此一书，我在上述简化字本水经注的后记中也提及几句：

> 我点校的第三部郦注是不久以前出版的水经注校释。这或许是我在郦学研究中花费力量最多和拖延时间最长的一项成果。其实，此书在此时交付出版，并非我自己的心愿，而是在某种不可推辞的客观形势下促成的。

这里需要说明几句的是，我之所以在当时尚不愿让此书出版，因为我认为它还有继续加工的必要。从参校的版本来说，经过我这十几年在国内外的奔波，数量已经到了三十三种。与上述胡适的版本展览相比，虽然他所展出的达四十一种，但这四十一种分成九类，在同一类中，如全祖望、赵一清等，他们的版本都有几种，无非是不同的翻刻或传钞，内容的差异其实不大。但我的三十三种多是名家的刊本或钞本，各本均有其优异和差别，所以我所参校的版本实际上超过胡适的展览。

此外，对于我在上述后记中所说："此书在此时交付出版，并非我自己的心愿，而是在某种不可推辞的客观形势下促成的。""心愿"之言，前面已经说明，因为此稿还待继续加工，而且工作量不小。当时，我已经写好笔记但尚未录入原稿的资料，主要还有三种。第一种是胡适手稿，我收藏此书甚早，记得当年杨向奎先生写信与我讨论光明日报连载胡适传时〔一七〕，他才读到中国社会科学院所藏的胡适手稿复制本，而我当时早已有了此书的台北原版本，而且已经相当仔细地阅读了这部三十册的巨构。胡适毕竟是一位名实相副的杰出学者，尽管他的重审赵、戴案这个课题未获成功，但他的全部郦学研究成果，从方法到资料，都有许多可以作为后辈读郦的参考。我曾经撰写过评胡适手稿长文〔一八〕，并且作了不少笔记，但是还没有录入我的书稿中。

第二种是拙著郦学札记，这是我从青年时代就开始写作的读郦笔记，是"文革"中冒险抢救下来的劫后馀烬。上世纪八十年代以后，陆续在香港明报月刊和西安中国历史地理论丛发表。九十年代后期，上海书店出版社为了组织一套当代学人笔记丛书，派专人到杭州向我面约。于是我就稍加梳理，把稍有价值的一百四十馀篇文章汇集成书，于二〇〇〇年出版。此书卷首，我写了一篇注定要为许多正统人物所挞伐的自序。由于札记一直在中国历史地理论丛连载，所以自序写成后，也寄给了我所尊敬的论丛主编史念海先生过目，目的是为了向他致歉，因为札记既将裒集出版，以后就不再向论丛寄稿。同时在信上告诉他这篇自序的“离经叛道”，请他不必在论丛发表，以免对他的刊物造成损害。但史先生竟以他的威望和胆识，随即将这篇自序一字不易地在论丛一九九八年第四辑发表。他的这一举措，除了表达对自序观点的赞同外，也是对后辈的爱护，令人感动。

第三种是水经注疏。上面述及此书虽然在底本选择上存在不足，但杨、熊的深厚功力和长期耕耘，确实在郦书校勘史上立下了丰功伟绩。我在两年时间中，对此书作了逐字逐句的详读细校，深知其中的许多精妙之处。虽然也作了笔记，但尚来不及录入我的稿本之中。这些都是我不急于出版此书的原因。

至于后记提及的“某种不可推辞的客观形势”，指的是当年杭州大学校长沈善洪教授的一再敦促。他与我比邻而居，平时常相过从。他熟知我出版的郦学著作已逾十种，而且获奖，也知我手头尚有书稿。所以特地上门求稿，希望杭州大学出版社能出版此书，有裨于出版社的声望。我只好和盘托出，告诉他书稿的情况和尚待续校的计划。他的意见是，从自己学校出版社的愿望出发，这部书稿在历来各家校勘中已属出众，不妨先行出版，其馀的资料当然珍贵，但尚可留待日后续版。我是在这种不可推辞的形势下交出这部书稿的。出版社对这部书稿也确实逾格重视，先后曾进行过八次校对，包括两位特邀的有丰富校对经验的专家，事详拙撰关于水经注校释文中〔一九〕，这里不作赘述。此书于一九九九年出版，随即受到各方的关注和评论。台北中央研究院院刊之一古今论衡也发表了长篇书评，称道此书的成就〔二〇〕。后来浙江四校（浙大、杭大、农大、医大）合并，成立新的浙江大学。新浙大于二〇〇二年以此书上报教育部评奖，教育部于二〇〇三年评定此书为“第三届中国高校人文社会科学研究优秀成果奖”的一等奖。不过对于我来说，此书从出版到获奖，我都感到有一种内疚，因为我的校勘工作，充其量只完成了一半。

上述三种以外，我于二〇〇〇年又校勘了第四种版本〔二一〕，这或许称得上是郦注版本中的一种普及本子。这是浙江古籍出版社的约稿，他们为了组编一套百部中国古典名著，水经注当然列入其内。编组这套古典名著的意愿是值得表彰的，因为其目的是为了让这些古典名著能够为更多的读者所欣赏和接受。正因为此，所以各书都用简化字排印。在约稿过程中，他们提了很有说服力的两条：第一，水经注一书，除了郦学家的专门研究以外，现在已经成为不少自然科学家和人文科学家的通用参考书，所以不同的点校方式可以服务于不同的使用对象，具有不同的使用价值。第二，既然此书的使用范围已经变得更为广泛，而眼下的中青年学者，除了古典文学和古代史等专业以外，对于繁体字，显然已经感到困难。再下去，许多人就不再认得繁体字了。所以点校一种简化字本，实在是大势所趋。

这两条确实使我很有感触，不过我绝无能力把一部一千四百多年前的古典著作点校成为一部科普读物，我所尽力而为的，只能是对古典文献有兴趣和有一定阅读能力的读者，也能进行在学术研究以外的一般性阅读，使此书的丰富知识、趣味掌故、优美语言、生动文字，也能让专家以外的广大知识界所接受和欣赏。

这个本子的点校是在水经注校释的基础上进行的，除了大量地删节校释中用于学术研究的校注以外，我特别重视了书中主要河流的古今对比。凡是列为篇目的河流，不论大小，我都以其古今变迁和现状出注。例如卷六汾水等各水：

汾水即今汾河，是黄河在今山西省的最大支流，也是黄河的第二大支流，全长六九〇馀公里，流域面积近四〇〇〇〇平方公里。卷六共记载今山西省境内的八条河流，分属黄河、海河两个水系。水经注记载的今山西省境内的河流达一八〇馀条，其中卷六记及也达六〇条。可参阅陈桥驿水经注记载的三晋河流（中国历史地理论丛一九八八年第一期，又收入于郦学新论——水经注研究之三，山西人民出版社一九九二年出版）。

又如卷十三㶟水：

㶟水在水经注的不同版本中也有作湿水的。它发源于今山西省宁武县以南的管涔山，即注文所称的累头山，发源处今名阴方口，从山西流入河北，上游今名桑乾河，经官厅水库，下游称为永定河，是海河的五大支流之一。不过水经注时代的㶟水与今永定河的河道并不完全一致，郦道元记载的河道在今永定河河道以北，东南流至渔阳郡雍奴县西（今武清县附近）注入潞河（经文称笥沟，是潞河的别名），也就是今北运河。永定河干流全长五六〇馀公里，流域面积在官厅以上为四五〇〇〇馀平方公里。

此外如卷七、卷八济水，校注中除了说明此河早已湮废以外，并指出黄河以北的济水，与黄河以南的济水，其实是两条不同的河流，由于禹贡说：“导沇水，东流为济，入于河，溢为荥。”禹贡是经书，古人都遵循这种其实是错误的说法，所以把两条不同的河流都称为济水。又如卷三十九庐江水，校注说明这是一条当时并不存在的河流，由于山海经等书的附会，才出现这样一条无中生有的河流。郦道元在注文中只说庐山的风景瀑布，全未提及此水的流程脉络，说明他对此水也一无所知。我在简化字本水经注所作的校注大悉如此，由于每条注文都较长，就不列举了。

以上是我校勘水经注的简要经历。现在，我年逾八旬，精力日衰，但又应一家著名出版社的多次面约，正在从事我毕生校勘经历中工作量最大、校注内容最繁的版本，其实就是上述水经注校释的延续。由于校释如前所述是在某种不可推辞的客观形势下提前出版的，尽管在出版后得到好评并且获奖，但是从我自己积累的郦学研究成果来说，此书充其量只不过录入了一半，所以出版以后，一直引为遗憾。现在既已决定在校释基础上继续攀登，自当振作精神，不辞老朽，在有生之年完成我的最后一次水经注校勘。

二〇〇四年四月于浙江大学

〔一〕原载书林一九八〇年第三期；收入于水经注研究，天津古籍出版社一九八五年出版；又收入于郦学札记，上海书店出版社二〇〇〇年出版。

〔二〕中国编纂文集之始和现存最早的诗文总集昭明文选的研究与流传，韩长耕文集，岳麓书社一九九五年出版。

〔三〕中华读书报二〇〇一年七月四日。

〔四〕学术腐败——中国科学的恶性肿瘤，中华读书报二〇〇一年十一月十四日。

〔五〕此文原载中华文史论丛一九七九年第三辑，收入于水经注研究，我在文题下作注："本文承谭其骧教授抱病审阅指正，谨致谢忱。"

〔六〕陈桥驿水经注戴赵相袭案概述（水经注研究二集，山西人民出版社一九八五年出版）："戴震是从乾隆三十年（一七六五）开始校勘郦书的，到了乾隆三十七年，已经有他的定本，曾在浙东付刻，但刻不及四分之一，由于奉诏入四库馆而中辍。这个本子后经孔继涵整理刊行，即微波榭本水经注。戴在四库馆也校勘水经注，到乾隆三十九年校毕，由武英殿聚珍版刊行，即所谓殿本。"所以戴本实有两种，此两种从体例到内容都有很大不同。

〔七〕收入于郦学札记。

〔八〕参阅拙撰水经注戴赵相袭案概述。

〔九〕这是熊会贞晚年亲笔陆续写出的关于修改水经注疏的意见，原件共十三页，无标题，影印于台北中华书局影印本杨熊合撰水经注疏卷首。参阅拙撰熊会贞郦学思想的发展，中华文史论丛一九八五年第二辑，又收入于水经注研究二集。

〔一〇〕原载中华文史论丛一九八七年第二、三辑合刊，又收入于郦学新论——水经注研究之三，山西人民出版社一九九二年出版。

〔一一〕中国历史地理论丛一九九三年第一辑。

〔一二〕四部备要本以清王先谦合校水经注作底本，但合校本的正文均从殿本。

〔一三〕科学出版社影印此书的底本，购自武汉书商徐行可，此本在钞成后未经熊会贞校阅，所以错误满篇，郦学家锺凤年在此本中校出错误二千四百馀处，撰成长达七万字的水经注疏勘误一文，发表于福建人民出版社一九八二年出版的古籍论丛。参阅拙撰关于水经注疏不同版本和来历的探讨，载中华文史论丛一九八四年第三辑，又收入于水经注研究二集。

〔一四〕此书署名的责任编辑为三人。

〔一五〕陈桥驿论胡适研究水经注的贡献，原载胡适研究丛刊第二辑，又收入于水经注研究四集，杭州出版社二○○三年出版。

〔一六〕孟森先生审判水经注案的错误，胡适手稿第五集下册。

〔一七〕杨先生此信因不同意光明日报当时连载的胡适传中的某些论点而写。信上嘱咐："希望你出头说一下以澄清是非。"我遵嘱写了关于胡适传中涉及水经注问题的商榷一文，发表于一九八七年一月十四日光明日报史学，又收入于郦学新论——水经注研究之三。

〔一八〕原载中华文史论丛第四十七辑(一九九一年)，又收入于水经注研究四集。

〔一九〕原载杭州师范学院学报一九九八年第五期，又收入于水经注研究四集。

〔二○〕周筱云评介陈桥驿水经注校释——兼谈今后郦学发展之趋向，古今论衡第三期，台北中央研究院历史语言研究所一九九九年出版。

〔二一〕浙江古籍出版社二○○一年出版。

（原载杭州师范学院学报社会科学版二○○四年第五期）

整理说明

水经注首见于隋书经籍志著录，作四十卷。宋初所存，仍是足本。景祐间崇文总目著录作三十五卷，从此成为残籍（今本仍作四十卷系后人分析以凑原数）。又经辗转传钞，经、注混淆，错漏连篇。有明一代，以朱谋㙔所校水经注笺较胜，常为清初学者所参照。清初以来，郦学研究之风甚盛，各种版本，先后相继，使此书成为我国版本最多的古籍之一。胡适在其北京大学校长任上，为了该校五十周年校庆，曾于一九四八年十二月在校内举行水经注版本展览，展出各种版本（包括钞本、稿本）共九类四十一种。

清初的郦学研究以乾隆三大家为著，全祖望（谢山）、赵一清（东潜）、戴震（东原），均尽毕生之力校勘此书，各有校本问世。三人中戴震年齿最幼，他在四库馆裒集包括全、赵在内的各家郦书从事校勘，其成果武英殿聚珍本（殿本）堪称佳本。殿本刊出以后，各地纷纷传刻，流行甚广，但传刻各本中颇有校对不精而错误叠出者。其中唯商务印书馆四部丛刊本，系上海涵芬楼从武英殿原本影印而成，是广泛流行的各种殿本的最好版本。

往年我曾应上海古籍出版社之约，以此本作为底本进行点校。点校过程中又择其他较佳殿本如光绪三年的湖北崇文书局刊本，光绪二十三年的湖南新化三味书室刊本，光绪二十五年的上海广雅书局刊本，以及其他较佳的殿本系统刊本（即经、注正文按殿本刊印），如光绪十八年的王先谦合校水经注，光绪二十三年的杨希闵水经注汇校等本作了对勘，于一九九〇年出版。

此书出版以后，学术界评价不低。但考虑到正文中夹入戴震案语甚多（约十万言），其中多与水经注内容无涉，徒增阅读累赘，故又应杭州大学出版社之约，以上海古籍出版社本作底本，并参校其他版本三十馀种，再次点校。删去全部正文内案语，其中涉及水经注内容者，则在篇末出注。书名水经注校释，于一九九九年出版，曾获教育部二〇〇三年第三届中国高校社会科学研究成果奖一等奖。

此次整理以水经注校释为基础，该书参校的各种水经注版本（包括钞本、稿本）三十馀种仍然保留（参校内容有增删），并增补近代郦学研究成果，如岑仲勉水经注卷一笺校，拙撰水经涢水篇笺校等。尤以水经注疏、胡适手稿及拙撰郦学札记诸书，凡其考证事涉郦书者均详加引录。后附简表，略列主要参校版本名称、校者（或著者）、收藏者及本书引录时的简称等，以便读者查索。

此书按中华书局古籍点校体例标点。但郦氏注文引及文献碑碣等多达八百数十种，而引录颇不规范，有的简略原文，有的杂以已意，所引各书与今本又多有文字差异，故标点时仅用冒号，不用引号。

主要参校书目及简称表

书　名	版本与校者	收　藏　者	简　称
水经注	宋本(存卷五至八,十六至十九,三十四,三十八至四十)	国家图书馆,又湖北图书馆有过录本	残宋本
水经注	永乐大典卷一万一千一百二十七至卷一万一千一百四十二	续古逸丛书	大典本
水经注	明黄省曾校	上海图书馆藏嘉靖刊本	黄本
水经注	明吴琯校	浙江图书馆藏万历刊本	吴本
水经注笺	明朱谋㙔笺	湖北图书馆藏万历朱谋㙔家刊本	注笺本
练湖书院钞本	明钞本	天津图书馆藏	
水经注	明钞本(何焯、顾广圻校)	国家图书馆藏(稽瑞楼旧藏)	何校明钞本
水经注	明钞本(王国维、章炳麟校)	国家图书馆藏	王校明钞本
水经注	明严忍公等刊本	国家图书馆藏崇祯刊本(稽瑞楼旧藏)	严本
水经注	明谭元春、锺惺评	宁波天一阁藏天启、崇祯间刊本	谭本
水经注删	明朱子臣辑评	国家图书馆藏万历刊本	注删本
水经注	临明赵琦美、清孙潜、何焯等校本	南京图书馆藏(八千卷楼旧藏)	
水经注	清孙潜校本(以明吴琯校刊本作底本)	浙江图书馆藏	

续表

书　名	版本与校者	收　藏　者	简　称
水经注	清何焯校（以清黄晟刊本作底本）	复旦大学图书馆藏	何本
水经注集释订讹	清沈炳巽订	四库珍本丛书	沈本
水经注	清项絪校	康熙项氏群玉堂刊本	项本
水经注摘钞	清马曰璐摘	国家图书馆藏钞本	摘钞本
小山堂钞本全谢山五校水经注	清全祖望校	天津图书馆藏	五校钞本
七校水经注	清全祖望校	光绪十四年刊本	七校本
水经注	清黄晟刊本	乾隆黄氏槐荫草堂刊本	
水经注释	清赵一清释	光绪会稽章寿康刊本	注释本
水经注	清戴震校	微波榭刊本	戴本
水经注	清戴震校	武英殿聚珍本	殿本
水经注释地	清张匡学释	上池书屋刊本	张本
水经注汇校	清杨希闵校	光绪辛巳福州刊本	汇校本
水经注	清李慈铭校	国家图书馆藏	
水经注疏证	清沈钦韩疏	南京图书馆藏稿本、国家图书馆藏钞本	疏证本
合校水经注	清王先谦校	四部备要本	合校本
水经注疏	杨守敬、熊会贞疏	北京科学出版社影印本	注疏本（专引此本时称北京本）
杨熊合撰水经注疏	杨守敬、熊会贞疏	台北中华书局影印本	注疏本（专引此本时称台北本）

续表

书　名	版本与校者	收　藏　者	简　称
水经注疏	段熙仲点校,陈桥驿复校	江苏古籍出版社出版	注疏本
水经注	陈桥驿点校	上海古籍出版社出版	
水经注校释	陈桥驿校释	杭州大学出版社出版	
水经注	陈桥驿点校	浙江古籍出版社出版	简化字本水经注
日文译本水经注(钞)	森鹿三主译	日本东京平凡社出版	
胡适手稿	胡适著	台北南港中央研究院胡适纪念馆发行	手稿
郦学札记	陈桥驿著	上海书店出版社出版	札记

校上案语〔一〕

臣等谨案:水经注四十卷,后魏郦道元撰。道元字善长,范阳人,官至御史中尉。自晋以来,注水经者凡二家,郭璞注三卷,杜佑作通典时犹见之,今惟道元所注存。崇文总目称其中已佚五卷,故元和郡县志、太平寰宇记所引滹沱水、泾水、洛水,皆不见于今书。然今书仍作四十卷,疑后人分析以足原数也。是书自明以来,绝无善本,惟朱谋㙔所校盛行于世,而舛谬亦复相仍〔二〕。今以永乐大典所引,各按水名,逐条参校〔三〕,非惟字句之讹,层出叠见,其中脱简,有自数十字至四百馀字者。其道元自序一篇,诸本皆佚,亦惟永乐大典仅存〔四〕。盖当时所据,犹属宋椠善本也〔五〕。谨排比原文,与近本钩稽校勘,凡补其阙漏者,二千一百二十八字;删其妄增者,一千四百四十八字;正其臆改者,三千七百一十五字。神明焕然,顿还旧观。三四百年之疑窦,一旦旷若发蒙。是皆我皇上稽古右文,经籍道盛,瑯嬛宛委之秘,响然并臻,遂使前代遗编,幸逢昌运,发其光于蠹简之中,若有神物扮呵,以待圣朝而出者,是亦旷世之一遇矣。至于经文注语,诸本率多混淆〔六〕,今考验旧文,得其端绪:凡水道所经之地,经则云过,注则云迳;经则统举都会,注则兼及繁碎地名;凡一水之名,经则首句标明,后不重举,注则文多旁涉,必重举其名以更端;凡书内郡县,经则但举当时之名,注则兼考故城之迹。皆寻其义例,一一厘定,各以案语,附于下方。至塞外群流,江南诸派,道元足迹皆所未经,故于滦河之正源,三藏水之次序,白檀、要阳之建置,俱不免附会乖错,甚至以浙江妄合姚江,尤为传闻失实。自我皇上命使履视,尽得脉络曲折之详。

御制热河考、滦源考证诸篇,为之抉摘舛谬,条分缕擘,足永订千秋耳食沿讹。谨录弁简端,永昭定论。又水经作者,唐书题曰桑钦,然班固尝引钦说,与此经文异;道元注亦引钦所作地理志,不曰水经。观其涪水条中,称广汉已为广魏,则决非汉时;锺水条中,称晋宁仍曰魏宁,则未及晋代。推寻文句,大抵三国时人〔七〕。今既得道元原序,知并无桑钦之文,则据以削去旧题,亦庶几阙疑之义尔。乾隆三十九年十月恭校上。

总纂官侍读臣纪　昀

侍读臣陆锡熊

总修官举人臣戴　震

〔一〕殿本格式原来如此。目录以下紧接纪昀、陆锡熊、戴震校上案语。但原文并无题目,校上案语题目为我所加。参阅拙作戴震校武英殿水经注的功过,载中华文史论丛一九八七年第二、三辑合刊,又收入拙著郦学新论——水经注研究之三,山西人民出版社一九九二年出版。

〔二〕朱谋㙔所校,指水经注笺,清顾炎武称此为"三百年来一部书”(清阎若璩古文尚书疏证卷六下),是有明一代的佳作。王国维在朱谋㙔水经注笺跋(观堂集林卷十二)中赞扬此书:“朱氏之笺,实大有功于郦书。”近人汪辟疆在明清两代整理水经注之总成绩(重庆时事新报学灯第六十九、七十期,又刊于台北中华书局影印杨熊合撰水经注疏第一册卷首)文中称:“惟朱谋㙔所笺,疑人所难疑,发人所未发,用力甚劬,故神明焕发,顾亭林尝推有明三百年来一部书。”近人张慕槎、毛春翔在浙江图书馆馆藏善本题识(浙江图书馆馆刊三卷六期)中称:“朱氏疑注文有误,不敢妄改,故为作笺。……聚珍本未出以前,要当以朱氏笺本方为完善耳。”

〔三〕陈桥驿郦学札记(上海书店出版社二〇〇〇年出版,以后引用,简称札记)永乐大典本水经注:

永乐大典编纂体例的按韵分割,这是当时人所皆知的事。戴氏校毕后,在其呈送乾隆帝的校上案语中说:“今以永乐大典所引,各按水名,逐条参校。”这话的意思是说水经注各水是按水名分韵割裂的,例如河水收入于“五歌”韵下,江水收入于“三江”韵下,洛水收入于“十药”韵下等等。乾隆帝显然也是作这样的理解,他在看到了校上案语以后,非常赏识戴震校勘此书的成绩,特御制六韵以示奖励。六韵中有一句是“笑他割裂审无术”。并自注云:“永乐大典所载之书,类多散入各韵,分割破碎,殊无体例,是书亦其一也。”但后来大典本公之于众,大家看到,此书虽有按韵割裂之繁,但对于水经注一书,却并不各按水名入韵,而是从水经注的“水”字入韵,所以全书完整地收入“八贿”韵下,从卷一一一二七到卷一一一四一,一韵到底,绝无校上案语中所说的“逐条参校”之烦。张元济在永乐大典本水经注跋中特别指出:"高宗亲题,谓虽多割裂,按目稽核,全文具存。"又曰:"永乐大典所载之书,散入各韵,分析破碎,殊无体例,是亦其一。余诵其言,初疑必以一水名分列一韵,今睹是本,乃知不然,于此益信为学之道之不可以耳食矣。"在封建时代,戴震对于乾隆,实有欺君之罪,但乾隆不查原书,臣云亦云,以致受欺于臣而反加赞赏,六韵中留下此一笑柄。有人把"笑他割裂审无术"一句改成"笑他耳食审无术",是其宜也。

胡适手稿(台北南港中央研究院发行,共十集,从一九六六年二月至一九七〇年六月分集出版,每集分上、中、下三册,全集共三十册,以后引用,简称手稿)第一集上册清高宗御制诗四集卷十九的题水经注六韵复制本:

题郦道元水经注六韵有序

郦道元水经注自明至今惟朱谋㙔校本行世,其文与杜佑通典、乐史太平寰宇记所引经、注往往不合,又多意为改窜,殊失本来面目。近因裒集永乐大典散见之书,其中水经注虽多割裂,而按目稽核,全文具存,尚可汇辑,与今本相校,既有异同,且载道元自序一篇,亦世所未见,盖犹据宋人善本录入。兹经馆臣排缀成编,凡篇目混淆,经、注相错者,悉加厘订,其脱简有自数字至八九十字者,亦并为补正。以数百年从残缺佚之书,一旦复还旧观,若隐有呵护者然,亦艺林佳话也,因题六韵纪之:

检书断简萃全珍,自序犹存善长真。却以残山将剩水,竟如合浦与延津。笑他割裂审无术,永乐大典所载之书,类多散入各韵,分析破裂，殊无体例，是书亦其一也。际此完成若有神。南北少讹因未到，郦道元仕于北魏，虽曾出使关中，而足迹未曾一至塞外，故水经注中所载边地诸水形势，未能尽合，即如濡水之源流分合及其所经郡县，多有讹舛，至江、淮以南，地属齐、梁，道元亦未亲履其地，详为考订，只据传闻所及，袭谬沿疑，无怪其说之多鳌也。古今略异究堪循。悉心编纂诚宜奖，触目研摩信可亲。设以春秋素臣例，足称中尉继功人。

〔四〕“仅存”非是，此序除永乐大典本外，尚存于卢文弨所见武进臧氏所得绛云楼宋本，赵一清所见孙潜夫过录明柳大中本。又手稿第四集上册记铁琴铜剑楼瞿氏藏明钞本水经注：“瞿本有郦道元自序，中间缺了半叶二百二十字。”

〔五〕“宋椠善本”，非是，前辈学者已论定宋椠郦注无善本。全祖望五校钞本题解（七校本同）：“今世得一宋椠，则校书者凭之，以为鸿宝。宋椠虽间有误，然终不至大错也。而独不可以论于水经，盖水经自初雕时，已不可问矣。”

札记宋本：

水经注当然也有宋本，明代的不少郦学家，都据宋本从事校勘。正德年代的柳佥（大中）影宋钞本，就是明代的名本。而朱谋㙔校勘水经注笺，也利用了宋本。但宋本到了清代就凤毛麟角，许多郦学家都以毕生未见宋本为憾事，杨守敬即是其例。据傅增湘宋刊残本水经注书后（图书季刊第二卷第二期或藏园群书题记初集卷三）云：

忆辛壬（案指辛亥、壬子，即宣统三年与民国元年之间）之交晤杨君惺吾于海上，时君方撰水经注疏，为言：研治此书历四十年，穷搜各本以供参考，独以未睹宋本为毕生憾事。余语君曰：此书宋刻之绝迹于世固已久矣，设一旦宋刻出世，吾恐经注之混淆，文字之讹夺，仍不能免，未必遂优于黄、吴诸本也。洎余获此书，而君已久谢宾客，不能相与赏异析奇，一慰其生平之愿，思之怆然。

上述傅增湘获得的宋本是个残本，一共七册，只存卷五至八，十六至十九，三十四，三十八至四十共十二卷。其中首尾完整的只有十卷（卷五缺前二十六叶，卷十八仅存前五叶），今藏北京图书馆。我有幸阅读了此书的缩微胶卷，在显微阅读器上，整整阅读了四天，以后又在武汉湖北省图书馆阅读了此书的一种过录本。傅增湘与杨守敬谈话时的这种估计是不错的，从这部残籍的十卷来看，"经注之混淆，文字之讹夺，仍不能免"。当然不是说没有优点，但此书在满足人们嗜古的欲望方面，显然大大超过此书能提供校勘上的作用。

〔六〕札记经注混淆：

水经注一书始见于隋书经籍志著录，作四十卷，新、旧唐志著录同。说明原书足本是四十卷。宋初修纂类书和地理书太平御览与太平寰宇记，其所引水经注有滹沱水、(北)洛水、泾水等，均为今本所不见。其所引今本所见各水中，也常有今本所无的词句。说明宋初朝廷所藏之本，仍是足本无疑。但北宋景祐年代所修订的朝廷藏书目录崇文总目中，此书已仅三十五卷，较隋、唐三志缺佚五卷。从太平兴国到景祐不过六十年，这期间，东京（今开封）安谧，绝无水火兵燹之事，此书在崇文院何由而缺？我以为当太平兴国间，朝廷数纂巨书如御览、寰宇记、太平广记等，人多手杂，缺佚当在此时。事后各书收入崇文院，不及检点，至景祐编目时才被发现。

从此，水经注通过传钞方式流入民间，辗转于多人之手。而书手之中，既有名流学者，也难免有受人雇佣却不甚通文理之人，于是以讹传讹，终至不堪卒读。在各种讹误之中，除了错字漏句以外，最多习见而校改为难的是经注混淆。在传钞之中，经注所以致混之由，可能与原书的写式有关。今本郦注，不仅经注分行，而且经文提高一格，看甚分明。但古本郦注，以今所见的大典本为例，经注即混在一起，无非经文用大字，注文用小字。传钞不慎，将经文大字误作小字，经注于是开始混淆。以混淆之本再行传钞，结果是愈混愈多，最后竟至不可收拾。

明人校注郦注，开始设法分清经注，但当时经注混淆已深，若要一字一句地进行甄别分离，实属千头万绪，事倍功半。有的学者所以研究经注行文字句的规律，俾奏速效，而无一失。于是，像正德年代的杨慎，在其水经注序中，提出了所谓"八泽"，略云：

> 汉桑钦水经旧录凡三卷，凡天下诸水，首河终斤江，凡一百十有一。曰出，曰过，曰迳，曰合，曰分，曰屈，曰注，曰入。此其"八泽"也，而水道如指掌矣。

杨慎的思路和方法是可取的，但其所总结的"八泽"，在区分经注中仍有明显的错误。"八泽"之中，如"过"是经文用字；如"迳"是注文用字。因为在杨慎之时，经注混淆已久，杨氏虽用力区分，终因头绪纷繁，所以无法一次告成，但为后来学者提供区分经注的线索，其功自不可没。

在分清经注的研究中，贡献最大的是全祖望、赵一清、戴震三家，而全氏实应首当其功。他在五校钞本题解（七校本同）中，对此有一段专门的议论：

> 经文与注文颇相似，故能相溷，而不知熟玩之，则固判然不同也。经文简，注文繁；简者必审择于其地望，繁者详及于渊源。一为纲，一为目，以此思之盖过半矣。若其所以相溷者，其特胥钞之厉耳，及板本仍之，而世莫之疑矣。犹幸割裂所及，止于河、济、江、淮、渭、洛、沔七篇，若其馀，则无有焉，盖居然善长之旧本也。故取其馀之一百十有七篇而熟玩之，而是七篇者可校矣。

全氏根据他所订的分清经注的原则进行校勘：河水，经文从旧本的二百五十四条，删正为五十三条；江水，从一百二十八条，删正为二十二条；淮水，从二十四条，删正为八条；沔水，从一百零二条，删正为十八条。从全氏的校勘中可见，旧本之中，经注混淆已经达到了何种程度。

赵一清区别经注的原则是分散在他的若干郦学撰述中的。例如他在水经注附录上篇的禹贡锥指例略下云：

一清案：经仿禹贡，总书为"过"。注以"迳"字代之，以此为例，河、济、江、淮诸经注混淆，百无一失。

他在水经注笺刊误卷六漆水注引太史公禹本纪"又东迳漆沮入于洛"下注云：

> 笺曰："克家云，东迳，史记作过。"按尚书本作"东过"，不独史记也。且道元注例用"迳"字，以别于经文之"过"。

他在卷二河水经"河水"下云：

一清按：凡经文次篇之首有"某水"二字，皆后人所加。盖汉人作经，自为一篇，岂能逆料郦氏为之注而先于每卷交割之处增二字以别之哉？或郦注既成，用二字提掇则可耳，然非经之旧也。此卷首列河水二字，谓重源之再见也，其实例如此。

戴震在其早年，也已经注意了郦注的经注混淆之误。据段玉裁戴东原年谱，戴氏于乾隆三十年（一七六五）秋，自定水经一卷，自记云："夏六月，阅胡朏明禹贡锥指引水经注，疑之。因检郦氏书，展转推求，始知朏明所由致谬之故，实由唐以来经注互讹。……今得其立文定例，就郦氏所注考定经文，别为一卷。兼收注中前后倒书不可读者为之订正以附于后。"说明他在此时已经推究了经注二者的立文定例。到乾隆三十九年的殿本校上案语，戴震对于区分经注的立文定例已经十分完整。至此，他掌握了经注文字的规律，长期来存在的经注文字混淆问题，总算完全解决。校上案语中有关于此的一段文字云：

至于经文注语，诸本率多混淆，今考验旧文，得其端绪：凡水道所经之地，经则云过，注则云迳，经则统举都会，注则兼及繁碎地名；凡一水之名，经则首句标明，后不重举，注则文多旁涉，必重举其名以更端；凡书内郡县，经则但举当时之名，注则兼考故城之迹。皆寻其义例，一一厘定。

〔七〕杨守敬考证为三国魏人所作。水经注疏凡例（段熙仲点校，陈桥驿复校，江苏古籍出版社一九九九年出版水经注疏，以下

简称注疏本)云:

自阎百诗谓郭璞注山海经引水经者也而后,郭璞撰水经之说废;自水经注出,不言经作于桑钦,而后来附益之说,为不足凭。前人定为三国时人作,其说是矣。余更得数证焉,沔水经"东过魏兴安阳县南",魏兴为曹氏所立之郡,注明言之,赵氏疑此条为后人所续增,不知此正魏人作经之明证。古淇水入河,至建安十九年,曹操始遏淇水东入白沟,而经明云"东过内黄县南为白沟",此又魏人作经之切证。又刘璋分巴郡置巴东、巴西郡,而夷水、漾水经文只称巴郡。蜀先主置汉嘉郡、涪陵郡,而若水、延江水经文不称汉嘉、涪陵。他如吴省沙羡县,而经仍称江夏沙羡;吴置始安郡于始安,而仍称零陵始安。盖以为敌国所改之制,故外之。此又魏人作经,不下逮晋代之证也。

水经注原序〔一〕

序曰〔二〕:易称天以一生水,故气微于北方,而为物之先也。玄中记曰:天下之多者水也,浮天载地,高下无所不至,万物无所不润〔三〕。及其气流届石,精薄肤寸,不崇朝而泽合灵宇〔四〕者,神莫与并矣。是以达者不能测其渊冲,而尽其鸿深也。昔大禹记〔五〕著山海,周而不备;地理志其所录,简而不周;尚书、本纪与职方俱略;都赋所述,裁不宣意;水经虽粗缀津绪,又阙旁通。所谓各言其志,而罕能备其宣导者矣。今寻图访赜〔六〕者,极聆州域之说,而涉土游方者,寡能达其津照,纵仿佛前闻,不能不犹〔七〕深屏营也。余少无寻山之趣,长违问津之性,识绝深经,道沦要博,进无访一知二之机,退无观隅三反〔八〕之慧。独学无闻,古人伤其孤陋;捐丧辞书,达士嗟其面墙。默室求深,闭舟问远,故亦难矣。然毫管窥天,历箭时昭,饮河酌海,从性斯毕。窃以多暇,空倾岁月,辄述〔九〕水经,布广前文。大传曰:大川相间,小川相属,东归于海。脉其枝流之吐纳,诊其沿路之所躔,访渎搜渠,缉而缀之。经有谬误者,考以附正文所不载;非经水常源者,不在记注之限。但绵古芒昧，华戎代袭，郭邑空倾，川流戕改，殊名异目，世乃不同，川渠隐显，书图自负〔一〇〕，或乱流而摄诡号，或直绝而生通称，枉渚交奇，洄湍决澓，躔络枝烦，条贯系夥。十二经〔一一〕通，尚或难言，轻流细漾，固难辩究，正可自献迳见之心，备陈舆徒之说，其所不知，盖阙如也。所以撰证本经，附其枝要者，庶备忘误之私，求其寻省之易〔一二〕。

〔一〕卢文弨撰群书拾补，言曾在武进臧氏所得绛云楼宋本见此序；赵一清水经注释，卷首从孙潜夫过录柳大中钞本录入此序。今此序共四百八十四字，卢文弨所见宋本为四百八十一字，赵一清所收仅二百五十六字。胡适记铁琴铜剑楼瞿氏藏明钞本水经注（手稿第四集上册）："瞿本有郦道元自序，中间缺了半叶二百二十字。"若按大典本四百八十四字计，则瞿本仅存二百六十一字。

〔二〕序曰　卢本及赵本均无此二字。

〔三〕高下无所不至万物无所不润　卢本及赵本，均无二"所"字。

〔四〕宇　孙潜夫从柳大中钞本作"寓"。

〔五〕记　卢本作"经"。

〔六〕赜　卢本作"蹟"。卢云："余疑是'蹟'字，今见臧本果然。"

〔七〕赵本从此后缺，直至"枉渚交奇"以后。

〔八〕三反　卢本作"反三"。卢云："当由习读论语者改之。今从臧本，对上'访一知二'校正。"

〔九〕辄述　卢本作"辄注"。

〔一〇〕书图自负　“负”，卢校云：“疑是‘贸’字。”注疏本段熙仲校记云：“全本作‘贸’。”按段氏误，全氏五校钞本此序从赵本，不及“书图自负”句，七校本作“书图自负”。

〔一一〕十二经，注疏本段熙仲校不作书名。但按庄子天道：“于是繙十二经以说。”故十二经之名在郦氏时代早已流行。宋晁公武郡斋读书志列举十二经为易、书、诗、周礼、仪礼、礼记、春秋左传、公羊、穀梁、论语、孝经、尔雅，水经注全已引及。故此十二经应是书名。

〔一二〕“寻省之易”下，卢本有“耳”字。又，赵本在序末云：“此是郦亭原本，孙潜夫从柳大中钞本录得，惜其失亡已大半矣。然吉光片羽，要为天下至宝，而自篇首至‘其鸿深也’，詹氏小辨能举之，则在明中叶此序未亡可知，而杨用修、黄勉之二家刻书反遗之，何也？昔义门何氏最称博览，深以不见此序为憾，仅从玉海摘取大禹记数语，而云必得宋本乃为全篇，则予今日之获，较之先正，不既多乎。东潜郩民识。”

水经注卷一

河水[一]

昆仑墟[二]在西北，

三成为昆仑丘[三]。昆仑说曰：昆仑之山三级，下曰樊桐，一名板桐[四]；二曰玄圃[五]，一名阆风；上曰层城[六]，一名天庭，是为太帝之居。

去嵩高五万里，地之中也。

禹本纪与此同。高诱称河出昆山[七]，伏流地中万三千里，禹导而通之，出积石山。按山海经，自昆仑至积石千七百四十里。自积石出陇西郡至洛，准地志可五千馀里。又按穆天子传，天子自昆山入于宗周[八]，乃里西土之数，自宗周瀍水以西，至于河宗之邦，阳纡之山，三千有四百里，自阳纡西至河首四千里，合七千四百里。外国图又云：从大晋国正西七万里，得昆仑之墟[九]，诸仙居之。数说不同，道阻且长，经记绵褫，水陆路殊，径复不同，浅见末闻，非所详究，不能不聊述闻见，以志差违也。

其高万一千里，

山海经称方八百里，高万仞。郭景纯以为自上二千五百馀里，淮南子称高万一千里百一十四步三尺六寸〔一〇〕。

河水

春秋说题辞曰：河之为言荷也，荷精分布，怀阴引度也。释名曰：河，下也，随地下处而通流也。考异邮曰：河者，水之气，四渎之精也，所以流化。元命苞曰：五行始焉，万物之所由生，元气之腠液也。管子曰：水者，地之血气，如筋脉之通流者，故曰水具财也。五害之属，水最为大，水有大小，有远近，水出山而流入海者，命曰经水；引佗水入于大水及海者，命曰枝水；出于地沟，流于大水，及于海者，又命曰川水也。庄子曰：秋水时至，百川灌河，经流之大。孝经援神契曰：河者，水之伯，上应天汉。新论曰：四渎之源，河最高而长，从高注下，水流激峻，故其流急。徐幹齐都赋曰：川渎则洪河洋洋，发源昆仑，九流分逝，北朝沧渊，惊波沛厉，浮沫扬奔。风俗通曰：江、河、淮、济为四渎。渎，通也，所以通中国垢浊。白虎通曰：其德著大，故称渎。释名曰：渎，独也。各独出其所而入海。

出其东北陬，

山海经曰：昆仑墟在西北，河水出其东北隅。尔雅曰：河出昆仑虚，色白，所渠并千七百一川，色黄。物理论曰：河色黄者，众川之流，盖浊之也。百里一小曲，千里一曲一直矣。汉大司马张仲议曰：河水浊，清澄一石水，六斗泥〔一一〕，而民竞引河溉田，令河不通利。至三月，桃花水至则河决，以其噎不泄也。禁民勿复引河，是黄河兼浊河之名矣。述征记曰：盟津、河津恒浊，方江为狭，比淮、济为阔，寒则冰厚数丈。冰始合，车马不敢过，要须狐行，云此物善听，冰下无水乃过，人见狐行，方渡。余按风俗通云：里语称狐欲渡河，无如尾何？且狐性多疑，故俗有狐疑之说。亦未必一如缘生之言也。

屈从其东南流，入渤海。

山海经曰：南即从极之渊也，一曰中极之渊，深三百仞，惟冯夷都焉。括地图曰：冯夷恒乘云车驾二龙。河水又出于阳纡陵门之山〔一二〕，而注于冯逸之山。穆天子传曰：天子西征，至阳纡之山，河伯冯夷之所都居，是惟河宗氏，天子乃沉珪璧礼焉。河伯乃与天子披图视典，以观天子之宝器，玉果、璇珠、烛银、金膏等物，皆河图所载，河伯以礼，穆王视图，方乃导以西迈矣。粤在伏羲，受龙马图于河，八卦是也。故命历序曰：河图，帝王之阶，图载江河、山川、州界之分野。后尧坛于河，受龙图，作握河记。逮虞舜、夏、商，咸亦受焉。李尤盟津铭：洋洋河水，朝宗于海，径自中州，龙图所在。淮南子曰：昔禹治洪水，具祷阳纡，盖于此也。高诱以为阳纡秦薮，非也。释氏西域记曰：阿耨达太山〔一三〕，其上有大渊水，宫殿楼观甚大焉。山，即昆仑山也。穆天子传曰：天子升于昆仑，观黄帝之宫，而封丰隆之葬。丰隆，雷公也。黄帝宫，即阿耨达宫也。其山出六大水，山西有大水，名新头河。郭义恭广志曰：甘水也，在西域之东，名曰新陶水，山在天竺国西，水甘，故曰甘水。有石盐，白如水精，大段则破而用之。康泰曰：安息、月氏、天竺至伽那调御〔一四〕，皆仰此盐。释法显曰：度葱岭，已入北天竺境，于此顺岭西南行十五日，其道艰阻，崖岸险绝，其山惟石，壁立千仞，临之目眩，欲进则投足无所，下有水，名新头河。昔人有凿石通路施倚梯者，凡度七百梯，度已，蹑悬絙过河，河两岸，相去咸八十步，九译所绝，汉之张骞、甘英皆不至也。余诊诸史传，即所谓罽宾之境，有盘石之隥，道狭尺馀，行者骑步相持，絙桥相引，二十许里，方到悬度，阻险危害，不可胜言。郭义恭曰：乌秅之西，有悬度之国〔一五〕，山溪不通，引绳而度，故国得其名也。其人山居，佃于石壁间，累石为室，民接手而饮，所谓猿饮也。有白草、小步马，有驴无牛，是其悬度乎。释法显又言，度河便到乌长国〔一六〕。乌长国即是北天竺，佛所到国也，佛遗足迹于此，其迹长短在人心念，至今犹尔，及晒衣石尚在。新头河又西南流，屈而东南流，迳中天竺国，两岸平地，有国名毗荼，佛法兴盛。又迳蒲那般河〔一七〕。河边左右，有二十僧伽蓝〔一八〕。此水迳摩头罗国〔一九〕，而下合新头河。自河以西，天竺诸国，自是以南，皆为中国，人民殷富。中国者，服食与中国同，故名之为中国也〔二〇〕。泥洹已来，圣众所行，威仪法则，相承不绝。自新头河至南天竺国，迄于南海，四万里也。释氏西域记曰：新头河经罽宾、犍越、摩诃剌〔二一〕诸国，而入南海是也。阿耨达山西南有水，名遥奴；山西南小东有水，名萨罕；小东有水，名恒伽。此三水同出一山，俱入恒水。康泰扶南传曰：恒水之源，乃极西北，出昆仑山中，有五大源，诸水分流，皆由此五大源。枝扈黎大江〔二二〕出山西北流，东南注大海。枝扈黎，即恒水也。故释氏西域记有恒曲之目。恒北有四国，最西头恒曲中者是也。有拘夷那褐国，法显传曰：恒水东南流，迳拘夷那褐国〔二三〕南，城北双树间，有希连禅河〔二四〕，河边，世尊于此北首般泥洹〔二五〕，分舍利〔二六〕

处。支僧载外国事曰：佛泥洹后，天人以新白緤裹佛，以香花供养，满七日，盛以金棺，送出王宫，度一小水，水名醯兰那，去王宫可三里许，在宫北，以旃檀木为薪，天人各以火烧薪，薪了不燃，大迦叶从流沙还，不胜悲号，感动天地，从是之后，他薪不烧而自燃也。王敛舍利，用金作斗，量得八斛四斗，诸国王、天龙神王各得少许，赍还本国，以造佛寺。阿育王起浮屠于佛泥洹处，双树及塔，今无复有也。此树名娑罗树〔二七〕，其树花名娑罗佉也。此花色白如霜雪，香无比也。竺枝扶南记曰：林杨国去金陈国步道二千里，车马行，无水道。举国事佛，有一道人命过烧葬，烧之数千束樵，故坐火中，乃更著石室中，从来六十馀年，尸如故不朽，竺枝目见之。夫金刚常住，是明永存，舍利刹见，毕天不朽，所谓智空罔穷，大觉难测者矣。其水乱流注于恒。恒水又东迳毗舍利城〔二八〕北，释氏西域记曰：毗舍利，维邪离国也。支僧载外国事曰：维邪离国去王舍城五十由旬，城周圆三由旬，维诘家在大城里宫之南，去宫七里许，屋宇坏尽，惟见处所尔。释法显云：城北有大林重阁，佛住于此，本奄婆罗女家施佛起塔也。城之西北三里，塔名放弓仗。恒水上流有一国，国王小夫人生肉胎，大夫人妒之，言汝之生，不祥之征，即盛以木函，掷恒水中，下流有国王游观，见水上木函，开看，见千小儿端正殊好，王取养之，遂长大，甚勇健，所往征伐，无不摧服。次欲伐父王本国，王大愁忧，小夫人问：何故愁忧？王曰：彼国王有千子，勇健无比，欲来伐吾国，是以愁尔。小夫人言：勿愁，但于城西作高楼。贼来时，上我置楼上，则我能却之。王如是言。贼到，小夫人于楼上语贼云：汝是我子,何故反作逆事?贼曰:汝是何人,云是我母。小夫人曰:汝等若不信者,尽张口仰向。小夫人即以两手捋乳,乳作五百道,俱坠千子口中。贼知是母,即放弓仗。父母作是思惟,皆得辟支佛,今其塔犹在,后世尊成道,告诸弟子,是吾昔时放弓仗处。后人得知,于此处立塔,故以名焉。千小儿者,即贤劫千佛也。释氏西域记曰:恒曲中次东,有僧迦扇柰揭城〔二九〕,佛下三道宝阶国也。法显传曰:恒水东南流,迳僧迦施国南,佛自忉利天东下三道宝阶,为母说法处。宝阶既没,阿育王于宝阶处作塔,后作石柱,柱上作师子像,外道少信,师子为吼,怖效心诚。恒水又东迳罽宾饶夷城〔三〇〕,城南接恒水,城之西北六七里,恒水北岸,佛为诸弟子说法处。恒水又东南迳沙祇国北,出沙祇城南门道东,佛嚼杨枝刺土中,生长七尺,不增不减,今犹尚在。恒水又东南,迳迦维罗卫城北,故净王宫〔三一〕也。城东五十里有王园,园有池水,夫人入池洗浴,出北岸二十步,东向举手,扳树生太子,太子堕地,行七步,二龙吐水浴太子,遂成井池。众僧所汲养也。太子与难陀等扑象角力,射箭入地,今有泉水,行旅所资饮也。释氏西域记曰:城北三里恒水上,父王迎佛处,作浮图,作父抱佛像。外国事曰:迦维罗越国今无复王也。城池荒秽,惟有空处,有优婆塞姓释,可二十馀家,是昔净王之苗裔,故为四姓,住在故城中,为优婆塞,故尚精进,犹有古风。彼日浮图坏尽,条王弥〔三二〕更修治一浮图,私诃条王送物助成,今有十二道人住其中,太子始生时,妙后所扳树,树名须诃。阿育王以青石作后扳生太子像。昔树无复有,后诸沙门取昔树栽种之,展转相承到今,树枝如昔，尚荫石像。又太子见行七步足迹，今日文理见存。阿育王以青石挟足迹两边，复以一长青石覆上，国人今日恒以香花供养，尚见足七形，文理分明。今虽有石覆无异，或人复以数重吉贝〔三三〕，重覆贴著石上，逾更明也。太子生时，以龙王夹太子左右，吐水浴太子，见一龙吐水暖，一龙吐水冷，遂成二池，今尚一冷一暖矣。太子未出家前十日，出往王田阎浮树〔三四〕下坐，树神以七宝奉太子，太子不受，于是思惟欲出家也。王田去宫一据〔三五〕，据者，晋言十里也。太子以三月十五日夜出家，四天王来迎，各捧马足。尔时诸神天人侧塞，空中散天香花。此时以至河南摩强水〔三六〕，即于此水边作沙门。河南摩强水在迦维罗越北，相去十由旬。此水在罗阅祇瓶沙国，相去三十由旬。菩萨于是暂过，瓶沙王出见菩萨，菩萨于瓶沙随楼那果园中住一日，日暮便去半达钵愁〔三七〕宿。半达，晋言白也；钵愁，晋言山也。白山北去瓶沙国十里，明旦便去，暮宿昙兰山，去白山六由旬。于是径诣贝多树〔三八〕，贝多树在阅祇北，去昙兰山二十里。太子年二十九出家，三十五得道，此言与经异，故记所不同。竺法维曰：迦维卫国〔三九〕，佛所生天竺国也，三千日月、万二千天地之中央也。康泰扶南传曰：昔范旃时，有嘾杨国人家翔梨，尝从其本国到天竺，展转流贾至扶南，为旃说天竺土俗，道法流通，金宝委积，山川饶沃，恣所欲，左右大国，世尊重之。旃问云：今去何时可到，几年可回？梨言：天竺去此，可三万馀里，往还可三年逾。及行，四年方返，以为天地之中也。恒水又东迳蓝莫塔，塔边有池，池中龙守护之。阿育王欲破塔，作八万四千塔，悟龙王所供，知非世有，遂止。此中空荒无人，群象以鼻取水洒地，若苍梧、会稽，象耕、鸟耘矣。恒水又东至五河口，盖五水所会，非所详矣。阿难从摩竭国向毗舍利〔四〇〕，欲般泥洹，诸天告阿阇世王，王追至河上，梨车闻阿难来，亦复来迎，俱到河上，阿难思惟，前则阿阇世王致恨，却则梨车复怨，即于中河，入火光三昧，烧具两般泥洹。身二分，分各在一岸，二王各持半舍利，还起二塔。渡河南下一由巡〔四一〕，到摩竭提国巴连弗邑〔四二〕，邑，即是阿育王所治之城。城中宫殿皆起墙阙，雕文刻镂，累大石作山，山下作石室，长三丈，广二丈，高丈馀，有大乘婆罗门子，名罗汰私婆，亦名文殊师利，住此城里，爽悟多智，事无不达，以清净自居，国王宗敬师事之。赖此一人，宏宣佛法，外不能陵。凡诸国中，惟此城为大，民人富盛，竞行仁义。阿育王坏七塔，作八万四千塔。最初作大塔，在城南二里馀，此塔前有佛迹，起精舍，北户向塔，塔南有石柱，大四五围，高三丈馀，上有铭，题云：阿育王以阎浮提布施四方，僧还以钱赎塔。塔北三百步，阿育王于此作泥犁城〔四三〕，城中有石柱，亦高三丈馀，上有师子柱，有铭，记作泥犁城因缘，及年数日月。恒水又东南迳小孤石山，山头有石室，石室南向，佛昔坐其中，天帝释以四十二事问佛，佛一一以指画石，画迹故在。恒水又西迳王舍新城，是阿阇世王所造，出城南四里，入谷至五山里，五山周围，状若城郭，即是蓱沙王旧城〔四四〕也。东西五六里，南北七八里，阿阇世王始欲害佛处。其城空荒，又无人径，入谷傅山，东南上十五里，到耆阇崛山，未至顶三里，有石窟南向，佛坐禅处。西北四十步，复有一石窟，阿难坐禅处。天〔四五〕魔波旬化作雕鹫恐阿难，佛以神力，隔石舒手摩阿难肩，怖即得止。鸟迹、手孔悉存，故曰雕鹫窟也。其山峰秀端严，是五山之最高也。释氏西域记云：耆阇崛山在阿耨达王舍城东北，西望其山，有两峰双立，相去二三里，中道鹫鸟，常居其岭，土人号曰耆阇崛山。胡语耆阇，鹫也。又竺法维云：罗阅祇国有灵鹫山，胡语云耆阇崛山。山是青石，石头似鹫鸟。阿育王使人凿石，假安两翼、两脚，凿治其身，今见存，远望似鹫鸟形，故曰灵鹫山也。数说不同，远迩亦异，今以法显亲宿其山，诵首楞严，香华供养，闻见之宗也。又西迳迦那城〔四六〕南三十里，到佛苦行六年坐树处，有林木。西行三里，到佛入水洗浴、天王按树枝得扳出池处。又北行二里，得弥家女奉佛乳糜处。从此北行二里，佛于一大树下石上，东向坐食糜处，树石悉在，广长六尺，高减二尺。国中寒暑均调，树木或数千岁，乃至万岁。从此东北行二十里，到一石窟，菩萨入中，西向结跏趺坐，心念：若我成道，当有神验。石壁上即有佛影见，长三尺许，今犹明亮。时天地大动，诸天在空言，此非过去当来诸佛成道处，去此西南行，减半由旬，贝多树下，是过去当来诸佛成道处。诸天导引菩萨起行，离树三十步，天授吉祥草〔四七〕，菩萨受之，复行十五步，五百青雀飞来，绕菩萨三匝西去。菩萨前到贝多树下，敷吉祥草，东向而坐。时魔王遣三玉女从北来试菩萨，魔王自从南来，菩萨以足指按地，魔兵却散，三女变为老姥，不自服。佛于尼拘律树〔四八〕下方石上东向坐，梵天来诣佛处，四天王捧钵处皆立塔。外国事曰：毗婆梨，佛在此一树下六年，长者女以金钵盛乳糜上佛，佛得乳糜，住足尼连禅河〔四九〕浴。浴竟，于河边啖糜竟，掷钵水中，逆流百步，钵没河中。迦梨郊龙王接取在宫供养，先三佛钵亦见。佛于河傍坐摩诃菩提树〔五〇〕，摩诃菩提树去贝多树二里，于此树下七日，思惟道成，魔兵试佛。释氏西域记曰：尼连水南注恒水，水西有佛树，佛于此苦行，日食糜六年。西去城五里许，树东河上，即佛入水浴处。东上岸尼拘律树下坐修，舍女上糜于此。于是西度水，于六年树南贝多树下坐，降魔得佛也。佛图调曰：佛树中枯，其来时更生枝叶。竺法维曰：六年树去佛树五里，书其异也。法显从此东南行，还巴连弗邑，顺恒水西下，得一精舍，名旷野，佛所住处。复顺恒水西下，到迦尸国波罗柰城。竺法维曰：波罗柰国在迦维罗卫国南千二百里，中间有恒水，东南流，佛转法轮处，在国北二十里，树名春浮，维摩所处也。法显曰：城之东北十里许，即鹿野苑，本辟支佛住此，常有野鹿栖宿，故以名焉。法显从此还，居巴连弗邑。又顺恒水东行，其南岸有瞻婆大国。释氏西域记曰：恒曲次东有瞻婆国城，南有卜佉兰池，恒水在北，佛下说戒处也。恒水又迳波丽国，即是佛外祖国也。法显曰：恒水又东到多摩梨靬国〔五一〕，即是海口也。释氏西域记曰：大秦一名梨靬〔五二〕。康泰扶南传曰：从迦那调洲西南入大湾，可七八百里，乃到枝扈黎大江口，度江迳西行，极大秦也。又云：发拘利口，入大湾中，正西北入，可一年馀，得天竺江口，名恒水。江口有国，号担袂〔五三〕，属天竺。遣黄门字兴为担袂王。释氏西域记曰：恒水东流入东海。盖二水所注，两海所纳，自为东西也。释氏论：佛图调列山海经曰：西海之南，流沙之滨，赤水之后，黑水之前，有大山，名昆仑。又曰：锺山西六百里有昆仑山，所出五水，祖以佛图调传也。又近推得康泰扶南传，传昆仑山正与调合。如传，自交州至天竺最近。泰传亦知阿耨达山是昆仑山。释云：赖得调传，豁然为解，乃宣为西域图，以语法汰，法汰以常见怪，谓汉来诸名人，不应河在敦煌南数千里，而不知昆仑所在也。释云：复书曰：按穆天子传，穆王于昆仑侧、瑶池上觞西王母，云去宗周瀍、涧，万有一千一百里，何得不如调言？子今见泰传，非为前人不知也。而今以后，乃知昆仑山为无热丘，何云乃胡国外乎？余考释氏之言，未为佳证。穆天子、竹书及山海经，皆埋缊岁久，编韦稀绝，书策落次，难以缉缀；后人假合，多差远意，至欲访地脉川，不与经符，验程准途，故自无会。释氏不复根其众归之鸿致，陈其细趣，以辨其非，非所安也。今按山海经曰：昆仑墟在西北，帝之下都。昆仑之墟，方八百里，高万仞，上有木禾，面有九井，以玉为槛，面有九门，门有开明兽守之，百神之所在。郭璞曰：此自别有小昆仑也。又按淮南之书，昆仑之上，有木禾、珠树、玉树、璇树，不死树在其西，沙棠、琅玕在其东，绛树在其南，碧树、瑶树在其北。旁有四百四十门，门间四里，里间九纯，纯丈五尺。旁有九井，玉横维其西北隅，北门开，以纳不周之风，倾宫、旋室、县圃、凉风、樊桐，在昆仑阊阖之中，是其疏圃，疏圃之池，浸之黄水，黄水三周复其源，是谓丹水，饮之不死。河水出其东北陬，赤水出其东南陬，洋水出其西北陬，凡此四水，帝之神泉，以和百药，以润万物。昆仑之丘或上倍之，是谓凉风之山，登之而不死；或上倍之，是谓玄圃之山，登之乃灵，能使风雨；或上倍之，乃维上天，登之乃神，是谓太帝之居。禹乃以息土填鸿水，以为名山，掘昆仑虚以为下地。高诱曰：地或作池。则以仿佛近佛图调之说。阿耨达六水，葱岭、于阗二水之限，与经史诸书，全相乖异。又按十洲记，昆仑山在西海之戌地，北海之亥地。去岸十三万里，有弱水，周匝绕山，东南接积石圃，西北接北户之室，东北临大阔之井，西南近承渊之谷。此四角大山，实昆仑之支辅也。积石圃南头，昔西王母告周穆王云，去咸阳四十六万里，山高平地三万六千里，上有三角，面方，广万里，形如偃盆，下狭上广。故曰昆仑山有三角。其一角正北，干辰星之辉，名曰阆风巅；其一角正西，名曰玄圃台；其一角正东，名曰昆仑宫。其处有积金，为天墉城，面方千里，城上安金台五所，玉楼十二。其北户山、承渊山又有墉城，金台玉楼，相似如一。渊精之阙，光碧之堂，琼华之室，紫翠丹房，景烛日晖，朱霞九光，西王母之所治，真官仙灵之所宗。上通旋机，元气流布，玉衡常理，顺九天而调阴阳，品物群生，希奇特出，皆在于此，天人济济，不可具记。其北海外，又有锺山，上有金台玉阙，亦元气之所含，天帝居治处也。考东方朔之言，及经五万里之文，难言佛图调、康泰之传是矣。六合之内，水泽之藏，大非为巨，小非为细，存非为有，隐非为无，其所苞者广矣。于中同名异域，称谓相乱，亦不为寡。至如东海方丈，亦有昆仑之称，西洲铜柱，又有九府之治。东方朔十洲记曰：方丈在东海中央，东西南北岸，相去正等，方丈面各五千里，上专是群龙所聚，有金玉琉璃之宫，三天司命所治处，群仙不欲升天者，皆往来也。张华叙东方朔神异经曰：昆仑有铜柱焉，其高入天，所谓天柱也。围三千里,圆周如削,下有回屋,仙人九府治。上有大鸟,名曰希有,南向,张左翼覆东王公,右翼覆西王母,背上小处无羽,万九千里,西王母岁登翼上,之东王公也。故其柱铭曰:昆仑铜柱。其高入天,圆周如削,肤体美焉。其鸟铭曰:有鸟希有,绿赤煌煌,不鸣不食,东覆东王公,西覆西王母,王母欲东,登之自通,阴阳相须,惟会益工。遁甲开山图曰:五龙见教,天皇被迹,望在无外柱州昆仑山上。荣氏注云:五龙治在五方,为五行神。五龙降天皇兄弟十二人,分五方为十二部,法五龙之迹,行无为之化。天下仙圣治,在柱州昆仑山上,无外之山,在昆仑东南万二千里,五龙、天皇皆在此中,为十二时神也。山海经曰:昆仑之丘,实惟帝之下都,其神陆吾,是司天之九部,及帝之囿时。然六合之内,其苞远矣。幽致冲妙,难本以情,万像遐渊,思绝根寻,自不登两龙于云辙,骋八骏于龟途,等轩辕之访百灵,方大禹之集会计,儒墨之说,孰使辨哉。

又出海外,南至积石山下,有石门。

山海经曰:河水入渤海,又出海外,西北入禹所导积石山。山在陇西郡河关县西南羌中。余考群书,咸言河出昆仑,重源潜发,沦于蒲昌,出于海水。故洛书曰:河自昆仑,出于重野。谓此矣。迳积石而为中国河。故成公子安大河赋曰:览百川之宏壮,莫尚美于黄河;潜昆仑之峻极,出积石之嵯峨。释氏西域记曰:河自蒲昌,潜行地下,南出积石,而经文在此,似如不比,积石宜在蒲昌海下矣。

〔一〕注疏本作"河水一"。疏:"戴删一字,云:近刻河水下有一二等字，乃明人臆加。”

〔二〕札记昆仑：

水经与水经注，都是从“昆仑”开始的。水经第一句是“昆仑墟在西北”，水经注的第一句是“三成为昆仑丘”。“昆仑”二字作何解释，经、注均未提及，仅言是山而已。水经注为了描述昆仑山，引用了大量文献，包括昆仑说、禹本纪、穆天子传、山海经、外国图、淮南子、尔雅、释氏西域记、佛图调传、康泰扶南传、十洲记、神异经、洛书等等。但各种文献都是说的昆仑山的位置、别名、从此山发源的河流以及有关此山的种种神话，绝不涉及“昆仑”一词的意义。

“昆仑”当然是外来语，但这个外来语传入华夏为时甚早，因为成书于战国时代的山海经和禹贡，都已经记载了这个地名。西山经说：“槐江之山……南望昆仑，其光熊熊。”又说：“西南四百里曰昆仑之丘，实惟帝之下都。”海内西经说：“海内昆仑之虚在西北，帝之下都。”山海经的这些话，水经注大都引及了。禹贡则在雍州下提及：“织皮昆仑、析支、渠搜，西戎即叙。”昆仑这个外来语居然见之于极早的汉族文献，曾有人以此与汉族的西来说联系起来。例如河水注所引及的昆仑山玄圃、玄圃之山、玄圃台等等，徐球在黄帝之囿与巴比伦之悬园（地学杂志一九三一年第一期）一文中，曾经东西相比，作为汉族西来的证据。但王国维在其鬼方昆夷猃狁考一文中，认为禹贡昆仑由昆夷演变而来。昆夷之名，始见于诗大雅绵“混夷駾矣”。混夷即昆夷，亦即猃狁、犬戎，其族自汧陇，环中国而北，东及太行、常山间，以后由汧陇西移。则“昆仑”一名，不是由西而东，而是由东而西的。但有一点可以肯定，即使王氏的考证可信，昆夷亦非汉族，所以“昆仑”是外来语可以无疑。

从河水注描述的昆仑山来看，如：“昆仑之山三级，下曰樊桐，一名板桐；二曰玄圃，一名阆风；上曰层城，一名天庭，是为太帝之居。”如：“昆仑之墟，方八百里，高万仞，上有木禾，面有九井，以玉为槛，面有九门，门有开明兽守之，百神之所在。”又如：“昆仑山有三角，其一角正北，干辰星之辉，名曰阆风巅；其一角正西，名曰玄圃台；其一角正东，名曰昆仑宫。”又如：“渊精之阙，光碧之堂，琼华之室，紫翠丹房，景烛日晖，朱霞九光。”等等。这分明是一座神话之山。假使这个神话确实来自新疆一带，那么，很可能是人们对于在沙漠中所见的海市蜃楼的幻想和加工。因此，传说中的昆仑山是没有具体地理位置的。而现在我们在地图上看到的介于羌塘高原和塔里木盆地南缘之间的昆仑山，那是张骞和汉武帝两人合作的作品。有史记大宛列传可以为证：

> 汉使穷河源，河源出于阗，其山多玉石，采来，天子案古图书，名河所出山曰昆仑山。

这里的“汉使”是张骞，“天子”当然是汉武帝，所谓“古图书”，当是禹本纪和山海经之类。禹本纪在郦道元时代尚存在，所以河水注引及此书，但以后就亡佚。司马迁曾在大宛列传中引及一句，这一句大概就是汉武帝的依据：“河出昆仑，昆仑高二千五百馀里，日月相避隐为光明也。”汉武帝在山海经一书中也获得一些根据，那就是河水注所引的“面有九井，以玉为槛”。他把张骞的考察结果,“河源出于阗”(这是错误的)、“其山多玉石”(这是正确的)两句话与禹本纪和山海经核对,就把于阗(今和田)南山定为昆仑山。

尽管汉武帝把“昆仑”作为一座山名而固定下来,但“昆仑”实际上是个外来语,它还可以出现不同的音译。卷一河水经“屈从其东南流,入渤海”注云:“竺枝扶南记曰:林杨国去金陈国,步道二千里,车马行,无水道,举国事佛。”据御览卷七九〇四夷部十一金隣国条云:“金隣一名金陈,去扶南可二千馀里,地出银,人民多,好猎大象,生得乘骑,死则去其牙齿。”河水注金陈与御览金隣,据岑仲勉南海昆仑与昆仑山之最初译名及其附近诸国(中外史地考证上册,中华书局一九六二年出版)一文云:“金隣之还原,当作 Kumrun,一变则为 Kamrun 或 Kunrun……昆仑国与 Kamrun 之即金鄰,盖无致疑之馀地。”这样,金隣或金鄰,就是昆仑的另一种音译,而这个金隣或金鄰,在水经注作金潾,卷三十六温水经“东北入于鬱”注云:“晋功臣表所谓金潾清径,象渚澄源者也。”这个金潾,并且也可以译作金麟,明田艺蘅留青日札卷十引张籍蛮中诗:“铜柱南边毒草春,行人几日到金麟。”

御览说金隣人好猎大象,张籍说金麟在铜柱以南。位于铜柱以南而产象,则这个金隣或金麟,不在中国西北,而在中国之南了。既然方位相差极远,那末,岑仲勉认为金鄰即昆仑的考证是否属实呢?岑氏的考证是信而有征的,因为在卷三十六温水注也可以找到答案。温水经“东北入于鬱”注中有一段话:

夜于寿泠浦里相遇，暗中大战，谦之手射阳迈柁工，船败纵横，"昆仑"单舸，接得阳迈。

由此可知，昆仑不仅出于西域，而且也出于南海。西域昆仑是山名，南海昆仑则是国族名。而金陈、金隣、金鄰、金潾、金麟等，都是昆仑的不同音译，也不致有讹。

〔三〕注疏本疏云："赵云，见尔雅释丘。赵琦美据河水四注，'三成'上增'山'字，非也。守敬按，赵说是，而赵本有'山'字，适相违反，当是刊刻者妄加。"

手稿第四集中册记孙潜过录的柳佥水经注钞本与赵琦美三校水经注本并记此本上的袁廷梼校记："三成为昆仑丘。"赵氏水经注释的原本（四库本、吴骞钞本、赵氏初刻未改本）此句校改作"山三成为昆仑邱"。这里添了一个"山"字。刊误的原本（四库本及初刻未改本）卷一第一条是："三成为昆仑邱。"一清按，赵琦美据尔雅"三成"上增"山"字。……赵琦美的第一次受冤枉，明是东潜偶然误记。

〔四〕板桐　黄本、吴本、注笺本、何校明钞本、项本、沈本、五校钞本、七校本、注释本、方舆纪要卷六十五陕西十四西蕃昆仑山引水经注、万斯同昆仑河源考引水经注均作"板松"。

〔五〕玄圃　方舆纪要卷六十五陕西十四西蕃昆仑山、康熙山东通志卷六十四杂志登州府阆风元圃引水经注均作"元圃"。

〔六〕层城　吴本、注笺本、项本、五校钞本、七校本、注疏本、万斯同昆仑河源考、佩文韵府卷十五（十五删）山昆仑山引水经注均作"增城"。

〔七〕昆山　赵琦美三校本、嘉靖河州志卷四艺文志、元柯九思黄河序引水经注均作"昆仑",注笺本、项本、注释本均作"昆仑山"。按高诱,东汉涿人,注淮南子,此语出淮南子地形训注。

〔八〕注疏本作"天子自昆仑山入于宗周",疏:"朱'昆'下有'仑'字,赵同,戴无。守敬按:大典本、黄本并无'仑'字,穆天子传中,昆仑凡六见,无单称昆山者。"按今本穆天子传,昆仑凡八见,杨云六见,误。

〔九〕昆仑之墟　禹贡集解卷三引水经注作"昆仑墟",昆仑异同考引水经注作"昆仑之虚",辛卯侍行记卷五陶葆廉引水经注作"昆仑虚"。

〔一〇〕手稿第六集中册"二尺六寸与三尺六寸":

水经注卷一开始叙昆仑墟,经文"其高万一千里"下,注引淮南子称高"万一千里百一十步二尺六寸"。朱笺如此。古本如大典本、黄省曾本,皆作:"淮南子称高万一千一百里一十四步二尺六寸。"朱笺改作"万一千里百一十四步二尺六寸"。是依据淮南子地形训。地形训原文如下:

> 禹乃以息土填洪水,以为名山。掘昆仑虚以下地,中有增城九重,其高万一千里百一十四步二尺六寸。(四部丛刊影印影钞北宋本)

朱笺以后,谭元春、项细、黄晟诸刻此句都从朱笺,没有异文。

但戴震校的官本与他的自刻本此句末四字都作"三尺六寸"。官本校云:"案三尺,近刻讹作二尺。"

赵一清的水经注释的四库全书本,以及各种刻本,此句末四字也都作"三尺六寸"。赵氏在水经注笺刊误(卷一,叶二)

说:“二尺六寸。二当作三,淮南子校正。”

我在五六年前,曾同王重民先生遍查纽约、康桥、华盛顿三处的所有淮南子各种版本,没有一本作“三尺六寸”的!都作“二尺六寸”。

我在北平时,又托张政烺先生遍查北平公私所藏淮南子版本,也都作“二尺六寸”,没有一本作“三尺六寸”的!

民国三十七年,我在南京看见熊会贞补成的杨守敬水经注疏要删再续补稿本四十卷,其卷一也提出此条,疏云:

> 赵改二尺作三寸(适按当作“三尺”),云以淮南子校正。全、戴从之。按庄校淮南子作二尺,汉魏丛书本及日本校刻本并同。不知赵氏见何误本,致全、戴亦为所惑!

同时我在南京又得见熊会贞晚年补成的杨守敬、熊会贞水经注疏稿本八十卷。我试检卷一此条,看稿本上有涂改几次的痕迹,最后是熊先生的定本如下:

> 疏:赵据淮南子校改二尺作三尺,戴改同。守敬按地墬训(适按当作墬形训,即地形训)文,庄校淮南子作二尺,汉魏丛书本及日本刻本并同,不知赵氏见何误本也。

熊会贞先生晚年的见解稍有进境,故此条不说“全、戴从之”,也不说“致全、戴亦为所惑”。他止说“戴改同”。他的态度变得忠厚多了。但我仔细研究他几番涂抹的文字,还可以看出他到底还觉得这一条赵、戴两人都改作“三尺”,未免太可怪了,所以可算作杨守敬在几十年前说的“赵误而戴亦袭其误”的一个很明显的例证。

熊先生检查过的止有庄逵吉校刻本,汉魏丛书本,日本刻本,共三种淮南子。王重民、张政烺两先生同我在海外、海内,前后检查的淮南子现存的刻本与钞本,共有三十多种。我们可以断定:明、清两代学者所能见到的淮南子刻本或钞本,没有一个本子此句作"三尺六寸"的。

赵一清刊误里说的"淮南子校正"五字,大概是他记忆的错误。刊误里记校改的根据,并不止这一处。刊误第一卷第一条"三成为昆仑邱",四库本作:

一清按,赵琦美据尔雅,"三成"上校补"山"字。

赵书初刻本改本,与四库本同。但赵家请来校勘此书的学者梁履绳,不久就发现尔雅释丘原来并没有"山"字,于是水经注释卷一原刻"山三成为昆仑邱"一句就得剜改了,所以现行赵书卷一的郦注最初三整行都是为了删这一个字而改刻的,刊误的第一条也剜改了一整行,改成这个样子:

见尔雅释邱。赵琦美据河水四注,"三成"上增"山"字,非也。

其实孙潜校赵琦美的水经注本,卷一尚存傅沅叔先生家中,我曾校过,此句并没有校增"山"字。赵氏刊误原本说赵琦美据尔雅增此字,是东潜偶然误记。剜改本说赵琦美根据河水四注增此字,那更是梁履绳有心诬赖他了。

"三成为昆仑邱"是刊误第一条。"二尺六寸"是第四条。这两条同是赵东潜偶然记错了他校改的理由。尔雅原文没有"山"字,只作"三成为昆仑丘"。淮南子地形训原文正作"二尺六寸",并不作"三尺六寸"。

那么,为什么赵、戴两公都改作"三尺六寸"呢?

现在我们已经断定戴氏没有得见赵书了。所以我们现在不妨撇开一切“谁袭谁”的成见，然后研究这两位先生为什么都感觉这里“二尺六寸”有改作“三尺六寸”的需要。

我的答案是：赵、戴两公都因为旧说“三成为昆仑丘”，昆仑墟是分三级的，——淮南地形训说“增城九重”，——所以他们都想到“二尺六寸”是不能用三除的，更不能用九除的。（前面的“万一千里百一十四步”化成尺数，可以用九除，因为一里是三百六十步，一步是六尺。）所以他们都认为这尾数应该成“三尺六寸”，他们就随笔改了。昆仑虚的高度本来是神话。淮南地形训说的万一千多里等于二千三百七十六万多尺。二千三百多万尺里，多加一尺，本来用不着什么校勘学的根据。赵东潜后来写定刊误时，有心要多标出校改的根据，于是第一条就冤枉了尔雅，又冤枉了赵琦美；第四条就冤枉了淮南子，又几乎在无意中冤枉了戴东原。

〔一一〕札记一石水六斗泥：

张仲一名，各本郦注均有误。按汉书沟洫志当作张戎，字仲功，其官名大司马史，郦注漏“史”，漏“功”。今殿本已加案语校正。这条注文的重要价值是，黄河的含沙量，已经有了定量的记载，即“清澄一石水，六斗泥”。中国古籍中有许多关于黄河含沙量甚大的记载，例如左传襄公八年：“周诗有之曰：俟河之清，人寿几何？”即是其例。但这类记载都只有性状的描述，没有数量的记录。郦注的这条资料，从数量上说明了黄河的含沙量情况，所以值得珍贵。

黄河是一条善淤、善决、善徙的河流，它的含沙量，居世界河流的第一位。黄河的平均径流量，据陕县水文站的观测，只有四百多亿立方米，还抵不上一条小小的长江支流嘉陵江（六百七十二亿立方米），只有长江（四千五百一十亿立方米，宜昌站）的百分之九点四。但它的多年平均含沙量（陕县站），每立方米竟有三十六点九公斤，为长江（每立方米一点一四公斤，宜昌站）的三十二倍。它平均年输沙十六亿吨（陕县站），约为长江的三倍（五点四亿吨）。根据文献资料的统计，建国以前的三千年间，黄河下游决口泛滥约有一千五百馀次，较大的改道约有二三十次，其中特别重大的改道有四次。在这条河流的泛滥改道中，我国人民已经付出了难以估计的代价。

〔一二〕陵门之山　吴本、注笺本、项本、注释本、张本、注疏本、潘昂霄河源记引水经注均作"凌门之山"。

〔一三〕阿耨达太山　注笺本、项本、注释本、张本、昆仑异同考引水经注均作"阿耨达大山"。岑仲勉水经注卷一笺校（中外史地考证上册）注："阿耨达大山，梵言为 Anavatapta。"

〔一四〕伽那调御　注疏本作"伽那调洲"，水经注卷一笺校注引南州异物志作"奴调洲"。

〔一五〕悬度之国　大典本、何校明钞本、王校明钞本、项本、摘钞本、张本均作"悬渡之国"，吴本作"县渡之国"，汉书西域传补注卷上引水经注作"县度之国"。

〔一六〕乌长国　吴本、注笺本、项本、五校钞本、七校本、注释本、张本、注疏本均作"乌苌国"。

〔一七〕蒲那般河　大典本、何本作"满那般河"，注笺本、项本作"蒲那河"，注释本作"捕那般河"。岑仲勉水经注卷一笺校

注:"'蒲',朱笺云:法显传作'捕'。赵一清刊误云:案'那'下落'般'字,黄省曾本校增。按捕那般河即今 Jumna R.,大唐西域记作阎牟那河,新婆娑论作阎母那河,法显传亦无'般'字,'那'字古人或书作'郍'或'舡',形与'般'近,疑后人因此而误增也。此河东与恒河入海,不合新头河,参看拙著法显西行年谱。"

〔一八〕僧伽蓝　梵语 Saṃghârāma,常译作僧伽蓝摩或僧伽罗摩。僧伽蓝是其省译,原义为众园,亦引申作寺院。唐玄应一切经音义卷一:"僧伽蓝,正言僧伽罗磨,此云众园也。"慧琳一切经音义卷二一:"僧伽蓝,具云僧伽罗摩,言僧者众也;伽罗摩者,园也。或云众所乐住处也。"通鉴卷二〇七,唐纪二十三,则天后久视元年:"今之伽蓝。"胡注:"伽蓝,佛寺也,梵语言僧伽蓝摩,犹中华言众园也。"

〔一九〕摩头罗国　黄本、沈本作"头罗国"。水经注卷一笺校注:"摩头罗国,梵名为 Mathurā。"

〔二〇〕自是以南,皆为中国,人民殷富。中国者,服食与中国同,故名之为中国也　札记梵语地名:

> 这个中国,在梵语作 Madhya-deśa,是由梵语 Madhya(意谓中间的)和 Deśa(意为国家)二词合成,并非我们中国。下面抄一段艾德尔(E. J. Eitel)在中国佛教手册(*Handbook of Chinese Buddhism: Being a Sanskrit-Chinese Dictionary with Vocabularies of Buddhist Terms in Pali, Singhalese, Siamese, Burmese, Tibetan, Mongolian and Japanese*)第八十三页中对于这个地名的解释:"中国,中部的王国,印度中部的一般称谓(Madhya-deśa, The Middle Kingdom, Common Term for Central

India)。”这个所谓中国，其实就是古代恒河中游的中印度。

〔二一〕摩诃剌　大典本、黄本、吴本、注笺本、项本、沈本、张本均作“摩河剌”。水经注卷一笺校注：“其梵名为 Maha Rajgir，乃恒河流域，非新头河所经。”

〔二二〕枝扈黎大江　冯承钧西域地名第五十九页 Phalgumati 条云：“史记卷一二三正义引括地志，昆仑山水出，一名拔扈利水，一名恒伽河(Ganga)，水经注卷一误枝扈黎。”水经注卷一笺校注云：“Phalgumati 亦作 Phalgu，今伽耶区中恒河之一支也，但无‘利’字之对音。南州异物志云(御览七九〇)：‘扈利国在奴调洲西南边海。’知扈利即扈枝利，枝如作技，在古音更与 Hugli 之发音接近，况此口直至现代，尚为进出海所必经，枝扈黎大江即今 Hugli R.，殆无致疑之地，西域地名所证，未见其有当也。”

〔二三〕拘夷那褐国　吴本、注笺本、项本、张本、卮林卷一引水经注均作“拘夷那竭国”，五校钞本、七校本、注释本均作“拘夷那喝国”。水经注卷一笺校岑仲勉云：“按此国梵名为 Kuśinagara，法显译 Nagara 为‘那竭’，则此处亦应作‘竭’，下同。”

〔二四〕希连禅河　水经注卷一笺校：“希连之梵名为 Hiraṇyavatī，今乾度(Gandak)也。……法显传无‘禅’字。”

〔二五〕般泥洹　水经注卷一笺校：“亦作般涅槃，梵语为 Parinirvāṇa。魏书释老志云：‘涅槃译云灭度，或言常乐我净，明无迁谢及诸苦累也。’”

〔二六〕舍利　梵语 Śarīra 之音译，玄应一切经音义卷六：“舍利，正言设利罗，译云身骨。”

〔二七〕娑罗树　札记吉贝与吉祥草：“梵语名 Śāla，学名

Shorea robusta。”

〔二八〕毗舍利城　注笺本、项本、张本、注疏本、水经注卷一笺校，均作“毗舍离城”。岑仲勉云：“梵名为 Vaiśālī，在今 Gandaki 河沿岸。”

〔二九〕僧迦扇柰揭城　黄本、注笺本、项本、沈本、张本、注疏本均作“申迦扇柰揭城”。水经注卷一笺校岑仲勉云：“僧迦扇(Saṃkāśya)即下引法显传僧迦施(迦，今传作伽)之异译，以对音求之，亦未尝不可作申迦扇。”

〔三〇〕罽宾饶夷城　大典本、黄本、赵琦美三校本、沈本、何本均作绕夷城，吴本作饶夷城，注疏本作罽饶夷城，水经注卷一笺校岑仲勉云：“按法显传只作‘罽饶夷’(彝)，即今之 Kanauj，盖后人因涉罽宾而误也。”

〔三一〕净王宫　水经注卷一笺校作“白净王宫”，岑仲勉云：“朱、全、赵三本均作‘故曰净王宫也’，戴则以‘曰’字为衍文。按郦注自上文法显传起，至下文‘行旅所资饮也’一段，全是传文之略出，此句亦不能在例外；但今传文云：‘白净王故宫处作太子母形像，及太子乘白象入母胎时，太子出城东门见病人回车还处，皆起塔。’两为比勘，便知‘曰净’乃‘白净’之讹。”

〔三二〕条王弥　或是“条三弥”之讹。御览卷七〇一服用部三“承尘”条：“斯诃条国有大富长者条三弥，与佛作金薄承尘，一佛作两重承尘。”

〔三三〕札记吉贝与吉祥草：“案吉贝，学名 Ceiba pentandra，是木棉科落叶大乔木，又称‘美洲木棉’或‘爪哇木棉’。翻译名义集卷七云：‘即木棉也。’说明我国在宋代已名此物为木棉。因为在宋以前,我国对此种植物的译名甚多。水经注疏引四分律作'劫贝',引玄应一切经音义作'劫波育'、'劫婆娑'、'迦波罗'。在我国古籍中,最早提出'吉贝'一名的是三国吴丹阳太守万震所撰的南州异物志,但此书已亡佚。宋书与齐书都称'古贝'。因此,水经注是现存古籍中提出'吉贝'一名的最早文献。在现存古籍中最早解释'吉贝'这种植物的是梁书诸夷传林邑国。其文云:'又出瑇瑁、贝齿、吉贝、沉水香。吉贝者,树名也,其华成时如鹅毳,抽其绪纺之,洁白如纻布不殊,亦染成五色,为斑布也。'吉贝一词,从其语源来说并非出自梵语,而是马来语 Kapoq 的音译。但后来则产于印度。宋书蛮夷传呵罗单国云:'元嘉七年,遣使献天竺国白叠古贝。'而河水注'吉贝',是记的阿育王(Aśoka)故事,说明在公元前三世纪,印度已盛产此物。所以河水注的'吉贝',当是梵语 Kapasa 的音译,并非直接来自马来语,这是水经注记载的梵语植物名词之一。"

〔三四〕阎浮树　札记吉贝与吉祥草:"梵语名 Jambu,学名 Prosopis spicigera。"

〔三五〕札记据和由旬:"殿本在此下加案语云:'案"一据"下,近刻讹作"据左一据据右"六字。'但各本与殿本之间颇有不同。朱谋㙔水经注笺作:'王曰去宫一据据左,一据据右,晋言十里也。'全、赵二本改'曰'为'由',改'右'为'者',馀与朱本同。岑仲勉水经注卷一笺校则作:'王田去宫一据栌舍。一据栌舍,晋言十里也。'岑氏的这一校勘,是根据藤田丰八东西交涉史研究的说法。藤田说:'一据据者,应为一据栌舍之讹,即梵语 Krośa 之译音。'岑氏说:'余向读此,即疑"据据右"三字与旧译之"拘卢舍"有关，但终未解其致误之由，至此，益信藤田之说为不谬，而全、赵、戴诸家纯属臆改。惟藤田仍沿旧本作“左”，余谓“舍”字之上截类“左”字，其初必由“舍”误“左”，又由“左”而误分左右也。’‘据栌舍’（或旧译拘卢舍）即梵语 Krośa，这当然是不容置疑的。但朱本的‘据据左’是否即‘据栌舍’之讹，却未可云必。藤田把旧译中的‘卢’字改成‘栌’字，无非因为‘卢’、‘据’字形不同，而‘栌’、‘据’字形相似，以附合其两者致讹的理由而已。殿本及杨、熊注疏本均删‘据左’作‘据’，按古时梵语汉译通例，可以成立，即所谓省译。以梵语 Stūpa 为例，大唐西域记卷一云：‘窣堵波，所谓浮图也。’玄应一切经音义卷六宝塔条云：‘正言窣睹波。’在水经注中，卷一河水注对此有三种译法即‘浮屠’、‘浮图’、‘塔’。三者均不讹，而其中‘塔’即是 Stūpa 的省译。故 Krośa 一词殿本等作‘据’不讹，不必更改。”

〔三六〕河南摩强水　水经注卷一笺校作“河南摩弱水”，岑仲勉云：“‘强’字未详原音，考梵文状况词末尾常缀 ya，以药叉之例例之，ya 可翻‘若’，‘若’、‘弱’同音，而‘强’、‘弱’相偶，偏旁复相近，‘河南摩强’其‘河南摩弱’之讹欤？隋龙藏寺碑‘何人’作‘河人’（金石文字记二），古人用字固不甚严格也。”

〔三七〕札记梵语地名：“半达钵愁正是梵语的音译，半达，梵语作 Punda；钵愁，梵语作 Vasu。”

〔三八〕贝多树　札记吉贝与吉祥草：“梵语名 Bodhi，学名 Borassus flabellifer。”

〔三九〕迦维卫国　注笺本、项本、五校钞本、七校本、张本均作“迦维国”，注疏本作“伽维国”，孙潜校本云：“‘卫’当作‘维’，赵、戴均作迦维卫国，按从注上文，应作迦维罗卫(越)，方是足译，未见法维原文之必省‘罗’字而只作‘迦维卫’也。”

〔四〇〕 毗舍利 注笺本、项本、张本均作“毗舍离”，水经注卷一笺校岑仲勉云：“毗舍离已见前，朱依作‘离’，唯赵、戴仍作‘利’，戴又云，案舍利，原本讹作舍离。窥其意，一若此之舍离，应与佛骨之舍利同义者，可谓误人不浅！”

〔四一〕 殿本在此处案：“‘由巡’即‘由旬’，书内通用，近刻讹作‘由延’。”札记据和由旬：“这条案语露出戴氏不懂梵语的马脚。不懂梵语不足怪，但他校勘郦注，竟连与郦注有密切关系的法显传都不去查对一下，倒是令人吃惊的。大概可以说是智者千虑，必有一失吧。法显传全书中曾三引此词，均作‘由延’(‘西行十六由延，便至那竭国界醯罗城’；‘从舍卫城东南行十二由延到一邑’；‘从此东南行十二由延到诸梨车欲佛般泥洹处’)。案由旬是梵语Yojana一词的音译，亦译由巡、由延、逾善那等，在玄应、慧琳的两种一切经音义和法云的翻译名义集等书中均有载及，可惜戴震也都不曾去查对一下。至于‘由旬’一词的解释，诸书颇有出入，艺文类聚卷七十六内典上引支僧载外国事：‘由旬者，晋言四十里。’但翻译名义集卷三‘逾善那’条云：‘由旬三别，大者八十里，中者六十里，下者四十里，谓中边山川不同，致行不等。’艾德尔的中国佛教手册第二十页所说比较完整：Yojana，a measure of distance，variously computed as equal to a day's march〔4650 feet〕or 40 or 30 or 16 li. 艾德尔的解释或许是正确的，由旬乃是古代印度的一日行军里程，因为是行军里程，其速度由于地形、气候、部队素质等的不同，所以并不是一个固定的数字，以致有四十里、三十里、十六里之别。丁福保接受了艾德尔的说法，在他所编的实用佛学辞典第六至七页‘由旬’条下的释文作：‘自古圣王一日军行也，旧一逾善那四十里矣，印度国俗乃三十里，圣教所载唯十六里。’”

〔四二〕巴连弗邑　大典本、黄本、吴本、注笺本、项本、沈本、张本均作“巴连佛邑”。水经注卷一笺校云：“梵言曰 Pāṭaliputra，即今 Patna。”

〔四三〕泥犁城　大典本、黄本、何校明钞本、沈本均作“泥梨城”。

〔四四〕蓱沙王旧城　黄本、沈本均作“萍沙王旧城”，五校钞本、七校本均作“瓶沙王旧城”，水经注卷一笺校：“旧城，即大唐西域记之‘矩奢揭罗补罗城’（Kuśāgrapura），唐言上茅宫城，说见拙著法显西行年谱。”

〔四五〕天　朱、全、赵俱作“夭”，注疏本疏：“戴以天为讹，改作夭，云夭、妖通。会贞按：戴说大误。诸经皆作天魔，无作夭魔者，良由戴氏未涉猎释典，此卷凡所删改，但凭胸臆，故一往多误，此其一也。翻译名义集二称大论云：魔有四种，其一天子魔，即天魔。慧苑新译大方广佛华严经音义曰：天魔波旬，具云提婆魔啰播裨，言提婆者，此云天也，魔啰，障导也，播裨，罪恶也。谓此类报生天宫，性好劝人造恶退善，令不得出离欲界也。玄应摄大乘论音义曰：波旬即释迦佛出世魔王名。”

〔四六〕迦那城　注笺本、项本、张本、注疏本均作“伽耶城”，五校钞本、七校本均作“伽那城”，水经注卷一笺校作“伽耶城”，岑仲勉云：“伽耶城，梵言 Gayā，法显传及大唐西域记均作‘伽耶’，全改‘耶’为‘那’，赵、戴又改‘迦那’，非也。且‘那’字对音不符，

'迦'又清浊互异。"

〔四七〕吉祥草　札记吉贝与吉祥草:"河水注的这一段文字系从法显传钞录而来,而'吉祥草'本是梵语的植物名称,由于法显的翻译而汉化。案吉祥草的学名 Poa cynosuroides,是百合科常绿多年生草本植物。日本森鹿三主译的水经注(钞)中,在此下加了一条注释(卷一河水注注释一四二):'吉祥草,Kuśa,按读音写作姑尸、矩尸,译为上茅、茆草,是生长在湿地上的一种茅草,用作坐禅的敷物。'日译本的这条注释,写出了吉祥草的梵语 Kuśa,除了缺乏学名和其他植物学方面的说明外,总的说来还算差强人意。至于说'译为上茅'的话,这是大唐西域记提供的译法,西域记卷九摩揭陁国下上茅宫城(旧王舍城)云:'上茅宫城,摩揭陁国之正中,古先君王之所都,多出胜上吉祥香茅,以故谓之上茅城也。'这里的上茅城,就是梵语矩奢揭罗补罗城的意译,矩奢揭罗补罗的梵语是 Kuśāgrapura,由 Kuśa(上茅)和 grapura(宫城)二词合成,所以 Kuśa 又译作上茅。梵语植物名称在慧琳、玄应的两种一切经音义和法云的翻译名义集之中,有时用意译,有时用音译,不通梵语的人,往往望文生义,造成错误。我在光绪诸暨县志卷十九物产志一吉祥草条下偶然读到:'湖雅形似建兰而阔,劲如箭,解产妇血瘨,故名血瘨草。允都名教录:邑吉祥寺旧产吉祥草,故名。'按文字描述,这种'吉祥草',大概也就是可以译成'上茅'的植物,但却把梵语意译讹作因吉祥寺所产而得名,这种错误,相当普遍。"

〔四八〕尼拘律树　札记吉贝与吉祥草:"梵语名 Nyagrodha,学名 Ficus indica。"

〔四九〕尼连禅河　黄本、吴本均作"尼连河",水经注卷一笺校:"朱云:'佛本行经作尼连禅河。'全、赵、戴均增'禅'字;但古人译名,往往随意省节以便称谓,今外国事既无本可对,安知其必如佛本行经作尼连禅耶?此既增'禅'字,何以下文西域志尼连水又不增'禅'字,凡是皆乱其例,不可法也。"

〔五〇〕菩提树　札记吉贝与吉祥草:"梵语名 Pippala,学名 Ficus religiosa。"

〔五一〕多摩梨靬国　大典本、黄本、吴本、注笺本、何校明钞本、王校明钞本、项本、沈本、张本、注疏本、卮林卷一引水经注均作"多摩梨帝国",注疏本熊会贞云:"佛国记,从瞻婆大国东行近五十由延到多摩梨帝国,则梨帝不误。"水经注卷一笺校云:"按旧本作多摩梨帝,与法显传同,即梵言之 Tamalitti。"

〔五二〕梨靬　大典本、黄本、吴本、注笺本、何校明钞本、王校明钞本、项本、沈本、张本均作"梨帝",水经注卷一笺校:"梨帝,全、赵、戴均改作'梨靬',按汉书西域传,乌弋山离西与梨靬、条支接,末云即大秦别称。谓大秦国一号梨靬者,始于魏鱼豢魏略,但'靬'与'帝'发音迥别,是否道安即以印度为大秦而梨帝为多摩梨帝之略,抑郦氏因涉梨、犁同音而误引,今道安书已佚,无从知其真状矣。"

〔五三〕担袟　黄本、吴本、注笺本、何校明钞本、项本、沈本、五校钞本、七校本、注释本、张本、注疏本均作"担袂",水经注卷一笺校云:"朱、全、赵均作'袂',戴改作'袟',按担袂与多摩、耽摩均一音之转,乃 Tamalitti 之省译也,其国位恒河支口 Hooghly 之内,戴氏改为'袟',殊无根据。"

水经注卷二

河水〔一〕

又南入〔二〕葱岭山，又从葱岭出而东北流。

河水重源有三，非惟二也。一源西出捐毒之国〔三〕，葱岭之上，西去休循二百馀里，皆故塞种也。南属葱岭，高千里，西河旧事曰：葱岭在敦煌西八千里，其山高大，上生葱，故曰葱岭也。河源潜发其岭，分为二水，一水西迳休循国南，在葱岭西。郭义恭广志曰：休循国居葱岭，其山多大葱。又迳难兜国北，北接休循，西南去罽宾国三百四十里，河水又西迳罽宾国北。月氏之破，塞王南君罽宾，治循鲜城。土地平和，无所不有，金银珍宝，异畜奇物，逾于中夏，大国也。山险，有大头痛、小头痛之山，赤土、身热之阪，人畜同然。河水又西迳月氏国南，治监氏城，其俗与安息同。匈奴冒顿单于破月氏，杀其王，以头为饮器。国遂分，远过大宛，西居大夏，为大月氏；其馀小众不能去者，共保南山羌中，号小月氏。故有大月氏、小月氏之名也。又西迳安息国南，城临妫水，地方数千里，最大国也。有商贾、车船行旁国，画革旁行为书记也。河水与蜺罗跂禘水同注雷翥海。释氏西域记曰：蜺罗跂禘出阿耨达山之北，西迳于阗国。汉书西域传曰：于阗之西，水皆西流，注西海。又西迳四大塔北，释法显所谓纠尸罗国。汉言截头也。佛为菩萨时，以头施人，故因名国。国东有投身饲饿虎处，皆起塔。又西迳揵陀卫国〔四〕北，是阿育王子法益所治邑。佛为菩萨时，亦于此国以眼施人，其处亦起大塔。又有弗楼沙国〔五〕，天帝释变为牧牛小儿，聚土为佛塔，法王因而成大塔，所谓四大塔也。法显传曰：国有佛钵，月氏王大兴兵众，来伐此国，欲持钵去，置钵象上，象不能进；更作四轮车载钵，八象共牵，复不进，王知钵缘未至，于是起塔留钵供养。钵容二斗，杂色而黑多，四际分明，厚可二分，甚光泽。贫人以少花投中便满；富人以多花供养，正复百千万斛，终亦不满。佛图调曰：佛钵，青玉也，受三斗许，彼国宝之。供养时，愿终日香花不满，则如言；愿一把满，则亦便如言。又按道人竺法维所说，佛钵在大月支国，起浮图，高三十丈，七层，钵处第二层，金络络锁县钵，钵是青石。或云悬钵虚空。须菩提置钵在金机〔六〕上，佛一足迹与钵共在一处，国王、臣民悉持梵香，七宝、璧玉供养。塔迹、佛牙、袈裟、顶相舍利，悉在弗楼沙国。释氏西域记曰：揵陀越王城〔七〕西北有钵吐罗越城，佛袈裟王城也。东有寺。重复寻川水，西北十里有河步罗龙渊，佛到渊上浣衣处，浣石尚存。其水至安息，注雷翥海。又曰：揵陀越西，西海中有安息国。竺枝〔八〕扶南记曰：安息国去私诃条国二万里，国土临海上，即汉书天竺安息国也。户近百万，最大国也。汉书西域传又云：梨靬〔九〕、条支临西海。长老传闻，条支有弱水，西王母亦未尝见。自条支乘水西行，可百馀日，近日所入也。或河水所通西海矣。故凉土异物志曰：葱岭之水，分流东西，西入大海，东为河源，禹记所云昆仑者焉。张骞使大宛而穷河源，谓极于此，而不达于昆仑也。河水自葱岭分源，东迳迦舍罗国〔一〇〕。释氏西域记曰：有国名伽舍罗逝。此国狭小，而总万国之要道无不由。城南有水，东北流，出罗逝西山，山即葱岭也。迳岐沙谷，出谷分为二水。一水东流，迳无雷国北，治卢城，其俗与西夜、子合同。又东流迳依耐国〔一一〕北，去无雷五百四十里，俗同子合。河水又东迳蒲犁国北，治蒲犁谷，北去疏勒五百五十里，俗与子合同。河水又东迳皮山国北，治皮山城，西北去莎车三百八十里。

其一源出于阗国南山，北流与葱岭所出河合，又东注蒲昌海。

河水又东与于阗河合，南源导于阗南山，俗谓之仇摩置，自置北流，迳于阗国西，治西城。土多玉石。西去皮山三百八十里，东去阳关五千馀里。释法显自乌帝〔一二〕西南行，路中无人民，沙行艰难，所迳之苦，人理莫比。在道一月五日，得达于阗。其国殷庶，民笃信，多大乘学，威仪齐整，器钵无声。城南十五里有利刹寺，中有石靴，石上有足迹，彼俗言是辟支佛迹。法显所不传，疑非佛迹也。又西北流，注于河。即经所谓北注葱岭河也。南河又东迳于阗国北，释氏西域记曰：河水东流三千里，至于阗，屈东北流者也。汉书西域传曰：于阗已东，水皆东流。南河又东北迳扜弥国北，治扜弥城，西去于阗三百九十里。南河又东迳精绝国北，西去扜弥四百六十里。南河又东迳且末国北，又东，右会阿耨达大水〔一三〕。释氏西域记曰：阿耨达山西北有大水，北流注牢兰海者也。其水北流迳且末南山，又北迳且末城西，国治且末城，西通精绝二千里，东去鄯善七百二十里，种五谷，其俗略与汉同。又曰：且末河东北流迳且末北，又流而左会南河，会流东逝，通为注滨河〔一四〕。注滨河又东迳鄯善国北，治伊循城，故楼兰之地也。楼兰王不恭于汉，元凤四年，霍光遣平乐监傅介子刺杀之，更立后王。汉又立其前王质子尉屠耆为王，更名其国为鄯善。百官祖道横门，王自请天子曰：身在汉久，恐为前王子所害，国有伊循城，土地肥美，愿遣将屯田积粟，令得依威重。遂置田以镇抚之。敦煌索劢，字彦义，有才略，刺史毛奕表行贰师将军，将酒泉、敦煌兵千人，至楼兰屯田。起白屋，召鄯善、焉耆、龟兹三国兵各千，横断注滨河。河断之日，水奋势激，波陵冒堤。劢厉声曰：王尊建节，河堤不溢，王霸精诚，呼沱不流。水德神明，古今一也。劢躬祷祀，水犹未减，乃列阵被杖，鼓噪讙叫，且刺且射，大战三日，水乃回减，灌浸沃衍，胡人称神。大田三年，积粟百万，威服外国。其水东注泽。泽在楼兰国北扜泥城，其俗谓之东故城，去阳关千六百里，西北去乌垒千七百八十五里，至墨山国千八百六十五里，西北去车师千八百九十里。土地沙卤少田，仰谷旁国。国出玉，多葭苇、柽柳、胡桐、白草。国在东垂，当白龙堆，乏水草，常主发导，负水担粮，迎送汉使，故彼俗谓是泽为牢兰海也。释氏西域记曰：南河自于阗东于北三千里，至鄯善入牢兰海者也。北河自岐沙东分南河，即释氏西域记所谓二支北流，迳屈茨、乌夷〔一五〕、禅善，入牢兰海者也。

北河又东北流，分为二水，枝流出焉。北河自疏勒迳流南河之北，汉书西域传曰：葱岭以东，南北有山，相距千馀里，东西六千里，河出其中。暨于温宿之南，左合枝水，枝水上承北河于疏勒之东；西北流迳疏勒国南，又东北与疏勒北山水合；水出北溪，东南流迳疏勒城下，南去莎车五百六十里，有市列，西当大月氏、大宛、康居道。释氏西域记曰：国有佛浴床，赤真檀木作之，方四尺，王于宫中供养。汉永平十八年，耿恭以戊己校尉，为匈奴左鹿蠡王所逼，恭以此城侧涧傍水，自金蒲迁居此城，匈奴又来攻之，壅绝涧水。恭于城中穿井，深一十五丈，不得水，吏士渴乏，笮马粪汁饮之。恭乃仰天叹曰：昔贰师拔佩刀刺山，飞泉涌出，今汉德神明，岂有穷哉？整衣服，向井再拜，为吏士祷之。有顷，水泉奔出，众称万岁。乃扬水以示之，虏以为神，遂即引去。后车师叛，与匈奴攻恭，食尽穷困，乃煮铠弩，食其筋革。恭与士卒同生死，咸无二心。围恭不能下，关宠上书求救。建初元年，章帝纳司徒鲍昱之言，遣兵救之。至柳中，以校尉关宠分兵入高昌壁，攻交河城，车师降，遣恭军吏范羌，将兵二千人迎恭。遇大雪丈馀，仅能至，城中夜闻兵马，大恐，羌遥呼曰：我范羌也。城中皆称万岁，开门相持涕泣。尚有二十六人，衣屦穿决，形容枯槁，相依而还。枝河又东迳莎车国南，治莎车城，西南去蒲犁七百四十里。汉武帝开西域，屯田于此。有铁山，出青玉。枝河又东迳温宿国南，治温宿城，土地物类，与鄯善同。北至乌孙赤谷六百一十里，东通姑墨二百七十里，于此，枝河右入北河。北河又东迳姑墨国南，姑墨川水注之，水导姑墨西北，历赤沙山，东南流迳姑墨国西，治南城。南至于阗，马行十五日，土出铜铁及雌黄。其水又东南流，右注北河。北河又东迳龟兹国南，又东，左合龟兹川水，有二源，西源出北大山南，释氏西域记曰：屈茨北二百里有山，夜则火光，昼日但烟，人取此山石炭〔一六〕，冶此山铁，恒充三十六国用。故郭义恭广志云：龟兹能铸冶。其水南流迳赤沙山。释氏西域记曰：国北四十里，山上有寺，名雀离大清净。又出山东南流，枝水左派焉。又东南，水流三分，右二水俱东南流，注北河。东川水出龟兹东北，历赤沙、积梨南流，枝水右出，西南入龟兹城，音屈茨也，故延城矣。西去姑墨六百七十里，川水又东南流迳于轮台之东也。昔汉武帝初通西域，置校尉，屯田于此。搜粟都尉桑弘羊奏言：故轮台以东，地广，饶水草，可溉田五千顷以上。其处温和，田美，可益通沟渠，种五谷，收获与中国同。时匈奴弱，不敢近西域，于是徙莎车，相去千馀里，即是台也。其水又东南流，右会西川枝水，水有二源，俱受西川，东流迳龟兹城南，合为一水，水间有故城，盖屯校所守也。其水东南注东川，东川水又东南迳乌垒国南，治乌垒城，西去龟兹三百五十里，东去玉门阳关二千七百三十八里，与渠犁田官相近，土地肥饶，于西域为中，故都护治焉。汉使持节郑吉〔一七〕，并护北道，故号都护，都护之起，自吉置也。其水又东南注大河。大河又东，右会敦薨之水，其水出焉耆之北敦薨之山，在匈奴之西，乌孙之东。山海经曰：敦薨之山，敦薨之水出焉，而西流注于泑泽。出于昆仑之东北隅，实惟河源者也。二源俱道，西源东流，分为二水，左水西南流，出于焉耆之西，迳流焉耆之野，屈而东南流，注于敦薨之渚。右水东南流，又分为二，左右焉耆之国。城居四水之中，在河水之洲，治员渠城，西去乌垒四百里，南会两水，同注敦薨之浦。东源东南流，分为二水，涧瀾双引，洪湍浚发，俱东南流，迳出焉耆之东，导于危须国西。国治危须城，西去焉耆百里。又东南注，流于敦薨之薮。川流所积，潭水斯涨，溢而为海。史记曰：焉耆近海多鱼鸟。东北隔大山与车师接。敦薨之水自西海迳尉犁国〔一八〕，国治尉犁城，西去都护治所三百里，北去焉耆百里。其水又西出沙山铁关谷，又西南流，迳连城别注，裂以为田。桑弘羊曰：臣愚以为连城以西，可遣屯田，以威西国。即此处也。其水又屈而南，迳渠犁国西。故史记曰：西有大河。即斯水也。又东南流，迳渠犁国，治渠犁城〔一九〕，西北去乌垒三百三十里。汉武帝通西域，屯渠犁，即此处也。南与精绝接，东北与尉犁接。又南流注于河。山海经曰：敦薨之水，西流注于泑泽。盖乱河流自西南注也。河水又东迳墨山国南，治墨山城，西至尉犁二百四十里。河水又东迳注宾城南，又东迳楼兰城南而东注。盖墢田士所屯，故城禅国名耳。河水又东注于泑泽，即经所谓蒲昌海也。水积鄯善之东北，龙城之西南。龙城，故姜赖之虚〔二〇〕，胡之大国也。蒲昌海溢，荡覆其国，城基尚存而至大，晨发西门，暮达东门。浍其崖岸，馀溜风吹，稍成龙形，西面向海，因名龙城。地广千里，皆为盐而刚坚也。行人所迳，畜产皆布毡卧之，掘发其下，有大盐，方如巨枕，以次相累，类雾起云浮，寡见星日，少禽，多鬼怪。西接鄯善，东连三沙，为海之北隘矣。故蒲昌亦有盐泽之称也。山海经曰：不周之山，北望诸毗之山，临彼岳崇之山，东望泑泽，河水之所潜也。其源浑浑泡泡者也。东去玉门阳关千三百里，广轮四百里。其水澄渟，冬夏不减，其中洄湍电转，为隐沦之脉。当其澴流之上，飞禽奋翮于霄中者，无不坠于渊波矣。即河水之所潜，而出于积石也。

又东入塞，过敦煌、酒泉、张掖郡南，

河自蒲昌，有隐沦之证，并间关入塞之始。自此，经当求实致也。河水重源，又发于西塞之外，出于积石之山。山海经曰：积石之山，其下有石门，河水冒以西流，是山也，万物无不有〔二一〕，禹贡所谓导河自积石也。山在西羌之中，烧当所居也。延熹二年〔二二〕，西羌烧当犯塞，护羌校尉段颎讨之，追出塞，至积石山，斩首而还。司马彪曰：西羌者，自析支〔二三〕以西，滨于河首左右居也。河水屈而东北流，迳析支之地，是为河曲矣。应劭曰：禹贡，析支属雍州，在河关之西，东去河关千馀里，羌人所居，谓之河曲羌也。东北历敦煌、酒泉、张掖南。应劭地理风俗记曰：敦煌〔二四〕，酒泉，其水甘若酒味故也；张掖，言张国臂掖，以威羌狄。说文曰：郡制，天子地方千里，分为百县，县有四郡。故春秋传曰：上大夫县，下大夫郡。至秦，始置三十六郡，以监县矣。从邑，君声。释名曰：郡，群也，人所群聚也。黄义仲十三州记曰：郡之言君也，改公侯之封而言，君者，至尊也。郡守专权，君臣之礼弥崇，今郡字，君在其左，邑在其右，君为元首，邑以载民，故取名于君，谓之郡。汉官曰：秦用李斯议，分天下为三十六郡。凡郡，或以列国，陈、鲁、齐、吴是也；或以旧邑，长沙、丹阳是也；或以山陵，太山、山阳是也；或以川原，西河、河东是也；或以所出，金城城下得金，

酒泉泉味如酒，豫章樟树生庭，雁门雁之所育是也；或以号令，禹合诸侯，大计东冶之山，因名会稽是也。河迳其南而缠络远矣。河水自河曲，又东迳西海郡南。汉平帝时，王莽秉政，欲耀威德，以服远方，讽羌献西海之地，置西海郡，而筑五县焉。周海亭燧相望。莽篡政纷乱，郡亦弃废。河水又东迳允川，而历大榆、小榆谷北。羌迷唐、钟存所居也。永元五年，贯友代聂尚为护羌校尉，攻迷唐，斩获八百馀级，收其熟麦数万斛，于逢留河上筑城以盛麦，且作大船，于河峡作桥渡兵，迷唐遂远依河曲。永元九年，迷唐复与钟存东寇而还。十年，谒者王信、耿谭，西击迷唐，降之。诏听还大、小榆谷。迷唐谓汉造河桥，兵来无时，故地不可居，复叛，居河曲，与羌为仇，种人与官兵击之允川。去迷唐数十里，营止，遣轻兵挑战，因引还，迷唐追之，至营因战，迷唐败走。于是西海及大、小榆谷，无复聚落。隃麋相曹凤上言：建武以来，西戎数犯法，常从烧当种起。所以然者，以其居大、小榆谷，土地肥美，又近塞内，与诸种相傍，南得钟存，以广其众；北阻大河，因以为固，又有西海鱼盐之利，缘山滨河，以广田蓄，故能强大，常雄诸种。今党援沮坏，亲属离叛，其馀胜兵，不过数百，宜及此时，建复西海郡、县，规固二榆，广设屯田，隔塞羌胡交关之路，殖谷富边，省输转之役。上拜凤为金城西部都尉，遂开屯田二十七部，列屯夹河，与建威相首尾。后羌反，遂罢。按段国沙州记，吐谷浑于河上作桥，谓之河厉，长百五十步，两岸累石作基陛，节节相次，大木从横更镇压，两边俱平，相去三丈，并大材以板横次之，施钩栏甚严饰。桥在清水川东也。

又东过陇西河关县北，洮水从东南来流注之。

河水右迳沙州北。段国曰：浇河西南百七十里有黄沙，沙南北百二十里，东西七十里，西极大杨川〔二五〕。望黄沙，犹若人委干糒于地，都不生草木，荡然黄沙，周回数百里，沙州于是取号焉。地理志曰：汉宣帝神爵二年，置河关县，盖取河之关塞也。风俗通曰：百里曰同，总名为縣。縣，玄也，首也，从系倒首，举首易偏矣〔二六〕。言当玄静，平徭役也。释名又曰：縣，悬也，悬于郡矣。黄义仲十三州记曰：縣，弦也，弦以贞直，言下体之居，邻民之位，不轻其誓，施绳用法，不曲如弦，弦声近縣，故以取名，今系字在半也〔二七〕。汉高帝六年，令天下县邑城。张晏曰：令各自筑其城也。河水又东北流，入西平郡界，左合二川，南流入河。又东北，济川水注之，水西南出滥渎，东北流入大谷，谓之大谷水，北迳浇河城西南，北流注于河。河水又东迳浇河故城北，有二城东西角倚，东北去西平二百二十里。宋少帝景平中〔二八〕，拜吐谷浑阿豺为安西将军浇河公，即此城也。河水又东北迳黄川城，河水又东迳石城南，左合北谷水。昔段颎击羌于石城，投河坠坑而死者八百馀人，即于此也。河水又东北迳黄河城南，西北去西平二百一十七里。河水又东北迳广违城北，右合乌头川水，水发远川，引纳支津，北迳城东而北流，注于河。河水又东迳邯川城南，城之左右，历谷有二水，导自北山，南迳邯亭，注于河。河水又东，临津溪水注之，水自南山，北迳临津城西而北流，注于河。河水又东迳临津城北，白土城南。十三州志曰：左南津西六十里有白土城，城在大河之北，而为缘河济渡之处。魏凉州刺史郭淮破羌，遮塞于白土，即此处矣。河水又东，左会白土川水，水出白土城西北下，东南流迳白土城北，又东南注于河。河水又东北会两川，右合二水，参差夹岸连壤，负险相望。河北有层山，山甚灵秀，山峰之上，立石数百丈，亭亭桀竖，竞势争高，远望嵾嵾，若攒图之托霄上。其下层岩峭举，壁岸无阶，悬岩之中，多石室焉。室中若有积卷矣，而世士罕有津达者，因谓之积书岩。岩堂之内，每时见神人往还矣，盖鸿衣羽裳之士，练精饵食之夫耳。俗人不悟其仙者，乃谓之神鬼，彼羌目鬼曰唐述，复因名之为唐述山。指其堂密之居，谓之唐述窟。其怀道宗玄之士，皮冠净发之徒，亦往栖托焉。故秦川记曰：河峡崖傍有二窟，一曰唐述窟，高四十丈；西二里有时亮窟，高百丈，广二十丈，深三十丈，藏古书五笥。亮，南安人也。下封有水〔二九〕，导自是山溪水，南注河，谓之唐述水。河水又东得野亭南，又东北流，历研川，谓之研川水，又东北注于河，谓之野亭口。河水又东历凤林北。凤林，山名也。五峦俱峙。耆彦云：昔有凤鸟，飞游五峰，故山有斯目矣。秦州记曰：枹罕原北名凤林川，川中则黄河东流也。河水又东与漓水〔三〇〕合，水导源塞外羌中，故地理志曰：其水出西塞外，东北流，历野虏中，迳消铜城西，又东北迳列城东。考地说无目，盖出自戎方矣。左合列水，水出西北溪，东北流迳列城北，右入漓水，城居二水之会也。漓水又北迳可石孤城西，西戎之名也。又东北，右合黑城溪水，水出西北山下，东南流迳黑城南，又东南，枝水左出焉。又东南入漓水，漓水又东北迳榆城东，榆城溪水注之。水出素和细越西北山下，东南流迳细越川，夷俗乡名也。又东南出狄周峡，东南右合黑城溪之枝津，津水上承溪水，东北迳黑城东，东北注之榆溪，又东南迳榆城南，东北注漓水。漓水又东北迳石门口，山高险峻绝，对岸若门，故峡得厥名矣。疑即皋兰山门也。汉武帝元狩三年〔三一〕，骠骑霍去病出陇西，至皋兰，谓是山之关塞也。应劭汉书音义曰：皋兰在陇西白石县塞外，河名也。孟康曰：山关名也。今是山去河不远，故论者疑目河山之间矣。漓水又东北，皋兰山水自山左右翼注漓水。漓水又东，白石川水注之，水出县西北山下，东南流，枝津东注焉。白石川水又南迳白石城西而注漓水。漓水又东迳白石县故城南，王莽更曰顺砾。阚骃曰：白石县〔三二〕在狄道西北二百八十五里，漓水迳其北。今漓水迳其南，而不出其北也。漓水又东迳白石山北，应劭曰：白石山在东。罗溪水注之。水出西南山下，东入漓水。漓水又东，左合罕幵南溪水。水出罕幵西，东南流迳罕幵南注之。十三州志曰：广大阪在枹罕西北，罕幵在焉。昔慕容吐谷浑自燕历阴山西驰，而创居于此。漓水又东迳枹罕县故城南，应劭曰：故枹罕侯邑也。十三州志曰：枹罕县在郡西二百一十里，漓水在城南门前东过也。漓水又东北，故城川水注之，水有二源，南源出西南山下，东北流迳金纽大岭北，又东北迳一故城南，又东北与北水会。北源自西南迳故城北，右入南水。乱流东北注漓水。漓水又东北，左合白石川之枝津，水上承白石川，东迳白石城北，又东绝罕幵溪，又东迳枹罕城南，又东入漓水，漓水又东北出峡，北流注于河。地理志曰：漓水出白石县西塞外，东至枹罕入河。河水又迳左南城南，十三州志曰：石城西一百四十里有左南城者也，津亦取名焉。大河又东迳赤岸北，即河夹岸也。秦州记曰：枹罕有河夹岸，岸广四十丈。义熙中，乞佛于此河上作飞桥，桥高五十丈，三年乃就。河水又东，洮水注之。地理志曰：水出塞外羌中。沙州记曰：洮水与垫江水俱出蜃台山〔三三〕，山南即垫江源，山东则洮水源。山海经曰：白水出蜀。郭景纯注云：从临洮之西倾山东南流入汉，而至垫江，故段国以为垫江水也。洮水同出一山，故知蜃台，西倾之异名也。洮水东北流，迳吐谷浑中。吐谷浑者，始是东燕慕容之枝庶，因氏其字，以为首类之种号也，故谓之野虏。自洮蜃南北三百里中，地草遍是龙须，而无樵柴。洮水又东北流迳洮阳曾城北，沙州记曰：蜃城东北三百里有曾城〔三四〕，城临洮水者也。建初二年，羌攻南部都尉于临洮，上遣行车骑将军马防与长水校尉耿恭救之，诸羌退聚洮阳，即此城也。洮水又东迳洪和山〔三五〕南，城在四山中。洮水又东迳迷和城北，羌名也。又东迳甘枳亭〔三六〕，历望曲，在临洮西南，去龙桑城二百里。洮水又东迳临洮县故城北。禹治洪水，西至洮水之上，见长人，受黑玉书于斯水上。洮水又东北流，屈而迳索西城西。建初二年，马防、耿恭从五溪祥槛谷出索西，与羌战，破之，筑索西城，徙陇西南部都尉居之，俗名赤水城，亦曰临洮东城也。沙州记曰：从东洮至西洮百二十里者也。洮水又屈而北，迳龙桑城西而西北流。马防以建初二年，从安故五溪出龙桑，开通旧路者也。俗名龙城。洮水又西北迳步和亭东，步和川水注之。水出西山下，东北流出山，迳步和亭北，东北注洮水。洮水又北出门峡，历求厥川，蕈川水注之，水出桑岚西溪，东流历桑岚川，又东迳蕈川北，东入洮水。洮水又北历峡，迳偏桥，出夷始梁，右合蕈岂川水。水东南出石底横〔三七〕下，北历蕈岂川，西北注洮水。洮水又东北迳桑城东，又北会蓝川水。水源出求厥川西北溪，东北流迳蓝川，历桑城〔三八〕北，东入洮水。洮水又北迳外羌城西，又北迳和博城东，城在山内，左合和博川水。水出城西南山下，东北迳和博城南，东北注于洮水。洮水北迳安故县故城西，地理志，陇西之属县也。十三州志曰：县在郡南四十七里，盖延转击狄道、安故、五溪反羌，大破之，即此也。洮水又北迳狄道故城西，阚骃曰：今曰武始也。洮水在城西北流。又北，陇水〔三九〕注之，即山海经所谓滥水也。水出鸟鼠山西北高城岭，西迳陇坻〔四〇〕，其山岸崩落者，声闻数百里。故扬雄称响若坻颓是也。又西北历白石山下，地理志曰：狄道东有白石山，滥水又西北迳武街城〔四一〕南，又西北迳狄道故城〔四二〕东。百官表曰：县有蛮夷谓之道，公主所食曰邑。应劭曰：反舌左衽，不与华同，须有译言，乃通也。汉陇西郡治，秦昭王二十八年置。应劭曰：有陇坻在其东，故曰陇西也。神仙传曰：封君达，陇西人，服炼水银，年百岁，视之如年三十许，骑青牛，故号青牛道士。王莽更郡县之名，郡曰厌戎，县曰操虏也。昔马援为陇西太守六年，为狄道开渠，引水种秔稻，而郡中乐业，即此水也。滥水又西北流，注于洮水。洮水右合二水，左会大夏川水。水出西山，二源合舍而乱流，迳金纽城〔四三〕南。十三州志曰：大夏县西有故金纽城，去县四十里，本都尉治。又东北迳大夏县故城南。地理志，王莽之顺夏。晋书地道记曰：县有禹庙，禹所出也。又东北出山，注于洮水。洮水又北，翼带三水，乱流北入河。地理志曰：洮水北至枹罕，东入河是也。

又东过金城允吾县北，

金城郡治也。汉昭帝始元六年置，王莽之西海也。莽又更允吾为脩远县。河水迳其南，不在其北，南有湟水出塞外，东迳西王母石室、石釜、西海、盐池北，故阚骃曰：其西即湟水之源也。地理志曰：湟水所出。湟水又东南流迳龙夷城，故西零之地也。十三州志曰：城在临羌新县西三百一十里。王莽纳西零之献，以为西海郡，治此城。湟水又东南迳卑禾羌海北，有盐池。阚骃曰：县西有卑禾羌海者也。世谓之青海。东去西平二百五十里。湟水东流迳湟中城北，故小月氏之地也。十三州志曰：西平、张掖之间，大月氏之别，小月氏之国。范晔后汉书曰：湟中月氏胡者，其王为匈奴所杀，馀种分散，西逾葱岭，其弱者南入山，从羌居止，故受小月氏之名也。后汉西羌传曰：羌无弋爰剑者，秦厉公时，以奴隶亡入三河，羌怪为神，推以为豪。河、湟之间多禽兽，以射猎为事，遂见敬信，依者甚众，其曾孙忍，因留湟中，为湟中羌也。湟水又东，右控四水，导源四溪，东北流注于湟。湟水又东迳赤城北，而东入经戎峡口，右合羌水，水出西南山下，迳护羌城东，故护羌校尉治，又东北迳临羌城西，东北流，注于湟。湟水又东迳临羌县故城北，汉武帝元封元年，以封孙都为侯国，王莽之监羌也。谓之绥戎城，非也。湟水又东，卢溪水注之。水出西南卢川，东北流，注于湟水。湟水又东迳临羌新县故城南。阚骃曰：临羌新县在郡西百八十里，湟水迳城南也。城有东、西门，西北隅有子城。湟水又东，右合溜溪、伏溜、石杜、蠡四川，东北流注之。

左会临羌溪水，水发新县西北，东南流，历县北，东南入湟水。湟水又东，龙驹川水注之，水右出西南山下，东北流迳龙驹城，北流注于湟水。湟水又东，长宁川水注之，水出松山，东南流迳晋昌城，晋昌川水注之。长宁水又东南，养女川水注之。水发养女北山，有二源，皆长湍远发，南总一川，迳养女山，谓之养女川。阚骃曰：长宁亭北有养女岭，即浩亹山，西平之北山也。乱流出峡，南迳长宁亭东，城有东、西门，东北隅有金城，在西平西北四十里。十三州志曰六十里，远矣。长宁水又东南与一水合，水出西山，东南流，水南山上，有风伯祠，春秋祭之。其水东南迳长宁亭南，东入长宁水。长宁水又东南流，注于湟水。湟水又东，牛心川水注之，水出西南远山，东北流，迳牛心堆东，又北迳西平亭西，东北入湟水。湟水又东迳西平城北，东城，即故亭也。汉景帝六年，封陇西太守北地公孙浑邪为侯国。魏黄初中，立西平郡，凭倚故亭，增筑南、西、北三城以为郡治。湟水又东迳土楼南，楼北倚山原，峰高三百尺，有若削成。楼下有神祠，雕墙故壁存焉。阚骃曰：西平亭北有土楼神祠者也。今在亭东北五里。右则五泉注之，泉发西平亭北，雁次相缀，东北流至土楼南，北入湟水。湟水又东，右合葱谷水。水有四源，各出一溪，乱流注于湟。湟水又东迳东亭北，东出漆峡，山峡也。东流，右则漆谷常溪注之，左则甘夷川水入焉。湟水又东，安夷川水注之，水发远山，西北流，控引众川，北屈迳安夷城西北，东入湟水。湟水又东迳安夷县故城〔四四〕，城有东、西门，在西平亭东七十里。阚骃曰四十里。湟水又东，左合宜春水。水出东北宜春溪，西南流至安夷城南，入湟水。湟水又东，勒且溪水〔四五〕注之。水出县东南勒且溪，北流迳安夷城东，而北入湟水。湟水有勒且之名，疑即此号也。阚骃曰：金城河初与浩亹河合，又与勒且河合者也。湟水又东，左则承流谷水南入，右会达扶东、西二溪水，参差北注，乱流东出，期顿、鸡谷二水北流注之。又东，吐那孤〔四六〕、长门两川，南流入湟水。六山，名也。湟水又东迳乐都城南，东流，右合来谷、乞斤二水，左会阳非、流溪、细谷三水，东迳破羌县故城南。应劭曰：汉宣帝神爵二年置，城省南门。十三州志曰：湟水河在南门前东过。六谷水自南，破羌川自北，左右翼注。湟水又东南迳小晋兴城北，故都尉治。阚骃曰：允吾县西四十里有小晋兴城。湟水又东与閤门河合，即浩亹河也。出西塞外，东入塞，迳敦煌、酒泉、张掖南，东南迳西平之鲜谷塞尉故城南，又东南与湛水合。水有二源，西水出白岭下，东源发于白岸谷，合为一川。东南流至雾山，注閤门河。閤门河又东迳养女北山东南，左合南流川水，水出北山，南流入于閤门河。閤门河又东迳浩亹县故城南，王莽改曰兴武矣。阚骃曰：浩，读閤也。故亦曰閤门水，两兼其称矣。又东流注于湟水。故地理志曰：浩亹水东至允吾入湟水。湟水又东迳允吾县北为郑伯津，与涧水合，水出令居县西北塞外，南流迳其县故城西。汉武帝元鼎二年置，王莽之罕虏也。又南迳永登亭西，历黑石谷南流，注郑伯津。湟水又东迳允街县故城南，汉宣帝神爵二年置，王莽之脩远亭也。县有龙泉，出允街谷，泉眼之中，水文成交龙，或试挠破之，寻平成龙。畜生将饮者，皆畏避而走，谓之龙泉，下入湟水。湟水又东迳枝杨县，逆水注之。水出允吾县之参街谷，东南流迳街亭城南，又东南迳阳非亭〔四七〕北，又东南迳广武城西，故广武都尉治。郭淮破叛羌，治无戴，于此处也。城之西南二十许里，水西有马蹄谷。汉武帝闻大宛有天马，遣李广利伐之，始得此马，有角为奇。故汉武帝天马之歌曰：天马来兮历无草，迳千里兮循东道。胡马感北风之思，遂顿羁绝绊，骧首而驰，晨发京城，夕至敦煌北塞外，长鸣而去，因名其处曰候马亭。今晋昌郡南及广武马蹄谷盘石上，马迹若践泥中，有自然之形，故其俗号曰天马径，夷人在边效刻，是有大小之迹，体状不同，视之便别。逆水又东迳枝阳县故城南，东南入于湟水。地理志曰：逆水出允吾东，至枝阳入湟。湟水又东流，注于金城河，即积石之黄河也。阚骃曰：河至金城县，谓之金城河，随地为名也。释氏西域记曰：牢兰海东伏流龙沙堆，在屯皇东南四百里阿步干鲜卑山〔四八〕。东流至金城为大河。河出昆仑，昆仑即阿耨达山也。河水又东迳石城南，谓之石城津。阚骃曰：在金城西北矣。河水又东南迳金城县故城北。应劭曰：初筑城得金，故曰金城也。汉书集注薛瓒云：金者，取其坚固也，故墨子有金城汤池之言矣。王莽之金屏也。世本曰：鲧作城。风俗通曰：城，盛也，从土成声。管子曰：内为之城，城外为之郭，郭外为之土阆。地高则沟之，下则堤之，命之曰金城。十三州志曰：大河在金城北门。东流，有梁泉注之，出县之南山。按耆旧言：梁晖，字始娥，汉大将军梁冀后，冀诛，入羌。后其祖父为羌所推，为渠帅而居此城。土荒民乱，晖将移居枹罕，出顿此山，为群羌围迫，无水，晖以所执榆鞭竖地，以青羊祈山，神泉涌出，榆木成林，其水自县北流注于河也。

又东过榆中县北，

昔蒙恬为秦北逐戎人，开榆中之地。按地理志，金城郡之属县也。故徐广史记音义曰：榆中在金城，即阮嗣宗劝进文所谓榆中以南者也。

又东过天水北界，

苑川水出勇士县之子城南山，东北流，历此成川〔四九〕，世谓之子城川。又北迳牧师苑，故汉牧苑之地也。羌豪迷吾等万馀人，到襄武、首阳、平襄、勇士，抄此苑马，焚烧亭驿，即此处也。又曰：苑川水地，为龙马之沃土，故马援请与田户中分以自给也。有东、西二苑城，相去七十里。西城，即乞佛所都也。又北入于河也。

又东北过武威媪围县南，

河水迳其界东北流，县西南有泉源，东迳其县南，又东北入河也。

又东北过天水勇士县北，

地理志曰：满福也，属国都尉治，王莽更名之曰纪德。有水出县西，世谓之二十八渡水。东北流，溪涧萦曲，途出其中，迳二十八渡，行者勤于溯涉，故因名焉。北迳其县而下注河。又有赤晔川水，南出赤蒿谷，北流迳赤晔川，又北迳牛官川。又北迳义城西北，北流历三城川，而北流注于河也。

又东北过安定北界麦田山，

河水东北流，迳安定祖厉县故城西北。汉武帝元鼎三年，幸雍，遂逾陇登空同，西临祖厉河而还，即于此也。王莽更名之曰乡礼也。李斐曰：音赖。又东北，祖厉川水注之，水出祖厉南山，北流迳祖厉县而西北流，注于河。河水又东北迳麦田城西，又北与麦田泉水〔五〇〕合，水出城西北，西南流注于河。河水又东北迳麦田山西谷，山在安定西北六百四十里。河水又东北迳于黑城北，又东北，高平川水注之，即苦水也。水出高平大陇山〔五一〕苦水谷，建武八年，世祖征隗嚣，吴汉从高平第一城苦水谷入，即是谷也。东北流迳高平县故城东，汉武帝元鼎三年置，安定郡治也。王莽更名其县曰铺睦。西十里有独阜，阜上有故台，台侧有风伯坛，故世俗呼此阜为风堆。其水又北，龙泉水注之，水出县东北七里龙泉。东北流，注高平川。川水又北出秦长城，城在县北一十五里。又西北流，迳东、西二土楼故城门北，合一水。水有五源，咸出陇山西。东水发源县西南二十六里湫渊，渊在四山中，湫水北流，西北出长城北，与次水会，水出县西南四十里长城西山中，北流迳魏行宫故殿东，又北，次水注之。出县西南四十里山中，北流迳行宫故殿西。又北合次水，水出县西南四十八里，东北流，又与次水合，水出县西南六十里酸阳山〔五二〕，东北流，左会右水，总为一川。东迳西楼北，东注苦水。段颎为护羌校尉，于安定、高平、苦水讨先零，斩首八千级于是水之上。苦水又北与石门水合。水有五源，东水导源高平县西八十里，西北流，次水注之，水出县西百二十里如州泉，东北流，右入东水，乱流左会三川，参差相得，东北同为一川，混涛历峡，峡，即陇山之北垂也，谓之石门口，水曰石门水，在县西北八十馀里。石门之水又东北注高平川。川水又北，自延水注之，水西出自延溪，东流历峡，谓之自延口，在县西北百里。又东北迳延城南，东入高平川。川水又北迳廉城东，按地理志，北地有廉县〔五三〕。阚骃言，在富平北。自昔匈奴侵汉，新秦之土，率为狄场，故城旧壁，尽从胡目。地理沦移，不可复识，当是世人误证也。川水又北，苦水注之。水发县东北百里山，流注高平川。川水又北，迳三水县西，肥水注之。水出高平县西北二百里牵条山西，东北流，与若勃溪合。水有二源，总归一渎，东北流入肥。肥水又东北流，违泉水注焉。泉流所发，导于若勃溪东，东北流入肥。肥水又东北出峡，注于高平川，水东有山，山东有三水县故城，本属国都尉治，王莽之广延亭也。西南去安定郡三百四十里。议郎张奂，为安定属国都尉，治此。羌有献金马者，奂召主簿张祁入于羌前，以酒酹地曰：使马如羊，不以入厩；使金如粟，不以入怀。尽还不受，威化大行。县东有温泉，温泉东有盐池。故地理志曰：县有盐官。今于城之东北有故城，城北有三泉，疑即县之盐官也。高平川水又北入于河。河水又东北迳眴卷县故城西，地理志曰：河水别出为河沟，东至富平，北入河。河水于此有上河之名也。

〔一〕注疏本作"河水二"。疏："赵云：凡经文次篇之首，有某水二字，皆后人所加，盖汉人作经，自为一篇，岂能逆料。"注疏本又云："郦氏为之注，而先于每卷交割之处，增二字以别之哉？或郦注既成，用二字为提掇则可耳，然非经之旧也。"

〔二〕手稿第四册下集史语所藏的杨希闵过录的水经注校本——记杨希闵的水经注汇校的手稿本：

海源阁的沈大成本,"入"字改作了"出"字。这个"出"字大概是沈学子依照东原早年校改本改的。因为我看见的东原在乾隆三十七年壬辰(一七七二)夏天以前的校本,都把这一句的"入"字改成了"出"字。我看见过的有这些:

(甲)哈佛大学藏无名氏过录"东邃氏"(即东原氏)的水经注校本卷一、卷二及卷五的一部分。

(乙)建德周氏藏戴震"自定水经一卷",其"自记"题乾隆三十年乙酉八月。

(丙)北京大学藏戴震自定水经一卷,其"自记"题乾隆三十年乙酉八月,但下边添注"乾隆三十七年壬辰夏抄"。

这三个本子的这一条经文都作"又南出葱岭山"。但乾隆三十七年夏的本子把"出"字改回作"入"字,下面添了"又从葱岭出而东北流"九字,这是东原依据杜佑通典引水经的文句改定的,后来武英殿本和戴氏自刊本都作"又南入葱岭山,又从葱岭山出而东北流"。这都可见东原早年就决定了:河水必须从葱岭山"出"来。若不"出"葱岭山,下面的四卷河水就无法交代了。直到他后来看到杜佑通典引的水经,果然是"又南入葱岭山,又从葱岭出而东北流"。这是唐朝人所见的水经注本子,当然是可以依据的。于是河水"入"葱岭山而"出"来,这就更合理了。

所以我相信海源阁的沈大成本此句经文改作"又南出葱岭山",大概是采用了戴震的校改。

〔三〕殿本案:"案'捐毒',近刻讹作'身毒'。"陈桥驿水经注中的非汉语地名(水经注研究四集,二〇〇三年杭州出版社出版):

这个"捐毒之国",水经注的许多版本如明黄省曾本、吴琯本、朱谋㙔本、清项细本、沈炳巽本、赵一清本等,都作"身毒之国"。殿本改正作"捐毒之国"后,刘宝楠的愈愚录卷六中,还自以为是,反指殿本"以身毒为捐毒"的错误。这个错误之所以如此普遍,是因为唐朝的大学者颜师古注释汉书西域传时,在无雷国条"北与捐毒,西与大月氏接"下云:"捐毒即身毒,天笃也。本皆一名,语有轻重耳。"其实,"捐毒"读作Yuandu,是古代西域的一个游牧部族,在今新疆乌恰县境,去印度甚远,绝不相涉。正是由于印度的一名多译,使博学如颜师古也莫知所从。对新疆作过实地考察的清徐松在这方面就了如指掌。他在汉书西域传补注中说:"捐毒在葱岭东,为今布鲁特地;身毒在南山南,为五印度地。二国绝远,颜君(按指颜师古)比而同之,斯为误矣。"

〔四〕揵陀卫国　注笺本、项本、张本均作"捷陀卫国",注释本、昆仑说引水经注作"犍陀卫国"。大唐西域记作"健驮逻国",注云:"健驮逻,梵语 Gandhāra 的音译。……健驮逻位于库纳尔河和印度河之间的喀布尔河流域,包括旁遮普以北的白沙瓦和拉瓦尔品第(Rawalpindi)地区。"

〔五〕弗楼沙国　黄本、注笺本、项本、沈本、张本均作"佛楼沙国"。法显传云:"从犍陀卫国南行四日,到弗楼沙国。"日足立喜六法显传考证(何健民、张小柳合译,国立编译馆民国二十六年出版)注:"今之 Peshawar 也。"

〔六〕机　注笺本作"杌",按易涣卦"涣奔其机"注:"承物者也。"

〔七〕捷陀越王城　吴本、注笺本、项本、张本均作“捷陀越王城”，注释本作“犍陀越王城”。

〔八〕竺枝　注疏本作“竺芝”。疏：“朱芝作枝，戴同，赵改。守敬按，明钞本作芝，芝字是也。”

〔九〕梨鞬　注笺本、项本、五校钞本、七校本均作“犁鞬”。

〔一〇〕迦舍罗国　注笺本、项本、注释本、张本、注疏本均作“伽舍罗国”。

〔一一〕依耐国　大典本、黄本、王校明钞本、沈本均作“依郵国”。

〔一二〕乌帝　注释本作“傿夷”。

〔一三〕阿耨达大水　王校明钞本作“阿耨达太水”。

〔一四〕注滨河　五校钞本、七校本、注释本均作“注宾河”。

〔一五〕乌夷　注笺本、项本、注释本、张本均作“傿夷”。

〔一六〕札记煤炭：

在我国古籍中，使用“石炭”这个名称并记及其用途的，或许以南朝宋雷次宗所撰的豫章记为最早，撰于刘宋文帝元嘉六年，即公元四二九年。但此书已经亡佚，有关石炭这一条引存于续汉书郡国志建城注：“县有葛乡，有石炭二顷，可燃以爨。”建城在今江西省高安县，是我国江南的重要煤矿之一。

水经注之撰距豫章记不到百年，郦氏当然见及此书，所以在其记载中也使用石炭这个名称。不过由于郦注记载中也常录入前代的记载其他文献，所以除石炭以外也还用其他名称。使用石炭这个名称的，另外还有一例：卷二河水经“其一源出于阗国南山，北流与葱岭所出河合，又东注蒲昌海”注云：

北河又东迳龟兹国南……释氏西域记曰：屈茨北二

百里有山,夜则火光,昼日但烟,人取此山石炭,冶此山铁,恒充三十六国用。

此条引释氏西域记。释氏不知何许人,亦不详其所在年代。杨守敬在水经注疏中把此书之名作释氏西域志,并引通典一百九十三,认为“诸家记天竺事,多录法明(按即法显,唐人避讳改“显”为“明”)、道安之流,此注屡引释氏西域志,即道安之书无疑”。假使杨氏之言属实,则提出“石炭”一名为道安。道安是东晋名僧,早于刘宋雷次宗。不过释氏西域记即道安西域志之说,究无实证,我们不能轻易论定。按龟兹(即屈茨)是古代西域国名,国治在今新疆库车以东。这段注文不仅记及煤炭,而且还记及用煤炭冶铁,“夜则火光,昼日但烟”,说明这个地区的冶铁工业已经相当发达。“恒充三十六国用”,则是记及了产品的市场。所以这段注文不仅记及煤炭,而且把燃料、原料加工和市场都作了记载,是一项完整的西域历史经济地理资料,实在很可宝贵。

水经注记载煤炭用石炭这个名称的,还有一个例子是卷十三漯水经“漯水出雁门阴馆县,东北过代郡桑乾县南”注下:

魏土地记曰:平城西三十里武州塞口者也。……一水自枝渠南流东南出,火山水注之,水发火山东溪,东北流出山,山有石炭,火之,热同樵炭也。

这条注文引自魏土地记,此书亦称大魏诸州记,是北魏当代的著作。注文所记:“山有石炭,火之,热同樵炭也。”所记十分明白。发现这种石炭的地区在平城以西,平城是北魏迁都洛阳前的首都，在今山西大同附近，至今仍是我国重要的煤炭产地。

〔一七〕注疏本疏："朱侍郎作侍节，戴、赵同。会贞按：西域传但言使吉并护此道，不言先为何官。郑吉传，宣帝时，以侍郎田渠犁。（后汉书西域传注同。）百官表，侍郎比四百石，郦氏盖兼采吉传作侍郎，今本作持节，以形近致误。"段熙仲校记云："按：熊改字，非是。郑吉传：宣帝下诏曰'都护西域骑都尉郑吉'。百官表'骑都尉比二千石'，其明证也。"

〔一八〕尉犁国　大典本、黄本、沈本均作"尉黎国"。

〔一九〕渠犁城　大典本作"渠黎城"。

〔二〇〕姜赖之虚　大典本作"羌赖之虚"，黄本、吴本、沈本均作"姜赖之灵"。

〔二一〕注疏本校记段熙仲按："万物无不有焉，戴删'焉'字，按：山海经原文有'焉'，是，有'焉'字语气方完，戴氏删之未言其所据，实据大典本。大典本钞脱此字，戴竟从之而删本有之'焉'字，其泥大典本如此，杨、熊不从，是也。（"焉戴删焉字"五字，今据台北本删改。）"

〔二二〕注疏本守敬按："后汉书桓帝纪及段颎传，事在延熹三年，此注二年为三年之误。"

〔二三〕析支　通鉴卷四十八，和帝永元十三年，"至允州"胡注引水经注作"赐支"。

〔二四〕殿本在"敦煌"下案云："案下酒泉、张掖，皆释其义，此当有脱文。"

〔二五〕大杨川　注笺本、项本、张本均作"大阳川"。

〔二六〕殿本在“举首易偏矣”下案云:“案此句有脱误,未详。”

〔二七〕殿本在“今系字在半也”下案云:“案此句有脱误,未详。”

〔二八〕手稿水经注里的南朝年号(第六集中册):

董沛、薛福成刻的全氏七校水经注卷三,叶十二,注文“其水南流,迳武川镇城。城以景明中筑,以御北狄矣”。此下有全氏校语:

案沈炳巽曰:景明是宋少帝年号。愚谓非也,善长岂用南朝之年乎?是魏世祖年号。

这一条的校语有四大错。第一,沈炳巽的水经注集释订讹(四库全书珍本,又沈兼士藏钞本)并没有这样一句话。第二,宋少帝的年号是景平(四二三),不是景明。沈炳巽似不至于有此错误。第三,景明不是魏世祖的年号,是世宗宣武帝的年号(五〇〇——五〇三)。第四点更可奇怪了。“善长岂用南朝之年乎?”谢山先生曾“五校”“七校”水经注,他岂不知道郦道元水经注用南朝的年号有好几十次之多?水经注叙述南方水地的史事,很自然的用南朝年号。例如……

手稿所谓全氏校语有四大错,札记南朝年号有所辨正:

由于这许多南朝年号的出现,我开始的想法是,郦道元在年号的使用中,是否有一个原则,即北水用北朝年号,而南水则北朝年号与南朝年号俱用。(按手稿认为“水经注叙述南方水地的史事,很自然的用南朝年号”。)因以上所见的南朝年号,均出现于北魏版图以外的南方地区。但后来我再就这个问题查阅全书,却竟在卷五河水经“又东北过茌平县西”注中发现了一个南朝年号，这是我往年通读时所疏忽的。注云：

宋元嘉二十七年，以王玄谟为宁朔将军，前锋入河，平碻磝，守之。都督刘义恭以沙城不堪守，召玄谟令毁城而还，后更城之。魏立济州，治此也。

案刘宋元嘉二十七年，即北魏太平真君十一年（四五〇），这里记载的是北魏和刘宋在黄河的一个渡口碻磝城的争夺战，宋军虽一度得势，终于败退。这年年底，北魏拓跋焘一直进军到刘宋首都以北的瓜步，并于次年大会群臣于瓜步山上，南朝震惊。对于像这样北朝势力盛极一时的年代中，南北之间的战争竟用南朝年号记载，确实使人不解。

现在再看看郦氏在南方诸水中使用南朝年号的情况。有的是记载一块碑文而引及的立碑年代，例如肥水注刘安庙碑立于齐永明十年。有的是记载郡县建置年代，如湘水注宋元嘉十六年置建昌郡。在如此场合中使用南朝年号，当然不足为怪。但卷三十五江水经"湘水从南来注之"注云：

南对龙穴洲，沙阳洲之下尾也。洲里有驾部口，宋景平二年，迎文帝于江陵，法驾顿此，因以为名。文帝车驾发江陵，至此，黑龙跃出，负帝所乘舟，左右失色，上谓长史王昙首曰：乃夏禹所以受天命矣，我何德以堪之。故有龙穴之名焉。

又同卷经"鄂县北"注云：

宋孝武帝举兵江州，建牙洲上，有紫云荫之，即是洲也。

由此可见，郦道元不仅在其著作中使用南朝年号，而且还记述了如“黑龙跃出，负帝所乘舟”，“建牙洲上，有紫云荫之”之类渲染南朝帝王“真命天子”的传说。同样性质的事件，假使发生在明、清各代，是够得上大兴一场文字狱，而且把其书列为禁毁书的。

查查郦道元的出身行历，他是绝对不会与南朝有所瓜葛的。当然，他是一个爱国主义者，热爱祖国河山，对于南朝风光，因足迹未涉而尤所萦怀。但在政治上，他对北朝是忠心耿耿的，最后并以身殉国，不容怀疑。所以在他的著作中屡用南朝年号，并无政治上的意义。这说明当时北魏在政治上以实际为重，对上述引用南朝年号之类的事并不敏感，故人们对此亦少所顾忌。

七校水经注卷三河水注：“其水南流，迳武川镇城，城以景明中筑，以御北狄矣。”全祖望在此处校云：“案沈炳巽曰：景明是宋少帝年号。愚谓非也，善长岂用南朝之年乎？是魏世祖年号。”案今本沈炳巽水经注集释订讹，此处并无全氏所引沈氏此语，但全氏在其沈氏水经注校本跋（全校水经注附录上）一文中，曾经言及，沈氏因全氏之求，于乾隆十五年携其稿至杭州，与全氏讨论浃旬，并留其稿于全氏插架中。全氏七校本校语所据之本当是此本。此本中，沈氏或确有此语，以后沈氏发现宋少帝年号是景平，景明乃是魏世祖年号，随即改正，今所见商务影印四库珍本丛书中沈氏之本，当是其最后改定之本，故已无此语。但全氏所云：“善长岂用南朝之年乎？”实在毫无根据。开始，我颇怪全氏读书太不仔细，后来忽悟，全氏生当清初几次重大的文字狱之后，对于此类事，当时的知识分子必心有馀悸，校语讹出此言，正是他心中惴栗的反映，所以不足为怪。

札记南朝年号馀论：

我过去曾在中国历史地理论丛撰文，对郦道元在水经注中多次使用南朝年号的事发表了一点初浅看法，指出这是他的大一统思想表现。我至今仍然认为这是北朝命臣在著作中使用南朝年号的重要原因。我在拙作郦道元评传中提及："假使水经注的撰写是按他的早期思想而以北尊南卑为基础，毫无疑问，此书就不可能取得如此巨大的成就。"现在看来，这话还得作一点修正。在郦道元作为孝文帝元宏近臣的年代，北魏国势蒸蒸日上，在武功方面，郦道元当然希望北魏能一统天下，建立一个如同西汉王朝一样的大帝国。但在文化上，他显然倾向于南朝，除了北魏这个他们家族世代服官的王朝以外，对北方在这一时期先后登台的非汉族王朝，他都是不齿的。此中原因，当然是郦氏一家虽然出仕北朝，但他们都是服膺孔孟的书香门第，对文化落后的北朝各国，充满蔑视的情绪，这在郦注文字中也处处可见。

除了北魏以外，水经注对十六国君王，都是直呼其名。如刘渊（汾水注），刘曜（河水注、滱水注），石勒（河水注、淇水注），石虎（河水注、浊漳水注、汶水注），苻坚（渭水注）等均是其例。特别明显的是郦道元曾祖曾服官的慕容燕，但注文除濡水注有一处称慕容儁之谥为"燕景昭"外，其馀各篇对慕容氏均直呼其名，如前燕的慕容廆、慕容皝，南燕的慕容超等，无不如此。而相反，对南朝诸帝，注文中却常称庙号，如宋文帝、宋孝武帝、宋明帝、萧武帝等，特别是对于刘裕，注文中优礼有加，或称宋武帝（济水注），或称刘武帝（沂水注），或称刘武王（洛水注），南北相比，成为一种明显的对照。

对北魏与南朝的战争，郦氏也在注文的措辞中表达了他的情绪。如卷五河水经"又东北过茌平县西"注云："宋元嘉二十七年，以王玄谟为宁朔将军，前锋入河，平碻磝，守之。"碻磝原为北魏所守，刘宋入侵，攻占此地，注文竟作"平碻磝"，令人骇异。按魏书傅竖眼传作"王玄谟寇碻磝"。甚至北史傅竖眼传也作"王玄谟寇碻磝"。郦氏称王玄谟为"宁朔将军"，"宁朔"的称号就有北伐之意。按北史王慧龙传"宋将王玄谟寇滑台……诸将以贼盛，莫敢先，慧龙设奇兵，大破之"。北史之撰，已在北朝消亡之后，尚且称"寇"称"贼"，敌我分明。则郦氏在注文中所表现的尊南轻北的心态，是何等鲜明。

郦道元的这种心态，无疑是汉族文化熏陶的结果。在当时这个民族杂处的时期，不论在江南或江北，汉族特别是其中的知识分子，这种心态实际上是普遍的。按东晋义熙六年（四一〇），刘裕北伐灭南燕，义熙十三年（四一七）克长安，灭后秦，但最后终于率军南返。据宋书庐陵王义真传："三秦父老诣门流涕，诉曰：残民不沾王化，于今百年矣，始睹衣冠，方仰圣泽，长安十陵，是公家坟墓，咸阳宫殿数千间，是公家屋宅，舍此欲何之。"

在这个时期，不仅南人有这种心态，其他民族其实也是仰望着汉族文化的。据北齐书杜弼传所载："弼以文武在位，罕有廉洁，言之于高祖。高祖曰：弼来，我语尔，天下浊乱，习俗已久,今督将家族多在关西,黑獭常相招诱,人情去留未定;江东复有一吴儿老翁萧衍者,专事衣冠礼乐,中原士大夫望之,以为正朔所在。我若急作法网,不相饶借,恐督将尽投黑獭,士子悉奔萧衍,则人物流散,何以为国?尔宜少待,吾不忘之。"说明一个异族国君,他心里就十分明白,江南是"衣冠礼乐","正朔所在"。我在拙著郦道元评传中曾经议论过魏书主编魏收的劣迹。像魏收这样一个阿谀北朝帝王的卑鄙小人,其实,他在心底里也是仰望南朝的。据宋刘攽、刘恕、范祖禹所作旧本魏书目录叙所载:"北齐孝昭皇建中,命收更加审核。收请写二本,一送并省,一付邺下,欲传录者,听之。"这里的"一付邺下"句,既可理解作当时北齐首都邺,也可理解作南朝首都建康,难以论定。但魏收曾把其著作送往南朝则是事实。札记魏收其人篇中曾记及此事:

> 据隋唐嘉话卷下所载:"梁常侍徐陵聘于齐,时魏收文学北朝之秀,收录其文集以遗陵,令传至江左。陵还,济江而沉之。从者以问,陵曰:吾为魏公藏拙。"徐陵的这一着做得确实高明,不仅对于魏收其人,对于古今许多能写几篇无聊文章,从而趋炎附势,吹捧时政的小人们,他们自视以为得计,却不料落得个沉江藏拙的下场,真是一种极妙的讽刺。

札记南朝年号馀论最后指出:

> 刘知幾在史通内篇言语中说得很有道理:
>
> 自咸、洛不守,龟鼎南迁,江左为礼乐之乡,金陵实图书之府,故犹能语存规检,言嘉风流,颠沛造次,不忘经

籍，而史臣修饰，无所费功。其于中国则不然，何者？于斯时也，先王桑梓，剪为蛮貊，被发左衽，充牣神州，其中辨若驹支，学如郯子，不可多得。

史通的话，当然是一派汉家语言，但是留在中国（按：刘氏的中国，即指北方）的知识分子如郦道元之类，都是长期受儒教熏陶的汉家人士，他们心中的"礼乐之乡"、"图书之府"，无疑就在江南。

这种心态当时在汉人和其他民族之间，士大夫和平民之间的普遍存在，现在看来，是一件了不起的大事，因为这实在是大一统的基础。由于大家都向往汉族文化，因此，国家虽然长期分裂，但中华民族却因此而获得融合。的确，在当时，北方的各个民族都大量地吸收了汉族文化，北魏的元宏，只是其中一位典型的代表而已。

〔二九〕殿本在"下封有水"下案云："案下封未详，疑是地名。"

〔三〇〕漓水　初学记卷八陇右道第六"销铜"引水经注作"离水"，乾隆狄道州志卷一山川石门山引水经注作"漓水"。

〔三一〕注疏本守敬按："此汉书武帝纪元狩二年文。史记建元以来侯者表、霍去病传作二年同。汉书本传有作三年者，误。此作三年，又后人据误本汉书改。"

〔三二〕方舆纪要卷六十陕西九临洮府河州枹罕废县葵谷引水经注："陇右白石县有罕开渡。"此句于今本为佚文，当在此以下一段中。

〔三三〕嵹台山　合校本引孙星衍本云："初学记引此作'强

台'。"

〔三四〕曾城　黄本、注笺本、项本、沈本、张本均作"阳曾城"。

〔三五〕洪和山　大典本、黄本、注笺本、项本、沈本、五校钞本、七校本、注释本、张本、方舆纪要卷六十陕西九临洮府洮州卫美相城引水经注均作"共和山"。

〔三六〕甘枳亭　初学记卷八陇右道第六望曲引水经注作"甘根亭"。

〔三七〕石底横　吴本、五校钞本、七校本均作"石底岭"。

〔三八〕桑城　五校钞本、七校本、注释本均作"龙桑城"。

〔三九〕陇水　大典本、吴本均作"垄水"，乾隆甘肃通志卷五山川临洮府狄道县引水经注作"垅水"。

〔四〇〕陇坻　五校钞本、七校本、项本、注释本、张本均作"陇底"。

〔四一〕武街城　大典本、注笺本、项本、五校钞本、七校本、注释本、张本均作"武阶城"。

〔四二〕狄道故城　大典本、吴本、注笺本、项本、注释本、张本均作"降狄道故城"。

〔四三〕金纽城　大典本、黄本、吴本、注笺本、项本、沈本、注释本、张本、注疏本均作"金柳城"。

〔四四〕安夷县故城　方舆纪要卷六十四陕西十三西宁镇安彝城引水经注作"安彝县故城"。

〔四五〕勒且溪水　通鉴卷四十六章帝建初二年"自安夷徙居临羌"胡注引水经注、方舆纪要卷六十四陕西十三西宁镇湟水废县安彝川引水经注、乾隆西宁府志卷四山川志西宁府西宁县勒姐岭引水经注均作“勒姐溪水”。

〔四六〕吐那孤　大典本、黄本、吴本、注笺本、项本、沈本、五校钞本、七校本、张本均作“吐郍孤”。

〔四七〕阳非亭　方舆纪要卷六十三陕西十二甘肃镇庄浪卫引水经注作“杨非亭”。

〔四八〕札记阿干之争：

水经注卷二河水经“又东过金城允吾县北”注中，注文载及一个“阿步干鲜卑山”的地名。对于这个“阿步干”，如同“统万城”一样，郦道元在注文中不置一辞，说明他并不懂得这个地名的来历。但赵一清水经注笺刊误卷一云：

> 全氏云：阿步干，鲜卑语也。慕容廆思其兄吐谷浑，因作阿干之歌。盖胡俗称其兄曰阿步干。阿干，阿步干之省也。今兰州阿干山谷、阿干河、阿干镇、阿干堡，金人置阿干县，皆以阿干歌得名。

全祖望的这个说法，显然是根据晋书吐谷浑传：“鲜卑谓兄为‘阿干’，(慕容)廆追思之，作阿干之歌。”但晋书的这个“阿干”，在魏书吐谷浑传和宋书吐谷浑传中均作“阿于”。著名史学家缪钺在北朝之鲜卑语(读史存稿，三联书店一九六三年出版)一文中指出：

> 白鸟氏(按指日本汉学家白鸟库吉)谓“阿于”为“阿干”之误。钺案，太平御览五七〇引前燕录：“廆以孔怀之思，作吐谷浑阿于歌。”亦作“阿于”。前燕录及宋书、魏书之撰，均在晋书之前，三书均作“阿于”，惟晋书作“阿

干”,以校勘古书之惯例衡之,应谓“阿于”是而“阿干”误。惟在魏书又确有“阿干”之名词,为鲜卑语,乃长者、贵者之义。魏书十五常山王遵传:遵孙可悉陵“拜内行阿干”。殿本考证张照曰:按晋书吐谷浑传,鲜卑谓兄为“阿干”。慕容廆追思其兄,有阿干之歌。此云“拜内行阿干”,则“阿干”必非兄矣。盖长者、贵者之称。“内行”犹今言“内廷行走”也。……“阿干”乃译音,“长者”与“长”乃译意也。长者之义与兄极相近,似一义引申。就此观之,似以从晋书作“阿干”为是。

缪钺在此文中又指出:

元和志,文水县有大于城,本刘元海筑,令兄延年镇之,胡语长兄为“大于”是也。“于”字误。按魏书官氏志有阿伏干氏。中古时尚无轻唇音,“伏”、“步”同音,“阿伏干”即“阿步干”。

如上所述,水经注有“阿步干”一词,郦道元的曾祖曾服官于慕容鲜卑,以后世代都服官于拓跋鲜卑,按理对鲜卑语当应有所了解。但他却对此不置一语,因而引出许多争议:有晋书的“阿干”,前燕录、宋书和魏书的“阿于”,又有元和志的“大于”,魏书官氏志的“阿伏干”。而郦道元只提出“阿步干鲜卑山”这个地名,不作任何解释。而后人则有“兄”、“长者”、“贵者”等释义。上海辞书出版社一九八四年出版了刘正埮、高名凯的汉语外来词词典,其中对“阿干”这一条的解释是:

阿干[1]āgān,兄长。[源]蒙 akan,axan;ax(口语)。

阿干[2] āgān，兄，长者，贵者。“干”有时讹作“于”。又作“阿步干”、“阿伏干”。[源]鲜卑。

这部词典对“阿干”的解释，除了肯定“于”字是“干”字之误以外，在释义上是上述争论的兼容并蓄。并且肯定了“阿步干”与“阿伏干”二词，它们亦即“阿干”。这部词典的解释，除了上述前燕录、宋书、魏书遭到否定外，其他说法，似乎都被大致认可。

但“阿干”之争其实没有结束，加拿大籍学者陈三平在一九九三年第四辑中国历史地理论丛中发表了阿干与阿步干初考——水经注中鲜卑语地名研究一例一文，文章一开始就对全祖望的说法表示怀疑：

> 全氏大约受到古代汉译外来词汇中比比皆是的省略现象的启发而作出了“阿干”是“阿步干”省文的结论，但是这也先得看一下传统汉译中的通常省略规则。在大量的古代汉译外来词汇中不难观察到“斩头”和“截尾”的音节省略现象，例如“阿罗汉”省作“罗汉”，“塔婆”省作“塔”，等等。全氏提出的这种“挖心”法至少可以认为并非常例。

陈文接着用大量篇幅，根据原始突厥语、阿尔泰语、中古女真语、蒙古语等许多语言进行论证，并在晋书和魏书等中国古代文献中提出许多证据，提出其“阿干”不是“阿步干”的省译的理由。陈文的结论是：“全氏的论点大致可以否定。”

陈三平的文章引起了国际汉学界的很大兴趣。他又继续研究这个问题，并于一九九六年在德国出版的亚洲历史杂志

第三十卷第一期发表了阿干再论——拓跋族的文化和政治传统(A-Gan Revisited—The Tuoba's Cultural and Political Heritage, *Journal of Asian History*),广征博引,提出了更多的证据,否定了全祖望按晋书的记述而提出、又为赵一清所附和的说法。

〔四九〕此成川　黄本、沈本均作"此城州",注笺本、项本、张本均作"此城川"。

〔五〇〕麦田泉水　方舆纪要卷六十二陕西十一宁夏镇靖远卫鹯阴城引水经注作"麦田泉",无"水"字。

〔五一〕大陇山　大典本、吴本、何校明钞本、项本、张本、禹贡锥指卷十三上引水经注均作"大垄山"。

〔五二〕酸阳山　大典本作"咸阳山",吴本、注笺本、项本、张本均作"醎阳山"。

〔五三〕廉县　注笺本、项本、注释本、张本均作"廉城县"。

水经注卷三

河水〔一〕

又北过北地富平县西，

河侧有两山相对，水出其间，即上河峡也，世谓之青山峡。河水历峡北注，枝分东出。河水又北迳富平县故城西，秦置北部都尉，治县城，王莽名郡为威戎，县曰持武〔二〕。建武中，曹凤字仲理，为北地太守，政化尤异，黄龙应于九里谷高冈亭，角长三尺，大十围，梢至十馀丈，天子嘉之，赐帛百匹，加秩中二千石。河水又北，薄骨律镇城在河渚上，赫连果城也。桑果馀林，仍列洲上。但语出戎方，不究城名。访诸耆旧，咸言故老宿彦云：赫连之世，有骏马死此，取马色以为邑号，故目城为白口骝，韵之谬〔三〕，遂仍今称，所未详也。河水又迳典农城东，世谓之胡城。又北迳上河城东，世谓之汉城。薛瓒曰：上河在西河富平县，即此也，冯参为上河典农都尉所治也。河水又北迳典农城东，俗名之为吕城，皆参所屯，以事农甿。河水又东北迳廉县故城东，王莽之西河亭。地理志曰：卑移山在西北。河水又北与枝津合，水受大河，东北迳富平城，所在分裂，以溉田圃，北流入河，今无水。尔雅曰：灉，反入。言河决复入者也。河之有灉，若汉之有潜也。河水又东北迳浑怀障西，地理志浑怀都尉治塞外者也。太和初，三齐平，徙历下民居此，遂有历城之名矣，南去北地三百里。河水又东北历石崖山西，去北地五百里，山石之上，自然有文，尽若虎马之状，粲然成著，类似图焉，故亦谓之画石山也〔四〕。

又北过朔方临戎县西，

河水东北迳三封县故城东，汉武帝元狩三年置。十三州志曰：在临戎县西百四十里。河水又北迳临戎县故城西，元朔五年立，旧朔方郡治，王莽之所谓推武也。河水又北，有枝渠东出，谓之铜口，东迳沃野县故城南，汉武帝元狩三年立，王莽之绥武也。枝渠东注以溉田，所谓智通在我矣。河水又北，屈而为南河出焉。河水又北迤西溢于窳浑县故城东，汉武帝元朔二年，开朔方郡县，即西部都尉治。有道，自县西北出鸡鹿塞，王莽更郡曰沟搜，县曰极武。其水积而为屠申泽，泽东西百二十里，故地理志曰：屠申泽在县东。即是泽也。阚骃谓之窳浑泽矣。

屈从县北东流，

河水又屈而东流，为北河。汉武帝元朔二年，大将军卫青绝梓岭，梁北河是也。东迳高阙南。史记：赵武灵王既袭胡服，自代并阴山下，至高阙为塞。山下有长城，长城之际，连山刺天，其山中断，两岸双阙，善能云举，望若阙焉。即状表目，故有高阙之名也。自阙北出荒中，阙口有城，跨山结局，谓之高阙戍。自古迄今，常置重捍，以防塞道。汉元朔四年，卫青将十万人，败右贤王于高阙。即此处也。河水又东迳临河县故城北，汉武帝元朔三年，封代恭王子刘贤为侯国，王莽之监河也。

至河目县西，

河水自临河县东迳阳山南，汉书注曰：阳山在河北。指此山也。东流迳石迹阜西〔五〕，是阜破石之文，悉有鹿马之迹，故纳斯称焉。南屈迳河目县，在北假中，地名也。自高阙以东，夹山带河，阳山以往〔六〕，皆北假也。史记曰：秦使蒙恬将十万人，北击胡，度河取高阙，据阳山北假中，是也。北河又南合南河。南河上承西河，东迳临戎县故城北，又东迳临河县南，又东迳广牧县故城北，东部都尉治。王莽之盐官也。迳流二百许里，东会于河。河水又南迳马阴山西，汉书音义曰：阳山在河北，阴山在河南。谓是山也。而即实不在河南。史记音义曰：五原安阳县北有马阴山。今山在县北，言阴山在河南，又传疑之，非也。余按南河、北河及安阳县以南，悉沙阜耳，无佗异山。故广志曰：朔方郡北移沙七所，而无山以拟之，是义、志之僻也。阴山在河东南则可矣。河水又东南迳朔方县故城东北〔七〕，诗所谓城彼朔方也。汉元朔二年，大将军卫青取河南地为朔方郡，使校尉苏建筑朔方城，即此城也。王莽以为武符者也。按地理志云：金连盐泽、青盐泽并在县南矣。又按魏土地记曰：县有大盐池，其盐大而青白，名曰青盐，又名戎盐，入药分，汉置典盐官。池去平城宫千二百里，在新秦之中。服虔曰：新秦，地名，在北方千里。如淳曰：长安以北，朔方以南也。薛瓒曰：秦逐匈奴，收河南地，徙民以实之，谓之新秦也。

屈南过五原西安阳县南，

河水自朔方东转，迳渠搜县故城北。地理志，朔方有渠搜县，中部都尉治，王莽之沟搜亭也。礼三朝记曰：北发渠搜，南抚交趾。此举北对南。禹贡之所云析支、渠搜矣。河水又东，迳西安阳县故城南，王莽更之曰漳安矣。河水又东，迳田辟城南。地理志曰：故西部都尉治也。

屈东过九原县南，

河水又东迳成宜县故城南，王莽更曰艾虏也。河水又东迳原亭城南。阚骃十三州志曰：中部都尉治。河水又东迳宜梁县之故城南。阚骃曰：五原西南六十里，今世谓之石崖城。河水又东迳稒阳〔八〕城南，东部都尉治。又迳河阴县故城北，又东迳九原县故城南，秦始皇置九原郡，治此。汉武帝元朔二年，更名五原也。王莽之获降郡、成平县矣。西北接对一城，盖五原县之故城也，王莽之填河亭也。竹书纪年，魏襄王十七年，邯郸命吏大夫奴迁于九原，又命将军大夫適子戍吏，皆貉服矣。其城南面长河，北背连山，秦始皇逐匈奴，并河以东，属之阴山，筑亭障为河上塞。徐广史记音义曰：阴山在五原北。即此山也。始皇三十三年〔九〕，起自临洮，东暨辽海，西并阴山，筑长城及开南越地，昼警夜作，民劳怨苦，故杨泉物理论曰：秦始皇使蒙恬筑长城，死者相属，民歌曰：生男慎勿举，生女哺用餔，不见长城下，尸骸相支拄。其冤痛如此矣。蒙恬临死曰：夫起临洮，属辽东，城堑万馀里，不能不绝地脉，此固当死也。

又东过临沃县南，

王莽之振武也。河水又东，枝津出焉。河水又东流，石门水南注之，水出石门山。地理志曰：北出石门障。即此山也。西北趣光禄城。甘露三年，呼韩邪单于还，诏遣长乐卫尉高昌侯董忠、车骑都尉韩昌等，将万六千骑，送单于居幕南，保光禄徐自为所筑城也，故城得其名矣。城东北，即怀朔镇城也。其水自障东南流，迳临沃城东，东南注于河。河水又东迳稒阳县故城〔一〇〕南，王莽之固阴也。地理志曰：自县北出石门障。河水决其西南隅，又东南，枝津注焉。水上承大河于临沃县，东流七十里，北溉田，南北二十里，注于河，河水又东迳塞泉城南而东注。

又东过云中桢陵县南，又东过沙南县北，从县东屈南，过沙陵县西。

大河东迳咸阳县故城南，王莽之贲武也。河水屈而流，白渠水注之，水出塞外，西迳定襄武进县故城北，西部都尉治，王莽更曰伐蛮，世祖建武中，封赵虑为侯国也。白渠水西北迳成乐城北。郡国志曰：成乐，故属定襄也。魏土地记曰：云中城东八十里有成乐城。今云中郡治，一名石卢城也。白渠水又西迳魏云中宫南，魏土地记曰：云中宫在云中县故城东四十里。白渠水又西南迳云中故城南，故赵地。虞氏记云：赵武侯自五原河曲筑长城，东至阴山。又于河西造大城，一箱崩不就，乃改卜阴山河曲而祷焉。昼见群鹄游于云中，徘徊经日，见大光在其下，武侯曰：此为我乎？乃即于其处筑城，今云中城是也。秦始皇十三年，立云中郡，王莽更郡曰受降，县曰远服矣。白渠水又西北迳沙陵县故城南，王莽之希恩县也。其水西注沙陵湖。又有芒干水〔一一〕出塞外，南迳锺山，山即阴山。故郎中侯应言于汉曰：阴山东西千馀里，单于之苑囿也。自孝武出师，攘之于漠北，匈奴失阴山，过之，未尝不哭。谓此山也。其水西南迳武皋县，王莽之永武也。又南迳原阳县故城西，又西南与武泉水合，其水东出武泉县之故城西南，县，即王莽之所谓顺泉者也。水南流又西屈，迳北舆县故城南。按地理志，五原有南舆县，王莽之南利也，故此加北。旧中部都尉治。十三州志曰：广陵有舆，故此加北。疑太疏远也。其水又西南入芒干水。芒干水又西南迳白道〔一二〕南谷口，有城在右，萦带长城，背山面泽，谓之白道城。自城北出有高阪，谓之白道岭〔一三〕。沿路惟土穴，出泉，挹之不穷〔一四〕。余每读琴操，见琴慎相和雅歌录云：饮马长城窟。及其跋陟斯途，远怀古事，始知信矣，非虚言也。顾瞻左右，山椒之上，有垣若颓基焉。沿溪亘岭，东西无极，疑赵武灵王之所筑也。芒干水又西南，迳云中城北，白道中溪水注之，水发源武川北塞中，其水南流，迳武川镇城，城以景明中筑，以御北狄矣。其水西南流，历谷，迳魏帝行宫东，世谓之阿计头殿。宫城在白道岭北阜上，其城圆角而不方，四门列观，城内惟台殿而已。其水又西南历中溪，出山西南流，于云中城北，南注芒干水。芒干水又西，塞水出怀朔镇东北芒中〔一五〕，南流迳广德殿西山下。余以太和十八年，从高祖北巡，届于阴山之讲武台，台之东，有高祖讲武碑，碑文是中书郎高聪之辞也。自台西出南上山，山无树木，惟童阜耳，即广德殿所在也。其殿四注两夏，堂宇绮井，图画奇禽异兽之象。殿之西北，便得焜煌堂，雕楹镂桷，取状古之温室也。其时，帝幸龙荒，游鸾朔北。南秦王仇池杨难当舍蕃委诚，重译拜阙，陛见之所也。故殿以广德为名。魏太平真君三年，刻石树碑，勒宣时事。碑颂云：肃清帝道，振慑四荒，有蛮有戎，自彼氐羌，无思不服，重译稽颡，恂恂南秦，敛敛推亡，峨峨广德，奕奕焜煌。侍中、司徒东郡公崔浩之辞也。碑阴题宣城公李孝伯、尚书卢遐等从臣姓名，若新镂焉。其水历谷南出山，西南入芒干水。芒干水又西南注沙陵湖，湖水西南入于河。河水南入桢陵县西北，缘胡山，历沙南县东北，两山、二县之间而出。余以太和中为尚书郎，从高祖北巡，亲所迳涉。县在山南，王莽之桢陆〔一六〕也，北去云中城一百二十里。县南六十许里，有东、西大山，山西枕河，河水南流，脉水寻经，殊乖川去之次〔一七〕，似非关究也。

又南过赤城东，又南过定襄桐过县西，

定襄郡，汉高帝六年置，王莽之得降也。桐过县，王莽更名椅桐者也。河水于二县之间，济有君子之名，皇魏桓帝十一年，西幸榆中，东行代地。洛阳大贾赍金货随帝后行，夜迷失道，往投津长曰：子封送之。渡河，贾人卒死，津长埋之。其子寻求父丧，发冢举尸，资囊一无所损。其子悉以金与之，津长不受。事闻于帝，帝曰：君子也。即名其津为君子济。济在云中城西南二百馀里。河水又东南，左合一水，水出契吴东山，西迳故里南，北俗谓之契吴亭。其水又西流注于河。河水又南，树颓水注之，水出东山，西南流，右合中陵川水，水出中陵县西南山下，北俗谓之大浴真山〔一八〕，水亦取名焉。东北流，迳中陵县故城东，北俗谓之北右突城，王莽之遮害也。十三州志曰：善无县南七十五里有中陵县，世祖建武二十五年置。其水又西北，右合一水，水出东山，北俗谓之贷敢山，水又受名焉。其水西北流，注于中陵水。中陵水又西北流，迳善无县故城

西,王莽之阴馆也。十三州志曰:旧定襄郡治。地理志,雁门郡治。其水又西北流,右会一水,水出东山下,北俗谓之吐文水,山又取名焉。北流迳锄亭南,又西流迳土壁亭南,西出峡,左入中陵水。中陵水又北分为二水,一水东北流,谓之沃水〔一九〕,又东迳沃阳县故城南,北俗谓之可不埿城,王莽之敬阳也。又东北迳沃阳城东,又东合可不埿水,水出东南六十里山下,西北流注沃水。沃水又东,迳参合县南,魏因参合陉以即名也。北俗谓之仓鹤陉。道出其中,亦谓之参合口。陉在县之西北,即燕书所谓太子宝自河西还师参合,三军奔溃,即是处也。魏立县以隶凉城郡,西去沃阳县故城二十里。县北十里,有都尉城。地理志曰:沃阳县西部都尉治者也。北俗谓之阿养城。其水又东合一水,水出县东南六十里山下,北俗谓之灾豆浑水。西北流,注于沃水。沃水又东北流,注盐池。地理志曰:盐泽在东北者也。今盐池西南去沃阳县故城六十五里,池水澄渟,渊而不流,东西三十里,南北二十里。池北七里,即凉城郡治。池西有旧城,俗谓之凉城也,郡取名焉。地理志曰:泽有长、丞。此城即长、丞所治也。城西三里有小阜,阜下有泉,东南流注池。北俗谓之大谷北堆,水亦受目焉。中陵川水自枝津西北流,右合一水于连岭北,水出沃阳县东北山下,北俗谓之乌伏真山,水曰诰升袁河〔二〇〕。西南流迳沃阳县,左合中陵川,乱流西南与一水合,北俗谓之树颓水。水出东山下,西南流,右合诰升袁水,乱流西南注,分谓二水。左水枝分南出,北俗谓之太罗河;右水西迳故城南,北俗谓之昆新城。其水自城西南流,注于河。河水又南,太罗水注之,水源上承树颓河，南流西转，迳武州县故城〔二一〕南，十三州志曰：武州县〔二二〕在善无城西南百五十里。北俗谓之太罗城，水亦藉称焉。其水西南流，一水注之，水导故城西北五十里，南流迳城西北，俗名之曰故槃回城〔二三〕。又南流注太罗河。太罗河又西南流，注于河。河水又左得湳水口，水出西河郡美稷县，东南流，东观记曰：郭伋，字细侯，为并州牧，前在州，素有恩德，老小相携道路，行部到西河美稷，数百小儿各骑竹马迎拜，伋问：儿曹何自远来？曰：闻使君到，喜，故迎。伋谢而发去，诸儿复送郭外。问：使君何日还？伋计日告之。及还，先期一日，念小儿，即止野亭，须期至乃往。其水又东南流，羌人因水以氏之。汉冲帝时，羌湳狐奴归化，盖其渠帅也。其水，俗亦谓之为遄波水，东南流入长城东。鹹水出长城西鹹谷，东入湳水。湳水又东南，浑波水出西北穷谷，东南流注于湳水。湳水又东迳西河富昌县故城南，王莽之富成也。湳水又东流入于河。河水左合一水，出善无县故城西南八十里，其水西流，历于吕梁之山，而为吕梁洪。其山岩层岫衍，涧曲崖深，巨石崇竦，壁立千仞，河流激荡，涛涌波襄，雷淬电泄，震天动地。昔吕梁未辟，河出孟门之上，盖大禹所辟，以通河也。司马彪曰：吕梁在离石县西。今于县西历山寻河，并无过峘，至是乃为河之巨险，即吕梁矣，在离石北以东可二百有馀里也。

又南过西河圁阳县东，

西河郡，汉武帝元朔四年置，王莽改曰归新。圁水出上郡白土县圁谷，东迳其县南。地理志曰：圁水出西，东入河。王莽更曰黄土也。东至长城，与神衔水〔二四〕合，水出县南神衔山，出峡，东至长城，入于圁。圁水又东迳鸿门县，县，故鸿门亭。地理风俗记曰：圁阴县西五十里有鸿门亭、天封苑、火井庙，火从地中出。圁水又东，梁水注之，水出西北梁谷，东南流，注圁水。圁水又东迳圁阴县北，汉惠帝五年立，王莽改曰方阴矣。又东，桑谷水注之，水出西北桑溪，东北流，入于圁。圁水又东迳圁阳县南，东流注于河。河水又东，端水入焉。水西出号山。山海经曰：其木多漆椶，其草多穹穷，是多泠石，端水出焉，而东流注于河。河水又南，诸次之水入焉，水出上郡诸次山。山海经曰：诸次之山，诸次之水出焉。是山多木无草，鸟兽莫居，是多象蛇。其水东迳榆林塞，世又谓之榆林山，即汉书所谓榆溪旧塞〔二五〕者也。自溪西去，悉榆柳之薮矣。缘历沙陵，届龟兹县西北，故谓广长榆也。王恢云：树榆为塞。谓此矣。苏林以为榆中在上郡，非也。按始皇本纪，西北逐匈奴，自榆中并河以东。属之阴山。然榆中在金城东五十许里，阴山在朔方东，以此推之，不得在上郡。汉书音义苏林为失是也。其水东入长城，小榆水合焉。历涧西北，穷谷其源也。又东合首积水，水西出首积溪，东注诸次水，又东入于河。山海经曰：诸次之水，东流注于河。即此水也。河水又南，汤水注之。山海经曰：水出上申之山，上无草木，而多硌石，下多榛楛，汤水出焉。东流注于河也。

又南离石县西〔二六〕，

奢延水注之，水西出奢延县西南赤沙阜，东北流，山海经所谓生水出孟山者也。郭景纯曰：孟或作明。汉破羌将军段颎破羌于奢延泽，虏走洛川。洛川在南，俗因县土谓之奢延水，又谓之朔方水〔二七〕矣。东北流，迳其县故城南，王莽之奢节也。赫连龙昇七年，于是水之北，黑水之南，遣将作大匠梁公叱干阿利改筑大城，名曰统万城〔二八〕。蒸土加功。雉堞虽久，崇墉若新，并造五兵，器锐精利，乃咸百炼，为龙雀大镮，号曰大夏龙雀。铭其背曰："古之利器，吴、楚湛卢，大夏龙雀，名冠神都，可以怀远，可以柔逋，如风靡草，威服九区。"世甚珍之。又铸铜为大鼓，及飞廉、翁仲、铜驼、龙虎，皆以黄金饰之，列于宫殿之前。则今夏州治也。奢延水又东北与温泉合。源西北出沙溪，而东南流注奢延水。奢延水又东，黑水入焉，水出奢延县黑涧，东南历沙陵，注奢延水。奢延水又东合交兰水，水出龟兹县交兰谷，东南流注奢延水。奢延水又东北流，与镜波水合，水源出南邪山南谷，东北流，注于奢延水。奢延水又东迳肤施县，帝原水西北出龟兹县，东南流。县因处龟兹降胡著称。又东南注奢延水。奢延水又东迳肤施县南，秦昭王三年置，上郡治。汉高祖并三秦，复以为郡。王莽以汉马员为增山连率，归，世祖以为上郡太守。司马彪曰：增山者，上郡之别名也。东入五龙山。地理志曰：县有五龙山、帝、原水〔二九〕。自下亦为通称也。历长城东，出于白翟之中。又有平水〔三〇〕，出西北平溪，东南入奢延水。奢延水又东，走马水注之，水出西南长城北阳周县故城南桥山，昔二世赐蒙恬死于此。王莽更名上陵畤，山上有黄帝冢故也。帝崩，惟弓剑存焉，故世称黄帝仙矣。其水东流，昔段颎追羌出桥门至走马水，闻羌在奢延泽，即此处也。门，即桥山之长城门也。始皇令太子扶苏与蒙恬筑长城，起自临洮，至于碣石，即是城也。其水东北流入长城，又东北注奢延水，奢延水又东，与白羊水合，其水出于西南白羊溪，循溪东北，注于奢延水。奢延水又东入于河。山海经曰：生水东流注于河。河水又南，陵水注之，水出陵川北溪，南迳其川，西转入河。河水又南得离石水口，水出离石北山，南流迳离石县故城西，史记云：秦昭王伐赵取离石者也。汉武帝元朔三年，封代共王子刘绾为侯国。后汉西河郡治也。其水又南出西转迳隰城县〔三一〕故城南，汉武帝元朔三年，封代共王子刘忠为侯国，王莽之慈平亭也。胡俗语讹，尚有千城之称。其水西流，注于河也。

又南过中阳县西，

中阳县故城在东，东翼汾水，隔越重山，不滨于河也。

又南过土军县西，

吐京郡治。故城，即土军县〔三二〕之故城也。胡、汉译言，音为讹变矣。其城圆长而不方，汉高帝十一年，以封武侯宣义为侯国。县有龙泉，出城东南，道左山下牧马川〔三三〕上多产名驹骏，同滇池天马。其水西北流，至其城东南。土军水出道左高山，西南注之。龙泉水又北屈迳其城东，西北入于河。河水又南合契水，傍溪东入穷谷，其源也。又南至禄谷水口，水源东穷此溪也。河水又南得大蛇水。发源溪首，西流入河。河水又南，右纳辱水。山海经曰：辱水出鸟山，其上多桑，其下多楮，阴多铁，阳多玉，其水东流，注于河。俗谓之秀延水。东流得浣水口，傍溪西转，穷溪便即浣水之源也。辱水又东会根水，西南溪下，根水所发，而东北注辱水。辱水又东南，露跳水出西露溪，东流，又东北入辱水，乱流注于河。河水又南，左合信支水，水发源东露溪，西流入于河。河水又南，左会石羊水，循溪东入，导源穷谷，西流注于河。

又南过上郡高奴县[三四]东，

域谷水东启荒原，西历长溪，西南入于河。河水又南合孔溪口。水出孔山南，历溪西流，注于河。孔山之上有穴，如车轮三所，东西相当，相去各二丈许，南北直通，故谓之孔山也。山在蒲城[三五]西南三十馀里。河水又右会区水。山海经西次四经之首曰：阴山，西北百七十里曰申山，其上多穀、柞，其下多杻、橿，其阳多金、玉，区水出焉，而东流注于河。世谓之清水，东流入上郡长城。迳老人山下，又东北流，至老人谷，傍水北出，极溪便得水源。清水又东得龙尾水口，水出北地神泉障北山龙尾溪，东北流注清水。清水又东会三湖水，水出南山三湖谷，东北流入清水。清水又东迳高奴县，合丰林水。地理志谓之洧水也。故言高奴县有洧水，肥可爇，水上有肥，可接取用之[三六]。博物志称酒泉延寿县南山出泉水，大如筥，注地为沟，水有肥如肉汁，取著器中，始黄后黑，如凝膏，然极明，与膏无异，膏车及水碓缸甚佳，彼方人谓之石漆。水肥亦所在有之，非止高奴县洧水也。项羽以封董翳为翟王，居之三秦，此其一也。汉高祖破以县之，王莽之利平矣。民俗语讹，谓之高楼城也。丰林川长津泻注，北流会清水。清水又南，奚谷水[三七]注之，水西出奚川，东南流入清水。清水又东注于河。河水又南，蒲川水出石楼山，南迳蒲城东。即重耳所奔之处也。又南历蒲子县故城西，今大魏之汾州治。徐广晋纪称，刘渊自离石南移蒲子者也。阚骃曰：蒲城在西北，汉武帝置。其水南出，得黄卢水口〔三八〕，水东出蒲子城南，东北入谷，极溪便水之源也。蒲水又南，合紫川水〔三九〕，水东北出紫川谷〔四〇〕，西南合江水。江水出江谷，西北入紫川水。紫川水又西北入蒲水，蒲水又西南入于河水。河水又南合黑水〔四一〕，水出定阳县西山，二源奇发，同泻一壑，东南流迳其县北，又东南流，右合定水，俗谓之白水也。水西出其县南山定水谷，东迳定阳县故城南。应劭曰：县在定水之阳也。定水又东注于黑水，乱流东南入于河。

〔一〕注疏本作"河水三"。疏："戴无三字。"

〔二〕持武　黄本、吴本、注笺本、项本、沈本、张本均作"特武"，五校钞本、七校本均作"特戎"。

〔三〕注疏本作"故目城为白马骝，韵转之谬"。"口"作"马"，加"转"字。

〔四〕札记水经注记载的岩画资源：

古代岩画是一种重要的文物资源。所谓岩画，往往是一些史前时期的部落居民在岩石上涂抹和雕凿的，它们线条简单，构思粗犷，但却鲜明地反映这些部落的生产和生活，所以除了文物的价值以外，岩画对研究古代不同部落的分布、发展、迁徙以及他们的生产、生活、风俗习惯等许多方面，都有重要的意义。

郦道元在水经注中，记载了不少地方的岩画，其中有许多是他亲眼目睹的。卷三河水经"又北过北地富平县西"注中，他记载了许多他在旅途中发现的古代游牧民族的岩画，注云：

河水又东北历石崖山西，去北地五百里，山石之上，自然有文，尽若虎马之状，粲然成著，类似图焉，故亦谓之画石山也。

在同卷经"至河目县西"注中又说：

(河水)东流迳石迹阜西，是阜破石之文，悉有鹿马之迹，故纳斯称焉。

按照郦道元的记载，这个地区当在今内蒙古阴山一带，近年以来，内蒙古的文物工作者，根据水经注的记载，已经发现了"石崖山"、"石迹阜"等的古代岩画。它们位于阴山山脉西段的狼山地区，西起阿拉善左旗，中经磴口县、潮格旗，东至乌拉特中联合旗。东西长约三百公里，南北宽约四十至七十公里，在深山幽谷和峭丽的山巅上，已找到了一千多幅各种内容的岩画，真是一宗巨大的岩画资源。所有这些，盖山林在举世罕见的珍贵古代民族文物——绵延二万一千平方公里的阴山岩画(内蒙古社会科学一九八〇年第二期)等文中已有详细介绍。

由于水经注记载的古代岩画资源在内蒙古获得发现，为此，如果我们继续检索水经注有关岩画资源的记载，进一步在其记载的相关地区进行野外调查，则继内蒙古阴山地区之后，继续发现古代岩画的可能性是不小的。

我查阅郦注，除了河水注的"画石山"和"石迹阜"以外，记载古代岩画的篇幅，在全书中是不少的。

卷二河水经"又东过金城允吾县北"注中，注文云：

今晋昌郡南及广武马蹄谷盘石上，马迹若践泥中，有自然之形,故其俗号曰天马径,夷人在边效刻,是有大小之迹,体状不同,视之便别。

卷四河水经"又东过河北县南"注云:

其水又迳鹿蹄山西,山石之上有鹿蹄,自然成著,非人功所刊。

上述晋昌郡的"天马径"和洛水流域的"鹿蹄山",前者注文说"有自然之形",后者则"自然成著",这与"石崖山"的"自然有文"是一样的。而且注文对"天马径"又清楚地指出"夷人在边效刻"。为此,这两个地区拥有古代岩画资源的可能性是极大的,应该组织力量进行野外调查,使宝贵的古代文物资源得到及时的发现和保护。

除了上述河水注的两条以外,全书还有不少涉及古代岩画的记载,例如:

卷二十六淄水经"又东过利县东"注中,注文云:"盘石上尚有人马之迹。"

卷二十七沔水经"又东过西城县南"注中,注文云:"山下有石坛,上有马迹五所。"

卷三十八湘水经"又东北过重安县东,又东北过酃县西,承水从东南来注之"注中,注文云:"石悉有迹,其方如印。"

卷三十九洣水经"又西北过阴山县南"注中,注文云:"上有仙人及龙马迹。"

以上四条有关古代岩画资源的记载,因为郦道元均未亲履其地,他是从其他资料上检获而写入注文的。但既有资料记载了这些可能存在的古代岩画,我们也应该按注文所记的地区加以调查,或许也能有所发现。

〔五〕见注〔四〕。

〔六〕往　注疏本云:"朱作去,笺曰:谢云,宋本作西。赵同,戴改往。会贞按:西与东对举,似是。但注叙河水东流,先言阳山,后言北假,则北假不得但在阳山以西,戴作往,较胜。"

〔七〕晏元献公类要卷六陕西路夏濛水引水经注:"朔方县有濛水,合金河而流。"当是此段中佚文。

〔八〕稒阳　大典本、黄本、注笺本、项本、沈本、张本均作"副阳"。

〔九〕注疏本云:"朱讹作二十四年。全云:史记年表是三十三年。赵、戴改三。守敬按:年表三十三年,蒙恬将三十万筑长城河上,则全说是,故赵、戴从之。但始皇本纪三十四年,適治狱吏不直者,筑长城及南越地,年表同。注下文明引其辞,疑三十三年是三十四年之误。"

〔一〇〕稒阳县故城　大典本、黄本、沈本均作"固阳县故城"。

〔一一〕芒干水　大典本、黄本、何校明钞本、沈本均作"芒湖水",吴本、注笺本、王校明钞本、项本、张本均作"芒于水",注删本作"芒於水",五校钞本、七校本、注释本、注疏本、汉志水道疏证卷一定襄郡引水经注均作"荒干水",山海经笺疏卷二西山经郝懿行案引水经注作"芒千水"。

〔一二〕白道　史记卷一一〇列传五〇匈奴传"北破林胡楼烦,筑长城"正义引水经注作"百道"。

〔一三〕白道岭,同〔一二〕,作"百道岭"。

〔一四〕文选卷二十七乐府上饮马长城窟行引水经注:"其下

往往有泉窟可饮马。”当是此句下佚文。

〔一五〕芒中　注释本作“荒中”。

〔一六〕槙陆　注笺本、项本、注释本、张本均作“桢陆”。

〔一七〕札记水经之误：

郦道元批评经文的错误，有时直接写出“盖经之误矣”，“盖经误证也”等话；有时却并不直接使用这类语言，而是在注文中实际上改正了经文的错误。现在姑且不论后者，只谈注文明言经文错误的，全书就有三十九处之多。涉及十八卷二十四篇。其中，同一篇内经文谬误达二处的有卷十三漯水，卷二十二颍水，卷二十四睢水、瓠子河，卷二十五泗水，卷二十九沔水；同一篇内经文谬误达三处的有卷八济水；同一篇内经文谬误达四处的有卷五河水，卷三十淮水。……

现在试以河水的五卷五篇为例，说明水经的错误和郦道元所作的批评指正。河水的卷一、卷二两篇，属于经、注均误，这是一种历史上的特殊原因所造成。我在拙著郦道元评传中专设水经注中的错误和学者的批评一章，专门议论这两卷的问题，其中最大的错误就是所谓“黄河重源”。唐杜佑在通典卷一七四州郡四中早已指出：“其本纪（按指今已亡佚的禹本纪）灼然荒唐。”杜佑批评水经的话是：“撰经者取以为准的。”对水经注的批评是：“郦道元都不详正。”所以河水的卷一、卷二两卷，经、注均以讹传讹，姑置别论。

河水从卷三到卷五三篇中，注文明确指出经文错误的共有六处：卷三经“又东过云中桢陵县南，又东过沙南县北，从县东屈南，过沙陵县西”注云：

余以太和中为尚书郎，从高祖北巡，亲所迳涉。县在山南，王莽之槙陆也，北去云中城一百二十里。县南六十许里，有东、西大山，山西枕河，河水南流，脉水寻经，殊乖川去之次，似非关究也。

戴震在此下加案云："案此驳正经文东过桢陵、沙南之误。"殿本的案语当然是正确的，当然，仔细的读者，即使没有这案语，也可以分辨得出来。注文的"脉水寻经"，其可贵之处，正是郦道元的"亲所迳涉"。

〔一八〕大浴真山　吴本、注笺本、项本、五校钞本、七校本、注释本、张本均作"大浴山"。案"大浴真山"是水经注记载的非汉语地名之一，如同卷一河水中的昆仑、阿耨达太山、中国、半达钵愁，卷二河水中的捐毒之国、阿步干鲜卑山等一样。我在拙著水经注中的非汉语地名（水经注研究四集，杭州出版社二〇〇三年出版）一文中指出：

从卷二河水的下半篇起，包括卷三、卷四河水，卷六汾水及其他诸水，水经注的记叙从西北到华北，这以下包括许多卷篇，都涉及这个地区。这是一个从公元四世纪初到六世纪之间在我国发生的所谓"地理大交流"的首当其冲的地区。我在拙作地理学思想史序（刘盛佳著，华中师范大学出版社一九九〇年出版，拙序又发表于中国历史地理论丛一九八九年第四辑）中说：

在上述时期中发生在中国境内的巨大人群在自然地理环境和人文地理环境上的深刻变异，应该被称为"地理大交流"。在这段时期中，大群生活在北方草原上的游牧民族，一个部落接着一个部落地跨过被称为“万里长城”的这道汉族人所设置的防线，定居到这片对他们来说是完全陌生的土地上从事农业生产活动。而原来居住在这个地区的汉族，被迫大批南迁，放弃了他们世代定居的这片干燥坦荡的小麦杂粮区，迁移低洼潮湿的江南稻作区。因此，不论在中国的北方和南方，数量巨大的人群，都面临着新的自然地理环境和人文地理环境。对于这些移民及其子孙，新领地为他们大开眼界，而故土仍为他们世代怀念。这就是在这个时代中人们的地理学思想所以特别活跃的原因。地理学思想空前活跃的结果，是大量地理著作的出现。

其实，“地理大交流”的结果，不仅是大量地理著作的出现，也是大量新地名的出现。由于人们对故土的怀念，使“地理大交流”在某种意义上说成为“地名大交流”。在南方，北方的汉族移民带来了许多他们故土的州、郡、县名，这就是所谓侨州、侨郡和侨县。在北方，许多少数民族，一方面把他们在草原中的大量非汉族地名带到他们的新领地，另一方面又在他们的新领地用他们的民族语言到处命名，而郦道元恰巧又在这样的时候撰写他的水经注，以致使这位当代的地理学家，对于这许多光怪陆离的地名，也弄得不知所措。既不知道它们属于什么民族的语言，也不知从何解释。对于这类地名，他在注文中只好笼统地用“北俗谓之”一语，如“北俗谓之贷敢山”、“北俗谓之树颓水”等等之类。郦道元世代都是北方人，却不能在注文中说清这种“北俗”。其实，他所说的“北俗”，是以他的家乡为基准的，即是今华北以北的草原地带，所指也就是在“地理大交流”时代越过长城南下的许多少数民族。这类非汉族地名数量庞大，无法一一列举。仅在卷三河水的“又南过赤城东，又南过定襄桐过县西”这一条经文之下，注文中用“北俗谓之”一语解释的非汉语地名就有下列：

山：大浴真山、贷敢山、乌伏真山、吐文山。

水：大浴真水、贷敢水、可不埿水、吐文水、灾豆浑水、诰升袁水、太罗水、树颓水。

城邑：北右突城、可不埿城、阿养城、昆新城、故槃回城、太罗城。

其他：契吴亭、仓鹤陉、大谷北堆。

〔一九〕沃水　注笺本、项本、张本均作“流水”。

〔二〇〕诰升袁河　通鉴卷一六九文帝天嘉六年“南阳公杨荐等”胡注引水经注、方舆纪要卷四十四山西六大同府朔州神武城引水经注均作“诰升爰水”。

〔二一〕武州县故城　吴本、注笺本、项本、张本、注疏本均作“武县故城”。

〔二二〕武州县　吴本、注笺本、项本、张本、注疏本均作“武县”。

〔二三〕故槃回城　香草续校书下册五一二页至五一三页于鬯云：“‘城’字恐误，或可作‘河’。上文云‘北俗谓之太罗城’，是武州县既为‘太罗城’矣，不应又谓之‘故槃回城’也，故疑‘城’为

‘河’字之误。”

〔二四〕神衔水　注笺本、项本、五校钞本、七校本、注释本、张本均作“神御水”。

〔二五〕榆溪旧塞　关中水道记卷一诸次水引水经注作“榆林旧塞”。

〔二六〕又南离石县西　殿本案：“案‘南’下脱‘过’字。”注疏本有“过”字。

〔二七〕朔方水　注笺本、项本、张本均作“朔水”。

〔二八〕统万城　札记统万城：

> 水经注卷三河水经“又南离石县西”注云：“赫连龙昇七年，于是水之北，黑水之南，遣将作大匠梁公叱干阿利改筑大城，名曰统万城。”郦道元在其注文中常常解释地名的由来，全书记载的地名有渊源解释的达二千四百馀处之多。郦氏解释的地名，除了大量汉语地名外，也包括不少非汉语地名。例如释“半达钵愁”为“白山”（卷一河水注），释纠尸罗为“截头”（卷一河水注）等，这些都是古代的梵语地名。不过对于不少非汉语地名地区，郦氏在注文中明言他不解其意。例如对“薄骨律镇城”，他指出“语出戎方，不究城名”（卷三河水注）。又如对今山西省境内的许多非汉语地名如“乌伏真山”、“树颓水”、“比郍州城”（河水注、㶟水注等），他常用“北俗谓之”、“胡汉译言”等话，说明他不解这些地名的渊源。对于“统万城”一名，注文不置一辞。按照郦氏写作注文的通例，凡是他不置一辞的地名，实际上如同“北俗谓之”、“胡汉译言”一样，说明他不谙地名的由来。

但这个在郦氏作水经注时代就已经不知由来的统万城，在唐太宗作为主编的晋书中，却提出了解释“统一天下，君临万邦”（赫连勃勃载记）。此后，元和郡县志也从晋书之说，而通鉴胡注因之。直到现代，新编辞海统万城条，也袭用前说。则统万城的地名来源，虽然郦氏已经不谙，而在此后一百多年的唐修晋书却提出了望文生义的说法，似乎成了定论。但著名历史学家周一良却对此提出了怀疑。他说：

> 北史宇文莫槐传称“其语与鲜卑颇异”，当是指宇文部落犹独立时而言。至北魏末叶将近二百年，似宇文氏已不复能保存其“与鲜卑颇异”之匈奴语言矣。然有一事颇可注意。赫连夏之龙昇七年（晋安帝义熙九年，魏道武永兴五年。）于奢延水之北黑水之南筑大城，名曰统万而都焉（水经河水注）。元和郡县志谓赫连勃勃自言方统一天下，君临万方，故以统万为名。通鉴亦取其说。今案赵万里先生集冢墓遗文四之五四元彬墓志，四之五七元湛墓志，四之六十元举墓志俱称“统万突镇都大将”。三之二三元保洛墓志又称“吐万突镇都大将”。吐统一声之转，是本译胡语，故或统或吐，（古今姓氏书辨证亦言统万亦作吐万。）或省去突字，赫连氏当时自无元和志所言之义。水经注河水“又北（迳）薄骨律镇城”，子注云：“赫连果城也……遂仍今称，所未详也。”薄骨律与统万突皆是胡语，汉人不识其义，强为之说，白口骝与元和志解统万突俱失之虚造。然郦氏于统万城下犹不载元和志之说，则较白口骝传说为尤晚矣。

周氏之说见于其所著魏晋南北朝史论集(中华书局一九六三年出版)。“统万”一词的汉义解释,如上所述见于晋书而不是元和志,这是周氏的偶失。但他据赵万里所集元保洛墓志及古今姓氏书辨证,指出“吐统一声之转,是本译胡语”,其说是可以成立的。又引赫连薄骨律镇城相对比,郦注称薄骨律镇城“语出戎方,不究城名”,而对统万城也不置一辞,可为周氏“汉人不识其义,强为之说”的旁证。所以自从晋书直到辞海,长期以来沿袭的“统一天下,君临万邦”之说,实在值得考虑。唐初晋书的主要依据是南齐臧荣绪晋书。臧书,郦注卷十五洛水曾经引及,说明郦氏见到此书,而注文不及“统一天下,君临万邦”之说,说明在南齐时尚无这种说法。当然,我们还不敢论定晋书之说全无根据,但至少是口说无凭的。北史胡方回传记及:“方回仕赫连屈丐为中书侍郎,涉猎史籍,辞采可观。为屈丐统万城铭、蛇祠碑诸文,颇行于世。”可惜胡方回的统万城铭早已亡佚,如此铭尚在,则统万城的地名渊源,当可迎刃而解。解释古代地名,特别是非汉语地名,既不能望文生义,也切忌人云亦云。做学问的事情总要查有实据。这是地名学研究者值得注意的。

〔二九〕帝、原水　注疏本“会贞按:汉志,肤施县有五龙山、帝、原水、黄帝祠四所。钱大昕曰,郊祀志,宣帝立五龙山仙人祠及黄帝、天神帝、原水凡四祠于肤施。五龙山,一也,帝即天神帝,二也,原水,三也,黄帝,四也。钱说甚审。据郊祀志又云,黄帝、天神、原水之属皆罢,是只称原水,不称帝原也。”

〔三〇〕平水　注笺本、项本、张本均作“年水”。

〔三一〕隰城县　乾隆汾州府志卷四山川下离石水引水经注作“隰成县”。

〔三二〕土军县　寰宇通志卷八十二辽州土京水引水经注：“西阳水出西阳溪。”当是此段下佚文。

〔三三〕牧马川　元一统志卷四陕西等处行中书省古迹五龙泉引水经注、方舆纪要卷五十七陕西六延安府肤施县延利渠引水经注均作“牧龙川”。

〔三四〕高奴县　正字通巳集上水部油引水经注作“高孥县”。

〔三五〕蒲城　吴本作“莆城”。

〔三六〕札记石油：

在水经注全书中，有关石油的记载只有两处，而且是在同一条经文即卷三河水经“又南过上郡高奴县东”注下。注云：

清水又东迳高奴县，合丰林水。地理志谓之洧水也。故言高奴县有洧水，肥可爇（按即古“燃”字，下同），水上有肥，可接取用之。博物志称酒泉延寿县南山出泉水，大如管，注地为沟，水有肥如肉汁，取著器中，始黄后黑，如凝膏，然（按即燃，古时然、燃通用）极明，与膏无异，膏车及水碓缸甚佳，彼方人谓之石漆。水肥亦所在有之，非止高奴县洧水也。

这段注文记及的地方有两处：一处是高奴县，这是秦建置的县，位于今陕西延安东北的延河北岸。另一处延寿县是东汉建置的县，位于今甘肃玉门以南。按汉书地理志上郡高奴县：“有洧水，可爇。”所以郦注这一条记载来自汉书地理志。

延河流域的石油蕴藏已经为事实所证明。

这条注文中，由于记载高奴县的这种“水上有肥”的现象，又引博物志记及了延寿县的同类情况，而注文比叙述高奴县更为详细。注文引自晋张华博物志，但博物志属于亡佚之书，所以郦注是现存古籍中最早记及玉门油矿的文献，实属可贵。当然，在郦道元的时代，尚无石油之名，而是用“水肥”来说明这种事物的现象。“肥”，其实就是“油”的意思。延寿人称此为“石漆”，由于他们用此“膏水碓缸”，以此作漆，才出现这个名称。这段注文的非常重要的一句是：“水肥亦所在有之，非止高奴县洧水也。”说明郦道元见闻所及的这种“水肥”现象很多，可惜他除了旁及延寿县以外，没有记及他所知的其他地方。

〔三七〕奚谷水　注笺本、项本、张本均作“溪谷水”。

〔三八〕初学记卷八河东道第四黄谷引水经注：“黄栌水出隰川县东北黄栌谷。”当是此段下佚文。

〔三九〕紫川水　注笺本、项本、张本、注疏本均作“紫水”。

〔四〇〕初学记卷八河东道第四紫川引水经注：“紫川水源出隰川县东紫谷也。”当是此段下佚文。

〔四一〕黑水　注笺本、项本、张本均作“南黑水”。

水经注卷四

河水〔一〕

又南过河东北屈县西，

河水南迳北屈县故城西，西四十里有风山，上有穴如轮，风气萧瑟，习常不止，当其冲飘也，略无生草，盖常不定，众风之门故也。风山西四十里，河南孟门山。山海经曰：孟门之山，其上多金玉，其下多黄垩、涅石。淮南子〔二〕曰：龙门未辟，吕梁未凿，河出孟门之上，大溢逆流，无有丘陵，高阜灭之，名曰洪水。大禹疏通，谓之孟门。故穆天子传曰：北登孟门，九河之隥。孟门，即龙门之上口也。实为河之巨阸，兼孟门津之名矣。此石经始禹凿，河中漱广，夹岸崇深，倾崖返捍，巨石临危，若坠复倚，古之人有言，水非石凿，而能入石，信哉。其中水流交冲，素气云浮，往来遥观者，常若雾露沾人，窥深悸魄。其水尚崩浪万寻，悬流千丈，浑洪赑怒，鼓若山腾，濬波颓叠，迄于下口。方知慎子，下龙门，流浮竹，非驷马之追也。又有燕完水注之，异源合舍，西流注河。河水又南得鲤鱼〔三〕，历涧东入，穷溪首便其源也。尔雅曰：鳣，鲔也。出巩穴，三月则上渡龙门，得渡为龙矣。否则，点额而还。非夫往还之会，何能便有兹称乎？河水又南，羊求水入焉，水东出羊求川，西迳北屈县故城南，城，即夷吾所奔邑也，王莽之朕北也。汲郡古文曰：翟章救郑，次于南屈。应劭曰：有南，故加北。国语曰：二五〔四〕言于献公曰：蒲与二屈，君之疆也。其水西流，注于河。河又南为采桑津。春秋僖公八年，晋里克败狄于采桑是也。赤水出西北罢谷川东，谓之赤石川，东入于河。河水又南合蒲水。西则两源并发，俱导一山，出西河阴山县，王莽之山宁也。阴山东麓，南水东北与长松水合，水西出丹阳山东，东北流，左入蒲水，蒲水又东北与北溪会，同为一川，东北注河。河水又南，丹水西南出丹阳山，东北迳冶官东，俗谓之丹阳城。城之左右，犹有遗铜矣。其水东北会白水口，水出丹山东，而西北注之，丹水又东北入河。河水又南，黑水西出丹山东，而东北入于河。河水又南至崿谷，傍谷东北穷涧，水源所导也，西南流注于河。河水又南，洛水自猎山枝分东派，东南注于河。昔魏文侯筑馆洛阴，指谓是水也。

又南过皮氏县西，

皮氏县，王莽之延平也。故城在龙门东南，不得延迳皮氏，方届龙门也。

又南出龙门口，汾水从东来注之。

昔者，大禹导河积石，疏决梁山，谓斯处也。即经所谓龙门矣。魏土地记曰：梁山北有龙门山，大禹所凿，通孟津河口，广八十步，岩际镌迹，遗功尚存。岸上并有庙祠，祠前有石碑三所，二碑文字紊灭，不可复识，一碑是太和中立。竹书纪年，晋昭公元年，河赤于龙门三里。梁惠成王四年，河水赤于龙门三日。

京房易妖占曰:河水赤,下民恨。河水又南,右合畅谷水,水自溪东南流,迳夏阳县西北,东南注于河。河水又南迳梁山原东,原自山东南出至河,晋之望也,在冯翊夏阳县之西北,临于河上。山崩,壅河三日不流,晋侯以问伯宗,即是处也。春秋穀梁传曰:成公五年,梁山崩,遏河水,三日不流。召伯尊。遇辇者不避,使车右鞭之。辇者曰:所以鞭我者,其取道远矣。伯尊因问之,辇者曰:君亲缟素,率群臣哭之,斯流矣。如其言,而河流。河水又南,崌谷水注之,水出县西北梁山,东南流,横溪水注之,水出三累山,其山层密三成,故俗以三累名山。按尔雅,山三成为昆仑丘。斯山岂亦昆仑丘乎?山下水际,有二石室,盖隐者之故居矣。细水东流,注于崌谷。侧溪山南有石室,西面有两石室,北面有二石室,皆因阿结牖,连扃接闼,所谓石室相距也。东厢石上,犹传杵臼之迹。庭中亦有旧宇处,尚仿佛前基,北坎室上,有微涓石溜,丰周瓢饮,似是栖游隐学之所。昔子夏教授西河,疑即此也,而无以辨之。溪水又东南迳夏阳县故城北,故少梁也。秦惠文王十一年,更从今名矣。王莽之冀亭也。其水东南注于河。昔韩信之袭魏王豹也,以木罂自此渡。河水又南,右合陶渠水,水出西北梁山,东南流迳汉阳太守殷济精庐南,俗谓之子夏庙。陶水〔五〕又南迳高门南,盖层阜堕缺,故流高门之称矣〔六〕。又东南迳华池南,池方三百六十步,在夏阳城西北四里许。故司马迁碑文云:高门华池,在兹夏阳。今高门东去华池三里。溪水又东南迳夏阳县故城南。服虔曰:夏阳,虢邑也,在大阳东三十里。又历高阳宫北,又东南迳司马子长墓北,墓前有庙,庙前有碑。

永嘉四年，汉阳太守殷济瞻仰遗文，大其功德，遂建石室，立碑树桓。太史公自叙曰：迁生于龙门。是其坟墟所在矣。溪水东南流入河。昔魏文侯与吴起浮河而下，美河山之固，即于此也。河水又南，徐水注之，水出西北梁山，东南流迳汉武帝登仙宫东，东南流，绝彊梁原。右迳刘仲城北，是汉祖兄刘仲之封邑也。故徐广史记音义曰：郃阳，国名也。高祖八年，侯刘仲是也。其水东南迳子夏陵北，东入河。河水又南迳子夏石室东，南北有二石室，临侧河崖，即子夏庙室也。

又南过汾阴县西，

河水东际汾阴脽，县故城在脽侧，汉高帝六年，封周昌为侯国。魏土地记曰：河东郡北八十里有汾阴城，北去汾水三里，城西北隅曰脽丘，上有后土祠。封禅书曰：元鼎四年，始立后土祠于汾阴脽丘是也。又有万岁宫，汉宣帝神爵元年幸万岁宫，东济大河，而神鱼舞水矣。昔赵简子沉栾徼于此，曰：吾好声色，而是子致之；吾好士，六年不进一人。是长吾过而黜吾善。君子以为能谴矣。河水又迳郃阳城东〔七〕，周威烈王之十七年，魏文侯伐秦至郑，还筑汾阴郃阳，即此城也。故有莘邑矣，为太姒之国。诗云：在郃之阳，在渭之涘。又曰：缵女维莘，长子维行。谓此也。城北有瀵水，南去二水各数里，其水东迳其城内，东入于河。又于城内侧中，有瀵水东南出城，注于河。城南又有瀵水，东流注于河〔八〕。水南犹有文母庙，庙前有碑，去城十五里，水，即郃水也，县取名焉。故应劭曰：在郃水之阳也。河水又南，瀵水入焉。水出汾阴县南四十里，西去河三里，平地开源，濆泉上涌，大几如轮，深则不测，俗呼之为瀵魁。

古人壅其流以为陂水，种稻。东西二百步，南北百馀步〔九〕，与郃阳瀵水夹河，河中渚上，又有一瀵水，皆潜相通。故吕忱曰：尔雅，异出同流为瀵水。其水西南流，历蒲坂〔一〇〕西，西流注于河。河水又南迳陶城西，舜陶河滨，皇甫士安以为定陶，不在此也。然陶城在蒲坂城北，城，即舜所都也。南去历山不远，或耕或陶，所在则可，何必定陶，方得为陶也。舜之陶也，斯或一焉。孟津有陶河之称，盖从此始之。南对蒲津关。汲冢竹书纪年，魏襄王七年，秦王来见于蒲坂关；四月，越王使公师隅来献乘舟始罔及舟三百，箭五百万，犀角、象齿焉。

又南过蒲坂县西，

地理志曰：县，故蒲也。王莽更名蒲城。应劭曰：秦始皇东巡，见有长坂，故加坂也。孟康曰：晋文公以赂秦，秦人还蒲于魏，魏人喜，曰：蒲反矣，故曰蒲反也。薛瓒注汉书曰：秦世家以垣为蒲反。然则本非蒲也。皇甫谧曰：舜所都也。或言蒲坂，或言平阳及潘者也。今城中有舜庙。魏秦州刺史治。太和迁都罢州，置河东郡。郡多流杂，谓之徙民。民有姓刘名堕者，宿擅工酿，采挹河流，酝成芳酎，悬食同枯枝之年，排于桑落之辰，故酒得其名矣。然香醑之色，清白若滫浆焉，别调氛氲，不与佗同，兰薰麝越，自成馨逸，方土之贡，选最佳酌矣。自王公庶友，牵拂相招者，每云：索郎有顾，思同旅语。索郎反语为桑落也，更为籍征之隽句、中书之英谈〔一一〕。郡南有历山，谓之历观，舜所耕处也。有舜井，妫、汭二水出焉。南曰妫水，北曰汭水，西迳历山下，上有舜庙。周处风土记曰：旧说，舜葬上虞。又记云：耕于历山。而始宁、剡二县界上，舜所耕田，于山下多柞树，吴、越之间，名柞为枥，故曰历山。余按周处此志为不近情，传疑则可，证实非矣。安可假木异名，附山殊称？强引大舜，即比宿壤，更为失志记之本体，差实录之常经矣。历山、妫汭，言是则安，于彼乖矣。尚书所谓釐降二女于妫汭也。孔安国曰：居妫水之内。王肃曰：妫汭，虞地名。皇甫谧曰：纳二女于妫水之汭。马季长曰：水所出曰汭，然则，汭似非水名，而今见有二水异源同归，浑流西注入于河。河水南迳雷首山西〔一二〕，山临大河，北去蒲坂三十里，尚书所谓壶口雷首者也。俗亦谓之尧山，山上有故城〔一三〕，世又曰尧城。阚骃曰：蒲坂，尧都。按地理志曰：县有尧山、首山祠，雷首山在南。事有似而非，非而似，千载眇邈，非所详耳。又南，涑水注之，水出河北县雷首山〔一四〕，县北与蒲坂分，山有夷齐庙。阚骃十三州志曰：山，一名独头山，夷、齐所隐也。山南有古冢，陵柏蔚然，攒茂丘阜，俗谓之夷齐墓也。其水西南流，亦曰雷水。穆天子传曰：壬戌，天子至于雷首，犬戎胡觞天子于雷首之阿，乃献良马四六，天子使孔牙受之于雷水之干是也。昔赵盾田首山，食祁弥明翳桑之下，即于此也。涑水又西南流，注于河，春秋左传谓之涑川者也，俗谓之阳安涧水。

又南至华阴潼关，渭水从西来注之。

汲郡竹书纪年曰：晋惠公十五年，秦穆公帅师送公子重耳，涉自河曲。春秋左氏僖公二十四年，秦伯纳之，及河，子犯以璧授公子曰：臣负羁绁，从君巡于天下，臣之罪多矣，臣犹知之，而况君乎？请由此亡。公子曰：所不与舅氏同心者，有如白水。投璧于此。子推笑曰：天开公子，子犯以为功，吾不忍与同位，遂逃焉。河水历船司空，与渭水会。汉书地理志，旧京兆尹之属县也。左丘明国语云〔一五〕：华岳本一山当河，河水过而曲行，河神巨灵，手荡脚蹋，开而为两，今掌足之迹，仍存华岩。开山图曰：有巨灵胡者，遍得坤元之道，能造山川，出江、河，所谓巨灵赑屃，首冠灵山者也。常有好事之士，故升华岳而观厥迹焉。自下庙历列柏南行十一里，东回三里，至中祠，又西南出五里，至南祠，谓之北君祠，诸欲升山者，至此皆祈请焉。从此南入谷七里，又届一祠，谓之石养父母，石龛、木主存焉。又南出一里，至天井，井裁容人，穴空，迂回顿曲而上，可高六丈馀，山上又有微涓细水，流入井中，亦不甚沾人，上者皆所由陟，更无别路，欲出井望空视明，如在室窥窗也。出井东南行二里，峻坂斗上斗下，降此坂二里许，又复东上百丈崖，升降皆须扳绳挽葛而行矣。南上四里，路到石壁，缘旁稍进，迳百馀步，自此西南出六里，又至一祠，名曰胡越寺，神像有童子之容，从祠南历夹岭，广裁三尺馀，两箱悬崖数万仞，窥不见底，祀祠有感，则云与之平，然后敢度，犹须骑岭抽身，渐以就进，故世谓斯岭为搦岭矣。度此二里，便届山顶。上方七里，灵泉二所，一名蒲池，西流注于涧；一名太上泉，东注涧下。上宫神庙近东北隅，其中塞实杂物，事难详载。自上宫东北出四百五十步，有屈岭，东南望巨灵手迹，惟见洪崖、赤壁而已。都无山下上观之分均矣。河在关内南流，潼激关山，因谓之潼关。濩水〔一六〕注之。水出松果之山，北流迳通谷，世亦谓之通谷水，东北注于河，述征记所谓潼谷水者也。或说因水以名地也。河水自潼关东北流，水侧有长坂，谓之黄巷坂〔一七〕。坂傍绝涧，陟此坂以升潼关，所谓溯黄巷以济潼矣。历北出东崤，通谓之函谷关也。邃岸天高，空谷幽深，涧道之峡，车不方轨，号曰天险。故西京赋曰：岩险周固，衿带易守，所谓秦得百二，并吞诸侯也。是以王元说隗嚣曰：请以一丸泥，东封函谷关，图王不成，其弊足霸矣。郭缘生记曰：汉末之乱，魏武征韩遂、马超，连兵此地。今际河之西，有曹公垒。道东原上，云李典营。义熙十三年，王师曾据此垒。西征记曰：沿路逶迤，入函道六里，有旧城，城周百馀步，北临大河，南对高山，姚氏置关以守峡，宋武帝入长安，檀道济、王镇恶，或据山为营，或平地结垒，为大小七营，滨带河险，姚氏亦保据山原陵阜之上，尚传故迹矣。关之直北，隔河有层阜，巍然独秀，孤峙河阳，世谓之风陵。戴延之所谓风塠者也。南则河滨姚氏之营，与晋对岸。河水又东北，玉涧水注之，水南出玉溪，北流迳皇天原西。周固记：开山东首上平博，方可里馀，三面壁立，高千许仞，汉世祭天于其上，名之为皇天原。上有汉武帝思子台。又北迳阌乡城〔一八〕西，郡国志曰：弘农湖县有阌乡，世谓之阌乡水〔一九〕也。魏尚书仆射阌乡侯河东卫伯儒之故邑。其水北流注于河。河水又东迳阌乡城北，东与全鸠涧水合，水出南山，北迳皇天原东。述征记曰：全节，地名也。其西名桃原，古之桃林，周武王克殷，休牛之地矣。西征赋曰：咸征名于桃原者也。晋太康地记曰：桃林在阌乡南谷中，其水又北流注于河。

又东过河北县南，

县与湖县分河。蓼水出襄山蓼谷，西南注于河。河水又东，永乐涧水注之，水北出于薄山，南流迳河北县故城西，故魏国也。晋献公灭魏，以封毕万。卜偃曰：魏大名也，万后其昌乎。后乃县之，在河之北，故曰河北县也。今城南、西二面并去大河可二十馀里，北去首山十许里，处河山之间，土地迫隘，故魏风著十亩之诗也。城内有龙泉，南流出城，又南，断而不流。永乐溪水又南入于河。余按中山经，即渠猪之水也。太史公封禅书称，华山以西名山七，薄山其一焉。薄山，即襄山也。徐广曰：蒲坂县有襄山。山海经曰：蒲山之首，曰甘枣之山〔二〇〕，其水出焉，而西流注于河。东则渠猪之山，渠猪之水出焉，而南流注于河。如准封禅书，二水无西南注河之理。今诊蓼水，川流所趣，与共水相扶。永乐溪水导源注于河，又与渠猪势合。蒲山统目总称，亦与襄山不殊。故扬雄河东赋曰：河灵矍踢，掌华蹈襄。注云：襄山在潼关北十馀里。以是推之，知襄山在蒲坂溪水，即渠猪之水也。河水自河北城南，东迳芮城〔二一〕。二城之中，有段干木冢。干木，晋之贤人也，魏文侯过其门，式其庐，所谓德尊万古，芳越来今矣。汲冢竹书纪年曰：晋武公元年，尚一军。芮人乘京，荀人、董伯皆叛。匪直大荔故芮也，此亦有焉。纪年又云：晋武公七年，芮伯万之母芮姜逐万，万出奔魏。八年，周师、虢师围魏，取芮伯万而东。九年，戎人逆芮伯万于郊。斯城亦或芮伯之故画也。河水右会槃涧水，水出湖县夸父山，北迳汉武帝思子宫、归来望思台东，又北流入于河。河水又东迳湖县故城北，昔范叔入关，遇穰侯于此矣。湖水出桃林塞之夸父山，广圆三百仞。武王伐纣，天下既定，王巡岳渎，放马华阳，散牛桃林，即此处也。

其中多野马，造父于此得骅骝、绿耳、盗骊之乘，以献周穆王，使之驭以见西王母。湖水又北迳湖县东，而北流入于河。魏土地记曰：弘农湖县有轩辕黄帝登仙处。黄帝采首山之铜，铸鼎于荆山之下，有龙垂胡于鼎，黄帝登龙，从登者七十人，遂升于天。故名其地为鼎胡。荆山在冯翊，首山在蒲坂，与湖县相连。晋书地道记、太康记并言胡县也。汉武帝改作湖。俗云黄帝自此乘龙上天也。地理志曰：京兆湖县有周天子祠二所，故曰胡，不言黄帝升龙也。山海经曰：西九十里曰夸父之山，其木多椶、柟，多竹箭，其阳多玉，其阴多铁，其北有林焉，名曰桃林，其中多马，湖水出焉，北流注于河。故三秦记曰：桃林塞在长安东四百里，若有军马经过，好行则牧华山，休息林下；恶行则决河漫延，人马不得过矣。河水又东合柏谷水，水出弘农县南石堤山。山下有石堤祠，铭云：魏甘露四年，散骑常侍、征南将军、豫州刺史、领弘农太守南平公之所经建也。其水北流，迳其亭下，晋公子重耳出亡，及柏谷，卜适齐、楚。狐偃曰：不如之翟。汉武帝尝微行此亭，见馈亭长妻。故潘岳西征赋曰：长征客于柏谷，妻睹貌而献餐。谓此亭也。谷水又北流入于河。河水又东，右合门水，门水，即洛水之枝流者也。洛水自上洛县东北，于拒阳城西北，分为二水，枝渠东北出，为门水也。门水又东北历阳华之山，即山海经所谓阳华之山，门水出焉者也。又东北历峡，谓之鸿关水。水东有城，即关亭也；水西有堡，谓之鸿关堡。世亦谓之刘项裂地处，非也。余按上洛有鸿胪围池，是水津渠沿注，故谓斯川为鸿胪涧，鸿关之名，乃起是矣。门水又东北历邑川，二水注之。左水出于阳华之阴，东北流，迳盛墙亭西，东北流，与右水合；右水出阳华之阳，东北流，迳盛墙亭东，东北与左水合。即山海经所谓缙姑之水〔二二〕出于阳华之阴，东北流注于门水者也。又东北，烛水〔二三〕注之，水有二源，左水南出于衙岭，世谓之石城山，其水东北流，迳石城西，东北合右水；右水出石城山，东北迳石城东，东北入左水。地理志曰：烛水出衙岭下谷。开山图曰：衙山在函谷山西南。是水乱流，东注于缙姑之水。二水悉得通称矣。历涧东北出，谓之开方口，水侧有阜，谓之方伯堆。宋奋武将军鲁方平、建武将军薛安都等，与建威将军柳元景北入，军次方伯堆者也。堆上有城，即方平所筑也。又东北迳邑川城南，即汉封窦门之故邑，川受其名，亦曰窦门，城在函谷关南七里。又东北，田渠水注之，水出衙山之白石谷，东北流迳故丘亭东，是薛安都军所从城也。其水又迳鹿蹄山西，山石之上有鹿蹄，自然成著，非人功所刊。历田渠川，谓之田渠水，西北流注于烛水。烛水又北入门水，水之左右，即函谷山也。门水又北迳弘农县故城东，城即故函谷关校尉旧治处也，终军弃繻于此。燕丹、孟尝，亦义动鸡鸣于其下，可谓深心有感，志诚难夺矣。昔老子西入关，尹喜望气于此也。故赵至与嵇茂齐书曰：李叟入秦，及关而叹。亦言与嵇叔夜书，及关尹望气之所，异说纷纶，并未知所定矣。汉武帝元鼎四年，徙关于新安县，以故关为弘农县，弘农郡治。王莽更名右队。刘桓公为郡，虎相随渡河，光武问而善之。其水侧城北流，而注于河。河水于此，有湿津之名。说者咸云，汉武微行柏谷，遇辱窦门，又感其妻深识之馈，既返玉阶，厚赏赉焉，赐以河津，令其鬻渡，今窦津是也。故潘岳西征赋云：酬匹妇其已泰，胡厥夫之谬官。袁豹之徒，并以为然。余按河之南畔，夹侧水渍有津，谓之洹津。河北县有洹水，南入于河，河水故有洹津之名，不从门始，盖事类名同，故作者疑之。竹书穆天子传曰：天子自寘軨，乃次于洹水之阳，丁亥，入于南郑。考其沿历所踵，路直斯津，以是推之，知非因门矣。俗或谓之偃乡涧水也。河水又东，左合一水，其水二源疏引，俱导薄山，南流会成一川。其二水之内，世谓之闲原，言虞、芮所争之田，所未详矣。又南注于河。河之右，曹水〔二四〕注之，水出南山，北迳曹阳亭西，陈涉遣周章入秦，少府章邯斩之于此。魏氏以为好阳。晋书地道记曰：亭在弘农县东十三里。其水西北流，入于河。河水又东，菑水注之，水出常烝之山，西北迳曲沃城〔二五〕南，又屈迳其城西，西北入河。诸注述者，咸言曲沃在北，此非也。魏司徒崔浩，以为曲沃地名也。余按春秋文公十三年，晋侯使詹嘉守桃林之塞，处此以备秦。时以曲沃之官守之故，曲沃之名，遂为积古之传矣。河水又东得七里涧，涧在陕城〔二六〕西七里，故因名焉。其水自南山通河，亦谓之曹阳坑〔二七〕。是以潘岳西征赋曰：行于漫渎之口，憩于曹阳之墟。袁豹、崔浩亦不非其地矣。余按汉书，昔献帝东迁，逼以寇难，李傕、郭汜追战于弘农涧，天子遂露次曹阳，杨奉、董承，外与傕和，内引白波、李乐等破傕，乘舆于是得进。复来战，奉等大败，兵相连缀，四十馀里方得达陕。以是推之，似非曹阳。然以山海经求之，菑、曹字相类，是或有曹阳之名也。河水又东合溓水〔二八〕，水导源常烝之山〔二九〕，俗谓之为干山，盖先后之异名也。山在陕城南八十里，其川二源双导，同注一壑，而西北流注于河。

又东过陕县北，

橐水出橐山，西北流。又有崖水〔三〇〕，出南山北谷，迳崖峡，北流与干山之水会，水出干山东谷，两川合注于崖水。又东北注橐水，橐水北流出谷，谓之漫涧矣。与安阳溪水合，水出石崤南，西迳安阳城南，汉昭帝封上官桀为侯国。潘岳所谓我徂安阳也。东合漫涧水，水北有逆旅亭，谓之漫口客舍也。又西迳陕县故城南，又合一水，谓之渎谷水，南出近溪，北流注橐。橐水又西北迳陕城西，西北入于河。河北对茅城，故茅亭，茅戎邑也。公羊曰：晋败之大阳者也。津亦取名焉。春秋文公三年，秦伯伐晋，自茅津济，封崤尸而还是也。东则咸阳涧水注之，水出北虞山南，至陕津注河，河南即陕城也。昔周、召分伯，以此城为东、西之别，东城即虢邑之上阳也。虢仲之所都，为南虢，三虢，此其一焉。其大城中有小城，故焦国也，武王以封神农之后于此。王莽更名黄眉矣。戴延之云：城南倚山原，北临黄河，悬水百馀仞，临之者咸悚惕焉。西北带河，水涌起方数十丈，有物居水中，父老云：铜翁仲所没处。又云：石虎载经于此沉没，二物并存，水所以涌，所未详也。或云：翁仲头髻常出，水之涨减，恒与水齐。晋军当至，髻不复出，今惟见水异耳，嗟嗟有声，声闻数里。按秦始皇二十六年，长狄十二见于临洮，长五丈馀，以为善祥，铸金人十二以象之，各重二十四万斤，坐之宫门之前，谓之金狄。皆铭其胸云：皇帝二十六年，初兼天下，以为郡县，正法律，同度量，大人来见临洮，身长五丈，足六尺。李斯书也。故卫恒叙篆曰：秦之李斯，号为工篆，诸山碑及铜人铭，皆斯书也。汉自阿房徙之未央宫前，俗谓之翁仲矣。地皇二年，王莽梦铜人泣，恶之，念铜人铭有皇帝初兼天下文，使尚方工镌灭所梦铜人膺文。后董卓毁其九为钱。其在者三，魏明帝欲徙之洛阳，重不可胜，至霸水西停之。汉晋春秋曰：或言金狄泣，故留之。石虎取置邺宫，苻坚又徙之长安，毁二为钱，其一未至而苻坚乱，百姓推置陕北河中，于是金狄灭。余以为鸿河巨渎，故应不为细梗躓湍；长津硕浪，无宜以微物屯流。斯水之所以涛波者，盖史记所云：魏文侯二十六年，虢山崩，壅河所致耳〔三一〕。献帝东迁，日夕潜渡，坠坑争舟，舟指可掬，亦是处矣。

又东过大阳县南，

交涧水出吴山，东南流入河。河水又东，路涧水亦出吴山，东迳大阳城〔三二〕西，西南流〔三三〕，入于河。河水又东迳大阳县故城南。竹书纪年曰：晋献公十有九年，献公会虞师伐虢，灭下阳；虢公丑奔卫，献公命瑕父、吕甥邑于虢都。地理志曰：北虢也，有天子庙，王莽更名勤田。应劭地理风俗记曰：城在大河之阳也。河水又东，沙涧水注之，水北出虞山，东南迳傅岩，历傅说隐室前，俗名之为圣人窟。孔安国传：傅说隐于虞、虢之间。即此处也。傅岩东北十馀里，即巅軨坂〔三四〕也。春秋左传所谓入自巅軨者也。有东、西绝涧，左右幽空穷深，地壑中则筑以成道，指南北之路，谓之軨桥也。傅说佣隐，止息于此，高宗求梦得之是矣。桥之东北有虞原，原上道东有虞城，尧妻舜以嫔于虞者也。周武王以封太伯后虞仲于此，是为虞公。晋太康地记所谓北虞也。城东有山，世谓之五家冢，冢上有虞公庙,春秋穀梁传曰:晋献公将伐虢,荀息曰:君何不以屈产之乘,垂棘之璧,假道于虞。公曰:此晋国之宝也。曰:是取中府置外府也。公从之,及取虢灭虞,乃牵马操璧,璧则犹故,马齿长矣。即宫之奇所谓:虞、虢其犹辅车相依,唇亡则齿寒,虢亡,虞亦亡矣。其城北对长坂二十许里,谓之虞坂。戴延之曰:自上及下,七山相重。战国策曰:昔骐骥驾盐车上于虞坂,迁延负辕而不能进。此盖其困处也。桥之东北山溪中,有小水西南注沙涧,乱流迳大阳城东,河北郡治也。沙涧水南流注于河。河水又东,左合积石、土柱二溪,并北发大阳之山,南流入于河。是山也,亦通谓之为薄山矣。故穆天子传曰:天子自盬,己丑,南登于薄山寘軨之隥,乃宿于虞是也。

又东过砥柱间,

砥柱〔三五〕,山名也。昔禹治洪水,山陵当水者凿之,故破山以通河。河水分流,包山而过,山见水中若柱然,故曰砥柱也。三穿既决,水流疏分,指状表目,亦谓之三门矣。山在虢城东北,大阳城东也。搜神记称齐景公渡于江、沈之河,鼋衔左骖,没之,众皆惕。古冶子于是拔剑从之,邪行五里,逆行三里,至于砥柱之下,乃鼋也,左手持鼋头,右手挟左骖,燕跃鹄踊而出,仰天大呼,水为逆流三百步,观者皆以为河伯也。亦或作江、沅字者也,若因地而为名,则宜在蜀及长沙,按春秋,此二土并景公之所不至,古冶子亦无因而骋其勇矣。刘向叙晏子春秋,称古冶子曰,吾尝济于河,鼋衔左骖以入砥柱之流,当是时也,从而杀之,视之乃鼋也。不言江、沅矣。又考史迁记云:景公十二年,公见晋平公;十八年,复见晋昭公。旌轩所指,路直斯津。从鼋砥柱事或在兹。又云：观者以为河伯，贤于江、沅之证，河伯本非江神，又河可知也。河之右侧，崤水注之。水出河南盘崤山，西北流，水上有梁，俗谓之鸭桥也。历涧东北流，与石崤水合，水出石崤山。山有二陵：南陵，夏后皋之墓也；北陵，文王所避风雨矣。言山径委深，峰阜交荫，故可以避风雨也。秦将袭郑，蹇叔致谏而公辞焉，蹇叔哭子曰：吾见其出，不见其入，晋人御师必于崤矣，余收尔骨焉。孟明果覆秦师于此。崤水又北，左合西水，乱流注于河。河水又东，千崤之水注焉。水南导于千崤之山，其水北流，缠络二道。汉建安中，曹公西讨巴汉，恶南路之险，故更开北道，自后行旅，率多从之。今山侧附路有石铭云：晋太康三年，弘农太守梁柳修复旧道。太崤以东，西崤以西，明非一崤也。西有二石，又南五十步，临溪有恬漠先生翼神碑，盖隐斯山也。其水北流注于河。河水翼岸夹山，巍峰峻举，群山叠秀，重岭干霄。郑玄按地说，河水东流，贯砥柱，触阏流，今世所谓砥柱者，盖乃阏流也。砥柱当在西河，未详也。余按，郑玄所说非是，西河当无山以拟之。自砥柱以下，五户已上，其间百二十里，河中竦石杰出，势连襄陆，盖亦禹凿以通河，疑此阏流也。其山虽辟，尚梗湍流，激石云洄，澴波怒溢，合有十九滩，水流迅急，势同三峡〔三六〕，破害舟船，自古所患。汉鸿嘉四年，杨焉言，从河上下，患砥柱隘，可镌广之。上乃令焉镌之，裁没水中，不能复去，而令水益湍怒，害甚平日。魏景初二年二月，帝遣都督沙丘部、监运谏议大夫寇慈，帅工五千人，岁常修治，以平河阻。晋泰始三年正月，武帝遣监运大中大夫赵国、都匠中郎将河东乐世，帅众五千馀人，修治河滩，事见五户祠铭。虽世代加功，水流湍濑，涛波尚屯，及其商舟是次，鲜不踟蹰难济，故有众峡诸滩之言。五户，滩名也，有神祠，通谓之五户将军，亦不知所以也。

又东过平阴县北，清水从西北来注之。

清水出清廉山之西岭，世亦谓之清营山。其水东南流，出峡，峡左有城，盖古关防也。清水历其南，东流迳皋落城北。服虔曰：赤翟之都也。世谓之倚亳城，盖读声近转，因失实也。春秋左传所谓晋侯使太子申生伐东山皋落氏者也。与倚亳川水合，水出北山矿谷，东南流注于清。清水又东迳清廉城南，又东南流，右会南溪水，水出南山，而东注清水。清水又东合乾枣涧水，水出石人岭下，南流，俗谓之扶苏水。又南历奸苗北马头山，亦曰白水原，西南迳垣县故城北。史记：魏武侯二年城安邑至垣。即是县也。其水西南流，注清水。水色白浊，初会清流，乃有玄素之异也。清水又东南迳阳壶城东，即垣县之壶丘亭，晋迁宋五大夫所居也。清水又东南流注于河。河水又东与教水合，水出垣县北教山，南迳辅山，山高三十许里，上有泉源，不测其深，山顶周圆五六里，少草木。山海经曰：孟门东南有平山，水出于其上，潜于其下。又是王屋之次，疑即平山也。其水南流，历鼓锺上峡，悬洪五丈，飞流注壑，夹岸深高，壁立直上，轻崖秀举，百有馀丈，峰次青松，岩悬赪石，于中历落，有翠柏生焉，丹青绮分，望若图绣矣。水广十许步，南流历鼓锺川，分为二涧：一涧西北出，百六十许里，山岫回岨，才通马步，今闻喜县东北谷口，犹有乾河里，故沟存焉，今无复有水。一水历冶官西，世人谓之鼓锺城，城之左右，犹有遗铜及铜钱也。城西阜下有大泉，西流注涧，与教水合，伏入石下，南至下峡。山海经曰：鼓锺之山，帝台之所以觞百神。即是山也。其水重源又发，南至西马头山东截坡下，又伏流南十馀里，复出，又谓之伏流水，南入于河。山海经曰：教山，教水出焉，而南流注于河。是水冬干夏流，实惟干河也，今世人犹谓之为乾涧矣。河水又与畛水合，水出新安县青要山，今谓之疆山〔三七〕，其水北流入于河。山海经曰：青要之山，畛水出焉。即是水也。河水又东，正回之水入焉，水出騩山，疆山东阜也。东流，俗谓之疆川水，与石瓜畴川〔三八〕合，水出西北石涧中，东南流注于疆川水。疆川水又东迳疆冶铁官东，东北流注于河。河水又东合庸庸之水，水出河东垣县宜苏山，俗谓之长泉水。山海经曰：水多黄贝，伊、洛门也。其水北流，分为二水，一水北入河，一水又东北流注于河。河水又东迳平阴县北，地理风俗记曰：河南平阴县，故晋阴地，阴戎之所居。又曰：在平城之南，故曰平阴也。三老董公说高祖处，陆机所谓皤皤董叟，谟我平阴者也。魏文帝改曰河阴矣。河水又会瀿水，水出垣县王屋山西瀿溪，夹山东南流，迳故城东，即瀿关也。汉光武建武二年，遣司空王梁北守瀿关、天井关，击赤眉别校，皆降之。献帝自陕北渡安邑，东出瀿关，即是关也。瀿水西屈，迳关城南，历轵关南，迳苗亭西。亭，故周之苗邑也。又东流注于河。经书清水，非也。是乃瀿水耳。

又东至邓。

洛阳西北四十二里，故邓乡矣。

〔一〕注疏本作“河水四”。疏:“戴无四字。”

〔二〕注疏本作“尸子”。疏:“朱作淮南子,赵、戴同。守敬按:淮南本经训,龙门未开,吕梁未发,江、淮通流云云,文多与此异。此系尸子君治篇文。见群书治要。又引见山海经(北次三经)注及穆天子传注,然则当作尸子,今订。”水经注疏段熙仲校记:“‘尸子’,按:群书治要中尸子无君治篇,未见此引文,而御览卷四十引淮南子与注同,末有‘大禹道之孟门’,存疑。山海经北次三经郭注则与注同作尸子。穆天子传四注亦云‘盟门山今在河北,尸子曰:河出于盟门之上’。”

〔三〕殿本在此案云“应作鲤鱼涧”,沈本注云:“下疑有脱字。”孙潜校本、五校钞本、七校本、注释本均作“鲤鱼水”。注疏本作“鲤鱼涧”。

〔四〕二五　注疏本段熙仲校记:“按见国语晋语一。‘二五’,献公嬖大夫梁五与东关五也。”

〔五〕陶水　注笺本、项本、张本均作“河水”,注释本作“渠水”。

〔六〕寰宇记卷二十八关西道四同州韩城县引水经注:“高门原南有层阜,秀出云表,俗谓马门原。”当是此段下佚文。

〔七〕方舆纪要卷五十四陕西三西安府下同州郃阳县姚武壁引水经注:“河水又迳姚武壁南。”当是此段下佚文。

〔八〕方舆纪要卷五十四陕西三郃阳县刳首水引水经注:“与刳首水相近。”当是此句下佚文。五校钞本、七校本均在此句下增“与刳首水相近”六字。

〔九〕注释本引元丰九域志河中府古迹所录水经注佚文:“周

围一百八十步,冬温夏冷,清澈见底。”

〔一〇〕蒲坂　吴本、乾隆山西志辑要卷七蒲州府临晋县山川引水经注均作“朔坂”。

〔一一〕札记酒:

全世界各民族,不论先进与落后,都有酒的嗜好。在我国酿酒发轫甚早,周礼天官酒正:“酒正掌酒之政令。”礼记郊特牲:“酒醴之美。”礼记射义:“酒者,所以养老也。”所以早在先秦,国家已有掌酒之官,而上至典礼祭祀,下至亲朋宴集,酒都是不可或缺之物。因此历代以来,各地名酒甚多。酒以水为重要原料,水经注记及的河川井泉,其水之佳者不计其数,但所记载的名酒不多,或言这是郦道元不好酒的证据。

水经注记载的各地名酒有下列数种:

卷四河水经“又南过蒲坂县西”注云:

> (河东)郡多流杂,谓之徙民。民有姓刘名堕者,宿擅工酿,采挹河流,酝成芳酎,悬食同枯枝之年,排于桑落之辰,故酒得其名矣。然香醑之色,清白若滫浆焉,别调氛氲,不与佗同,兰薰麝越,自成馨逸,方土之贡,选最佳酌矣。自王公庶友,牵拂相招者,每云:索郎有顾,思同旅语。索郎反语为桑落也,更为籍征之隽句、中书之英谈。

这段注文记载的桑落酒,对于酿造人、水源和酒的优异特性,都说得非常详细。这种美酒的产地蒲城,与现在的名酒汾酒的产地很近,不知历史上有无关系。

郦注记载的另一种名酒在卷三十三江水经“又东过鱼复县南,夷水出焉”注中:

江之左岸有巴乡村,村人善酿,故俗称"巴乡清",郡出名酒。

卷三十九耒水注中,也记载了两种名酒。一种在经"又北过其县之西"注中:

县有渌水,出县东侠公山,西北流,而南屈注于耒,谓之程乡溪。郡置酒官,酝于山下,名曰程酒,献同酃也。

程乡产名酒,其事也见于荆州记。郦注的最后一句"献同酃也",即是指同卷经"又北过酃县东"注中的另一种名酒:

县有酃湖,湖中有洲,洲上民居,彼人资以给酿,酒甚醇美,谓之酃酒,岁常贡之。

这就是吴录记载的"酃水酒"。从郦注"献同酃也"一句看,酃水酒显然名重于程乡酒。所以西晋张载曾写过一篇酃酒赋,以称赞此酒的醇美:"故其为酒也,殊功绝伦,三事既节,五齐必均,造酿在秋,告成在春,备味滋和,体色淳清,宣御神志,导气养形,遣忧消愁,适性顺情。"在文人的笔下,这种美酒真令人垂涎欲滴。

水经注全书记载的既有名称又有产地的名酒,就是上述四种。

〔一二〕禹贡锥指卷十一上引水经注:"雷首山一名中条山。"当是此句下佚文。

〔一三〕陈桥驿点校武英殿本水经注(上海古籍出版社一九九〇年出版)此处校勘记:"'山上有故城','上'原作'土',据崇文、三味、广雅、合校、疏证(稿本)诸本改。"

〔一四〕寰宇记卷四十六河东道七蒲州河东县引水经注:"涑

水出河东县雷首山，一名雷水。”当是此段下佚文。

〔一五〕国语云　注疏本作“古语云”，疏：“朱作左邱明国语云，笺曰：按巨灵事在薛综西京赋注，引古语云云，非左氏国语也，此误记耳。守敬按：初学记五、御览三十九引薛综注，亦作古语云，不第本书足据也。”

〔一六〕濩水　殿本案：“案濩，原本及近刻并讹作灌，今据山海经改正。”注疏本作“灌水”，守敬按：“灌、濩形近，安知非今本山海经之误，何不两存之。”

〔一七〕黄巷坂　注笺本、项本、张本、通雅十三地舆引水经注、方舆纪要卷五十二陕西一潼关引水经注均作“黄卷坂”。

〔一八〕閺乡城　大典本、黄本、吴本、注笺本、项本、沈本、五校钞本、七校本、注释本、张本、注疏本、辛卯侍行记卷一引水经注均作“阌乡城”。

〔一九〕閺乡水　大典本、黄本、吴本、注笺本、项本、沈本、五校钞本、七校本、注释本、张本、注疏本均作“阌乡水”。

〔二〇〕甘枣之山　吴本、注笺本、山海经笺疏卷五中山经郝懿行案水经注、山海经广注吴任臣引水经注、山海经中山经毕沅注引水经注均作“甘桑之山”。

〔二一〕寰宇记卷六河南道陕州芮城县引水经注云：“古魏城内有龙泉，南流出城，源阔五寸，深一寸。”当是此段下佚文。

〔二二〕緒姑之水　大典本、黄本、吴本、注笺本、项本、沈本、张本、方舆纪要卷四十八河南三河南府陕州灵宝县方伯堆、通鉴地理通释“弘农开方”注、山海经广注卷五中山经吴任臣注、汉书地理志补注卷四吴卓信注引水经注均作“绪茹之水”。

·〔二三〕烛水　注释本、读水经注小识卷一引水经注均作“灟水”。

〔二四〕曹水　黄本、沈本均作“会水”。

〔二五〕曲沃城　大明一统志卷二十九河南府山川引水经注、嘉靖河南通志卷六山川引水经注、顺治河南通志卷六山川引水经注均作“曲沃村”。

〔二六〕陕城　注笺本、项本、注释本、张本、日知录卷三十一陕西引水经注均作“陕”，无“城”字。

〔二七〕曹阳坑　“坈”，即“坑”，详见卷五河水经“又东北过高唐县东”注。

〔二八〕漁水　吴本、五校钞本、七校本、注释本、注疏本均作“谯水”。

〔二九〕常烝之山　黄本、何校明钞本、沈本均作“常丞之山”。

〔三〇〕崖水　吴本、注笺本、项本、张本均作“于水”，五校钞本、七校本、注释本均作“干水”。

〔三一〕札记铜翁仲：

郦道元所引的数据在史记魏世家：“（魏文侯）二十六年，虢山崩，壅河。”正义引括地志云：“虢山在陕州陕县西二里，临黄河，今临河有岗阜，似是颓山之馀也。”郦道元的说法显然是信而有征的。但戴延之（西征记或称从征记，全称从刘武王西征记一书的作者）却只凭道听途说，连史记这样权威著作都不曾去查阅一下。正是由于像戴延之之流的人确实不少，所以今天我们读古书，也应该学习郦道元那样的小心谨慎。

〔三二〕大阳城　黄本、沈本均作“太阳城”。

〔三三〕五校钞本在此句下增“注中涧水”四字，七校本、注释本同。水经注笺刊误卷一云：“西南流注疑有脱落，案方舆纪要解州平陆县下云：‘交涧水出中条山，东、西二沟，流与中涧合，俗名三叉涧，流注于河。’盖交涧、路涧，即东、西二沟也，合流于中涧水而入于河。是‘注’下脱‘中涧’二字，今补正。”

〔三四〕巅軨坂　方舆纪要卷四十一山西三平阳府蒲州虞山引水经注、汉书地理志补注卷五河东郡“吴山在西”注引水经注均作“颠軨坂”，春秋地名考略卷十二虞“国于夏墟”引水经注作“颠陵坂”。

〔三五〕砥柱　嘉靖河南通志卷十四河防引水经注、顺治河南通志卷九河防引水经注、方舆纪要卷四十六河南一引水经注、治河前策卷上东至于底柱考引水经注、战国策释地卷上“魏有南阳郑地三川”引水经注、汉书地理志补注卷五河东郡大阳引水经注均作“底柱”。

〔三六〕此是全书首次提“三峡”之名，所提当是江水注“三峡”，详见江水注。

〔三七〕殭山　注笺本、项本、五校钞本、七校本、注释本、张本均作“彊山”。

〔三八〕石瓜畴川　黄本、注笺本、项本、沈本、张本、乾隆河南府志卷十二山川志六畛水引水经注均作“石等瓜川”。

水经注卷五

河水〔一〕

又东过平县北，湛水从北来注之。

河水又东迳河阳县故城南，春秋经书天王狩于河阳，壬申，公朝于王所，晋侯执卫侯归于京师。春秋左传僖公二十八年，冬，会于温，执卫侯。是会也，晋侯召襄王以诸侯见，且使王狩。仲尼曰：以臣召君，不可以训。故书曰：天王狩于河阳。言非其狩地。服虔、贾逵曰：河阳，温也。班固汉书地理志、司马彪、袁山松郡国志、晋太康地道记、十三州志：河阳别县，非温邑也。汉高帝六年，封陈涓为侯国，王莽之河亭也。十三州志曰：治河上，河，孟津河也。郭缘生述征记曰：践土，今冶坂城〔二〕。是名异春秋焉。非也。今河北见者，河阳城故县也，在冶坂西北，盖晋之温地，故群儒有温之论矣。魏土地记曰：冶坂城旧名汉祖渡，城险固，南临孟津河。河水右迳临平亭北。帝王世纪曰：光武葬临平亭南，西望平阴者也。河水又东迳洛阳县北，河之南岸有一碑，北面题云：洛阳北界，津水二渚，分属之也。上旧有河平侯祠，祠前有碑，今不知所在。郭颁世语曰：晋文王之世，大鱼见孟津，长数百步，高五丈，头在南岸，尾在中渚，河平侯祠即斯祠也。河水又东迳平县故城北。汉武帝元朔三年，封济北贞王子刘遂为侯国，王莽之所谓治平矣，俗谓之小平也。有高祖讲武场，河北侧岸有二城相对，置北中郎府，徙诸徒隶府户，并羽林虎贲领队防之。河水南对首阳山，春秋所谓首戴也。夷齐之歌所以曰登彼西山矣。上有夷齐之庙，前有二碑，并是后汉河南尹广陵陈导、雒阳令徐循，与处士平原苏腾、南阳何进等立，事见其碑。又有周公庙。魏氏起玄武观于芒垂，张景阳玄武观赋所谓高楼特起，竦跱岧峣，直亭亭以孤立，延千里之清飚也。朝廷又置冰室于斯阜，室内有冰井。春秋左传曰：日在北陆而藏冰。常以十二月采冰于河津之隘，峡石之阿，北阴之中，即邠诗：二之日凿冰冲冲矣。而内于井室，所谓纳于凌阴者也。河南有钩陈垒，世传武王伐纣，八百诸侯所会处，尚书所谓不期同时也。紫微有钩陈之宿，主斗讼兵阵，故遁甲攻取之法，以所攻神与钩陈并气，下制所临之辰，则决禽敌，是以垒资其名矣。河水于斯，有盟津之目。论衡曰：武王伐纣，升舟，阳侯波起，疾风逆流，武王操黄钺而麾之，风波毕除，中流，白鱼入于舟，燔以告天，与八百诸侯咸同此盟。尚书所谓不谋同辞也。故曰孟津，亦曰盟津。尚书所谓东至于孟津者也，又曰富平津。晋阳秋曰：杜预造河桥于富平津，所谓造舟为梁也。又谓之为陶河。魏尚书仆射杜畿，以帝将幸许，试楼船，覆于陶河，谓此也。昔禹治洪水，观于河，见白面长人，鱼身，出曰：吾河精也。授禹河图而还于渊。及子朝篡位，与敬王战，乃取周之宝玉，沉河以祈福。后二日，津人得之于河上，将卖之，则变而为石；及敬王位定，得玉者献之，复为玉也。河水又东，淏水入焉。山海经曰：和山，上无草木，而多瑶碧，实惟河之九都。是山也，五曲，九水出焉，合而北流，注于河。其阳多苍玉，吉神泰逢司之，是于萯山之阳，出入有光。吕氏春秋曰：夏后氏孔甲，田于东阳萯山，遇大风雨，迷惑，入于民室。皇甫谧帝王世纪以为即东首阳山也。盖是山之殊目矣。今于首阳东山，无水以应之，当是今古世悬，川域改状矣。昔帝尧修坛河、洛，择良议沉，率舜等升于首山，而遵河渚，有五老游焉。相谓河图将来，告帝以期，知我者，重瞳也。五老乃翻为流星而升于昴，即于此也。又东，济水注焉。

又东过巩县北，

河水于此有五社渡，为五社津〔三〕。建武元年，朱鲔遣持节使者贾彊、讨难将军苏茂，将三万人，从五社津渡，攻温。冯异遣校尉与寇恂合击之，大败，追至河上，生擒万馀人，投河而死者数千人。县北有山临河，谓之崟原丘。其下有穴，谓之巩穴，言潜通淮浦，北达于河。直穴有渚，谓之鲔渚。成公子安大河赋曰：鳣鲤王鲔，春暮来游。周礼：春荐鲔。然非时及佗处则无。故河自鲔穴已上，又兼鲔称。吕氏春秋称武王伐纣至鲔水，纣使胶鬲候周师，即是处矣。

洛水从县西，北流注之。

洛水于巩县，东迳洛汭，北对琅邪渚，入于河，谓之洛口矣。自县西来，而北流注河，清浊异流，皦焉殊别。应玚灵河赋曰：资灵川之遐源，出昆仑之神丘，涉津洛之阪泉，播九道于中州者也。

又东过成皋县北，济水从北来注之。

河水自洛口又东，左迳平皋县〔四〕南，又东迳怀县南，济水故道之所入，与成皋分河。河水右迳黄马坂北，谓之黄马关。孙登之去杨骏，作书与洛中故人处也。河水又东迳旋门坂北，今成皋西大坂者也。升陟此坂，而东趣成皋也。曹大家东征赋曰：望河、洛之交流，看成皋之旋门者也。河水又东迳成皋大伾山下，尔雅曰：山一成谓之伾。许慎、吕忱等，并以为丘一成也。孔安国以为再成曰伾，亦或以为地名，非也。尚书禹贡曰：过洛汭，至大伾者也。郑康成曰：地喉〔五〕也，沇出伾际矣。在河内脩武、武德之界，济沇之水与荥播泽出入自此。然则大伾即是山矣。伾北，即经所谓济水从北来注之者也。今济水自温县入河，不于此也。所入者，奉沟水耳，即济沇之故渎矣。成皋县之故城在伾上，萦带伾阜，绝岸峻周，高四十许丈，城张翕险，崎而不平。春秋传曰：制，岩邑也，虢叔死焉，即东虢也。鲁襄公二年七月，晋成公与诸侯会于戚，遂城虎牢以逼郑求平也。盖修故耳。穆天子传曰：天子射鸟猎兽于郑圃，命虞人掠林，有虎在于葭中，天子将至，七萃之士高奔戎生捕虎而献之天子，命之为柙，畜之东虢，是曰虎牢矣。然则虎牢之名，自此始也。秦以为关，汉乃县之。城西北隅有小城，周三里，北面列观，临河岧岧孤上。景明中，言之寿春，路值兹邑，升眺清远，势尽川陆，羁途游至，有伤深情。河水南对玉门，昔汉祖与滕公潜出，济于是处也。门东对临河，侧岸有土穴，魏攻北司州刺史毛德祖于虎牢，战经二百日，不克。城惟一井，井深四十丈，山势峻峭，不容防捍，潜作地道取井。余顷因公至彼，故往寻之，其穴处犹存。河水又东合汜水〔六〕，水南出浮戏山，世谓之曰方山也。北流合东关水〔七〕。水出嵩渚之山，泉发于层阜之上，一源两枝，分流泻注，世谓之石泉水也。东为索水，西为东关之水。西北流，杨兰水注之，水出非山，西北流注东关水。东关水又西北，清水入焉。水自东浦西流，与东关水合，而乱流注于汜。汜水又北，右合石城水，水出石城山，其山复涧重岭，攲叠若城，山顶泉流，瀑布悬泻，下有滥泉，东流泄注，边有数十石畦，畦有数野蔬，岩侧石窟数口，隐迹存焉，而不知谁所经始也。又东北流注于汜水。汜水又北合鄤水，水西出娄山，至冬则暖，故世谓之温泉。东北流迳田鄤谷，谓之田鄤溪水，东流注于汜水。汜水又北迳虎牢城东，汉破司马欣、曹咎于是水之上。汜水又北流注于河。征艰赋所谓步汜口之芳草，吊周襄之鄙馆者也。余按昔儒之论，周襄所居在颍川襄城县，是乃城名，非为水目，原夫致谬之由，俱以汜郑为名故也，是为爽矣。又按郭缘生述征记、刘澄之永初记，并言高祖即帝位于是水之阳，今不复知旧坛所在，卢谌、崔云，亦言是矣。余按高皇帝受天命于定陶汜水，不在此也。于是求坛，故无仿佛矣。河水又东迳板城北，有津，谓之板城渚口。河水又东迳五龙坞北，坞临长河，有五龙祠。应劭云：昆仑山庙在河南荥阳县。疑即此祠，所未详。

又东过荥阳县北，蒗荡渠〔八〕出焉。

大禹塞荥泽，开之以通淮、泗。即经所谓蒗荡渠也。汉平帝之世，河、汴决坏，未及得修，汴渠东侵，日月弥广，门闾故处，皆在水中。汉明帝永平十二年，议治汳渠，上乃引乐浪人王景问水形便，景陈利害，应对敏捷，帝甚善之，乃赐山海经、河渠书、禹贡图及以钱帛。后作堤，发卒数十万，诏景与将作谒者王吴治渠，筑堤防修堨，起自荥阳，东至千乘海口，千有馀里，景乃商度地势，凿山开涧，防遏冲要，疏决壅积，十里一水门，更相回注，无复渗漏之患。明年渠成，帝亲巡行，诏滨河郡国置河堤员吏，如西京旧制。景由是显名，王吴及诸从事者，皆增秩一等。顺帝阳嘉中，又自汴口以东，缘河积石，为堰通渠，咸曰金堤。灵帝建宁中，又增修石门，以遏渠口。水盛则通注，津耗则辍流。河水又东北迳卷之扈亭北，春秋左传曰：文公七年，晋赵盾与诸侯盟于扈。竹书纪年：晋出公十二年，河绝于扈。即于是也。河水又东迳八激堤北。汉安帝永初七年，令谒者太山于岑，于石门东积石八所，皆如小山，以捍冲波，谓之八激堤。河水又东迳卷县北，晋、楚之战，晋军争济，舟中之指可掬，楚庄祀河告成而还，即是处也。河水又东北迳赤岸固北，而东北注。

又东北过武德县东，沁水从西北来注之。

河水自武德县。汉献帝延康元年，封曹叡为侯国，即魏明帝也。东至酸枣县西，濮水东出焉。汉兴三十有九年，孝文时，河决酸枣，东溃金堤，大发卒塞之。故班固云：文堙枣野，武作瓠歌。谓断此口也。今无水。河水又东北，通谓之延津。石勒之袭刘曜，途出于此，以河冰泮为神灵之助，号是处为灵昌津。昔澹台子羽赍千金之璧渡河，阳侯波起，两蛟夹舟。子羽曰：吾可以义求，不可以威劫。操剑斩蛟，蛟死波休，乃投璧于河。三投而辄跃出，乃毁璧而去，示无吝意。赵建武中，造浮桥于津上，采石为中济，石无大小，下辄流去，用工百万，经年不就。石虎亲阅作工，沉璧于河，明日，璧流渚上，波荡上岸，遂斩匠而还。河水又迳东燕县故城北〔九〕，河水于是有棘津之名，亦谓之石济津，故南津也。春秋僖公二十八年，晋将伐曹，曹在卫东，假道于卫，卫人不许，还自南河济，即此也。晋伐陆浑，亦于此渡。宋元嘉中，遣辅国将军萧斌，率宁朔将军王玄谟北入，宣威将军垣护之，以水军守石济，即此处也。河水又东，淇水入焉。又东迳遮害亭南，汉书沟洫志曰：在淇水口东十八里，有金堤，堤高一丈。自淇口东，地稍下，堤稍高，至遮害亭，高四五丈。又有宿胥口，旧河水北入处也。河水又东，右迳滑台城北，城有三重，中小城谓之滑台城，旧传滑台人自修筑此城，因以名焉。城即故郑廪延邑也，下有延津。春秋传曰：孔悝为蒯聩所逐，载伯姬于平阳，行于延津是也。廪延南故城，即卫之平阳亭也，今时人谓此津为延寿津。宋元嘉中，右将军到彦之，留建威将军朱脩之守此城，魏军南伐，脩之执节不下，其母悲忧，一旦乳汁惊出，母乃号踊，告家人曰：我年老，非有乳时，今忽如此，吾儿必没矣。脩之绝援，果以其日陷没。城，故东郡治。续汉书曰：延熹九年，济阴、东郡、济北、平原，河水清。襄楷上疏曰：春秋注记未有河清，而今有之。易乾凿度曰：上天将降嘉应，河水先清。京房易传曰：河水清，天下平，天垂异，地吐妖，民厉疫，三者并作而有河清，春秋，麟不当见而见，孔子书以为异。河者，诸侯之象；清者，阳明之征。岂独诸侯有窥京师也。明年，宫车宴驾，征解渎侯为汉嗣，是为灵帝。建宁四年二月，河水又清也。

又东北过黎阳县南，

黎，侯国也。诗式微，黎侯寓于卫是也。晋灼曰：黎山在其南，河水迳其东。其山上碑云：县取山之名，取水之阳，以为名也。王莽之黎蒸〔一〇〕也。今黎山之东北故城，盖黎阳县之故城也。山在城西，城凭山为基，东阻于河。故刘桢黎阳山赋曰：南荫黄河，左覆金城，青坛承祀，高碑颂灵。昔慕容玄明自邺率众南徙滑台，既无舟楫，将保黎阳，昏而流澌冰合，于夜中济讫，旦而冰泮，燕民谓是处为天桥津〔一一〕。东岸有故城，险带长河，戴延之谓之逯明垒，周二十里，言逯明，石勒十八骑中之一，城因名焉。郭缘生曰：城，袁绍时筑。皆非也。余按竹书纪年，梁惠成王十一年，郑釐侯使许息来致地，平丘、户牖、首垣诸邑，及郑驰道〔一二〕，我取枳道与郑鹿，即是城也。今城内有故台，尚谓之鹿鸣台，又谓之鹿鸣城。王玄谟自滑台走鹿鸣者也。济取名焉，故亦曰鹿鸣津，又曰白马济〔一三〕。津之东南有白马城，卫文公东徙，渡河都之，故济取名焉。袁绍遣颜良攻东郡太守刘延于白马，关羽为曹公斩良以报效，即此处也。白马有韦乡、韦城，故津亦有韦津之称。史记所谓下脩武，渡韦津者也。河水旧于白马县南泆通濮、济、黄沟，故苏代说燕曰：决白马之口，魏无黄、济阳。竹书纪年，梁惠成王十二年，楚师出河水，以水长垣之外者也。金堤既建，故渠水断，尚谓之白马渎，故渎东迳鹿鸣城南，又东北迳白马县之凉城北。耆旧传云：东郡白马县之神马亭，实中层峙，南北二百步，东西五十许步，状丘斩城也。自外耕耘垦斫，削落平尽，正南有躔陛陟上，方轨是由，西南侧城有神马寺，树木修整，西去白马津可二十许里，东南距白马县故城可五十里，疑即开山图之所谓白马山也。山下常有白马群行，悲鸣则河决，驰走则山崩。注云：山在郑北，故郑也，所未详。刘澄之云：有白马塞，孟达登之长叹。可谓于川土疏妄矣。亭上旧置凉城县，治此。白马渎又东南迳濮阳县，散入濮水，所在决会，更相通注，以成往复也。河水自津东北迳凉城县，河北有般祠。孟氏记云：祠在河中，积石为基，河水涨盛，恒与水齐。戴氏西征记曰：今见祠在东岸，临河累石为壁，其屋宇容身而已。殊似无灵，不如孟氏所记，将恐言之过也。河水又东北，迳伍子胥庙南，祠在北岸顿丘郡界，临侧长河。庙前有碑，魏青龙三年立。河水又东北为长寿津。述征记曰：凉城到长寿津六十里，河之故渎出焉。汉书沟洫志曰：河之为中国害尤甚，故导河自积石，历龙门，二渠以引河。一则漯川，今所流也。一则北渎，王莽时空，故世俗名是渎为王莽河也。故渎东北迳戚城西，春秋哀公二年，晋赵鞅率师，纳卫太子蒯聩于戚，宵迷，阳虎曰：右河而南必至焉。今顿丘卫国县西戚亭是也。为卫之河上邑。汉高帝十二年，封将军李必为侯国矣。故渎又迳繁阳县故城东，史记，赵将廉颇伐魏取繁阳者也。北迳阴安县故城西，汉武帝元朔五年，封卫不疑为侯国。故渎又东北迳乐昌县故城东，地理志，东郡之属县也，汉宣帝封王稚君为侯国。故渎又东北迳平邑郭西，竹书纪年：晋烈公二年，赵城平邑；五年，田公子居思伐邯郸，围平邑；九年，齐田肸及邯郸韩举，战于平邑，邯郸之师败逋，获韩举，取平邑新城。又东北迳元城县故城西北，而至沙丘堰〔一四〕。史记曰：魏武侯公子元食邑于此，故县氏焉。

郭东有五鹿墟，墟之左右多陷城。公羊曰：袭邑也。说曰：袭，陷矣。郡国志曰：五鹿〔一五〕，故沙鹿，有沙亭。周穆王丧盛姬，东征舍于五鹿，其女叔㛗届此思哭，是曰女㛗之丘，为沙鹿〔一六〕之异名也。春秋左传僖公十四年，沙鹿崩。晋史卜之曰：阴为阳雄，土火相乘，故有沙鹿崩。后六百四十五年，宜有圣女兴，其齐田乎？后王翁孺自济南徙元城，正直其地，日月当之。王氏为舜后，土也，汉火也，王禁生政君，其母梦见月入怀，年十八，诏入太子宫，生成帝，为元后。汉祚道污，四世称制，故曰：火土相乘而为雄也。及崩，大夫扬雄作诔曰：太阴之精，沙鹿之灵，作合于汉，配元生成者也。献帝建安中，袁绍与曹操相御于官渡，绍逼大司农郑玄载病随军，届此而卒。郡守已下受业者，衰绖赴者千馀人。玄注五经、谶纬、候、历、天文经通于世，故范晔赞曰：孔书遂明，汉章中辍矣。县北有沙丘堰，堰障水也。尚书禹贡曰：北过降水。不遵其道曰降，亦曰溃，至于大陆，北播为九河。风俗通曰：河播也，播为九河自此始也。禹贡沇州：九河既道。谓徒骇、太史、马颊、覆釜、胡苏、简、洁、句盘、鬲津也，同为逆河。郑玄曰：下尾合曰逆河。言相迎受矣。盖疏润下之势，以通河海，及齐桓霸世，塞广田居，同为一河。故自堰以北，馆陶、廮陶、贝丘、鬲、般、广川、信都、东光、河间乐城以东，城地并存，川渎多亡。汉世河决金堤，南北离其害，议者常欲求九河故迹而穿之，未知其所。是以班固云：自兹距汉，北亡八枝者也。河之故渎，自沙丘堰南分，屯氏河出焉。河水故渎东北迳发干县故城西，又屈迳其北，王莽之所谓戢楯矣。汉武帝以大将军卫青破右贤王功，封其子登为侯国。大河故渎又东迳贝丘县故城南。应劭曰:左氏传,齐襄公田于贝丘是也。余按京相璠、杜预并言在博昌,即司马彪郡国志所谓贝中聚者也。应注于此事近违矣。大河故渎又东迳甘陵县故城南,地理志之所谓厝也,王莽改曰厝治者也。汉安帝父孝德皇,以太子被废为王,薨于此,乃葬其地,尊陵曰甘陵,县亦取名焉。桓帝建和二年,改清河曰甘陵。是周之甘泉市地也。陵在渎北,丘坟高巨,虽中经发坏,犹若层陵矣,世谓之唐侯冢。城曰邑城,皆非也。昔南阳文叔良,以建安中为甘陵丞,夜宿水侧,赵人兰襄梦求改葬,叔良明循水求棺,果于水侧得棺,半许落水。叔良顾亲旧曰:若闻人传此,吾必以为不然。遂为移殡,醊而去之。大河故渎又东迳艾亭城南,又东迳平晋城南,今城中有浮图五层,上有金露盘,题云:赵建武八年,比释道龙和上竺浮图澄,树德劝化,兴立神庙。浮图已坏,露盘尚存,炜炜有光明。大河故渎又东北迳灵县故城南,王莽之播亭也。河水于县别出为鸣犊河。河水故渎又东迳鄃县故城东,吕后四年,以父婴功,封子佗袭为侯国,王莽更名之曰善陆。大河故渎又东迳平原县故城西,而北绝屯氏三渎,北迳绎幕县〔一七〕故城东北,西流迳平原鬲县故城西。地理志曰:鬲,津也,王莽名之曰河平亭,故有穷后羿国也。应劭曰:鬲,偃姓,咎繇后。光武建武十三年,封建义将军朱祜为侯国。大河故渎又北迳脩县故城东,又北迳安陵县西,本脩之安陵乡也。地理风俗记曰:脩县东四十里有安陵乡,故县也。又东北至东光县故城西,而北与漳水合。一水分大河故渎,北出为屯氏河,迳馆陶县东,东北出。汉书沟洫志曰:自塞宣防,河复北决于馆陶县，分为屯氏河，广深与大河等。成帝之世，河决馆陶及东郡金堤，上使河堤谒者王延世塞之，三十六日堤成，诏以建始五年为河平元年，以延世为光禄大夫，是水亦断。屯氏故渎水之又东北，屯氏别河出焉。屯氏别河故渎又东北迳信成县，张甲河出焉。地理志，张甲河首受屯氏别河于信成县者也。张甲河故渎北绝清河于广宗县，分为二渎，左渎迳广宗县故城西，又北迳建始县故城东。田融云：赵武帝十二年，立建兴郡，治广宗，置建始、兴德五县隶焉。左渎又北迳经城东、缭城西，又迳南宫县西，北注绛渎。右渎东北迳广宗县故城南，又东北迳界城亭北，又东北迳长乐郡枣彊县〔一八〕故城东。长乐，故信都也，晋太康五年，改从今名。又东北迳广川县，与绛渎水故道合。又东北迳广川县故城西，又东迳棘津亭南〔一九〕，徐广曰：棘津在广川。司马彪曰：县北有棘津城，吕尚卖食之困，疑在此也。刘澄之云：谯郡酂县东北有棘津亭，故邑也，吕尚所困处也。余按春秋左传，伐巢、克棘、入州来，无津字。杜预春秋释地又言：棘亭在酂县东北，亦不云有津字矣。而竟不知澄之于何而得是说？然天下以棘为名者多，未可咸谓之棘津也。又春秋昭公十七年，晋侯使荀吴帅师涉自棘津，用牲于洛，遂灭陆浑。杜预释地阙而不书。服虔曰：棘津，犹孟津也。徐广晋纪又言：石勒自葛陂寇河北，袭汲人向冰于枋头，济自棘。棘津在东郡、河内之间，田融以为即石济南津也。虽千古茫昧，理世玄远，遗文逸句，容或可寻，沿途隐显，方土可验。司马迁云：吕望，东海上人也，老而无遇，以钓干周文王。又云：吕望行年五十，卖食棘津；七十，则屠牛朝歌;行年九十,身为帝师。皇甫士安云:欲隐东海之滨,闻文王善养老,故入钓于周。今汲水城亦言有吕望隐居处。起自东海,迄于酆雍,缘其迳趣,赵、魏为密,厝之谯、宋,事为疏矣。张甲故渎又东北至脩县东会清河。十三州志曰:张甲河东北至脩县入清漳者也。屯氏别河又东,枝津出焉,东迳信成县故城南,又东迳清阳县故城南,清河郡北,魏自清阳徙置也。又东北迳陵乡南,又东北迳东武城县故城南,又东北迳东阳县故城南。地理志曰:王莽更之曰胥陵矣。俗人谓之高黎郭,非也。应劭曰:东武城东北三十里有阳乡,故县也。又东散绝,无复津迳。屯氏别河又东北迳清河郡南,又东北迳清河故城西。汉高帝六年,封王吸为侯国。地理风俗记曰:甘陵郡东南十七里有清河故城者,世谓之鹊城也。又东北迳绎幕县南,分为二渎,屯氏别河北渎东迳绎幕县故城南,东绝大河故渎,又东北迳平原县,枝津北出,至安陵县遂绝。屯氏别河北渎又东北迳重平县故城南。应劭曰:重合县西南八十里有重平乡,故县也。又东北迳重合县故城南,又东北迳定县故城南。汉武帝元朔四年,封齐孝王子刘越为侯国。地理风俗记曰:饶安县东南三十里有定乡城,故县也。屯氏别河北渎又东入阳信县,今无水。又东为咸河,东北流迳阳信县故城北。地理志,渤海之属县也,东注于海。屯氏别河南渎自平原东绝大河故渎,又迳平原县故城北,枝津右出,东北至安德县界,东会商河。屯氏别河南渎又东北于平原界,又有枝渠右出,至安德县遂绝。屯氏别河南渎自平原城北首受大河故渎,东出,亦通谓之笃马河。即地理志所谓平原县有笃马河,东北入海,行五百六十里者也。东北迳安德县故城西,又东北迳临齐城南。始东齐未宾,大魏筑城以临之,故城得其名也。又屈迳其城东,故渎广四十步,又东北迳重丘县故城西。春秋襄公二十五年,秋,同盟于重丘,伐齐故也。应劭曰:安德县北五十里有重丘乡,故县也。又东北迳西平昌县故城北,北海有平昌县,故加西。汉宣帝元康元年,封王长君为侯国。故渠川派,东入般县为般河。盖亦九河之一道也。后汉书称公孙瓒破黄巾于般河,即此渎也。又东为白鹿渊水,南北三百步,东西千馀步,深三丈馀。其水冬清而夏浊,渟而不流,若夏水洪泛,水深五丈,方乃通注。般渎又迳般县故城北,王莽更之曰分明也。东迳乐陵县故城北。地理志曰:故都尉治。伏琛、晏谟言平原邑,今分为郡。又东北迳阳信县故城南,东北入海。屯氏河故渎自别河东迳甘陵之信乡县故城南。地理志曰:安帝更名安平。应劭曰:甘陵西北十七里有信乡,故县也。屯氏故渎又东迳甘陵县故城北,又东迳灵县北,又东北迳鄃县,与鸣犊河故渎合,上承大河故渎于灵县南。地理志曰:河水自灵县别出为鸣犊河者也。东北迳灵县东,东入鄃县,而北合屯氏渎。屯氏渎兼鸣犊之称也。又东迳鄃县故城北,东北合大河故渎,谓之鸣犊口。十三州志曰:鸣犊河东北至脩入屯氏,考渎则不至也。

又东北过卫县南,又东北过濮阳县北,瓠子河出焉。

河水东迳铁丘南,春秋左氏传哀公二年,郑罕达帅师,邮无恤御简子,卫太子为右,登铁上,望见郑师,卫太子自投车下,即此处也。京相璠曰:铁,丘名也。杜预曰:在戚南。河之北岸,有古城〔二〇〕,戚邑也。东城有子路冢,河之西岸有竿城。郡国志曰:卫县有竿城者也。河南有龙渊宫,武帝元光中,河决濮阳,泛郡十六,发卒十万人塞决河,起龙渊宫。盖武帝起宫于决河之傍,龙渊之侧,故曰龙渊宫也。河水东北流而迳濮阳县北,为濮阳津。故城在南与卫县分水,城北十里有瓠河口,有金堤、宣房堰。粤在汉世,河决金堤,涿郡王尊,自徐州刺史迁东郡太守,河水盛溢,泛浸瓠子,金堤决坏,尊躬率民吏,投沉白马,祈水神河伯,亲执圭璧,请身填堤,庐居其上,民吏皆走,尊立不动,而水波齐足而止。公私壮其勇节。河水又东北迳卫国县南,东为郭口津〔二一〕。河水又东迳鄄城县北,故城在河南十八里,王莽之鄄良也,沇州旧治。魏武创业始自于此。河上之邑最为峻固。晋八王故事曰:东海王越治鄄城,城无故自坏七十馀丈,越恶之,移治濮阳。城南有魏使持节征西将军太尉方城侯邓艾庙,庙南有艾碑,秦建元十二年,广武将军沇州刺史关内侯安定彭超立。河之南岸有新城,宋宁朔将军王玄谟前锋入河所筑也。北岸有新台,鸿基层广高数丈,卫宣公所筑新台矣。诗齐姜所赋也。为卢关津。台东有小城,崎岖颓侧,台址枕河,俗谓之邸阁城。疑故关津都尉治也,所未详矣。河水又东北迳范县之秦亭西,春秋经书筑台于秦者也。河水又东北迳委粟津,大河之北,即东武阳县也。左会浮水故渎,故渎上承大河于顿丘县而北出,东迳繁阳县故城南。应劭曰:县在繁水之阳。张晏曰:县有繁渊。春秋襄公二十年,经书公与晋侯、齐侯盟于澶渊。杜预曰:在顿丘县南,今名繁渊。澶渊,即繁渊也,亦谓之浮水焉。昔魏徙大梁,赵以中牟易魏。故志曰：赵南至浮水繁阳。即是渎也。故渎东绝大河，故渎东迳五鹿之野，晋文公受块于野人，即此处矣。京相璠曰：今卫县西北三十里，有五鹿城，今属顿丘县。浮水故渎又东南迳卫国邑城北，故卫公国也。汉光武以封周后也。又东迳卫国县故城南，古斟观。应劭曰：夏有观扈，即此城也。竹书纪年：梁惠成王二年，齐田寿率师伐我，围观，观降。浮水故渎又东迳河牧城而东北出。郡国志曰：卫本观故国，姚姓。有河牧城，又东北入东武阳县，东入河。又有漯水〔二二〕出焉，戴延之谓之武水也〔二三〕。河水又东迳武阳县东、范县西而东北流也。

又东北过东阿县北，

河水于范县东北流为仓亭津。述征记曰：仓亭津在范县界，去东阿六十里。魏土地记曰：津在武阳县东北七十里，津，河济名也。河水右历柯泽，春秋左传襄公十四年，卫孙文子败公徒于阿泽者也。又东北迳东阿县故城西，而东北出流注河水。枝津东出，谓之邓里渠也。

又东北过茌平县西，

河自邓里渠东北迳昌乡亭北，又东北迳碻磝城〔二四〕西，述征记曰：碻磝，津名也，自黄河泛舟而渡者，皆为津也。其城临水，西南崩于河。宋元嘉二十七年，以王玄谟为宁朔将军，前锋入河，平碻磝，守之〔二五〕。都督刘义恭以沙城不堪守，召玄谟令毁城而还，后更城之。魏立济州，治此也。河水冲其西南隅，又崩于河，即故茌平县也。应劭曰：茌，山名也，县在山之平地，故曰茌平也，王莽之功崇矣。经曰大河在其西，邓里渠历其东，即斯邑也。昔石勒之隶师懽，屯耕于茌平，闻鼓角鞞铎之声于是县也。西与聊城分河。河水又东北与邓里渠合，水上承大河于东阿县西，东迳东阿县故城北，故卫邑也。应仲瑗曰：有西，故称东。魏封曹植为王国。大城北门内西侧，皋上有大井，其巨若轮，深六七丈，岁尝煮胶，以贡天府。本草所谓阿胶也。故世俗有阿井之名。县出佳缯缣，故史记云：秦昭王服太阿之剑，阿缟之衣也。又东北迳临邑县，与将渠合。又北迳茌平县东，临邑县故城西，北流入于河。河水又东北流迳四渎津，津西侧岸。临河有四渎祠，东对四渎口。河水东分济，亦曰济水受河也。然荥口石门水断不通，始自是出东北流，迳九里与清水合。故济渎也。自河入济，自济入淮，自淮达江，水径周通，故有四渎之名也。昔赵杀鸣犊，仲尼临河而叹，自是而返曰：丘之不济，命也。夫琴操以为孔子临狄水而歌矣。曰：狄水衍兮风扬波，船楫颠倒更相加。余按临济，故狄也。是济所迳，得其通称也。河水又迳杨墟县〔二六〕之故城东，俗犹谓是城曰阳城矣。河水又迳茌平城东，疑县徙也。城内有故台，世谓之时平城，非也。盖茌、时音相近耳。

又东北过高唐县东，

河水于县，漯水注之。地理志曰：漯水出东武阳。今漯水上承河水于武阳县东南，西北迳武阳新城东，曹操为东郡所治也。引水自东门石窦北注于堂池，池南故基尚存。城内有一石甚大，城西门名冰井门，门内曲中，冰井犹存。门外有故台，号武阳台，匝台亦有隅雉遗迹。水自城东北迳东武阳县故城南。应劭曰：县在武水之阳，王莽之武昌也。然则漯水亦或武水矣。臧洪为东郡太守，治此。曹操围张超于雍丘，洪以情义，请袁绍救之，不许，洪与绍绝。绍围洪，城中无食，洪呼吏士曰：洪于大义，不得不死，诸君无事，空与此祸。众泣曰：何忍舍明府也。男女八千馀人，相枕而死。洪不屈，绍杀洪。邑人陈容为丞，谓曰：宁与臧洪同日死，不与将军同日生。绍又杀之，士为伤叹。今城四周，绍围郭尚存。水匝隍壍，于城东北合为一渎，东北出郭，迳阳平县之冈成城西。郡国志曰：阳平县有冈成亭。又北迳阳平县故城东，汉昭帝元平元年，封丞相蔡义为侯国。漯水又北绝莘道，城之西北，有莘亭。春秋桓公十六年，卫宣公使伋使诸齐，令盗待于莘，伋、寿继殒于此亭。京相璠曰：今平原阳平县北十里，有故莘亭，阨限蹊要，自卫适齐之道也。望新台于河上，感二子于夙龄，诗人乘舟，诚可悲矣。今县东有二子庙，犹谓之为孝祠矣。漯水又东北迳乐平县故城东，县，故清也。汉高帝八年，封室中同于清，宣帝封许广汉少弟翁孙于乐平，并为侯国。王莽之清治矣。汉章帝建初中，更从今名也。漯水又北迳聊城县故城西，城内有金城，周匝有水，南门有驰道，绝水南出，自外泛舟而行矣。东门侧有层台，秀出云表，鲁仲连所谓还高唐之兵，却聊城之众者也。漯水又东北迳清河县故城北，地理风俗记曰：甘陵，故清河。清河在南十七里，今于甘陵县故城东南，无城以拟之。直东二十里有艾亭城，东南四十里有此城，拟即清河城也。后蛮居之，故世称蛮城也。漯水又东北迳文乡城东南，又东北迳博平县故城南，城内有层台秀上，王莽改之曰加睦也。右与黄沟同注川泽。黄沟承聊城郭水，水泛则津注，水耗则辍流。自城东北出，迳清河城南，又东北迳摄城北，春秋所谓聊摄以东也。俗称郭城，非也。城东西三里，南北二里，东西隅有金城，城卑下，墟郭尚存，左右多坟垅。京相璠曰：聊城县东北三十里有故摄城，今此城西去聊城二十五六里许，即摄城〔二七〕者也。又东迳文乡城北，又东南迳王城北。魏太常七年，安平王镇平原所筑，世谓之王城。太和二十三年，罢镇立平原郡，治此城也。黄沟又东北流，左与漯水隐覆，势镇河陆，东出于高唐县，大河右迆，东注漯水矣。桑钦地理志曰：漯水出高唐。余按竹书穆天子传称：丁卯，天子自五鹿东征，钓于漯水，以祭淑人，是曰祭丘；己巳，天子东征，食马于漯水之上。寻其沿历迳趣，不得近出高唐也。桑氏所言，盖津流所出，次于是间也。俗以是水上承于河，亦谓之源河矣。漯水又东北迳援县故城西，王莽之东顺亭也。杜预释地曰：济南祝阿县西北有援城。漯水又东北迳高唐县故城东。昔齐威王使肹子守高唐，赵人不敢渔于河，即鲁仲连子谓田巴曰：今楚军南阳，赵伐高唐者也。春秋左传哀公十年，赵鞅帅师伐齐，取犁〔二八〕及辕，毁高唐之郭。杜预曰：辕即援也。祝阿县西北有高唐城。漯水又东北迳漯阴县〔二九〕故城北。县，故犁邑也，汉武帝元光三年封匈奴降王，王莽更名翼城。历北漯阴城南。伏琛谓之漯阳，城南有魏沇州刺史刘岱碑。地理风俗记曰：平原漯阴县，今巨漯亭是也。漯水又东北迳著县故城南，又东北迳崔氏城北。春秋左传襄公二十七年，崔成请老于崔者也。杜预释地曰：济南东朝阳县西北有崔氏城。漯水又东北迳东朝阳县故城南，汉高帝七年，封都尉宰寄为侯国。地理风俗记曰：南阳有朝阳县，故加东。地理志曰:王莽之脩治也。漯水又东迳汉征君伏生墓南,碑碣尚存,以明经为秦博士。秦坑〔三〇〕儒士,伏生隐焉。汉兴,教于齐、鲁之间,撰五经、尚书大传,文帝安车征之。年老不行,乃使掌故欧阳生等受尚书于征君,号曰伏生者也。漯水又东迳邹平县故城北,古邹侯国,舜后姚姓也。又东北迳东邹城北。地理志,千乘郡有东邹县。漯水又东北迳建信县故城北,汉高帝七年,封娄敬为侯国。应劭曰:临济县西北五十里有建信城,都尉治故城者也。漯水又东北迳千乘县二城间,汉高帝六年,以为千乘郡,王莽之建信也。章帝建初四年为王国;和帝永元七年,改为乐安郡,故齐地。伏琛曰:千乘城在齐城西北百五十里,隔会水,即漯水之别名也。又东北为马常坑〔三一〕,坑东西八十里,南北三十里,乱河枝流而入于海。河海之饶,兹焉为最。地理风俗记曰:漯水东北至千乘入海,河盛则通津委海,水耗则微涓绝流。书:浮于济、漯,亦是水者也。

又东北过杨虚县东,商河出焉。

地理志:杨虚,平原之隶县也。汉文帝四年,以封齐悼惠王子将闾为侯国也。城在高唐城之西南,经次于此,是不比也。商河首受河水,亦漯水及泽水所潭也。渊而不流,世谓之清水。自此虽沙涨填塞,厥迹尚存。历泽而北,俗谓之落里坑。迳张公城西,又北,重源潜发,亦曰小漳河,商、漳声相近,故字与读移耳。商河又北迳平原县东,又迳安德县故城南,又东北迳平昌县故城南,又东迳般县故城南,又东迳乐陵县故城南,汉宣帝地节四年,封侍中史子长为侯国。商河又东迳朸县〔三二〕故城南，高后八年，封齐悼惠王子刘辟光为侯国，王莽更之曰张乡。应劭曰：般县东南六十里有枋乡城，故县也。沙沟水注之，水南出大河之阳，泉源之不合河者二百步，其水北流注商河。商河又东北流迳马岭城西北，屈而东注南转，迳城东。城在河曲之中，东海王越斩汲桑于是城。商河又东北迳富平县故城北，地理志曰：侯国也。王莽曰乐安亭。应劭曰：明帝更名厌次。阚骃曰：厌次县本富平侯、车骑将军张安世之封邑。非也。按汉书，昭帝元凤六年，封右将军张安世为富平侯。薨，子延寿嗣，国在陈留，别邑在魏郡。陈留风俗传曰：陈留尉氏县安陵乡，故富平县也，是乃安世所食矣。岁入租千馀万，延寿自以身无功德，何堪久居先人大国，上书请减户。天子以为有让，徙封平原，并食一邑，户口如故，而税减半。十三州志曰：明帝永平五年，改曰厌次矣。按史记高祖功臣侯者年表，高帝六年，封元顷为侯国。徐广音义曰：汉书作爰类。是知厌次旧名，非始明帝，盖复故耳。县西有东方朔冢，冢侧有祠，祠有神验。水侧有云城，汉武帝元封四年，封齐孝王子刘信为侯国也。商河又分为二水，南水谓之长丛沟〔三三〕，东流倾注于海。沟南海侧，有蒲台，台高八丈，方二百步。三齐略记曰：鬲城东南有蒲台，秦始皇东游海上，于台上蟠蒲系马，至今每岁蒲生，萦委若有系状，似水杨，可以为箭。今东去海三十里。北水世又谓之百薄渎〔三四〕，东北流注于海水矣。大河又东北迳高唐县故城西，春秋左传襄公十九年，齐灵公废太子光而立公子牙，以夙沙卫为少傅，齐侯卒，崔杼逆光，光立，杀公子牙于句渎之丘，卫奔高唐以叛。京相璠曰：本平原县也，齐之西鄙也。大河迳其西而不出其东，经言出东，误耳。大河又北迳张公城，临侧河湄，卫青州刺史张治此〔三五〕，故世谓之张公城。水有津焉，名之曰张公渡。河水又北迳平原县故城东。地理风俗记曰：原，博平也，故曰平原矣。县，故平原郡治矣。汉高帝六年置，王莽改曰河平也。晋灼曰：齐西有平原。河水东北过高唐，高唐，即平原也。故经言，河水迳高唐县东。非也。按地理志曰：高唐，漯水所出，平原，则笃马河导焉。明平原非高唐，大河不得出其东，审矣。大河右溢，世谓之甘枣沟，水侧多枣，故俗取名焉。河盛则委泛，水耗则辍流。故沟又东北历长堤，迳漯阴县北，东迳著城北，东为陂淀，渊潭相接，世谓之秽野薄〔三六〕。河水又东北迳阿阳县故城西，汉高帝六年，封郎中万䜣为侯国。应劭曰：漯阴县东南五十里有阿阳乡，故县也。

又东北过漯阳县北，

河水自平原左迳安德城东，而北为鹿角津。东北迳般县、乐陵、朸乡至厌次县故城南，为厌次河。汉安帝永初二年，剧贼毕豪等数百，乘船寇平原，县令刘雄，门下小吏所辅，浮舟追至厌次津，与贼合战，并为贼擒，求代雄，豪纵雄于此津，所辅可谓孝尽爱敬，义极君臣矣。河水右迳漯阴县故城北，王莽之巨武县〔三七〕也。河水又东北为漯沃津〔三八〕，在漯沃县故城南，王莽之延亭者也。地理风俗记曰：千乘县西北五十里有大河，河北有漯沃城，故县也。魏改为后部亭，今俗遂名之曰右辅城。河水又东迳千乘城北，伏琛之所谓千乘北城者也。

又东北过利县北，又东北过甲下邑，济水从西来注

之，又东北入于海。

河水又东分为二水，枝津东迳甲下城南，东南历马常坈注济。经言济水注河，非也。河水自枝津东北流，迳甲下邑北，世谓之仓子城。又东北流，入于海。淮南子曰：九折注于海，而流不绝者，昆仑之输也，尚书禹贡曰：夹右碣石入于河。山海经曰：碣石之山，绳水出焉，东流注于河。河之入海，旧在碣石，今川流所导，非禹渎也。周定王五年，河徙故渎。故班固曰：商竭，周移也。又以汉武帝元光二年，河又徙东郡，更注渤海。是以汉司空掾王璜言曰：往者，天尝连雨，东北风，海水溢，西南出侵数百里。故张折〔三九〕云：碣石在海中。盖沦于海水也。昔燕、齐辽旷，分置营州，今城届海滨，海水北侵，城垂沦者半。王璜之言，信而有征；碣石入海，非无证矣。

〔一〕注疏本作“河水五”。疏：“戴无五字，又朱此下有漯水二字标目，赵同，戴删。”

〔二〕冶坂城　注笺本、项本、乾隆河南通志卷六十九古迹志十五引水经注均作“治坂城”。

〔三〕后汉书光武帝纪“遣耿弇率强弩将军陈俊军五社津”注引水经注：“巩县北有五社津。”当是此句下佚文。

〔四〕平皋县　吴本、注笺本、项本、张本均作“平高县”。

〔五〕注疏本疏：“朱‘肱’讹作‘喉’，赵、戴同。会贞按：古微书称河图绛象云，东流至大伾山，名地肱。此‘喉’为‘肱’之误，今订。”注疏本段熙仲校记：“按王鸣盛尚书后案以为此必引地说之文，地说于大陆以为地腹，与地喉义相类。后案又以导沛入于河，入也；为荥，出也。郑增成地喉之义。（'喉'，今据台北本改'肱'。）"

〔六〕雍正河南通志卷十二河防一郑州汜水引水经注："汜者，取水决复入之义，北迳虎牢城东北，又北由孤村嘴以下入河。"当是此段下佚文。

〔七〕东关水　黄本、吴本、注笺本、项本、沈本、张本、五校钞本、七校本均作"车关水"。

〔八〕蒗礍渠　大典本、吴本、何校明钞本、王校明钞本、五校钞本、七校本、通典卷一七七州郡七古荆河州河南府洛州河阴引水经注、雍正河南通志卷十二河防一郑州引水经注、汉志水道疏证卷二陈留郡引水经注、治河前策卷上东过洛汭至于大伾考引水经注均作"蒗荡渠"，宋陈师道汳水新渠记（古今天下名山胜概记卷三十五）引水经注、嘉靖河南通志卷十四河防引水经注、顺治河南通志卷九河防引水经注均作"莨荡渠"，御览卷一五八州郡部四东京开封引水经注作"莨菪渠"，玉海卷二十一地理河渠汉狼汤渠引水经注作"莨汤渠"。

〔九〕此句注疏本作经："又东过燕县北，淇水从北来注之。"

〔一〇〕黎蒸　注笺本、项本、五校钞本、七校本均作"魏丞"。

〔一一〕天桥津　章宗源隋书经籍志考证卷六地理、西征记二卷引水经注作"天津桥"。

〔一二〕郑驰道　"道"，孙诒让以为应作"地"。札迻卷三云："案戴改地为道，盖据今本纪年及通鉴地理通释校，以'驰道'为地名也。赵校亦同。并非是。驰地者，易地也。战国策秦策云'秦攻陉使人驰南阳之地'，正与纪年义同。梁取韩枳道而与韩鹿（郑即韩也），即驰地之义。今本纪年乃明人摭检伪托，不足据校。”大典本、黄本、吴本、注笺本、项本、沈本、张本均作“郑驰地”。

〔一三〕白马济　史记曹相国世家“渡围津”索隐引水经注作“白马津”。

〔一四〕寰宇记卷五十四河北道三魏州大名县引水经注：“沙丘堰有贵乡。”当是此句下佚文。

〔一五〕五鹿　注笺本、项本、注释本、张本均作“五鹿墟”。

〔一六〕沙鹿　方舆纪要卷十六直隶七大名府元城县沙鹿山引水经注作“沙鹿山”。

〔一七〕绎幕县　名胜志山东卷二德州平原县引水经注作“驿幕县”。

〔一八〕枣彊县　注笺本、项本、注释本、张本均作“武彊县”。

〔一九〕名胜志卷八冀州枣彊县引水经注：“清河又东北迳枣彊县故城西，又东北迳棘津，津上有古台，耆旧相传，吕望卖浆台。”当是此段下佚文。

〔二〇〕古城　注笺本、项本均作“目城”，注释本作“聂城”。

〔二一〕郭口津　读水经注小识卷一引水经注作“国口津”。

〔二二〕漯水　何校明钞本、注删本、尚书今古文注疏卷三禹贡第三上“浮于济、漯达于河”孙星衍疏引水经注、禹贡古今注通释卷一“浮于济、漯达于河”侯桢案引水经注、山海经地理今释卷四北山经下“南流注于泌水”吴承志案引水经注均作“湿水”。

〔二三〕寰宇记卷五十四河北道三博州聊城县引水经注：“武水东流从石柱北是也。”当是此段下佚文。

〔二四〕碻磝城　吴本、注笺本、项本、五校钞本、七校本、注释本均作“嚣磝城”。

〔二五〕详见卷二河水注注〔二八〕手稿水经注里的南朝年号条。

〔二六〕杨墟县　注释本作“杨虚县”，通鉴卷四十四光武帝建武二十七年“扬虚侯马武上书曰”胡注引水经注、方舆纪要卷三十四山东二济南府平原县引水经注均作“扬虚县”。

〔二七〕摄城　方舆纪要卷三十四山东五东昌府聊城县摄城引水经注作“聂邑”。

〔二八〕犁　注笺本、项本、注释本、张本均作“黎”。

〔二九〕漯阴县　残宋本、大典本、戴本、尚书后案“浮于济、漯达于河”王鸣盛案引水经注均作“湿阴县”。吴本、项本、张本作“温阴县”。

〔三〇〕坈　残宋本作“坑”，“坈”、“坑”同。

〔三一〕札记别体字：

水经注中有一种称“坈”的地名，在殿本中共有八处，计卷四河水注“曹阳坈”，卷五河水注“马常坈”、“落里坈”，卷八济水注“深坈”，卷二十三汳水注“神坈坞”，卷二十六潍水注“盐坈”，卷三十七泿水注“水坈”。另外，卷八济水注“平州”，在微波榭本和注疏本中均作“平州坈”。对于这种称“坈”的地名的自然地理属性，卷五河水经“又东北过高唐县东”注中说得十分明白：

漯水又东北迳千乘县二城间……又东北为马常坈，坈东西八十里，南北三十里，乱河枝流而入于海。河海之饶，兹焉为最。地理风俗记曰：漯水东北至千乘入海，河盛则通津委海，水耗则微涓绝流。

由此可知，这种称“坈”的地名，从自然地理上说，无非是一种季节性湖泊，但问题在于这个“坈”字的音训如何，需要考证。从朱谋㙔的水经注笺开始，包括朱之臣的水经注删和张匡学的水经注释地等，都从小学书玉篇上去找寻答案。结果是小题大作，不得要领。假使他们都能如王国维那样从别体字的线索去考虑这个“坈”字，问题就可迎刃而解。

今各本水经注中，卷五河水经“又东北过高唐县东”注中，有“秦坑儒士，伏生隐焉”一语，这个“坑”字，在北京图书馆所藏的残宋本中，恰恰就作“坈”字。另外，今各本卷二河水经“又东过陇西河关县北，洮水从东南来流注之”注中，有“投河坠坑而死者八百馀人”一语，这个“坑”字，在北京图书馆所藏的何焯校明钞本中，恰恰也作“坈”字。由此可知，水经注中这八九处“坈”字，其实就是“坑”的别体字。原来，大典本和黄省曾本，这个“坈”字也多作“坑”字，朱谋㙔从宋本作“坈”，却没有与宋本中如“秦坈儒士”之类的“坈”字去核对一下，竟另求玉篇，结果反而致误。

至于这一种地理事物为什么称“坑”，光绪山东通志卷三十三有现成的解释。该书在水经注“平州坈”后云：“坈当作坑，太平御览地部四十引述征记曰：齐人谓湖曰坑。”上述八九处称“坈”的地名，除了卷三十七泿水注的“水坈”外，其馀均在齐地。由此可以得到结论：“坈”是“坑”的别体字，而“坑”则是“湖”在齐地的方言。

〔三二〕枋县　注笺本、项本均作“初县”，注释本作“枋乡县”。

〔三三〕长丛沟　残宋本、黄本、注笺本、项本、沈本、张本、初学记卷八河北道第五百薄引水经注均作“长聚沟”，注释本作“长蘩沟”。

〔三四〕百薄渎　大典本、黄本、注笺本、项本、沈本、张本、五校钞本、七校本均作“白薄渎”，初学记河北道第五百薄引水经注作“百薄沟”，方舆纪要卷三十一山东济南府阳信县屯氏故河引水经注作“白薄沟”。

〔三五〕卫青州刺史张治此　殿本戴氏案云：“张某脱其名。”大典本、注笺本、五校钞本、注释本、注疏本等均作：“魏青州刺史张治此。”注释本赵一清释云：“张下失其名。魏青州，后魏之东青州。……魏书张彝传，曾祖幸位青州刺史，祖准之又为东青州刺史。东青州暂置旋废，未必更有一位张姓者莅其土，或即是彝之祖，未可知也。以彝贵重，故称张公云。”

〔三六〕注疏本段熙仲校记八六：“谓之秽野薄，按：沈钦韩曰：薄与泊通，统志引此作沟。”

〔三七〕巨武县　注笺本、项本、注释本、张本均作“臣武县”。

〔三八〕漯沃津　方舆纪要卷一二五川渎二大河上引水经注作“湿沃津”。

〔三九〕注疏本作“故张君云”。疏：“赵云：禹贡锥指曰：后汉志注、禹贡正义，并引张氏地理记，张氏不知其名，岂即所称张君耶？程大昌以为张揖，按隋志有魏博士张揖，撰广雅二卷，而无张氏地理记，未审张君是揖否？守敬按：南山经句馀之山郭注引张氏地理志。海内南经三天子鄣郭注引张氏土地记，不著其名。尔雅鸟鼠同穴郭注引张氏地理记。山水泽地篇郦注引作张晏，知张氏即张晏。又史记夏本纪太史公论索隐引张敖地理志，寰宇记亦引张敖地理志，张氏或是张敖。然则此张君，张晏、张敖，必居其一。至张揖止解汉书司马相如传，颜师古明言之，而广雅亦无释碣石事，程氏以为张揖，乃臆度耳。全称孙潜本作张折，不知所出。残宋本、大典本、明钞本并作折。而戴作张折，本于大典、残宋本，明钞本亦然，皆不足据也。”

水经注卷六

汾水　浍水　涑水　文水　原公水　洞过水　晋水　湛水

汾水出太原汾阳县北管涔山，

山海经曰：北次二经之首，在河之东，其首枕汾，曰管涔之山，其上无木，而下多玉，汾水出焉〔一〕，西流注于河。十三州志曰：出武州之燕京山。亦管涔之异名也。其山重阜修岩，有草无木，泉源导于南麓之下，盖稚水蒙流耳。又西南，夹岸连山，联峰接势。刘渊族子曜尝隐避于管涔之山，夜中忽有二童子入，跪曰：管涔王使小臣奉谒赵皇帝。献剑一口，置前，再拜而去。以烛视之，剑长二尺，光泽非常，背有铭曰：神剑御，除众毒。曜遂服之，剑随时变为五色也，后曜遂为胡王矣。汾水又南，与东、西温溪合。水出左右近溪，声流翼注，水上杂树交荫，云垂烟接。自是水流潭涨，波襄转泛。又南迳一城东，凭墉积石，侧枕汾水，俗谓之代城。又南出二城间，其城角倚，翼枕汾流，世谓之侯莫干城，盖语出戎方，传呼失实也。汾水又南迳汾阳县故城东，川土宽平，峘山夷水。地理志曰：汾水出汾阳县北山，西南流者也。汉高帝十一年，封靳彊为侯国。后立屯农，积粟在斯，谓之羊肠仓。山有羊肠坂〔二〕，在晋阳西北，石隥萦行，若羊肠焉，故仓坂取名矣。汉永平中，治呼沱、石臼河〔三〕。按司马彪后汉郡国志，常山南行唐县有石臼谷，盖资承呼沱之水〔四〕，转山东之漕，自都虑至羊肠仓，将凭汾水以漕太原，用实秦、晋。苦役连年，转运所经，凡三百八十九隘，死者无算。拜邓训为谒者，监护水功。训隐括知其难立，具言肃宗，肃宗从之，全活数千人。和熹邓后之立，叔父陔以为训积善所致也。羊肠即此仓也。又南迳秀容城东。魏土地记曰：秀容，胡人徙居之，立秀容护军治。东去汾水六十里，南与酸水合，水源西出少阳之山，东南流注于汾水。汾水又南出山，东南流，洛阴水注之。水出新兴郡，西流迳洛阴城北，又西迳孟县故城南。春秋左传昭公二十八年，分祁氏七县为大夫之邑，以孟丙为孟大夫。洛阴水又西，迳狼孟县故城南，王莽之狼调也。左右夹涧幽深，南面大壑，俗谓之狼马涧。旧断涧为城，有南、北门，门阃故壁尚在。洛阴水又西南迳阳曲城北，魏土地记曰：阳曲，胡寄居太原界，置阳曲护军治。其水西南流，注于汾水。汾水又南迳阳曲城西南注也。

东南过晋阳县东，晋水从县南东流注之。

太原郡治晋阳城，秦庄襄王三年立。尚书所谓既修太原者也。春秋说题辞曰：高平曰太原。原，端也，平而有度。广雅曰：大卤，太原也。释名曰：地不生物曰卤，卤，罏也。穀梁传曰：中国曰太原，夷狄曰大卤。尚书大传曰：东原底平，大而高平者谓之太原，郡取称也。魏土地记曰：城东有汾水南流，水东有晋使持节都督并州诸军事镇北将军太原成王之碑。水上旧有梁,青荓殒于梁下,豫让死于津侧,亦襄子解衣之所在也。汾水西迳晋阳城南,旧有介子推祠,祠前有碑,庙宇倾颓,惟单碑独存矣。今文字剥落,无可寻也。

又南,洞过水〔五〕从东来注之。

汾水又南迳梗阳县故城东,故榆次之梗阳乡也。魏献子以邑大夫魏戊也。京相璠曰:梗阳,晋邑也。今太原晋阳县南六十里榆次界有梗阳城〔六〕。汾水又南,即洞过水会者也。

又南过大陵县东,

昔赵武灵王游大陵,梦处女,鼓琴而歌,想见其人,吴广进孟姚焉,即于此县也。王莽改曰大宁矣。汾水于县左迆为邬泽〔七〕。广雅曰:水自汾出为汾陂。其陂东西四里,南北十馀里,陂南接邬。地理志曰:九泽在北,并州薮也。吕氏春秋谓之大陆。又名之曰沤洟之泽,俗谓之邬城泊。许慎说文曰:漹水出西河中阳县北沙,南入河。即此水也。漹水又会婴侯之水,山海经称谒戾之山,婴侯之水〔八〕出于其阴,北流注于祀水,水出祀山,其水殊源共舍,注于婴侯之水,乱流迳中都县南,俗又谓之中都水。侯甲水注之,水发源祁县胡甲山,有长坂,谓之胡甲岭,即刘歆遂初赋所谓越侯甲而长驱者也。蔡邕曰:侯甲,亦邑名也,在祁县。侯甲水又西北历宜岁郊,迳太谷,谓之太谷水。出谷西北流,迳祁县故城南,自县连延,西接邬泽,是为祁薮也。即尔雅所谓昭馀祁矣,贾辛邑也。辛貌丑,妻不为言,与之如皋,射雉双中之则笑也。王莽之示县也。又西迳京陵县故城北,王莽更名曰致城矣。于春秋为九原之地也。故国语曰:赵文子与叔向游于九原,曰:死者若可作也,吾谁与归？叔向曰：其阳子乎？文子曰：夫阳子行并植于晋国，不免其身，智不足称。叔向曰：其舅犯乎？文子曰：夫舅犯见利不顾其君，仁不足称。吾其随会乎？纳谏不忘其师，言身不失其友，事君不援而进，不阿而退。其故京尚存。汉兴，增陵于其下，故曰京陵焉。侯甲水又西北迳中都县故城南，城临际水湄。春秋昭公二年，晋侯执陈无宇于中都者也。汉文帝为代王，都此。武帝元封四年，上幸中都宫，殿上见光，赦中都死罪以下。侯甲水又西，合于婴侯之水，迳邬县故城南，晋大夫司马弥牟之邑也。谓之邬水，俗亦曰虑水，虑、邬声相近，故因变焉。又西北入邬陂，而归于汾流矣。

又南过平陶县东，文水从西来流注之。

汾水又南与石桐水合，即绵水〔九〕也。水出界休县之绵山，北流迳石桐寺西，即介之推之祠也。昔子推逃晋文公之赏，而隐于绵上之山也。晋文公求之不得，乃封绵为介子推田。曰：以志吾过，且旌善人。因名斯山为介山。故袁山松郡国志曰：界休县有介山、绵上聚、子推庙。王肃丧服要记曰：昔鲁哀公祖载其父，孔子问曰：宁设桂树乎？哀公曰：不也。桂树者，起于介子推。子推，晋之人也。文公有内难，出国之狄，子推随其行，割肉以续军粮。后文公复国，忽忘子推，子推奉唱而歌，文公始悟，当受爵禄，子推奔介山，抱木而烧死，国人葬之，恐其神魂霣于地，故作桂树焉。吾父生于宫殿，死于枕席，何用桂树为？余按夫子尚非璠玙送葬，安能问桂树为礼乎？王肃此证，近于诬矣。石桐水又西流注于汾水。汾水又西南迳界休县故城西，王莽更名之曰界美矣。城东有征士郭林宗、宋子浚二碑。宋冲以有道司徒征〔一〇〕，林宗县人也。辟司徒，举太尉，以疾辞。其碑文云：将蹈洪崖之遐迹，绍巢、由之逸轨，翔区外以舒翼，超天衢以高峙，禀命不融，享年四十有二，建宁二年正月丁亥卒〔一一〕。凡我四方同好之人，永怀哀痛，乃树碑表墓，昭铭景行云。陈留蔡伯喈、范阳卢子幹、扶风马日磾等，远来奔丧，持朋友服。心丧期年者如韩子助、宋子浚等二十四人，其馀门人著锡衰者千数。蔡伯喈谓卢子幹、马日磾曰：吾为天下碑文多矣，皆有惭容，惟郭有道，无愧于色矣。汾水之右有左部城，侧临汾水，盖刘渊为晋都尉所筑也。

又南过冠爵津，

汾津名也，在界休县之西南，俗谓之雀鼠谷。数十里间道险隘，水左右悉结偏梁阁道，累石就路，萦带岩侧，或去水一丈，或高五六尺，上戴山阜，下临绝涧，俗谓之为鲁般桥〔一二〕，盖通古之津隘矣，亦在今之地险也。

又南入河东界，又南过永安县西，

故彘县也，周厉王流于彘，即此城也。王莽更名黄城，汉顺帝阳嘉三年，改曰永安。县，霍伯之都也。

历唐城东，

薛瓒注汉书云：尧所都也。东去彘十里。汾水又南与彘水合，水出东北太岳山，禹贡所谓岳阳也。即霍太山〔一三〕矣。上有飞廉墓，飞廉以善走事纣，恶来多力见知。周武王伐纣，兼杀恶来。飞廉先为纣使北方，还无所报，乃坛于霍太山而致命焉。得石棺，铭曰：帝令处父，不与殷乱，赐汝石棺以葬。死，遂以葬焉。霍太山有岳庙，庙甚灵，鸟雀不栖其林，猛虎常守其庭，又有灵泉以供祭祀，鼓动则泉流，声绝则水竭。湘东阴山县有侯昙山，上有灵坛，坛前有石井深数尺，居常无水，及临祈祷，则甘泉涌出，周用则已，亦其比也。彘水又西流迳观阜北，故百邑也。原过之从襄子也，受竹书于王泽，以告襄子。襄子斋三日，亲自剖竹，有朱书曰：余霍太山山阳侯天使也，三月丙戌，余将使汝反灭智氏，汝亦立我于百邑。襄子拜受三神之命，遂灭智氏，祠三神于百邑，使原过主之，世谓其处为观阜也。彘水又西流迳永安县故城南，西南流，注于汾水。汾水又南迳霍城东，故霍国也。昔晋献公灭霍，赵夙为御，霍公求奔齐。晋国大旱，卜之曰：霍太山为祟。使赵夙召霍君奉祀。晋复穰。盖霍公求之故居也。汾水又迳赵城西南，穆王以封造父，赵氏自此始也。汾水又南，霍水入焉，水出霍太山，发源成潭，涨七十步而不测其深。西南迳赵城南，西流注于汾水〔一四〕。

又南过杨县东，

涧水东出榖远县西山，西南迳霍山南，又西迳杨县故城北，晋大夫僚安之邑也。应劭曰：故杨侯国。王莽更名有年亭也。其水西流入于汾水。汾水迳杨城西，不于东矣。魏土地记曰：平阳郡治杨县，郡西有汾水南流者是也。

西南过高梁邑西，

黑水出黑山，西迳杨城南，又西与巢山水会。山海经曰：牛首之山，劳水〔一五〕出焉，西流注于潏水，疑是水也。潏水，即巢山之水也。水源东南出巢山东谷，北迳浮山东，又西北流与劳水合，乱流西北迳高梁城北，西流入于汾水。汾水又南迳高梁故城西，故高梁之墟也。春秋僖公二十四年，秦穆公纳公子重耳于晋，害怀公于此。竹书纪年：晋出公十三年，智伯瑶城高梁，汉高帝十二年以为侯国，封恭侯郦疥于斯邑也。

又南过平阳县东，

汾水又南迳白马城西，魏刑白马而筑之，故世谓之白马城。今平阳郡治。汾水又南迳平阳县故城东，晋大夫赵鼌之故邑也。应劭曰：县在平河之阳，尧、舜并都之也。竹书纪年：晋烈公元年，韩武子都平阳。汉昭帝封度辽将军范明友为侯国，王莽之香平也。魏立平阳郡，治此矣。水侧有尧庙，庙前有碑。魏土地记曰：平阳城东十里，汾水东原上有小台，台上有尧神屋石碑。永嘉三年，刘渊徙平阳，于汾水得白玉印，方四寸，高二寸二分，龙纽。其文曰：有新宝之印，王莽所造也。渊以为天授，改永凤二年为河瑞元年。汾水南与平水合，水出平阳县西壶口山，尚书所谓壶口治梁及岐也。其水东迳狐谷亭北，春秋时，狄侵晋，取狐厨者也。又东迳平阳城南，东入汾。俗以为晋水，非也。汾水又南历襄陵县故城西，晋大夫郤犫之邑也，故其地有犫氏乡亭矣。西北有晋襄公陵，县，盖即陵以命氏也。王莽更名曰幹昌矣。

又南过临汾县东，

天井水出东陉山西南，北有长岭，岭上东西有通道，即钘隥〔一六〕也。穆天子传曰：乙酉，天子西绝钘隥，西南至盬是也。其水三泉奇发，西北流，总成一川，西迳尧城南，又西流入汾。

又屈从县南西流，

汾水又迳绛县故城北，竹书纪年：梁武王〔一七〕二十五年，绛中地塝，西绝于汾，汾水西迳虒祁宫北，横水有故梁，截汾水中，凡有三十柱，柱径五尺，裁与水平，盖晋平公之故梁也。物在水，故能持久而不败也。又西迳魏正平郡南，故东雍州治。太和中，皇都徙洛，罢州立郡矣。又西迳王泽〔一八〕，浍水入焉。

又西过长脩县南，

汾水又西与古水合，水出临汾县故城西黄阜下，其大若轮，西南流，故沟横出焉，东注于汾，今无水。又西南迳魏正平郡北，又西迳荀城东，古荀国也。汲郡古文：晋武公灭荀以赐大夫原氏也。古水又西南入于汾。汾水又西南迳长脩县故城南，汉高帝十一年以为侯国，封杜恬也。有脩水出县南，而西南流入汾。汾水又西迳清原城〔一九〕北，故清阳亭也。城北有清原，晋侯蒐清原，作三军处也。汾水又迳冀亭南，昔臼季使，过冀野，见郤缺耨，其妻馌之，相敬如宾，言之文公，文公命之为卿，复与之冀。京相璠曰：今河东皮氏县有冀亭，古之冀国所都也。杜预释地曰：平阳皮氏县东北有冀亭，即此亭也。汾水又西与华水合，水出北山华谷，西南流迳一故城西，俗谓之梗阳城，非也。梗阳在榆次不在此。按故汉上谷长史侯相碑云：侯氏出自仓颉之后，逾殷历周，各以氏分，或著楚、魏，或显齐、秦，晋卿士蔿，斯其胄也。食采华阳，今蒲坂北亭，即是城也。其水西南流注于汾。汾水又迳稷山北，在水南四十许里，山东西二十里，南北三十里，高十三里，西去介山十五里。山上有稷祠，山下稷亭。春秋宣公十五年，秦桓公伐晋，晋侯治兵于稷，以略狄土是也。

又西过皮氏县南，

汾水西迳郏丘北，故汉氏之方泽也。贾逵云：汉法，三年祭地。汾阴方泽，泽中有方丘，故谓之方泽。丘即郏丘也。许慎说文称从邑，癸声。河东临汾地名矣，在介山北，山即汾山也。其山特立，周七十里，高三十里。文颖言在皮氏县东南，则可三十里，乃非也。今准此山可高十馀里，山上有神庙，庙侧有灵泉，祈祭之日，周而不耗，世亦谓之子推祠。扬雄河东赋曰：灵舆安步，周流容与，以览于介山，嗟文公而愍推兮，勤大禹于龙门。晋太康记及地道记与永初记，并言子推所逃隐于是山，即实非也。余按介推所隐者，绵山也。文公环而封之，为介推田，号其山为介山。杜预曰：在西河界休县者是也。汾水又西迳耿乡城北，故殷都也。帝祖乙自相徙此，为河所毁，故书叙曰：祖乙圮于耿〔二〇〕。杜预曰：平阳皮氏县东南耿乡是也。盘庚以耿在河北，迫近山川，乃自耿迁亳。晋献公灭耿，以封赵夙，后襄子与韩、魏分晋，韩康子居平阳，魏桓子都安邑，号为三晋，此其一也。汉武帝行幸河东，济汾河，作秋风辞于斯水之上。汾水又西迳皮氏县南，竹书纪年：魏襄王十二年，秦公孙爰率师伐我，围皮氏，翟章率师救皮氏围，疾西风。十三年，城皮氏者也。汉河东太守潘系穿渠引汾水以溉皮氏县，故渠尚存，今无水也。

又西至汾阴县北，西注于河。

水南有长阜，背汾带河，阜长四五里，广二里馀，高十丈，汾水历其阴，西入河。汉书谓之汾阴脽。应劭曰：脽，丘类也。汾阴男子公孙祥望气，宝物之精上见，祥言之于武帝，武帝于水获宝鼎焉。迁于甘泉宫，改其年曰元鼎，即此处。

浍水出河东绛县东浍交东高山，

浍水东出绛高山〔二一〕，亦曰河南山，又曰浍山。西迳翼城南。按诗谱言：晋穆侯迁都于绛，暨孙孝侯，改绛为翼，翼为晋之旧都也。后献公北广其城，方二里，又命之为绛。故司马迁史记年表称，献公九年，始城绛都。左传庄公二十六年，晋士蔿城绛以深其宫是也。其水又西南合黑水，水导源东北黑水谷，西南流迳翼城北，右引北川水，水出平川，南流注之，乱流西南入浍水。浍水又西南与诸水合，谓之浍交。竹书纪年曰：庄伯十二年，翼侯焚曲沃之禾而还，作为文公也〔二二〕。又有贺水，东出近川，西南至浍交入浍。又有高泉水，出东南近川，西北趣浍交注浍。又南，紫谷水东出白马山白马川。遁甲开山图曰：绛山东距白马山。谓是山也。西迳荧庭城南，而西出紫谷，与乾河合，即教水之枝川也。史记白起传称，涉河取韩安邑，东至乾河是也。其水西与田川水合，水出东溪，西北至浍交入浍。又有于家水〔二三〕出于家谷。竹书纪年曰：庄伯以曲沃叛，伐翼，公子万救翼，荀叔轸追之至于家谷。有范壁水出于壁下，并西北流，至翼广城。昔晋军北入翼，广筑之，因即其姓以名之。二水合而西北流，至浍交入浍。浍水又西南与绛水合，俗谓之白水，非也。水出绛山东，寒泉奋涌，扬波北注，悬流奔壑，一十许丈。青崖若点黛，素湍如委练，望之极为奇观矣。其水西北流注于浍。应劭曰：绛水出绛县西南，盖以故绛为言也。史记称，智伯率韩、魏引水灌晋阳，不没者三版。智氏曰：吾始不知水可以亡人国，今乃知之。汾水可以浸安邑，绛水可以浸平阳〔二四〕。时,韩居平阳,魏都安邑,魏桓子肘韩康子,韩康子履魏桓子,肘足接于车上,而智氏以亡。鲁定公问,一言可以丧邦,有诸?孔子以为几乎,余睹智氏之谈矣。汾水灌安邑,或亦有之;绛水灌平阳,未识所由也。

西过其县南,

春秋成公六年,晋景公谋去故绛,欲居郇、瑕。韩献子曰:土薄水浅,不如新田,有汾、浍以流其恶。遂居新田。又谓之绛,即绛阳也。盖在绛、浍之阳。汉高帝六年,封越骑将军华无害为侯国。县南对绛山,面背二水。古文琐语曰:晋平公与齐景公乘至于浍上,见乘白骖八驷以来,有大〔二五〕狸身狐尾,随平公之车。公问师旷,对首阳之神,有大狸身狐尾,其名曰者,饮酒得福,则徼之,盖于是水之上也。

又西南过虒祁宫南,

宫在新田绛县故城西四十里,晋平公之所搆也。时有石言于魏榆,晋侯以问师旷,旷曰:石不能言,或凭焉。臣闻之,作事不时,怨讟动于民,则有非言之物言也。今宫室崇侈,民力凋尽,石言不亦宜乎。叔向以为子野之言,君子矣。其宫也,背汾面浍,西则两川之交会也。竹书纪年曰:晋出公五年,浍绝于梁,即是水也。

又西至王泽,注于汾水。

晋智伯瑶攻赵襄子,襄子奔保晋阳,原过后至,遇三人于此泽,自带以下不见,持竹二节与原过曰:为我遗无邺。原过受之于是泽,所谓王泽也。

涑水出河东闻喜县东山黍葭谷,

涑水所出，俗谓之华谷，至周阳与洮水合，水源东出清野山，世人以为清襄山也。其水东迳大岭下，西流出谓之唅口，又西合涑水。郑使子产问晋平公疾，平公曰：卜云台骀为祟。史官莫知，敢问。子产曰：高辛氏有二子，长曰阏伯，季曰实沈，不能相容，帝迁阏伯于商丘，迁实沈于大夏。台骀，实沈之后，能业其官，帝用嘉之，国于汾川。由是观之，台骀，汾、洮之神也。贾逵曰：汾、洮，二水名。司马彪曰：洮水出闻喜县，故王莽以县为洮亭也。然则涑水殆亦洮水之兼称乎？

西过周阳邑南，

其城南临涑水，北倚山原。竹书纪年：晋献公二十五年正月，翟人伐晋，周有白兔舞于市。即是邑也。汉景帝以封田胜为侯国。涑水西迳董泽陂南，即古池，东西四里，南北三里。春秋文公六年，蒐于董，即斯泽也。涑水又与景水合，水出景山北谷。山海经曰：景山南望盐贩之泽，北望少泽，其草多藷藇、秦椒，其阴多赭，其阳多玉。郭景纯曰：盐贩之泽即解县盐池也。按经不言有水，今有水焉，西北流，注于涑水也。

又西南过左邑县南〔二六〕，

涑水又西迳仲邮鄍〔二七〕北，又西迳桐乡城北。竹书纪年曰：翼侯伐曲沃，大捷，武公请成于翼，至桐乃返者也。汉书曰：武帝元鼎六年，将幸缑氏，至左邑桐乡，闻南越破，以为闻喜县者也。涑水又西与沙渠水合，水出东南近川，西北流注于涑水。涑水又西南迳左邑县故城南，故曲沃也。晋武公自晋阳徙此，秦改为左邑县，诗所谓从子于鹄者也。春秋传曰：下国有宗庙，谓之国。在绛曰下国矣，即新城也。王莽之洮亭也。涑水自城西注，水流急浚，轻津无缓，故诗人以为激扬之水〔二八〕，言不能流移束薪耳。水侧，即狐突遇申生处也。春秋传曰：秋，狐突适下国，遇太子，太子使登，仆，曰：夷吾无礼，吾请帝以畀秦。对曰：神不歆非类，君其图之。君曰诺，请七日见我于新城西偏。及期而往，见于此处。故传曰：鬼神所凭，有时而信矣。涑水又西迳王官城北，城在南原上。春秋左传成公十三年，四月，晋侯使吕相绝秦曰：康犹不悛，入我河曲，伐我涑川，俘我王官。故有河曲之战是矣。今世人犹谓其城曰王城也。

又西南过安邑县西，

安邑，禹都也。禹娶塗山氏女，思恋本国，筑台以望之，今城南门，台基犹存。余按礼，天子诸侯，台门隅阿相降而已，未必一如书传也。故晋邑矣，春秋时，魏绛自魏徙此。昔文侯悬师经之琴于其门，以为言戒也。武侯二年，又城安邑，盖增广之。秦始皇使左更白起取安邑，置河东郡。王莽更名洮队，县曰河东也。有项宁都，学道升仙，忽复还此，河东号曰斥仙。汉世又有闵仲叔，隐遁市邑，罕有知者，后以识瞻而去。涑水西南迳监盐县故城，城南有盐池，上承盐水。水出东南薄山，西北流迳巫咸山北。地理志曰：山在安邑县南。海外西经曰：巫咸国在女丑北，右手操青蛇，左手操赤蛇，在登葆山，群巫所从上下也。大荒西经云：大荒之中有灵山，巫咸、巫即、巫朌、巫彭、巫姑、巫真、巫礼、巫抵、巫谢、巫罗十巫，从此升降，百药爰在。郭景纯曰：言群巫上下灵山，采药往来也。盖神巫所游，故山得其名矣。谷口岭上，有巫咸祠。其水又迳安邑故城南，又西流注于盐池。地理志曰:盐池在安邑西南。许慎谓之盬。长五十一里,广七里,周百一十六里,从盐省古声。吕忱曰:夙沙初作煮海盐,河东盐池谓之盬。今池水东西七十里,南北十七里,紫色澄渟,潭而不流。水出石盐,自然印成,朝取夕复,终无减损〔二九〕。惟山水暴至,雨澍潢潦奔泆,则盐池用耗。故公私共堨水径,防其淫滥,谓之盐水,亦谓之为堨水。山海经谓之盐贩之泽也。泽南面层山,天岩云秀,地谷渊深,左右壁立,间不容轨,谓之石门,路出其中,名之曰径,南通上阳,北暨盐泽。池西又有一池,谓之女盐泽,东西二十五里,南北二十里,在猗氏故城南。春秋成公六年,晋谋去故绛,大夫曰:郇、瑕,地沃饶近盬。服虔曰:土平有溉曰沃,盬,盐池也。土俗裂水沃麻,分灌川野,畦水耗竭,土自成盐,即所谓咸鹾也,而味苦,号曰盐田,盐盬之名,始资是矣。本司盐都尉治,领兵千馀人守之。周穆王、汉章帝并幸安邑而观盐池。故杜预曰:猗氏有盐池。后罢尉司,分猗氏、安邑,置县以守之。

又南过解县东,又西南注于张阳池。

涑水又西迳猗氏县故城北。春秋文公七年,晋败秦于令狐,至于刳首,先蔑奔秦,士会从之。阚骃曰:令狐即猗氏也。刳首在西三十里,县南对泽,即猗顿之故居也。孔丛曰:猗顿,鲁之穷士也,耕则常饥,桑则常寒。闻朱公富,往而问术焉。朱公告之曰:子欲速富,当畜五牸。于是乃适西河,大畜牛羊于猗氏之南,十年之间,其息不可计,赀拟王公,驰名天下,以兴富于猗氏,故曰猗顿也。涑水又西迳郇城,诗云郇伯劳之。盖其故国也。杜元凯春秋释地云:今解县西北有郇城。服虔曰:郇国在解县东，郇瑕氏之墟也。余按竹书纪年云，晋惠公十有四年，秦穆公率师送公子重耳，围令狐，桑泉、臼衰，皆降于秦师，狐毛与先轸御秦，至于庐柳，乃谓秦穆公，使公子縶来与师言，退舍，次于郇，盟于军。京相璠春秋土地名曰：桑泉、臼衰并在解东南，不言解，明不至解。可知春秋之文，与竹书不殊。今解故城东北二十四里有故城，在猗氏故城西北，乡俗名之为郇城，考服虔之说，又与俗符，贤于杜氏单文孤证矣。涑水又西南迳解县故城南。春秋：晋惠公因秦返国，许秦以河外五城，内及解梁，即斯城也。涑水又西南迳瑕城，晋大夫詹嘉之故邑也。春秋僖公三十年，秦、晋围郑，郑伯使烛之武谓秦穆公曰：晋许君焦、瑕，朝济而夕设版者也。京相璠曰：今河东解县西南五里有故瑕城。涑水又西南迳张阳城〔三〇〕东，竹书纪年：齐师逐郑太子齿，奔张城、南郑者也。汉书之所谓东张矣。高祖二年，曹参假左丞相，别与韩信东攻，魏将孙遫军东张，大破之。苏林曰：属河东，即斯城也。涑水又西南属于陂。陂分为二，城南面两陂，左右泽渚。东陂世谓之晋兴泽，东西二十五里，南北八里，南对盐道山。其西则石壁千寻，东则磻溪万仞，方岭云回，奇峰霞举，孤标秀出，罩络群山之表，翠柏荫峰，清泉灌顶。郭景纯云：世所谓鸯浆也。发于上而潜于下矣。厥顶方平，有良药。神农本草曰：地有固活、女疏、铜芸、紫菀之族也。是以缁服思元之士、鹿裘念一之夫，代往游焉。路出北巘，势多悬绝，来去者咸援萝腾崟，寻葛降深，于东则连木乃陟，百梯方降，岩侧縻锁之迹，仍今存焉，故亦曰百梯山也。水自山北流五里而伏，云潜通泽渚，所未详也。西陂即张泽也，西北去蒲坂十五里，东西二十里，南北四五里，冬夏积水，亦时有盈耗也。

文水出大陵县西山文谷，东到其县，屈南到平陶县东北，东入于汾。

文水迳大陵县故城西而南流，有泌水注之。县西南山下，武氏穿井给养，井至幽深，后一朝水溢平地，东南注文水。文水又南迳平陶县之故城东，西迳其城内，南流出郭，王莽更曰多穰也。文水又南迳县，右会隐泉口，水出谒泉山之上顶，俗云：旸雨衍时，是谒是祷，故山得其名，非所详也。其山石崖绝险，壁立天固，崖半有一石室，去地可五十馀丈，爰有层松饰岩，列柏绮望，惟西侧一处得历级升陟，顶上平地十许顷，沙门释僧光表建二刹。泉发于两寺之间，东流沥石，沿注山下，又东，津渠隐没而不恒流，故有隐泉之名矣。雨泽丰澍，则通入文水。文水又南迳兹氏县故城东为文湖，东西十五里，南北三十里，世谓之西湖〔三一〕，在县直东十里。湖之西侧，临湖又有一城，谓之潴城〔三二〕。水泽所聚谓之都，亦曰潴，盖即水以名城也。文湖又东迳中阳县故城东，案晋书地道记、太康地记，西河有中阳城，旧县也。文水又东南流，与胜水合，水西出狐岐之山〔三三〕，东迳六壁城南，魏朝旧置六壁于其下，防离石诸胡，因为大镇。太和中罢镇，仍置西河郡焉。胜水又东合阳泉水，水出西山阳溪，东迳六壁城北，又东南流注于胜水。胜水又东迳中阳故城南，又东合文水，文水又东南，入于汾水也。

原公水出兹氏县西羊头山，东过其县北，

县，故秦置也，汉高帝更封沂阳侯婴为侯国，王莽之兹同也。

魏黄初二年，分太原，复置西河郡。晋徙封陈王斌于西河，故县有西河缪王司马子政庙。碑文云：西河旧处山林，汉末扰攘，百姓失所。魏兴，更开疆宇，分割太原四县，以为邦邑，其郡带山侧塞矣。王以咸宁三年，改命爵土，明年十二月丧国。臣太农阎崇、离石令宗群等二百三十四人，刊石立碑，以述勋德。碑北庙基尚存也。

又东入于汾。

水注文湖，不至汾也。

洞过水〔三四〕出沾县北山，

其水西流〔三五〕，与南溪水合，水出南山，西北流注洞过水。洞过水又西北，黑水西出山，三源合舍，同归一川，东流南屈，迳受阳县故城东。按晋太康地记，乐平郡有受阳县，卢谌征艰赋所谓历受阳而总辔者也。其水又西南入洞过水。洞过水又西，蒲水南出蒲谷，北流注之。洞过水又西与原过水合，近北便水源也。水西阜上有原过祠〔三六〕，盖怀道协灵，受书天使，忧结宿情，传芳后日，栋宇虽沦，攒木犹茂，故水取名焉。其水南流，注于洞过水也。

西过榆次县南，又西到晋阳县南，

榆次县，故涂水乡〔三七〕，晋大夫智徐吾之邑也。春秋昭公八年，晋侯筑虒祁之宫，有石言晋之魏榆。服虔曰：魏，晋邑；榆，州里名也。汉书曰：榆次。十三州志以为涂阳县矣。王莽之太原亭也。县南侧水有凿台，韩、魏杀智伯瑶于其下，刳腹绝肠，折颈摺颐处也。其水又西南流，迳武灌城〔三八〕西北。卢谌征艰赋曰：迳武馆之故郛，问厥涂之远近。洞过水又西南为淳湖，谓之洞过泽〔三九〕。泽南，涂水注之，水出阳邑东北大嵰山涂谷，西南迳萝蘑亭〔四〇〕南，与蒋谷水合，水出县东南蒋溪。魏土地记曰：晋阳城东南百一十里至山有蒋谷大道，度轩车岭，通于武乡。水自蒋溪西北流，西迳箕城北。春秋僖公三十三年，晋人败狄于箕，杜预释地曰：城在阳邑南，水北即阳邑县故城也。竹书纪年曰：梁惠成王九年，与邯郸榆次、阳邑者也。王莽之繁穰矣。蒋溪又西合涂水，乱流西北入洞过泽也。

西入于汾，出晋水下口者也。

刘琨之为并州也，刘曜引兵邀击之，合战于洞过，即是水也。

晋水出晋阳县西悬瓮山〔四一〕，

县，故唐国也。春秋左传称唐叔未生，其母邑姜梦帝谓己曰：余名而子曰虞，将与之唐，属之参。及生，名之曰虞。吕氏春秋曰：叔虞与成王居，王援桐叶为珪，以授之曰：吾以此封汝。虞以告周公，周公请曰：天子封虞乎？王曰：余戏耳。公曰：天子无戏言。时唐灭，乃封之于唐。县有晋水，后改名为晋。故子夏叙诗称此晋也，而谓之唐，俭而用礼，有尧之遗风也。晋书地道记及十三州志并言晋水出龙山，一名结绌山，在县西北，非也。山海经曰：悬瓮之山，晋水出焉。今在县之西南。昔智伯之遏晋水以灌晋阳，其川上溯，后人踵其遗迹，蓄以为沼，沼西际山枕水，有唐叔虞祠〔四二〕。水侧有凉堂，结飞梁于水上，左右杂树交荫，希见曦景，至有淫朋密友，羁游宦子，莫不寻梁契集，用相娱慰，于晋川之中，最为胜处。

又东过其县南，又东入于汾水。

沼水分为二派，北渎即智氏故渠也。昔在战国，襄子保晋阳，智氏防山以水之，城不没者三版，与韩、魏望叹于此，故智氏用亡。其渎乘高，东北注入晋阳城，以周灌溉。汉末赤眉之难，郡掾刘茂负太守孙福匿于城门西下空穴中，其夜奔盂。即是处也。东南出城流，注于汾水也。其南渎于石塘之下伏流，迳旧溪东南出，迳晋阳城南，城在晋水之阳，故曰晋阳矣。经书晋荀吴帅师败狄于大卤。杜预曰：大卤，晋阳县也，为晋之旧都。春秋定公十三年，赵鞅以晋阳叛，后乃为赵矣。其水又东南流入于汾。

湛水出河内轵县西北山，

湛水出轵县南原湛溪，俗谓之椹水〔四三〕也。是盖声形尽邻，故字读俱变，同于三豕之误耳。其水自溪出南流。

东过其县北，又东过波县之北，

湛水南迳向城东而南注。

又东过毋辟邑南，

原经所注，斯乃湨川之所由，非湛水之间关也。是乃经之误证耳。湛水自向城东南迳湛城东，时人谓之椹城，亦或谓之隰城矣。溪曰隰涧。隰城在东，言此非矣。后汉郡国志曰：河阳县有湛城是也。

又东南当平县之东北，南入于河。

湛水又东南迳邓，南流注于河，故河济有邓津之名矣。

〔一〕御览卷四十五地部十管涔山引水经注："管涔山，汾水所出，土人亦云箕管山，见多管草以为名。"疑是此段下佚文。注疏本杨守敬在此下疏云："郦注完备无缺，此当他书之文而误为水经注。”

〔二〕羊肠坂　大典本作“羊胀坂”。

〔三〕石臼河　大典本、黄本、沈本均作“石曰河”。

〔四〕呼沱之水　残宋本作“呼池之水”。

〔五〕洞过水　黄本、注笺本、项本、五校钞本、七校本、注释本、张本、乾隆山西志辑要卷一太原府太原县山川引水经注均作“洞涡水”，戴本作“同过水”。

〔六〕名胜志山西卷二太原府属县清源县引水经注：“有白石水、中隐水，俱来注之。”当是此段下佚文。五校钞本、七校本均在此处加入此句。

〔七〕此处注文“汾水于县左迆为邬泽”。下又云：“出谷西北流，迳祁县故城南，自县连延，西接邬泽。”香草续校书下册五一五页云：“据此，则邬泽有二，此邬泽非上文汾水于县左迆为邬泽之邬泽也。彼邬泽在侯甲水，既合婴侯之水后，下文所谓邬陂是也；此邬泽在侯甲水未合婴侯之水前，是别一邬泽也。然窃恐此‘邬’字实‘祁’字之误，泽在祁县，故谓之祁泽。下云是为祁薮也，即尔雅所谓昭馀祁矣，即可证。”

〔八〕婴侯之水　寰宇通志卷八十二辽州婴涧水引水经注、康熙平遥县志卷一星地志山川原公水引水经注、乾隆山西志辑要卷四汾州府平遥县山川婴涧水引水经注均作“婴涧之水”。

〔九〕绵水　大典本、黄本、沈本均作“緜水”。

〔一〇〕殿本在此处案云：“案此句有脱误，未详。”注疏本熊会贞按：“晋书庾峻传，祖乘，汉司徒辟，有道征，皆不就，然则有道为司徒属官，当倒互。”段熙仲校记一八：“‘然则有道为司徒属官，当倒互’,按:熊说误。此句当读宋冲以司徒辟(句),有道征,皆不就。沈钦韩疏证云:‘司徒府所举有道。’是也。敦朴有道与贤良方正在汉官仪同为特征。”

〔一一〕二年　注疏本作“四年”。疏:“赵云:按汉隶字源载此碑,作乙亥。文选同。后汉书灵帝纪,建宁四年正月甲子,是有乙亥,无丁亥,注文误。守敬按:隶释载此碑作年四十有三,建宁四年正月丁亥卒,宋时大碑尚存,洪氏亲见其碑,与郦氏合,故无说。而戴氏据后汉书本传及文选改四十三为四十二,改四年为二年。考通鉴目录,建宁二年正月甲辰朔,无丁亥,惟四年正月甲子朔,则二十四日为丁亥。而赵氏乃云,有乙亥,无丁亥,尤误。袁宏后汉纪于建宁二年九月以后,三君、八俊之死,郭泰私为之恸曰,人之云亡,邦国殄瘁,汉室灭矣。通鉴系于二年十月,是则建宁二年,林宗尚存。郦氏目验石刻,云卒于建宁四年正月,年四十三,为得其实。不得以范书、文选改之。章怀注引谢承书,泰以建宁二年正月卒,亦误。今有碑本在山东济宁,作建宁二年正月甲辰朔,亦无乙亥,此伪本不足据。”

〔一二〕鲁般桥　残宋本、大典本均作“鲁股桥”,吴本、何校明钞本、注删本均作“暮般桥”。

〔一三〕霍太山　广博物志卷六地形二引水经注作“霍山”。

〔一四〕寰宇记卷四十三河东道四晋州洪洞县引水经注:“霍水源出赵城县东三十八里广胜寺大郎神,西流至洪洞县。”当是此段下佚文。五校钞本、七校本均已在此处加入此句。

〔一五〕劳水　乾隆山西志辑要卷二平阳府临汾县山川汾河引水经注作“涝水”。

〔一六〕钘隥　通雅卷十四地舆陉岘引水经注作“钘径”。

〔一七〕梁武王　注疏本作“梁惠成王”。疏:“朱作梁武王,笺曰:当作梁惠成王。赵改,戴仍。守敬按:梁有惠成王而无武王,今本竹书,系此于周显王二十三年,适当惠成王二十五年。戴何以不改?孔刻戴本作惠成王。”

〔一八〕王泽　大典本、孙潜校本、何本、五校钞本、七校本、注释本、通鉴卷一周纪一安王二十四年“狄败魏师于浍”胡注引水经注、名胜志山西卷四绛州引水经注、乾隆山西志辑要卷十绛州山川汾河引水经注均作“王桥”,黄本、吴本、注笺本、项本、沈本、张本均作“正桥”。

〔一九〕清原城　辨万泉荥河为古冀耿地(石笥山房文集卷五)胡天游引水经注作“清源城”。

〔二〇〕札记自然灾害:

水经注中记载了许多自然灾害,由于其书是一部河川水利之书,所以在各种自然灾害之中,记载最多的是水灾。注文记载的最早一次水灾在商代的祖乙之时。其时约在公元前十六世纪。卷六汾水经“又西过皮氏县南”注云:

汾水又西迳耿乡城北,故殷都也。帝祖乙自相徙此,为河所毁。故书叙曰:祖乙圮于耿。

〔二一〕绛高山　大典本、黄本、吴本、注笺本、项本、张本、注疏本、御览卷六十四地部二十九浍水引水经注、康熙字典水部浍引水经注、佩文韵府卷三十四上四纸水浍水引水经注、乾隆山西志辑要卷二平阳府翼城县山川浍高山引水经注均作“详高山”。

〔二二〕殿本在此句下案:“案此句有讹舛,未详。”注疏本疏:

"赵云:'作'字疑误。守敬按:不独末句有误,上有浍交,不涉翼侯及曲沃事,则引竹书于此为无着,当是错简。疑郦氏于上西南流迳翼城北下,引竹书文。末句作为文公也亦不可通。按竹书孝侯八年,自是晋侯在翼,称翼侯。庄伯七年,庄伯入翼,弑孝侯,晋人逐之,立孝侯子郤,是为鄂侯。庄伯十二年,翼侯焚曲沃之禾而还。所称翼侯,即鄂侯。郦氏故申明一句,当作是为鄂侯也方合。雷学淇谓作为文公四字,是惠公十五年,公子重耳入于曲沃下传文,误衍于此,其说亦非。"

〔二三〕于家水　大典本、黄本、注笺本、项本、沈本、注释本、张本、方舆纪要卷四十一山西三平阳府翼城县浍水引水经注均作"女家水"。

〔二四〕注疏本作:"汾水可以浸平阳,绛水可以浸安邑。"疏:"戴据战国策、史记、资治通鉴改作汾水可以浸安邑,绛水可以浸平阳。"段熙仲校记云:"按元和志十四绛县下亦如此作。"

〔二五〕大　胡适以为"大是犬之误",甚有见地。手稿第四集上册记铁琴铜剑楼瞿氏藏明钞本水经注云:

> 卷六浍水篇引古文琐语一段,黄省曾本(叶十二)是这样的:
>
> ……公问师旷,对首阳之神,有大狸身狐尾,其名曰者,饮酒得福则徼之。
>
> 朱本与瞿本(瞿本此处有错简)均与黄本相同,均作"有大"(大是犬之误)……

手稿在这段引文中作了两处括注,分别是"瞿本此处有错简"和"大是犬之误",均是胡适自己的语言。"大"是"犬"之误,在校勘上甚有价值，因“大”与“犬”，字形近似，极易致误，此段注文中前后两“大”字改为“犬”字，不仅文义可释，句读亦甚分明：

古文琐语曰：晋平公与齐景公乘至于浍上，见乘白骖八驷以来，有犬，狸身狐尾，随平公之车。公问师旷，对首阳之神，有犬，狸身狐尾，其名曰者，饮酒得福，则徼之，盖于是水之上也。

〔二六〕此经文注疏本作：“又西南过其县南。”疏：“戴改其县作左邑县。董祐诚曰：按续汉志有闻喜，无左邑。寰宇记，后汉废左邑，移闻喜理之。是左邑即后汉闻喜。经云其县，承上闻喜言，尤水经作于东京以后之证。戴改非。”

〔二七〕注疏本疏：“赵云：仲邮鄎三字有误。赵氏琦美曰，小学书无鄎字，疑是郭字，亦未有据。说文，高陵有邮，徒歷切，则邮本地名。”

〔二八〕注疏本熊会贞按：“王风、唐风并有扬之水篇。王风扬之水，不流束薪，郑笺，激扬之水，至湍迅而不能流移束薪。”

〔二九〕札记盐：

水经注记载中国古代的盐业有两个特点，第一是各种盐业资源和生产方法具备，这中间包括海盐、池盐、井盐、岩盐，郦注均有完整的记载。

卷九淇水经“又东北过漂榆邑，入于海”注云：

清河又东迳漂榆邑故城南，俗谓之角飞城。赵记云：石勒使王述煮盐于角飞，即城异名矣。魏土地记曰：高城县东北百里，北尽漂榆，东临巨海，民咸煮海水，藉盐为业。即此城也。

这里记载的是今华北渤海沿岸的盐业生产，漂榆邑在今天津以南，以后属于长芦盐区，历来就是我国的海盐生产基地。

卷六涑水经“又西南过安邑县西”注云：

其水又迳安邑故城南，又西流注于盐池。地理志曰：盐池在安邑西南。……长五十一里，广七里，周百一十六里。……今池水东西七十里，南北十七里，紫色澄渟，潭而不流。水出石盐，自然印成，朝取夕复，终无减损。惟山水暴至，雨澍潢潦奔泆，则盐池用耗。故公私共堨水径，防其淫滥，谓之盐水，亦谓之为堨水。山海经谓之盐贩之泽也。

安邑盐池就是今山西省的解池，是我国历史上著名的盐池。“今池水东西七十里，南北十七里”，清楚地描绘了今天我们在地图上看到的这个东北、西南向的狭长的盐池的轮廓。

卷三十三江水经“又东过鱼复县南，夷水出焉”注云：

北流迳巴东郡之南浦侨县西，溪硖侧，盐井三口，相去各数十步，以木为桶，径五尺，修煮不绝。……江水又东，右迳朐忍县故城南……南流历县，翼带盐井一百所，巴、川资以自给。粒大者方寸，中央隆起，形如张伞，故因名之曰伞子盐。有不成者，形亦必方，异于常盐矣。王隐晋书地道记曰：入汤口四十三里，有石煮以为盐，石大者如升，小者如拳，煮之水竭盐成。盖蜀火井之伦，水火相得，乃佳矣。

这里，注文记载了今四川省东部的井盐生产，包括盐井数量、产品性状、供销范围和用天然气作燃料的生产过程等，都写得十分清楚，是一项完整的井盐资料。

卷一河水经“屈从其东南流，入渤海”注云：

> 山西有大水，名新头河。……有石盐，白如水精，大段则破而用之。康泰曰：安息、月氏、天竺至伽那调御，皆仰此盐。

这里，注文记载的是我国西北，中、印边界地区的岩盐。“大段则破而用之”，写出了资源的丰富；“安息、月氏、天竺至伽那调御，皆仰此盐”，写出了广阔的供销范围。

水经注记载中国古代盐业的第二个特点是范围广阔，资料丰富。从海盐来说，既有华北沿海的角飞城、漂榆邑盐场（卷九淇水）、平度县盐坑（卷二十六胶水），又有两淮沿海的南莒盐官（卷三十淮水）和东南沿海的盐官县马皋城盐场（卷二十九沔水）。从池盐来说，为数更多，范围更广，如三水县盐官（卷二河水）、广牧县盐官、朔方县盐官、沃阳县盐池（三处均卷三河水）、安邑盐池、河东盐池、猗氏盐池（三处均卷六涑水）等。从井盐来说，有巴獠盐井（卷二十九沔水）、临邛县制盐、临江县盐官、南浦侨县盐井、朐忍县盐井、汤口火井制盐（各处均卷三十三江水）等。从岩盐来说，有新头河石盐场（卷一河水）、西县盐官、仇夷百顷盐田（二处均卷二十漾水）等。我们完全可以根据水经注记载的资料，绘制出一幅公元六世纪及其以前的盐业资源和盐业生产分布图。

〔三〇〕张阳城　方舆纪要卷四十一山西三平阳府蒲州临晋县五姓湖引水经注作“张杨城”。

〔三一〕西湖　注疏本作“西河泊”。疏:“朱脱泊字。全、赵以寰宇记校增‘泊’字。戴改‘河’作‘湖’。会贞按:元和志,文湖,一名西河泊,多蒲鱼之利。寰宇记同。方舆纪要,文水至汾州府东十五里,谓之西河泊。俱当有‘泊’字之确证。而戴改‘河’作‘湖’,特因下文屡见‘湖’字,故改‘河’为‘湖’,然不考元和志、寰宇记,是为疏矣。”

〔三二〕潴城　残宋本、吴本、注笺本、项本、注释本、张本、晏元献公类要卷六河东路汾引水经注、名胜志山西卷七汾州府汾阳县引水经注均作“猪城”。

〔三三〕狐岐之山　禹贡蔡传引水经注、尚书纂传卷四“治梁及岐”元王天与注引水经注均作“胡岐之山”。

〔三四〕洞过水　黄本、吴本、注笺本、注删本、项本、沈本、摘钞本、五校钞本、七校本、注释本、张本、疏证本、注疏本、初学记河东道第四涡水引水经注、名胜志山西卷二引水经注、方舆纪要卷四十山西二引水经注、佩文韵府拾遗卷三十四四纸水洞涡水引水经注、骈字类编卷四十山水门五洞涡引水经注、汉书地理志补注卷六太原郡“涂水乡晋大夫知徐吾邑”吴卓信注引水经注、读水经注小识卷一引水经注、乾隆太原县志卷九山川太原县洞涡水引水经注、魏书地形志校录卷上引水经注均作“洞涡水”。戴本、通鉴卷一周纪一威烈王二十三年“简子使尹铎为晋阳”胡注引水经注、天下郡国利病书卷四十六山西二引水经注、战国策释地卷上凿台引水经注均作“同过水”。

〔三五〕“其水西流”前,注疏本有“洞过水出乐平县西北”九字。疏:“朱无此九字,赵、戴同。守敬按:突言其水西流,不叙水源,郦氏无此例。守敬按:初学记八引水经注有此句,今补。乐平县详清漳水篇。元和志，此水出沾县北山，沾即今乐平县也，水经县西南二十五里，入汾水。”

〔三六〕原过祠　天下郡国利病书卷四十六山西二引水经注作“原同过祠”。

〔三七〕涂水乡　大典本、黄本、吴本、注笺本、项本、沈本、张本均作“塗水乡”。

〔三八〕武灌城　注笺本、项本、注释本、张本均作“武观城”。

〔三九〕洞过泽　大典本作“同过津泽”，黄本、沈本均作“洞涡津”，吴本、项本、五校钞本、七校本、张本、注疏本均作“洞涡泽”，戴本作“同过泽”。

〔四〇〕萝磨亭　黄本、注笺本、何校明钞本、王校明钞本、项本、沈本、张本、名胜志山西卷一太谷县引水经注、方舆纪要卷四十山西二太原府太谷县回马水引水经注、乾隆太原县志卷九山川榆次县引水经注均作“萝磐亭”。

〔四一〕悬甕山　黄本、吴本、何校明钞本、注笺本、项本、张本、林水录钞水经注、通雅十六地舆悬瓮山引水经注均作“悬瓮山”。

〔四二〕方舆纪要卷四十山西二太原府太原县台骀泽引水经注：“晋祠有难老、善利二泉，大旱不涸，隆冬不冻，溉田百馀顷，又有泉出祠下，曰滴沥泉，其泉导流为晋水，潴为晋泽。”当是此段下佚文。古文尚书疏证卷六下第九十云：“晋祠之泉，郦注已详。”所指亦当是此段佚文。

〔四三〕椹水　吴本、注笺本、项本、张本均作“湛水”，五校钞本、七校本均作“须水”。

水经注卷七

济水[一]

济水出河东垣县东王屋山，为沇水；

山海经曰：王屋之山，联水出焉，西北流，注于泰泽[二]。郭景纯云：联、沇声相近，即沇水也。潜行地下，至共山南，复出于东丘。今原城东北有东丘城。孔安国曰：泉源为沇，流去为济。春秋说题辞曰：济，齐也；齐，度也，贞也。风俗通曰：济出常山房子县赞皇山，庙在东郡临邑县。济者，齐也，齐其度量也。余按二济同名，所出不同，乡原亦别，斯乃应氏之非矣。今济水重源出轵县[三]西北平地，水有二源：东源出原城东北，昔晋文公伐原以信，而原降，即此城也。俗以济水重源所发，因复谓之济源城。其水南迳其城东故县之原乡。杜预曰：沁水县西北有原城者是也。南流与西源合。西源出原城西，东流水注之。水出西南，东北流注于济。济水又东迳原城南，东合北水，乱流东南注，分为二水，一水东南流，俗谓之为衍水，即沇水也。衍、沇声相近，转呼失实也。济水又东南，迳绨城[四]北而出于温矣。其一水枝津南流，注于溴。溴水出原城西北原山勋掌谷，俗谓之为白涧水，南迳原城西。春秋：会于湨梁，谓是水之坟梁也。尔雅曰：梁莫大于湨梁。梁，水堤也。湨水又东南迳阳城东，与南源合，水出阳城南溪，阳亦樊也。一曰阳樊。国语曰：王以阳樊赐晋，阳人不服，文公围之。仓葛曰：阳有夏、商之嗣典，樊仲之官守焉。君而残之，无乃不可乎。公乃出阳人。春秋，樊氏叛，惠王使虢公伐樊，执仲皮归于京师，即此城也。其水东北流，与漫流水合，水出轵关南，东北流，又北注于湨，谓之漫流口。湨水又东合北水，乱流东南，左会济水枝渠。湨水又东迳钟繇坞北，世谓之钟公垒。又东南，塗沟水注之。水出轵县西南山下，北流东转，入轵县故城中，又屈而北流出轵郭。汉文帝元年，封薄昭为侯国也。又东北流注于湨。湨水又东北迳波县〔五〕故城北。汉高帝封公上不害为侯国。湨水又东南流，天浆涧水注之。水出轵南皋向城北，城在皋上，俗谓之韩王城，非也。京相璠曰：或云今河内轵西有城，名向，今无。杜元凯春秋释地亦言是矣。盖相袭之向，故不得以地名而无城也。阚骃十三州志曰：轵县南山西曲有故向城，即周向国也。传曰：向姜不安于莒而归者矣。汲郡竹书纪年曰：郑侯使韩辰归晋阳及向。二月，城阳、向，更名阳为河雍，向为高平。即是城也。其水有二源俱导，各出一溪，东北流，合为一川，名曰天浆溪。又东北迳一故城，俗谓之冶城〔六〕，水亦曰冶水〔七〕。又东流注于湨。湨水又东南流，右会同水，水出南原下，东北流迳白骑坞南，坞在原上，为二溪之会，北带深隍，三面阻险，惟西版筑而已。东北流迳安国城西，又东北注湨水。湨水东南迳安国城东，又南迳毋辟邑〔八〕西，世谓之无比城，亦曰马髀城，皆非也。朝廷以居废太子，谓之“河阳庶人”。溴水又南注于河。

又东至温县西北，为济水。又东过其县北，

济水于温城西北与故渎分，南迳温县故城西，周畿内国，司寇苏忿生之邑也。春秋僖公十年，狄灭温，温子奔卫，周襄王以赐晋文公。济水南历虢公台西。皇览曰：温城南有虢公台，基趾尚存。济水南流注于河。郭缘生述征记曰：济水河内温县注于河，盖沿历之实证，非为谬说也。济水故渎于温城西北东南出，迳温城北，又东迳虢公冢北。皇览曰：虢公冢在温县郭东，济水南大冢是也。济水当王莽之世，川渎枯竭，其后水流迳通，津渠势改，寻梁脉水，不与昔同。

屈从县东南流，过陨城[九]西，又南当巩县北，南入于河。

济水故渎东南合奉沟水，水上承朱沟于野王城西，东南迳阳乡城北，又东南迳李城西。秦攻赵，邯郸且降，传舍吏子李同说平原君胜，分家财飨士，得敢死者三千人，李同与赴秦军，秦军退。同死，封其父为李侯。故徐广曰：河内平皋县有李城，即此城也。于城西南为陂水，淹地百许顷，蒹葭萑苇生焉，号曰李陂。又迳陨城西，屈而东北流，迳其城北，又东迳平皋城南。应劭曰：邢侯自襄国徙此。当齐桓公时，卫人伐邢，邢迁于夷仪，其地属晋，号曰邢丘。以其在河之皋，势处平夷，故曰平皋。瓒注汉书云：春秋，狄人伐邢，邢迁夷仪，不至此也。今襄国西有夷仪城，去襄国百馀里。平皋是邢丘，非国也。余按春秋宣公六年，赤狄伐晋，围邢丘。昔晋侯送女于楚，送之邢丘，即是此处也，非无城之言。竹书纪年曰：梁惠成王三年，郑城邢丘。司马彪后汉郡国志云：县有邢丘，故邢国，周公子所封矣。汉高帝七年，封砀郡长项佗为侯国，赐姓刘氏，武帝以为县。其水又南注于河也。

与河合流，又东过成皋县北，又东过荥阳县北，又东至砾溪南，东出过荥泽北。

释名曰：济，济也，源出河，北济河而南也。晋地道志曰：济自大伾入河，与河水斗，南泆为荥泽。尚书曰：荥波既潴。孔安国曰：荥泽波水已成遏潴。阚骃曰：荥播，泽名也。故吕忱云：播水在荥阳。谓是水也。昔大禹塞其淫水而于荥阳下引河，东南以通淮、泗，济水分河东南流。汉明帝之世，司空伏恭荐乐浪人王景，字仲通，好学多艺，善能治水。显宗诏与谒者王吴始作浚仪渠，吴用景法，水乃不害，此即景、吴所修故渎也。渠流东注，浚仪故复，谓之浚仪渠。明帝永平十五年，东巡至无盐，帝嘉景功，拜河堤谒者。灵帝建宁四年，于敖城西北垒石为门，以遏渠口，谓之石门，故世亦谓之石门水。门广十馀丈，西去河三里，石铭云：建宁四年十一月，黄场石也。而主吏姓名，磨灭不可复识。魏太和中，又更修之，撤故增新，石字沦落，无复在者。水北有石门亭，戴延之所云新筑城，城周三百步，荥阳太守所镇者也。水南带三皇山〔一〇〕，即皇室山，亦谓之为三室山也。济水又东迳西广武城北，郡国志：荥阳县有广武城。城在山上，汉所城也。高祖与项羽临绝涧对语，责羽十罪，羽射汉祖中胸处也。山下有水，北流入济，世谓之柳泉也。济水又东迳东广武城北，楚项羽城之。汉破曹咎，羽还广武，为高坛，置太公其上，曰：汉不下，吾烹之。高祖不听，将害之。

项伯曰:为天下者不顾家,但益怨耳。羽从之。今名其坛曰项羽堆。夹城之间,有绝涧断山,谓之广武涧。项羽叱娄烦于其上,娄烦精魄丧归矣。济水又东迳敖山北,诗所谓薄狩于敖者也。其山上有城,即殷帝仲丁之所迁也。皇甫谧帝王世纪曰:仲丁自亳徙嚣于河上者也。或曰敖矣。秦置仓于其中,故亦曰敖仓城也。济水又东合荥渎〔一一〕,渎首受河水,有石门,谓之为荥口石门也,而地形殊卑,盖故荥播所导,自此始也。门南际河,有故碑云:惟阳嘉三年二月丁丑,使河堤谒者王诲,疏达河川,遹荒庶土,往大河冲塞,侵啮金堤,以竹笼石葺土而为堨,坏隤无已,功消亿万,请以滨河郡徒,疏山采石垒以为障。功业既就,徭役用息,未详诏书,许诲立功,府卿规基经始,诏策加命,迁在沇州,乃简朱轩,授使司马登,令缵茂前绪,称遂休功。登以伊、洛合注大河,南则缘山,东过大伾,回流北岸,其势郁懞,涛怒湍急激疾,一有决溢,弥原淹野,蚁孔之变,害起不测,盖自姬氏之所常蹙。昔崇鲧所不能治,我二宗之所劬劳。于是乃跋涉躬亲,经之营之,比率百姓,议之于臣,伐石三谷,水匠致治,立激岸侧,以捍鸿波,随时庆赐,说以劝之,川无滞越,水土通演,役未逾年,而功程有毕,斯乃元勋之嘉谋,上德之弘表也。昔禹修九道,书录其功;后稷躬稼,诗列于雅。夫不惮劳谦之勤,夙兴厥职,充国惠民,安得湮没而不章焉。故遂刊石记功,垂示于后。其辞云云。使河堤谒者山阳东缗司马登,字伯志;代东莱曲成王诲,字孟坚;河内太守宋城向豹,字伯尹;丞汝南邓方,字德山;怀令刘丞,字季意;河堤掾匠等造。陈留浚仪边韶,字孝先颂。石铭岁远,字多沦缺,其所灭,盖阙如也。荥渎又东南流,注于济,今无水。次东得宿须水口,水受大河,渠侧有扈亭水,自亭东南流,注于济,今无水。宿须在河之北,不在此也,盖名同耳。自西缘带山隰,秦、汉以来,亦有通否。济水与河浑涛东注。晋太和中,桓温北伐,将通之,不果而还。义熙十三年,刘公西征,又命宁朔将军刘遵考仍此渠而漕之,始有激湍东注,而终山崩壅塞,刘公于北十里更凿故渠通之。今则南渎通津,川涧是导耳。济水于此,又兼邲目。春秋宣公十三年〔一二〕,晋、楚之战,楚军于邲。即是水也。音卞。京相璠曰:在敖北。济水又东迳荥阳县北,曹太祖与徐荣战,不利,曹洪授马于此处也。济水又东,砾石溪水〔一三〕注之。水出荥阳城西南李泽,泽中有水,即古冯池也。地理志曰:荥阳县,冯池在西南是也。东北流,历敖山南。春秋,晋、楚之战,设伏于敖前,谓是也。迳虢亭北,池水又东北迳荥阳县北断山,东北注于济,世谓之砾石涧,即经所谓砾溪矣。经云济出其南,非也。济水又东,索水注之,水出京县西南嵩渚山,与东关水同源分流,即古旃然水也。其水东北流,器难之水注之。山海经曰:少陉之山〔一四〕,器难之水出焉,而北流注于侵水。即此水也。其水北流迳金亭,又北迳京县故城西,入于旃然之水。城,故郑邑也。庄公以居弟段,号京城大叔。祭仲曰:京城过百雉,国之害也。城北有坛山冈。赵世家成侯二十年,魏献荥阳,因以为坛台〔一五〕冈也。其水乱流,北迳小索亭西。京相璠曰:京有小索亭。世语以为本索氏兄弟居此,故号小索者也。又为索水。索水又北迳大栅城东,晋荥阳民张卓、董迈等遭荒,鸠聚流杂保固,名为大栅坞。至太平真君八年，豫州刺史崔白，自虎牢移州治此，又东开广旧城，创制改筑焉。太和十七年，迁都洛邑，省州置郡。索水又屈而西流，与梧桐涧水合，水出西南梧桐谷，东北流注于索。斯水亦时有通塞，而不常流也。索水又北屈，东迳大索城南，春秋传曰：郑子皮劳叔向于索氏，即此城也。晋地道志所谓京有大索、小索亭。汉书京、索之间也。索水又东迳虢亭南。应劭曰：荥阳，故虢公之国也，今虢亭是矣。司马彪郡国志曰：县有虢亭，俗谓之平桃城〔一六〕。城内有大冢，名管叔冢，或亦谓之为號咷城，非也。盖號、虢字相类，字转失实也。风俗通曰：俗说高祖与项羽战于京、索，遁于薄中，羽追求之，时鸠止鸣其上，追之者以为必无人，遂得脱。及即位，异此鸠，故作鸠杖以扶老。案广志，楚鸠一名嗥啁，號咷之名，盖因鸠以起目焉，所未详也。索水又东北流，须水右入焉。水近出京城东北二里榆子沟，亦曰柰榆沟也，又或谓之为小索水。东北流，木蓼沟水注之，水上承京城南渊，世谓之车轮渊，渊水东北流，谓之木蓼沟。又东北入于须水。须水又东北流，于荥阳城西南北注索。索水又东迳荥阳县故城南。汉王之困荥阳也，纪信曰：臣诈降楚，王宜间出。信乃乘王车出东门，称汉降楚。楚军称万岁，震动天地，王与数十骑出西门得免楚围。羽见信大怒，遂烹之。信冢在城西北三里。故蔡伯喈述征赋曰：过汉祖之所隘，吊纪信于荥阳。其城跨倚冈原，居山之阳，王莽立为祈队，备周六队之制。魏正始三年，岁在甲子，被癸丑诏书，割河南郡县，自巩、阙以东，创建荥阳郡，并户二万五千，以南乡筑阳亭侯李胜，字公昭，为郡守。故原武典农校尉，政有遗惠，民为立祠于城北五里,号曰李君祠。庙前有石蹠,蹠上有石的,石的铭具存。其略曰:百族欣戴,咸推厥诚。今犹祀祷焉。索水又东迳周苛冢北。汉祖之出荥阳也,令御史大夫周苛守之,项羽拔荥阳获苛曰:吾以公为上将军,封三万户侯,能尽节乎?苛瞋目骂羽,羽怒,烹之。索水又东流,北屈西转,北迳荥阳城东,而北流注济水。杜预曰:旃然水出荥阳成皋县,东入汳。春秋襄公十八年,楚伐郑,右师涉颍,次于旃然,即是水也。济渠水断汳沟,惟承此始,故云汳受旃然矣。亦谓之鸿沟水,盖因汉、楚分王,指水为断故也。郡国志曰:荥阳有鸿沟水是也。盖因城地而变名,为川流之异目。济水又东迳荥泽北,故荥水所都也。京相璠曰:荥泽在荥阳县东南与济隧合。济隧上承河水于卷县北河,南迳卷县故城东,又南迳衡雍城西。春秋左传襄公十一年,诸侯伐郑,西济于济隧。杜预阙其地,而曰水名也。京相璠曰:郑地也。言济水荥泽中北流,至衡雍西,与出河之济会,南去新郑百里,斯盖荥播、河、济,往复径通矣。出河之济即阴沟之上源也。济隧绝焉。故世亦或谓其故道为十字沟。自于岑造八激堤于河阴,水脉径断,故渎难寻,又南会于荥泽。然水既断,民谓其处为荥泽。春秋:卫侯及翟人战于荥泽,而屠懿公,弘演报命纳肝处也。有垂陇城,济渎出其北。春秋文公二年,晋士縠盟于垂陇者也。京相璠曰:垂陇,郑地。今荥阳东二十里有故垂陇城,即此是也。世谓之都尉城,盖荥阳典农都尉治,故变垂陇之名矣。渎际又有沙城,城左佩济渎。竹书纪年:梁惠成王九年,王会郑釐侯于巫沙者也。渎际有故城,世谓之水城。史记:秦昭王三十二年,魏冉攻魏，走芒卯，入北宅，即故宅阳城也。竹书纪年曰：惠成王十三年，王及郑釐侯盟于巫沙，以释宅阳之围，归釐于郑者也。竹书纪年：晋出公六年，齐、郑伐卫，荀瑶城宅阳。俗言水城，非矣。济水自泽东出，即是始矣。王隐曰：河决为荥，济水受焉。故有济堤矣。谓此济也。济水又东南迳釐城东，春秋经书公会郑伯于时来，左传所谓釐也。京相璠曰：今荥阳县东四十里有故釐城也。济水右合黄水，水发源京县黄堆山〔一七〕，东南流，名祝龙泉，泉势沸涌，状若巨鼎扬汤。西南流，谓之龙项口，世谓之京水也。又屈而北注，鱼子沟水入焉，水出石暗涧。东北流，又北与濝濝水合，水出西溪东流，水上有连理树，其树，柞栎也，南北对生，凌空交合，溪水历二树之间，东流注于鱼水，鱼水又屈而西北注黄水。黄水又北迳高阳亭东，又北至故市县〔一八〕，重泉水注之。水出京城西南少陉山，东北流，又北流迳高阳亭西，东北流注于黄水。又东北迳故市县故城南。汉高帝六年，封阎泽赤为侯国，河南郡之属县也。黄水又东北至荥泽南，分为二水：一水北入荥泽，下为船塘，俗谓之郏城陂，东西四十里，南北二十里。竹书穆天子传曰：甲寅，天子浮于荥水，乃奏广乐是也。一水东北流，即黄雀沟矣。穆天子传曰：壬寅，天子东至于雀梁者也。又东北与靖水枝津合，二水之会为黄渊，北流注于济水。

又东过阳武县南，

济水又东南流入阳武县，历长城东南流，蒗荡渠〔一九〕出焉。济水又东北流，南济也。迳阳武县故城南，王莽更名之曰阳桓矣。又东为白马渊，渊东西二里，南北百五十步，渊流名为白马沟。又东迳房城北。穆天子传曰：天子里甫田[二〇]之路，东至于房。疑即斯城也。郭注以为赵郡房子也。余谓穆王里郑甫而郭以赵之房邑为疆，更为非矣。济水又东迳封丘县南，又东迳大梁城北，又东迳仓垣城，又东迳小黄县之故城北。县有黄亭，说济又谓之曰黄沟[二一]。县，故阳武之东黄乡也，故水以名县。沛公起兵野战，丧皇妣于黄乡。天下平定，乃使使者以梓宫招魂幽野。于是丹蛇自水濯洗，入于梓宫，其浴处有遗发焉。故谥曰昭灵夫人，因作寝以宁神也。济水又东迳东昏县故城北，阳武县之户牖乡矣。汉丞相陈平家焉。平少为社宰，以善均肉称，今民祠其社。平有功于高祖，封户牖侯，是后置东昏县也，王莽改曰东明矣。济水又东迳济阳县故城南，故武父城也。城在济水之阳，故以为名，王莽改之曰济前者也。光武生济阳宫，光明照室，即其处也。东观汉记曰：光武以建平元年生于济阳县，是岁有嘉禾生，一茎九穗，大于凡禾，县界大熟，因名曰秀。

又东过封丘县北，

北济也。自荥泽东迳荥阳卷县之武脩亭南，春秋左传成公十年，郑子然盟于脩泽者也，郑地矣。杜预曰：卷东有武脩亭。济水又东迳原武县故城南，春秋之原圃也。穆天子传曰：祭父自圃郑来谒天子，夏，庚午，天子饮于洧上，乃遣祭父如圃郑是也。王莽之原桓矣。济渎又东迳阳武县故城北，又东绝长城。按竹书纪年：梁惠成王十二年，龙贾率师筑长城于西边。自亥谷以南，郑所城矣。竹书纪年云是梁惠成王十五年筑也。郡国志曰：长城自卷迳阳武到密者是矣。济渎又东迳酸枣县之乌巢泽〔二二〕，泽北有故市亭。晋太康地记曰：泽在酸枣之东南，昔曹太祖纳许攸之策，破袁绍运处也。济渎又东迳封丘县北，南燕县之延乡也，其在春秋为长丘焉。应劭曰：左传，宋败狄于长丘，获长狄缘斯是也。汉高帝封翟盱为侯国，濮水出焉。济渎又东迳大梁城之赤亭北而东注。

又东过平丘县南，

北济也。县，故卫地也。春秋鲁昭公十三年，诸侯盟于平丘是也。县有临济亭，田儋死处也。又有曲济亭，皆临侧济水者。

又东过济阳县北，

北济也，自武父城北。阚骃曰：在县西北，郑邑也。东迳济阳县故城北，圈称陈留风俗传曰：县，故宋地也。竹书纪年：梁惠成王三十年城济阳。汉景帝中六年，封梁孝王子明为济川王。应劭曰：济川，今陈留济阳县是也。

又东过冤朐县〔二三〕南，又东过定陶县南，

南济也，济渎自济阳县故城南，东迳戎城北。春秋隐公二年，公会戎于潜。杜预曰：陈留济阳县东南有戎城是也。济水又东北，菏水东出焉。济水又东北迳冤朐县故城南，吕后元年，封楚元王子刘执为侯国，王莽之济平亭也。济水又东迳秦相魏冉冢南。冉，秦宣太后弟也。代客卿寿烛为相，封于穰，益封于陶，号曰穰侯，富于王室。范雎说秦，秦王悟其擅权，免相，就封出关，辎车千乘，卒于陶，而因葬焉，世谓之安平陵，墓南崩碑尚存。济水又东北迳定陶恭王陵南，汉哀帝父也。帝即位，母丁太后建平二年崩，上曰：宜起陵于恭皇之园，送葬定陶，贵震山东。王莽秉政，贬号丁姬，开其椁户，火出炎四五

丈,吏卒以水沃灭,乃得入,烧燔椁中器物,公卿遣子弟及诸生、四夷十馀万人,操持作具,助将作掘,平共王母傅太后坟及丁姬冢,二旬皆平。莽又周棘其处,以为世戒云。时有群燕数千,衔土投于丁姬窟中,今其坟冢,巍然尚秀,隅阿相承,列郭数周,面开重门,南门内夹道有崩碑二所,世尚谓之丁昭仪墓,又谓之长隧陵。盖所毁者,傅太后陵耳。丁姬坟墓,事与书违,不甚过毁,未必一如史说也。坟南,魏郡治也。世谓之左城,亦名之曰葬城,盖恭王之陵寝也。济水又东北迳定陶县故城南,侧城东注。县,故三鬷国也。汤追桀,伐三鬷,即此。周武王封弟叔振铎之邑,故曹国也。汉宣帝甘露二年,更济阴为定陶国,王莽之济平也。战国之世,范蠡既雪会稽之耻,乃变姓名寓于陶,为朱公。以陶天下之中,诸侯四通,货物之所交易也。治产致千金,富好行德,子孙修业,遂致巨万。故言富者,皆曰陶朱公也。

又屈从县东北流,

南济也。又东北右合菏水〔二四〕,水上承济水于济阳县东,世谓之五丈沟〔二五〕。又东迳陶丘北。地理志曰:禹贡,陶丘在定陶西南。陶丘亭在南,墨子以为釜丘也。竹书纪年:魏襄王十九年,薛侯来会王于釜丘者也。尚书所谓导菏水自陶丘北,谓此也。菏水东北出于定陶县北,屈左合氾水,氾水西分济渎,东北迳济阴郡南。尔雅曰:济别为濋。吕忱曰:水决复入为氾。广异名也。氾水又东合于菏渎。昔汉祖既定天下,即帝位于定陶氾水之阳。张晏曰:氾水在济阴界,取其氾爱弘大而润下也。氾水之名,于是乎在矣。菏水又东北,迳定陶县南，又东北，右合黄水枝渠，渠上承黄沟，东北合菏而北注济渎也。

〔一〕注疏本作“济水一”。疏：“戴删一字。守敬按：据说文当作泲，但秦、汉以上经典多作济，相承已久，故水经及注并作济。详下。”

〔二〕泰泽　大典本、黄本、吴本、注笺本、项本、沈本、张本、注疏本、禹贡指南卷四沇水注引水经注、山海经笺疏卷三北山经“而西北流注于泰泽”郝懿行案引水经注均作“秦泽”。

〔三〕轵县　注笺本、项本、注释本、张本均作“温城”，通鉴卷四赧王二十八年“拔新垣、曲阳”胡注引水经注作“温”。

〔四〕绨城　黄本、吴本、注笺本、项本、沈本、张本均作“郄城”，注释本作“郗城”。

〔五〕波县　孙潜校本作“汲县”。

〔六〕冶城　大典本、黄本、注笺本、项本、沈本、张本均作“治城”。

〔七〕冶水　大典本、黄本、注笺本、项本、沈本、张本均作“治水”。

〔八〕毋辟邑　大典本作“母辟邑”，注疏本、通鉴卷一四〇齐纪六明帝建武三年“置于河阳无鼻城”胡注引水经注均作“无辟邑”。

〔九〕陨城　注疏本作“坟城”。疏：“赵改坟作陨，云：坟城当作陨城。郡国志河内郡脩武县有陨城。刘注，左传隐十一年，以坟与郑。全、戴改陨同。守敬按：陨城，左传杜注谓在脩武北，郦氏叙于清水篇,是也。济水远在脩武之西南,何能迳脩武之北?考尔雅,梁莫大于溴梁,坟莫大于河坟。郭注,坟,大防。此城去河甚近,即尔雅之所谓坟者。经及注原不误。”

〔一〇〕三皇山　黄本、沈本、五校钞本、七校本均作“皇山”,注笺本、项本、张本均作“三山”。

〔一一〕荥渎　注笺本、项本、张本均作“荥泽”,困学纪闻卷十六考史引水经注、乾隆荥泽县志卷二地理山川须水引水经注均作“荥渎水”。

〔一二〕春秋宣公十三年　注疏本作“春秋宣公十二年”。疏:“朱讹作十三年,全、戴同,赵改。”

〔一三〕砾石溪水　注笺本、项本、张本、注疏本均作“南砾石溪水”。

〔一四〕少陉之山　残宋本、吴本、注笺本、何校明钞本、项本、张本、注疏本均作“小陉之山”。

〔一五〕注释本云:“沈氏曰:史记,魏献荣椽,赵因以为檀台。荣椽木材,非地也;檀台是屋,非冈也。善长不知为何有此误考?”注疏本疏:“考檀台在襄国,见于续汉志,而荥阳乃韩地,后之为荥阳图经者,因造为檀山以相附会,益更缪矣。会贞按:史记赵世家索隐引刘氏曰:荣椽盖地名,其中有一高处,可以为台。说与此注颇合,而小司马驳之。守敬按,以檀台为冈,犹有说,以荣椽为荥阳,则大惑不解矣。”

〔一六〕平桃城　大典本、吴本、注笺本、项本、张本、注疏本均作“平咷城”,注释本作“乎咷城”,通鉴卷一四〇齐纪六“太子出迎于平桃城”胡注引水经注作“平眺城”。

〔一七〕黄堆山　五校钞本、七校本均作“黄雀山”。

〔一八〕故市县　黄本、沈本作“固市县”。

〔一九〕蒗蕩渠　残宋本、大典本、黄本、吴本、沈本均作“蒗荡渠”，禹贡山川地理图卷上删道元所释水经注引水经注作“莨荡渠”，尚书通考卷七荥水引水经注作“狼荡渠”。

〔二〇〕甫田　注笺本、项本、注释本、张本均作“圃田”。

〔二一〕殿本在此处案云：“案此句之上当有脱文，未详。”注疏本杨守敬按：“黄沟详泗水注，据彼文，黄水出小黄县黄乡黄沟，此句上当有黄水出焉四字，今增。”

〔二二〕乌巢泽　大典本作“鸟巢泽”。

〔二三〕冤朐县　吴本作“冤昫县”。

〔二四〕菏水　何校明钞本、王校明钞本、困学纪闻卷十地理引水经注均作“荷水”。

〔二五〕五丈沟　残宋本作“五文沟”。

水经注卷八

济水〔一〕

又东至乘氏县西,分为二:

春秋左传僖公三十一年,分曹地东傅于济。济水自是东北流,出钜泽。

其一水东南流,其一水从县东北流,入钜野泽。

南为菏水〔二〕,北为济渎,迳乘氏县与济渠、濮渠合。北济自济阳县北,东北迳煮枣城南。郡国志曰:冤朐县有煮枣城,即此也。汉高祖十二年,封革朱为侯国。北济又东北迳冤朐县故城北,又东北迳吕都县故城南,王莽更名之曰祁都也。又东北迳定陶县故城北,汉景帝中六年,以济水出其北,东注,分梁,于定陶置济阴国,指北济而定名也。又东北与濮水合,水上承济水于封丘县,即地理志所谓濮渠水首受济者也。阚骃曰:首受别济,即北济也。其故渎自济东北流,左迆为高梁陂,方三里。濮水又东迳匡城北,孔子去卫适陈,遇难于匡者也。又东北,左会别濮,水受河于酸枣县。故杜预云:濮水出酸枣县,首受河。竹书纪年曰:魏襄王十年十月,大霖雨疾风,河水溢酸枣郛。汉世塞之，故班固云：文堙枣野。今无水。其故渎东北迳南、北二棣城间。左传襄公五年，楚子囊伐陈，公会于城棣以救之者也。濮渠又东北迳酸枣县故城南，韩国矣。圈称曰：昔天子建国名都，或以令名，或以山林，故豫章以树氏郡，酸枣以棘名邦，故曰酸枣也。汉官仪曰：旧河堤谒者居之城西，有韩王望气台。孙子荆故台赋叙曰：酸枣寺〔三〕门外，夹道左右有两故台，访之故老云：韩王听讼观台，高十五仞，虽楼榭泯灭，然广基似于山岳。召公大贤，犹舍甘棠，区区小国，而台观隆崇，骄盈于世，以鉴来今，故作赋曰：蔑丘陵之逦迆，亚五岳之嵯峨。言壮观也。城北，韩之市地也。聂政为濮阳严仲子刺韩相侠累，遂皮面而死，其姊哭之于此。城内有后汉酸枣令刘孟阳碑。濮水北积成陂，陂方五里，号曰同池陂。又东迳胙亭东注，故胙国也。富辰所谓邢、茅、胙、祭，周公之胤也。濮渠又东北迳燕城南，故南燕姞姓之国也。有北燕，故以南氏县。东为阳清湖，陂南北五里，东西三十里，亦曰燕城湖。迳桃城南，即战国策所谓酸枣、虚、桃者也。汉高帝十二年，封刘襄为侯国。而东注于濮，俗谓之朝平沟。濮渠又东北，又与酸水故渎会。酸渎首受河于酸枣县，东迳酸枣城北、延津南，谓之酸水。竹书纪年曰：秦苏胡率师伐郑，韩襄败秦苏胡于酸水者也。酸渎水又东北迳燕城北，又东迳滑台城南，又东南迳瓦亭南。春秋定公八年，公会晋师于瓦，鲁尚执羔，自是会始也。又东南会于濮，世谓之百尺沟，濮渠之侧有漆城。竹书纪年：梁惠成王十六年，邯郸伐卫，取漆富丘，城之者也。或亦谓之宛濮亭。春秋：甯武子与卫人盟于宛濮。杜预曰：长垣西南近濮水也。京相璠曰:卫地也。似非关究,而不知其所。竹书纪年:梁惠成王五年,公子景贾率师伐郑,韩明战于阳,我师败逋。泽北有坛陵亭,亦或谓之大陵城,非所究也。又有桂城。竹书纪年:梁惠成王十七年,齐田期伐我东鄙,战于桂阳,我师败逋,亦曰桂陵。案史记,齐威王使田忌击魏,败之桂陵,齐于是强,自称为王,以令天下。濮渠又东迳蒲城北,故卫之蒲邑。孔子将之卫,子路出于蒲者也。韩子曰:鲁以仲夏起长沟,子路为蒲宰,以私粟馈众。孔子使子贡毁其器焉。余案家语言,仲由为郈宰,修沟渎,与之箪食瓢饮,夫子令赐止之,无鲁字。又入其境,三称其善,身为大夫,终死卫难。濮渠又东迳韦城南,即白马县之韦乡也。史迁记曰:夏伯豕韦之故国矣。城西出而不方,城中有六大井,皆隧道下,俗谓之江井也。有驰道,自城属于长垣。濮渠东绝驰道,东迳长垣县故城北,卫地也,故首垣矣。秦更从今名,王莽改为长固县。陈留风俗传曰:县有防垣,故县氏之。孝安帝以建光元年,封元舅宋俊为侯国。县有祭城,濮渠迳其北,郑大夫祭仲之邑也。杜预曰:陈留长垣县东北有祭城者也。圈称又言,长垣县有罗亭,故长罗县也,汉封后将军常惠为侯国。地理志曰:王莽更长罗为惠泽,后汉省并。长垣有长罗泽,即吴季英牧猪处也。又有长罗冈、蘧伯玉冈。陈留风俗传曰:长垣县有蘧伯乡,一名新乡,有蘧亭、伯玉祠、伯玉冢。曹大家东征赋曰:到长垣之境界兮,察农野之居民;睹蒲城之丘墟兮,生荆棘之蓁蓁;蘧氏在城之东南兮,民亦向其丘坟;惟令德之不朽兮,身既没而名存。昔吴季札聘上国,至卫,观典府,宾亭父畴,以卫多君子也。濮渠又东分为二渎，北濮出焉。濮渠又东迳须城北，卫诗云：思须与曹也。毛云：须，卫邑矣。郑云：自卫而东迳邑，故思。濮渠又北迳襄丘亭南，竹书纪年曰：襄王七年，韩明率师伐襄丘；九年〔四〕，楚庶章率师来会我，次于襄丘者也。濮水又东迳濮阳县故城南，昔师延为纣作靡靡之乐，武王伐纣，师延东走，自投濮水而死矣。后卫灵公将之晋，而设舍于濮水之上，夜闻新声，召师涓受之于是水也。濮水又东迳济阴离狐县故城南，王莽之所谓瑞狐也。郡国志曰：故属东郡。濮水又东迳葭密县故城北。竹书纪年：元公三年，鲁季孙会晋幽公于楚丘，取葭密，遂城之。濮水又东北迳鹿城南，郡国志曰：济阴乘氏县有鹿城乡，春秋僖公二十一年，盟于鹿上。京、杜并谓此亭也。濮水又东与句渎合，渎首受濮水枝渠于句阳县东南，迳句阳县故城南，春秋之穀丘也。左传以为句渎之丘矣。县处其阳，故县氏焉。又东入乘氏县，左会濮水，与济同入钜野。故地理志曰：濮水自濮阳南入钜野，亦经所谓济水自乘氏县两分，东北入于钜野也。济水故渎又北，右合洪水。水上承钜野薛训渚，历泽西北，又北迳阚乡城西。春秋桓公十有一年，经书公会宋公于阚。郡国志曰：东平陆有阚亭。皇览曰：蚩尤冢在东郡〔五〕寿张县阚乡城中，冢高七尺，常十月祠之。有赤气出如绛，民名为蚩尤旗。十三州志曰：寿张有蚩尤祠。又北与济渎合，自渚迄于北口百二十里，名曰洪水。桓温以太和四年率众北入，掘渠通济。至义熙十三年，刘武帝西入长安，又广其功。自洪口已上，又谓之桓公渎，济自是北注也。春秋庄公十八年，经书夏公追戎于济西。京相璠曰：济水自钜野至济北是也。

又东北过寿张县西界安民亭南，汶水从东北来注之。

济水又北，汶水注之，戴延之所谓清口也。郭缘生述征记曰：清河首受洪水，北注济。或谓清即济也。禹贡，济东北会于汶。今枯渠注钜泽，钜泽北则清口，清水与汶会也。李钦〔六〕曰：汶水出太山莱芜县，西南入济是也。济水又北迳梁山东，袁宏北征赋曰：背梁山，截汶波。即此处也。刘澄之引是山以证梁父，为不近情矣。山之西南有吕仲悌墓。河东岸有石桥，桥本当河，河移，故厕岸也。古老言：此桥东海吕母起兵所造也。山北三里有吕母宅，宅东三里即济水。济水又北迳须朐城〔七〕西，城临侧济水，故须朐国也。春秋僖公二十一年，子鱼曰：任、宿、须朐、颛臾，风姓也。实司太皞，与有济之祀。杜预曰：须朐在须昌县西北，非也。地理志曰：寿张西北有朐城者是也。济水西有安民亭，亭北对安民山，东临济水，水东即无盐县界也。山西有冀州刺史王纷碑，汉中平四年立，济水又北迳微乡东；春秋庄公二十八年，经书冬筑郿。京相璠曰：公羊传谓之微。东平寿张县西北三十里，有故微乡，鲁邑也。杜预曰：有微子冢。济水又北分为二水，其枝津西北出，谓之马颊水者也。

又北过须昌县西，

京相璠曰：须朐，一国二城两名。盖迁都须昌，朐是其本。秦以为县，汉高帝十一年，封赵衍为侯国。济水于县，赵沟水注之。济水又北迳鱼山〔八〕东，左合马颊水。水首受济，西北流，历安民山北，又西流，赵沟出焉，东北注于济。马颊水又迳桃城东，春秋桓公十年，经书公会卫侯于桃丘，卫地也。杜预曰：济北东阿县东南有桃城，即桃丘矣。马颊水又东北流迳鱼山南，山，即吾山也。汉武帝瓠子歌所谓吾山平者也。山上有柳舒城，魏东阿王曹子建每登之，有终焉之志。及其终也，葬山西，西去东阿城四十里。其水又东注于济，谓之马颊口也。济水自鱼山北迳清亭东，春秋隐公四年，公及宋公遇于清。京相璠曰：今济北东阿东北四十里，有故清亭，即春秋所谓清者也。是下济水通得清水之目焉。亦水色清深，用兼厥称矣。是故燕王曰：吾闻齐有清济、浊河以为固，即此水也。

又北过穀城县西，

济水侧岸有尹卯垒，南去鱼山四十馀里，是穀城县界。故春秋之小穀城也。齐桓公以鲁庄公二十三年〔九〕城之，邑管仲焉。城内有夷吾井。魏土地记曰：县有穀城山，山出文石，阳穀之地。春秋，齐侯、宋公会于阳穀者也。县有黄山台。黄石公与张子房期处也。又有狼水，出东南大槛山〔一〇〕狼溪，西北迳穀城西。又北有西流泉，出城东近山，西北迳穀城北，西注狼水。以其流西，故即名焉。又西北入济水，城西北三里，有项王羽之冢，半许毁坏，石碣尚存，题云：项王之墓。皇览云：冢去县十五里。谬也。今彭城穀阳城西南，又有项羽冢〔一一〕，非也。余按史迁记，鲁为楚守，汉王示羽首，鲁乃降，遂以鲁公礼葬羽于穀城，宁得言彼也。济水又北迳周首亭西，春秋文公十有一年，左丘明云：襄公二年，王子成父获长狄侨如弟荣如，埋其首于周首之北门，即是邑也。今世谓之卢子城，济北郡治也。京相璠曰：今济北所治卢子城，故齐周首邑也。

又北过临邑县东，

地理志曰：县有济水祠，王莽之縠城亭也。水有石门，以石为之，故济水之门也。春秋隐公五年，齐、郑会于石门，郑车偾济。即于此也。京相璠曰：石门，齐地。今济北卢县故城西南六十里，有故石门，去水三百步，盖水渎流移，故侧岸也。济水又北迳平阴城西，春秋襄公十八年，晋侯沉玉济河，会于鲁济，寻溴梁之盟，同伐齐，齐侯御诸平阴者也。杜预曰：城在卢县故城东北。非也。京相璠曰：平阴，齐地也，在济北卢县故城西南十里。平阴城南有长城，东至海，西至济，河道所由，名防门，去平阴三里。齐侯堑防门，即此也。其水引济，故渎尚存。今防门北有光里，齐人言广，音与光同，即春秋所谓守之广里者也。又云：巫山在平阴东北，昔齐侯登望晋军，畏众而归。师旷、邢伯闻乌乌之声，知齐师潜遁。人物咸沦，地理昭著，贤于杜氏东北之证矣。今巫山之上有石室，世谓之孝子堂。济水右迤，遏为湄湖，方四十馀里。济水又东北迳垣苗城西，故洛当城也。伏韬北征记曰：济水又与清河合流，至洛当者也。宋武帝西征长安，令垣苗镇此，故俗又有垣苗城之称。河水自四渎口东北流而为济。魏土地记曰：盟津河别流十里与清水合，乱流而东，迳洛当城北，黑白异流，泾渭殊别，而东南流注也。

又东北过卢县北，

济水东北与湄沟合，水上承湄湖，北流注济。尔雅曰：水草交曰湄，通谷者微。犍为舍人曰：水中有草木交合也。郭景纯曰：微，水边通谷也。释名曰：湄，眉也，临水如眉临目也。济水又迳卢县故城北，济北郡治也。汉和帝永元二年，分泰山置，盖以济水在北故也。济水又迳什城北，城际水湄，故邸阁也。祝阿人孙什，将家居之，以避时难，因谓之什城焉。济水又东北与中川水合，水东南出山茌县之分水岭，溪一源两分，泉流半解，亦谓之分流交。半水南出太山，入汶；半水出山茌县，西北流迳东太原郡南，郡治山炉固〔一二〕，北与宾溪水合。水出南格马山宾溪谷，北迳卢县故城北、陈敦戍南，西北流与中川水合，谓之格马口。其水又北迳卢县故城东，而北流入济，俗谓之为沙沟水。济水又东北，右会玉水，水导源太山朗公谷，旧名琨瑞溪，有沙门竺僧朗，少事佛图澄，硕学渊通，尤明气纬，隐于此谷，因谓之朗公谷。故车频秦书云：苻坚时，沙门竺僧朗尝从隐士张巨和游，巨和常穴居，而朗居琨瑞山，大起殿舍，连楼累阁，虽素饰不同，并以静外致称，即此谷也，水亦谓之琨瑞水也。其水西北流迳玉符山，又曰玉水。又西北迳猎山东，又西北枕祝阿县故城东、野井亭西。春秋昭公二十五年，经书齐侯唁公于野井是也。春秋襄公十九年，诸侯盟于祝柯，左传所谓督阳者也。汉兴，改之曰阿矣。汉高帝十一年，封高邑为侯国，王莽之安成者也。故俗谓是水为祝阿涧水，北流注于济。建武五年，耿弇东击张步，从朝阳桥济渡兵，即是处也。济水又东北，泺水入焉，水出历城县故城西南，泉源上奋，水涌若轮。春秋桓公十八年，公会齐侯于泺是也。俗谓之为娥姜水，以泉源有舜妃娥英庙故也。城南对山，山上有舜祠，山下有大穴，谓之舜井，抑亦茅山禹井之比矣。书：舜耕历山，亦云在此，所未详也。其水北为大明湖，西即大明寺，寺东北两面侧湖，此水便成净池也。池上有客亭，左右楸桐，负日俯仰，目对鱼鸟，水木明瑟，可谓濠梁之性，物我无违矣。湖水引渎，东入西郭，东至历城西而侧城北注，陂水上承东城，历祀下泉，泉源竞发。其水北流迳历城东，又北，引水为流杯池，州僚宾燕，公私多萃其上。分为二水，右水北出，左水西迳历城北，西北为陂，谓之历水，与泺水会。又北，历水枝津首受历水于历城东，东北迳东城西而北出郭，又北注泺水。又北，听水出焉。泺水又北流注于济，谓之泺口也。济水又东北，华不注山单椒秀泽，不连丘陵以自高；虎牙桀立，孤峰特拔以刺天。青崖翠发，望同点黛。山下有华泉。故京相璠春秋土地名曰：华泉，华不注山下泉水也。春秋左传成公二年，齐顷公与晋郤克战于鞌，齐师败绩，逐之。三周华不注，逢丑父与公易位，将及华泉，骖絓于木而止。丑父使公下，如华泉取饮，齐侯以免。韩厥献丑父，郤子将戮之，呼曰：自今无有代其君任患者，有一于此，将为戮矣。郤子曰：人不难以死免其君，我戮之不祥，赦之以劝事君者。乃免之。即华水也。北绝听渎二十里，注于济。

又东北过台县北。

巨合水南出鸡山西北，北迳巨合故城西，耿弇之讨张步也，守巨里，即此城也。三面有城，西有深坑，坑西即弇所营也，与费邑战，斩邑于此。巨合水又北合关卢水，水导源马耳山，北迳博亭城西，西北流至平陵城，与武原水合。水出谭城南平泽中，世谓之武原渊。北迳谭城东，俗谓之布城也。又北迳东平陵县故城西，故陵城也，后乃加平，谭国也。齐桓之出过谭，谭不礼焉；鲁庄公九年即位，又不朝。十年，灭之。城东门外有乐安任照先碑，济南郡治也。汉文帝十六年，置为王国，景帝二年为郡，王莽更名乐安。其水又北迳巨合城东，汉武帝以封城阳顷王子刘发为侯国。其水合关卢水，西出注巨合水。巨合水西北迳台县故城南，汉高帝六年，封东郡尉戴野为侯国，王莽之台治也。其水西北流，白野泉水注之，水出台城西南白野泉北，迳留山西北流，而右注巨合水。巨合水又北，听水注之，水上承泺水，东流北屈，又东北流，注于巨合水，乱流又北入于济。济水又东北，合芹沟水，水出台县故城东南，西北流，迳台城东，又西北入于济水。

又东北过菅县南，

济水东迳县故城南，汉文帝四年，封齐悼惠王子罢军为侯国。右纳百脉水〔一三〕，水出土鼓县〔一四〕故城西，水源方百步，百泉俱出，故谓之百脉水。其水西北流，迳阳丘县〔一五〕故城中，汉孝文帝四年，以封齐悼惠王子刘安为阳丘侯。世谓之章丘城，非也。城南有女郎山，山上有神祠，俗谓之女郎祠，左右民祀焉。其水西北出城，北迳黄巾固，盖贼所屯，故固得名焉。百脉水又东北流注于济。济水又东，有杨渚沟水〔一六〕，出逢陵故城西南二十里，西北迳土鼓城东，又西北迳章丘城东，又北迳甯戚城西，而北流注于济水也。

又东过梁邹县北，

陇水南出长城中，北流至般阳县故城西，南与般水会，水出县东南龙山，俗亦谓之为左阜水。西北迳其城南，王莽之济南亭也。应劭曰:县在般水之阳,故资名焉。其水又南屈,西入陇水〔一七〕。陇水北迳其县,西北流至萌水口,水出西南甲山,东北迳萌山西,东北入于陇水。陇水又西北至梁邹东南与鱼子沟水合,水南出长白山东柳泉口〔一八〕。山,即陈仲子夫妻之所隐也。孟子曰:仲子,齐国之世家,兄戴禄万钟,仲子非而不食,避兄离母,家于於陵,即此处也。其水又迳於陵县故城西,王莽之於陆也。世祖建武十五年,更封则乡侯侯霸之子昱为侯国。其水北流注于陇水,陇水,即古袁水也。故京相璠曰:济南梁邹县有袁水者也。陇水又西北迳梁邹县故城南,又北屈迳其城西,汉高祖六年,封武虎为侯国。其水北注济。城之东北,又有时水西北注焉。

又东北过临济县南,

县,故狄邑也,王莽更名利居。汉记:安帝永初二年,改从今名,以临济故。地理风俗记云:乐安太守治。晏谟齐记曰:有南北二城隔济水,南城即被阳县之故城也,北枕济水。地理志曰:侯国也。如淳曰:一作疲,音罢,军之罢也。史记建元以来王子侯者年表曰:汉武帝元朔四年,封齐孝王子敬侯刘燕之国也。今渤海侨郡治。济水又东北,地为渊渚,谓之平州〔一九〕。漯沃县侧有平安故城,俗谓之会城,非也。案地理志:千乘郡有平安县,侯国也,王莽曰鸿睦也。应劭曰:博昌县西南三十里有平安亭,故县也。世尚存平州之名矣。济水又东北迳高昌县故城西,案地理志:千乘郡有高昌县,汉宣帝地节四年,封董忠为侯国。世谓之马昌城,非也。济水又东北迳乐安县故城南,伏琛齐记曰:博昌城西北五十里有南、北二城,相去三十里，隔时、济二水。指此为博昌北城，非也。乐安与博昌、薄姑分水，俱同西北，薄姑去齐城六十里，乐安越水差远，验非尤明。班固曰：千乘郡有乐安县。应劭曰：取休令之名矣。汉武帝元朔五年，封李蔡为侯国。城西三里有任光等冢，光是宛县人，不得为博昌明矣。济水又经薄姑城北，后汉郡国志曰：博昌县有薄姑城。地理书曰：吕尚封于齐郡薄姑。薄姑故城在临淄县西北五十里，近济水。史迁曰：献公徙薄姑。城内有高台，春秋昭公二十年，齐景公饮于台上，曰：古而不死，何乐如之。晏平仲对曰：昔爽鸠氏始居之，季荝因之，有逢伯陵又因之，薄姑氏又因之，而后太公因之。臣以为古若不死，爽鸠氏之乐，非君之乐。即于是台也。济水又东北迳狼牙固西而东北流也。

又东北过利县西，

地理志：齐郡有利县，王莽之利治也。晏谟曰：县在齐城北五十里也。

又东北过甲下邑，入于河。

济水东北至甲下邑南，东历琅槐县故城北，地理风俗记曰：博昌东北八十里有琅槐乡，故县也。山海经曰：济水绝钜野注渤海，入齐琅槐东北者也。又东北，河水枝津注之。水经以为入河，非也。斯乃河水注济，非济入河，又东北入海。郭景纯曰：济自荥阳至乐安博昌入海。今河竭，济水仍流不绝；经言入河，二说并失。然河水于济、漯之北，别流注海。今所辍流者，惟漯水耳。郭或以为济注之，即实非也。寻经脉水，不如山经之为密矣。

其一水东南流者，过乘氏县南，

菏水分济于定陶东北，东南右合黄沟枝流，俗谓之界沟也。北迳己氏县故城西，又北迳景山东，卫诗所谓景山与京者也。毛公曰：景山，大山也。又北迳楚丘城西，郡国志曰：成武县有楚丘亭。杜预云，楚丘在成武县西南，卫懿公为狄所灭，卫文公东徙渡河，野处曹邑，齐桓公城楚丘以迁之。故春秋称邢迁如归，卫国忘亡。即诗所谓升彼虚矣，以望楚矣，望楚与堂，景山与京。故郑玄言，观其旁邑及山川也。又东北迳成武城西，又东北迳郈城东，疑郈徙也，所未详矣。又东北迳梁丘城西，地理志曰：昌邑县有梁丘乡。春秋庄公三十二年，宋人、齐人会于梁丘者也。杜预曰：高平昌邑县西南有梁丘乡。又东北于乘氏县西而北注菏水。菏水又东南迳乘氏县故城南，县，即春秋之乘丘也。故地理风俗记曰：济阴乘氏县，故宋乘丘邑也。汉孝景中五年，封梁孝王子买为侯国也。地理志曰：乘氏县，泗水东南至睢陵入淮。郡国志曰：乘氏有泗水。此乃菏泽也。尚书有导菏泽之说，自陶丘北，东至于菏，无泗水之文。又曰：导菏泽，被孟猪。孟猪在睢阳县之东北，阚骃十三州记曰：不言入而言被者，明不常入也。水盛，方乃覆被矣。泽水淼漫，俱钟淮、泗，故志有睢陵入淮之言，以通苞泗名矣。然诸水注泗者多不止此，可以终归泗水，便得擅通称也。或更有泗水亦可是水之兼其目，所未详也。

又东过昌邑县北，

菏水又东迳昌邑县故城北。地理志曰：县，故梁也。汉景帝中六年，分梁为山阳国；武帝天汉四年，更为昌邑国，以封昌邑王髆〔二〇〕。贺废国除〔二一〕，以为山阳郡，王莽之钜野郡也。后更为高平郡，后汉沇州治。县令王密，怀金谒东莱太守杨震，震不受，是其慎四知处也。大城东北有金城，城内有沇州刺史河东薛季像碑，以郎中拜剡令，甘露降园。熹平四年迁州，明年甘露复降殿前树，从事冯巡、主簿华操等相与褒树，表勒棠政。次西有沇州刺史茂陵杨叔恭碑，从事孙光等以建宁四年立。西北有东太山成人班孟坚碑，建和十年，尚书右丞拜沇州刺史从事秦闰等，刊石颂德政，碑咸列焉。

又东过金乡县南，

郡国志曰：山阳有金乡县。菏水迳其故城南，世谓之故县，城北有金乡山也。

又东过东缗县北，

菏水又东迳汉平狄将军扶沟侯淮阳朱鲔冢。墓北有石庙。菏水又东迳东缗县故城北，故宋地。春秋僖公二十三年，齐侯伐宋围缗。十三州记曰：山阳有东缗县。邹衍曰：余登缗城以望宋都者也。后汉世祖建武十一年，封冯异长子璋为侯国。

又东过方与县北，为菏水。

菏水东迳重乡城南，左传所谓臧文仲宿于重馆者也。菏水又东迳武棠亭北，公羊以为济上邑也。城有台，高二丈许，其下临水，昔鲁侯观鱼于棠，谓此也。在方与县故城北十里，经所谓菏水也。菏水又东迳泥母亭北，春秋左传僖公七年，秋，盟于甯母，谋伐郑也。菏水又东与钜野黄水合，菏泽别名也。黄水上承钜泽诸陂，泽有濛淀、育陂。黄湖水东流，谓之黄水。又有薛训渚水，自渚历薛村前，分为二流，一水东注黄水，一水西北入泽，即洪水也。黄水东南流，水南有汉荆州刺史李刚墓。刚字叔毅，山阳高平人，熹平元年卒。见其碑。有石阙、祠堂、石室三间，椽架高丈馀，镂石作椽，瓦屋施平天造，方井侧荷梁柱，四壁隐起，雕刻为君臣、官属、龟龙、麟凤之文，飞禽走兽之像。作制工丽，不甚伤毁。黄水又东迳钜野县北。何承天曰：钜野湖泽广大，南通洙、泗，北连清、济，旧县故城，正在泽中，故欲置戍于此城，城之所在，则钜野泽也。衍东北出为大野矣。昔西狩获麟于是处也。皇览曰：山阳钜野县有肩髀冢，重聚大小，与阚冢等。传言蚩尤与黄帝战，克之于涿鹿之野，身体异处，故别葬焉。黄水又东迳咸亭北，春秋桓公七年，经书焚咸丘者也。水南有金乡山，县之东界也。金乡数山，皆空中穴口，谓之隧也。戴延之西征记曰：焦氏山北数里，汉司隶校尉鲁峻，穿山得白蛇、白兔，不葬，更葬山南，凿而得金，故曰金乡山。山形峻峭，冢前有石祠、石庙，四壁皆青石隐起，自书契以来，忠臣、孝子、贞妇、孔子及弟子七十二人形像，像边皆刻石记之，文字分明。又有石床，长八尺，磨莹鲜明，叩之声闻远近。时太尉从事中郎傅珍之、谘议参军周安穆折败石床，各取去，为鲁氏之后所讼，二人并免官。焦氏山东即金乡山也，有冢，谓之秦王陵。山上二百步得冢口，堑深十丈，两壁峻峭，广二丈，入行七十步，得埏门，门外左右皆有空，可容五六十人，谓之白马空。埏门内二丈，得外堂，外堂之后，又得内堂。观者皆执烛而行，虽无他雕镂，然治石甚精。或云是汉昌邑哀王冢，所未详也。东南有范巨卿冢，名件〔二二〕犹存。巨卿名式，山阳之金乡人，汉荆州刺史，与汝南张劭、长沙陈平子石交，号为死友矣。黄水又东南迳任城郡之亢父县故城西，夏后氏之任国也。汉章帝元和元年，别为任城在北，王莽之延就亭也。县有诗亭，春秋之诗国也，王莽更之曰顺父矣。地理志：东平属县也。世祖建武二年，封刘隆为侯国。其水谓之桓公沟，南至方与县，入于菏水。菏水又东迳秦梁，夹岸积石一里，高二丈，言秦始皇东巡所造，因以名焉。

菏水又东过湖陆县南，东入于泗水。

泽水所钟也。尚书曰：浮于淮、泗，达于菏是也。东观汉记曰：苏茂杀淮阳太守，得其郡，营广乐。大司马吴汉围茂，茂将其精兵突至湖陵，与刘永相会济阴、山阳，济兵于此处也。

又东南过沛县东北，

济与泗乱，故济纳互称矣。东观汉记安平侯盖延传曰：延为虎牙大将军，与永等战，永军反走，溺水者半，复与战，连破之，遂平沛、楚，临淮悉降。延令沛修高祖庙，置啬夫、祝宰、乐人，因斋戒祠高庙也。

又东南过留县北，

留县故城，翼佩泗、济，宋邑也。春秋左传所谓侵宋吕、留也。故繁休伯避地赋曰：朝余发乎泗洲，夕余宿于留乡者也。张良委身汉祖，始自此矣。终亦取封焉，城内有张良庙也。

又东过彭城县北，获水〔二三〕从西来注之。

济水又南迳彭城县故城东北隅，不东过也。获水自西注之，城北枕水湄。济水又南迳彭城县故城东，不迳其北也。盖经误证。

又东南过徐县北，

地理志曰:临淮郡,汉武帝元狩五年置,治徐县,王莽更之曰淮平,县曰徐调,故徐国也。春秋昭公三十年,吴子执锺吾子,遂伐徐,防山以水之,遂灭徐。徐子奔楚,楚救徐弗及,遂城夷以处之。张华博物志录著作令史茅温所为送〔二四〕。刘成国徐州地理志云徐偃王之异,言:徐君宫人娠而生卵,以为不祥,弃之于水滨。孤独母有犬,名曰鹄仓,猎于水侧,得弃卵,衔以来归,孤独母以为异,覆暖之,遂成儿,生时偃,故以为名。徐君宫中闻之,乃更录取。长而仁智,袭君徐国。后鹄仓临死,生角而九尾,实黄龙也。偃王葬之徐中,今见有狗垄焉。偃王治国,仁义著闻,欲舟行上国,乃通沟陈、蔡之间〔二五〕。得朱弓矢,以得天瑞,遂因名为号,自称徐偃王,江、淮诸侯服从者三十六国。周王闻之,遣使至楚,令伐之。偃王爱民不斗,遂为楚败,北走彭城武原县东山下,百姓随者万数,因名其山为徐山,山上立石室庙,有神灵,民人请祷焉。依文即事,似有符验,但世代绵远,难以详矣。今徐城外有徐君墓,昔延陵季子解剑于此,所谓不违心许也。

又东至下邳睢陵县南,入于淮。

济水与泗水,浑涛东南流,至角城,同入淮。经书睢陵,误耳。

〔一〕注疏本作"济水二"。疏:"戴无二字。"

〔二〕菏水　何校明钞本、王校明钞本、困学纪闻卷十地理引水经注均作"荷水"。

〔三〕寺　注疏本作"县"。疏:"朱县讹作'寺',全、赵、戴同,守敬以寰宇记引改。"

〔四〕九年　注疏本作"十年"。疏:"朱笺曰:十,一作九。全、赵、戴改九。守敬按:今本隐王六年,以魏计,在今王十年,今王即襄王也。"

〔五〕东郡　注疏本作"东平郡"。疏:"朱无平字,赵、戴同。守敬按:汉志,寿良属东郡。续汉志,寿张属东平国,据魏志张邈传,东平寿张人,东平王徽传,青龙二年,徽使官属挝寿张县吏折足,则魏寿张亦属东平国,史记集解引作东平郡(封禅书索隐引同),是也。此脱'平'字,今订。"

〔六〕李钦　注疏本作"桑钦"。疏:"朱讹作李钦。守敬按:汉志,泰山郡莱芜县下云,禹贡汶水出西南入泲,桑钦所言。则李钦为桑钦之误无疑,而全、赵、戴皆不觉,何耶?今订。"

〔七〕须朐城　金石录跋尾赵明诚引水经注作"须句城"。

〔八〕鱼山　大典本、吴本、注笺本、项本、张本均作"渔山"。

〔九〕二十三年　注疏本作"三十二年"。疏:"朱讹作二十三年,全、赵、戴同。守敬按:春秋经庄公三十二年城小穀,今订。"

〔一〇〕大槛山　初学记卷八河南道第二狼水引水经注作"大鑑山",乾隆泰安府志卷三山水志东阿县巉山引水经注作"大巉山"。

〔一一〕项羽冢　方舆纪要卷三十三山东四东平州东阿县引水经注作"项王冢"。

〔一二〕山炉固　孙潜校本、五校钞本、七校本均作"山茌",方舆纪要卷三十一山东二济南府长清县升城引水经注作"山茌堌"。

〔一三〕百脉水　方舆纪要卷三十一山东二济南府淄川县土

鼓城引水经注作“百脉泉”。

〔一四〕土鼓县　大典本、吴本、注笺本、项本、张本、名胜志山东卷一济南府章邱县引水经注均作“土鼓县”。

〔一五〕阳丘县　吴本、注笺本、项本、张本、名胜志山东卷一济南府章邱县引水经注均作“杨丘县”。

〔一六〕杨渚沟水　注疏本、光绪山东通志卷二十八疆域志第三山川章邱县引水经注均作“杨绪沟水”。

〔一七〕陇水　大典本、孙潜校本、注疏本均作“泷水”，方舆纪要卷三十五山东六青州府益都县孝妇河引水经注作“龙水”。

〔一八〕柳泉口　残宋本、大典本、吴本、注笺本、项本、张本、方舆纪要卷三十一山东二济南府长山县乾沟河引水经注、四书释地续於陵阎若璩注引水经注均作“抑泉”。

〔一九〕平州　五校钞本、七校本、注释本、注疏本均作“平州坑”。

〔二〇〕髆　注笺本、项本、注释本、张本均作“贺”，注疏本疏：“朱讹作‘贺’。赵云：按诸侯王表，天汉四年封者，是哀王髆，亦见武五子传，乃贺之父也。”

〔二一〕注疏本在“贺废国除”前有“子贺嗣”三字。疏：“朱无此三字，全、赵、戴同，今增。”

〔二二〕手稿第四集上册记铁琴铜剑楼瞿氏藏明钞本水经注云：

卷八济水篇记范巨卿冢，黄省曾本（叶十九）作“范巨卿冢，名件犹存”。瞿本与朱本与大典本都作“名件”。（残宋本此处已残缺。）吴琯刻本始臆改“名件犹存”为“石柱犹存”。

朱谋𬍤、谭元春、项絪、黄晟皆依吴琯本作"石柱"，全谢山、赵东潜亦作"石柱"。戴东原两本(案指殿本及孔刻微波榭本)皆从古本作"名件"。"名件"是一个名词，至今徽州尚通行，吴琯本妄改，实无版本的依据。

〔二三〕获水　大典本作"犹水"，注笺本、项本、注释本、张本均作"睢水"。

〔二四〕殿本在"所为送"下案云："案此三字，当有脱误，未详。"

〔二五〕札记古代运河：

水经注成书于北魏，它所记载的运河当然不及隋唐，而是我国古代的运河。这中间，关于徐偃王开凿运河的故事，恐怕是我国运河史上运河开凿的最早传说。卷八济水经"又东南过徐县北"注云：

偃王治国，仁义著闻，欲舟行上国，乃通沟陈、蔡之间。

陈、蔡之间的这条运河，历史上没有明确记载，而徐偃王其人，也是一个传说中的人物。后汉书东夷列传说："后徐夷僭号，乃率九夷以伐宗周，西至河上。穆王畏其方炽，乃分东方诸侯，命徐偃王主之。偃王处潢池东，地方五百里。"周穆王是西周的第五代国君，其在位约当公元前十一世纪至前十世纪，则徐偃王所开凿的这条运河，应是我国最古老的运河了。按其地理位置，这条运河或许就是后世所谓的鸿沟水系中的一部分。

水经注卷九

清水　沁水　淇水　荡水　洹水

清水出河内脩武县之北黑山，

黑山在县北白鹿山东，清水所出也。上承诸陂散泉，积以成川。南流西南屈，瀑布乘岩，悬河注壑二十馀丈，雷赴之声，震动山谷。左右石壁层深，兽迹不交，隍中散水雾合，视不见底。南峰北岭，多结禅栖之士；东岩西谷，又是刹灵之图。竹柏之怀，与神心妙远，仁智之性，共山水效深，更为胜处也。其水历涧飞流〔一〕，清泠洞观〔二〕，谓之清水矣。溪曰瑶溪，又曰瑶涧。清水又南，与小瑶水合，水近出西北穷溪，东南流注清水，清水又东南流，吴泽陂水注之，水上承吴陂于脩武县故城西北。脩武，故甯也，亦曰南阳矣。马季长曰：晋地自朝歌以北至中山为东阳，朝歌以南至轵为南阳。故应劭地理风俗记云：河内，殷国也，周名之为南阳。又曰：晋始启南阳。今南阳城是也。秦始皇改曰脩武。徐广、王隐并言始皇改。瓒注汉书云：案韩非书，秦昭王越赵长平，西伐脩武。时秦未兼天下，脩武之名久矣。余案韩诗外传言，武王伐纣，勒兵于甯，更名甯曰脩武矣。魏献子田大陆还，卒于甯是也。汉高帝八年，封都尉魏遬为侯国。亦曰大脩武,有小,故称大。小脩武在东,汉祖与滕公济自玉门津,而宿小脩武者也。大陆即吴泽矣。魏土地记曰:脩武城西北二十里有吴泽水。陂南北二十许里,东西三十里,西则长明沟〔三〕入焉。水有二源,北水上承河内野王县东北界沟〔四〕,分枝津为长明沟。东迳雍城南,寒泉水注之,水出雍城西北,泉流南注,迳雍城西。春秋僖公二十四年,王将以狄伐郑,富辰谏曰:雍,文之昭也。京相璠曰:今河内山阳西有故雍城。又东南注长明沟,沟水又东迳射犬城北,汉大司马张扬为将杨丑所害,眭固杀丑屯此,欲北合袁绍。典略曰:眭固字白菟,或戒固曰:将军字菟,而此邑名犬,菟见犬,其势必惊,宜急去。固不从。汉建安四年,魏太祖斩之于此。以魏种为河内太守,守之。沇州叛,太祖曰:惟种不弃孤。及走,太祖怒曰:种不南走越,北走胡,不汝置也。射犬平,禽之。公曰:惟其才也,释而用之。长明沟水东入石涧,东流,蔡沟水入焉。水上承州县北,白马沟东分,谓之蔡沟。东会长明沟水,又东迳脩武县之吴亭北,东入吴陂。次北有苟泉水入焉,水出山阳县故脩武城西南,同源分派,裂为二水。南为苟泉,北则吴渎,二渎双导,俱东入陂。山阳县东北二十五里有陆真阜,南有皇母、马鸣二泉,东南合注于吴陂也。次陆真阜之东北,得覆釜堆,堆南有三泉,相去四五里,参差次合,南注于陂。泉在浊鹿城西,建安二十五年,魏封汉献帝为山阳公,浊鹿城,即是公所居也。陂水之北际泽,侧有隤城,春秋隐公十一年,王以司寇苏忿生之田,攒茅、隤十二邑与郑者也。京相璠曰:河内脩武县北有故隤城,实中。今世俗谓之皮垣,方四百步,实中，高八丈。际陂，北隔水十五里，俗所谓兰丘也，方二百步。西十里又有一丘际山，世谓之敕丘，方五百步，形状相类，疑即古攒茅也。杜预曰：二邑在脩武县北，所未详也。又东，长泉水注之，源出白鹿山东南，伏流迳十三里，重源浚发于邓城西北，世亦谓之重泉水也。又迳七贤祠东，左右筠篁列植，冬夏不变贞萋。魏步兵校尉陈留阮籍，中散大夫谯国嵇康，晋司徒河内山涛，司徒琅邪王戎，黄门郎河内向秀，建威参军沛国刘伶，始平太守阮咸等，同居山阳，结自得之游，时人号之为竹林七贤。向子期所谓山阳旧居也，后人立庙于其处，庙南又有一泉，东南流注于长泉水。郭缘生述征记所云，白鹿山东南二十五里有嵇公故居，以居时有遗竹焉，盖谓此也。其水又南迳邓城东，名之为邓渎，又谓之为白屋水也。昔司马懿征公孙渊，还达白屋，即于此也。其水又东南流迳陨城北，又东南历泽注于陂。陂水东流，谓之八光沟，而东流注于清水，谓之长清河。而东周永丰坞，有丁公泉发于焦泉之右。次东得焦泉，泉发于天门之左，天井固右。天门山石自空，状若门焉，广三丈，高两匹，深丈馀，更无所出，世谓之天门也。东五百馀步，中有石穴西向，裁得容人，东南入，径至天井〔五〕，直上三匹有馀，扳蹑而升，至上平，东西二百步，南北七百步，四面险绝，无由升陟矣。上有比丘释僧训精舍，寺有十馀僧，给养难周，多出下平，有志者居之。寺左右杂树疏颁。有一石泉，方丈馀，清水湛然，常无增减，山居者资以给饮。北有石室二口，旧是隐者念一之所，今无人矣。泉发于北阜，南流成溪，世谓之焦泉也。次东得鱼鲍泉，次东得张波泉，次东得三渊泉，梗河参连，女宿相属，是四川在重门城西并单川南注也。重门城，昔齐王芳为司马师废之，宫于此，即魏志所谓送齐王于河内重门者也。城在共县故城西北二十里，城南有安阳陂，次东又得卓水陂，次东有百门陂〔六〕，陂方五百步，在共县故城西。汉高帝八年，封卢罢师为共侯，即共和之故国也。共伯既归帝政，逍遥于共山之上。山在国北，所谓共北山也。仙者孙登之所处，袁彦伯竹林七贤传：嵇叔夜尝采药山泽，遇之于山，冬以被发自覆，夏则编草为裳，弹一弦琴，而五声和。其水三川南合，谓之清川。又南迳凡城东。司马彪、袁山松郡国志曰：共县有凡亭，周凡伯国。春秋隐公七年，经书王使凡伯来聘是也。杜预曰：汲郡共县东南有凡城。今在西南。其水又西南与前四水总为一渎，又谓之陶水，南流注于清水。清水又东周新丰坞，又东注也〔七〕。

东北过获嘉县北，

汉书称越相吕嘉反，武帝元鼎六年，巡行于汲郡中乡，得吕嘉首，因以为获嘉县。后汉封侍中冯石为侯国。县故城西有汉桂阳太守赵越墓，冢北有碑。越字彦善，县人也。累迁桂阳郡、五官将、尚书仆射，遭忧服阕，守河南尹，建宁中卒。碑东又有一碑，碑北有石柱、石牛、羊、虎俱碎，沦毁莫记。清水又东周新乐城，城在获嘉县故城东北，即汲之新中乡也。

又东过汲县北，

县，故汲郡治，晋太康中立。城西北有石夹水，飞湍浚急，人亦谓之磻溪，言太公尝钓于此也。城东门北侧有太公庙，庙前有碑，碑云：太公望者，河内汲人也。县民故会稽太守杜宣白令崔瑗曰：太公本生于汲，旧居犹存。君与高、国同宗太公，载在经传，今临此国，宜正其位，以明尊祖之义。于是国老王喜，廷掾郑笃，功曹邠勤等咸曰：宜之。遂立坛祀，为之位主。城北三十里，有太公泉，泉上又有太公庙，庙侧高林秀木，翘楚竞茂。相传云：太公之故居也。晋太康中，范阳卢无忌为汲令，立碑于其上。太公避纣之乱，屠隐市朝，遁钓鱼水，何必渭滨，然后磻溪，苟惬神心，曲渚则可，磻溪之名，斯无嫌矣。清水又东迳故石梁下，梁跨水上，桥石崩褫，馀基尚存。清水又东与仓水合，水出西北方山，山西有仓谷，谷有仓玉、珉石，故名焉。其水东南流，潜行地下，又东南复出，俗谓之雹水，东南历坶野。自朝歌以南，南暨清水，土地平衍，据皋跨泽，悉坶野矣。郡国志曰：朝歌县南有牧野。竹书纪年曰：周武王率西夷诸侯伐殷，败之于坶野。诗所谓坶野洋洋，檀车煌煌者也。有殷大夫比干冢，前有石铭，题隶云：殷大夫比干之墓。所记惟此。今已中折，不知谁所志也。太和中，高祖孝文皇帝南巡，亲幸其坟，而加吊焉。刊石树碑，列于墓隧矣。雹水又东南入于清水。清水又东南迳合城南，故三会亭也，以淇、清合河，故受名焉。清水又屈而南迳凤皇台东北南注也。

又东入于河。

谓之清口，即淇河口也，盖互受其名耳。地理志曰：清河水出内黄县南。无清水可来，所有者惟钟是水耳。盖河徙南注，清水渎移，汇流迳绝，馀目尚存。故东川有清河之称，相嗣不断。曹公开白沟，遏水北注，方复故渎矣。

沁水出上党涅县谒戾山，

沁水即涅水〔八〕也，或言出穀远县羊头山世靡谷，三源奇注，迳泻一隍。又南会三水，历落出左右近溪，参差翼注之也。

南过穀远县东，又南过猗氏县东，

穀远县，王莽之穀近也。沁水又南迳猗氏县〔九〕故城东，刘聪以詹事鲁繇为冀州，治此也。沁水又南历猗氏关，又南与骉骉水合，水出东北巨骏山〔一○〕，乘高泻浪，触石流响，世人因声以纳称。西南流注于沁。沁水又南与秦川水合，水出巨骏山东，带引众溪，积以成川。又西南迳端氏县故城东。昔韩、赵、魏分晋，迁晋君于端氏县，即此是也。其水南流，入于沁水。

又南过阳阿县东，

沁水南迳阳阿县故城西，魏土地记曰：建兴郡治阳阿县。郡西四十里有沁水南流。沁水又南与濩泽水合，水出濩泽城〔一一〕西白涧岭下，东迳濩泽。墨子曰：舜渔濩泽。应劭曰：泽在县西北。又东迳濩泽县故城南，盖以泽氏县也。竹书纪年：梁惠成王十九年，晋取玄武、濩泽者也。其水际城东注，又东合清渊水，水出其县北，东南迳濩泽城东，又南入于泽水。泽水又东得阳泉口，水出鹿台山。山上有水，渊而不流，其水东迳阳陵城南〔一二〕，即阳阿县之故城也。汉高帝七年，封卞䜣为侯国。水历嶕峣山〔一三〕东，下与黑岭水合，水出西北黑岭下，即开隥也。其水东南流迳北乡亭下，又东南迳阳陵城东，南注阳泉水。阳泉水又南注濩泽水。泽水又东南，有上涧水注之，水导源西北辅山，东迳铜于崖南，历析城山北，山在濩泽南，禹贡所谓砥柱、析城，至于王屋也。山甚高峻，上平坦，下有二泉，东浊西清，左右不生草木，数十步外多细竹。其水自山阴东入濩泽水。濩泽水又东南注于沁水。沁水又东南,阳阿水左入焉,水北出阳阿川,南流迳建兴郡西,又东南流迳午壁亭东,而南入山。其水沿波漱石,漰涧八丈,环涛毂转,西南流入于沁水。沁水又南五十馀里,沿流上下,步径裁通,小竹细笋,被于山渚,蒙笼茂密,奇为翳荟也。

又南出山,过沁水县北,

沁水南迳石门,谓之沁口。魏土地记曰:河内郡野王县西七十里有沁水,左迳沁水城西,附城东南流也。石门是晋安平献王司马孚之为魏野王典农中郎将之所造也。按其表云:臣孚言,臣被明诏,兴河内水利。臣既到,检行沁水,源出铜鞮山,屈曲周回,水道九百里,自太行以西,王屋以东,层岩高峻,天时霖雨,众谷走水,小石漂迸,木门朽败,稻田泛滥,岁功不成。臣辄按行,去堰五里以外,方石可得数万馀枚。臣以为累方石为门,若天旸旱,增堰进水,若天霖雨,陂泽充溢,则闭防断水,空渠衍涝,足以成河。云雨由人,经国之谋,暂劳永逸,圣王所许,愿陛下特出臣表,敕大司农府给人工,勿使稽延,以赞时要。臣孚言。诏书听许。于是夹岸累石,结以为门,用代木门枋,故石门旧有枋口之称矣。溉田顷亩之数,间二岁月之功,事见门侧石铭矣。水西有孔山,山上石穴洞开,穴内石上,有车辙、牛迹,耆旧传云:自然成著,非人功所就也。其水南分为二水,一水南出为朱沟水。沁水又迳沁水县故城北,盖藉水以名县矣。春秋之少水也。京相璠曰:晋地矣。又云:少水,今沁水也。沁水又东迳沁水亭北,世谓之小沁城。沁水又东,右合小沁水,水出北山台渟渊〔一四〕,南流为台渟水,东南入沁水。沁水又东，倍涧水注之，水北出五行之山，南流注于沁水。

又东过野王县北，

沁水又东，邘水〔一五〕注之，水出太行之皋山，即五行之异名也。淮南子曰：武王欲筑宫于五行之山。周公曰：五行险固，德能覆也，内贡回矣，使吾暴乱，则伐我难矣。君子以为能持满。高诱云：今太行山也，在河内野王县西北上党关。诗所谓徒殆野王道，倾盖上党关。即此山矣。其水南流迳邘城〔一六〕西，故邘国〔一七〕也。城南有邘台〔一八〕，春秋僖公二十四年，王将伐郑，富辰谏曰：邘，武之穆也。京相璠曰：今野王西北三十里有故邘城、邘台是也。今故城当太行南路，道出其中，汉武帝封李寿为侯国。邘水又东南迳孔子庙东。庙庭有碑，魏太和元年，孔灵度等以旧宇毁落，上求修复。野王令范众爱、河内太守元真、刺史咸阳公高允表闻，立碑于庙。治中刘明、别驾吕次文、主簿向班虎、荀灵龟，以宣尼大圣，非碑颂所称，宜立记焉。云仲尼伤道不行，欲北从赵鞅，闻杀鸣铎，遂旋车而反。及其后也，晋人思之，于太行岭南为之立庙，盖往时回辕处也。余按诸子书及史籍之文，并言仲尼临河而叹曰：丘之不济，命也。夫是非太行回辕之言也。碑云：鲁国孔氏，官于洛阳，因居庙下，以奉蒸尝。斯言是矣。盖孔氏迁山下，追思圣祖，故立庙存飨耳。其犹刘累迁鲁，立尧祠于山矣。非谓回辕于此也。邘水东南迳邘亭西。京相璠曰：又有亭在台西南三十里。今是亭在邘城东南七八里，盖京氏之谬耳。或更有之，余所不详。其水又南流注于沁。沁水东迳野王县故城北，秦昭王四十四年，白起攻太行，道绝而韩之野王降。始皇拔魏东地，置东郡，卫元君自濮阳徙野王，即此县也。汉高帝元年为殷国，二年为河内郡，王莽之后队，县曰平野矣。魏怀州刺史治，皇都迁洛，省州复郡。水北有华岳庙，庙侧有攒柏数百根，对郭临川，负冈荫渚，青青弥望，奇可玩也，怀州刺史顿丘李洪之之所经构也。庙有碑焉，是河内郡功曹山阳荀灵龟以和平四年造，天安元年立。沁水又东，朱沟枝津入焉。又东与丹水合，水出上党高都县故城东北阜下，俗谓之源源水。山海经曰：沁水之东有林焉，名曰丹林，丹水出焉。即斯水矣。丹水自源东北流，又屈而东注，左会绝水。地理志曰：高都县有莞谷，丹水所出，东南入绝水是也。绝水出泫氏县西北杨谷，故地理志曰：杨谷，绝水所出。东南流，左会长平水，水出长平县西北小山，东南流迳其县故城，泫氏之长平亭也。史记曰：秦使左庶长王龁攻韩，取上党，上党民走赵，赵军长平，使廉颇为将，后遣马服君之子赵括代之，秦密使武安君白起攻之，括四十万众降起，起坑之于此。上党记曰：长平城在郡之南，秦垒在城西，二军共食流水，涧相去五里。秦坑赵众，收头颅筑台于垒中，因山为台，崔嵬桀起，今仍号之曰白起台。城之左右沿山亘隰，南北五十许里，东西二十馀里，悉秦、赵故垒，遗壁旧存焉。汉武帝元朔二年，以封将军卫青为侯国。其水东南流，注绝水。绝水又东南流迳泫氏县故城北。竹书纪年曰：晋烈公元年，赵献子城泫氏。绝水东南与泫水会，水导源县西北泫谷，东流迳一故城南，俗谓之都乡城。又东南迳泫氏县故城南，世祖建武六年，封万普为侯国。而东会绝水，乱流东南入高都县，右入丹水。上党记曰：长平城在郡南山中，丹水出长平北山，南流，秦坑赵众，流血丹川，由是俗名为丹水，斯为不经矣。丹水又东南流注于丹谷。即刘越石扶风歌所谓丹水者也。晋书地道记曰：县有太行关，丹溪为关之东谷，途自此去，不复由关矣。丹水又迳二石人北，而各在一山，角倚相望，南为河内，北曰上党，二郡以之分境。丹水又东南历西岩下，岩下有大泉涌发，洪流巨输，渊深不测。蘋藻茭芹〔一九〕，竟川含绿。虽严辰肃月，无变暄萋。丹水又南，白水注之，水出高都县故城西，所谓长平白水也，东南流历天井关〔二〇〕。地理志曰：高都县有天井关。蔡邕曰：太行山上有天井关，在井北，遂因名焉。故刘歆遂初赋曰：驰太行之险峻，入天井之高关。太元十五年，晋征虏将军朱序破慕容永于太行，遣军至白水，去长子百六十里。白水又东，天井溪水会焉，水出天井关，北流注白水，世谓之北流泉。白水又东南流入丹水，谓之白水交。丹水又东南出山，迳郏城西，城在山际，俗谓之期城，非也。司马彪郡国志曰：山阳有郏城。京相璠曰：河内山阳西北六十里有郏城。竹书纪年曰：梁惠成王元年，赵成侯偃、韩懿侯若伐我葵，即此城也〔二一〕。丹水又南屈而西转，光沟水出焉。丹水又西迳苑乡城北，南屈东转，迳其城南，东南流注于沁，谓之丹口。竹书纪年曰：晋出公五年，丹水三日绝，不流；幽公九年，丹水出，相反击。即此水也。沁水又东，光沟水注之，水首受丹水，东南流，界沟水出焉，又南入沁水。沁水又东南流迳成乡城北，又东迳中都亭南，左合界沟水，水上承光沟，东南流，长明沟水出焉，又南迳中都亭西，而南流注于沁水也。

又东过州县〔二二〕北，

县,故州也。春秋左传隐公十有一年,周以赐郑公孙段。六国时,韩宣子徙居之〔二三〕。有白马沟水注之,水首受白马湖。湖一名朱管陂,陂上承长明沟,湖水东南流,迳金亭西,分为二水,一水东出为蔡沟,一水南注于沁也。

又东过怀县之北,

韩诗外传曰:武王伐纣到邢丘,更名邢丘曰怀。春秋时,赤翟伐晋围怀是也。王莽以为河内,故河内郡治也。旧三河之地矣。韦昭曰:河南、河东、河内为三河也。县北有沁阳城,沁水迳其南而东注也。

又东过武德县南,又东南至荥阳县北,东入于河。

沁水于县南,水积为陂,通结数湖,有朱沟水注之。其水上承沁水于沁水县西北,自枋口东南流,奉沟水右出焉。又东南流,右泄为沙沟水也。其水又东南,于野王城西,枝渠左出焉,以周城溉。东迳野王城南,又屈迳其城东而北注沁水。朱沟自枝渠东南,迳州城南,又东迳怀城南,又东迳殷城北。郭缘生述征记曰:河之北岸,河内怀县有殷城。或谓楚、汉之际,殷王卬治之,非也。余按竹书纪年云:秦师伐郑,次于怀,城殷。即是城也。然则殷之为名久矣,知非从卬始。昔刘曜以郭默为殷州刺史,督缘河诸军事,治此。朱沟水又东南注于湖。湖水右纳沙沟水,水分朱沟南派,东南迳安昌城西。汉成帝河平四年,封丞相张禹为侯国。今城之东南有古冢,时人谓之张禹墓。余按汉书,禹,河内轵人,徙家莲勺,鸿嘉元年,禹以老乞骸骨,自治冢茔,起祠堂于平陵之肥牛亭,近延陵,奏请之,诏为徙亭。哀帝建平二年薨,遂葬于彼,此则非也。沙沟水又东迳隰城北,春秋僖公二十五年,取大叔于温,杀之于隰城是也。京相璠曰:在怀县西南。又迳殷城西,东南流入于陂,陂水又值武德县,南至荥阳县北,东南流入于河。先儒亦咸谓是沟为济渠。故班固及阚骃并言济水至武德入河。盖济水枝渎条分,所在布称,亦兼丹水之目矣。

淇水出河内隆虑县西大号山,

山海经曰:淇水出沮洳山〔二四〕。水出山侧,颓波漰注,冲激横山。山上合下开,可减六七十步,巨石磥砢,交积隍涧,倾澜漭荡,势同雷转,激水散氛,暧若雾合。又东北,沾水〔二五〕注之,水出壶关县东沾台下,石壁崇高,昂藏隐天,泉流发于西北隅,与金谷水合,金谷即沾台之西溪也。东北会沾水,又东流注淇水,淇水又迳南罗川,又历三罗城北,东北与女台水合,水发西北三女台下,东北流注于淇。淇水又东北历淇阳川,迳石城西北,城在原上,带涧枕淇。淇水又东北,西流水注之,水出东大岭下,西流迳石楼南,在北陵,石上练垂桀立,亭亭极峻。其水,西流水也。又东迳冯都垒南,世谓之淇阳城,在西北三十里。淇水又东出山,分为二水,水会立石堰,遏水以沃白沟。左为菀水,右则淇水,自元甫城东南迳朝歌县北。竹书纪年:晋定公十八年,淇绝于旧卫,即此也。淇水又东,右合泉源水〔二六〕,水有二源,一水出朝歌城西北,东南流。老人晨将渡水而沉吟难济,纣问其故,左右曰:老者髓不实,故晨寒也。纣乃于此斮胫而视髓也。其水南流东屈,迳朝歌城南。晋书地道记曰:本沬邑也。诗云:爰采唐矣,沬之乡矣。殷王武丁始迁居之,为殷都也。纣都在禹贡冀州大陆之野。即此矣。有糟丘、酒池之事焉，有新声靡乐，号邑朝歌。晋灼曰：史记乐书，纣作朝歌之音，朝歌者，歌不时也。故墨子闻之，恶而回车，不迳其邑。论语比考谶曰：邑名朝歌，颜渊不舍，七十弟子揜目，宰予独顾，由蹷堕车。宋均曰：子路患宰予顾视凶地，故以足蹷之使堕车也。今城内有殷鹿台，纣昔自投于火处也。竹书纪年曰：武王亲禽帝受辛于南单之台，遂分天之明。南单之台，盖鹿台之异名也。武王以殷之遗民封纣子武庚于兹邑，分其地为三：曰邶、鄘、卫。使管叔、蔡叔、霍叔辅之，为三监。叛，周讨平以封康叔为卫。箕子佯狂自悲，故琴操有箕子操。迳其墟，父母之邦也，不胜悲，作麦秀歌。后乃属晋。地居河、淇之间，战国时皆属于赵，男女淫纵，有纣之馀风。土险多寇，汉以虞诩为令，朋友以难治致吊，诩曰：不遇盘根错节，何以别利器乎？又东与左水合，谓之马沟水，水出朝歌城北，东流南屈，迳其城东。又东流与美沟合，水出朝歌西北大岭下，东流迳骆驼谷，于中逶迆九十曲，故俗有美沟之目矣。历十二崿，崿流相承，泉响不断，返水捍注，卷复深隍，隍间积石千通，水穴万变，观者若思不周赏，情乏图状矣。其水东迳朝歌城北，又东南流注马沟水，又东南注淇水，为肥泉也。故卫诗曰：我思肥泉，兹之永叹。毛注云：同出异归为肥泉。尔雅曰：归异出同曰肥。释名曰：本同出时，所浸润水少，所归枝散而多，似肥者也。犍为舍人曰：水异出流行，合同曰肥。今是水异出同归矣。博物志谓之澳水。诗云：瞻彼淇、澳，菉竹猗猗。毛云：菉，王刍也；竹，编竹也。汉武帝塞决河，斩淇园之竹木以为用。寇恂为河内，伐竹淇川，治矢百馀万，以输军资。今通望淇川，无复此物。惟王刍编草不异。毛兴又言：澳，隈也。郑亦不以为津源，而张司空专以为水流入于淇，非所究也。然斯水即诗所谓泉源之水也。故卫诗云：泉源在左，淇水在右。卫女思归，指以为喻，淇水左右，盖举水所入为左右也。淇水又南历枋堰，旧淇水口，东流迳黎阳县界，南入河。地理志曰：淇水出共，东至黎阳入河。沟洫志曰：遮害亭西十八里至淇水口是也。汉建安九年，魏武王于水口下大枋木以成堰，遏淇水东入白沟以通漕运，故时人号其处为枋头。是以卢谌征艰赋曰：后背洪枋巨堰，深渠高堤者也。自后遂废。魏熙平中复通之，故渠历枋城北，东出今渎，破故竭。其堰，悉铁柱木石参用，其故渎南迳枋城西，又南分为二水，一水南注清水，水流上下更相通注，河清水盛，北入故渠自此始矣。一水东流，迳枋城南，东与菀口〔二七〕合。菀水上承淇水于元甫城西北，自石堰东、菀城西，屈迳其城南，又东南流历土军〔二八〕东北，得旧石逗，故五水分流，世号五穴口。今惟通并为二水，一水西注淇水，谓之天井沟；一水迳土军东分为蓼沟，东入白祀陂。又南分东入同山陂，溉田七十馀顷。二陂所结，即台阴野矣。菀水东南入淇水。淇水右合宿胥故渎，渎受河于顿丘县遮害亭东、黎山西，北会淇水处立石堰，遏水令更东北注。魏武开白沟，因宿胥故渎而加其功也。故苏代曰：决宿胥之口，魏无虚、顿丘。即指是渎也。淇水又东北流，谓之白沟，迳雍榆城南。春秋襄公二十三年，叔孙豹救晋，次于雍榆者也。淇水又北迳其城东，东北迳同山东，又东北迳帝喾冢西，世谓之顿丘台，非也。皇览曰：帝喾冢在东郡濮阳顿丘城南，台阴野中者也。又北迳白祀山东，历广阳里，迳颛顼冢西，俗谓之殷王陵，非也。帝王世纪曰：颛顼葬东郡顿丘城南，广阳里大冢者是也。淇水又北屈而西转，迳顿丘北，故阚骃云：顿丘在淇水南。尔雅曰：山一成谓之顿丘。释名谓一顿而成丘，无高下小大之杀也。诗所谓送子涉淇，至于顿丘者也。魏徙九原、西河、土军诸胡，置土军于丘侧，故其名亦曰土军也。又屈迳顿丘县故城西，古文尚书以为观地矣。盖太康弟五君之号曰五观者也。竹书纪年：晋定公三十一年城顿丘。皇览曰：顿丘者，城门名顿丘道，世谓之殷。皆非也。盖因丘而为名，故曰顿丘矣。淇水东北迳枉人山东、牵城西。春秋左传定公十四年，公会齐侯、卫侯于牵者也。杜预曰：黎阳东北有牵城。即此城矣。淇水又东北迳石柱冈，东北注矣。

东过内黄县南，为白沟，

淇水又东北迳并阳城西，世谓之辟阳城，非也。即郡国志所谓内黄县有并阳聚者也。白沟又北，左合荡水。又东北流迳内黄县故城南，县右对黄泽。郡国志曰：县有黄泽者也。地理风俗记曰：陈留有外黄，故加内。史记曰：赵廉颇伐魏取黄，即此县。

屈从县东北，与洹水合，

白沟自县北迳戏阳城东，世谓之羲阳聚。春秋昭公十年，晋荀盈如齐逆女，还，卒戏阳是也。白沟又北迳高城亭东，洹水从西南来注之。又北迳问亭东，即魏界也，魏县故城。应劭曰：魏武侯之别都也。城内有武侯台，王莽之魏城亭也。左与新河合，洹水枝流也。白沟又东北迳铜马城西，盖光武征铜马所筑也,故城得其名矣。白沟又东北迳罗勒城东,又东北,漳水注之,谓之利漕口。自下清漳、白沟、淇河,咸得通称也〔二九〕。

又东北过馆陶县北,又东北过清渊县西,

白沟水又东北迳赵城西,又北,阿难河出焉。盖魏将阿难所导,以利衡渎,遂有阿难之称矣。白沟又东北迳空陵城西,又北迳乔亭城西,东去馆陶县故城十五里,县,即春秋所谓冠氏也,魏阳平郡治也。其水又屈迳其县北,又东北迳平恩县故城东,地理风俗记曰:县,故馆陶之别乡也。汉宣帝地节三年置,以封后父许伯为侯国。地理志:王莽之延平县矣。其水又东过清渊县故城西,又历县之西北为清渊,故县有清渊之名矣。世谓之鱼池城,非也。其水又东北迳榆阳城北,汉武帝封太常江德为侯国。文颖曰:邑在魏郡清渊,世谓之清渊城,非也。

又东北过广宗县东,为清河,

清河东北迳广宗县故城南,和帝永元五年,封皇太子万年为王国。田融言,赵立建兴郡于城内,置临清县于水东,自赵石始也。清河之右有李云墓,云字行祖,甘陵人,好学,善阴阳,举孝廉,迁白马令。中常侍单超等,立掖庭民女亳氏为后,后家封者四人,赏赐巨万。云上书移副三府曰:孔子云,帝者,谛也,今尺一拜用,不经御省,是帝欲不谛乎?帝怒,下狱杀之。后冀州刺史贾琮使行部,过祠云墓,刻石表之,今石柱尚存,俗犹谓之李氏石柱。清河又东北迳界城亭东,水上有大梁,谓之界城桥。英雄记曰:公孙瓒击青州黄巾贼,大破之,还屯广宗。袁本初自往征瓒,合战于界桥南二十里,绍将麴义破瓒于界城桥,斩瓒。冀州刺史严纲又破瓒殿兵于桥上,即此梁也。世谓之鬲城桥，盖传呼失实矣。清河又东北迳信乡西，地理风俗记曰：甘陵西北十七里有信乡，故县也。清河又北迳信成县〔三〇〕故城西，应劭曰：甘陵西北五十里有信成亭，故县也。赵置水东县于此城，故亦曰水东城。清河又东北迳清阳县故城西，汉高祖置清河郡，治此。景帝中三年，封皇子乘为王国，王莽之平河也。汉光武建武二年，西河鲜于冀为清河太守，作公廨未就而亡，后守赵高计功用二百万。五官黄秉、功曹刘适言：四百万钱。于是冀乃鬼见白日，道从入府，与高及秉等对共计校，定为适、秉所割匿。冀乃书表自理，其略言：高贵不尚节，亩垄之夫，而箕踞遗类，研密失机，婢妾其性，媚世求显，偷窃很鄙，有辱天官，易讥负乘，诚高之谓。臣不胜鬼言。谨因千里驿闻，付高上之。便西北去三十里，车马皆灭不复见。秉等皆伏地物故。高以状闻，诏下，还冀西河田宅妻子焉。兼为差代，以弭幽中之讼。汉桓帝建和三年，改清河为甘陵王国，以王妖言，徙，其年立甘陵郡，治此焉。

又东北过东武城县西，

清河又东北迳陵乡西，应劭曰：东武城西南七十里有陵乡，故县也。后汉封太仆梁松为侯国，故世谓之梁侯城，遂立侯城县治也。清河又东北迳东武城县故城西，史记：赵公子胜，号平原君，以解邯郸之功，受封于此。定襄有武城，故加东矣。清河又东北迳复阳县故城西，汉高祖七年，封右司马陈胥为侯国，王莽更名之曰乐岁。地理风俗记曰：东武城西北三十里有复阳亭，故县也。世名之曰槛城，非也。清河又东北流，迳枣彊县故城西，史记建元以来王子侯者年表云：汉武帝元朔二年〔三一〕,封广川惠王子晏为侯国也。应劭地理风俗记曰:东武城县西北五十里,有枣彊城,故县也。

又北过广川县东,

清河北迳广川县故城南,阚骃曰:县中有长河为流,故曰广川也。水侧有羌垒,姚氏之故居也。今广川县治。清河又东北迳历县故城南,地理志:信都之属县也,王莽更名曰历宁也。应劭曰:广川县西北三十里有历城亭,故县也。今亭在县东如北,水济尚谓之为历口渡也。

又东过脩县南,又东北过东光县西,

清河又东北,左与张甲屯、绛故渎合,阻深堤高鄣,无复有水矣。又迳脩县故城南,屈迳其城东,脩音条,王莽更名之曰脩治。郡国志曰:故属信都。清河又东北,左与横漳枝津故渎合,又东北迳脩国故城东,汉文帝封周亚夫为侯国,故世谓之北脩城也。清河又东北迳邸阁城东,城临侧清河,晋脩县治。城内有县长鲁国孔明碑〔三二〕。清河又东至东光县西,南迳胡苏亭。地理志:东光有胡苏亭者也。世谓之羌城,非也。又东北,右会大河故渎,又迳东光县故城西,后汉封耿纯为侯国。初平二年,黄巾三十万人入渤海,公孙瓒破之于东光界,追奔是水,斩首三万,流血丹水,即是水也。

又东北过南皮县西,

清河又东北,无棣沟出焉。东迳南皮县故城南,又东迳乐亭北,地理志之临乐县故城也,王莽更名乐亭。晋书地道志、太康地记:乐陵国有新乐县。即此城矣。又东迳新乡城北,即地理志高乐故城也,王莽更之曰为乡矣。无棣沟又东分为二渎,无棣沟又东迳乐陵郡北，又东屈而北出，又东转迳苑乡县故城南，又东南迳高成县故城南，与枝渎合。枝渎上承无棣沟，南迳乐陵郡西，又东南迳千童县故城东，史记建元以来王子侯者年表曰：故重也，一作千锺。汉武帝元朔四年，封河间献王子刘阴为侯国。应劭曰：汉灵帝改曰饶安也，沧州治。枝渎又南东屈，东北注无棣沟。无棣沟又东北迳一故城北，世谓之功城也。又东北迳盐山东北入海。春秋僖公四年，齐、楚之盟于召陵也，管仲曰：昔召康公赐命先君太公履，北至于无棣，盖四履之所也。京相璠曰：旧说无棣在辽西孤竹县。二说参差，未知所定。然管仲以责楚，无棣在此，方之为近，既世传已久，且以闻见书之。清河又东北迳南皮县故城西，十三州志曰：章武有北皮亭，故此曰南皮也，王莽之迎河亭。史记惠景侯者年表云：汉景帝后七年，封孝文后兄子彭祖为侯国。建安中，魏武擒袁谭于此城也。清河又北迳北皮城东，左会滹沱别河故渎，谓之合口，城谓之合城也。地理风俗记曰：南皮城北五十里有北皮城，即是城矣。

又东北过浮阳县西，

清河东北流，浮水故渎出焉。按史记：赵之南界有浮水焉。浮水在南，而此有浮阳之称者。盖浮水出入，津流同逆混并，清、漳二渎，河之旧道，浮水故迹，又自斯别，是县有浮阳之名也。首受清河于县界，东北迳高成县之苑乡城北，又东迳章武县之故城北，汉景帝后七年，封孝文后弟窦广国为侯国。王莽更名桓章，晋太始中立章武郡，治此。浮水故渎又东迳篋山北，魏土地记曰：高成东北五十里有篋山，长七里，浮渎又东北迳柳县故城南，汉武帝元朔四年，封齐孝王子刘阳为侯国。地理风俗记曰：高成县东北五十里有柳亭，故县也。世谓之辟亭，非也。浮渎又东北迳汉武帝望海台，又东注于海。应劭曰：浮阳县，浮水所出，入海，朝夕往来，日再。今沟无复有水也。清河又北分为二渎，枝分东出，又谓之浮渎。清河又北迳浮阳县故城西，王莽之浮城也。建武十五年，更封骁骑将军平乡侯刘歆为侯国，浮阳郡治。又东北，滹沱别渎注焉，谓之合口也。

又东北过濊邑北，

濊水出焉。

又东北过乡邑南，

清河又东，分为二水，枝津右出焉。东迳汉武帝故台北，魏土地记曰：章武县东百里有武帝台，南北有二台，相去六十里，基高六十丈，俗云：汉武帝东巡海上所筑。又东注于海。清河又东北迳纻姑邑南，俗谓之新城，非也。

又东北过穷河邑南，

清河又东北迳穷河邑南，俗谓之三女城，非也。东北至泉州县〔三三〕，北入滹沱水。经曰：笥沟东南至泉州县与清河合，自下为派河尾也。又东，泉州渠〔三四〕出焉。

又东北过漂榆邑，入于海。

清河又东迳漂榆邑故城南，俗谓之角飞城。赵记云：石勒使王述煮盐于角飞。即城异名矣。魏土地记曰：高城县东北百里，北尽漂榆，东临巨海，民咸煮海水，藉盐为业。即此城也。清河自是入于海。

荡水出河内荡阴县西山东，

荡水〔三五〕出县西石尚山〔三六〕,泉流迳其县故城南,县因水以取名也。晋伐成都王颖,败帝于是水之南。卢綝四王起事曰:惠帝征成都王颖,战败时,举辇司马八人,辇犹在肩上,军人竞就杀举辇者,乘舆顿地,帝伤三矢,百僚奔散,唯侍中嵇绍扶帝。士将兵之,帝曰:吾吏也,勿害之。众曰:受太弟命,惟不犯陛下一人耳。遂斩之,血污帝袂。将洗之,帝曰:嵇侍中血,勿洗也。此则嵇延祖殒命之所。

又东北至内黄县,入于黄泽。

羑水出荡阴西北韩大牛泉。地理志曰:县之西山,羑水所出也。羑水又东迳韩附壁北,又东流迳羑城北,故羑里也。史记音义曰:牖里在荡阴县。广雅:牖,狱犴也〔三七〕。夏曰夏台,殷曰羑里,周曰囹圄,皆圜土。昔殷纣纳崇侯虎之言,囚西伯于此。散宜生、南宫括见文王,乃演易用明否泰始终之义焉。羑城北,水积成渊,方十馀步,深一丈馀,东至内黄与防水会,水出西山马头涧,东迳防城北,卢谌征艰赋所谓越防者也。其水东南流注于羑水,又东历黄泽入荡水。地理志曰:羑水至内黄入荡者也。荡水又东与长沙沟水合,其水导源黑山〔三八〕北谷,东流迳晋鄙故垒北,谓之晋鄙城,名之为魏将城,昔魏公子无忌矫夺晋鄙军于是处。故班叔皮游居赋曰:过荡阴而吊晋鄙,责公子之不臣者也。其水又东,谓之宜师沟,又东迳荡阴县南,又东迳枉人山〔三九〕,东北至内黄县,右入荡水,亦谓之黄雀沟。是水,秋夏则泛,春冬则耗。荡水又迳内黄城南,陈留有外黄,故称内也。东注白沟。

洹水出上党泫氏县,

水出洹山，山在长子县也。

东过隆虑县北，

县北有隆虑山，昔帛仲理之所游神也。县因山以取名〔四〇〕，汉高帝六年，封周灶为侯国。应劭曰：殇帝曰隆，故改从林也。县有黄华水〔四一〕，出于神囷之山黄华谷北崖上〔四二〕。山高十七里，水出木门带，带即山之第三级也。去地七里，悬水东南注壑，直泻岩下，状若鸡翘，故谓之鸡翘洪，盖亦天台、赤城之流也。其水东流至谷口，潜入地下，东北十里复出，名柳渚，渚周四五里，是黄华水重源再发也。东流，苇泉水注之，水出林虑山北泽中，东南流，与双泉合，水出鲁般门东，下流入苇泉水。苇泉水又东南，流注黄华水，谓之陵阳水。又东，入于洹水〔四三〕也。

又东北出山，过邺县南，

洹水出山，东迳殷墟北。竹书纪年曰：盘庚即位，自奄迁于北蒙，曰殷。昔者，项羽与章邯盟于此地矣。洹水又东，枝津出焉，东北流迳邺城南，谓之新河。又东，分为二水，一水北迳东明观下。昔慕容儁梦石虎啮其臂，寤而恶之，购求其尸，而莫之知。后宫嬖妾言，虎葬东明观下，于是掘焉，下度三泉，得其棺，剖棺出尸，尸僵不腐，儁骂之曰：死胡，安敢梦生天子也。使御史中尉阳约数其罪而鞭之。此盖虎始葬处也。又北迳建春门，石梁不高大，治石工密，旧桥首夹建两石柱，螭矩趺勒甚佳。乘舆南幸，以其作制华妙，致之平城东侧西阙，北对射堂，绿水平潭，碧林侧浦，可游憩矣。其水西迳魏武玄武故苑，苑旧有玄武池以肄舟楫，有鱼梁、钓台、竹木、灌丛，今池林绝灭，略无遗迹矣。其水西流注于漳。南水东北迳女亭城北，又东北迳高陵城南，东合垌沟，又东迳鸬鷀陂，北与台陂水合。陂东西三十里，南北〔四四〕注白沟河，沟上承洹水，北绝新河，北迳高陵城东，又北迳斥丘县故城西，县南角有斥丘，盖因丘以氏县，故乾侯矣。春秋经书，昭公二十八年，公如晋，次于乾侯也。汉高帝六年，封唐厉为侯国，王莽之利丘矣。又屈迳其城北，东北流注于白沟，洹水自邺东迳安阳县故城北，徐广晋纪曰：石遵自李城北入，斩张豺于安阳是也。魏土地记曰：邺城南四十里有安阳城，城北有洹水东流者也。洹水又东至长乐县，左则枝沟〔四五〕出焉。洹水又东迳长乐县故城南，按晋书地理志曰：魏郡有长乐县也。

又东过内黄县北，东入于白沟。

洹水迳内黄县北东流，注于白沟，世谓之洹口〔四六〕也。许慎说文、吕忱字林，并云洹水出晋、鲁之间。昔声伯梦涉洹水，或与己琼瑰而食之，泣而又为琼瑰，盈其怀矣。从而歌曰：济洹之水，赠我以琼瑰，归乎，归乎，琼瑰盈吾怀乎。后言之，之暮而卒。即是水也。

〔一〕飞流　殿本案云："案飞流，近刻讹作流飞。"注疏本作"流飞"。疏："赵云：流飞，御览作飞流。守敬按：宋本御览作流飞。"

〔二〕其水历涧飞流，清泠洞观　吴本、注删本、何校明钞本、王校明钞本均作："其水历涧流，飞清洞观。"孙潜校本云："朱本，御览引此作清泠洞观，按注中屡用'飞清'二字，不必旁引他书以证明也。"

〔三〕长明沟　注笺本、项本、张本均作"蔡沟"，五校钞本、七校本、注释本均作"界沟水"。

〔四〕界沟　注释本作"光沟"。

〔五〕御览卷四十五地部十天门山引水经注云："谓之百家岩，下可容百家，故以为名。山有石穴，状如门，才得通人，自平地东入，便至天井。"当是此段下佚文。

〔六〕唐辛怡练百门陂碑铭并序（道光辉县志卷十四碑碣）引水经注云："百门陂出自汲郡共山下。"当是此段下佚文。

〔七〕注释本在此处云："一清案：太平寰宇记脩武县下引水经注云：'五里泉在脩武乡。'今本无之。"案此句在寰宇记卷五十二河北道二怀州脩武县，当是此段内佚文。

〔八〕涅水　大典本作"泪水"，黄本、注笺本、项本、沈本、山海经广注卷三"沁水出焉，南流注于河"吴任臣注引水经注、雍正泽州府志卷六山川沁水县沁河引水经注均作"洎水"，名胜志山西卷五沁州沁河引水经注、方舆纪要卷四十三山西五沁州沁河引水经注均作"泊水"，注疏本作"少水"，疏："朱少作洎，赵改涅，云：说文，洎，灌釜也，不云是水名。寰宇记，沁水出沁州绵上县覆甑岭。浊漳水注有涅水，西出覆甑山，东流与西汤溪水合，水出涅县西山汤谷，又东迳涅氏县故城南，县氏涅水也。然则沁水与涅水同源合，注洎当作涅。守敬案：洎字固误，改为涅亦非。涅水自入浊漳，沁水自入河，一东流，一南流，即同出覆甑山，何得谓之合？注此篇下文，于沁水过沁水县北云，春秋之少水也，京相璠曰晋地矣。又云，少水，今沁水也。则此处之洎水，为少水之误无疑。郦氏于此不详言者，齐桓伐晋，取朝歌，入孟门，登太行，张军荧庭，戍郫郡，皆由朝歌而西，其封少水之处，正当沁水置县之地，不得在沁水发源之地，故于此但引其端，郦氏之审慎若此。元和志：沁水，一名少水，出覆甑山，亦引左传封少水为证。寰宇记作一名源水，亦误。”

〔九〕陭氏县　大典本、吴本、注笺本、项本、五校钞本、七校本、注释本、张本均作“猗氏县”。

〔一〇〕巨骏山　吴本、注笺本、何校明钞本、项本、注释本、张本、注疏本、方舆纪要卷四十三山西五泽州沁水县芦河引水经注、雍正泽州府志卷六山川沁水县沁河引水经注均作“巨峻山”。

〔一一〕濩泽城　注笺本、项本、五校钞本、七校本、注释本、张本均作“泽城”。

〔一二〕雍正泽州府志卷六山川沁水县石楼山引水经注云：“其水东迳阳陵城南山，有文石冈、双蟾岭，巅上时闻仙乐声，东接夫妻岭，北连石楼山，皆约二十里许。”当是此段下佚文。

〔一三〕嶕峣山　大典本、黄本、吴本、注笺本、王校明钞本、项本、沈本、张本、雍正泽州府志卷六山川阳城县焦烧山引水经注均作“焦烧山”。

〔一四〕初学记卷八河东道第四午台引水经注云：“午台亭在晋城县界。”当是此段中佚文。

〔一五〕邘水　大典本、黄本、吴本、沈本、汇校本、名胜志河南卷七怀庆府河内县引水经注、康熙河内县志卷二山川沁水引水经注均作“邗水”，晏元献公类要卷七河内县邦水引水经注作“邦水”。

〔一六〕邘城　大典本、黄本、吴本、沈本、汇校本、名胜志河南卷七怀庆府河内县引水经注均作“邘城”。

〔一七〕邘国　吴本作“邘关”，名胜志河南卷七怀庆府河内县引水经注作“邘国”。

〔一八〕邘台　大典本、黄本、吴本、沈本、汇校本、名胜志河南卷七怀庆府河内县引水经注均作“邘台”。

〔一九〕蘋藻茭芹　注疏本作“蘋草冬芹”。疏：“朱笺曰：‘冬’字疑误。戴改为‘茭’。赵云：按孙潜云，冬，虋冬也，字不误。”

〔二〇〕名胜志山西卷八泽州引水经注云：“天井关上有宣圣回车辙迹，深入尺许，长百馀步。”当是此段下佚文。

〔二一〕寰宇记卷一河南道一东京上尉氏县引水经注云：“魏惠王元年，韩懿侯会魏于畾泽陂，北对鸡鸣城。”当是此段下佚文。按“畾泽陂”，据顺治河南通志卷十古迹、雍正河南通志卷五十一古迹上、道光尉氏县志卷三古迹志鸡鸣城引水经注此文，均作“畾泽陂”。

〔二二〕又东过州县北　注疏本改“州县”为“周县”，疏：“戴改‘周’作‘州’。守敬按：非也，详下。”此经文下，注文开首为“县，故州也”。注疏本疏：“朱‘州’作‘周’。赵云：按水经多以‘州’为‘周’，如武周、泉周之类。此是汉志河内郡之州县，而水经以为周。郦故以县故州也释之。后人并注之‘州’字亦改从‘周’。守敬按：‘州’、‘周’古字通用，如左传华周，汉书人表作华州；史记卫将军骠骑传，路博德平州人，汉志作平周是也。此则当从赵说，经作周，注改州。乃全改经作‘州’，仍注‘周’字，不思注所证诸事，各书皆书作‘州’，谓之‘故周’，则不相应。戴改注作‘州’，而并改经作‘州’,则注语实为赘,亦非也。汉县属河内郡,后汉、魏、晋因,地形志,天平初,置武德郡,郦氏时乃属河内,有今河内县东南四十里。”

〔二三〕注疏本疏云:“赵云:何氏曰,此注多误文。公孙段事在昭公三年,去隐公十一年甚远。韩起又不逮六国时,且亦未尝从居之。全云:周以赐郑,下有脱文,盖州本温地也,苏忿生叛王,王以赐郑,而郑不能有也。晋启南阳,州入焉。赵氏、郤氏、乐氏递有之。昭公三年,晋以赐郑公孙段,七年,复归之晋,而韩宣子以易原县于宋乐大心,然其后仍属晋公家,宋行人乐祁之死,晋人止其尸于州以求盟,是也。史记韩宣子晚居州,然则宣子虽不逮六国时,而未始不居州也。其文不见于左而见于史,义门核之未尽。戴云:公孙段三字以上有脱文,当云昭公三年,晋以州田赐郑公孙段,六国时三字,当作其后二字。”

〔二四〕沮洳山　大典本、注笺本、项本、林水录钞水经注、正字通巳集上水部淇引水经注、骈字类编卷三十七山水门二引水经注均作“沮如山”。

〔二五〕沾水　大典本、黄本、吴本、注笺本、何校明钞本、项本、沈本、张本、康熙字典水部活引水经、正字通巳集上水部淇引水经注、佩文韵府卷十十灰台玷台引水经注均作“活水”。

〔二六〕寰宇记卷五十六河北道五卫州卫县引水经注云:“卷水出魏郡朝歌。”卷水为今本所无,佚名临赵琦美孙潜等诸家校本,已将此句增入注文,但卷水作淃水。案今各本,有泉源水之名,“泉源”与“卷”音近,故寰宇记卷水或即泉源水之讹。是寰宇记之讹抑或水经注之讹虽未可知,但卷水未必为佚文。

〔二七〕菀口　大典本、注笺本、项本、五校钞本、七校本、张本均作“宛口”。

〔二八〕土军　注释本作“五军”。

〔二九〕注疏本杨守敬按：“曹操开白沟，遏淇水东入，即复清水之故渎，至此复合漳水，故是下清漳、白沟、淇河，咸得通称也。”

〔三〇〕信成县　嘉靖广平县志卷八古迹志城垒类引水经注作“信城县”。

〔三一〕注疏本作“三年”。疏：“朱‘三’讹作‘二’，全、赵、戴同。守敬按：史、汉表俱云三年十月封，今订。”段熙仲校记“按：朱本讹作‘二年’，大典作‘三’，不误。沈氏校朱笺本，已引汉表证作‘二’之误。”

〔三二〕注疏本杨守敬按：“孔明无考，当孔翊之误。寰宇记蓨县下云：九城在县西，有邸阁城，城内有蓨令鲁国孔翼清德碑存焉。按韩勅碑有御史孔翊，后汉书皇甫规传及鲁国九贤传并有孔翊。孔氏谱载，翊为孔子十九世孙。考书，越翼日癸巳，汉书律历志作翌日，翌即翊字。孔氏望族，又同籍鲁国，未必先后有同名者。寰宇记特因此注有晋蓨县治之文，即以为晋县令，不知蓨本汉县，此邸阁城早有孔翊碑，不得因晋移县治此，遂谓必为晋时县长也。惟先贤传云：孔翊为洛阳令，此作为脩县长，互有详略耳。又宝刻丛编有汉御史孔翊碑，熹平元年立，在冢前，见阙里记，则其冢墓碑也。”

〔三三〕泉州县　大典本、吴本、注笺本、项本、注释本、张本均作“泉周县”。

〔三四〕泉州渠　大典本、吴本、注笺本、项本、注释本、张本均作“泉周渠”。

〔三五〕荡水　通鉴卷八十五晋纪七惠帝永兴元年：“乘舆败绩于荡阴”胡注引水经注、嘉靖彰德府志卷一地理志第一之一汤阴县荡水引水经注、嘉靖内黄县志卷一地理山川宜师沟引水经注均作“汤水”。

〔三六〕石尚山　嘉靖内黄县志卷一地理山川荡水引水经注作“石上山”。

〔三七〕牖，狱犴也　注疏本作“狱，犴也”。疏：“全氏校改称作牖，赵、戴从之。守敬按：广雅，狱，犴也。是以犴释狱，非有牖字而以狱犴释之也。臆改，谬甚。”

〔三八〕黑山　大典本、吴本、注笺本、项本、张本均作“里山”。

〔三九〕枉人山　大典本、黄本、注笺本、项本、张本均作“柱人山”。

〔四〇〕嘉靖河南通志卷六山川袴山引水经注云：“林虑山北有袴山。”当是此段下佚文。

〔四一〕黄华水　嘉靖彰德府志卷一地理志第一之一安阳县引水经注、乾隆林县志卷四山水志下黄水引水经注均作“黄水”。

〔四二〕北堂书钞卷一五八地部二窟篇十三引水经注云：“黄谷内西洪边有一洞，深数丈，去地千馀仞，俗谓之圣人窟。”当是此句下佚文。

〔四三〕名胜志河南卷五漳德府临漳县引水经注云：“有黄衣水注之。”当是此段中佚文。

〔四四〕殿本在此处案云：“案此下有脱文。下云：注白沟河，沟上承洹水,亦不可考。”注疏本“垌沟上承洹水”,疏:“朱作河沟,全、赵、戴同。会贞按:‘河’当作‘垌’,即上文之垌沟。其水上承洹水,即下文所谓洹水左侧垌沟出焉者也,戴氏不悟此河沟及下文则沟,皆垌沟之误,而谓讹脱不可考,疏矣。”

〔四五〕枝沟　注疏本作“垌沟”,疏:“朱讹作左侧则沟出焉,全、赵改‘则’为‘白’,戴改‘侧则’为‘则枝’。会贞按:当作左则垌沟出焉,上叙新河已详叙垌沟,此叙洹水,提明一句,以与之应。戴改枝沟,非。全、赵改作白沟,尤误。洹水本注白沟,安得谓白沟自洹水出耶?今订。”

〔四六〕洹口　注笺本、项本、注释本、张本均作“洹水”。

水经注卷十

浊漳水　清漳水

浊漳水出上党长子县西发鸠山，

漳水出鹿谷山〔一〕，与发鸠连麓而在南。淮南子谓之发苞山，故异名互见也。左则阳泉水注之，右则伞盖水入焉。三源同出一山，但以南北为别耳。

东过其县南，

又东，尧水自西山东北流，迳尧庙北，又东迳长子县故城南，周史辛甲所封邑也。春秋襄公十八年，晋人执卫行人石买于长子，即是县也。秦置上党郡，治此。其水东北流入漳水。漳水东会于梁水，梁水出南梁山〔二〕，北流迳长子县故城南。竹书纪年曰：梁惠成王十二年，郑取屯留、尚子、涅。尚子，即长子之异名也。梁水又北入漳水。

屈从县东北流，

陶水南出陶乡，北流迳长子城东，西转迳其城北〔三〕，东注于漳水。

又东过壶关县北，又东北过屯留县南，

漳水东迳屯留县南，又屈迳其城东，东北流，有绛水注之。水西出穀远县东发鸠之谷，谓之为滥水也。东迳屯留县故城南，故留吁国也。潞氏之属。春秋襄公十八年，晋人执孙蒯于纯留是也。其水东北流入于漳。故桑钦云：绛水出屯留西南，东入漳。漳水又东，涑水注之，水西出发鸠山，东迳余吾县故城南，汉光武建武六年，封景丹子尚为侯国。涑水又东迳屯留县故城北，竹书纪年：梁惠成王元年，韩共侯、赵成侯迁晋桓公于屯留。史记：赵肃侯夺晋君端氏而徙居之此矣。其水又东流注于漳。故许慎曰：水出发鸠山入漳，从水，东声也。漳水又东北，迳壶关县故城西，又屈迳其城北，故黎国也。有黎亭，县有壶口关，故曰壶关矣。吕后元年，立孝惠后宫子武为侯国。汉有壶关三老公乘兴上书讼卫太子，即邑人也。县在屯留东，不得先壶关而后屯留也。漳水历鹿台山与铜鞮水〔四〕合，水出铜鞮县〔五〕西北石隥山〔六〕，东流与专池水〔七〕合，水出八特山〔八〕，东北流入铜鞮水。铜鞮水又东南合女谏水〔九〕，水西北出好松山，东南流，北则苇池水与公主水合而右注之，南则榆交水与皇后水合而左入焉，乱流东南，注于铜鞮水。铜鞮水又东迳李憙墓，墓前有碑，碑石破碎，故李氏以太和元年立之。其水又东迳故城北，城在山阜之上，下临岫壑，东、西、北三面，阻袤二里，世谓之断梁城，即故县之上虒亭也。铜鞮水又东迳铜鞮县故城北，城在水南山中，晋大夫羊舌赤铜鞮伯华之邑也。汉高祖破韩王信于此县。铜鞮水又东南流迳顷城西，即县之下虒聚也。地理志曰：县有上虒亭、下虒聚者也。铜鞮水又南迳胡邑西，又东屈迳其城南，又东迳襄垣县，入于漳。漳水又东北流迳襄垣县故城南，王莽之上党亭。

潞县北，

县，故赤翟潞子国也。其相丰舒有俊才，而不以茂德。晋伯宗数其五罪，使荀林父灭之。阚骃曰：有潞水，为冀州浸，即漳水也。余按燕书，王猛与慕容评相遇于潞川也。评障锢山泉，鬻水与军，入绢匹，水二石，无佗大川，可以为浸，所有巨浪长湍，惟漳水耳。故世人亦谓浊漳为潞水矣。县北对故台壁，漳水迳其南，本潞子所立也，世名之为台壁。慕容垂伐慕容永于长子，军次潞川，永率精兵拒战，阻河自固，垂阵台壁，一战破之，即是处也。漳水于是左合黄须水口，水出台壁西张讳岩下，世传岩赤则土罹兵害，故恶其变化无常，恒以石粉污之令白，是以俗目之为张讳岩。其水南流，迳台壁西，又南入于漳。漳水又东北历望夫山，山之南有石人伫于山上，状有怀于云表，因以名焉。有涅水西出覆甑山，而东流与西汤溪水合，水出涅县〔一○〕西山汤谷，五泉俱会，谓之五会之泉，交东南流，谓之西汤水，又东南流注涅水。涅水又东迳涅县故城南，县氏涅水也。东与白鸡水合，水出县之西山，东迳其县北，东南流入涅水。涅水又东南，武乡水会焉。水源出武山〔一一〕西南，迳武乡县故城西，而南得清谷口。水源出东北长山清谷，西南与鞞鞞〔一二〕、白壁〔一三〕二水合，南入武乡水，又南得黄水口，黄水三源，同注一壑，东南流与隐室水合，水源西北出隐室山，东南注黄水。又东入武乡水。武乡水又东南注于涅水。涅水又东南流，注于漳水。漳水又东迳磻阳城北，仓谷水入焉。水出林虑县之仓谷溪，东北迳鲁班门西，双阙昂藏，石壁霞举，左右结石修防，崇基仍存。北迳偏桥东，即林虑之峤岭〔一四〕抱犊固也。石隥西陛，陟踵修上五里馀，崿路中断四五丈，中以木为偏桥，劣得通行，亦言故有偏桥之名矣。自上犹须攀萝扪葛，方乃自津，山顶，即庾衮眩坠处也。仓谷溪水又北合白木溪。溪水出壶关县东白木川，东迳百亩城北，盖同仇池百顷之称矣。又东迳林虑县之石门谷，又注于仓溪水〔一五〕。仓溪水又北迳磻阳城东而北流，注于漳水。漳水又东迳葛公亭北而东注矣。

又东过武安县，

漳水于县东，清漳水自涉县东南来注之。世谓决入之所为交漳口也。

又东出山，过邺县西，

漳水又东迳三户峡为三户津。张晏曰：三户，地名也，在梁期西南。孟康曰：津，峡名也，在邺西四十里。又东，汙水注之，水出武安县山，东南流迳汙城北。昔项羽与蒲将军英布济自三户，破章邯于是水。汙水东注于漳水，漳水又东迳武城南，世谓之梁期城，梁期在邺北，俗亦谓之两期城，皆为非也。司马彪郡国志曰：邺县有武城，武城即期城矣。漳水又东北迳西门豹祠前，祠东侧有碑，隐起为字，祠堂东头石柱勒铭曰：赵建武中所修也。魏文帝述征赋曰：羡西门之嘉迹，忽遥睇其灵宇。漳水右与枝水合。其水上承漳水于邯会西，而东别与邯水合。水发源邯山东北，迳邯会县故城西，北注枝水，故曰邯会也。张晏曰：漳水之别，自城西南与邯山之水会，今城旁犹有沟渠存焉。汉武帝元朔二年，封赵敬肃王子刘仁为侯国。

其水又东北入于漳。昔魏文侯以西门豹为邺令也,引漳以溉邺,民赖其用。其后至魏襄王,以史起为邺令,又堰漳水以灌邺田,咸成沃壤,百姓歌之。魏武王又堨漳水,回流东注,号天井堰。二十里中,作十二墱,墱相去三百步,令互相灌注,一源分为十二流,皆悬水门。陆氏邺中记云:水所溉之处,名曰堰陵泽。故左思之赋魏都,谓墱流十二,同源异口者也。魏武之攻邺也,引漳水以围之,献帝春秋曰:司空邺城围周四十里,初浅而狭,如或可越,审配不出争利,望而笑之,司空一夜增修,广深二丈,引漳水以注之,遂拔邺。本齐桓公所置也,故管子曰:筑五鹿、中牟、邺,以卫诸夏也。后属晋,魏文侯七年,始封此地,故曰魏也。汉高帝十二年,置魏郡,治邺县,王莽更名魏城。后分魏郡,置东、西部都尉,故曰三魏。魏武又以郡国之旧,引漳流自城西东入,迳铜雀台下,伏流入城东注,谓之长明沟〔一六〕也。渠水又南迳止车门下,魏武封于邺为北宫,宫有文昌殿。沟水南北夹道,枝流引灌,所在通溉,东出石窦堰下,注之隍水,故魏武登台赋曰:引长明,灌街里。谓此渠也。石氏于文昌故殿处,造东、西太武二殿,于济北穀城之山采文石为基,一基下五百武直宿卫。屈柱趺瓦,悉铸铜为之,金漆图饰焉。又徙长安、洛阳铜人,置诸宫前,以华国也。城之西北有三台,皆因城为之基,巍然崇举,其高若山,建安十五年魏武所起,平坦略尽。春秋古地云:葵丘,地名,今邺西三台是也。谓台已平,或更有见,意所未详。中曰铜雀台,高十丈,有屋百一间,台成,命诸子登之,并使为赋。陈思王下笔成章,美捷当时。亦魏武望奉常王叔治之处也。昔严才与其属攻掖门,脩闻变，车马未至，便将官属步至宫门，太祖在铜雀台望见之曰：彼来者必王叔治也。相国锺繇曰：旧京城有变，九卿各居其府，卿何来也？脩曰：食其禄，焉避其难，居府虽旧，非赴难之义。时人以为美谈矣。石虎更增二丈，立一屋，连栋接榱，弥覆其上，盘回隔之，名曰命子窟。又于屋上起五层楼，高十五丈，去地二十七丈，又作铜雀于楼巅，舒翼若飞。南则金虎台，高八丈，有屋百九间。北曰冰井台，亦高八丈，有屋百四十五间，上有冰室，室有数井，井深十五丈，藏冰及石墨焉。石墨可书，又燃之难尽，亦谓之石炭。又有粟窖及盐窖，以备不虞。今窖上犹有石铭存焉。左思魏都赋曰：三台列峙而峥嵘者也。城有七门：南曰凤阳门，中曰中阳门，次曰广阳门，东曰建春门，北曰广德门，次曰厩门，西曰金明门，一曰白门。凤阳门三台洞开，高三十五丈，石氏作层观架其上，置铜凤，头高一丈六尺。东城上，石氏立东明观，观上加金博山，谓之"锵天"。北城上有齐斗楼，超出群榭，孤高特立。其城东西七里，南北五里，饰表以砖。百步一楼，凡诸宫殿，门台、隅雉，皆加观榭。层甍反宇，飞檐拂云，图以丹青，色以轻素。当其全盛之时，去邺六七十里，远望苕亭，巍若仙居。魏因汉祚，复都洛阳，以谯为先人本国，许昌为汉之所居，长安为西京之遗迹，邺为王业之本基，故号五都也。今相州刺史及魏郡治。漳水自西门豹祠北迳赵阅马台西，基高五丈，列观其上，石虎每讲武于其下，升观以望之。虎自台上放鸣镝之矢，以为军骑出入之节矣。漳水又北迳祭陌西，战国之世，俗巫为河伯取妇，祭于此陌。魏文侯时，西门豹为邺令，约诸三老曰：为河伯娶妇，幸来告知,吾欲送女。皆曰:诺。至时,三老、廷掾赋敛百姓,取钱百万,巫觋行里中,有好女者,祝当为河伯妇,以钱三万聘女,沐浴脂粉如嫁状。豹往会之,三老、巫、掾与民咸集赴观。巫妪年七十,从十女弟子。豹呼妇视之,以为非妙,令巫妪入报河伯,投巫于河中。有顷曰:何久也?又令三弟子及三老入白,并投于河。豹磬折曰:三老不来,奈何?复欲使廷掾、豪长趣之,皆叩头流血,乞不为河伯取妇。淫祀虽断,地留祭陌之称焉。又慕容儁投石虎尸处也。田融以为紫陌也。赵建武十一年,造紫陌浮桥于水上,为佛图澄先造生墓于紫陌;建武十五年卒,十二月葬焉,即此处也。漳水又对赵氏临漳宫,宫在桑梓苑,多桑木,故苑有其名。三月三日及始蚕之月,虎帅皇后及夫人采桑于此,今地有遗桑,墉无尺雉矣。漳水又北,滏水入焉〔一七〕。漳水又东迳梁期城南,地理风俗记曰:邺北五十里有梁期城,故县也。汉武帝元鼎五年,封任破胡为侯国。晋惠帝永兴元年,骠骑王浚遣乌丸渴末迳至梁期,候骑到邺,成都王颖遣将军石超讨末,为末所败于此也。又迳平阳城北,竹书纪年曰:梁惠成王元年,邺师败邯郸师于平阳者也。司马彪郡国志曰:邺有平阳城,即此地也。

又东过列人县南,

漳水又东,右迳斥丘县北,即裴县故城南,王莽更名之曰即是也。地理风俗记曰:列人县西南六十里有即裴城,故县也。漳水又东北迳列人县故城南,王莽更名之为列治也。竹书纪年曰:梁惠成王八年,惠成王伐邯郸取列人者也。于县右合白渠故渎,白渠水出魏郡武安县钦口山,东南流迳邯郸县南,又东与拘涧水合。水导源武始东山白渠，北俗犹谓是水为拘河也。拘涧水又东，又有牛首水入焉，水出邯郸县西堵山，东流分为二水，洪湍双逝，澄映两川。汉景帝时，七国悖逆，命曲周侯郦寄攻赵，围邯郸，相捍七月，引牛首拘水灌城，城坏，王自杀。其水东入邯郸城，迳温明殿南，汉世祖擒王郎、幸邯郸昼卧处也。其水又东迳丛台南，六国时，赵王之台也。郡国志曰：邯郸有丛台。故刘劭赵都赋曰：结云阁于南宇，立丛台于少阳者也。今遗基旧墉尚在。其水又东历邯郸阜，张晏所谓邯山在东城下者也。曰单，尽也，城郭从邑，故加邑，邯郸之名，盖指此以立称矣。故赵郡治也。长沙耆旧传称，桓楷为赵郡太守，尝有遗囊粟于路者，行人挂囊粟于树，莫敢取之，即于是处也。其水又东流出城，又合成一川也。又东，澄而为渚，渚水东南流，注拘涧水，又东入白渠，又东，故渎出焉。一水东为泽渚，曲梁县之鸡泽也。国语所谓鸡丘矣。东北通澄湖，白渠故渎南出所在，枝分右出，即邯沟也。历邯沟县故城东，盖因沟以氏县也。地理风俗记曰：即裴城，西北二十里有邯沟城，故县也。又东迳肥乡县故城北，竹书纪年曰：梁惠成王八年，伐邯郸取肥者也。晋书地道记曰：太康中立以隶广平也。渠道交径，互相缠縻，与白渠同归，迳列人右会漳津，今无水。地理志曰：白渠东至列人入漳是也。

又东北过斥漳县南，

应劭曰：其国斥卤，故曰斥漳。汉献帝建安十八年，魏太祖凿渠，引漳水东入清、洹以通河漕，名曰利漕渠。漳津故渎水断，旧溪东北出，涓流濑注而已。尚书所谓覃怀底绩，至于衡漳者也。孔安国曰：衡，横也，言漳水横流也。又东北迳平恩县故城西，应劭曰：县，故馆陶之别乡，汉宣帝地节三年置，以封后父许伯为侯国，王莽更曰延平也。

又东北过曲周县东，又东北过钜鹿县东，

衡漳故渎东北迳南曲县故城西。地理志：广平有南曲县。应劭曰：平恩县北四十里有南曲亭，故县也。又迳曲周县故城东。地理志曰：汉武帝建元四年置，王莽更名直周。余按史记，大将军郦商以高祖六年封曲周县为侯国。又考汉书同。是知曲周旧县，非始孝武。啸父，冀州人，在县市补履数十年，人奇其不老，求其术而不能得也。衡漳又北迳巨桥邸阁西，旧有大梁横水，故有巨桥之称。昔武王伐纣，发巨桥之粟，以赈殷之饥民。服虔曰：巨桥，仓名。许慎曰：钜鹿水之大桥也。今临侧水湄，左右方一二里中，状若丘墟，盖遗囤故窖处也。衡水又北迳钜鹿县故城东，应劭曰：鹿者，林之大者也。尚书曰：尧将禅舜，纳之大麓之野，烈风雷雨不迷，致之以昭华之玉，而县取目焉。路温舒，县之东里人，父为里监门，使温舒牧羊泽中，取蒲牒用写书，即此泽也。钜鹿郡治。秦始皇二十五年灭赵以为钜鹿郡，汉景帝中元年，为广平郡，武帝征和二年，以封赵敬肃王子为平于国，世祖中兴，更为钜鹿也。郑玄注尚书引地说云：大河东北流，过绛水〔一八〕千里，至大陆为地腹〔一九〕，如志之言大陆在钜鹿。地理志曰：水在安平信都。钜鹿与信都相去不容此数也。水土之名变易，世失其处，见降水则以为绛水，故依而废读，或作绛字，非也。今河内共北山，淇水出焉，东至魏郡黎阳入河，近所谓降水也。降读当如郕降

于齐师之降，盖周时国于此地者，恶言降，故改云共耳。又今河所从去大陆远矣，馆陶北屯氏河，其故道与？余按郑玄据尚书，有东过洛汭，至于大伾；北过降水，至于大陆。推次言之，故以淇水为降水，共城为降城，所未详也。稽之群书，共县本共和之故国，是有共名，不因恶降而更称。禹著山经，淇出沮洳。淇澳卫诗，列目又远，当非改绛，革为今号。但是水导源共北山，玄欲成降义，故以淇水为降水耳。即如玄引地说，黎阳钜鹿，非千里之迳，直信都于大陆者也。惟屯氏北出馆陶，事近之矣。按地理志云：绛水发源屯留，下乱漳津。是乃与漳俱得通称，故水流间关，所在著目，信都复见绛名，而东入于海。寻其川脉，无他殊渎，而衡漳旧道，与屯氏相乱，乃书有过降之文，与地说千里之志，即之途致，与书相邻，河之过降，当应此矣。下至大陆，不异经说，自甯迄于钜鹿，出于东北，皆为大陆。语之缠络，厥势眇矣。九河既播，八枝代绝。遗迹故称，往往时存，故鬲、般列于东北，徒骇渎联漳、绛，同逆之状粗分，陂障之会犹在。按经考渎，自安故目矣。漳水又历经县故城西，水有故津，谓之薄落津〔二〇〕。昔袁本初还自易京，上巳届此，率其宾从，禊饮于斯津矣。衡漳又迳沙丘台东，纣所成也，在钜鹿故城东北七十里，赵武灵王与秦始皇并死于此矣。又迳铜马祠东，汉光武庙也。更始三年秋，光武追铜马于馆陶，大破之，遂降之。贼不自安，世祖令其归营，乃轻骑行其垒，贼乃相谓曰：萧王推赤心置人腹中，安得不投死乎？遂将降人分配诸将，众数十万人，故关西号世祖曰铜马帝也。祠取名焉。庙侧有碑，述河内脩武县张导，字景明，以建和三年为钜鹿太守，漳津泛滥，土不稼穑，导披按地图，与丞彭参、掾马道嵩等，原其逆顺，揆其表里，修防排通，以正水路，功绩有成，民用嘉赖。题云：漳河神坛碑。而俗老耆儒，犹揭斯庙为铜马刘神寺。是碑顷因震裂，馀半不可复识矣。又迳南宫县故城西，汉惠帝元年，以封张越人子买为侯国，王莽之序中也。其水与隅〔二一〕醴通为衡津〔二二〕。又有长芦淫水之名，绛水之称矣。今漳水既断，绛水非复缠络矣。又北，绛渎出焉，今无水。故渎东南迳九门城南，又东南迳南宫城北，又东南迳缭城县故城北。十三州志曰：经县东五十里有缭城，故县也。左迳安城南，故信都之安城乡也。更始二年，和戎卒正邳彤，与上会信都南安城乡，上大悦，即此处也。故渎又东北迳辟阳亭，汉高帝六年，封审食其为侯国，王莽之乐信也。地理风俗记曰：广川西南六十里有辟阳亭，故县也。绛渎又北迳信都城东，散入泽渚，西至于信都城，东连于广川县之张甲故渎，同归于海。故地理志曰：禹贡，绛水在信都东入于海也。

又北过堂阳县西，

衡水自县，分为二水，其一水北出，迳县故城西，世祖自信都以四千人先攻堂阳降水者也。水上有梁，谓之旅津渡，商旅所济故也。其右水东北注，出石门，门石崩褫，馀基殆在，谓之长芦水〔二三〕，盖变引葭〔二四〕之名也。长芦水东迳堂阳县故城南，应劭曰：县在堂水之阳。穀梁传曰：水北为阳也。今于县故城南，更无别水，惟是水东出，可以当之，斯水盖包堂水之兼称矣。长芦水又东迳九门城北，故县也。又东迳扶柳县故城南，世祖建武三十年，封寇恂子损为侯国。又东屈北迳信都县故城西，信都郡治也，汉高帝六年置。景帝中二年，为广川惠王越国，王莽更为新博，县曰新博亭，光武自蓟至信都是也。明帝永平十五年，更名乐成，安帝延光中，改曰安平。城内有汉冀州从事安平赵徵碑，又有魏冀州刺史陈留丁绍碑，青龙三年立。城南有献文帝南巡碑。其水侧城北注，又北迳安阳城东，又北迳武阳城东。十三州志曰：扶柳县东北有武阳城，故县也。又北为博广池，池多名蟹佳虾，岁贡王朝，以充膳府。又北迳下博县故城东，而北流注于衡水也。

又东北过扶柳县北，又东北过信都县西。

扶柳县故城在信都城西，衡水迳其西。县有扶泽，泽中多柳，故曰扶柳也。衡水又北迳昌城县〔二五〕故城西，地理志，信都有昌城县。汉武帝以封城阳顷王子刘差为侯国。阚骃曰：昌城本名阜城矣。应劭曰：堂阳县北三十里有昌城，故县也。世祖之下堂阳，昌城人刘植率宗亲子弟据邑以奉世祖是也。又迳西梁县故城东，地理风俗记曰：扶柳县西北五十里有西梁城，故县也。世以为五梁城，盖字状致谬耳。衡漳又东北迳桃县故城北，汉高祖十二年，封刘襄为侯国，王莽改之曰桓分也。合斯洨故渎，斯洨水首受大白渠，大白渠首受绵蔓水，绵蔓水上承桃水，水出乐平郡之上艾县，东流，世谓之曰桃水，东迳靖阳亭南，故关城也。又北流，迳井陉关下，注泽发水〔二六〕，乱流东北迳常山蒲吾县西，而桃水出焉。南迳蒲吾县故城西，又东南流迳桑中县故城北，世谓之石勒城，盖赵氏增城之，故擅其目，俗又谓之高功城。地理志曰：侯国也。桃水又东南流，迳绵蔓县故城北，王莽之绵延也。世祖建武二年，封郭况为侯国,自下通谓之绵蔓水。绵蔓水又东流,迳乐阳县故城西,右合井陉山水,水出井陉山,世谓之鹿泉水。东北流,屈迳陈馀垒西,俗谓之故壁城。昔在楚、汉,韩信东入,馀拒之于此,不纳左车之计,悉众西战,信遣奇兵自间道出,立帜于其垒,师奔失据,遂死泜上。其水又屈迳其垒南,又南迳城西,东注绵蔓水。绵蔓水又屈从城南,俗名曰临清城,非也。地理志曰:侯国矣。王莽更之曰畅苗者也。东观汉记曰:光武使邓禹发房子兵二千人,以铫期为偏将军,别攻真定、宋子馀贼,拔乐阳、稾肥垒者也〔二七〕。绵蔓水又东迳乌子堰,枝津出焉。又东,谓之大白渠,地理志所谓首受绵蔓水者也。白渠水又东南迳关县故城北,地理志:常山之属县也。又东为成郎河,水上有大梁,谓之成郎桥。又东迳耿乡南,世祖封前将军耿纯为侯国,世谓之宜安城。又东迳宋子县故城北,又谓之宋子河。汉高帝八年,封许瘛为侯国,王莽更名宜子。昔高渐离击筑佣工,自此入秦。又东迳敬武县故城北,按地理志:钜鹿之属县也。汉元帝封女敬武公主为汤沐邑。阚骃十三州记曰:杨氏县北四十里有敬武亭,故县也。今其城实中,小邑耳,故俗名之曰敬武垒,即古邑也。白渠水又东,谓之斯洨水,地理志曰:大白渠东南至下曲阳入斯洨者也。东分为二水,枝津右出焉,东南流,谓之百尺沟,又东南迳和城〔二八〕北,世谓之初丘城,非也。汉高帝十一年,封郎中公孙昔〔二九〕为侯国。又东南迳贳城西,汉高帝六年,封吕博为侯国。百尺沟东南散流,迳历乡东而南入泜湖,东注衡水也。斯洨水自枝津东迳贳城北,又东积而为陂,谓之阳縻渊。渊水左纳白渠枝水,俗谓之泜水[三〇],水承白渠于藁城县之乌子堰[三一]。又东迳肥累县之故城南,又东迳陈台南,台甚宽广,今上阳台屯居之。又东迳新丰城北,按地理志云:钜鹿有新市县,侯国也。王莽更之曰乐市,而无新丰之目,所未详矣。其水又东迳昔阳城南,世谓之曰直阳城,非也,本鼓聚矣。春秋左传昭公十五年,晋荀吴帅师伐鲜虞,围鼓三月,鼓人请降。穆子曰:犹有食色,不许。军吏曰:获城而弗取,勤民而顿兵,何以事君?穆子曰:获一邑而教民怠,将焉用邑也。贾怠无卒,弃旧不祥,鼓人能事其君,我亦能事吾君,率义不爽,好恶不愆,城可获也。有死义而无二心,不亦可乎?鼓人告食竭力尽,而后取之,克鼓而返,不戮一人,以鼓子鸢鞮归,既献而返之。鼓子又叛,荀吴略东阳,使师伪籴,负甲息于门外,袭而灭之。以鼓子鸢鞮归,使涉佗守之者也。十三州志曰:今其城,昔阳亭是矣。京相璠曰:白狄之别也。下曲阳有鼓聚,故鼓子国也。白渠枝水又东迳下曲阳城北,又迳安乡县故城南,地理志曰:侯国也。又东迳贳县,入斯洨水。斯洨水又东迳西梁城南,又东北迳乐信县故城南,地理志:钜鹿属县,侯国也。又东入衡水。衡水又北为袁谭渡,盖谭自邺往还所由,故济得厥名。

又东北过下博县之西,

衡水又北迳郻县故城东,竹书纪年:梁惠成王三十年,秦封卫鞅于郻,改名曰商,即此是也。故王莽改曰秦聚也。地理风俗记曰:县北有郻阜,盖县氏之。又右迳下博县故城西,王莽改曰闰博。应劭曰:太山有博,故此加下。汉光武自滹沱南出,至此失道,不知所以。遇白衣老父曰:信都为长安守,去此八十里。世祖赴之,任光开门纳焉,汉氏中兴始基之矣。寻求老父不得,议者以为神。衡漳又东北历下博城西,逶迤东北注,谓之九絳〔三二〕。西迳乐乡县故城南,王莽更之曰乐丘也。又东,引葭水注之。

又东北过阜城县北,又东北至昌亭,与滹沱河会。

经叙阜城于下博之下,昌亭之上。考地非比,于事为同。勃海阜城又在东昌之东,故知非也。漳水又东北迳武邑郡南,魏所置也。又东迳武强县北,又东北迳武隧县故城南,按史记,秦破赵将扈辄于武隧,斩首十万,即于此处也。王莽更名桓隧矣。白马河注之,水上承滹沱〔三三〕,东迳乐乡县北、饶阳县南,又东南迳武邑郡北,而东入衡水,谓之交津口。衡漳又东迳武邑县故城北,王莽之顺桓也。晋武帝封子于县以为王国。后分武邑、武隧、观津为武邑郡,治此。衡漳又东北,右合张平口,故沟上承武强渊,渊之西南,侧水有武强县故治,故渊得其名焉。东观汉记曰:光武拜王梁为大司空,以为侯国。耆宿云:邑人有行于途者,见一小蛇,疑其有灵,持而养之,名曰担生,长而吞噬人,里中患之,遂捕系狱,担生负而奔,邑沦为湖,县长及吏咸为鱼矣。今县治东北半里许落水。渊水又东南结而为湖,又谓之郎君渊。耆宿又言:县沦之日,其子东奔,又陷于此,故渊得郎君之目矣。渊水北通,谓之石虎口,又东北为张平泽。泽水所泛,北决堤口,谓之张刀沟,北注衡漳,谓之张平口,亦曰张平沟。水溢则南注,水耗则辍流。衡漳又迳东昌县故城北,经所谓昌亭也,王莽之田昌也。俗名之曰东相,盖相、昌声韵合,故致兹误矣。西有昌城,故目是城为东昌矣。

衡漳又东北，左会滹沱故渎，谓之合口。衡漳又东北，分为二川，当其水泆处，名之曰李聪涣。

又东北至乐成陵县北别出，

衡漳于县无别出之渎，出县北者，乃滹沱别水，分滹沱故渎之所缠络也。衡漳又东，分为二水，左出为向氏口，渎水自此决入也。衡漳又东，迳弓高县故城北，汉文帝封韩王信之子韩陨当为侯国，王莽之乐成亭也。衡漳又东北，右合柏梁溠，水上承李聪涣，东北为柏梁溠，东迳蒲领县〔三四〕故城南，汉武帝元朔三年，封广川惠王子刘嘉为侯国。地理风俗记云：脩县西北八十里有蒲领乡，故县也。又东北会桑社枝津，又东北迳弓高城北，又东注衡漳，谓之柏梁口。衡漳又东北，右会桑社沟，沟上承从陂，世称卢达从薄，亦谓之摩诃河〔三五〕。东南通清河，西北达衡水。春秋雨泛，观津城北方二十里，尽为泽薮，盖水所钟也。其渎迳观津县故城北，乐毅自燕降赵，封之于此邑，号望诸君，王莽之朔定亭也。又南屈东迳窦氏青山南，侧堤东出青山，即汉文帝窦后父少翁冢也。少翁是县人，遭秦之乱，渔钓隐身，坠渊而死。景帝立，后遣使者填以葬父，起大坟于观津城东南，故民号曰青山也。又东迳董仲舒庙南。仲舒，广川人也，世犹谓之董府君祠，春秋祷祭不辍。旧沟又东迳脩市县故城北，汉宣帝本始四年，封清河纲王子刘寅为侯国，王莽更之曰居宁也。俗谓之温城，非也。地理风俗记曰：脩县西北二十里有脩市城，故县也。又东会从陂，陂水南北十里，东西六十步，子午潭涨，渊而不流，亦谓之桑社渊。从陂南出，夹堤东派，迳脩县故城北，东合清漳。漳泛则北注，泽盛则南播，津流上下，互相迳通。从陂北出，东北分为二川，一川北迳弓高城西而北注柏梁溠，一川东迳弓高城南。又东北，杨津沟水〔三六〕出焉。衡水东迳阜城县故城北、乐成县故城南，河间郡治。地理志曰：故赵也。汉文帝二年，别为国。应劭曰：在两河之间也。景帝九年，封子德为河间王，是为献王。王莽更名，郡曰朔定，县曰陆信。褚先生曰：汉宣帝地节三年〔三七〕，封大将军霍光兄子山为侯国也。章帝封子开于此，桓帝追尊祖父孝王开为孝穆王，以其邑奉山陵，故加陵曰乐成陵也。今城中有故池，方八十步，旧引衡水北入城注池，池北对层台，基隍荒芜，示存古意也。

又东北过成平县南，

衡漳又东迳建成县故城南，按地理志：故属勃海郡。褚先生曰：汉昭帝元凤三年〔三八〕，封丞相黄霸为侯国也。成平县故城在北，汉武帝元朔三年，封河间献王子刘礼为侯国，王莽之泽亭也。城南北相直。衡漳又东，右会杨津沟水，水自陂东迳阜城南，地理志：勃海有阜城县。王莽更名吾城者，非经所谓阜城也。建武十五年，世祖更封大司马王梁为侯国。杨津沟水又东北迳建成县，左入衡水，谓之杨津口。衡漳又东，左会滹沱别河故渎，又东北入清河，谓之合口。又迳南皮县之北皮亭，而东北迳浮阳县西，东北注也。

又东北过章武县西，又东北过平舒县南，东入海。

清漳迳章武县故城西，故濊邑也，枝渎出焉，谓之濊水。东北迳参户亭，分为二渎。应劭曰：平舒县西南五十里有参户亭，故县也。世谓之平虏城。枝水又东注，谓之蔡伏沟。又东积而为淀。一水迳亭北,又迳东平舒县故城南。代郡有平舒城,故加东。地理志:勃海之属县也。魏土地记曰:章武郡治。故世以为章武故城,非也。又东北分为二水,一右出为淀,一水北注滹沱,谓之濊口。清漳乱流而东注于海。

清漳水出上党沾县西北少山大要谷,南过县西,又从县南屈,

淮南子曰:清漳出谒戾山〔三九〕。高诱云:山在沾县。今清漳出沾县故城东北,俗谓之沾山。后汉分沾县为乐平郡,治沾县。水出乐平郡沾县界。故晋太康地记曰:乐平县旧名沾县。汉之故县矣。其山亦曰鹿谷山,水出大要谷,南流迳沾县故城东,不历其西也。又南迳昔阳城。左传昭公十二年,晋荀吴伪会齐师者,假道于鲜虞,遂入昔阳。杜预曰:乐平沾县东有昔阳城者是也。其水又南得梁榆水口,水出梁榆城西大嵰山,水有二源,北水东南流,迳其城东南,注于南水,南水亦出西山,东迳文当城北,又东北迳梁榆城南,即阏与故城也。秦伐赵阏与,惠文王使赵奢救之,奢纳许历之说,破秦于阏与,谓此也。司马彪、袁山松郡国志并言涅县有阏与聚。卢谌征艰赋曰:访梁榆之虚郭,吊阏与之旧都。阚骃亦云:阏与,今梁榆城是也。汉高帝八年,封冯解散为侯国。其水左合北水,北水又东南入于清漳。清漳又东南与轑水相得。轑水出轑阳县〔四〇〕西北轑山〔四一〕,南流迳轑阳县故城西南,东流至粟城,注于清漳也。

东过涉县西,屈从县南,

按地理志:魏郡之属县也。漳水于此有涉河之称,盖名因地

变也。

东至武安县南黍窖邑，入于浊漳。

〔一〕鹿谷山　吴本、孙潜校本均作"鹿谷"，名胜志山西卷六潞安府发鸠山引水经注作"麓谷"。

〔二〕注疏本疏："赵乙'出南'作'南出'，全乙同。刻全书者，不知旧本作'出南'，故反以戴作'出南'为戴乙也。会贞按：不必乙作'南出'，说见后涑水下。"

〔三〕乾隆长治县志卷五山川陶水引水经注云："陶水南出南陶，北流至长子城东，西转迳其城北，至沙河口，东注于漳水。""至沙河口"一句，当是此段佚文。

〔四〕寰宇记卷五十河东道卷十一威胜军铜鞮县引水经注云："铜鞮出覆斧山，迳襄垣县道。"当是此段下佚文。

〔五〕寰宇记卷五十河东道卷十一威胜军铜鞮县引水经注云："铜鞮县有梯山，高一千九百尺。"当是此段下佚文。

〔六〕石隥山　吴本、何校明钞本、王校明钞本、注疏本、佩文韵府卷三十四上四纸水鞮水引水经注作"石磴山"。

〔七〕专池水　五校钞本、七校本均作"滹沱水"。

〔八〕八特山　大典本、黄本、吴本、注笺本、何校明钞本、王校明钞本、项本、沈本、张本、注疏本、佩文韵府卷三十四上四纸水鞮水引水经注均作"八持山"。

〔九〕女谏水　大典本作"女课水"，寰宇记卷四十五河东道六潞州上党县引水经注作"八谏水"。

〔一〇〕涅县　注笺本、项本、五校钞本、七校本、注释本、张本均作“涅氏县”。

〔一一〕武山　注释本作“武乡山”，水经注笺刊误卷四云：“武山当作武乡山，晋书载记云：石勒居武乡北原山下是也。”

〔一二〕韡鞈　大典本、黄本、何校明钞本、沈本、五校钞本、七校本均作“韡鞳”，吴本、注笺本、项本、张本、注疏本均作“韡韐”。

〔一三〕白壁　大典本、黄本、何校明钞本、注笺本、项本、沈本、张本、注疏本均作“白壁”。注疏本疏：“赵据黄本改‘韐’作‘鞳’，改‘壁’作‘璧’；戴又改‘韐’作‘鞳’，改‘壁’作‘璧’。会贞按：惟大典本、明钞本作‘鞳’，黄自作‘鞳’，‘韐’乃‘鞳’之省。且黄作‘壁’不作‘璧’，或赵以‘璧’字义长而意订。韡鞳见左传，盖戴所本，作‘璧’亦袭赵也。”

〔一四〕峤岭　嘉靖彰德府志卷二地理志第一之二林县大头山引水经注、乾隆林县志卷三山川志上大头山引水经注均作“桥岭”。

〔一五〕仓溪水　注笺本、项本、张本、嘉靖彰德府志卷二地理志第一之二林县大头山引水经注均作“苍溪水”。乾隆林县志卷四山川志下磻阳城引水经注作“沧溪水”。

〔一六〕长明沟　嘉靖彰德府志卷一地理志第一之一安阳县洹水引水经注作“长鸣沟”。

〔一七〕御览卷六十四地部二十九滏水引水经注云：“滏水发源出石鼓山南岩下，泉奋涌如滏水之汤矣。其水冬温夏冷，崖上有魏世所立铭，水上有祠，能兴云雨，滏水又东流注于漳，又谓之合河。”又御览卷九三〇鳞介部二龙下引水经注云：“浮图澄别传曰：石虎时，正月不雨至六月，澄日诣滏祠，稽首暴露，即日，二白龙降于祠下,于是雨遍千里。”又续汉书郡国志“有故大河,有滏水”刘昭补注引水经云:“邺西北,滏水热,故名滏口。”又方舆纪要卷四十九河南四怀庆府磁州神麕山引水经注云:“滏水源于此。”又沈垚釜水考(落颿楼文集)引水经注云:“漳、滏合流在邺。”均当是此段下佚文。

〔一八〕绛水　名胜志直隶卷八冀州引水经注作“洚水”,方舆纪要卷十四直隶五真定府冀州辟阳城引水经注作“洚”。

〔一九〕方舆纪要卷十四直隶五赵州宁晋县杨氏废县引水经注云:“杨纡即大陆泽。”又胡卢河云:“郦道元以为即杨纡薮,亦谓薄洛水。”当是此段下佚文。

〔二〇〕薄落津　五校钞本、七校本均作“薄络津”,方舆纪要卷十五直隶六顺德府广宗县漳水引水经注、雍正畿辅通志卷二十三山川川顺德府落漠水引水经注均作“薄洛津”。

〔二一〕隅　殿本案云:“案隅,说文作湡。”注释本作“湡”。

〔二二〕通鉴卷一九〇唐纪六高祖武德五年“夜宿沙河”胡注引水经注云:“湡水出赵郡襄国县西山,东过沙河县,沙河在县南五里。”当是此段下佚文。

〔二三〕寰宇记卷六十五河北道十四沧州清池县引水经注云:“长芦水出洛州列人县,以其旁多芦苇为名。”当是此段下佚文。

〔二四〕引葭　大典本、黄本、吴本、项本、沈本、五校钞本、七校本、注释本、汇校本、沈垚滹水考引水经注均作“列葭”。注疏本作“列葭”,疏:“朱列讹作引,戴同,全、赵改列。守敬按:因先有南和之列葭水入衡漳,此又从衡漳东出而变名为长芦水,故下文直称长芦。及长芦水入衡漳,仍变名称列葭水注之。可见列葭、长芦互受通称，浅人不知长芦水即列葭水，遂以后列葭水注之为鹘突，误矣。”

〔二五〕昌城县　吴本、注笺本、项本、五校钞本、七校本、注释本均作“昌成县”。

〔二六〕元和郡县志卷十三河东道三太原府广阳县董卓垒引水经注云：“泽发水出董卓垒东。”当是此句下佚文。

〔二七〕拔乐阳禀肥垒者也　注疏本作“拔乐阳、藁城、肥垒者也”。疏：“朱‘拔’作‘援’，‘藁’讹作‘禀’……东观汉记‘禀’作‘藁’，是‘藁’下仍落‘城’字。肥垒作肥累。藁城、肥累二县并详下。”

〔二八〕寰宇记卷五十九河北道八邢州南和县引水经注云：“北有和城县，故此县云南。”又云：“南和西官冶东有便水，一名鸳鸯水。”当是此段下佚文。

〔二九〕公孙昔　注疏本作“公孙耳”，疏：“汉表作公孙昔，此从史表，全、赵同。戴改‘昔’，而以‘耳’为讹，失于不考。全云：和成乃王莽所分钜鹿之支郡，见于东观汉记，在下曲阳，一作戎。而常山别有禾城，则公孙耳所封。王莽更名鄗为禾城亭，是也。是注上言敬武，下言贳城，是钜鹿之和成，非禾成也。”

〔三〇〕泜水　大典本、吴本、注笺本、项本、五校钞本、七校本、注释本、张本、注疏本均作“祗水”。

〔三一〕隆庆赵州志卷一地理山川泜水引水经注云：“泜水其源有二。”方舆纪要卷十四直隶五真定府元氏县泜水引水经注云：“泜水即井陉山水也。”寰宇记卷六十河北道九赵州临城县引水经注云：“泜水出房子城西，出白土，细滑如膏，可用濯锦，色夺霜雪，光彩异于常锦,俗以为美谈,言房子之纩也,抑亦蜀锦之得濯江矣,岁贡其锦以为御府。”又云:“泒水东迳柏畅亭。”诗地理考卷一召南干言引水经注云:“泒水又东南迳干言山。”当均是此段下佚文。

〔三二〕九緈　注疏本作“九争曲”。疏:“赵据濡水注九峥,改‘争’,全改同,戴改‘緈’。守敬按:御览、寰宇记及此注并作‘争’,不必改。又朱脱‘曲’字,御览同上,寰宇记并作九争曲,今增。”

〔三三〕滹沱　大典本、吴本均作“雩池”,孙潜校本、注疏本均作“虖池”。

〔三四〕蒲领县　吴本、注笺本均作“扶领县”。

〔三五〕摩诃河　大典本、黄本、沈本均作“河摩河”,注笺本、项本、五校钞本、七校本、注释本、张本均作“诃摩河”。注疏本与殿本同,作“摩诃河”。疏:“朱讹作‘诃摩河’,全、赵同,而赵辨之曰:按此即汉志代郡卤城县下之从河也。‘诃摩’当作‘摩诃’,梵语谓大为摩诃,盖言大河也。戴乙作‘摩诃’。守敬按:赵解摩诃,是也。而牵涉汉志卤城之从河则非。汉志之从河,乃泒河之误,即今之沙河,详见余晦明轩稿。且其水至文安入海,亦不经此地。今景州北有千顷诸洼,为沮洳之区,当即此注之从陂矣。”

〔三六〕杨津沟水　注笺本、项本、五校钞本、七校本、注释本、张本均作“阳津沟水”。

〔三七〕三年　注疏本作“二年”。疏:“朱作三年,戴、赵同。沈炳巽曰:汉表作二年。守敬按:霍光传亦是二年。”

〔三八〕汉昭帝元凤三年　注疏本作“汉宣帝五凤三年”。疏:“朱‘宣’讹作‘昭’,‘五’讹作‘元’。笺曰:孙云,按史记功臣年表，宣帝五凤三年，黄霸封建成侯。赵依改，戴沿朱之误，孔刻戴本亦误。然朱笺引史记功臣表以证其误，何亦不为订正？且汉表及霸传并在宣帝五凤三年。全云：本表在沛，而善长以为勃海。”

〔三九〕谒戾山　大典本、吴本、注笺本、王校明钞本、注疏本、禹贡指南卷一“覃怀底绩，至于衡漳”注引水经注均作“揭戾山”。

〔四〇〕轑阳县　注笺本、项本、五校钞本、七校本、注释本、张本、注疏本均作“轑河县”。

〔四一〕初学记卷八河东道第四黄岩引水经注云：“黄嵓水源出辽山县西黄冈下。”寰宇记卷五十四河东道五辽州辽山县引水经注云：“清谷水口源出东北长山清谷，亦云辽山县西南黄岩山畛流出。”当是此段下佚文。

水经注卷十一

易水　滱水

易水出涿郡故安县阎乡西山，

易水出西山宽中谷，东迳五大夫城南，昔北平侯王谭，不从王莽之政，子兴生五子，并避时乱，隐居此山，故其旧居，世以为五大夫城，即此。岳赞〔一〕云：五王在中，庞葛连续者也。易水又东，左与子庄溪水合，水北出子庄关，南流迳五公城西，屈迳其城南。五公，即王兴之五子也。光武即帝位，封为五侯：元才北平侯，益才安憙侯，显才蒲阴侯，仲才新市侯，季才为唐侯，所谓中山五王也。俗又以五公名居矣。二城并广一里许，俱在冈阜之上，上斜而下方，其水东南入于易水。易水又东，右会女思谷水，水出西南女思涧，东北流注于易，谓之三会口。易水又东届关门城西南，即燕之长城门也。与樊石山水〔二〕合，水源西出广昌县之樊石山，东流迳覆釜山下，东流注于易水。易水又东历燕之长城，又东迳渐离城南，盖太子丹馆高渐离处也。易水又东迳武阳城南，盖易自宽中历武夫关东出，是兼武水之称，故燕之下都，擅武阳之名。左得濡水枝津故渎。

武阳大城东南小城，即故安县〔三〕之故城也，汉文帝封丞相申屠嘉为侯国。城东西二里，南北一里半。高诱云：易水迳故安城南城外东流。即斯水也。诱是涿人，事经明证。今水被城东南隅，世又谓易水为故安河。武阳，盖燕昭王之所城也，东西二十里，南北十七里。故傅逮述游赋曰：出北蓟，历良乡，登金台，观武阳，两城辽廓，旧迹冥芒。盖谓是处也。易水东流而出于范阳。

东过范阳县南，又东过容城县南，

易水迳范阳县故城南。秦末，张耳、陈馀为陈胜略地，燕、赵命蒯通说之，范阳先下是也。汉景帝中二年，封匈奴降王代为侯国，王莽之顺阴〔四〕也。昔慕容垂之为范阳也，戍之即斯〔五〕。意欲图还上京，阻于行旅，造次不获，遂中〔六〕。易水又东与濡水合，水出故安县西北穷独山南谷，东流与源泉水合，水发北溪，东南流注濡水。濡水又东南迳樊於期馆西，是其授首于荆轲处也。濡水又东南流迳荆轲馆北，昔燕丹纳田生之言，尊轲上卿，馆之于此。二馆之城，涧曲泉清，山高林茂，风烟披薄，触可栖情，方外之士，尚凭依旧居，取畅林木。濡水又东迳武阳城西北〔七〕，旧堨濡水，枝流南入城，迳柏冢西，冢垣城侧，即水塘也。四周茔域深广，有若城焉。其水侧有数陵，坟高壮，望若青丘，询之古老，访之史籍，并无文证，以私情求之，当是燕都之前故坟也。或言燕之坟茔，斯不然矣。其水之故渎南出，屈而东转，又分为二渎。一水迳故安城西〔八〕，侧城南注易水，夹塘崇峻，邃岸高深。左右百步，有二钓台，参差交峙，迢递相望，更为佳观矣。其一水东出注金台陂，陂东西六七里，南北五里，侧陂西北有钓台高丈馀，方可四十步，陂北十馀步有金台，台上东西八十许步，南北如减。北有小金台，台北有兰马台，并悉高数丈，秀峙相对。翼台左右，水流径通，长庑广宇，周旋被浦，栋堵咸沦，柱础尚存，是其基构，可得而寻访。诸耆旧咸言，昭王礼宾，广延方士，至如郭隗、乐毅之徒，邹衍、剧辛之俦，宦游历说之民，自远而届者多矣。不欲令诸侯之客，伺隙燕邦，故修连下都，馆之南垂，言燕昭创之于前，子丹踵之于后，故雕墙败馆，尚传镌刻之石，虽无经记可凭，察其古迹，似符宿传矣。濡水自堰又东迳紫池堡西，屈而北流，又有浑塘沟水注之，水出遒县〔九〕西白马山南溪中，东南流入濡水。濡水又东至塞口，古累石堰水处也。濡水旧枝分南入城东大陂，陂方四里，今无水。陂内有泉，渊而不流，际池北侧，俗谓圣女泉。濡水又东得白杨水口，水出遒县西山白杨岭下，东南流入濡水，时人谓之虎眼泉也。濡水东合檀水〔一〇〕，水出遒县西北檀山西南，南流与石泉水会，水出石泉固东南隅，水广二十许步，深三丈。固在众山之内，平川之中，四周绝涧阻水，八丈有馀。石高五丈，石上赤土，又高一匹，壁立直上，广四十五步，水之不周者，路不容轨，仅通人马，谓之石泉固。固上宿有白杨寺，是白杨山神也。寺侧林木交荫，丛柯隐景。沙门释法澄建刹于其上，更为思玄之胜处也。其水南流注于檀水，故俗有并沟之称焉。其水又东南流，历故安县北而南注濡水。濡水又东南流，于容城县西北大利亭东南合易水而注巨马水也。故地理志曰：故安县阎乡，易水所出，至范阳入濡水。阚骃亦言是矣。又曰濡水合渠。许慎曰：濡水入涞〔一一〕。涞、渠二号，即巨马之异名。然二易俱出一乡，同入濡水。南濡、北易至涿郡范阳县会北濡，又并乱流入涞。是则易水与诸水互摄通称，东迳容城县故城北〔一二〕，浑涛东注，至勃海平舒县与易水合。阚骃曰：涿郡西界代之易水。而是水出代郡广昌县东南郎山东北燕王仙台东。台有三峰，甚为崇峻，腾云冠峰，高霞翼岭，岫壑冲深，含烟罩雾。耆旧言：燕昭王求仙处。其东谓之石虎冈，范晔汉书云：中山简王焉之窆也。厚其葬，采涿郡山石，以树坟茔，陵隧碑兽，并出此山，有所遗二石虎，后人因以名冈。山之东麓，即泉源所导也，经所谓阎乡西山。其水东流，有崣水〔一三〕南会，浑波同注，俗谓之为雹河。司马彪郡国志曰：雹水出故安县，世祖令耿况击故安西山贼吴耐蠡，符雹上十馀营，皆破之。即是水者也。易水又东迳孔山北〔一四〕，山下有钟乳穴，穴出佳乳，采者篝火寻沙，入穴里许，渡一水，潜流通注，其深可涉，于中众穴奇分，令出入者疑迷不知所趣，每于疑路，必有历记，返者乃寻孔以自达矣。上又有大孔，豁达洞开，故以孔山为名也。其水又东迳西故安城南，即阎乡城也。历送荆陉北。耆旧云：燕丹饯荆轲于此，因而名焉，世代已远，非所详也。遗名旧传，不容不诠，庶广后人传闻之听。易水又东流屈迳长城西，又东流南迳武隧县〔一五〕南、新城县北。史记曰：赵将李牧伐燕，取武隧方城是也。俗又谓是水为武隧津，津北对长城门，谓之汾门。史记赵世家云：孝成王十九年，赵与燕易土，以龙兑、汾门与燕，燕以葛城、武阳与赵。即此也。亦曰汾水门，又谓之梁门矣。易水东分为梁门陂，易水又东，梁门陂水注之，水上承易水于梁门，东入长城,东北入陂。陂水北接范阳陂,陂在范阳城西十里,方十五里,俗亦谓之为盐台陂。陂水南通梁门淀,方三里。淀水东南流,出长城注易,谓之范水。易水自下,有范水通目。又东迳范阳县故城南,即应劭所谓范水之阳也。易水又东迳樊舆县故城北,汉武帝元朔五年,封中山靖王子刘条为侯国,王莽更名握符矣。地理风俗记曰:北新城县东二十里有樊舆亭,故县也。易水又东迳容城县故城南,汉高帝六年〔一六〕,封赵将夜于深泽;景帝中三年,以封匈奴降王唯徐卢于容城。皆为侯国,王莽更名深泽也。易水又东,埿水〔一七〕注之,水上承二陂于容城县东南,谓之大埿淀〔一八〕、小埿淀〔一九〕。其水南流注易水,谓之埿洞口〔二〇〕。水侧有浑埿城〔二一〕,易水迳其南,东合滱水。故桑钦曰:易水出北新城西北,东入滱。自下滱、易互受通称矣。易水又东迳易京南,汉末,公孙瓒害刘虞于蓟下,时童谣云:燕南垂,赵北际,惟有此中可避世。瓒以易地当之,故自蓟徙临易水,谓之易京城,在易城西四五里。赵建武四年,石虎自辽西南达易京,以京障至固,令二万人废坏之。今者,城壁夷平,其楼基尚存,犹高一匹。馀基上有井,世名易京楼,即瓒所保也。故瓒与子书云:袁氏之攻,状若鬼神,冲梯舞于楼上,鼓角鸣于地中。即此楼也。易水又东迳易县故城南,昔燕文公徙易,即此城也。阚骃称太子丹遣荆轲刺秦王,与宾客知谋者,祖道于易水上。燕丹子称,荆轲入秦,太子与知谋者,皆素衣冠送之于易水之上,荆轲起为寿,歌曰:风萧萧兮易水寒,壮士一去兮不复还。高渐离击筑,宋如意和之,为壮声,士发皆冲冠;为哀声,士皆流涕。疑于此也。余按遗传旧迹，多在武阳，似不饯此也。汉景帝中三年，封匈奴降王仆黖为侯国也。

又东过安次县南，

易水迳县南、鄚县故城北，东至文安县与滹沱〔二二〕合。史记：苏秦曰：燕，长城以北，易水以南。正谓此水也。是以班固、阚骃之徒，咸以斯水谓之南易。

又东过泉州县南，东入于海。

经书水之所历，沿次注海也。

滱水出代郡灵丘县高氏山，

即沤夷之水〔二三〕也，出县西北高氏山。山海经曰：高氏之山，滱水出焉，东流注于河者也。其水东南流，山上有石铭，题言：冀州北界。故世谓之石铭陉也。其水又南迳候塘，川名也。又东合温泉水，水出西北暄谷，其水温热若汤，能愈百疾，故世谓之温泉焉。东南流迳兴豆亭北，亭在南原上，敧倾而不正，故世以敧城目之。水自原东南注于滱。滱水又东，莎泉水注之，水导源莎泉南流，水侧有莎泉亭，东南入于滱水。滱水又东迳灵丘县故城南，应劭曰：赵武灵王葬其东南二十里，故县氏之。县，古属代，汉灵帝光和元年，中山相臧旻上请别属也。瓒注地理志曰：灵丘之号，在武灵王之前矣。又按司马迁史记：赵敬侯九年〔二四〕，败齐于灵丘，则名不因武灵王事，如瓒注滱水自县南流入峡，谓之隘门，设隘于峡，以讥禁行旅。历南山，南峰隐天，深溪埒谷，其水沿涧西转，迳御射台南，台在北阜上，台南有御射石碑。南则秀嶂分霄，层崖刺天，积石之峻，壁立直上，车驾沿溯，每出是所游艺焉。滱水西流，又南转东屈迳北海王详之石碣南、御射碑石柱北而南流也。

东南过广昌县南，

滱水东迳嘉牙川〔二五〕，有一水南来注之，水出恒山北麓，稚川三合，迳嘉牙亭东而北流，注于滱水。水之北，山行即广昌县界。滱水又东迳倒马关，关山险隘，最为深峭，势均诗人高冈之病良马，傅险之困行轩，故关受其名焉。关水出西南长溪下，东北历关注滱。滱水南，山上起御坐于松园，建祇洹于东圃，东北二面，岫嶂高深，霞峰隐日，水望澄明，渊无潜甲。行李所迳，鲜不徘徊忘返矣。

又东南过中山上曲阳县北，恒水从西来注之。

滱水自倒马关南流与大岭水合，水出山西南大岭下，东北流出峡，峡右山侧，有祇洹精庐，飞陆陵山，丹盘虹梁，长津泛澜，萦带其下，东北流注于滱。滱水又屈而东合两岭溪水，水出恒山北阜，东北流历两岭间，北岭虽层陵云举，犹不若南峦峭秀。自水南步远峰，石隥逶迤，沿途九曲，历睇诸山，咸为劣矣，抑亦羊肠、邛崃〔二六〕之类者也。齐、宋通和，路出其间。其水东北流，注于滱水。又东，左合悬水，水出山原岫盘谷，轻湍浚下，分石飞悬，一匹有馀，直灌山际，白波奋流，自成潭渚。其水东南流，扬湍注于滱。滱水又东流历鸿山，世谓是处为鸿头，疑即晋书地道记所谓鸿上关者也。关尉治北平而画塞于望都，东北去北平不远，兼县土所极也。滱水于是，左纳鸿上水，水出西北近溪，东南流注于滱水也。

又东过唐县南，

滱水又东迳左人城南，应劭曰：左人城在唐县西北四十里。县有雹水,亦或谓之为唐水也。水出中山城之西如北,城内有小山,在城西,侧而锐上,若委粟焉,疑即地道记所云望都县有委粟关也。俗以山在邑中,故亦谓之中山城;以城中有唐水,因复谓之为广唐城也。中山记以为中人城,又以为鼓聚,殊为乖谬矣。言城中有山,故曰中山也,中山郡治。京相璠曰:今中山望都东二十里有故中人城。望都城东有一城名尧姑城,本无中人之传,璠或以为中人,所未详也。中山记所言中人者,城东去望都故城十馀里,二十里则减,但苦其不东,观夫异说,咸为爽矣。今此城于卢奴城北如西六十里,城之西北,泉源所导,西迳郎山北,郎、唐音读近,实兼唐水之传。西流历左人亭注滱水。滱水又东,左会一水,水出中山城北郎阜下,亦谓之唐水也。然于城非在西,俗又名之为雹水,又兼二名焉。西南流入滱,并所未详,盖传疑耳。滱水又东,恒水从西来注之。自下滱水兼纳恒川之通称焉。即禹贡所谓恒、卫既从也。滱水又东,右苞马溺水,水出上曲阳城东北马溺山,东北流迳伏亭。晋书地道记曰:望都县有马溺关。中山记曰:八渡、马溺,是山曲要害之地,二关势接,疑斯城即是关尉宿治,异目之来,非所详矣。马溺水又东流注于滱。滱水又东迳中人亭南,春秋左传昭公十三年,晋荀吴率师侵鲜虞及中人,大获而归者也。滱水又东迳京丘北,世谓之京陵,南对汉中山顷王陵。滱水北对君子岸,岸上有哀王子宪王陵,坎下有泉源积水,亦曰泉上岸。滱水又东迳白土北,南即靖王子康王陵,三坟并列者是。滱水又东迳乐羊城北,史记称,魏文侯使乐羊灭中山。盖其故城中山所造也,故城得其名。滱水又东迳唐县故城南,此二城俱在滱水之阳，故曰滱水迳其南。城西又有一水，导源县之西北平地，泉涌而出，俗亦谓之为唐水也。东流至唐城西北隅，堨而为湖，俗谓之唐池。莲荷被水，嬉游多萃其上，信为胜处也。其水南入小沟，下注滱水，自上历下，通禅唐川之兼称焉。应劭地理风俗记曰：唐县西四十里得中人亭。今于此城取中人乡，则四十也。唐水在西北入滱，与应符合。又言尧山者在南，则无山以拟之，为非也。阚骃十三州志曰：中山治卢奴，唐县故城在国北七十五里。骃所说北则非也。史记曰：帝喾氏没，帝尧氏作，始封于唐。望都县在南，今此城南对卢奴故城，自外无城以应之。考古知今，事义全违，俗名望都故城则八十许里，距中山城则七十里，验途推邑，宜为唐城。城北去尧山五里，与七十五里之说相符。然则俗谓之都山，即是尧山，在唐东北望都界。皇甫谧曰：尧山一名豆山。今山于城北如东，崭绝孤峙，虎牙桀立，山南有尧庙，是即尧所登之山者也。地理志曰：尧山在南。今考此城之南，又无山以应之，是故先后论者，咸以地理记之说为失。又即俗说以唐城为望都城者，自北无城以拟之，假复有之，途程纡远，山河之状全乖，古证传为疏罔。是城西北豆山西足，有一泉源，东北流迳豆山，下合苏水，乱流转注东入滱，是岂唐水乎？所未详也。又于是城之南如东十馀里，有一城，俗谓之高昌县城，或望都之故城也。县在唐南，皇甫谧曰：相去五十里。稽诸城地，犹十五里，盖书误耳。此城之东，有山孤峙，世以山不连陵，名之曰孤山，孤、都声相近，疑即所谓都山也。帝王世纪曰：尧母庆都所居，故县目曰望都。张晏曰：尧山在北，尧母庆都山在南，登尧山见都山，故望都县以为名也。唐亦中山城也，为武公之国，周同姓。周之衰也，国有赤狄之难，齐桓霸诸侯，疆理邑土，遣管仲攘戎狄，筑城以固之。其后，桓公不恤国政，周王问太史馀曰：今之诸侯，孰先亡乎？对曰：天生民而令有别，所以异禽兽也。今中山淫昏康乐，逞欲无度，其先亡矣。后二年果灭。魏文侯以封太子击也，汉高祖立中山郡，景帝三年为王国，王莽之常山也。魏皇始二年，破中山，立安州，天兴三年，改曰定州，治水南卢奴县之故城。昔耿伯昭归世祖于此处也。滱水之右，卢水〔二七〕注之，水上承城内黑水池。地理志曰：卢水出北平，疑为疏阔；阚骃、应劭之徒，咸亦言是矣。余按卢奴城内西北隅有水，渊而不流，南北百步，东西百馀步，水色正黑，俗名曰黑水池。或云水黑曰卢，不流曰奴，故此城藉水以取名矣。池水东北际水，有汉中山王故宫处，台殿观榭，皆上国之制。简王尊贵，壮丽有加，始筑两宫，开四门，穿北城，累石为窦，通池流于城中，造鱼池、钓台、戏马之观。岁久颓毁，遗基尚存。今悉加土，为利刹灵图。池之四周，居民骈比，填褊秽陋，而泉源不绝。暨赵石建武七年，遣北中郎将始筑小城，兴起北榭，立宫造殿，后燕因其故宫，建都中山小城之南，更筑隔城，兴复宫观，今府榭犹传故制，自汉及燕。池水迳石窦，石窦既毁，池道亦绝，水潜流出城，潭积微涨，涓水东北注于滱。滱水又东迳汉哀王陵北，冢有二坟，故世谓之两女陵，非也。哀王是靖王之孙，康王之子也。滱水又东，右会长星沟，沟出上曲阳县西北长星渚。渚水东流又合洛光水，水出洛光沟，东入长星水，乱流东迳恒山下庙北，汉末丧乱，山道不通，此旧有下阶神殿，中世以来，岁书法族焉。晋、魏改有东西二庙，庙前有碑阙，坛场列柏焉。其水又东迳上曲阳县故城北，本岳牧朝宿之邑也。古者，天子巡狩，常以岁十一月至于北岳，侯伯皆有汤沐邑，以自斋洁。周昭王南征不还，巡狩礼废，邑郭仍存。秦罢井田，因以立县。城在山曲之阳，是曰曲阳；有下，故此为上矣。王莽之常山亭也。又东南流，胡泉水注之，水首受胡泉，迳上曲阳县南，又东迳平乐亭北，左会长星川，东南迳卢奴城南，又东北，川渠之左有张氏墓，冢有汉上谷太守议郎张平仲碑，光和中立。川渠又东北合滱水，水有穷通，不常津注。

又东过安憙县〔二八〕南，

县，故安险也。其地临险，有井、塗之难，汉武帝元朔五年，封中山靖王子刘应为侯国，王莽更名宁险，汉章帝改曰安憙。中山记曰：县在唐水之曲，山高岸险，故曰安险；邑丰民安，改曰安憙。秦氏建元中，唐水泛涨，高岸崩颓，城角之下有大积木，交横如梁柱焉。后燕之初，此木尚在，未知所从。余考记稽疑，盖城地当初，山水涛荡，漂沦巨栰，阜积于斯，沙息壤加，渐以成地，板筑既兴，物固能久耳。滱水又东迳乡城北，旧卢奴之乡也。中山记曰：卢奴有三乡，斯其一焉，后隶安憙。城郭南有汉明帝时孝子王立碑。

又东过安国县北，

滱水历县东分为二水，一水枝分，东南流迳解渎亭南，汉顺帝阳嘉元年，封河间孝王子淑于解渎亭为侯国，孙宏，即灵帝也。又东南迳任丘城南，又东南迳安郭亭南，汉武帝元朔五年，封中山靖王子刘传富为侯国。其水又东南流，入于滹沱[二九]。滱水又东北流迳解渎亭北而东北注。

又东过博陵县南，

滱水东北迳蠡吾县故城南，地理风俗记曰：县，故饶阳之下乡者也。自河间分属博陵。汉安帝元初七年[三〇]，封河间王开子翼为都乡侯，顺帝永建五年，更为侯国也。又东北迳博陵县故城南，即古陆成[三一]。汉武帝元朔二年，封中山靖王子刘贞为侯国者也。地理风俗记曰：博陵县，史记蠡吾故县矣。汉质帝本初元年[三二]，继孝冲为帝，追尊父翼陵曰博陵，因以为县，又置郡焉。汉末，罢还安平，晋太始年复为郡，今谓是城为野城。滱水又东北迳侯世县故城南，又东北迳陵阳亭东，又北，左会博水，水出望都县，东南流迳其县故城南，王莽更名曰顺调矣。又东南，潜入地下。博水又东南循渎，重源涌发，东南迳三梁亭南，疑即古勺梁也。竹书纪年曰：燕人伐赵，围浊鹿，赵武灵王及代人救浊鹿，败燕师于勺梁者也。今广昌东岭之东有山，俗名之曰浊鹿逻。城地不远，土势相邻，以此推之，或近是矣，所未详也。博水又东南迳穀梁亭南，又东迳阳城县，散为泽渚。渚水潴涨，方广数里，匪直蒲笋是丰，实亦偏饶菱藕，至若娈婉丱童，及弱年崽子，或单舟采菱，或叠舸折芰，长歌阳春，爱深绿水，掇拾者不言疲，谣咏者自流响，于时行旅过瞩，亦有慰于羁望矣。世谓之为阳城淀也。阳城县故城近在西北，故陂得其名焉。郡国志曰：蒲阴县有阳城者也。今城在县东南三十里。其水又伏流循渎，届清梁亭西北，重源又发。博水又东迳白堤亭南，又东迳广望县故城北，汉武帝元朔二年，封中山靖王子刘忠为侯国。又东合堀沟〔三三〕，沟上承清梁陂。又北迳清凉城东，即将梁也，汉武帝元朔二年，封中山靖王子刘朝平为侯国。其水东北入博水。博水又东北，左则濡水注之，水出蒲阴县西昌安郭南。中山记曰：郭东有舜氏甘泉，有舜及二妃祠。稽诸传记，无闻此处，世代云远，异说之来，于是乎在矣。其水自源东迳其县故城南，枉渚回湍，率多曲复，亦谓之为曲逆水也。张晏曰：濡水于城北曲而西流，是受此名，故县亦因水名而氏曲逆矣。春秋左传哀公四年，齐国夏伐晋，取曲逆是也。汉高帝击韩王信，自代过曲逆，上其城，望室宇甚多，曰壮哉！吾行天下，惟洛阳与是耳。诏以封陈平为曲逆侯。王莽更名顺平。濡水又东与苏水合，水出县西南近山，东北流迳尧姑亭南，又东迳其县入濡。濡水又东得蒲水口，水出西北蒲阳山，西南流，积水成渊，东西百步，南北百馀步，深而不测。蒲水又东南流，水侧有古神祠，世谓之为百祠，亦曰蒲上祠，所未详也。又南迳阳安亭东，晋书地道记曰：蒲阴县有阳安关，盖阳安关都尉治，世俗名斯川为阳安圹。蒲水又东南历圹，迳阳安关下，名关皋为唐头坂。出关北流，又东流迳夏屋故城，实中险绝。竹书纪年曰：魏殷臣、赵公孙裒伐燕，还取夏屋，城曲逆者也。其城东侧，因阿仍墉筑一城，世谓之寡妇城，贾复从光武追铜马、五幡于北平所作也。世俗音转，故有是名矣。其水又东南流迳蒲阴县故城北，地理志曰：城在蒲水之阴。汉章帝章和二年，行巡北岳，以曲逆名不善，因山水之名，改曰蒲阴焉。水右合鱼水，水出北平县西南鱼山，山石若巨鱼，水发其下，故世俗以物色名川。又东流注于蒲水，又东入濡。故地理志曰：蒲水、苏水，并从县东入濡水。又东北迳乐城南，又东入博水，自下博水亦兼濡水通称矣。春秋昭公七年，齐与燕盟于濡上。杜预曰：濡水出高阳县东北，至河间鄚县入易水。是濡水与滹沱、滱、易互举通称矣。博水又东北，徐水注之，水西出广昌县东南大岭下，世谓之广昌岭。岭高四十馀里，二十里中委折五回，方得达其上岭，故岭有五回之名〔三四〕。下望层山，盛若蚁蛭，实兼孤山之称，亦峻竦也。徐水〔三五〕三源奇发，齐泻一涧，东流北转迳东山下，水西有御射碑。徐水又北流西屈迳南崖下，水阴又有一碑。徐水又随山南转迳东崖下，水际又有一碑。凡此三铭，皆翼对层峦，岩障深高，壁立霞峙。石文云：皇帝以太延元年十二月，车驾东巡，迳五回之险邃，览崇岸之竦峙，乃停驾路侧，援弓而射之，飞矢逾于岩山，刊石用赞元功。夹碑并有层台二所，即御射处也。碑阴皆列树碑官名。徐水东北屈迳郎山，又屈迳其山南，众岑竞举，若竖鸟翅，立石崭岩，亦如剑杪，极地险之崇峭。汉武之世，戾太子以巫蛊出奔，其子远遁斯山，故世有郎山之名。山南有郎山君碑，事具其文。徐水又迳郎山君中子触锋将军庙南，庙前有碑，晋惠帝永康元年八月十四日壬寅，发诏锡君父子，法祠其碑。刘曜光初七年，前顿丘太守郎宣、北平太守阳平邑振〔三六〕等，共修旧碑，刻石树颂焉。徐水又迳北平县，县界有汉熹平四年幽、冀二州以戊子诏书，遣冀州从事王球、幽州从事张昭，郡县分境，立石标界，具揭石文矣。徐水又东南流历石门中，世俗谓之龙门也。其山上合下开，开处高六丈，飞水历其间，南出乘崖，倾涧泄注，七丈有馀，浺荡之音,奇为壮猛,触石成井,水深不测,素波自激,涛襄四陆,瞰之者惊神,临之者骇魄矣。东南出山迳其城中,有故碑,是太白君碑,郎山君之元子也。其水又东流,汉光武追铜马、五幡于北平,破之于顺水北,乘胜追北,为其所败,短兵相接,光武自投崖下,遇突骑王丰,于是授马退保范阳。顺水,盖徐州之别名也。徐水又东迳蒲城北,又东迳清苑城,又东南与卢水合,水出蒲城西,俗谓之泉头水也。地理志曰:北平县有卢水。即是水也。东迳其城,又东南,左入徐水。地理志曰:东至高阳入博,今不能也。徐水又东,左合曹水〔三七〕,水出西北朔宁县曹河泽,东南流,左合岐山之水,水出岐山,东迳邢安城北,又东南入曹河。曹水又东南迳北新城县故城南,王莽之朔平县也。曹水又东入于徐水。徐水又东南迳故城北,俗谓之祭隅城〔三八〕,所未详也。徐水又东注博水。地理志曰:徐水出北平,东至高阳入于博,又东入滱。地理志曰:博水自望都,东至高阳入于滱是也。

又东北入于易。

滱水又东北迳依城北,世谓之依城河。地说无依城之名,即古葛城也。郡国志曰:高阳有葛城,燕以与赵者也。滱水又东北迳阿陵县故城东,王莽之阿陆也,建武二年,更封左将军任光为侯国。滱水东北至长城注于易水者也。

〔一〕岳赞　注疏本作"潘岳赞"。疏:"朱无'潘'字,赵、戴同,全增。守敬按:今存潘岳文,无可考。然六朝文士,少名岳者,全增'潘'字,当是也。"

〔二〕樊石山水　方舆纪要卷十七直隶八永平府保安州礬山川引水经注作“礬山水”。

〔三〕故安县　嘉靖蠡县志封域第一引水经注作“固安县”。

〔四〕顺阴　注笺本、项本、张本均作“通顺”。

〔五〕殿本在此下案云:“‘即斯’下,当有脱文。”注疏本在此处无“昔慕容垂之为范阳也,戍之即斯。意欲图还上京,阻于行旅,造次不获,遂中”二十九字,径接“易水又东与濡水合”句。

〔六〕殿本在此下案云:“上下当有脱文,未详。”注疏本此处无此二十九字,见上。

〔七〕寰宇记卷五十四河北道三魏州莘县引水经注云:“武阳城有一石台,在天城门外,号曰武阳台。”方舆纪要卷十二直隶三保定府易州武阳城引水经注云:“武阳,燕昭王所城,东西二十里,南北十七里。”当均是此段下佚文。

〔八〕明锺芳黄金台记(天下名山诸胜一览记卷二)引水经注云:“固安县有黄金台。”天下郡国利病书卷二北直一引水经注与此同。康熙保定府志卷六古迹黄金台引水经注云:“固安县有黄金台。”当是此段下佚文。

〔九〕遒县　注释本作“逎县”。

〔一〇〕檀水　注笺本、项本、注释本、张本均作“檀山水”。

〔一一〕涞　注笺本、项本、注释本、张本均作“深”。

〔一二〕寰宇记卷六十七河北道十六雄州容城县引水经注云:“汉景帝改为亚谷城,封东胡降王卢它父为亚谷侯。”当是此段下佚文。

〔一三〕崧水　注释本作“淞水”。

〔一四〕名胜志卷五保定府二易州引水经注云:"其山有孔,表里通澈,状如星月,俗谓之星月岩。山下有穴,出钟乳,石上往往有仙人及龙迹。西谷又有一穴,大如车轮,春则风出东,夏出南,秋出西,冬出北。有沙门法猛,以夏日入其东穴,见石堂、石人,故欲穷之,内有人厉声云:法师,其馀三穴皆如东者,不宜更入。猛仍行不怠,须臾不觉身已在穴外矣。"当是此段下佚文。

〔一五〕武隧县　吴本、注笺本、项本、张本均作"武遂县"。

〔一六〕六年　注疏本作"八年"。疏:"朱八作六,赵、戴同,守敬按:史、汉表俱在八年,今订。"

〔一七〕埿水　黄本、吴本、注笺本、项本、沈本、张本、名胜志卷五保定府二容城县引水经注、方舆纪要卷十二直隶三保定府安州新安县渥县故城引水经注、通雅卷十七地舆湖淀引水经注、正字通巳集上水部淀引水经注、康熙字典巳集上水部渥引水经注、佩文韵府卷三十四上四纸水渥水引水经注、骈字类编卷五十山水门十五渥引水经注、雍正畿辅通志卷二十二山川川保定府大溵淀引水经注、河工考易水卷二引水经注均作"渥水"。

〔一八〕大埿淀　大典本、黄本、吴本、何校明钞本、王校明钞本、注笺本、项本、沈本、五校钞本、七校本、张本、注疏本均作"大渥淀"。

〔一九〕小埿淀　同上各本均作"小渥淀"。

〔二〇〕埿洞口　同上各本均作"渥洞口"。

〔二一〕浑埿城　同上各本均作"浑渥城"。

〔二二〕滹沱　黄本、吴本、沈本均作"雩池",五校钞本、七校本均作"滹沲"。

〔二三〕沤夷之水　大典本、吴本、注笺本、何校明钞本、王校明钞本、项本、张本、山海经笺疏卷三北山经“滱水出焉”郝懿行案引水经注、游历纪存奉燕之道引水经注均作“温夷之水”，注释本、注疏本、魏书地形志校录卷上引水经注均作“呕夷之水”，山海经广注卷三北山经“滱水出焉”吴任臣注引水经注、乾隆大同府志卷四山川滱水引水经注均作“温彝之水”。

〔二四〕九年　注疏本作“二年”，注：“朱笺曰：史记六国表云：赵敬侯九年，伐齐，至灵邱。全引笺说亦以为‘二’当作‘九’。赵、戴径改作九。会贞按：史记赵世家，敬侯二年，败齐于灵邱。又云：九年伐齐至灵邱，即六国表所载也。是二年败齐，九年伐齐，明系两事，此注引赵世家二年事，不误。朱氏乃据六国表九年事以表异同，殊为失考。全、赵、戴亦贸然从之，疏矣。”

〔二五〕寰宇记卷二十一河东道十二蔚州飞狐县引水经注云：“广昌县南有交牙城，未详所筑，以地有交牙川为名。”又云：“广昌郡南有古板殿城。”当均是此段下佚文。

〔二六〕邛崃　五校钞本、七校本均作“邛来”。

〔二七〕卢水　大典本、黄本、吴本、注笺本、项本、沈本、张本均作“虑水”，注疏本、雍正畿辅通志卷二十二山川川保定府清苑河引水经注均作“沈水”。

〔二八〕安憙县　大典本、黄本、吴本、注笺本、何校明钞本、项本、沈本、五校钞本、七校本、张本、注疏本均作“安喜县”。

〔二九〕滹沱　吴本、注笺本、项本、张本均作“乎池”，孙潜校本、注释本均作“呼池”，何本作“虖池”。

〔三〇〕元初七年　注疏本作“永初七年”。疏：“沈氏曰：永初当作元初，翼由县侯贬，非封也。守敬按：朱作永初七年，非。赵从沈氏说，谓永初当作元初，戴据改，亦非。盖由误读后汉书河间孝王开传也。传前云，永宁元年，邓太后封开子翼为平原王，后言元初六年，邓太后征翼诣京师，奇其容仪，故以为平原王胜后。岁馀，太后崩，贬为都乡侯。是为元初六年征，永宁元年封平原，永宁二年贬都乡也。又考邓皇后纪，永宁二年三月崩。安帝纪建光元年下，三月，邓太后崩，五月，贬平原王翼为都乡侯，七月，改元建光，则贬时为永宁二年。此永初七年确为永宁二年之误。沈氏等不知开传岁馀指永宁，而以为指元初，疏矣。”

〔三一〕陆成　注笺本、项本、五校钞本、七校本、注释本、张本均作“陆城”。

〔三二〕注释本释曰：“何氏曰：是桓帝继质帝，郦氏误记。”

〔三三〕堀沟　吴本、注笺本、项本、张本均作“崛沟”。

〔三四〕寰宇记卷六十七河北道十六易州满城县引水经注云：“五回山南七里有斗鸡台。”当是此段下佚文。五校钞本、七校本在经“又东过博陵县”注内，已加入一句云：“五回山南七里有斗鸡台，传云，燕太子丹斗鸡于此。”

〔三五〕通鉴卷一九〇唐纪六高祖武德五年“战于徐河”胡注引水经注云：“徐水东北迳五回县。”当是此段下佚文。

〔三六〕邑振　全、赵同，注疏本作“包振”，无疏文说明朱、全、赵、戴四本作邑振之讹。全祖望五校钞本有眉注：“邑振，人姓名，广韵，汉有邑由氏，盖复姓也，此单举之耳。名胜志引此文改作包振，非。”故知杨、熊包振是从名胜志而来。杨、熊未见五校钞本全氏眉注，故改四本之邑振为包振而未加疏文以说明，是注疏本之疏也。

〔三七〕曹水　康熙保定府志卷五山川漕河引水经注作"漕水"。

〔三八〕祭隅城　注笺本、项本、注释本、张本、名胜志卷四保定府安肃县引水经注、康熙保定府志卷五山川漕河引水经注、康熙畿辅通志卷四山川保定府漕河引水经注均作"祭过城"。

水经注卷十二

圣水　巨马水

圣水出上谷，

故燕地，秦始皇二十三年置上谷郡。王隐晋书地道志曰：郡在谷之头，故因以上谷名焉。王莽更名朔调也。水出郡之西南圣水谷，东南流迳大防岭〔一〕之东首。山下，有石穴，东北洞开，高广四五丈，入穴转更崇深，穴中有水。耆旧传言：昔有沙门释惠弥者，好精物隐，尝篝火寻之，傍水入穴三里有馀，穴分为二：一穴殊小，西北出，不知趣诣；一穴西南出，入穴经五六日方还，又不测穷深。其水夏冷冬温，春秋有白鱼出穴，数日而返，人有采捕食者，美珍常味，盖亦丙穴嘉鱼之类也。是水东北流入圣水。圣水又东迳玉石山，谓之玉石口，山多珉玉、燕石，故以玉石名之。其水伏流里馀，潜源东出，又东，颓波泻涧，一丈有馀，屈而南流也。

东过良乡县南，

圣水南流，历县西转，又南迳良乡县故城西，王莽之广阳也。有防水注之，水出县西北大防山南，而东南流迳羊头阜下，俗谓之羊头溪。其水又东南流，至县东入圣水。圣水又南与乐水合，水出县西北大防山南，东南流，历县西而东南流注圣水。圣水又东迳其县故城南，又东迳圣聚南，盖藉水而怀称也。又东与侠河〔二〕合，水出良乡县西甘泉原东谷，东迳西乡县故城北，王莽之移风也，世谓之都乡城。按地理志：涿郡有西乡县而无都乡城，盖世传之非也。又东迳良乡城南，又东北注圣水，世谓之侠活河〔三〕，又名之曰非理之沟〔四〕也。

又东过阳乡县北，

圣水自涿县东与桃水合，水首受涞水于徐城东南良乡，西分垣水，世谓之南沙沟，即桃水也。东迳遒县北，又东迳涿县故城下与涿水合。世以为涿水，又亦谓之桃水，出涿县故城西南奇沟东八里大坎下，数泉同发，东迳桃仁墟北，或曰因水以名墟，则是桃水也。或曰终仁之故居，非桃仁也。余按地理志：桃水上承涞水，此水所发，不与志同，谓终为是。又东北与乐堆泉合，水出堆东，东南流注于涿水。涿水又东北迳涿县故城西，注于桃。应劭曰：涿郡，故燕，汉高帝六年置。其南有涿水，郡盖氏焉。阚骃亦言是矣。今于涿城南无水以应之，所有惟西南有是水矣。应劭又云：涿水出上谷涿鹿县，余按涿水自涿鹿东注漯水〔五〕。漯水东南迳广阳郡与涿郡分水，汉高祖六年，分燕置涿郡，涿之为名，当受涿水通称矣，故郡、县氏之。但物理潜通，所在分发，故在匈奴为涿耶水。山川阻阔，并无沿注之理，所在受名者，皆是经隐显相关，遥情受用，以此推之，事或近矣，而非所安也。桃水又东迳涿县故城北，王莽更名垣翰，晋大始元年，改曰范阳郡。今郡理涿县故城，城内东北角有晋康王碑，城东有范阳王司马虓庙碑。桃水又东北与垣水会，水上承涞水，于良乡县分桃水，世谓之北沙沟〔六〕。故应劭曰：垣水出良乡，东迳垣县故城北。史记音义曰：河间有武垣县，涿有垣县。汉景帝中三年，封匈奴降王赐为侯国，王莽之垣翰亭矣。世谓之顷城，非也。又东迳顷，亦地名也。故有顷上言，世名之顷前河。又东，洛水注之，水上承鸣泽渚，渚方十五里，汉武帝元封四年，行幸鸣泽者也。服虔曰：泽名，在迺县北界。即此泽矣。西则独树水注之，水出迺县北山，东入渚。北有甘泉水注之，水出良乡西山，东南迳西乡城西，而南注鸣泽渚。渚水东出为洛水，又东迳西乡城南，又东迳垣县而南入垣水。垣水又东迳涿县北，东流注于桃。故应劭曰：垣水东入桃。阚骃曰：至阳乡注之。今按经脉〔七〕而不能届也。桃水东迳阳乡，东注圣水。圣水又东，广阳水注之，水出小广阳西山，东迳广阳县故城北；又东，福禄水注焉。水出西山，东南迳广阳县故城南，东入广阳水，乱流东南至阳乡县，右注圣水。圣水又东南迳阳乡城西，不迳其北矣。县，故涿之阳亭也。地理风俗记曰：涿县东五十里有阳乡亭，后分为县。王莽时，更名章武，即长乡县也。按太康地记，涿有长乡而无阳乡矣。圣水又东迳长兴城南，又东迳方城县故城北，李牧伐燕取方城是也。魏封刘放为侯国。圣水又东，左会白祀沟，沟水出广阳县之娄城〔八〕东，东南流，左合娄城水，水出平地，导源东南流，右注白祀水，乱流东南迳常道城西，故乡亭也，西去长乡城四十里，魏少帝璜甘露三年所封也。又东南入圣水。圣水又东南迳韩城东，诗韩奕章曰：溥彼韩城，燕师所完，王锡韩侯，其追其貊，奄受北国。郑玄曰：周封韩侯，居韩城为侯伯，言为獫夷所逼，稍稍东迁也。王肃曰：今涿郡方城县有韩侯城，世谓之寒号城，非也。圣水又东南流，右会清淀水，水发西淀，东流注圣水，谓之刘公口也。

又东过安次县南，东入于海。

圣水又东迳勃海安次县故城南，汉灵帝中平三年，封荆州刺史王敏为侯国。又东南流注于巨马河而不达于海也。

巨马河出代郡广昌县涞山，

即涞水也，有二源，俱发涞山，东迳广昌县故城南，王莽之广屏矣，魏封乐进为侯国。涞水又东北迳西射鱼城东南而东北流，又迳东射鱼城南，又屈迳其城东，竹书纪年曰：荀瑶伐中山，取穷鱼之丘。穷、射字相类，疑即此城也，所未详矣。涞水又迳三女亭西，又迳楼亭北，左属白涧溪，水有二源，合注一川，川石皓然，望同积雪，故以物色受名。其水又东北流，谓之石槽水〔九〕，伏流地下，溢则通津委注，谓之白涧口。涞水又东北，桑谷水注之，水南发桑溪，北注涞水。涞水又北迳小黉东，又东迳大黉南，盖霍原隐居教授处也。徐广云：原隐居广阳山，教授数千人，为王浚所害，虽千古世悬，犹表二黉之称。既无碑颂，竟不知定谁居也。涞水又东北历紫石溪口与紫水合，水北出圣人城北大亘下，东南流，左会磊砢溪水〔一〇〕，盖山崩委涧，积石沦隍，故溪涧受其名矣。水出东北，西南流注紫石溪水。紫石溪水又迳圣人城东，又东南，右会檐车水〔一一〕，水出檐车硎〔一二〕，东南流迳圣人城南，南流注紫石水，又南注于涞水。涞水又东南迳榆城南，又屈迳其城东，谓之榆城河。涞水又南迳藏刀山下，层岩壁立，直上干霄，远望崖侧，有若积刀，镮镮相比，咸悉西首。涞水东迳徐城北，故渎出焉，世谓之沙沟水。又东，督亢沟出焉。一水东南流，即督亢沟也；一水西南出，即涞水之故渎矣。水盛则长津宏注，水耗则通波潜伏，重源显于遒县，则旧川矣。

东过遒县北，

涞水上承故渎于县北垂，重源再发，结为长潭，潭广百许步，长数百步，左右翼带涓流，控引众水，自成渊渚。长川漫下十许里，东南流迳遒县故城东，汉景帝中三年，以封匈奴降王隆疆为侯国，王莽更名遒屏也。谓之巨马河，亦曰渠水也。又东南流，袁本初遣别将崔巨业攻固安不下，退还，公孙瓒追击之于巨马水，死者六七千人，即此水也。又东南迳范阳县故城北，易水注之〔一三〕。

又东南过容城县北，

巨马水又东，郦亭沟水注之。水上承督亢沟水于遒县东，东南流，历紫渊东。余六世祖乐浪府君，自涿之先贤乡爰宅其阴，西带巨川，东翼兹水，枝流津通，缠络墟圃，匪直田渔之赡可怀，信为游神之胜处也。其水东南流，又名之为郦亭沟。其水又西南转，历大利亭南入巨马水。又东迳容城县故城北。又东，督亢沟水注之，水上承涞水于涞谷，引之则长津委注，遏之则微川辍流，水德含和，变通在我〔一四〕。东南流迳遒县北，又东迳涿县郦亭楼桑里南，即刘备之旧里也。又东迳督亢泽，泽苞方城县，县故属广阳，后隶于涿。郡国志曰：县有督亢亭。孙畅之述画有督亢地图，言燕太子丹使荆轲赍入秦，秦王杀轲，图亦绝灭。地理书上古圣贤冢地记曰：督亢地在涿郡。今故安县南有督亢陌，幽州南界也。风俗通曰：沆，漭也。言乎淫淫漭漭，无崖际也。沆泽之无水，斥卤之谓也。其水自泽枝分，东迳涿县故城南，又东迳汉侍中卢植墓南，又东，散为泽渚，督亢泽也。北屈注于桃水。督亢水又南，谓之白沟水，南迳广阳亭西，而南合枝沟，沟水西受巨马河，东出为枝沟，又东注白沟，白沟又南，入于巨马河。巨马河又东南迳益昌县，护淀水右注之，水上承护陂于临乡县故城西，东南迳临乡城南，汉封广阳顷王子云为侯国。地理风俗记曰：方城南十里有临乡城，故县也。淀水又东南迳益昌县故城西，南入巨马水。巨马水东迳益昌县故城南，汉封广阳顷王子婴为侯国，王莽之有秩也。地理风俗记曰：方城县东八十里有益昌城，故县也。又东，八丈沟水注之，水出安次县东北平地，东南迳安次城东，东南迳泉州县故城西，又南，右合滹沱河枯沟，沟自安次西北，东迳常道城东、安次县故城西，晋司空刘琨所守以拒石勒也。又东南至泉州县西南，东入八丈沟，又南入巨马河，乱流东注也。

又东过勃海东平舒县北，东入于海。

地理志曰：涞水东南至容城入于河。河，即濡水也，盖互以明会矣。巨马水于平舒城北，南入于滹沱，而同归于海也。

〔一〕大防岭　北堂书钞卷一五八地部二穴篇十三引水经注、方舆纪要卷十一直隶二顺天府涿州房山县圣水引水经注均作“大房岭”。

〔二〕侠河　黄本、注笺本、孙潜校本、项本、沈本、张本、名胜志卷二顺天府涿州引水经注均作“挟河”。

〔三〕侠活河　黄本、注笺本、项本、沈本、张本均作“抚活河”。孙潜校本、注释本、注疏本、名胜志卷二顺天府涿州引水经注均作“挟活河”。

〔四〕非理之沟　黄本、吴本、注笺本、项本、沈本、五校钞本、七校本、注释本、张本均作“非漯之沟”。注疏本作“非理之沟”。疏:“朱‘理’作‘漯’,笺曰:一作‘理’。赵云:按‘漯’、‘理’音同,传写之差。漯水即湿水,注云涿水自涿鹿县东注湿水,此云非漯之沟,盖未与湿水合也。戴作‘理’。会贞按:大典本、明钞本并作‘理’,‘非漯’字不可解,当有误。赵氏牵涉湿水,殊为傅会。以上‘挟活’字推之,盖此水变动无常,不由其道,所以又有非理之称也。”

〔五〕瀔水　大典本、黄本、注笺本、项本、沈本、张本、名胜志卷一顺天府宛平县引水经注均作“湿水”。

〔六〕北沙沟　大典本、黄本、吴本、注笺本、项本、沈本、注释本均作“北涉沟”。

〔七〕注笺本“脉”下无“水”字,全、赵、戴同,沈本增“水”字,注疏本从沈本。杨守敬按:“应劭及阚骃并本汉志为说,而注谓垣水于涿县入桃,不至阳乡,与阚说异者,盖水道有变迁,郦氏以当时之图籍为据也。”

〔八〕娄城　方舆纪要卷十一直隶二顺天府东安县易水引水经注作“娄城店”。

〔九〕石槽水　黄本、注笺本、项本、沈本均作“石曹水”。

〔一〇〕磊砢溪水　黄本、吴本、沈本、五校钞本、七校本、注释本均作“垒砢溪水”。

〔一一〕檐车水　注笺本、项本、沈本、注释本、张本、方舆纪要卷三十七直隶八永平府保安州协阳关引水经注均作“擔车水”。

〔一二〕檐车硎　注笺本作“擔车硎”，项本、张本均作“擔石硎”。

〔一三〕寰宇记卷六十七河北道十六易州易县引水经注云：“巨马水东流迳加夷山，即媵子于山中养无目父母之所也。”当是此段下佚文。

〔一四〕札记水德含和变通在我：

郦道元在水经注原序中引玄中记说：“天下之多者水也，浮天载地，高下无所不至，万物无所不润。”这是他对自然界所存在的这个水体的总的看法。他一方面把水体看得至高无上，另一方面则十分重视人类对水体的利用和改造。所以在全书之中，他搜集和记载了各种水利工程，并且赞扬了历史上许多对水利建设的有功之人。他特别重视人类制服水、与水斗争的事迹，这类事迹，有时已经近乎神话，但是他却在他的著作中津津乐道，表现了他的人定胜天的思想和精神。

卷二河水经“其一源出于阗国南山，北流与葱岭所出河合，又东注蒲昌海”注中，他有声有色地叙述了一个人类制服水的近乎神话的故事：

> 敦煌索劢，字彦义，有才略，刺史毛奕表行贰师将军，将酒泉、敦煌兵千人，至楼兰屯田。起白屋，召鄯善、焉耆、龟兹三国兵各千，横断注滨河。河断之日，水奋势激，波陵冒堤。劢厉声曰：王尊建节，河堤不溢；王霸精诚，呼

沱不流。水德神明，古今一也。劢躬祷祀，水犹未减，乃列阵被杖，鼓噪讙叫，且刺且射，大战三日，水乃回减，灌浸沃衍，胡人称神。大田三年，积粟百万，威服外国。

在这个故事中提到的"王尊建节，河堤不溢"的事，在卷五河水经"又东北过卫县南，又东北过濮阳县北，瓠子河出焉"注中，有详细的叙述：

> 粤在汉世，河决金堤，涿郡王尊，自徐州刺史迁东郡太守，河水盛溢，泛浸瓠子，金堤决坏，尊躬率民吏，投沉白马，祈水神河伯，亲执圭璧，请身填堤，庐居其上。民吏皆走，尊立不动，而水波齐足而止。公私壮其勇节。

这两个故事，都有传奇式的内容，索劢与水的斗争，竟至于"列阵被杖，鼓噪讙叫，且刺且射，大战三日"。而王尊对于金堤溃决的措施则是"请身填堤，庐居其上。民吏皆走，尊立不动"。要士兵列队布阵，呐喊助威，真刀真枪地与洪水大战一场，确实令人惶惑不解。但索劢的这个方法，却为五代十国时的吴越王钱镠所仿效。因为钱塘江潮逼杭州城垣，他在后梁开平四年（九一〇）八月，命强弩手数百人射潮。此种传说，始于北宋孙光宪的北梦琐言，说有"精卒万人"。但吴越备史铁箭考说"募强弩五百人"。钱塘江边地狭，万人是站不下的，我看是数百人吧。用强弩手去和钱塘江怒潮作战，就能保住杭州城垣吗？其实保住杭州城垣的是钱镠另外从事的一种水利措施，即通鉴卷二六七后梁纪二太祖开平四年下所说的"吴越王镠作捍海石塘"胡三省注："今杭州城外濒浙江皆有石塘，上起六和塔，下抵艮山门外，皆钱氏所筑。"钱塘江怒潮是依靠他所筑的捍海石塘挡住的。不过在那个时代，在建筑的同时，用几百个强弩手向滚滚怒潮猛射一通，能够起到激励人心、鼓舞士气的作用，特别是那些正在施工筑塘的工人，这一措施，大大有助于他们工作的信心。由此可知，索励在大战洪水的同时，必然也有相应的水利措施。不然的话，“大田三年，积粟百万”，这是不可想象的。索励大战洪水，除了鼓舞士气，加速水利工程的修建外，另外还有一个重要的作用，因为他和钱镠不同，是孤军深入域外。他的大张旗鼓，鏖战洪水，还具有在胡人之中显显神通的意义。而结果是“胡人称神”，达到了他的目的。

王尊的故事也是一样，因为金堤溃决，他带领民吏前去抢险堵口，他的“请身填堤”，与其说是向河神陈述愿望，不如说是向吏民表示决心。他的“庐居其上”，当然是为了安定抢险大军的人心。在他这坚强有力的领导下，水情虽险，但终于抢修完成。

郦道元把这些近乎神话的故事记载在他的著作之中，实际上正是表示郦氏本人对人类和水体之间的关系的正确看法。洪水是可怕的，他在卷六浍水经“浍水出河东绛县东浍交东高山”注中引战国智伯的话说：“吾始不知水可以亡人国，今乃知之。汾水可以浸安邑，绛水可以浸平阳。”但另一方面，他坚定地相信，只要驾驭利用得法，水体是可以听命于人，造福于人的。他在卷十二巨马水经“又东南过容城县北”注中有一段意义深刻的话：

(巨马水)又东，督亢沟水注之，水上承涞水于涞谷，引之则长津委注，遏之则微川辍流，水德含和，变通在我。

“水德含和，变通在我”，这是郦道元在水经注中一句十分重要的名言，这句话说明了人类和水体之间的正确关系，也表现了郦道元人定胜天的思想。

水经注卷十三

灅水

灅水出雁门阴馆县，东北过代郡桑乾县南，

灅水〔一〕出于累头山，一曰治水。泉发于山侧，沿波历涧，东北流出山，迳阴馆县故城西，县，故楼烦乡也。汉景帝后三年置，王莽更名富臧矣。魏皇兴三年，齐平，徙其民于县，立平齐郡。灅水又东北流，左会桑乾水，县西北上平，洪源七轮，谓之桑乾泉，即溹涫水者也。耆老云：其水潜通，承太原汾阳县北燕京山之大池，池在山原之上，世谓之天池，方里馀，澄渟镜净，潭而不流，若安定朝那〔二〕之湫渊也。清水流潭，皎焉冲照，池中尝无斥草，及其风箨有沦，辄有小鸟翠色，投渊衔出，若会稽之耘鸟也。其水阳熯不耗，阴霖不滥，无能测其渊深也。古老相传，言尝有人乘车于池侧，忽过大风，飘之于水，有人获其轮于桑乾泉，故知二水潜流通注矣。池东隔阜又有一石池，方可五六十步，清深镜洁，不异大池。桑乾水自源东南流，右会马邑川水，水出马邑西川，俗谓之磨川矣。盖狄语音讹〔三〕，马、磨声相近故尔。其水东迳马邑县〔四〕故城南，干宝搜神记曰：昔秦人筑城于武州塞[五]内以备胡，城将成而崩者数矣。有马驰走一地，周旋反覆，父老异之，因依以筑城，城乃不崩，遂名之为马邑。或以为代之马城也，诸记纷竞，未识所是。汉以斯邑封韩王信，后为匈奴所围，信遂降之。王莽更名之曰章昭。其水东注桑乾水[六]。桑乾水又东南流，水南有故城，东北临河。又东南，右合㶟水，乱流枝水南分。桑乾水又东，左合武州塞水[七]，水出故城，东南流出山，迳日没城南，盖夕阳西颓，戎车所薄之城故也。东有日中城，城东又有早起城，亦曰食时城，在黄瓜阜北曲中。其水又东流，右注桑乾水。桑乾水又东南迳黄瓜阜曲西，又屈迳其堆南。徐广曰：猗卢废嫡子曰利孙于黄瓜堆者也。又东，右合枝津，枝津上承桑乾河，东南流迳桑乾郡北，大魏因水以立，郡受厥称焉。又东北，左合夏屋山水，水南出夏屋山之东溪，西北流迳故城北，所未详也。又西北入桑乾枝水，桑乾枝水又东流，长津委浪，通结两湖，东湖西浦，渊潭相接，水至清深，晨凫夕雁，泛滥其上，黛甲素鳞，潜跃其下，俯仰池潭，意深鱼鸟，所寡惟良木耳。俗谓之南池。池北对㴔陶县之故城[八]，故曰南池也。南池水又东北注桑乾水，为㶟水，自下并受通称矣。㶟水又东北迳石亭西，盖皇魏天赐三年之所经建也。㶟水又东北迳白狼堆南，魏烈祖道武皇帝于是遇白狼之瑞，故斯阜纳称焉。阜上有故宫庙，楼榭基雉尚崇，每至鹰隼之秋，羽猎之日，肆阅清野，为升眺之逸地矣。㶟水又东流四十九里，东迳巨魏亭北，又东，崞川水注之，水南出崞县故城南，王莽之崞张也。县南面玄岳[九]，右背崞山，处二山之中，故以崞张为名矣。其水又西出山，谓之崞口，北流迳繁畤县故城东，王莽之当要也。又北迳巨魏亭东，又北迳剧阳县故城西，王莽之善阳也。按十三州志曰：在阴馆县东北一百三里。其水又东注于㶟水，㶟水又东迳班氏县南，如浑水〔一〇〕注之，水出凉城旋鸿县西南五十馀里，东流迳故城南，北俗谓之〔一一〕独谷孤城，水亦即名焉。东合旋鸿池水，水出旋鸿县东山下，水积成池，北引鱼水，水出鱼溪，南流注池。池水吐纳川流，以成巨沼，东西二里，南北四里，北对凉川城之南池，池方五十里，俗名乞伏袁池〔一二〕。虽隔越山阜，鸟道不远，云霞之间，常有〔一三〕，西南流迳旋鸿县南，右合如浑水，是总二水之名矣。如浑水又东南流迳永固县，县以太和中，因山堂之目以氏县也。右会羊水，水出平城县之西苑外武州塞，北出东转，迳燕昌城南，按燕书，建兴十年，慕容垂自河西还，军败于参合，死者六万人。十一年，垂众北至参合，见积骸如山，设祭吊之礼，死者父兄皆号泣，六军哀恸，垂惭愤呕血，因而寝疾焉。轝过平城北四十里，疾笃，筑燕昌城而还，即此城也。北俗谓之老公城。羊水又东注于如浑水，乱流迳方山南，岭上有文明太皇太后陵，陵之东北有高祖陵，二陵之南有永固堂，堂之四周隅，雉列榭、阶、栏、槛，及扉、户、梁、壁、椽、瓦，悉文石也。檐前四柱，采洛阳之八风谷黑石为之，雕镂隐起，以金银间云矩，有若锦焉。堂之内外，四侧结两石趺，张青石屏风，以文石为缘，并隐起忠孝之容，题刻贞顺之名。庙前镌石为碑兽，碑石至佳，左右列柏，四周迷禽暗日。院外西侧，有思远灵图，图之西有斋堂，南门表二石阙，阙下斩山，累结御路，下望灵泉宫池，皎若圆镜矣。如浑水又南至灵泉池，枝津东南注池，池东西百步，南北二百步。池渚旧名白杨泉，泉上有白杨树，因以名焉，其犹长杨、五柞之流称矣。南面旧京，北背方岭，左右山原，亭观绣峙，方湖反景，若三山之倒水下。如浑水又南迳北宫下，旧宫人作薄所在。如浑水又南，分为二水，一水西出南屈，入北苑中，历诸池沼，又南迳虎圈东，魏太平真君五年，成之以牢虎也〔一四〕。季秋之月，圣上亲御圈，上敕虎士效力于其下，事同奔戎，生制猛兽，即诗所谓"祖裼暴虎，献于公所"也。故魏有捍虎图也。又迳平城西郭内，魏太常七年所城也。城周西郭外有郊天坛，坛之东侧有郊天碑，建兴四年立。其水又南屈，迳平城县故城南。史记曰：高帝先至平城。史记音义曰：在雁门。即此县矣。王莽之平顺也。魏天兴二年，迁都于此。太和十六年，破安昌诸殿〔一五〕，造太极殿，东、西堂及朝堂，夹建象魏、乾元、中阳、端门、东西二掖门、云龙、神虎、中华诸门，皆饰以观阁。东堂东接太和殿，殿之东阶下有一碑，太和中立，石是洛阳八风谷之缁石也。太和殿之东北，接紫宫寺，南对承贤门，门南即皇信堂，堂之四周，图古圣、忠臣、烈士之容，刊题其侧。是辩章郎彭城张僧达、乐安蒋少游笔。堂南对白台，台甚高广，台基四周列壁，阁道自内而升，国之图箓秘籍，悉积其下。台西即朱明阁，直侍之官，出入所由也。其水夹御路，南流迳蓬台西，魏神瑞三年，又建白楼，楼甚高竦，加观榭于其上，表里饰以石粉，皜曜建素，赭白绮分，故世谓之白楼也。后置大鼓于其上，晨昏伐以千椎，为城里诸门启闭之候，谓之戒晨鼓也。又南迳皇舅寺西，是太师昌黎王冯晋国所造，有五层浮图，其神图像皆合青石为之,加以金银火齐,众彩之上,炜炜有精光。又南迳永宁七级浮图西,其制甚妙,工在寡双。又南,远出郊郭,弱柳荫街,丝杨被浦,公私引裂,用周园溉,长塘曲池,所在布濩,故不可得而论也。一水南迳白登山西,服虔曰:白登,台名也,去平城七里。如淳曰:平城旁之高城若丘陵矣。今平城东十七里有台,即白登台也。台南对冈阜,即白登山也。故汉书称上遂至平城,上白登者也。为匈奴所围处。孙畅之述画曰:汉高祖被围七日,陈平使能画作美女,送与冒顿。阏氏恐冒顿胜汉,其宠必衰,说冒顿解围于此矣。其水又迳宁先宫东,献文帝之为太上皇,所居故宫矣。宫之东次,下有两石柱,是石虎邺城东门石桥柱也。按柱勒,赵建武中造,以其石作工妙,徙之于此。余为尚书祠部,与宜都王穆罴同拜北郊,亲所经见,柱侧悉镂云矩,上作蟠螭,甚有形势,信为工巧,去子丹碑则远矣。其水又南迳平城县故城东,司州代尹治。皇都洛阳,以为恒州。水左有大道坛庙,始光二年,少室道士寇谦之所议建也。兼诸岳庙碑,亦多所署立,其庙阶三成,四周栏槛,上阶之上,以木为圆基,令互相枝梧,以版砌其上,栏陛承阿,上圆制如明堂,而专室四户,室内有神坐,坐右列玉磬,皇舆亲降,受箓灵坛,号曰天师,宣扬道式,暂重当时。坛之东北,旧有静轮宫,魏神䴥四年造,抑亦柏梁之流也。台榭高广,超出云间,欲令上延霄客,下绝嚣浮。太平真君十一年,又毁之。物不停固,白登亦继褫矣。水右有三层浮图,真容鹫架,悉结石也。装制丽质,亦尽美善也。东郭外,太和中阉人宕昌公钳耳庆时,立祇洹舍于东皋,椽瓦梁栋,台壁櫺陛,尊容圣像,及床坐轩帐，悉青石也。图制可观，所恨惟列壁合石，疏而不密。庭中有祇洹碑，碑题大篆，非佳耳。然京邑帝里，佛法丰盛，神图妙塔，桀跱相望，法轮东转，兹为上矣。其水自北苑南出，历京城内，河干两湄，太和十年累石结岸，夹塘之上，杂树交荫，郭南结两石桥，横水为梁。又南迳藉田及药圃西、明堂东，明堂上圆下方，四周十二堂九室，而不为重隅也。室外柱内，绮井之下，施机轮，饰缥碧，仰象天状，画北道之宿焉，盖天也。每月随斗所建之辰，转应天道，此之异古也。加灵台于其上，下则引水为辟雍，水侧结石为塘，事准古制，是太和中之所经建也。如浑水又南与武州川水〔一六〕会，水出县西南山下，二源翼导，俱发一山，东北流，合成一川，北流迳武州县〔一七〕故城西，王莽之桓州也。又东北，右合黄水，水西出黄阜下，东北流，圣山之水注焉。水出西山，东流注于黄水。黄水又东注武州川〔一八〕，又东历故亭北，右合火山西溪水，水导源火山，西北流，山上有火井，南北六七十步，广减尺许，源深不见底，炎势上升，常若微雷发响，以草爨之，则烟腾火发。东方朔神异传云：南方有火山焉，长四十里，广四五里，其中皆生不烬之木，昼夜火燃，得雨猛风不灭。火中有鼠，重百斤，毛长二尺馀，细如丝，色白，时时出外，以水逐而沃之则死，取其毛绩以为布，谓之火浣布。是山亦其类也，但卉物则不能然。其山以火从地中出，故亦名荧台矣。火井东五六尺，又东有汤井，广轮与火井相状，热势又同，以草内之，则不燃，皆沾濡露结，故俗以汤井为目。井东有火井祠，以时祀祭焉。井北百馀步有东、西谷，广十许步，南崖下有风穴，厥大容人，其深不测，而穴中肃肃，常有微风，虽三伏盛暑，犹须袭裘，寒吹陵人，不可暂停。而其山出雏乌，形类雅乌，纯黑而姣好，音与之同，缋采绀发，觜若丹砂，性驯良而易附，丱童幼子，捕而执之。赤觜乌亦曰阿雏乌，按小尔雅，纯黑反哺，谓之慈乌；小而腹下白，不反哺者谓之雅乌；白脰而群飞者，谓之燕乌；大而白脰者，谓之苍乌。尔雅曰：鸒斯，卑居也。孙炎曰：卑居，楚乌。犍为舍人以为壁居。说文谓之雅。雅，楚乌。庄子曰：雅，贾矣。马融亦曰：贾，乌也。又按瑞应图，有三足乌、赤乌、白乌之名，而无记于此乌，故书其异耳。自恒山已北，并有此矣。其水又东北流注武州川水。武州川水又东南流，水侧有石祇洹舍并诸窟室，比丘尼所居也。其水又东转迳灵岩南，凿石开山，因岩结构，真容巨壮，世法所希。山堂水殿，烟寺相望，林渊锦镜，缀目新眺。川水又东南流出山，魏土地记曰：平城西三十里武州塞口者也。自山口枝渠东出入苑，溉诸园池苑。有洛阳殿，殿北有宫馆。一水自枝渠南流东南出，火山水注之，水发火山东溪，东北流出山，山有石炭，火之，热同樵炭也。又东注武州川，迳平城县南，东流注如浑水。又南流迳班氏县故城东，王莽之班副也。阚骃十三州志曰：班氏县在郡西南百里，北俗谓之去留城也。如浑水又东南流注于㶟水。㶟水又东迳平邑县故城南，赵献侯十三年，城平邑。地理志：属代，王莽所谓平胡也。十三州志曰：城在高柳南百八十里，北俗谓之丑寅城。㶟水又东迳沙陵南，魏金田之地也，事同曹武邺中定矣。㶟水又东迳狋氏县故城北，王莽更名之曰狋聚也。十三州志曰：县在高柳南百三十里，俗谓之苦力干城矣。㶟水又东迳道人县故城南，地理志:王莽之道仁也。地理风俗记曰:初筑此城,有仙人游其地,故因以为城名矣。今城北有渊,潭而不流,故俗谓之为平湖也。十三州志曰:道人城在高柳东北八十里,所未详也。㶟水又东迳阳原县故城南,地理志:代郡之属县也。北俗谓之比郍州城〔一九〕。㶟水又东,安阳水注之,水出县东北潭中,北俗谓之太拔回水,自潭东南流注于㶟水。又东迳东安阳县故城北,赵惠文王三年,主父封长子章为代安阳君,此即章封邑,王莽之竟安也。地理风俗记曰:五原有西安阳,故此加东也。㶟水又东迳昌平县,温水注之。水出南坆下,三源俱导,合而南流,东北注㶟水。㶟水又东迳昌平县故城北,王莽之长昌也。昔牵招为魏鲜卑校尉,屯此。㶟水又东北迳桑乾县故城西,又屈迳其城北,王莽更名之曰安德也。魏土地记曰:代城北九十里有桑乾城,城西渡桑乾水,去城十里,有温汤,疗疾有验。经言出南,非也,盖误证矣。魏任城王彰以建安二十三年伐乌丸,入涿郡,逐北遂至桑乾,正于此也。㶟水又东流,祁夷水注之,水出平舒县,东迳平舒县之故城南泽中。史记:赵孝成王十九年,以汾门予燕易平舒。徐广曰:平舒在代。王莽更名之曰平葆,后汉世祖建武七年,封扬武将军马成为侯国。其水控引众泉,以成一川。魏土地记曰:代城西九十里有平舒城,西南五里,代水所出,东北流,言代水非也。祁夷水又东北迳兰亭南,又东北迳石门关北,旧道出中山故关也。又东北流,水侧有故池,按魏土地记曰:代城西南三十里有代王鱼池,池西北有代王台,东去代城四十里。祁夷水又东北得飞狐谷,即广野君所谓杜飞狐之口也。苏林据郦公之说,言在上党,即实非也。如淳言在代，是矣。晋建兴中，刘琨自代出飞狐口，奔于安次，即于此道也。魏土地记曰：代城南四十里有飞狐关，关水西北流迳南舍亭西，又迳句琐亭西，西北注祁夷水。祁夷水又东北流迳代城西，卢植言：初筑此城，板干一夜自移于此，故代西南五十里大泽中营城自护，结苇为九门。于是就以为治城，圆匝而不方，周四十七里，开九门，更名其故城曰东城。赵灭代，汉封孝文为代王。梅福上事曰：代谷者，恒山在其南，北塞在其北，谷中之地。上谷在东，代郡在西，是其地也。王莽更之曰厌狄亭。魏土地记曰：城内有二泉，一泉流出城西门，一泉流出城北门，二泉皆北注代水。祁夷水又东北，热水注之，水出绫罗泽，泽际有热水亭，其水东北流，注祁夷水。祁夷水又东北，谷水注之，水出昌平县故城南，又东北入祁夷水。祁夷水右会逆水，水导源将城东，西北流迳将城北，在代城东北十五里，疑即东代矣，而尚传将城之名。卢植曰：此城方就而板干自移。应劭曰：城徙西南，去故代五十里，故名代曰东城。或传书倒错，情用疑焉，而无以辨之。逆水又西，注于祁夷之水。逆之为名，以西流故也。祁夷水东北迳青牛渊，水自渊东注之。耆彦云：有潜龙出于兹浦，形类青牛焉，故渊潭受名矣。潭深不测，而水周多莲藕生焉。祁夷水又北迳一故城西，西去代城五十里，又疑是代之东城，而非所详也。又迳昌平郡东，魏太和中置，西南去故城六十里。又北，连水入焉，水出雊瞀县东，西北流，迳雊瞀县故城南，又西迳广昌城南，魏土地记曰：代南二百里有广昌城，南通大岭。即实非也。十三州记曰：平舒城东九十里有广平城，疑是城也。寻其名状,忖理为非。又西迳王莽城南,又西,到剌山水注之,水出到剌山西山,甚层峻,未有升其巅者。魏土地记曰:代城东五十里有到剌山,山上有佳大黄也。其水北流迳一故亭东,城北有石人,故世谓之石人城,西北注连水。连水又北迳当城县故城西,高祖十二年,周勃定代斩陈豨于当城,即此处也。应劭曰:当桓都山作城,故曰当城也。又迳故代东而西北流注祁夷水。祁夷水西有随山,山上有神庙,谓之女郎祠,方俗所祠也。祁夷水又北迳桑乾故城东,而北流注于㶟水。地理志曰:祁夷水出平舒县,北至桑乾入㶟是也。㶟水又东北迳石山水口,水出南山,北流迳空侯城东,魏土地记曰:代城东北九十里有空侯城者也。其水又东北流注㶟水。㶟水又东迳潘县故城北,东合协阳关水,水出协溪。魏土地记曰:下洛城西南九十里有协阳关,关道西通代郡。其水东北流,历笄头山,阚骃曰:笄头山在潘城南,即是山也。又北迳潘县故城,左会潘泉故渎,渎旧上承潘泉于潘城中。或云,舜所都也。魏土地记曰:下洛城西南四十里有潘城,城西北三里,有历山,山上有虞舜庙。十三州记曰:广平城东北百一十里有潘县,地理志曰:王莽更名树武。其泉从广十数步,东出城,注协阳关水。雨盛则通注,阳旱则不流,惟洴泉而已。关水又东北流,注于㶟水。㶟水又东迳雍洛城南,魏土地记曰:下洛城西南二十里有雍洛城,桑乾水在城南东流者也。㶟水又东迳下洛县故城南,王莽之下忠也,魏燕州广甯县,广甯郡治。魏土地记曰:去平城五十里,城南二百步有尧庙。㶟水又东迳高邑亭北,又东迳三台北,㶟水又东迳无乡城北,地理风俗记曰:燕语呼毛为无,今改宜乡也。

㶟水又东，温泉水注之，水上承温泉于桥山下，魏土地记曰：下洛城东南四十里有桥山，山下有温泉，泉上有祭堂。雕檐华宇，被于浦上；石池吐泉，汤汤其下。炎凉代序，是水灼焉无改，能治百疾，是使赴者若流。池水北流，入于㶟水。㶟水又东，左得于延水口，水出塞外柔玄镇西长川城南小山。山海经曰：梁渠之山，无草木，多金玉，脩水出焉。东南流迳且如县故城南。应劭曰：当城西北四十里有且如城，故县也。代称不拘，名号变改，校其城郭，相去远矣。地理志曰：中部都尉治。于延水出县北塞外，即脩水也。脩水又东南迳马城县故城北，地理志曰：东部都尉治。十三州志曰：马城在高柳东二百四十里。俗谓是水为河头〔二〇〕，河头出戎方，土俗变名耳。又东迳零丁城南，右合延乡水，水出县西山，东迳延陵县故城北，地理风俗记曰：当城西北有延陵乡，故县也。俗指为琦城〔二一〕。又东迳罗亭，又东迳马城南，又东注脩水，又东南于大甯郡北，右注雁门水。山海经曰：雁门之水，出于雁门之山。雁出其门，在高柳北。高柳在代中，其山重峦叠巘，霞举云高，连山隐隐，东出辽塞。其水东南流迳高柳县故城北，旧代郡治。秦始皇二十三年虏赵王迁，以国为郡，王莽之所谓厌狄也。建武十九年，世祖封代相堪为侯国，昔牵招斩韩忠于此处。城在平城东南六七十里，于代为西北也。雁门水又东南流，屈迳一故城，背山面泽，北俗谓之叱险城。雁门水又东南流，屈而东北，积而为潭，其陂斜长而不方，东北可二十馀里，广十五里，蒹葭藂生焉。敦水注之，其水导源西北少咸山之南麓，东流迳参合县故城南，地理风俗记曰：道人城北五十里有参合乡，故县也。

敦水又东，瀿水注之，水出东阜下，西北流迳故城北，俗谓之和堆城，又北合敦水，乱流东北注雁门水。故山海经曰：少咸之山，敦水出焉，东流注于雁门之水。郭景纯曰：水出雁门山，谓斯水也。雁门水又东北入阳门山，谓之阳门水，与神泉水合。水出苇壁北，水有灵焉，及其密云不雨，阳旱愆期，多祷请焉。水有二流，世谓之比连泉，一水东北迳一故城东，世谓之石虎城，而东北流注阳门水，又东迳三会亭北，又东迳西伺道城北，又东，托台谷水注之，水上承神泉于苇壁北，东迳阳门山南托台谷，谓之托台水，汲引泉溪，浑涛东注，行者间十馀渡。东迳三会城南，又东迳托台亭北，又东北迳马头亭北，东北注雁门水。雁门水又东迳大甯郡，北魏太和中置。有脩水注之，即山海经所谓脩水东流注于雁门水也。地理志有于延水而无雁门、脩水之名，山海经有雁门之目，而无说于延河，自下亦通谓之于延水矣。水侧有桑林，故时人亦谓是水为藳桑河也〔二二〕。斯乃北土寡桑，至此见之，因以名焉。于延水又东迳冈城南，按史记，蔡泽，燕人也，谢病归相，秦号冈成君。疑即泽所邑也，世名武冈城。于延水又东，左与宁川水合，水出西北，东南流迳小甯县故城西，东南流注于延水。于延水又东，迳小甯县故城南，地理志：宁县也，西部都尉治，王莽之博康也。魏土地记曰：大甯城西二十里有小甯城，昔邑人班丘仲居水侧，卖药于甯百馀年，人以为寿，后地动宅坏，仲与里中数十家皆死，民人取仲尸弃于延水中，收其药卖之。仲被裘从而诘之，此人失怖，叩头求哀。仲曰：不恨汝，故使人知我耳，去矣。后为夫馀王驿使来甯，此方人谓之谪仙也。于延水又东，黑城川水注之，水有三源，出黑土城西北，奇源合注，总为一川，东南迳黑土城西，又东南流迳大甯县西而南入延河。延河又东迳大甯县故城南，地理志云：广宁也。王莽曰广康矣。魏土地记曰：下洛城西北百三十里有大甯城。于延水又东南迳茹县故城北，王莽之榖武也。世谓之如口城。魏土地记曰：城在鸣鸡山西十里，南通大道，西达宁川。于延水又东南迳鸣鸡山西。魏土地记曰：下洛城东北三十里有延河东流，北有鸣鸡山。史记曰：赵襄子杀代王于夏屋而并其土，襄子迎其姊于代。其姊，代之夫人也，至此曰：代已亡矣，吾将何归乎？遂磨笄于山而自杀。代人怜之，为立祠焉。因名其山为磨笄山。每夜有野鸡，群鸣于祠屋上，故亦谓之为鸣鸡山。魏土地记云：代城东南二十五里有马头山，其侧有钟乳穴，赵襄子既害代王，迎姊，姊代夫人，夫人曰：以弟慢夫，非仁也；以夫怨弟，非义也。磨笄自刺而死，使者自杀，民怜之，为立神屋于山侧，因名之为磨笄之山。未详孰是。于延水又南迳且居县故城南，王莽之所谓久居也。其水东南流，注于㶟水。地理志曰：于延水东至广宁入沽。非矣。

又东过涿鹿县北，

涿水出涿鹿山，世谓之张公泉，东北流迳涿鹿县故城南，王莽所谓搏陆〔二三〕也。黄帝与蚩尤战于涿鹿之野，留其民于涿鹿之阿。即于是也。其水又东北与阪泉合，水导源县之东泉。魏土地记曰：下洛城东南六十里有涿鹿城，城东一里有阪泉，泉上有黄帝祠。晋太康地理记曰：阪泉亦地名也。泉水东北流与蚩尤泉会，水出蚩尤城，城无东面。魏土地记称，涿鹿城东南六里有蚩尤城。泉水渊而不流,霖雨并则流注阪泉,乱流东北入涿水。涿水又东迳平原郡南,魏徙平原之民置此,故立侨郡,以统流杂。涿水又东北迳祚亭北,而东北入灅水。亦云涿水枝分入匈奴者,谓之涿邪水。地理潜显,难以究昭,非所知也。灅水又东南,左会清夷水,亦谓之沧河也。水出长亭南,西迳北城村故城北,又西北,平乡川水注之,水出平乡亭西,西北流注清夷水。清夷水又西北迳阴莫亭,在居庸县南十里。清夷水又西会牧牛山水。魏土地记曰:沮阳城东八十里有牧牛山,下有九十九泉,即沧河之上源也。山在县东北三十里,山上有道武皇帝庙。耆旧云:山下亦有百泉竞发,有一神牛驳身,自山而降,下饮泉竭,故山得其名。今山下导九十九泉,积以成川,西南流,谷水与浮图沟水注之,水出夷舆县故城西南,王莽以为朔调亭也。其水俱西南流,注于沧水。沧水又西南,右合地裂沟,古老云:晋世地裂,分此界间成沟壑。有小水,俗谓之分界水,南流入沧河。沧河又西迳居庸县故城南,魏上谷郡治。昔刘虞攻公孙瓒不克,北保此城,为瓒所擒。有粟水入焉,水出县下,城西枕水,又屈迳其县南,南注沧河。沧河又西,右与阳沟水合,水出县东北,西南流迳居庸县故城北,西迳大翮、小翮山南,高峦截云,层陵断雾,双阜共秀,竞举群峰之上。郡人王次仲,少有异志,年及弱冠,变苍颉旧文为今隶书。秦始皇时官务烦多,以次仲所易文简,便于事要,奇而召之,三征而辄不至。次仲履真怀道,穷数术之美。始皇怒其不恭,令槛车送之。次仲首发于道,化为大鸟,出在车外,翻飞而去,落二翮于斯山,故其峰峦有大翮、小翮之名矣。魏土地记曰：沮阳城东北六十里有大翮、小翮山，山上神名大翮神，山屋东有温汤水口。其山在县西北二十里，峰举四十里，上庙则次仲庙也。右出温汤，疗治万病。泉所发之麓，俗谓之土亭山。此水炎热，倍甚诸汤，下足便烂人体。疗疾者要须别引，消息用之耳，不得言。大翮山东，其水东南流，左会阳沟水，乱流南注沧河。沧河又左得清夷水口，魏土地记曰：牧牛泉西流，与清夷水合者也。自下二水互受通称矣。清夷水又西，灵亭水注之，水出马兰西泽中，众泉泻溜归于泽，泽水所钟，以成沟渎。渎水又左与马兰溪水会，水导源马兰城，城北负山势，因阿仍溪，民居所给，惟仗此水。南流出城，东南入泽水。泽水又南迳灵亭北，又屈迳灵亭东，次仲落鸟翮于此，故是亭有灵亭之称矣。其水又南流，注于清夷水。清夷水又西与泉沟水会，水导源川南平地，北注清夷水。清夷水又西南得桓公泉，盖齐桓公霸世，北征山戎，过孤竹西征，束马悬车，上卑耳之西极，故水受斯名也。水源出沮阳县东，而西北流入清夷水。清夷水又西迳沮阳县故城北，秦上谷郡治此，王莽改郡曰朔调，县曰沮阴。阚骃曰：涿鹿东北至上谷城六十里。魏土地记曰：城北有清夷水西流也。其水又屈迳其城西，南流注于灅水。灅水南至马陉山，谓之落马洪〔二四〕。

又东南出山，

灅水又南出山，瀑布飞梁，悬河注壑，湔湍十许丈，谓之落马洪，抑亦孟门之流也。灅水自南出山，谓之清泉河，俗亦谓之曰千水，非也。灅水又东南迳良乡县之北界，历梁山南，高梁水出焉。

过广阳蓟县北，

㶟水又东迳广阳县故城北，谢承后汉书曰：世祖与铫期出蓟至广阳，欲南行。即此城也。谓之小广阳。㶟水又东北迳蓟县故城南，魏土地记曰：蓟城南七里有清泉河，而不迳其北。盖经误证矣。昔周武王封尧后于蓟，今城内西北隅有蓟丘，因丘以名邑也。犹鲁之曲阜、齐之营丘矣。武王封召公之故国也。秦始皇二十三年灭燕，以为广阳郡，汉高帝以封卢绾为燕王，更名燕国，王莽改曰广有，县曰代戎。城有万载宫、光明殿。东掖门下，旧慕容儁立铜马像处，昔慕容廆有骏马，赭白有奇相，逸力至俊。光寿元年，齿四十九矣，而骏逸不亏。儁奇之，比鲍氏骢，命铸铜以图其像，亲为铭赞，镌颂其傍，像成而马死矣。大城东门内道左，有魏征北将军建成乡景侯刘靖碑。晋司隶校尉王密表靖，功加于民，宜在祀典。以元康四年九月二十日刊石建碑，扬于后叶矣。㶟水又东与洗马沟水合，水上承蓟水，西注大湖〔二五〕。湖有二源，水俱出县西北，平地导源，流结西湖。湖东西二里，南北三里，盖燕之旧池也。绿水澄澹，川亭望远，亦为游瞩之胜所也。湖水东流为洗马沟，侧城南门东注，昔铫期奋戟处也。其水又东入㶟水，㶟水又东迳燕王陵南，陵有伏道，西北出蓟城中。景明中造浮图建刹，穷泉掘得此道，王府所禁，莫有寻者。通城西北大陵，而是二坟，基趾磐固，犹自高壮，竟不知何王陵也。㶟水又东南，高梁之水注焉。水出蓟城西北平地，泉流东注，迳燕王陵北，又东迳蓟城北，又东南流。魏土地记曰：蓟东十里有高梁之水者也。其水又东南入㶟水。

又东至渔阳雍奴县西，入笥沟。

汉光武建武二年，封颍川太守寇恂为雍奴侯。魏遣张郃、乐进围雍奴，即此城矣。笥沟，潞水之别名也。魏土地记曰：清泉河上承桑乾河，东流与潞河合。灅水东入渔阳，所在枝分，故俗谚云：高梁无上源，清泉无下尾。盖以高梁微涓浅薄，裁足津通，凭藉涓流，方成川甽。清泉至潞，所在枝分，更为微津，散漫难寻故也。

〔一〕灅水　大典本、黄本、吴本、注笺本、谭本、何校明钞本、王校明钞本、注删本、项本、沈本、摘钞本、张本、玉海卷二十地理汉水经引水经注，通鉴卷一一九宋纪一营阳王景平元年"起天师道场于平城东南，重坛五层"胡注引水经注，元一统志卷一中书省统山东河北之地大都路山川新河引水经注，寰宇通志卷八十一大同府灅水引水经注，名胜志山西卷五大同府应州引水经注，林水录钞水经注，天下郡国利病书卷二北直一引水经注，京东考古录考蓟引水经注，游历纪程秦燕之道引水经注，方舆纪要卷四十四山西六大同府大同县桑乾河引水经注，今古地理述卷二直隶省宛平县引水经注，正字通巳集上水部湿引水经注，康熙字典水部湿引水经注，佩文韵府卷二十四上九青亭川亭引水经注，乾隆大同府志卷四山川桑乾河引水经注，游山西记引水经注，永宁祇谒笔记引水经注均作"湿水"。

〔二〕朝那　御览卷六十四地部二十九桑乾河引水经注、通鉴地理通释卷十四天池注引水经注均作"朝䣊"。

〔三〕狄语音讹　郦道元对其所不解的非汉语地名，常用这类词语说明,详见卷三河水注注〔一八〕"大浴真山"条。

〔四〕清官梦仁读书纪数略卷十一地部山川类桑乾河七泉引水经注云:"伏流至朔州马邑县雷山之阳,汇为七泉。"当是此段下佚文。

〔五〕武州塞　大典本、黄本、吴本、注笺本、项本、沈本、注释本、张本、注疏本均作"武周塞"。

〔六〕御览卷六十四地部二十九桑乾河引水经注云:"俗谓之衣连衲,在静乐县北百四十里。"寰宇记卷四十九河东道十云州云中县引水经注云:"衔河水西南合桑乾河。"当是此段下佚文。后一句在五校钞本眉批中已经录入。

〔七〕武州塞水　同注〔五〕,作"武周塞水"。

〔八〕注疏本疏:"朱'城'下有'南'字,赵同,戴删。守敬按:前汉县属雁门郡,后汉因,永嘉后废,在今应州西。"

〔九〕新镌海内奇观卷一恒岳图说引水经注云:"玄岳高三千九百丈,福地著其周三百里,为总玄之天。"为今本所无。但明乔宇晋阳游记(载古今天下名山胜概记卷三十六)云:"水经著其高三千九百丈,为玄岳;福地记著其周围一百三十里,为总玄之天。"是知新镌海内奇观"福地"下漏"记"字,故"福地"下当非郦佚,而"玄岳高三千九百丈",应为此句下佚文。

〔一〇〕初学记卷八河东道第四如浑水引水经注云:"如浑水,水经方山又曰纥真山,夏积雪,鸟雀死者一日千数。"当是此段下佚文。

〔一一〕北俗谓之　与注〔三〕"狄语音讹"类似,为郦氏对其不解的非汉语地名所用词语。在这条经文下,除此处独谷孤城外,如“俗名乞伏袁池”、“北俗谓之老公城”、“俗谓之苦力干城矣”、“北俗谓之比郍州城”、“北俗谓之太拔回水”、“燕语”、“土俗变名”等均是其例。

〔一二〕乞伏袁池　注笺本、项本、注释本、张本均作“乞伏袁河”。

〔一三〕殿本在此处案云:“案此下有脱文。”注疏本疏:“朱笺曰:此下脱少数字。”

〔一四〕魏书太宗纪:“(明元帝永兴)四年春二月癸未,登虎圈射虎。”则虎圈于太平真君五年(四四四)以前三十馀年的永兴四年(四一二)已经存在,故注文“成之”二字疑郦氏之误。

札记斗虎:

古罗马有人虎搏斗的故事。贵族选奴隶中的精强力壮者,置之虎栏,赤手空拳与虎搏斗,让观台上的贵族们围观取乐。这个场面当然是很惊险的。虎是百兽之王,是极端凶猛的动物,这样的猛兽,一般人看到就怕,莫说与它搏斗了。搏斗的结果,不是虎伤,就是人亡。古罗马贵族对奴隶的残暴行为,于此可见一斑。

其实,人虎搏斗的事,在古代中国也是常有的。景阳冈的武松打虎,当然是人们编造出来的故事,但这个故事的背景却是古代确实存在这类事实。诗郑风大叔于田生动地描写了一个猎人,打着赤膊,赤手空拳地活捉猛虎的故事:

叔在薮,火烈具举,袒裼暴虎,献于公所。将叔无狃,戒其伤女。(此诗语译:阿叔狩猎林薮中,野火遍地烧得红,赤膊上阵擒大虫,擒得大虫献上峰。阿叔切莫太逞勇，猛虎伤人须保重。）

郑风描述的这个猎人，为了向上峰进献，不得不舍了性命赤手空拳地去捕猎猛虎，情况和古罗马相似。

在水经注一书中，这种人虎搏斗的事，是常见记载的。卷五河水经"又东过成皋县北，济水从北来注之"注云：

> 穆天子传曰：天子射鸟猎兽于郑圃，命虞人掠林，有虎在于葭中，天子将至，七萃之士高奔戎生捕虎而献之天子，命之为柙，畜之东虢，是曰虎牢矣。

高奔戎与虎搏斗，不是把虎打死，而是要擒住一只活虎，这样的斗虎，恐怕比景阳冈上的武松更为困难。

卷十三㶟水经"㶟水出雁门阴馆县，东北过代郡桑乾县南"注云：

> （如浑水）又南迳虎圈东，魏太平真君五年，成之以牢虎也。季秋之月，圣上亲御圈，上敕虎士效力于其下，事同奔戎，生制猛兽，即诗所谓"袒裼暴虎，献于公所"也。故魏有捍虎图也。

卷十六穀水经"又东过河南县北，东南入于洛"注云：

> 竹林七贤论曰：王戎幼而清秀，魏明帝于宣武场上为栏，苞虎牙，使力士袒裼，迭与之搏，纵百姓观之。戎年七岁，亦往观焉，虎乘间薄栏而吼，其声震地，观者无不辟易颠仆，戎亭然不动。

像上述魏明帝与北魏太武帝的作法，与古罗马已经没有两样，而所谓"虎士"、"力士"，其处境危险，与古罗马奴隶亦并无二致。除了这类"纵百姓观之"的古罗马式的人虎搏斗

以外,中国古代,也有把人投入虎圈中喂虎的一种刑罚,卷十九渭水经"又东过霸陵县北,霸水从县西北流注之"注云:

> 列士传曰:秦昭王会魏王,魏王不行,使朱亥奉璧一双。秦王大怒,置朱亥虎圈中,亥瞋目视虎,眦裂血出溅虎,虎不敢动。

这里所说的"虎圈",近乎现在动物园中的狮虎山之类,圈内当有不少猛虎,处于群虎之中,朱亥的勇敢,也就可想而知了。现在的动物园,要想得到一只虎,除了人工繁殖以外,已经相当困难。但古代到处都设虎圈、虎牢,其原因是当时虎甚多,人们行走于山野之中,也常以遇虎为戒。卷三十淮水经"又东过寿春县北,肥水从县东北流注之"注云:

> 淮水又北迳莫邪山西,山南有阴陵县故城。……后汉九江郡治。时多虎灾,百姓苦之。

案后汉九江郡治阴陵县,在安徽凤阳县以南,这个地方在当时尚多虎灾,足见这种动物在古代数量之多。不过按照动物地理学的观点,水经注记载的虎,大概都属于华南虎(P. t. amoyensis),只有卷十四大辽水经"又东南过房县西"注中记载的:"魏武于马上逢狮子,使格之,杀伤甚众,王乃自率常从健儿数百人击之,狮子吼呼奋越,左右咸惊。"这里的所谓"狮子",我过去已经考证,其实就是东北虎(P. t. amurensis)。

〔一五〕太和十六年,破安昌诸殿　注疏本作"太和十六年,破太华、安昌诸殿"。疏:"戴删'太华'二字。会贞按:通鉴宋大明二年,注引此有'太华'二字。魏书本纪,高宗太安四年三月,起太华殿,经始太极殿,十月,太极殿成。十一月,依右六寝,权制三室,以安昌殿为内寝，皇信堂为中寝云云。在太极成之后，则造太极殿未破安昌殿，所破者惟太华殿，‘安昌’二字衍文，戴反删‘太华’二字，傎矣。”

〔一六〕武州川水　大典本、黄本、注笺本、王校明钞本、注删本、项本、沈本、摘钞本、五校钞本、七校本、注释本、张本、注疏本、林水录钞水经注、通鉴卷一三五齐纪一高帝建元二年“五月丙申朔如火山”胡注引水经注、方舆纪要卷四十四山西六大同府白登山引水经注均作“武周川”。骈字类编卷三十七山川门二山堂引水经注、乾隆大同府志卷四山川引水经注均作“武周川水”。

〔一七〕武州县　大典本、黄本、吴本、沈本、五校钞本、七校本、注释本、注疏本、乾隆大同府志卷四山川武周山引水经注均作“武周县”。

〔一八〕武州川　大典本、黄本、注笺本、王校明钞本、注删本、项本、沈本、摘钞本、五校钞本、七校本、注释本、张本、注疏本、乾隆大同府志卷四山川引水经注均作“武周川”。

〔一九〕比郝州城　吴本、注笺本、项本、五校钞本、七校本、注释本、张本、方舆纪要卷四十四山西六大同府灵邱县蔚州平邑城引水经注、乾隆大同府志卷六古迹阳原故城引水经注均作“北比郝城”。

〔二〇〕河头　注释本、注疏本均作“阿头”，注疏本疏：“朱作河头，下同。守敬按：寰宇记蓟县下引隋图经，于延水俗谓阿头河。赵改河头作阿头，是也。”

〔二一〕琦城　大典本、注笺本、项本、五校钞本、七校本、注释本、张本均作“琦城川”。

〔二二〕札记水经记载的古代蚕桑:

中国是世界上经营蚕桑业的最早国家。嫘祖发明育蚕制丝的事,当然仅仅是一种传说,但中国古代在欧洲以"丝国"见称,而从西安西达地中海的这条"丝绸之路",也早就行旅频繁,则中国在蚕桑业经营上的历史悠久和规模宏大都是不容怀疑的。郦道元在水经注中也常常记及蚕桑,说明当时蚕桑业在国计民生中具有重要的地位。

水经注中记及育蚕的事不多,全书仅卷十浊漳水经"又东出山,过邺县西"下"三月三日及始蚕之月",卷三十三江水经"又东过江阳县南,洛水从三危山,东过广魏洛县南,东南注之"下"蚕桑鱼盐",卷三十六温水经"东北入于鬱"下"八蚕之绵",如此三处而已。但记及桑的卷篇却很多,既记及桑,当地无疑育蚕。此外,如卷三十三江水经"岷山在蜀郡氐道县,大江所出,东南过其县北"下,注文记及:"道西城,故锦官也。言锦工织锦,则濯之江流,而锦至鲜明,濯以他江,则锦色弱矣。遂命之为锦里也。"蜀锦是丝织品,当地当然盛行蚕桑。其实,郦注所记的地区,即今成都平原,至今仍然是我国蚕桑业最发达的地区之一,而蜀锦也仍然是我国著名的丝织产品。

蚕桑经营现在当然以南方为盛,北方除为数不多的柘蚕以外,植桑育蚕的事已没有所闻。但郦注记载的桑,主要在北方,说明我国古代的蚕桑业发轫于北方。而植桑、育蚕、制丝、织绸,这是一个连续的生产过程,当然也以北方为发达,广大的北方蚕桑区,这是"丝绸之路"的物质基础。

从郦注记载中可以窥及,古代北方植桑,其北限直到今山西省的北部。卷十三㶟水经“㶟水出雁门阴馆县，东北过代郡桑乾县南”注云：“(于延)水侧有桑林，故时人亦谓是水为藁桑河也。”注文记及的今山西、河南、陕西各地，桑林甚多见，如沂水注的桑泉水、巨洋水注的桑犊亭、涑水注的桑泉等等，不胜枚举。

〔二三〕𢬵陆　注笺本、项本、五校钞本、七校本、注释本、张本均作“䘏陆”。

〔二四〕落马洪　注疏本作“落马河”。疏：“赵、戴改‘河’作‘洪’。会贞按：非也。落马河以马陉山名，因山中滩石湍激，又有落马洪之名。故此云，㶟水南至马陉山，谓之落马河。下云，又南入山，瀑湍十许丈，谓之落马洪。改此作落马洪，岂不与下复乎？寰宇记蓟县下引隋图经云：㶟水至马陉山为落马河。亦此当作落马河之证。”

〔二五〕大湖　天府广记卷三十六川渠太湖孙承泽引水经注作“太湖”。

水经注卷十四

湿馀水　沽河　鲍丘水　濡水
大辽水　小辽水　浿水

湿馀水〔一〕出上谷居庸关东，

关在沮阳城东南六十里居庸界，故关名矣。更始使者入上谷，耿况迎之于居庸关，即是关也。其水导源关山，南流历故关下。溪之东岸有石室三层，其户牖扇扉，悉石也，盖故关之候台矣。南则绝谷，累石为关垣，崇墉峻壁，非轻功可举，山岫层深，侧道褊狭，林鄣邃险，路才容轨，晓禽暮兽，寒鸣相和，羁官游子，聆之者莫不伤思矣。其水历山南迳军都县界，又谓之军都关〔二〕。续汉书曰：尚书卢植隐上谷军都山是也。其水南流出关，谓之下口，水流潜伏十许里也。

东流过军都县南，又东流过蓟县北，

湿馀水故渎东迳军都县故城南，又东，重源潜发，积而为潭，谓之湿馀潭。又东流，易荆水注之，其水导源西北千蓼泉，亦曰丁蓼水，东南流迳郁山西，谓之易荆水。公孙瓒之败于鲍丘也，走保易荆，疑阻此水也。易荆水又东，左合虎眼泉水，出平川，东南流入易荆水。又东南与孤山之水合，水发川左，导源孤山，东南流入易荆水，谓之塔界水。又东迳蓟城，又东迳昌平县故城南，又谓之昌平水。魏土地记曰：蓟城东北百四十里有昌平城，城西有昌平河，又东流注湿馀水。湿馀水又东南流，左合芹城水，水出北山，南迳芹城，东南流注湿馀水。湿馀水又东南流迳安乐故城〔三〕西，更始使谒者韩鸿北徇，承制拜吴汉为安乐令，即此城也。

又北屈东南至狐奴县西，入于沽河。

昔彭宠使狐奴令王梁南助光武，起兵自是县矣。湿馀水于县西南东入沽河。故地理志曰：湿馀水自军都县东至潞南入沽是也。

沽河从塞外来，

沽河〔四〕出御夷镇西北九十里丹花岭下，东南流，大谷水注之。水发镇北大谷溪，西南流，迳独石北界，石孤生，不因阿而自峙。又南，九源水〔五〕注之，水导北川，左右翼注，八川共成一水，故有九源之称。其水南流，至独石注大谷水。大谷水又南迳独石西，又南迳御夷镇城西，魏太和中，置以捍北狄也。又东南，尖谷水注之，水源出镇城东北尖溪，西南流迳镇城东，西南流注大谷水，乱流南注沽水。又南出峡，夹岸有二城，世谓之独固门。以其藉险凭固，易为依据，岩壁升耸，疏通若门，故得是名也。沽水又南，左合乾溪水，引北川西南迳一故亭东，又西南注沽水。沽水又西南迳赤城东，赵建武年，并州刺史王霸为燕所败，退保此城。城在山阜之上，下枕深隍，溪水之名，藉以变称，故河有赤城之号矣。沽水又东南与鹊谷水合，水有二源，南即阳乐水也，出且居县。地理志曰：水出县东，南流迳大翮山、小翮山北，历女祁县故城南。地理志曰：东部都尉治，王莽之祁县也。世谓之横水，又谓之阳田河。又东南迳一故亭，又东，左与候卤水〔六〕合，水出西北山，东南流迳候卤城〔七〕北，城在居庸县西北二百里，故名云候卤，太和中，更名御夷镇。又东南流注阳乐水。阳乐水又东南傍狼山南，山石白色特上，亭亭孤立，超出群山之表。又东南迳温泉东，泉在山曲之中。又迳赤城西，屈迳其城南，东南入赤城河。河水又东南，右合高峰水，水出高峰戍东南，城在山上，其水西南流，又屈而东南，入沽水。沽水又西南流出山，迳渔阳县故城西，而南合七度水。水出北山黄颁谷，故亦谓之黄颁水，东南流注于沽水。沽水又南，渔水注之，水出县东南平地泉流，西迳渔阳县故城南，应劭曰：在渔水之阳也。考诸地说，则无闻；脉水寻川，则有自。今城在斯水之阳，有符应说，渔阳之名当属此，秦发闾左戍渔阳，即是城也。渔水又西南入沽水。沽水又南与螺山之水合，水出渔阳城南小山。魏土地记曰：城南五里有螺山，其水西南入沽水。沽水又南迳安乐县故城东，晋书地道记曰：晋封刘禅为公国。俗谓之西潞水也。

南过渔阳狐奴县北，西南与湿馀水合，为潞河；

沽水西南流迳狐奴山西，又南迳狐奴县故城西。渔阳太守张堪，于县开稻田，教民种殖，百姓得以殷富。童谣歌曰：桑无附枝，麦秀两岐，张君为政，乐不可支。视事八年，匈奴不敢犯塞。沽水又南，阳重沟水注之，水出狐奴山，南转迳狐奴城西，王莽之所谓举符也。侧城南注，右会沽水。沽水又南，湿馀水注之。沽水又南，左会鲍丘水，世所谓东潞也。沽水又南迳潞县为潞河。魏土地记曰：城西三十里有潞河是也。

又东南至雍奴县西，为笥沟；

灅水入焉，俗谓之合口也。又东，鲍丘水于县西北而东出。

又东南至泉州县，与清河合，东入于海。清河者，派河尾也。

沽河又东南迳泉州县故城东，王莽之泉调也。沽水又东南合清河，今无水。清、淇、漳、洹、滱、易、涞、濡、沽、滹沱〔八〕，同归于海。故经曰派河〔九〕尾也。

鲍丘水从塞外来，南过渔阳县东，

鲍丘水出御夷北塞中，南流迳九庄岭东，俗谓之大榆河。又南迳镇东南九十里西密云戍西，又南，左合道人溪水，水出北川，南流迳孔山西，又历密云戍东，左合孟广㟧水，水出㟧下，㟧甚层峻，峨峨冠众山之表。其水西迳孔山南，上有洞穴开明，故土俗以孔山流称。㟧水又西南至密云戍东，西注道人水，乱流西南迳密云戍城南，右会大榆河，有东密云，故是城言西矣。大榆河又东南流，白杨泉水注之，北发白杨溪，望离〔一〇〕，右注大榆河。又东南，龙刍溪水自坎注之。大榆河又东南出峡，迳安州旧渔阳郡之滑盐县南，左合县之北溪水，水出县北广长堑南，太和中，掘此以防北狄。其水南流迳滑盐县故城东，王莽更名匡德也，汉明帝改曰盐田，右承治，世谓之斛盐城，西北去御夷镇二百里。南注鲍丘水，又南迳傂奚县〔一一〕故城东，王莽更之曰敦德也。鲍丘水又西南迳犷平县故城东，王莽之所谓平犷也。又南合三城水，水出臼里山，西迳三城，谓之三城水。又迳香陉山，山上悉生槀本香，世故名焉。又西迳石窟南，窟内宽广，行者依焉；窟内有水，渊而不流，栖薄者取给焉。又西北迳伏凌山南，与石门水合，水出伏凌山，山高峻，岩鄣寒深，阴崖积雪，凝冰夏结，事同离骚峨峨之咏，故世人因以名山也。一水西南流注之，是水有桑谷之名，盖沿出桑溪故也。又西南迳犷平城东南，而右注鲍丘水。鲍丘水又东南迳渔阳县故城南，渔阳郡治也。秦始皇二十二年置，王莽更名通潞，县曰得渔。鲍丘水又西南流，公孙瓒既害刘虞，乌丸思刘氏之德，迎其子和，合众十万，破瓒于是水之上，斩首一万。鲍丘水又西南历狐奴城东，又西南流注于沽河，乱流而南。

又南过潞县西，

鲍丘水入潞，通得潞河之称矣。高梁水注之，水首受灅水于戾陵堰，水北有梁山，山有燕刺王旦之陵，故以戾陵名堰。水自堰枝分，东迳梁山南，又东北迳刘靖碑北。其词云：魏使持节都督河北道诸军事征北将军建城乡侯沛国刘靖，字文恭，登梁山以观源流，相灅水以度形势，嘉武安之通渠，羡秦民之殷富。乃使帐下丁鸿，督军士千人，以嘉平二年，立遏于水，导高梁河，造戾陵遏，开车箱渠。其遏表云：高梁河水者，出自并州，潞河之别源也。长岸峻固，直截中流，积石笼以为主遏，高一丈，东西长三十丈，南北广七十馀步。依北岸立水门，门广四丈，立水十丈。山水暴发，则乘遏东下；平流守常，则自门北入。灌田岁二千顷。凡所封地，百馀万亩。至景元三年辛酉，诏书以民食转广，陆废不赡，遣谒者樊晨更制水门，限田千顷，刻地四千三百一十六顷，出给郡县，改定田五千九百三十顷。

水流乘车箱渠，自蓟西北迳昌平，东尽渔阳潞县，凡所润含，四五百里，所灌田万有馀顷。高下孔齐，原隰底平，疏之斯溉，决之斯散，导渠口以为涛门，洒滮池以为甘泽，施加于当时，敷被于后世。晋元康四年，君少子骁骑将军平乡侯弘，受命使持节监幽州诸军事，领护乌丸校尉宁朔将军，遏立积三十六载，至五年夏六月，洪水暴出，毁损四分之三，剩北岸七十馀丈，上渠车箱，所在漫溢，追惟前立遏之勋，亲临山川，指授规略，命司马关内侯逄恽，内外将士二千人，起长岸，立石渠，修主遏，治水门，门广四丈，立水五尺，兴复载利，通塞之宜，准遵旧制，凡用功四万有馀焉。诸部王侯，不召而自至，繦负而事者，盖数千人。诗载经始勿亟，易称民忘其劳，斯之谓乎。于是二府文武之士，感秦国思郑渠之绩，魏人置豹祀之义，乃遐慕仁政，追述成功。元康五年十月十一日，刊石立表，以纪勋烈，并记遏制度，永为后式焉。事见其碑辞。又东南流，迳蓟县北，又东至潞县，注于鲍丘水。又南迳潞县故城西，王莽之通潞亭也。汉光武遣吴汉、耿弇等破铜马、五幡于潞东，谓是县也。屈而东南流，迳潞城南，世祖拜彭宠为渔阳太守，治此。宠叛，光武遣游击将军邓隆伐之，军于是水之南，光武策其必败，果为宠所破，遗壁故垒存焉。鲍丘水又东南入夏泽，泽南纡曲渚十馀里，北佩谦泽，眇望无垠也。

又南至雍奴县北，屈东入于海。

鲍丘水自雍奴县故城西北，旧分笥沟水东出，今笥沟水断，众川东注，混同一渎，东迳其县北，又东与泃河合。水出右北平无终县西山白杨谷，西北流迳平谷县，屈西南流，独乐水入焉。

水出北抱犊固南，迳平谷县故城东。后汉建武元年，光武遣十二将，追大枪、五幡及平谷，大破之于是县也。其水南流入于泃。泃水又左合盘山水，水出山上，其山峻险，人迹罕交，去山三十许里，望山上水，可高二十馀里。素湍皓然，颓波历溪，沿流而下，自西北转注于泃水。泃水又东南迳平谷县故城，东南与洳河会，水出北山，山在傂奚县故城东南，东南流迳博陆故城北，又屈迳其城东，世谓之平陆城，非也。汉武帝玺书，封大司马霍光为侯国。文颖曰：博大陆平，取其嘉名而无其县，食邑北海、河东。薛瓒曰：按渔阳有博陆城，谓此也。今城在且居山之阳，处平陆之上，匝带川流，面据四水，文氏所谓无县目，嘉美名也。洳水又东南流迳平谷县故城西，而东南流注于泃河。泃河又南迳紻城东，而南合五百沟水。水出七山北，东迳平谷县之紻城南，东入于泃河。泃河又东南迳临泃城北，屈而历其城东，侧城南出。竹书纪年：梁惠成王十六年，齐师及燕战于泃水，齐师遁，即是水也。泃水又南入鲍丘水，鲍丘水又东合泉州渠口，故渎上承滹沱水于泉州县，故以泉州为名。北迳泉州县东，又北迳雍奴县东，西去雍奴故城百二十里。自滹沱北入其下，历水泽百八十里，入鲍丘河，谓之泉州口。陈寿魏志曰：曹太祖以蹋顿扰边，将征之，从泃口凿渠迳雍奴、泉州以通河海者也。今无水。鲍丘水又东，庚水注之，水出右北平徐无县北塞中，而南流历徐无山得黑牛谷水，又得沙谷水，并西出山，东流注庚水。昔田子泰避难居之，众至五千家。开山图曰：山出不灰之木，生火之石。按注云：其木色黑似炭而无叶，有石赤色如丹，以二石相磨，则火发，以然无灰之木，可以终身,今则无之。其水又迳徐无县故城东,王莽之北顺亭也。魏土地记曰:右北平城东北百一十里有徐无城。其水又西南与周卢溪水合,水出徐无山,东南流注庚水。庚水又西南流,灅水注之,水出右北平俊靡县,王莽之俊麻也。东南流,世谓之车詥水。又东南流与温泉水合,水出北山温溪,即温源也。养疾者不能澡其炎漂,以其过灼故也。魏土地记曰:徐无城东有温汤。即此也。其水南流百步,便伏流入于地下,水盛则通注。灅水又东南迳石门峡,山高崭绝,壁立洞开,俗谓之石门口。汉中平四年,渔阳张纯反,杀右北平太守刘政、辽东太守阳纮。中平五年,诏中郎将孟益率公孙瓒讨纯,战于石门,大破之。灅水又东南流,谓之北黄水,又屈而为南黄水。又西南迳无终山,即帛仲理所合神丹处也,又于是山作金五千斤以救百姓。山有阳翁伯玉田,在县西北有阳公坛社,即阳公之故居也。搜神记曰:雍伯,洛阳人,至性笃孝,父母终殁,葬之于无终山,山高八十里,而上无水,雍伯置饮焉,有人就饮,与石一斗,令种之,玉生其田。北平徐氏有女,雍伯求之,要以白璧一双,媒者致命,伯至玉田求得五双,徐氏妻之,遂即家焉。阳氏谱叙言:翁伯是周景王之孙〔一二〕,食采阳樊,春秋之末,爰宅无终,因阳樊而易氏焉。爱人博施,天祚玉田,其碑文云:居于县北六十里翁同之山,后潞徙于西山之下,阳公又迁居焉,而受玉田之赐,情不好宝,玉田自去,今犹谓之为玉田阳。干宝曰:于种石处,四角作大石柱,各一丈,中央一顷之地,名曰玉田,至今相传云。玉田之揭,起于此矣,而今不知所在,同于谱叙自去文矣。蓝水注之,水出北山,东流屈而南,迳无终县故城东，故城，无终子国也。春秋襄公四年，无终子嘉父使孟乐如晋，因魏绛纳虎豹之皮，请和诸戎是也，故燕地矣。秦始皇二十二年〔一三〕灭燕，置右北平郡，治此，王莽之所谓北顺也。汉世李广为郡，出遇伏石，谓虎也，射之饮羽，即此处矣。魏土地记曰：右北平城西北百三十里有无终城。其水又南入灅水，灅水又西南入于庚水。地理志曰：灅水出俊靡县南，至无终东入庚水。庚水，世亦谓之为柘水也。南迳燕山下，悬岩之侧有石鼓，去地百馀丈，望若数百石囷，有石梁贯之。鼓之东南，有石援桴，状同击势。耆旧言，燕山石鼓，鸣则土有兵。庚水又南迳北平城西，而南入鲍丘水，谓之柘口。鲍丘水又东迳右北平郡故城南，魏土地记曰：蓟城东北三百里有右北平城。鲍丘水又东，巨梁水注之，水出土垠县北陈宫山，西南流迳观鸡山，谓之观鸡水。水东有观鸡寺，寺内起大堂，甚高广，可容千僧，下悉结石为之，上加涂墍，基内疏通，枝经脉散，基侧室外，四出爨火，炎势内流，一堂尽温。盖以此土寒严，霜气肃猛，出家沙门，率皆贫薄，施主虑阙道业，故崇斯构，是以志道者多栖托焉。其水又西南流，右合区落水，水出县北山，东南流入巨梁水。巨梁水又南迳土垠县故城西，左会寒渡水，水出县东北，西南流至县，右注梁河。梁河又南，涧于水注之，水出东北山，西南流迳土垠县故城东，西南流入巨梁水。巨梁水又东南，右合五里水，水发北平城东北五里山，故世以五里名沟，一名田继泉。西流南屈，迳北平城东，东南流注巨梁河，乱流入于鲍丘水。自是水之南，南极滹沱，西至泉州、雍奴，东极于海，谓之雍奴薮。其泽野有九十九淀，枝流条分，往往迳通，非惟梁河、鲍丘归海者也。

濡水从塞外来，东南过辽西令支县北，

濡水出御夷镇东南，其水二源双引，夹山西北流，出山，合成一川。又西北迳御夷故城东，镇北百四十里北流，左则连渊水注之，水出故城东，西北流迳故城南，又西北迳绿水池〔一四〕南，池水渊而不流。其水又西屈而北流，又东迳故城北，连接两沼，谓之连渊浦。又东北注难河，难河右则汙水入焉。水出东坞南，西北流迳沙野南，北人名之曰沙野〔一五〕。镇东北二百三十里，西北入难河，濡、难声相近，狄俗语讹耳。濡水又北迳沙野西，又北迳箕安山东，屈而东北流，迳沙野北，东北流迳林山北，水北有池，潭而不流。濡水又东北流迳孤山南，东北流，吕泉水注之，水出吕泉坞西，东南流，屈而东，迳坞南东北流，三泉水注之。其源三泉雁次，合为一水，镇东北四百里，东南注吕泉水。吕泉水又东迳孤山北，又东北，逆流水注之，水出东南，导泉西流，右屈而东北注，木林山水会之。水出山南，东注逆水，乱流东北注濡河。濡河又东，盘泉入焉，水自西北、东南流，注濡河。濡河又东南，水流回曲，谓之曲河。镇东北三百里，又东出峡入安州界，东南流迳渔阳白檀县故城。地理志曰：濡水出县北蛮中。汉景帝诏李广曰：将军其帅师东辕，弭节白檀者也。又东南流，右与要水合，水出塞外，三川并导，谓之大要水也。东南流迳要阳县故城东，本都尉治，王莽更之曰要术矣。要水又东南流，迳白檀县而东南流，入于濡。濡水又东南，索头水注之，水北出索头川，南流迳广阳侨郡西，魏分右北平，置今安州治。又南流，注于濡。濡水又东南流，武列水

入焉，其水三川派合，西源右为溪水，亦曰西藏水，东南流出溪，与蟠泉水合。泉发州东十五里，东流九十里，东注西藏水。西藏水又西南流，东藏水注之，水出东溪，一曰东藏水。西南流出谷，与中藏水合。水导中溪，南流出谷，南注东藏水。故目其川曰三藏川，水曰三藏水。东藏水又南，右入西藏水，乱流右会龙泉水，水出东山下，渊深不测，其水西南流，注于三藏水。三藏水又东南流，与龙刍水合，西出于龙刍之溪，东流入三藏水。又东南流迳武列溪，谓之武列水。东南历石挺下，挺在层峦之上，孤石云举，临崖危峻，可高百馀仞。牧守所经，命选练之士，弯张弧矢，无能届其崇标者。其水东合流入濡。濡水又东南，五渡水注之，水北出安乐县丁原山，南流迳其县故城西，本三会城也。其水南入五渡塘，于其川也，流纡曲，溯涉者频济，故川塘取名矣。又南流注于濡。濡水又与高石水合，水东出安乐县东山，西流历三会城南，西入五渡川，下注濡水。濡水又东南迳卢龙塞，塞道自无终县东出渡濡水，向林兰陉，东至清陉〔一六〕。卢龙之险，峻坂萦折，故有九峥〔一七〕之名矣。燕景昭元玺二年，遣将军步浑治卢龙塞道，焚山刊石，令通方轨，刻石岭上，以记事功，其铭尚存。而庾杲之注扬都赋，言卢龙山在平冈城北，殊为孟浪，远失事实。余按卢龙东越清陉，至凡城二百许里。自凡城东北出，趣平冈故城可百八十里，向黄龙则五百里。故陈寿魏志：田畴引军出卢龙塞，堑山堙谷，五百馀里迳白檀，历平冈，登白狼，望柳城。平冈在卢龙东北远矣。而仲初言在南，非也。濡水又东南迳卢龙故城东，汉建安十二年，魏武征蹋顿所筑也。濡水又南，黄洛水注之，水北出卢龙山，南流入于濡。濡水又东南，洛水合焉，水出卢龙塞西，南流注濡水。濡水又屈而流，左得去润水，又合敖水，二水并自卢龙西注濡水。濡水又东南流迳令支县故城东，王莽之令氏亭也。秦始皇二十二年分燕置，辽西郡令支隶焉。魏土地记曰：肥如城西十里有濡水，南流迳孤竹城西，右合玄水，世谓之小濡水，非也。水出肥如县东北玄溪，西南流迳其县东，东屈南转，西回迳肥如县故城南，俗又谓之肥如水。故城，肥子国。应劭曰：晋灭肥，肥子奔燕，燕封于此，故曰肥如也。汉高帝六年，封蔡寅为侯国。西南流，右会卢水，水出县东北沮溪，南流谓之大沮水，又南，左合阳乐水，水出东北阳乐县溪。地理风俗记曰：阳乐，故燕地，辽西郡治，秦始皇二十二年置。魏土地记曰：海阳城西南有阳乐城。其水又西南入于沮水，谓之阳口。沮水又西南，小沮水注之，水发冷溪，世谓之冷池。又南得温泉水口，水出东北温溪，自溪西南流，入于小沮水。小沮水又南流与大沮水合，而为卢水也。桑钦说，卢子之书言：晋既灭肥，迁其族于卢水。卢水有二渠，号小沮、大沮，合而入于玄水。又南与温水合，水出肥如城北，西流注于玄水。地理志曰：卢水南入玄，玄水又西南迳孤竹城北，西入濡水。故地理志曰：玄水东入濡，盖自东而注也。地理志曰：令支有孤竹城，故孤竹国也。史记曰：孤竹君之二子伯夷、叔齐，让国于此，而饿死于首阳。汉灵帝时，辽西太守廉翻梦人谓己曰：余，孤竹君之子，伯夷之弟，辽海漂吾棺椁，闻君仁善，愿见藏覆。明日视之，水上有浮棺，吏嗤笑者皆无疾而死，于是改葬之。晋书地道志曰：辽西人见辽水有浮棺，欲破之，语曰:我孤竹君也,汝破我何为?因为立祠焉。祠在山上,城在山侧,肥如县南十二里,水之会也。

又东南过海阳县西,南入于海。

濡水自孤竹城东南迳西乡北,瓠沟水注之,水出城东南,东流注濡水。濡水又迳故城南,分为二水,北水枝出,世谓之小濡水也。东迳乐安亭北,东南入海。濡水东南流,迳乐安亭南,东与新河故渎合,渎自雍奴县承鲍丘水东出,谓之盐关口。魏太祖征蹋顿,与泃口俱导也。世谓之新河矣。陈寿魏志云:以通海也。新河又东北绝庚水,又东北出,迳右北平,绝泃渠之水,又东北迳昌城县故城北,王莽之淑武也。新河又东分为二水,枝渎东南入海。新河自枝渠东出合封大水,谓之交流口。水出新安平县〔一八〕,西南流迳新安平县故城西,地理志:辽西之属县也。又东南流,龙鲜水注之,水出县西北,世谓之马头水。二源俱导,南合一川,东流注封大水。地理志曰:龙鲜水,东入封大水者也。乱流南会新河,南注于海。地理志曰:封大水于海阳县南入海。新河又东出海阳县与缓虚水会,水出新平县东北,世谓之大笼川,东南流迳令支城西,西南流与新河合,南流注于海。地理志曰:缓虚水与封大水,皆南入海。新河又东与素河会,谓之白水口。水出令支县之蓝山,南合新河,又东南入海。新河又东至九過口,枝分南注海。新河又东迳海阳县故城南,汉高祖六年,封摇母馀为侯国。魏土地记曰:令支城南六十里有海阳城者也。新河又东与清水会,水出海阳县,东南流迳海阳城东,又南合新河,又南流十许里,西入九過注海。新河东绝清水,又东,木究水出焉,南入海。新河又东，左迆为北阳孤淀〔一九〕，淀水右绝新河，南注海。新河又东会于濡。濡水又东南至絫县碣石山，文颖曰：碣石在辽西絫县，王莽之选武也。絫县并属临渝，王莽更临渝为冯德。地理志曰：大碣石山在右北平骊成县西南，王莽改曰揭石也〔二〇〕。汉武帝亦尝登之以望巨海，而勒其石于此。今枕海有石如甬道数十里，当山顶有大石如柱形，往往而见，立于巨海之中，潮水大至则隐，及潮波退，不动不没，不知深浅，世名之天桥柱也。状若人造，要亦非人力所就，韦昭亦指此以为碣石也。三齐略记曰：始皇于海中作石桥，海神为之竖柱。始皇求与相见，神曰：我形丑，莫图我形，当与帝相见。乃入海四十里，见海神，左右莫动手，工人潜以脚画其状。神怒曰：帝负约，速去。始皇转马还，前脚犹立，后脚随崩，仅得登岸，画者溺死于海，众山之石皆倾注，今犹岌岌东趣，疑即是也。濡水于此南入海，而不迳海阳县西也。盖经误证耳。又按管子：齐桓公二十年，征孤竹，未至卑耳之溪十里，闟然止，瞠然视，援弓将射，引而未发，谓左右曰：见前乎？左右对曰：不见。公曰：寡人见长尺而人物具焉，冠，右袪衣，走马前，岂有人若此乎？管仲对曰：臣闻岂山之神有偷儿，长尺人物具，霸王之君兴，则岂山之神见。且走马前，走，导也；袪衣，示前有水；右袪衣，示从右方涉也。至卑耳之溪，有赞水者〔二一〕，从左方涉，其深及冠；右方涉，其深至膝。已涉大济，桓公拜曰：仲父之圣至此，寡人之抵罪也久矣。今自孤竹南出，则巨海矣，而沧海之中，山望多矣，然卑耳之川若赞溪者，亦不知所在也。昔在汉世，海水波襄，吞食地广，当同碣石，苞沦洪波也。

大辽水出塞外卫白平山，东南入塞，过辽东襄平县西〔二二〕。

辽水亦言出砥石山，自塞外东流，直辽东之望平县西，王莽之长说也。屈而西南流，迳襄平县故城西，秦始皇二十二年〔二三〕，灭燕置辽东郡，治此。汉高帝八年，封纪通为侯国，王莽之昌平也，故平州治。又南迳辽队县〔二四〕故城西〔二五〕，王莽更名之曰顺睦〔二六〕也。公孙渊遣将军毕衍拒司马懿于辽队，即是处也〔二七〕。

又东南过房县西，

地理志：房，故辽东之属县也。辽水右会白狼水，水出右北平白狼县东南，北流西北屈，迳广成县故城南，王莽之平虏也，俗谓之广都城。又西北，石城川水注之，水出西南石城山，东流迳石城县故城南，地理志：右北平有石城县。北屈迳白鹿山西，即白狼山也。魏书国志曰：辽西单于蹋顿尤强，为袁氏所厚，故袁尚归之。数入为害。公出卢龙，堑山堙谷五百馀里，未至柳城二百里，尚与蹋顿将数万骑逆战，公登白狼山望柳城，卒与虏遇，乘其不整，纵兵击之，虏众大崩，斩蹋顿，胡、汉降者二十万口。英雄记曰：曹操于是击马鞍，于马上作十片，即于此也。博物志曰：魏武于马上逢狮子〔二八〕，使格之，杀伤甚众，王乃自率常从健儿数百人击之，狮子哏呼奋越，左右咸惊。王忽见一物从林中出，如狸，超上王车轭上，狮子将至，此兽便跳上狮子头上，狮子即伏不敢起。于是遂杀之，得狮子而还。未至洛阳四十里，洛中鸡狗皆无鸣吠者也。其水又东北入广成县。东注白狼水。白狼水北迳白狼县故城东，王莽更名伏狄。白狼水又东，方城川水注之，水发源西南山下，东流北屈，迳一故城西，世谓之雀目城。东屈迳方城北，东入白狼水。白狼水又东北迳昌黎县故城西，地理志曰：交黎也，东部都尉治，王莽之禽虏也。应劭曰：今昌黎也。高平川水注之，水出西北平川，东流迳倭城北，盖倭地人徙之。又东南迳乳楼城北，盖迳戎乡，邑兼夷称也。又东南注白狼水。白狼水又东北，自鲁水注之，水导西北远山，东南注白狼水。白狼水又东北迳龙山西，燕慕容皝以柳城之北、龙山之南，福地也，使阳裕筑龙城，改柳城为龙城县，十二年，黑龙、白龙见于龙山，皝亲观龙，去二百步，祭以太牢，二龙交首嬉翔，解角而去。皝悦，大赦，号新宫曰和龙宫，立龙翔祠于山上。白狼水又北迳黄龙城东，十三州志曰：辽东属国都尉治昌辽道〔二九〕有黄龙亭者也。魏营州刺史治。魏土地记曰：黄龙城西南有白狼河，东北流，附城东北下，即是也。又东北，滥真水出西北塞外，东南历重山，东南入白狼水。白狼水又东北出，东流分为二水，右水疑即渝水也。地理志曰：渝水首受白狼水，西南循山，迳一故城西，世以为河连城，疑是临渝县之故城，王莽曰冯德者矣。渝水南流东屈，与一水会，世名之曰檔伦水，盖戎方之变名耳，疑即地理志所谓侯水北入渝者也。十三州志曰：侯水南入渝。地理志盖言自北而南也。又西南流注于渝。渝水又东南迳一故城东，俗曰女罗城。又南迳营丘城西，营丘在齐而名之于辽、燕之间者，盖燕、齐辽迥，侨分所在。其水东南入海。地理志曰：渝水自塞外南入海。一水东北出塞为白狼水，又东南流至房县注于辽。魏土地记曰：白狼水下入辽也。

又东过安市县西，南入于海。

十三州志曰：大辽水自塞外，西南至安市入于海。

又玄菟高句丽县有辽山，小辽水所出〔三〇〕，

县，故高句丽，胡之国也。汉武帝元封二年〔三一〕，平右渠，置玄菟郡于此，王莽之下句丽。水出辽山，西南流迳辽阳县与大梁水会，水出北塞外，西南流至辽阳入小辽水。故地理志曰：大梁水西南至辽阳入辽。郡国志曰：县，故属辽东，后入玄菟。其水西南流，故谓之为梁水也。小辽水又西南迳襄平县为淡渊，晋永嘉三年涸。小辽水又迳辽队县入大辽水。司马宣王之平辽东也，斩公孙渊于斯水之上者也。

西南至辽队县，入于大辽水也。

浿水出乐浪镂方县，东南过临浿县，东入于海〔三二〕。

许慎云：浿水出镂方，东入海。一曰出浿水县。十三州志曰：浿水县在乐浪东北，镂方县在郡东。盖出其县南迳镂方也。昔燕人卫满自浿水西至朝鲜〔三三〕。朝鲜，故箕子国也。箕子教民以义，田织信厚，约以八法，而下知禁〔三四〕，遂成礼俗。战国时，满乃王之，都王险城，地方数千里，至其孙右渠。汉武帝元封二年，遣楼船将军杨仆、左将军荀彘讨右渠，破渠于浿水，遂灭之。若浿水东流，无渡浿之理，其地今高句丽之国治，余访蕃使〔三五〕，言城在浿水之阳。其水西流迳故乐浪朝鲜县，即乐浪郡治，汉武帝置，而西北流。故地理志曰：浿水西至增地县入海。又汉兴，以朝鲜为远，循辽东故塞至浿水为界。考之今古，于事差谬，盖经误证也。

〔一〕湿馀水　五校钞本、七校本、注释本、戴本、疏证本、注疏本、读水经注小识卷二引水经注、辛卯侍行记卷一“至通州含沙河”陶葆廉注引水经注、汉志水道疏证卷一上谷郡引水经注均作“㶟馀水”，后汉书卷二十王霸传“又陈委输可从温水漕”注引水经注作“温馀水”。注疏本杨守敬按：“王念孙曰，‘㶟’省作‘漯’，与济‘湿’之‘湿’相乱，因而讹为‘湿’，又讹而为‘温’。”

〔二〕通鉴卷一五〇梁纪六武帝普通六年“谭屯居庸关”胡注引水经注云：“军都关在居庸山西。”当是此段下佚文。

〔三〕安乐故城　注释本、注疏本均作“安乐县故城”。注疏本疏：“朱无‘县’字，全、戴同，赵增。守敬按：前汉县属渔阳郡，后汉因，汉末省。魏志明帝纪，景初二年复置安乐县，仍属渔阳郡。晋属燕国，后魏省，在今顺义县北。”

〔四〕沽河　注释本作“沽水”。

〔五〕九源水　注笺本、项本、张本、大明一统志卷一直隶顺天府山川沽水引水经注、万历顺天府志卷一山川沽水引水经注、康熙畿辅通志卷四山川顺天府沽水引水经注、天府广记卷三十六川渠沽水孙承泽引水经注均作“九泉水”。

〔六〕候卤水　大典本、吴本、注笺本、项本、五校钞本、七校本、张本均作“旧卤水”。

〔七〕候卤城　同上各本，均作“旧卤城”。

〔八〕滹沱　黄本、吴本、沈本均作“虖池”。

〔九〕派河　五校钞本、七校本、注释本、读水经注小识卷二引水经注均作“泒河”。

〔一〇〕望离　注疏本疏：“朱‘离’作‘虽’，笺曰：‘虽’字疑衍。赵、戴改作'离'。"又注文"龙刍溪自坎注之"下注疏本疏:"朱'坎'讹作'决'。赵改云:'坎'与上'离'字相照,离南坎北,盖用代字法耳。柳佥钞本校正,戴改同。守敬按:穀水篇,一水自乾注巽入于穀;汝水篇,青陂在县坤地;沭水篇,袁公水自遵坤维而注沭。以卦代同。"

〔一一〕傂奚县　孙潜校本作"虒奚县"。

〔一二〕御览卷四十五地部十无终山引水经注云:"翁伯周末避乱,适无终山,山前有泉水甚清,夏尝澡浴,得玉藻架一双于泉侧。"当是此段下佚文。

〔一三〕二十二年　注疏本作"二十一年"。疏:"朱作二十二年,赵、戴同。守敬按:史记始皇本纪,二十一年,破燕太子军,取燕蓟城,燕王东收辽东而王之。二十五年,攻燕辽东,得燕王喜,皆非二十二年事。此所云灭燕,盖指取蓟城而言,则当作'二十一年'。"

〔一四〕绿水池　大典本、黄本、吴本、注笺本、项本、沈本、五校钞本、七校本、注释本、张本、注疏本、名胜志卷三永平府迁安县引水经注均作"渌水池"。

〔一五〕沙野　注疏本作"沙",无"野"字。疏:"赵云:下有脱字。全、戴增'野'字。会贞按:上文云迳沙野南,则北人名必与沙野异,故郦氏著之。若亦名沙野,何用赘言,此当阙疑。"

〔一六〕清陉　注释本、注疏本均作"青陉"。水经注笺刊误卷五云:"永平府志、方舆纪要俱作青陉。"注疏本杨守敬按:"通鉴晋永和五年,注引此作清陉,则沿讹已久。今迁安县西北亦有青山口,在喜峰口东六十里。"

〔一七〕九綪　大典本、黄本、吴本、注笺本、何校明钞本、王校明钞本、注删本、项本、五校钞本、七校本、注释本、汇校本、张本、注疏本、顺治卢龙县志卷一古迹卢龙塞引水经注均作"九峥"。

〔一八〕新安平县　注笺本、项本、张本、名胜志卷三永平府滦州引水经注均作"新平县"。

〔一九〕北阳孤淀　注笺本、项本、张本、名胜志卷三永平府滦州引水经注均作"孔阳孤淀"。

〔二〇〕通鉴地理通释卷五碣石引水经注云:"秦始皇刻碣石门,登之以望巨海。"当是此句下佚文。

〔二一〕札记赞水:

卷十四濡水经"又东南过海阳县西,南入于海",注云:

又按管子:齐桓公二十年,征孤竹,未至卑耳之溪十里,闟然止,瞠然视,援弓将射,引而未发,谓左右曰:见前乎?左右对曰:不见。公曰:寡人见长尺而人物具焉,冠,右祛衣,走马前,岂有人若此乎?管仲对曰:臣闻岂山之神有偷儿,长尺人物具,霸王之君兴,则岂山之神见。且走马前,走,导也;祛衣,示前有水;右祛衣,示从右方涉也。至卑耳之溪,有赞水者,从左方涉,其深及冠;右方涉,其深至膝。已涉大济,桓公拜曰:仲父之圣至此,寡人之抵罪也久矣。今自孤竹南出,则巨海矣,而沧海之中,山望多矣,然卑耳之川若赞溪者,亦不知所在也。昔在汉世,海水波襄,吞食地广,当同碣石,苞沦洪波也。

对于这段注文中引管子的所谓"赞水",郦道元说:"然卑耳之川若赞溪者,亦不知所在也。"是他第一个把"赞水"作为一条河流。宋程大昌在禹贡论卷上十四碣石条云:“郦道元之在元魏记叙骊城濡水,谓齐桓公征孤竹尝至卑耳,涉赞水。”清胡渭在禹贡锥指卷十一上云:“碣石旧是滦河之东可知矣,赞水、卑耳之溪沦于海中者,当在乐亭县西南也。”水经注释濡水注“然卑耳之川若赞溪者,亦不知所在也”下,赵一清按云:“按齐语云,桓公悬车束马逾太行辟耳之溪拘夏,韦昭曰:拘夏,辟耳山之溪也。岂亦赞溪之别名乎。”

水经注“赞水”究竟是不是一条河流,或者说是不是一个地名,直到清末孙诒让才把事实弄清。孙在其所著札迻卷三中,先引述上列濡水注的原文,然后评论云:

> 案上引管子,齐桓公至卑耳之溪,有赞水者,从左方涉,其深及冠;右方涉,其深至膝。文见小问篇。房注云:赞水,谓赞引渡水者。是彼水即指卑耳溪水,赞者,谓导赞知津之人,诏桓公从右方涉耳,非卑耳之旁,别有溪名赞者也。郦氏殆误会其旨。

从孙诒让的考证可见,对于这个“赞水”,唐房玄龄已经有注,但许多学者都因濡水注“然卑耳之川若赞溪者,亦不知所在也”一语的先入之见,竟不再去读一读管子房注。从程大昌起,一直沿袭到赵一清。赵一清校注的水经注释是清代名本,但郦注这一段书明引自管子,赵氏在校勘中竟不与管子核对,却自引齐语,把赞水作为辟耳之溪的异名。郦注已经引人误入歧路,而赵释更使人愈误愈深。当然,我们绝不会以这种千虑一失的事而贬损赵氏校勘水经注的“数十年考订苦心”(王先谦合校水经注例略对赵书评语),但我们自己在读书校书中以此为戒，则是完全应该的。

〔二二〕宋曾公亮、丁度撰武经总要北蕃地理云：“辽水，在汉乐浪郡之北，东西四百八十里。水经云：大辽水源出靺鞨国西南山，南流会白枪水，至安市城，今号东京。小辽水源出辽山，西南流，与天梁水会，在国西。”此句中水经云下大辽水当是此经文下佚文，而小辽水当是以下小辽水经文下佚文。

〔二三〕二十二年　注疏本作“二十五年”。疏：“朱五作二，赵改作二十二年。会贞按：史记始皇本纪，二十一年，取燕蓟城，燕王东收辽东而王之。二十五年，攻燕辽东得燕王喜。据六国表、燕世家并云，秦拔辽东，在燕王喜三十三年，正当始皇二十五年，则始皇置辽东郡，当在二十五年，今订。”

〔二四〕辽队县　吴本、注笺本、项本、五校钞本、七校本、注释本、张本均作“辽隧县”。

〔二五〕方舆纪要卷三十七山东八辽东都指挥司海州卫辽队城引水经注云：“辽队县在辽水东岸。”当是此段下佚文。

〔二六〕顺睦　黄本、注笺本、项本、沈本、张本、名胜志山东卷九辽东都指挥司海州卫引水经注均作“顺陆”。

〔二七〕“即是处也”下，注疏本尚有十五字：“辽水又南历县，有小辽水，其流注之也。”疏：“赵改其作共，戴删此十五字。会贞按：此有脱文错简也，赵改其字为共，仍不可通。盖小辽水注辽水，不得称共流注。戴删此十五字，尤非。汉志辽水西南至辽队入大辽水。水经注本之。此注提明一句，正与小辽篇相应，全书之例如此。戴氏因小辽入大辽，在辽队之北，而上已言辽水迳辽队故城西，此言又南历县，小辽水方注，地望既不合，又以误字不可理，遂率意删除耳。余谓此十五字，当作辽水又南历辽队县，有小辽水流注之，而移于上故平州句下，则无不合矣。”

〔二八〕札记狮子：

卷十四大辽水经“又东南过房县西”注中，曾记及曹操征蹋顿时遇见狮子的故事：

> 魏书国志曰：辽西单于蹋顿尤强，为袁氏所厚，故袁尚归之，数入为害。公出卢龙，堑山堙谷五百馀里，未至柳城二百里，尚与蹋顿将数万骑逆战，公登白狼山望柳城，卒与虏遇……博物志曰：魏武于马上逢狮子，使格之，杀伤甚众，王乃自率常从健儿数百人击之，狮子吼呼奋越，左右咸惊。

曹操当年到达的地方，柳城在今辽宁省朝阳市以南，位于大凌河沿岸。在这个地区竟发现狮子，实在令人奇怪。当然，动物的分布古今是有变化的。例如亚洲象（Elephas maximus），现在只在南亚的印度、孟加拉、巴基斯坦、斯里兰卡以及中南半岛、马来半岛和我国云南省的西双版纳等地才有存在。但在历史时期，分布的地区比现在要广阔得多。直到公元十世纪，今浙江金华和衢州一带，还有这种动物的存在。据十国春秋卷十八所载，吴越宝正六年（九三一）：“秋七月，有象入信安境。”又吴越备史卷四所载，癸丑三年（九五三）：“东阳有大象自南方来，陷陂湖而获之。”从世界陆地动物地理分区来看，我国的长江流域以南，以及印度半岛、中南半岛、东印度群岛西部等地，都属于东洋界，亚洲象是东洋界出现的动物，所以在古代森林没有大规模破坏以前，象在这个地区出现是不足为奇的。但狮子(Panthera leo)却不同,它是旧热带界的动物。世界动物地理区的旧热带界,包括阿拉伯半岛南部以及非洲的撒哈拉沙漠以南地区,在毗邻旧热带界的东洋界,历来都很少看到关于狮子的记载,何况水经注记载的地区,已在远离旧热带界的古北界,在距今不过一千八百年的历史时期,竟出现狮子的踪迹,这是不可理解的。

所以水经注所引博物志关于今辽东地区出现狮子的记载,有必要作一点分析研究。记载中曹操遇见狮子的地方,在中国动物地理区划中,属于古北界东北区的松辽平原亚区。这个地区在历史时期是东北虎(P. t. amurensis)出没的地方,曹操和他的官兵,大多去自华北,平时看到的只有华南虎(P. t. amoyensis)。水经注记载的华南虎活动的范围是很广阔的,北起鲍邱水、濡水,南到温水、叶榆河,许多卷篇都提到虎。卷三十淮水注还记载了后汉九江郡治阴陵县(今安徽省凤阳县一带)"时多虎灾,百姓苦之"。卷三十八溱水注中也记载了"虎郡山,亦曰虎市山,以虎多暴故也"。所以虎在当时当然不是稀见的动物。卷十五伊水经"又东北过新城县南"注中记载了曹操的儿子曹丕遇虎的事:"魏文帝猎于此山,虎超乘舆,孙礼拔剑投虎于是山。""虎超乘舆",情况也是很危险的,但是由于这是大家习见的华南虎,所以绝不会误作狮子。只见过体躯较小的华南虎的人,突然看到一只硕大斑斓的东北虎,仓卒之间,把它讹作传说中听到过或图画中看到过的狮子,这当然是很有可能的。

〔二九〕昌辽道　注笺本、项本、张本均作"昌黎道",注释本毕沅序云:“大辽水下云:辽东属国首曰昌辽,故天辽。而前志又无天辽之目,予以十三州志校之,知旧本、今本皆误刊三字,志云辽东属国都尉治昌黎道,故交黎。交黎,前汉志属辽西,为东海都尉治矣。则知水经注昌辽之辽,亦沿续志而误也。”

〔三〇〕小辽水有佚文,见注〔二二〕。

〔三一〕二年　注疏本作“三年”。疏:“朱‘三’作‘二’,戴仍,赵改‘二’作‘三’。守敬按:赵改是也。汉书武帝纪、朝鲜传并作三年,地理志称,玄菟郡,元封四年开,亦误,戴不察,故沿朱之误。”

〔三二〕陈桥驿水经浿水篇笺校(水经注研究四集,杭州出版社二〇〇三年出版):

“东入海”一句有明显错误。汉书地理志乐浪郡浿水下云:“水西至增地入海。”史记朝鲜列传“至浿水为界”正义引地理志:“浿水出辽东塞外,西南至乐浪县,西入海。”所叙均正确无误。但许慎说文解字卷一一上水部浿水下云:“水出乐浪镂方,东入海。从水,贝声。”水经本说文,随说文而误。其所以致误之由,因中原大水如江、淮、河、济均西东流向,东入海。而不知朝鲜半岛地形,东有摩天岭山脉、狼林山脉、太白山脉等之阻,境内大水均东西流向,西入海。说文与水经作者,既未实地考察,又无可靠地图,以中原况东陲,宜有此误。

〔三三〕山海经南山经“曰青邱之山”郭璞注引水经注云:“上林赋云:秋田于青邱。”赵一清水经注附录卷上云:“此句疑是浿水注之佚文。”

〔三四〕而下知禁　注疏本作"而不知禁"。疏:"会贞按:魏志东夷传,昔箕子既适朝鲜,作八条之教以教之,无门户之闭而民不为盗。"按此处熊会贞疏难以成立,既云"民不为盗",则注文"而不知禁"显然抵牾。按水经注疏北京影印本作"民不知禁",而台北影印本作"而下知禁"。段熙仲以北京本作底本点校此书,而我则以台北本复校,已经校改此"不"为"下",而今排印本仍作"不",当系排印本编辑之讹。

〔三五〕水经浿水篇笺校:

按:指北魏与高句丽。据魏书高句丽传:"世祖(按北魏太武帝拓跋焘)时,钊(按指高句丽国君)曾孙琏始遣使者安东,表贡方物,并请国讳。世祖嘉其诚款,诏下帝系名讳于其国。遣员外散骑侍郎李敖拜琏为都督辽海诸军事征东将军,领护东夷中郎将辽东郡开国君高句丽王。敖至其所居平壤城,访其方事……迄于武定末,其贡使无岁不至。"由于高句丽"贡使无岁不至",故郦氏"余访蕃使"无法查实何年。惟蕃使所言"城在浿水之阳"一语,可为平壤在浿水北岸之确证,亦可为浿水即今大同江之确证。郦氏撰述水经注,其方法从实地查勘、稽核地图、引征文献以至访问外国使节,可谓尽其所能,深得地理著述之要领,水经注一书之所以载誉古今中外,殊非无因。

水经注卷十五

洛水　伊水　瀍水　涧水

洛水出京兆上洛县讙举山，

地理志曰：洛出冢岭山。山海经曰：出上洛西山。又曰：讙举之山，洛水出焉，东与丹水合，水出西北竹山，东南流注于洛。洛水又东，尸水〔一〕注之，水北发尸山〔二〕，南流入洛。洛水又东得乳水，水北出良馀山，南流注于洛。洛水又东会于龙馀之水，水出蛊尾之山〔三〕，东流入洛。洛水又东至阳虚山，合玄扈之水。山海经曰：洛水东北流，注于玄扈之水是也。又曰：自鹿蹄之山以至玄扈之山，凡九山。玄扈亦山名也，而通与讙举为九山之次焉。故山海经曰：此二山者，洛间也。是知玄扈之水，出于玄扈之山，盖山水兼受其目矣。其水迳于阳虚之下。山海经又曰：阳虚之山，临于玄扈之水，是为洛汭也。河图玉版曰：仓颉为帝，南巡，登阳虚之山，临于玄扈、洛汭之水。灵龟负书，丹甲青文以授之。即于此水也。洛水又东历清池山，东合武里水，水南出武里山，东北流注于洛。洛水又东，门水出焉。尔雅所谓洛别为波也。洛水又东，要水入焉。水南出三要山，东北迳拒阳城西，而东北流入于洛。洛水又东与获水合，水南出获舆山，俗谓之备水也。东北迳获舆川〔四〕，世名之为郤川，东北流，注于洛。洛水又东迳熊耳山北，禹贡所谓导洛自熊耳。博物志曰：洛出熊耳，盖开其源者是也。

东北过卢氏县南，

洛水迳隝渠关〔五〕北，隝渠水〔六〕南出隝渠山〔七〕，即荀渠山也。其水一源两分，川流半解，一水西北流，屈而东北，入于洛。山海经曰：熊耳之山，浮豪之水出焉，西北流注于洛。疑即是水也。荀渠，盖熊耳之殊称，若太行之归山也。故地说曰：熊耳之山，地门也，洛水出其间。是亦总名矣。其一水东北迳隝渠城西，故关城也。其水东北流，注于洛。洛水又东迳卢氏县故城南，竹书纪年：晋出公十九年，晋韩龙取卢氏城。王莽之昌富也。有卢氏川水注之。水北出卢氏山，东南流迳卢氏城东，东南流注于洛。洛水又东，翼合三川，并出县之南山，东北注洛。开山图曰：卢氏山宜五谷，可避水灾，亦通谓之石城山。山在宜阳山西南，千名之山，咸处其内，陵阜原隰，易以度身者也。又有葛蔓谷水，自南山流注洛水。洛水又东迳高门城南，即宋书所谓后军外兵庞季明入卢氏，进达高门木城者也。洛水东与高门水合，水出北山，东南流合洛水枝津。水上承洛水，东北流迳石勒城北，又东迳高门城北，东入高门水，乱流南注洛。洛水又东，松阳溪水〔八〕注之，水出松阳山〔九〕，北流注于洛。洛水又东迳黄亭南，又东合黄亭溪水〔一〇〕。水出鹈鹕山，山有二峰，峻极于天，高崖云举，亢石无阶，猿徒丧其捷巧，鼯族谢其轻工，及其长霄冒岭，层霞冠峰，方乃就辨优劣耳。故有大、小鹈鹕之名矣。溪水东南流历亭下，谓之黄亭溪水，又东南入于洛水。洛水又东得荀公溪口，水出南山荀公涧，即庞季明所入荀公谷者也。其水历谷东北流，注于洛水。洛水又东迳檀山南，其山四绝孤峙，山上有坞聚，俗谓之檀山坞。义熙中，刘公西入长安，舟师所届，次于洛阳，命参军戴延之与府舍人虞道元即舟溯流，穷览洛川，欲知水军可至之处。延之届此而返，竟不达其源也。洛水又东，库谷水注之，水自宜阳山南，三川并发，合为一溪，东北流注于洛。洛水又东得鹈鹕水口，水北发鹈鹕涧，东南流入于洛。洛水又迳仆谷亭北，左合北水，水出北山，东南流注于洛。洛水又东，侯谷水出南山，北流入于洛。洛水又东迳龙骧城北，龙骧将军王镇恶，从刘公西入长安，陆行所由，故城得其名。洛水又东，左合宜阳北山水，水自北溪南流注洛。洛水又东，广由涧水注之，水出南山由溪，北流迳龙骧城东，而北流入于洛。洛水又东，右得直谷水，水出南山，北迳屯城，西北流注于洛水也。

又东北过蠡城邑之南，

城西有坞水，出北四里山上，原高二十五丈，故黾池县治。南对金门坞，水南五里，旧宜阳县治也。洛水右会金门溪水，水南出金门山，北迳金门坞，西北流入于洛。洛水又东合款水，其水二源并发，两川迳引，谓之大款水也，合而东南入于洛。洛水又东，黍良谷水入焉。水南出金门山，开山图曰：山多重，固在韩〔一一〕。建武二年，强弩大将军陈俊转击金门、白马，皆破之，即此也。而东北流注于洛。洛水又东，左合北溪，南流入于洛也。

又东过阳市邑南，又东北过于父邑〔一二〕之南，

太阴谷水南出太阴溪，北流注于洛。洛水又东合白马溪水，水出宜阳山，涧有大石，厥状似马，故溪涧以物色受名也。溪水东北流注于洛。洛水又东，有昌涧水注之，水出西北宜阳山，而东南流，迳宜阳故郡南，旧阳市邑也，故洛阳都典农治，此后改为郡。其水又南注于洛。洛水又东迳一合坞南〔一三〕，城在川北原上，高二十丈，南、北、东三箱，天险峭绝，惟筑西面即为固，一合之名〔一四〕，起于是矣。刘曜之将攻河南也，晋将军魏该奔于此，故于父邑也。洛水又东合杜阳涧水，水出西北杜阳溪，东南迳一合坞〔一五〕，东与檠谷水合，乱流东南入洛。洛水又东，渠谷水出宜阳县南女几山，东北流迳云中坞，左上迢遰层峻，流烟半垂，缨带山阜，故坞受其名。渠谷水又东北入洛水。臧荣绪晋书称，孙登尝经宜阳山，作炭人见之与语，登不应，作炭者觉其情神非常，咸共传说，太祖闻之，使阮籍往观与语，亦不应。籍因大啸，登笑曰：复作向声。又为啸，求与俱出，登不肯，籍因别去。登上峰行且啸，如箫韶笙簧之音，声振山谷。籍怪而问作炭人，作炭人曰：故是向人声。籍更求之，不知所止，推问久之，乃知姓名。余按孙绰之叙高士传，言在苏门山，又别作登传。孙盛魏春秋亦言在苏门山，又不列姓名。阮嗣宗感之，著大人先生论，言吾不知其人，既神游自得，不与物交。阮氏尚不能动其英操，复不识何人而能得其姓名。

又东北过宜阳县南，

洛水之北有熊耳山，双峦竞举，状同熊耳，此自别山，不与禹贡导洛自熊耳同也。昔汉光武破赤眉樊崇，积甲仗与熊耳平，即是山也。山际有池，池水东南流，水侧有一池，世谓之渑池〔一六〕矣。又东南迳宜阳县故城西，谓之西度水，又东南流入于洛。洛水又东迳宜阳县故城南。秦武王以甘茂为左丞相，曰：寡人欲通三川，窥周室，死不朽矣。茂请约魏以攻韩，斩首六万，遂拔宜阳城。故韩地也，后乃县之，汉哀帝封息夫躬为侯国。城之西门，赤眉樊崇与盆子及大将等，奉玺绶剑璧处。世祖不即见，明日，陈兵于洛水见盆子等，谓盆子丞相徐宣曰：不悔乎？宣曰：不悔。上叹曰：卿庸中皦皦，铁中铮铮也。洛水又东与厌染之水〔一七〕合，水出县北傅山大陂〔一八〕，山无草木，其水自陂北流，屈而东南注，世谓之五延水。又东南流迳宜阳县故城东，东南流注于洛。洛水又东南，黄中涧水出北阜，二源奇发，总成一川，东流注于洛。洛水又东，禄泉水〔一九〕注之，其水北出近溪。洛水又东，共水入焉。水北出长石之山，山无草木，其西有谷焉，厥名共谷，共水出焉。南流得尹溪口，水出西北尹谷，东南注之。共水又西南与左涧水会，水东出近川，西流注于共水。共水又南与李谷水合，水出西北李溪，东南注蓁水。蓁水发源蓁谷，西南流与李谷水合，而西南流入共水。共水，世谓之石头泉，而南流注于洛。洛水又东，黑涧水南出陆浑西山，历于黑涧，西北入洛。洛水又东，临亭川水注之，水出西北近溪，东南与长涧水会，水出北山，南入临亭水，又东南历九曲西，而南入洛水也。

又东北出散关南，

洛水东迳九曲南，其地十里，有坂九曲。穆天子传所谓天子西征，升于九阿。此是也。洛水又东与豪水会，水出新安县密山，南流历九曲东，而南流入于洛。洛水之侧有石墨山〔二〇〕，山石尽黑，可以书疏，故以石墨名山矣。洛水又东，枝渎左出焉。东出关，绝惠水。又迳清女冢南，冢在北山上，耆旧传云：斯女清贞秀古，迹表来今矣。枝渎又东，迳周山，上有周灵王冢，皇览曰：周灵王葬于河南城西南周山上，盖以王生而神，故谥曰灵，其冢，人祠之不绝。又东北迳柏亭南，皇览曰：周山在柏亭西北。谓斯亭也。又东北迳三王陵东北出，三王，或言周景王、悼王、定王也。魏司徒公崔浩注西征赋云：定当为敬，子朝作难，西周政弱人荒，悼、敬二王，与景王俱葬于此，故世以三王名陵。帝王世纪曰：景王葬于翟泉，今洛阳太仓中大冢是也。而复传言在此，所未详矣。又悼、敬二王，稽诸史传，复无葬处，今陵东有石碑，录赧王以上世王名号，考之碑记，周墓明矣。枝渎东北历制乡，迳河南县王城西，历郏鄏陌。杜预释地曰：县西有郏鄏陌。谓此也。枝渎又北入穀，盖经始周启，渎久废不修矣。洛水自枝渎又东出关，惠水右注之，世谓之八关水。戴延之西征记谓之八关泽，即经所谓散关。鄣自南山，横洛水，北属于河，皆关塞也，即杨仆家僮所筑矣。惠水出白石山之阳，东南流与瞻水合，水东出娄涿之山，而南流入惠水。惠水又东南，谢水北出瞻诸之山，东南流，又有交触之水，北出廆山，南流，俱合惠水。惠水又南流迳关城北，二十里者也〔二一〕。其城西阻塞垣，东枕惠水。灵帝中平元年，以河南尹何进为大将军，率五营士屯都亭，置函谷、广城、伊阙〔二二〕、大谷、轘辕、旋门〔二三〕、小平津〔二四〕、孟津等八关，都尉官治此，函谷为之首，在八关之限，故世人总其统目，有八关之名矣。其水又南流入于洛水。山海经曰：白石之山，惠水出其阳，而南流注于洛。谓是水也。洛水又与虢水会，水出扶猪之山〔二五〕，北流注于洛水。之南则鹿蹄之山也，世谓之非山。其山阴则峻绝百仞，阳则原阜隆平，甘水发于东麓，北流注于洛水也。

又东北过河南县南，

周书称周公将致政，乃作大邑成周于中土，南系于洛水，北因于郏山，以为天下之大凑。孝经援神契曰：八方之广，周洛为中，谓之洛邑。竹书纪年：晋定公二十年，洛绝于周。魏襄王九年，洛入成周，山水大出。南有甘洛城，郡国志所谓甘城也。地记曰：洛水东北过五零陪尾〔二六〕，北与涧、瀍合，是二水，东入千金渠，故渎存焉。

又东过洛阳县南，伊水从西来注之。

洛阳，周公所营洛邑也。故洛诰曰：我卜瀍水东，亦惟洛食。其城方七百二十丈，南系于洛水，北因于郏山，以为天下之凑。方六百里，因西八百里，为千里。春秋昭公三十二年，晋合诸侯大夫戍成周之城，故亦曰成周也。司马迁自序云：太史公留滞周南。挚仲治曰：古之周南，今之洛阳。汉高祖始欲都之，感娄敬之言，不日而驾行矣。属光武中兴，宸居洛邑，逮于魏晋，咸两宅焉。故魏略曰：汉火行忌水，故去其水而加隹，魏为土德，土，水之牡也，水得土而流，土得水而柔，除隹加水。长沙耆旧传云：祝良，字召卿，为洛阳令，岁时亢旱，天子祈雨不得，良乃曝身阶庭，告诫引罪，自晨至中，紫云水起，甘雨登降。人为歌曰：天久不雨，烝人失所，天王自出，祝令特苦，精符感应，滂沱下雨〔二七〕。则县司及河南尹治，司隶，周官也，汉武帝使领徒隶，董督京畿，后因名司州焉。地记曰：洛水东入于中提山间，东流会于伊是也。昔黄帝之时，天大雾三日，帝游洛水之上，见大鱼，杀五牲以醮之，天乃甚雨，七日七夜鱼流，始得图书，今河图视萌篇是也。昔王子晋好吹凤笙，招延道士，与浮丘同游伊、洛之浦，含始又受玉鸡之瑞于此水，亦洛神宓妃之所在也。洛水又东，合水南出半石之山，北迳合水坞〔二八〕，而东北流注于公路涧，但世俗音讹，号之曰光禄涧，非也。上有袁术固，四周绝涧，迢递百仞，广四五里，有一水，渊而不流，故溪涧即其名也。合水北与刘水合，水出半石东山，西北流迳刘聚，三面临涧，在缑氏西南，周畿内刘子国，故谓之刘涧。其水西北流注于合水，合水又北流注于洛水也。

又东过偃师县南，

洛水东迳计素渚，中朝时，百国贡计所顿，故渚得其名。又直偃师故县南，与缑氏分水。又东，休水自南注之，其水导源少室山，西流迳穴山南，而北与少室山水合，水出少室北溪，西南流注休水。休水又左会南溪水，水发大穴南山，北流入休水。休水又西南北屈，潜流地下，其故渎北屈出峡，谓之大穴口。北历覆釜堆东，盖以物象受名矣。又东届零星坞，水流潜通，重源又发，侧缑氏原，开山图谓之缑氏山也。亦云仙者升焉，言王子晋控鹄斯阜，灵王望而不得近，举手谢而去，其家得遗屣。俗亦谓之为抚父堆，堆上有子晋祠。或言在九山，非此。世代已远，莫能辨之。刘向列仙传云：世有箫管之声焉。休水又迳延寿城南，缑氏县治，故滑费，春秋滑国所都也。王莽更名中亭，即缑氏城也。城有仙人祠，谓之仙人观。休水又西转北屈，迳其城西，水之西南有司空密陵元侯郑袤庙碑，文缺不可复识。又有晋城门校尉昌原恭侯郑仲林碑，晋泰始六年立。休水又北流注于洛水。洛水又东迳百谷坞北，戴延之西征记曰：坞在川南，因高为坞，高十馀丈，刘武王西入长安，舟师所保也。洛水又北，阳渠水注之。竹书纪年：晋襄公六年，洛绝于泂。即此处也。洛水又北迳偃师城东，东北历鄩中，水南谓之南鄩，亦曰上鄩也。迳訾城西，司马彪所谓訾聚也，而鄩水注之。水出北山鄩溪，其水南流，世谓之温泉水。水侧有僵人穴，穴中有僵尸，戴延之从刘武王西征记〔二九〕曰：有此尸，尸今犹在。夫物无不化之理，魄无不迁之道，而此尸无神识，事同木偶之状，喻其推移，未若正形之速迁矣。鄩水又东南，于訾城西北东入洛水。故京相璠曰：今巩洛渡北，有鄩谷水东入洛，谓之下鄩。故有上鄩、下鄩之名，亦谓之北鄩，于是有南鄩、北鄩之称矣。又有鄩城，盖周大夫鄩肸之旧邑。洛水又东迳訾城北，又东，罗水注之。水出方山罗川，西北流，蒲池水注之。水南出蒲陂，西北流合罗水，谓之长罗川。亦曰罗中也。盖肸子鄩罗之宿居，故川得其名耳。罗水又西北，白马溪水注之。水出嵩山北麓，迳白马坞东，而北入罗水。西北流，白桐涧水注之。水出嵩麓桐溪，北流迳九山东，又北，九山溪水入焉。水出百称山东谷，其山孤峰秀出，嶕峣分立。仲长统曰：昔密有卜成者，身游九山之上，放心不拘之境，谓是山也。山际有九山庙，庙前有碑云：九显灵府君者，太华之元子，阳九列名，号曰九山府君也。南据嵩岳，北带洛澨，晋元康二年九月，太岁在戌〔三〇〕，帝遣殿中中郎将、关内侯樊广、缑氏令王与、主簿傅演，奉宣诏命，兴立庙殿焉。又有百虫将军显灵碑，碑云：将军姓伊氏，讳益，字隤敳，帝高阳之第二子伯益者也。晋元康五年七月七日，顺人吴义等建立堂庙，永平元年二月二十日刻石立颂，赞示后贤矣。其水东北流入白桐涧。又北迳袁公坞东，盖公路始固有此也，故有袁公之名矣。北流注于罗水。罗水又西北迳袁公坞北，又西北迳潘岳父子墓前，有碑。岳父茈，瑯琊太守，碑石破落，文字缺败。岳碑题云：给事黄门侍郎潘君之碑。碑云：君遇孙秀之难，阖门受祸，故门生感覆醢以增恸，乃树碑以记事。太常潘尼之辞也。罗水又于訾城东北入于洛水也。

又东北过巩县东，又北入于河。

洛水又东，明乐泉水〔三一〕注之。水出南原下，三泉并导，故世谓之五道泉，即古明溪泉也。春秋昭公二十二年，师次于明溪者也。洛水又东迳巩县故城南，东周所居也，本周之畿内巩伯国也。春秋左传所谓尹文父涉于巩。即于此也。洛水又东，浊水注之，即古黄水〔三二〕也。水出南原，京相璠曰：訾城北三里有黄亭，即此亭也。春秋所谓次于黄者也。洛水又东北，洞水发南溪石泉，世亦名之为石泉水也。京相璠曰：巩东地名坎欿〔三三〕，在洞水东。疑即此水也。又迳盘谷坞东，世又名之曰盘谷水。司马彪郡国志：巩有坎欿聚。春秋僖公二十四年，王出及坎欿。服虔亦以为巩东邑名也。今考厥文若状焉，而不能精辨耳。晋太康地记、晋书地道记，并言在巩西，非也。其水又北入洛。洛水又东北流，入于河。山海经曰：洛水成皋西入河是也。谓之洛汭，即什谷也。故张仪说秦曰：下兵三川，塞什谷之口。谓此川也。史记音义曰：巩县有鄩谷水者也。黄帝东巡河，过洛，修坛沉璧，受龙图于河，龟书于洛，赤文绿字。尧帝又修坛河、洛，择良即沉，荣光出河，休气四塞，白云起，回风逝，赤文绿色，广袤九尺，负理平上，有列星之分，七政之度。帝王录记兴亡之数，以授之尧。又东沉书于日稷，赤光起，玄龟负书背甲，赤文成字，遂禅于舜。舜又习尧礼，沉书于日稷，赤光起，玄龟负书至于稷下，荣光休至，黄龙卷甲，舒图坛畔，赤文绿错以授舜。舜以禅禹。殷汤东观于洛，习礼尧坛，降璧三沉，荣光不起，黄鱼双跃，出济于坛，黑乌以浴，随鱼亦上，化为黑玉赤勒之书，黑龟赤文之题也。汤以伐桀，故春秋说题辞曰：河以道坤出天苞，洛以流川吐地符，王者沉礼焉。竹书纪年曰：洛伯用与河伯冯夷斗，盖洛水之神也。昔夏太康失政，为羿所逐，其昆弟五人，须于洛汭，作五子之歌于是地矣。

伊水出南阳鲁阳县西蔓渠山，

山海经曰：蔓渠之山，伊水出焉。淮南子曰：伊水出上魏山。地理志曰：出熊耳山。即麓大同，陵峦互别耳。伊水自熊耳东北迳鸾川亭北，蓌水出蓌山，北流际其城东而北入伊水。世人谓伊水为鸾水，蓌水为交水，故名斯川为鸾川也。又东为渊潭，潭浑若沸，亦不测其深浅也。伊水又东北迳东亭城南，又屈迳其亭东，东北流者也。

东北过郭落山，

阳水出阳山阳溪，世人谓之太阳谷，水亦取名焉。东流入伊水，伊水又东北，鲜水入焉，水出鲜山，北流注于伊。伊水又与蛮水合，水出卢氏县之蛮谷，东流入于伊。

又东北过陆浑县南，

山海经曰：滽滽之水，出于鳌山，南流注于伊水。今水出陆浑县之西南王母涧，涧北山上有王母祠，故世因以名溪，东流注于伊水，即滽滽之水也。伊水历崖口，山峡也。翼崖深高，壁立若阙，崖上有坞，伊水迳其下，历峡北流，即古三塗山也。杜预释地曰：山在县南。阚骃十三州志云：山在东南。今是山在陆浑故城东南八十许里。周书：武王问太公曰：吾将因有夏之居，南望过于三塗，北瞻望于有河。春秋昭公四年，司马侯曰：四岳、三塗、阳城、太室、荆山、中南，九州之险也。服虔曰：三塗、大行、轘辕、崤、渑〔三四〕，非南望也。京相璠著春秋土地名亦云：山名也。以服氏之说，塗，道也。准周书南望之文，或言宜为轘辕、大谷、伊阙，皆为非也。春秋，晋伐陆浑，请有事于三塗。知是山明矣。有七谷水注之，水西出女几山〔三五〕之南七溪山，上有西王母祠，东南流注于伊水。又北，蚤谷水注之，水出女几山之东谷，东迳故亭南，东流入于伊水。伊水又东北迳伏流岭东，岭上有昆仑祠，民犹祈焉。刘澄之永初记称，陆浑县西有伏流坂者也。今山在县南崖口北三十里许，西则非也。北与温泉水合，水出新城县之狼皋山西南阜下，西南流会于伊水。伊水又东北迳伏睹岭，左纳焦涧水，水西出鹿髆山，东流迳孤山南，其山介立丰上，单秀孤峙，故世谓之方山，即刘中书澄之所谓县有孤山者也。东历伏睹岭南，东流注于伊。伊水又东北，涓水注之，水出陆浑西山，即陆浑都也。寻郭文之故居，访胡昭之遗像，世去不停，莫识所在。其水有二源，俱导而东注。虢略在陆浑县西九十里也，司马彪郡国志曰：县西虢略地，春秋所谓东尽虢略者也。北水东流合侯涧水，水出西北侯溪，东南流注于涓水。涓水又东迳陆浑县故城北，平王东迁，辛有适伊川，见有被发而祭于野者曰：不及百年，此其戎乎？鲁僖公二十二年，秦、晋迁陆浑之戎于伊川，故县氏之也。涓水东南流，左合南水，水出西山七谷，亦谓之七谷水。阻涧东逝，历其县南，又东南，左会北水，乱流左合禅渚水，水上承陆浑县东禅渚，渚在原上，陂方十里，佳饶鱼苇，即山海经所谓南望禅渚，禹父之所化。郭景纯注云：禅，一音暖，鲧化羽渊而复在此，然已变怪，亦无往而不化矣。世谓此泽为慎望陂，陂水南流注于涓水。涓水又东南注于伊水。昔有莘氏女采桑于伊川，得婴儿于空桑中，言其母孕于伊水之滨，梦神告之曰：臼水出而东走，母明视而见臼水出焉。告其邻居而走，顾望其邑，咸为水矣。其母化为空桑，子在其中矣。莘女取而献之，命养于庖，长而有贤德，殷以为尹，曰伊尹也。

又东北过新城县南，

马怀桥长水出新城西山，东迳晋使持节征南将军宗均碑〔三六〕南。均字文平，县人也。其碑，太始三年十二月立。其水又东流入于伊。又有明水出梁县西狼皋山，俗谓之石涧水也。西北流迳杨亮垒南，西北合康水，水亦出狼皋山，东北流迳范坞北与明水合，又西南流入于伊。山海经曰：放皋之山，明水出焉，南流注于伊水是也。伊水又与大戟水会，水出梁县西，有二源，北水出广成泽，西南迳杨志坞北与南水合，水源南出广成泽，西流迳陆浑县南。河南十二县境簿曰：广成泽在新城县界黄阜。西北流，屈而东，迳杨志坞南，又北屈迳其坞东，又迳坞北，同注老倒涧，俗谓之老倒涧水，西流入于伊。伊水又北迳新城东与吴涧水会，水出县之西山，东流南屈，迳其县故城西，又东转迳其县南，故蛮子国也。县有鄤聚，今名蛮中是也，汉惠帝四年置县。其水又东北流，注于伊水。伊水又北迳当阶城西，大狂水入焉。水东出阳城县之大𦯖山〔三七〕，山海经曰：大𦯖之山多㻬琈之玉，其阳，狂水出焉，西南流，其中多三足龟，人食之者无大疾，可以已肿。狂水又西迳纶氏县故城南，竹书纪年曰：楚吾得帅师及秦伐郑围纶氏者也。左与倚薄山水合，水北出倚薄之山，南迳黄城西，又南迳纶氏县故城东，而南流注于狂水。狂水又西，八风溪水注之，水北出八风山，南流迳纶氏县故城西，西南流入于狂水。狂水又西得三交水口，水有三源，各导一溪，并出山南流合舍，故世有三交之名也。石上菖蒲，一寸九节，为药最妙，服久化仙。其水西南流注于狂水。狂水又西迳缶高山北，西南与湮水合。水出东北湮谷，西南流迳武林亭东北，又屈迳其亭南，其水又西南迳湮阳亭东，盖藉水以名亭也。又东南流入于狂。狂水又西迳湮阳城南，又西迳当阶城南，而西流注于伊。伊水又北，土沟水出玄望山西，东迳玄望山南，又东迳新城县故城北，东流注于伊水。伊水又北，板桥水入焉，水出西山，东流入于伊水。伊水又北会厌涧水，水出西山，东流迳郏垂亭南，春秋左传文公十七年，秋，周甘歜败戎于郏垂者也。服虔曰：郏垂在高都南。杜预释地曰：河南新城县北有郏垂亭。司马彪郡国志曰：新城有高都城。今亭在城南七里，遗基存焉。京相璠曰：旧说言郏垂在高都南，今上党有高都县。余谓京论疏远，未足以证，无如虔说之指密矣。其水又东注于伊水。伊水又北迳高都城东，徐广史记音义曰：今河南新城县有高都城。竹书纪年：梁惠成王十七年，东周与郑高都利者也。又来儒之水〔三八〕出于半石之山，西南流迳斌轮城北，西历艾涧〔三九〕，以其水西流，又谓之小狂水也。其水又西南迳大石岭南，开山图所谓大石山也。山下有大石岭碑，河南隐士通明，以汉灵帝中平六年八月戊辰，于山堂立碑，文字浅鄙，殆不可寻。魏文帝猎于此山，虎超乘舆，孙礼拔剑投虎于是山。山在洛阳南，而刘澄之言在洛东北，非也。山阿有魏明帝高平陵，王隐晋书曰：惠帝使校尉陈总仲元诣洛阳山请雨，总尽除小祀，惟存大石而祈之，七日大雨。即是山也。来儒之水又西南迳赤眉城南，又西至高都城东，西入伊水，谓之曲水也。

又东北过伊阙中，

伊水迳前亭西，左传昭公二十二年，晋箕遗、乐徵、右行诡济师，取前城者也。京相璠曰：今洛阳西南五十里伊阙外前亭矣。服虔曰：前读为泉，周地也。伊水又北入伊阙，昔大禹疏以通水。两山相对，望之若阙，伊水历其间北流，故谓之伊阙矣。春秋之阙塞也。昭公二十六年，赵鞅使女宽守阙塞是也。陆机云：洛有四阙，斯其一焉。东岩西岭，并镌石开轩，高甍架峰。西侧灵岩下，泉流东注，入于伊水。傅毅反都赋曰：因龙门以畅化，开伊阙以达聪也。阙左壁有石铭云：黄初四年六月二十四日辛巳，大出水，举高四丈五尺，齐此已下。盖记水之涨减也。右壁又有石铭云：元康五年，河南府君循大禹之轨，部督邮辛曜、新城令王琨、部监作掾董猗、李褒，斩岸开石，平通伊阙，石文尚存也。

又东北至洛阳县南，北入于洛。

伊水自阙东北流，枝津右出焉。东北引溉，东会合水，同注公路涧，入于洛，今无水。战国策曰：东周欲为田，西周不下水，苏子见西周君曰：今不下水，所以富东周也，民皆种他种。欲贫之，不如下水以病之，东周必复种稻，种稻而复夺之，是东周受命于君矣。西周遂下水，即是水之故渠也。伊水又东北，枝渠左出焉，水积成湖，北流注于洛，今无水。伊水又东北至洛阳县南，迳圜丘东，大魏郊天之所，准汉故事建之。后汉书郊祀志曰：建武二年，初制郊兆于洛阳城南七里，为圜坛八陛，中又为重坛，天地位其上，皆南向。其外坛，上为五帝位，其外为壝。重营皆紫，以像紫宫。按礼，天子大裘而冕，祭皞天上帝于此，今衮冕也。坛壝无复紫矣。伊水又东北流，注于洛水。广志曰：鲵鱼声如小儿啼，有四足，形如鲮鳢，可以治牛，出伊水也。司马迁谓之人鱼，故其著史记曰：始皇帝之葬也，以人鱼膏为烛。徐广曰：人鱼似鲇而四足，即鲵鱼也。

瀍水出河南穀城县北山，

县北有瞀亭，瀍水出其北梓泽中，梓泽，地名也。泽北对原阜，即裴氏墓茔所在，碑阙存焉。其水历泽东南流，水西有一原，其上平敞，古瞀亭之处也。即潘安仁西征赋所谓越街邮〔四〇〕者也。

东与千金渠合，

周书曰：我卜瀍水西。谓斯水也。东南流，水西南有帛仲理墓,墓前有碑,题云:真人帛君之表。仲理名护,益州巴郡人,晋永宁二年十一月立。瀍水又东南流,注于穀。穀水自千金堨东注,谓之千金渠也。

又东过洛阳县南,又东过偃师县,又东入于洛。

涧水出新安县南白石山,

山海经曰:白石之山,惠水出于其阳,东南注于洛;涧水出于其阴,北流注于穀。世谓是山曰广阳山,水曰赤岸水,亦曰石子涧。地理志曰:涧水在新安县,东南入洛。是为密矣。东北流历函谷东坂东,谓之八特坂。

东南入于洛。

孔安国曰:涧水出渑池山〔四一〕。今新安县西北有一水,北出渑池界,东南流迳新安县,而东南流入于穀水。安国所言当斯水也。然穀水出渑池,下合涧水,得其通称,或亦指之为涧水也。并未之详耳。今孝水东十里有水,世谓之慈涧,又谓之涧水。按山海经则少水也,而非涧水,盖习俗之误耳。又按河南有离山水,谓之为涧水,水西北出离山,东南流历郏山,于穀城东而南流注于穀。旧与穀水乱流,南入于洛;今穀水东入千金渠,涧水与之俱东入洛矣。或以是水并为周公之所相卜也。吕忱曰:今河南死水。疑其是此水也。然意所未详,故并书存之耳。

〔一〕尸水　黄本、吴本、注笺本、项本、沈本、张本、山海经中山经"尸水出焉"毕沅注引水经注均作"户水"。

〔二〕尸山　黄本、吴本、注笺本、项本、沈本、张本、山海经笺疏卷五中山经"又东十里曰尸山"郝懿行案引水经注均作"户山"。

〔三〕蛊尾之山　黄本、吴本、注笺本、何校明钞本、王校明钞本、项本、沈本、张本均作"虫尾之山"。

〔四〕获舆川　黄本、吴本、注笺本、项本、沈本、张本均作"获兴川"。

〔五〕隖渠关　黄本、吴本、注笺本、沈本、项本、张本均作"阳渠关",山海经中山经"浮豪之水出焉"毕沅注引水经注作"隖渠关"。

〔六〕隖渠水　同上引水经注均作"阳渠水"。

〔七〕隖渠山　黄本、吴本、注笺本、项本、张本、山海经汇说卷八"洛水非一"陈逢衡注引水经注均作"阳渠山"。山海经中山经"浮豪之水出焉"毕沅注引水经注作"隖渠山"。

〔八〕松阳溪水　黄本、吴本、注笺本、项本、沈本、张本、乾隆河南府志卷九山川志三松杨山引水经注均作"松杨溪水"。

〔九〕松阳山　同上引水经注均作"松杨山"。

〔一〇〕黄亭溪水　注笺本、项本、张本、注疏本均作"黄城溪水"。注疏本疏:"赵据禹贡锥指改'城'作'亭',戴改同。会贞按:胡氏但因上称黄亭,下称黄亭溪水,改此'城'作'亭',非别有所本,但注往往亭、城通称,不必改。"

〔一一〕山多重固在韩　注疏本作"山出多重,固在韩"。疏:"赵、戴并删'出'字。会贞按:此条有讹文。续汉志宜阳注,有金门山,山竹为律管。寰宇记陕县下,金门山有竹,可为律管。事类赋注二十四引梅(字疑误)子曰,宜阳金门山,竹为律管。是故书雅记,载金门山,皆指竹为律管。(御览四十二引阮籍宜阳记,金山之竹，堪为笙管。寰宇记河南郡下，引九州要记，金门之竹，可以为笙管。乃律管之变文。）此‘多’从两‘夕’，与‘竹’从两‘亇’形近。‘重’与‘管’，‘固’与‘可’，‘在’与‘为’，‘韩’与‘律’亦形近，其言竹可为律管无疑。窃意当作‘山出竹，可为律管’。赵、戴反以出字为衍而删之。试问‘山多重固在韩’，究作何解乎？”

〔一二〕寰宇记卷一四一山南西道九商州洛南县引水经注云：“洛水北迳文邑。”当是此段下佚文。

〔一三〕一合坞　注疏本作“一全坞”，通鉴地理通释卷十四宜阳郡注引水经注作“一金坞”。注疏本疏：“朱‘全’讹作‘合’，赵、戴同。守敬按：魏志杜恕传注引杜氏新书，恕去官，营宜阳一泉坞，因其堑垒之固小大家焉。晋书魏该传亦作一泉坞，‘泉’、‘全’音同，足见此注四‘合’字皆当作‘全’。通典、元和志作一金坞，则‘全’、‘金’形近致讹也。今订。在今宜阳县西六十里。”段熙仲校记：“元和志作一金坞。按：聚珍本作‘全’不作‘金’，当已校改。”按中华书局一九八三年出版贺次君点校元和郡县图志卷第五校勘记五十一：“一（合）〔全〕坞。今按：殿本‘合’作‘全’，各本作‘金’。考证云：‘金’、‘全’并误。水经注：‘洛水又东经一合坞南，城在川北原上，高三十丈，南北东三箱，天险峭绝，惟筑西面，即为固，一合之名，起于是矣。’王应麟引通典作‘一金坞’，盖自宋已误。南本改‘合’。今按，考证盖据今本水经注误文为言。通鉴晋永嘉五年注引水经注作：‘即为全固，一全之名起于是。’今本‘固’上脱‘全’字，‘全’误‘合’。魏志杜恕传注、晋书魏该传并作‘一泉坞’。泉、全音同，足征此当作‘一全坞’，‘金’、‘合’并讹，今从殿本。”

〔一四〕一合　注疏本作"一全",见注〔一三〕。

〔一五〕一合坞　注疏本作"一全坞",见注〔一三〕。

〔一六〕渑池　注笺本、项本、注释本、注疏本均作"黾池"。注疏本疏:"戴改'黾'作'渑'。会贞按:汉志,宜阳在黾池,'在'乃'有'之误。此注叙黾池,与宜阳故城近,当即汉志所指之池。通鉴,唐贞观十八年畋于渑池之天池,胡氏引注文。然此池在今宜阳县,西去唐渑池县远,天池或穀水发源之池也。"

〔一七〕厌染之水　注笺本、项本、张本、山海经中山经"曰傅山"毕沅注引水经注、乾隆河南府志卷八山川志二傅山引水经注均作"厌梁之水"。

〔一八〕傅山大陂　大典本作"传山大陂"。

〔一九〕禄泉水　注笺本、项本、张本、乾隆河南府志卷十三山川志七洛水引水经注均作"禄泉"。

〔二〇〕石墨山　丹铅总录卷二地理类石墨引水经注、大明一统志卷二十九河南河南府山川石墨山引水经注、名胜志河南卷九宜阳县引水经注、佩文韵府卷十五十五删山墨山引水经注均作"墨山"。

〔二一〕殿本在此下案云:"案此有脱误。"

〔二二〕伊阙　大典本作"伊关"。

〔二三〕旋门　大典本、吴本均作"挺门"。

〔二四〕小平津　大典本、注笺本、项本均作"平津"。

〔二五〕扶猪之山　大典本、山海经广注卷五中山经"虢水出焉而西北流注于海"吴任臣注引水经注、乾隆河南府志卷九山川志三扶猪山引水经注均作"林褚之山",吴本、注笺本、项本、五校钞本、七校本、注释本、张本、山海经汇说卷八“洛水非一”注引水经注均作“林楮之山”。

〔二六〕五零陪尾　注疏本疏：“朱笺曰：旧本作‘倍’。守敬按：明钞本作‘陪’。五零陪尾无考。”又此上“地记”下注疏本疏：“守敬按：地说，郑康成屡引之。郦氏于沔水、江水篇亦采其文，所著地名，多不经见，此五零陪尾亦然，盖纬书也。”段熙仲校记：“地记疑地说之误。”

〔二七〕五校钞本在此下云：“下有脱文。”注释本、注疏本均录入全氏此语。

〔二八〕合水坞　大典本、黄本、吴本、注笺本、项本、沈本、张本均作“今水坞”。

〔二九〕札记一书多名：

水经注引用古籍的这种一书多名的情况，前面已经指出，这是人们读郦中的一种障碍。但是从另一方面说，它也可以帮助我们对某些古籍的鉴别和研究。因为在隋唐诸史的经籍和艺文志中，由于一书多名以及撰者的名、号差别，一书作为二书甚至数书著录的，并不鲜见。我们在郦注引及的古籍中，经过不同卷篇中书名和撰者名、号的对比分析，不仅有助于弄清郦注引书的实况，同时还可以以此校勘隋唐经籍、艺文志的著录。例如河水四、渭水三、汳水、泗水等篇中，常引西征记一书，在河水五，称戴氏西征记，在济水二、洛水、穀水各篇，称戴延之西征记，此外，卷二十四汶水以及洙水、淄水等篇，又引从征记一书，不著撰者。查隋唐诸史，隋书经籍志著录戴延之西征记二卷，又戴祚西征记一卷。两唐志均著录戴祚西征记二卷,无戴延之书。至于从征记,则隋唐三志俱不著录。这里,对于西征记、从征记以及隋志著录的戴延之和戴祚两种西征记等等之间的关系,实在纠缠不清,而解决这个问题的端倪,却还是从水经注的引书中获得的。卷十五洛水经“又东过偃师县南”注云:“戴延之西征记曰:坞在川南,因高为坞,高十馀丈,刘武王西入长安,舟师所保也。”同注又云:“戴延之从刘武王西征记曰:有此尸,尸今犹在。”由此可知,郦注中引及西征记和从征记多达十馀次,而只有在洛水注中,才写出此书全名,即戴延之从刘武王西征记。西征记和从征记,原来都是此书略称。明黄省曾刻本水经注卷首列有郦注引书目录,把戴延之西征记和无著者的从征记并列为二书,黄氏未曾详究二书异同,故有此讹。此外,郦氏在此书撰人上屡言戴延之而不及其他,而从“延之”一词揣摩,很可能就是戴祚之字,则隋书经籍志著录的戴祚和戴延之两种西征记,其实就是同书。

〔三〇〕太岁在戌　注疏本作“太岁庚午”。疏:“笺曰:谢云,一作太岁在戌。墠按:世谱,晋元康二年,太岁在壬子,而用历经推之,是年九月乙亥朔,无庚午日也。戴改庚午作在戌。会贞按:寰宇记引此,元康作永康。御览引阳城记同。然考惠帝纪,永康二年四月,改为永宁,此言九月,不得仍称永康。且太岁为辛酉,非庚午,而元康二年,太岁为壬子,非庚午,并不合。惟宁康二年为甲戌,与谢云一作太岁在戌合,岂永康、元康皆宁康之误欤?”

〔三一〕明乐泉水　注笺本、项本、张本、乾隆河南府志卷十三山川志七洛水引水经注均作“明乐泉”。

〔三二〕黄水　注笺本、项本、五校钞本、七校本、张本、注疏本均作“湟水”。注疏本疏:“戴以‘湟’为讹,改作‘黄’。守敬按:春秋昭二十二年,王猛居于皇。左传言次于皇,又言伐皇,是本作皇。续汉志,巩县有湟水。刘注引左传王子猛居于湟。则此湟所本也。下文又引春秋作次于皇,乃本京相璠等黄亭之说也。皇、湟、黄,古通。帝尧碑及灵台碑阴,‘黄’并作‘皇’。足见郦氏搜求之博。戴以‘潢’为讹,改作‘黄’,陋矣。”

〔三三〕坎欿　方舆纪要卷四十八河南三河南府巩县石子河引水经注、毕沅集王隐晋书地道记司州河南郡引水经注均作“坎焰”。

〔三四〕渑　注笺本、项本、五校钞本、七校本、注释本、注疏本均作“黾”。

〔三五〕女几山　大典本、注笺本、孙潜校本、项本、五校钞本、七校本、注释本、张本、注疏本均作“女机山”,黄本、吴本、沈本均作“女桃山”。

〔三六〕宗均　注疏本作“宋均”。疏:“戴改‘宋’作‘宗’。守敬按:后汉宗均,字叔庠,南阳安众人。后汉书讹‘宗’为‘宋’。辨见惠栋后汉书补注。又有注纬书之宋均,隋志称为魏博士。此为河南新城人,与后汉初之宗均,时代、籍贯不同,而与注纬书之宋均时代相近,或在魏为博士,至晋为征南将军乎?戴氏何据而改为宗均耶?”

〔三七〕大砦山　黄本、沈本均作“大苦之山”,注笺本、项本、注释本、乾隆河南府志卷十一山川志卷五引水经注、康熙登封县志卷五山川志川属大狂水引水经注均作“大苦口”。

〔三八〕来儒之水　吴本、注笺本、项本、注释本、张本、山海经广注卷五中山经“来需之水出于其阳而西流注于伊水”吴任臣注引水经注、乾隆洛阳县志卷三山川大石岭引水经注均作“来需之水”。

〔三九〕艾涧　吴本、注笺本、项本、五校钞本、七校本、注释本、张本均作“芰涧”。

〔四〇〕注疏本杨守敬按:“赋见文选,‘越’作‘过’,街邮见汉书五行志。”段熙仲校记:“按街邮见五行志第七中之下草妖类。师古注:街邮,行书之舍。事在成帝永始元年二月,西征赋注引水经注曰:梓泽有一原,古潜亭处即街邮也。”

〔四一〕渑池山　注释本、注疏本均作“黾池山”。

水经注卷十六

縠水　甘水　漆水　浐水　沮水

縠水出弘农黾池县南墦塜林縠阳谷，

山海经曰：傅山之西有林焉，曰墦塜，縠水出焉，东流注于洛，其中多瑉玉。今縠水出千崤东马头山縠阳谷，东北流历黾池川，本中乡地也。汉景帝中二年，初城，徙万户为县，因崤黾之池以目县焉，亦或谓之彭池。故徐广史记音义曰：黾，或作彭，縠水出处也。縠水又东迳秦、赵二城南〔一〕，司马彪续汉书曰：赤眉从黾池自利阳南，欲赴宜阳者也。世谓之俱利城。耆彦曰：昔秦、赵之会，各据一城，秦王使赵王鼓瑟，蔺相如令秦王击缶处也。冯异又破赤眉于是川矣。故光武玺书曰：始虽垂翅回溪，终能奋翼黾池，可谓失之东嵎，收之桑榆矣。縠水又东迳土崤北，所谓三崤也。縠水又东，左会北溪，溪水北出黾池山，东南流注于縠。疑即孔安国所谓涧水也。縠水又东迳新安县故城南，北夹流而西接崤黾。昔项羽西入秦，坑降卒二十万于此，国灭身亡，宜矣。縠水又东迳千秋亭南，其亭累石为垣，世谓之千秋城也。潘岳西征赋曰：亭有千秋之号，子无七旬之期。谓是亭也。又东迳雍谷溪，回岫萦纡，石路阻峡，故亦有峡石之称矣。榖水历侧，左与北川水合，水有二源，并导北山，东南流合成一水，自乾注巽，入于榖。榖水又东迳缺门山，山阜之不接者里馀，故得是名矣。二壁争高，斗耸相乱，西瞻双阜，右望如砥。榖水自门而东，广阳川水注之，水出广阳北山，东南流注于榖。南望微山，云峰相乱。榖水又迳白超垒南，戴延之西征记云：次至白超垒〔二〕，去函谷十五里，筑垒当大道，左右有山夹立，相去百馀步，从中出北，乃故关城，非所谓白超垒也。是垒在缺门东十五里，垒侧旧有坞，故冶官所在。魏晋之日，引榖水为水冶〔三〕，以经国用，遗迹尚存。榖水又东，石默溪水出微山东麓石默溪，东北流入于榖。榖水又东，宋水北流注于榖。榖水又东迳魏将作大匠毌丘兴墓南，二碑存焉。俭父也。管辂别传曰：辂尝随军西征，过其墓而叹，谓士友曰：玄武藏头，青龙无足，白虎衔尸，朱雀悲哭，四危已备，法应灭族。果如其言。榖水又东迳函谷关南，东北流，皁涧水注之，水出新安县，东南流迳毌丘兴墓东，又南迳函谷关西，关高险狭，路出廛郭。汉元鼎三年，楼船将军杨仆数有大功，耻居关外，请以家僮七百人，筑塞徙关于新安，即此处也。昔郭丹西入关，感慨于其下曰：不乘驷马高车，终不出此关也。去家十二年，果如志焉。皁涧水又东流入于榖。榖水又东北迳函谷关城东，右合爽水〔四〕。山海经曰：白石山西五十里曰榖山，其上多榖，其下多桑，爽水出焉。世谓之纻麻涧，北流注于榖。其中多碧绿。榖水又东，涧水注之。山海经曰：娄涿山西四十里曰白石之山，涧水出焉，北流注于榖〔五〕。挚仲治三辅决录注云：马氏兄弟五人，共居涧、榖二水之交，作五门客，因舍以为名。今在河南西四十里。以山海经推校，里数不殊仲治所记，水会尚有故居处。斯则涧水也，即周书所谓我卜涧水东。言是水也。自下通谓涧水为穀水之兼称焉。故尚书曰：伊、洛、瀍、涧，既入于河。而无穀水之目，是名亦通称矣。刘澄之云：新安有涧水，源出县北；又有渊水，未知其源。余考诸地记，并无渊水，但渊、涧字相似，时有字错为渊也。故阚骃地理志曰：禹贡之渊水。是以知传写书误，字缪舛真，澄之不思所致耳。既无斯水，何源之可求乎？穀水又东，波水注之。山海经曰：瞻诸山西三十里娄涿之山，无草木，多金玉，波水出于其阴。世谓之百答水，北流注于穀。其中多茈石、文石。穀水又东，少水注之。山海经曰：廆山西三十里曰瞻诸之山，其阳多金，其阴多文石，少水出于其阴。控引众溪，积以成川，东流注于穀，世谓之慈涧也。穀水又东，俞随之水注之。山海经曰：平蓬山西十里廆山，其阳多㻬琈之玉，俞随之水出于其阴，北流注于穀。世谓之孝水也。潘岳西征赋曰：澡孝水以濯缨，嘉美名之在兹。是水在河南城西十馀里，故吕忱曰：孝水在河南。而戴延之言在函谷关西。刘澄之又云出檀山。檀山在宜阳县西，在穀水南，无南入之理。考寻兹说，当承缘生述征谬志耳。缘生从戎行旅，征途讯访，既非旧土，故无所究。今川澜北注，澄映泥泞，何得言枯涸也〔六〕。皆为疏僻矣。

东北过穀城县北，

城西临穀水，故县取名焉。穀水又东迳穀城南，不历其北。又东，洛水枝流入焉，今无水也。

又东过河南县北，东南入于洛。

河南王城西北，穀水之右有石碛，碛南出为死穀，北出为湖沟。魏太和四年，暴水流高三丈，此地下停流以成湖渚，造沟以通水，东西十里，决湖以注瀍水。穀水又迳河南王城西北，所谓成周矣。公羊曰：成周者何？东周也。何休曰：名为成周者，周道始成，王所都也。地理志曰：河南河南县，故郏、鄏地也。京相璠曰：郏，山名；鄏，地邑也。卜年定鼎，为王之东都，谓之新邑，是为王城。其城东南名曰鼎门，盖九鼎所从入也。故谓是地为鼎中。楚子伐陆浑之戎，问鼎于此。述征记曰：穀、洛二水，本于王城东北合流，所谓穀、洛斗也。今城之东南缺千步，世又谓之穀、洛斗处。俱为非也。余按史传，周灵王之时，穀、洛二水斗，毁王宫。王将堨之，太子晋谏王，不听，遗堰三堤尚存。左传襄公二十五年〔七〕，齐人城郏，穆叔如周贺。韦昭曰：洛水在王城南，穀水在王城北，东入于瀍。至灵王时，穀水盛出于王城西，而南流合于洛，两水相格，有似于斗，而毁王城西南也。颖容著春秋条例言，西城梁门枯水处，世谓之死穀是也。始知缘生行中造次，入关经究，故事与实违矣。考王封周桓公于是为西周，及其孙惠公，封少子于巩为东周，故有东、西之名矣。秦灭周，以为三川郡，项羽封申阳为河南王，汉以为河南郡，王莽又名之曰保忠信卿。光武都洛阳，以为尹。尹，正也，所以董正京畿，率先百郡也。穀水又东流迳乾祭门北，子朝之乱，晋所开也，东至千金堨。河南十二县境簿曰：河南县城东十五里有千金堨。洛阳记曰：千金堨旧堰穀水，魏时更修此堰，谓之千金堨。积石为堨而开沟渠五所，谓之五龙渠。渠上立堨，堨之东首，立一石人，石人腹上刻勒云：太和五年二月八日庚戌造筑此堨，更开沟渠，此水衡渠上其水，助其坚也，必经年历世，是故部立石人以记之云尔。盖魏明帝修王、张故绩也。堨是都水使者陈协所造。语林曰：陈协数进阮步兵酒，后晋文王欲修九龙堰，阮举协，文王用之。掘地得古承水铜龙六枚，堰遂成。水历堨东注，谓之千金渠。逮于晋世，大水暴注，沟渎泄坏，又广功焉，石人东胁下文云：太始七年六月二十三日，大水迸瀑，出常流上三丈，荡坏二堨，五龙泄水，南注泻下，加岁久漱啮，每涝即坏，历载消弃大功，今故无令遏，更于西开泄，名曰代龙渠，地形正平，诚得为泄至理。千金不与水势激争，无缘当坏，由其卑下，水得逾上漱啮故也。今增高千金于旧一丈四尺，五龙自然必历世无患。若五龙岁久复坏，可转于西更开二堨。二渠合用二十三万五千六百九十八功，以其年十月二十三日起作，功重人少，到八年四月二十日毕。代龙渠即九龙渠也。后张方入洛，破千金堨〔八〕。永嘉初，汝阴太守李矩、汝南太守袁孚修之，以利漕运，公私赖之。水积年，渠堨颓毁，石砌殆尽，遗基见存，朝廷太和中修复故堨。按千金堨石人西胁下文云：若沟渠久疏，深引水者当于河南城北、石碛西，更开渠北出，使首狐丘。故沟东下，因故易就，碛坚便时，事业已讫，然后见之。加边方多事，人力苦少，又渠堨新成，未患于水，是以不敢预修通之。若于后当复兴功者，宜就西碛，故书之于石，以遗后贤矣。虽石碛沦败，故迹可凭，准之于文，北引渠东合旧渎。旧渎又东，晋惠帝造石梁于水上，按桥西门之南颊文，称晋元康二年十一月二十日，改治石巷、水门，除竖枋，更为函枋，立作覆枋屋，前后辟级续石障，使南北入岸，筑治漱处，破石以为杀矣。到三年三月十五日毕讫。并纪列门广长深浅于左右巷，东西长七尺，南北龙尾广十二丈，巷渎口高三丈，谓之皋门桥。潘岳西征赋曰：驻马皋门。即此处也。穀水又东，又结石梁，跨水制城，西梁也。穀水又东，左会金谷水，水出太白原，东南流历金谷，谓之金谷水，东南流迳晋卫尉卿石崇之故居。石季伦金谷诗集叙曰：余以元康七年，从太仆出为征虏将军，有别庐在河南界金谷涧中，有清泉茂树，众果、竹、柏、药草备具。金谷水又东南流入于穀。穀水又东迳金墉城北，魏明帝于洛阳城西北角筑之，谓之金墉城。起层楼于东北隅，晋宫阁名曰：金墉有崇天堂。即此。地上架木为榭，故白楼矣。皇居创徙，宫极未就，止跸于此。搆宵榭于故台，所谓台以停停也。南曰乾光门，夹建两观，观下列朱桁于堑，以为御路。东曰含春门，北有䢼门，城上西面列观，五十步一睥睨，屋台置一钟以和漏鼓。西北连庑函荫，墉比广榭。炎夏之日，高视常以避暑。为绿水池〔九〕一所，在金墉者也。穀水迳洛阳小城北，因阿旧城，凭结金墉，故向城也。永嘉之乱，结以为垒，号洛阳垒。故洛阳记曰：陵云台西有金市，金市北对洛阳垒者也。又东历大夏门下，故夏门也。陆机与弟书云：门有三层〔一〇〕，高百尺，魏明帝造。门内东侧，际城有魏明帝所起景阳山，馀基尚存。孙盛魏春秋曰：景初元年，明帝愈崇宫殿，雕饰观阁，取白石英及紫石英及五色大石于太行穀城之山，起景阳山于芳林园，树松竹草木，捕禽兽以充其中。于时百役繁兴，帝躬自掘土，率群臣三公已下，莫不展力。山之东，旧有九江。陆机洛阳记曰：九江直作圆水。水中作圆坛三破之,夹水得相迳通。东京赋曰:濯龙、芳林,九谷八溪,芙蓉覆水,秋兰被涯。今也,山则块阜独立,江无复仿佛矣。穀水又东,枝分南入华林园,历疏圃南,圃中有古玉井,井悉以珉玉为之,以缁石为口,工作精密,犹不变古,璨焉如新。又迳瑶华宫南,历景阳山北,山有都亭,堂上结方湖,湖中起御坐石也。御坐前建蓬莱山,曲池接筵,飞沼拂席,南面射侯,夹席武峙。背山堂上,则石路崎岖,岩嶂峻险,云台风观,缨峦带阜,游观者升降阿阁,出入虹陛,望之状凫没鸾举矣〔一一〕。其中引水飞皋,倾澜瀑布,或枉渚声溜,潺潺不断,竹柏荫于层石,绣薄丛于泉侧,微飚暂拂,则芳溢于六空,实为神居矣。其水东注天渊池,池中有魏文帝九华台,殿基悉是洛中故碑累之,今造钓台于其上。池南直魏文帝茅茨堂,前有茅茨碑,是黄初中所立也。其水自天渊池东出华林园,迳听讼观南,故平望观也。魏明帝常言,狱,天下之命也,每断大狱,恒幸观听之。以太和三年,更从今名。观西北接华林隶簿,昔刘桢磨石处也。文士传曰:文帝之在东宫也,宴诸文学,酒酣,命甄后出拜,坐者咸伏,惟刘桢平视之。太祖以为不敬,送徒隶簿。后太祖乘步牵车乘城,降阅簿作,诸徒咸敬,而桢拒坐〔一二〕,磨石不动。太祖曰:此非刘桢也,石如何性? 桢曰:石出荆山玄岩之下,外炳五色之章,内秉坚贞之志,雕之不增文,磨之不加莹,禀气贞正,禀性自然。太祖曰:名岂虚哉? 复为文学。池水又东流入洛阳县之南池,池,即故翟泉也,南北百一十步,东西七十步,皇甫谧曰:悼王葬景王于翟泉,今洛阳太仓中大冢是也。春秋定公元年,晋魏献子合诸侯之大夫于翟泉,始盟城周。班固、服虔、皇甫谧咸言翟泉在洛阳东北，周之墓地。今按周威烈王葬洛阳城内东北隅，景王冢在洛阳太仓中，翟泉在两冢之间，侧广莫门道东、建春门路北。路，即东宫街也，于洛阳为东北。后秦封吕不韦为洛阳十万户侯，大其城，并得景王冢矣，是其墓地也。及晋永嘉元年，洛阳东北步广里地陷，有二鹅出，苍色者飞翔冲天，白色者止焉。陈留孝廉董养曰：步广，周之翟泉，盟会之地，今色苍，胡象矣，其可尽言乎？后五年，刘曜、王弥入洛，帝居平阳。陆机洛阳记曰：步广里在洛阳城内，宫东是翟泉所在，不得于太仓西南也。京相璠与裴司空彦季修晋舆地图，作春秋地名〔一三〕，亦言今太仓西南池水名翟泉。又曰：旧说言翟泉本自在洛阳北芒弘城，成周乃绕之。杜预因其一证，谓必是翟泉，而即实非也。后遂为东宫池。晋中州记曰：惠帝为太子，出闻虾蟆声，问人为是官虾蟆、私虾蟆？侍臣贾胤对曰：在官地为官虾蟆，在私地为私虾蟆。令曰：若官虾蟆，可给廪。先是有谶云：虾蟆当贵〔一四〕。昔晋朝收愍怀太子于后池，即是池也。其一水自大夏门东迳宣武观，凭城结构，不更增墉，左右夹列步廊，参差翼跂，南望天渊池，北瞩宣武场。竹林七贤论曰：王戎幼而清秀，魏明帝于宣武场上为栏，苞虎牙，使力士袒裼，迭与之搏，纵百姓观之。戎年七岁，亦往观焉，虎乘间薄栏而吼，其声震地，观者无不辟易颠仆，戎亭然不动。帝于门上见之，使问姓名而异之。场西故贾充宅地。穀水又东迳广莫门北，汉之穀门也。北对芒阜，连岭修亘，苞总众山，始自洛口，西逾平阴。悉芒垅也。魏志曰：明帝欲平北芒，令登台见孟津。侍中辛毗谏曰：若九河溢涌，洪水为害，丘陵皆夷，何以御之？帝乃止。穀水又东屈南，迳建春门石桥下，即上东门也。阮嗣宗咏怀诗曰步出上东门者也。一曰上升门，晋曰建阳门。百官志曰：洛阳十二门，每门候一人，六百石。东观汉记曰：郅恽为上东门候，光武尝出，夜还，诏开门欲入，恽不内。上令从门间识面。恽曰：火明辽远。遂拒不开，由是上益重之。亦袁本初挂节处也。桥首建两石柱，桥之右柱铭云：阳嘉四年乙酉壬申，诏书以城下漕渠，东通河、济，南引江、淮，方贡委输，所由而至，使中谒者魏郡清渊马宪监作石桥梁柱，敦敕工匠尽要妙之巧，攒立重石，累高周距，桥工路博，流通万里云云。河南尹邳崇隗、丞渤海重合双福、水曹掾中牟任防、史王荫、史赵兴、将作吏睢阳申翔、道桥掾成皋卑国、洛阳令江双、丞平阳降监掾王腾之、主石作右北平山仲，三月起作，八月毕成。其水依柱，又自乐里道屈而东出阳渠。昔陆机为成都王颖入洛，败北而返。水南即马市，旧洛阳有三市，斯其一也。亦嵇叔夜为司马昭所害处也。北则白社故里，昔孙子荆会董威辇于白社，谓此矣。以同载为荣，故有威辇图。又东迳马市石桥，桥南有二石柱，并无文刻也。汉司空渔阳王梁之为河南也，将引穀水以溉京都，渠成而水不流，故以坐免。后张纯堰洛以通漕，洛中公私穰赡。是渠今引穀水，盖纯之创也。按陆机洛阳记、刘澄之永初记言，城之西面有阳渠，周公制之也。昔周迁殷民于洛邑，城隍逼狭，卑陋之所耳。晋故城成周以居敬王，秦又广之，以封不韦，以是推之，非专周公可知矣。亦谓之九曲渎，河南十二县境簿云：九曲渎在河南巩县西，西至洛阳。又按傅畅晋书云：都水使者陈狼凿运渠，从洛口入，注九曲，至东阳门。是以阮嗣宗咏怀诗所谓朝出上东门，遥望首阳岑；又言遥遥九曲间，裴徊欲何之者也。阳渠水南暨阊阖门，汉之上西门者也。汉宫记曰：上西门所以不纯白者，汉家厄于戌，故以丹镂之。太和迁都，徙门南侧，其水北乘高渠，枝分上下，历故石桥东入城，迳望先寺，中有碑，碑侧法子丹碑，作龙矩势，于今作则佳，方古犹劣。渠水又东历故金市南，直千秋门，右宫门也。又枝流入石逗伏流，注灵芝九龙池。魏太和中，皇都迁洛阳，经构宫极，修理街渠，务穷隐，发石视之，曾无毁坏。又石工细密，非今知所拟，亦奇为精至也，遂因用之。其一水自千秋门南流迳神虎门下，东对云龙门，二门衡栿之上，皆刻云龙风虎之状，以火齐薄之。及其晨光初起，夕景斜辉，霜文翠照，陆离眩目。又南迳通门、掖门西，又南流东转，迳阊阖门南。案礼，王有五门：谓皋门、库门、雉门、应门、路门，路门一曰毕门，亦曰虎门也。魏明帝上法太极于洛阳南宫，起太极殿于汉崇德殿之故处，改雉门为阊阖门。昔在汉世，洛阳宫殿门题，多是大篆，言是蔡邕诸子。自董卓焚宫殿，魏太祖平荆州，汉吏部尚书安定梁孟皇善师宜官八分体，求以赎死。太祖善其法，常仰系帐中爱玩之，以为胜宜官，北宫榜题，咸是鹄笔，南宫既建，明帝令侍中京兆韦诞以古篆书之。皇都迁洛，始令中书舍人沈含馨以隶书书之；景明、正始之年，又敕符节令江式以大篆易之。今诸桁榜题，皆是式书。周官：太宰以正月悬治法于象魏。广雅曰：阙，谓之象魏。风俗通曰：鲁昭公设两观于门，是谓之阙，从门，欮声。尔雅曰：观谓之阙。说文曰：阙，门观也。汉官典职曰：偃师去洛四十五里,望朱雀阙,其上郁然与天连,是明峻极矣。洛阳故宫名有朱雀阙、白虎阙、苍龙阙、北阙、南宫阙也。东观汉记曰:更始发洛阳,李松奉引,车马奔,触北阙铁柱门,三马皆死,即斯阙也。白虎通曰:门必有阙者何? 阙者,所以饰门。别尊卑也。今阊阖门外夹建巨阙,以应天宿,虽不如礼,犹象而魏之,上加复思,以易观矣。广雅曰:复思谓之屏。释名曰:屏,自障屏也;罘思在门外。罘,复也。臣将入请事,于此复重思之也。汉末兵起,坏园陵罘思,曰无使民复思汉也。故盐铁论曰:垣阙罘思。言树屏隅角所架也。颖容又曰:阙者,上有所失,下得书之于阙,所以求论誉于人,故谓之阙矣。今阙前水南道右,置登闻鼓以纳谏。昔黄帝立明堂之议,尧有衢室之问,舜有告善之旌,禹有立鼓之讯,汤有总街之诽,武王有灵台之复,皆所以广设过误之备也。渠水又枝分,夹路南出,迳太尉、司徒两坊间,谓之铜驼街。旧魏明帝置铜驼诸兽于阊阖南街。陆机云:驼高九尺,脊出太尉坊者也。水西有永宁寺,熙平中始创也,作九层浮图〔一五〕,浮图下基方十四丈,自金露槃下至地四十九丈,取法代都七级,而又高广之〔一六〕。虽二京之盛,五都之富,利刹灵图,未有若斯之构。按释法显行传,西国有爵离浮图,其高与此相状,东都西域,俱为庄妙矣。其地是曹爽故宅,经始之日,于寺院西南隅得爽窟室,下入土可丈许,地壁悉累方石砌之,石作细密,都无所毁,其石悉入法用,自非曹爽,庸匠亦难复制此。桓氏有言,曹子丹生此豚犊,信矣。渠左是魏、晋故庙地,今悉民居,无复遗墉也。渠水又西历庙社之间,南注南渠。庙社各以物色辨方。周礼,庙及路寝，皆如明堂，而有燕寝焉。惟祧庙则无，后代通为一庙，列正室于下，无复燕寝之制。礼：天子建国，左庙右社，以石为主，祭则希冕。今多王公摄事，王者不亲拜焉。咸宁元年，洛阳大风，帝社树折，青气属天，元王东渡，魏社代昌矣。渠水自铜驼街东迳司马门南，魏明帝始筑，阙崩，压杀数百人，遂不复筑，故无阙门。南屏中旧有置铜翁仲处，金狄既沦，故处亦褫，惟坏石存焉。自此南直宣阳门，经纬通达，皆列驰道，往来之禁，一同两汉。曹子建尝行御街，犯门禁，以此见薄。渠水又东迳杜元凯所谓翟泉北，今无水。坎方九丈六尺，深二丈馀，似是人功而不类于泉陂，是验非之一证也。又皇甫谧帝王世纪云：王室定，遂徙居，成周小，不受王都，故坏翟泉而广之。泉源既塞，明无故处，是验非之二证也。杜预言：翟泉在太仓西南。既言西南，于洛阳不得为东北，是验非之三证也。稽之地说，事几明矣，不得为翟泉也。渠水历司空府前，迳太仓南，出东阳门石桥下，注阳渠。穀水自阊阖门而南迳土山东，水西三里有坂，坂上有土山，汉大将军梁冀所成，筑土为山，植木成苑。张璠汉记曰：山多峭坂，以象二崤，积金玉，采捕禽兽，以充其中，有人杀苑兔者，迭相寻逐，死者十三人。南出迳西阳门，旧汉氏之西明门也，亦曰雍门矣。旧门在南，太和中以故门邪出，故徙是门，东对东阳门。穀水又南迳白马寺东，昔汉明帝梦见大人，金色，项佩白光。以问群臣，或对曰：西方有神名曰佛，形如陛下所梦，得无是乎？于是发使天竺，写致经像，始以榆欓盛经，白马负图，表之中夏。故以白马为寺名。此榆欓后移在城内愍怀太子浮图中，近世复迁此寺。然金光流照，法轮东转，创自此矣。穀水又南迳平乐观东，李尤平乐观赋曰：乃设平乐之显观，章秘伟之奇珍。华峤后汉书曰：灵帝于平乐观下起大坛，上建十二重，五采华盖高十丈。坛东北为小坛，复建九重，华盖高九丈，列奇兵骑士数万人，天子住大盖下。礼毕，天子躬擐甲，称无上将军，行阵三匝而还，设秘戏以示远人。故东京赋曰：其西则有平乐都场，示远之观，龙雀蟠蜿，天马半汉。应劭曰：飞廉神禽，能致风气，古人以良金铸其象。明帝永平五年，长安迎取飞廉并铜马，置上西门外平乐观。今于上西门外无他基观，惟西明门外独有此台，巍然广秀，疑即平乐观也。又言皇女稚殇，埋于台侧，故复名之曰皇女台。晋灼曰：飞廉，鹿身，头如雀有角，而蛇尾豹文。董卓销为金用，铜马徙于建始殿东阶下，胡军丧乱，此象遂沦。穀水又南迳西明门，故广阳门也〔一七〕。门左枝渠东派入城，迳太社前，又东迳太庙南，又东于青阳门右下注阳渠。穀水又南，东屈迳津阳门南，故津门也。昔洛水泛泆漂害者众，津阳城门校尉将筑以遏水，谏议大夫陈宣止之曰：王尊臣也，水绝其足，朝廷中兴，必不入矣。水乃造门而退。穀水又东迳宣阳门南，故苑门〔一八〕也。皇都迁洛，移置于此，对阊阖门南，直洛水浮桁。故东京赋曰：泝洛背河，左伊右瀍者也。夫洛阳考之中土，卜惟洛食，实为神也。门左即洛阳池处也。池东，旧平城门所在矣，今塞。北对洛阳南宫，故蔡邕曰：平城门，正阳之门，与宫连属，郊祀法驾所由从出，门之最尊者。洛阳诸宫名曰：南宫有謻台、临照台。东京赋曰：其南则有謻门曲榭，邪阻城洫。注云：謻门，冰室门也；阻，依也；洫，城下池也。皆屈曲邪行，依城池为道。故说文曰:隍,城池也。有水曰池,无水曰隍矣。謻门即宣阳门也,门内有宣阳冰室,周礼有冰人,日在北陆而藏之,西陆朝觌而出之。冰室旧在宣阳门内,故得是名。门既拥塞,冰室又罢。穀水又迳灵台,北望云物也。汉光武所筑,高六丈,方二十步。世祖尝宴于此台,得鼮鼠于台上。亦谏议大夫第五子陵之所居,伦少子也,以清正〔一九〕,洛阳无主人,乡里无田宅,寄止灵台,或十日不炊,司隶校尉南阳左雄、尚书庐江朱孟兴等,皆伦故孝廉功曹,各致礼饷,并辞不受,永建中卒。穀水又东迳平昌门南,故平门也。又迳明堂北,汉光武中元元年立。寻其基构,上圆下方,九室重隅十二堂。蔡邕月令章句同之,故引水于其下为辟雍也。穀水又东迳开阳门南,晋宫阁名曰:故建阳门也。汉官曰:开阳门始成,未有名宿,昔有一柱来,在楼上。琅琊开阳县上言:县南城门,一柱飞去。光武皇帝使来,识视良是,遂坚缚之,因刻记年、月、日以名焉。何汤字仲弓,尝为门候,上微行夜还,汤闭门不内,朝廷嘉之。又东迳国子太学石经北,周礼有国学,教成均之法。学记曰:古者,家有塾,党有庠,遂有序,国有学。亦有虞氏之上庠、下庠,夏后氏之东序、西序,殷人之左学、右学,周人之东胶、虞庠。王制云:养国老于上庠,养庶老于下庠,故有太学、小学,教国之子弟焉,谓之国子。汉魏以来,置太学于国子堂。东汉灵帝光和六年,刻石镂碑载五经,立于太学讲堂前,悉在东侧。蔡邕以熹平四年,与五官中郎将堂谿典,光禄大夫杨赐,谏议大夫马日磾,议郎张驯、韩说,太史令单飏等,奏求正定六经文字。灵帝许之。邕乃自书丹于碑,使工镌刻,立于太学门外。

于是后儒晚学，咸取正焉。及碑始立，其观视及笔写者，车乘日千馀辆，填塞街陌矣。今碑上悉铭刻蔡邕等名。魏正始中，又立古、篆、隶三字石经。古文出于黄帝之世，仓颉本鸟迹为字，取其孳乳相生，故文字有六义焉。自秦用篆书，焚烧先典，古文绝矣。鲁恭王得孔子宅书，不知有古文，谓之科斗书。盖因科斗之名，遂效其形耳。言大篆出于周宣之时，史籀创著。平王东迁，文字乖错，秦之李斯及胡母敬，又改籀书，谓之小篆，故有大篆、小篆焉。然许氏字说专释于篆，而不本古文，言古隶之书起于秦代，而篆字文繁，无会剧务。故用隶人之省，谓之隶书。或云即程邈于云阳增损者，是言隶者，篆捷也。孙畅之尝见青州刺史傅弘仁说临淄人发古冢，得桐棺，前和外隐为隶字，言齐太公六世孙胡公之棺也。惟三字是古，馀古今书，证知隶自出古，非始于秦。魏初，传古文出邯郸淳，石经古文，转失淳法，树之于堂西，石长八尺，广四尺，列石于其下，碑石四十八枚，广三十丈。魏明帝又刊典论六碑，附于其次。陆机言，太学赞别一碑，在讲堂西，下列石龟，碑载蔡邕、韩说、堂谿典等名。太学弟子赞复一碑，在外门中。今二碑并无。石经东有一碑，是汉顺帝阳嘉元年立，碑文云：建武二十七年造太学，年积毁坏。永建六年九月，诏书修太学，刻石记年，用作工徒十一万二千人，阳嘉元年八月作毕。碑南面刻颂，表里镂字，犹存不破。汉石经北有晋辟雍行礼碑，是太始二年立。其碑中折，但世代不同，物不停故，石经沦缺，存半毁几，驾言永久，谅用怃焉。考古有三雍之文，今灵台太学，并无辟雍处。晋永嘉中，王弥、刘曜入洛，焚毁二学，尚仿佛前基矣。穀水于城东南隅枝分北注，迳青阳门东，故清明门也，亦曰税门，亦曰芒门。又北迳东阳门东，故中东门也。又北迳故太仓西，洛阳地记曰：大城东有太仓，仓下运船常有千计。即是处也。又北入洛阳沟。穀水又东，左迆为池。又东，右出为方湖，东西百九十步，南北七十步，故水衡署之所在也。穀水又东南转屈而东注，谓之阮曲，云阮嗣宗之故居也。穀水又东注鸿池陂，百官志曰：鸿池，池名也。在洛阳东二十里，丞一人，二百石。池东西千步，南北千一百步，四周有塘池，中又有东西横塘，水溜径通，故李尤鸿池陂铭曰：鸿泽之陂，圣王所规，开源东注，出自城池也。其水又东，左合七里涧，晋后略曰：成都王颖使吴人陆机为前锋都督，伐京师，轻进，为洛军所乘，大败于鹿苑，人相登蹑，死于堑中及七里涧，涧为之满，即是涧也。涧有石梁，即旅人桥也。昔孙登不欲久居洛阳，知杨氏荣不保终，思欲遁迹林乡，隐沦妄死，杨骏埋之于此桥之东，骏后寻亡矣。搜神记曰：太康末，京洛始为折杨之歌，有兵革辛苦之辞。骏后被诛，太后幽死，折杨之应也。凡是数桥，皆累石为之，亦高壮矣。制作甚佳，虽以时往损功，而不废行旅。朱超石与兄书云：桥去洛阳宫六七里，悉用大石，下圆以通水，可受大舫过也〔二〇〕。题其上云：太康三年十一月初就功，日用七万五千人，至四月末止。此桥经破落，复更修补，今无复文字。阳渠水又东流迳汉广野君郦食其庙南〔二一〕，庙在北山上，成公绥所谓偃师西山也。山上旧基尚存，庙宇东向，门有两石人对倚，北石人胸前铭云：门亭长。石人西有二石阙，虽经颓毁，犹高丈馀。阙西，即庙故基也。基前有碑，文字剥缺，不复可识。

子安仰澄芬于万古,赞清徽于庙像,文字厥集矣。阳渠水又东迳亳殷南,昔盘庚所迁,改商曰殷此始也。班固曰:尸乡,故殷汤所都者也。故亦曰汤亭。薛瓒汉书注、皇甫谧帝王世纪,并以为非,以为帝喾都矣。晋太康记、地道记,并言田横死于是亭,故改曰尸乡。非也。余按司马彪郡国志,以为春秋之尸氏也,其泽,野负原,夹郭多坟陇焉。即陆士衡会王辅嗣处也。袁氏王陆诗叙,机初入洛,次河南之偃师,时忽结阴,望道左若民居者,因往逗宿,见一少年,姿神端远,与机言玄,机服其能而无以酬折,前致一辩,机题纬古今,综检名实,此少年不甚欣解。将晓,去,税驾逆旅,妪曰:君何宿而来?自东数十里无村落,止有山阳王家墓。机乃怪怅,还睇昨路,空野霾云,攒木蔽日,知所遇者,审王弼也。此山即祝鸡翁之故居也。搜神记曰:祝鸡翁者,洛阳人也,居尸乡北山下〔二二〕,养鸡百年馀,鸡至千馀头,皆有名字,欲取,呼之名,则种别而至。后之吴山,莫知所去矣。榖水又东迳偃师城南,皇甫谧曰:帝喾作都于亳,偃师是也。王莽之所谓师氏者也。榖水又东流注于洛水矣。

甘水出弘农宜阳县鹿蹄山,

山在河南陆浑县故城西北,俗谓之纵山。水之所导,发于山曲之中,故世人目其所为甘掌焉。

东北至河南县南,北入洛。

甘水发源东北流,北屈迳一故城东,在非山上,世谓之石城也。京相璠曰:或云甘水西山上,夷污而平,有故甘城,在河南城西二十五里,指谓是城也。余按甘水东十许里洛城南,有故甘城焉。北对河南故城，世谓之鉴洛城，鉴、甘声相近，即故甘城也，为王子带之故邑矣。是以昭叔有甘公之称焉。甘水又与非山水会，水出非山东谷，东流入于甘水。甘水又于河南城西北入洛。经言县南，非也。京相璠曰：今河南县西南，有甘水〔二三〕，北入洛。斯得之矣。

漆水〔二四〕出扶风杜阳县俞山东，北入于渭。

山海经曰：羭次之山，漆水出焉，北流注于渭。盖自北而南矣。尚书禹贡、太史公禹本纪云：导渭水东北至泾，又东过漆、沮，入于河。孔安国曰：漆、沮〔二五〕，一水名矣，亦曰洛水也，出冯翊北。周太王去邠，度漆逾梁山，止岐下。故诗云：民之初生，自土沮、漆。又曰：率西水浒，至于岐下。是符禹贡、本纪之说。许慎说文称：漆水出右扶风杜阳县岐山，东入渭，从水，桼声。又云：一曰漆城池也。潘岳关中记曰：关中有泾、渭、灞、浐、酆、鄗、漆、沮之水，酆、鄗、漆、沮四水，在长安西南鄠县，漆、沮皆南注，酆、鄗水北注。开山图曰：丽山西北有温池〔二六〕。温池西南八十里岐山，在杜阳北。长安西有渠，谓之漆渠〔二七〕。班固地理志云：漆水在漆县〔二八〕西。阚骃十三州志又云：漆水出漆县西，北至岐山，东入渭。今有水出杜阳县岐山北漆溪〔二九〕，谓之漆渠，西南流注岐水。但川土奇异，今说互出，考之经史，各有所据，识浅见浮，无以辨之矣。

浐水出京兆蓝田谷，北入于灞。

地理志曰：浐水出南陵县之蓝田谷，西北流与一水合，水出西南莽谷，东北流注浐水。浐水又北历蓝田川，北流注于灞水。地理志曰：浐水北至霸陵入霸水〔三〇〕。

沮水出北地直路县，东过冯翊祋祤县北，东入于洛。

地理志曰：沮出直路县〔三一〕西，东入洛。今水自直路县东南，迳谯石山〔三二〕东南流，历檀台川，俗谓之檀台水。屈而夹山西流，又西南迳宜君川，世又谓之宜君水。又得黄嵚水口，水西北出云阳县石门山黄嵚谷，东南流注宜君水。又东南流迳祋祤县故城西，县以汉景帝二年置，其水南合铜官水，水出县东北，西南迳铜官川，谓之铜官水。又西南流迳祋祤县东，西南流迳其城南原下，而西南注宜君水。宜君水又南出土门山西，又谓之沮水。又东南历土门南原下，东迳怀德城南，城在北原上。又东迳汉太上皇陵北，陵在南原上，沮水东注郑渠。昔韩欲令秦无东伐，使水工郑国间秦凿泾引水，谓之郑渠。渠首上承泾水于中山〔三三〕西邸瓠口〔三四〕，所谓瓠中也。尔雅以为周焦获〔三五〕矣。为渠并北山，东注洛三百馀里，欲以溉田。中作而觉，秦欲杀郑国，郑国曰：始臣为间，然渠亦秦之利。卒使就渠，渠成而用注填阏之水，溉泽卤之地四万馀顷，皆亩一钟，关中沃野，无复凶年，秦以富强，卒并诸侯，命曰郑渠。渠渎东迳宜秋城北，又东迳中山南。河渠书曰：凿泾水自中山西。封禅书：汉武帝获宝鼎于汾阴，将荐之甘泉，鼎至中山，氤氲有黄云盖焉。徐广史记音义曰：关中有中山，非冀州者也。指证此山，俗谓之仲山，非也。郑渠又东迳舍车宫南绝冶谷水。郑渠故渎又东迳巀嶭山南，池阳县故城北，又东绝清水。又东迳北原下，浊水注焉。自浊水以上，今无水。浊水上承云阳县东大黑泉，东南流，谓之浊谷水，又东南出原，注郑渠。又东历原，迳曲梁城北，又东迳太上陵南原下，北屈迳原东与沮水合，分为二水，一水东南出，即浊水也。至白渠与泽泉合，俗谓之漆水〔三六〕，又谓之为漆沮水。绝白渠，东迳万年县故城北为栎阳渠。城，即栎阳宫也。汉高帝葬皇考于是县，起坟陵，署邑号，改曰万年也。地理志曰：冯翊万年县，高帝置，王莽曰异赤也。故徐广史记音义曰：栎阳，今万年矣。阚骃曰：县西有泾、渭，北有小河。谓此水也。其水又南屈，更名石川水，又西南迳郭獶城西与白渠枝渠合，又南入于渭水也。其一水东出，即沮水也。东与泽泉合，水出沮东泽中，与沮水隔原，相去十五里，俗谓是水为漆水也。东流迳薄昭墓南，冢在北原上。又迳怀德城北，东南注郑渠，合沮水。又自沮直绝注浊水，至白渠合焉，故浊水得漆沮之名也。沮循郑渠，东迳当道城南，城在频阳县故城南，频阳宫也，秦厉公置。城北有频山，山有汉武帝殿，以石架之。县在山南，故曰频阳也。应劭曰：县在频水之阳。今县之左右，无水以应之，所可当者，惟郑渠与沮水。又东迳莲芍县故城北，十三州志曰：县以草受名也。沮水又东迳汉光武故城北，又东迳粟邑县故城北，王莽更名粟城也。后汉封骑都尉耿夔为侯国。其水又东北流，注于洛水也。

〔一〕注疏本疏："朱此下有司马彪云云二十二字，赵、戴同。全移于下故光武句上。守敬案：全移极是，此必七校本赵未见，指此见全本之非伪。"按五校钞本"秦、赵二城"下原有"司马彪云云"句，全氏在此处旁批："旧本此下有错简，先司空公以宋本校改正。”又将“司马彪云云”句，旁添于“收之桑榆矣”下，与注疏本置此句于“冯异又破赤眉于是川矣”下不同。

〔二〕白超垒　孙潜校本、项本、张本均作“白起垒”。

〔三〕札记水冶：

水经注记载的古代冶金工业超过十处，其中卷十六穀水经“穀水出弘农黾池县南墦冢林穀阳谷”注中的水冶，很值得重视。

> 戴延之西征记云：次至白超垒，去函谷十五里，筑垒当大道，左右有山夹立，相去百馀步，从中出北，乃故关城，非所谓白超垒也。是垒在缺门东十五里，垒侧旧有坞，故冶官所在。魏晋之日，引穀水为水冶，以经国用，遗迹尚存。

注文记载的这个白超垒侧的水冶是值得重视的，因为它说明了水力在魏晋之日已经使用到冶金工业之中。冶金工业始于青铜时代，这是人类原始的冶金工业，人类藉此获取这种早期使用的金属。卷二十六巨洋水注记载了临朐县的古冶官，卷四十渐江水注也记载了铜牛山冶官、练塘里冶铜等，都是早期的冶金工业。这类早期的冶金工业，分布甚广，不足为奇。至于早期的水力利用，如利用溪涧流水于粮食加工之类，郦注虽无记载，而发轫也必较早，同样不足为奇。但水冶却不同，它是水力利用和金属冶炼两者的结合。水冶的出现，是古代水力利用和冶金工业在技术上飞跃进步的标志。

水冶是什么？元王祯农书卷十九的解释是，水冶又称水排，后汉杜诗始作。案后汉书杜诗传注：“冶铸者为排以吹炭，令激水以鼓之者也。”说明这是一种利用水力的鼓风装置。因为对于冶金工业来说,鼓风(送氧)是十分重要的关键。三国志魏书韩暨传云:“旧时冶,作马排,每一熟用马百匹;更作人排,又费功力;暨乃因长流为水排,计其利益,三倍于前。”杜诗传和韩暨传都提到作水冶之事,但王祯只言杜诗,这当然是因为杜诗早于韩暨之故。不过这种机器,在初创以后,总有不断改进的过程。不妨认为,后汉杜诗初创,而三国韩暨作了改进。经过改进的水冶,其效率已比用马力高出三倍,而其尚在距今十七个世纪以前,所以不能不说这是我国古代在水力利用和冶金工业上的卓越成就。

水经注记载的水冶,位于今河南省西部的縠水之上,而且只是魏晋的遗迹,说明当时已经废弃不用。但其实在郦道元所在的北魏时代,水冶在这一带仍然使用于冶金工业。据天一阁所藏明嘉靖彰德府志卷一安阳县水冶所载及的这种水冶:“在县西四十里,旧经曰,后魏时引水鼓炉,名水冶,仆射高隆之监造,深一尺,阔一步。”案彰德府志,高隆之监造的这个水冶,位于洹水之上。但由于高隆之是东魏末叶人,以后入官于齐,郦道元已不及见,所以洹水注中没有这方面的记载。

高隆之大概是对水力利用很有眼光的人,据北齐书高隆之传所载:“又凿渠引漳水,周流城郭,造治碾硙,并有利于时。”“碾硙”是什么?“碾”是一种研磨的工具,“硙”当是利用水力碾磨。旧唐书李元纮传云:“诸王公权要之家,皆缘渠立硙,以害水田,元纮令吏人一切毁之,百姓大获其利。”“缘渠立硙”,即是沿河设置水碾,已经说得很清楚了。北史高隆之传也可以证明这一点,北史的文字与北齐书相同,但"造治碾硙"这一句作"造水碾硙"。则高隆之所造的水力机器还不止这一种,彰德府志的记载是信而有征的。

〔四〕爽水　大典本、注笺本、项本、注释本、张本均作"桑爽之水"。

〔五〕"北流注于穀"句下,"挚仲治三辅决录注云"起至"言是水也"一段,注疏本移在卷十五涧水注中。此处疏云:"守敬按:亦中次六经文,涧水篇见前已引山海经。戴移涧水注内挚仲治以下一段于此,误。"

〔六〕殿本在此下案云:"案上所引无枯涸之语,当有脱文。"

〔七〕二十五年　注疏本作"二十四年"。疏:"朱作二十五年,全、赵、戴同。守敬按:左传是二十四年,今订。"

〔八〕"破千金堨"下,注疏本有"京师水碓皆涸"六字。疏:"朱无京师以下二十七字。全云:张方破堨,何以反云公私赖之?据晋书李矩传补'京师水碓皆涸,永嘉初,汝阴太守李矩,汝南太守袁孚修之以利漕运'二十七字。戴亦补,但失补'京师水碓皆涸'六字。"

手稿第四集上册记铁琴铜剑楼瞿氏藏明钞本水经注云:

卷十六穀水篇记千金堨的工程最详细,黄省曾本(叶六)此段有这一句话:

后张方入洛,破千金堨,公私赖之。

破了千金堨,何以公私反"赖之"呢?此语不合情理,故全谢山、赵东潜、戴东原诸家都参考太平御览及晋书,在"公私赖之"之上,增补李矩、袁孚修复千金堨的事。今检大典本,此句作：

后张方入洛，破千金堨，公私顿乏。

朱本与大典本相同，瞿本此句作：

后张方入洛，破千金堨，公私顿立。

此下文为“水积年渠堨颓毁，石砌殆尽，遗基见存”。

我们看了大典本与朱本作“公私顿乏”，又看了瞿本作“公私顿立”，当然可以悟到此句原本作“公私顿乏水”。全文当读：

后张方入洛，破千金堨，公私顿乏水，积年渠堨颓毁，石砌殆尽，遗基见存，朝廷（北魏）太和中修复故堨。

如此校读，就不须增补文字了。晋书惠帝纪云：

太安二年……十一月辛巳……张方决千金堨，水碓皆涸，乃发王公奴婢手舂给兵廪。

此可以为证，瞿本的“顿立”更近于“顿乏”，更可供校勘。

〔九〕绿水池　注笺本、项本、五校钞本、七校本、注释本、张本、乾隆河南府志卷六十三古迹志九引水经注均作“渌水池”。

〔一〇〕门有三层　注疏本作“门有三层楼”。疏：“朱脱楼字，全、赵、戴同。会贞按：寰宇记引魏略，明帝造三层楼，高十丈。陆机与弟书云：大夏门有三层楼，高百尺。河南志同，今订。”

〔一一〕凫没鸾举　各本颇不相同，手稿与锺凤年先生论水经注书（第四集下册），其第四函中，对此甚有议论，兹摘录如下：

屡承先生的过奖，这也是细勘古本的功效。今试举一条略示版本与字句校勘的关系。朱本卷十六，叶十下：

石路崎岖，岩嶂峻崄，云台风观，缨草带阜，游观者升降耶阁，出入虹陛，望之状凫没鸾举矣。（笺云：凫没，古本作岛没。谢兆申云：一作鸟没，吴本作凫没。）

末句黄本作岛没鸾举，七十五分。吴琯改凫没鸾举，五十分。谢云一作鸟没鸾举，五十分。我检傅沅叔藏残宋本是岛没鸾举，与黄本同，七十五分。但永乐大典作"岛没峦举"，一百分。

若无古本，则是非如何能定？（即此一例，可见大典本的底本与残宋本虽同出一源，而大典本偶有胜处。）

札记凫没鸾举：

但是，哈佛大学的杨联陞先生为此于一九五〇年七月二日给他写了信（原函影附于胡适手稿第六集下册），信中说：

这一段不知当时锺先生有无讨论。我在火车里理校了一下，觉得仍以"凫没鸾举"为最近情。"岛没峦举"拟于不伦，何况上有"状"字，似嫌不辞。今日匆匆检佩文韵府，查出易林卷二"凫得水没"，禽经"凫好没"，曹植七启"翔尔鸿翥，濈然凫没"，淮南十五兵略训"鸾举麟振，凤飞龙腾"，均可为"凫没鸾举"作证。先生所给分数，似乎甚不公道，恐是千虑一失。依我看，吴琯、殿本等均应得一百分也。

杨氏信中的最后一段甚发人深省，他说：

以先生的聪明绝顶而力主"笨校"，我了解这是苦口婆心警戒后学不可行险徼倖。不过证据是死物，用证据者是活人，连板本也不能算绝对确实证据,古书尤其如此。理校之妙者,甚至可以校出作者自己的错误,因人人都可能误记误用,笔误更不必说。人类用语言作达意工具,能"达"与否,真是大问题也。

杨氏生于一九一四年,比胡适小二十三岁,通信中自称学生,所以信上的话虽然坦率,其实还是很有克制的。信上说:"不过证据是死物,用证据者是活人,连板本也不能算绝对确实证据"。其实这话的意思是:"板本是死物,用板本者是活人。"用死的板本比勘,比来比去,岂不丧失了活人的意义。作为一个活人,自然还可以到板本以外去找点证据,而佩文韵府和淮南子,都并不是什么稀籍,但"凫没"和"鸾举",却都现成地存在于这些书上。当年的吴琯和朱谋㙔,或许就是下过这番考证功夫的。

〔一二〕拒坐　殿本在此下案云:"案'拒坐'未详。近刻作'抠坐',朱谋㙔云:一作'匡坐'。"注疏本作"抠坐"。疏:"朱作'抠坐',笺曰:一作'匡坐'。赵云:按'抠坐','抠衣'而坐,作徒磨石,故其坐若此,若'匡坐',则正坐也,何以磨石?戴作拒坐,云未详。守敬按:世说注、书钞引作'匡',大典本、残宋本作'拒',黄本始作'抠',疑注本作'匡',传钞变作'拒',后人又改为'抠'也。戴、赵未深考耳。"

〔一三〕札记裴秀与京相璠:

卷十六瀔水经"又东过河南县北,东南入于洛"注云:

京相璠与裴司空彦季(按当是季彦之误,下同)修晋舆地图,作春秋地名。

春秋地名是水经注常引文献,在卷六涑水、卷八济水、卷十五伊水、卷十六榖水各篇中屡次引及。书名有时作春秋地名,有时作春秋土地名。而卷二十二洧水又引京杜地名。骤看使人不解,其实当是京相璠的春秋地名与杜预的春秋释地二书的合称。所以春秋地名是京相璠的著作,这是毫无疑问的。

对于晋舆地图,注文却作"京相璠与裴季彦修晋舆地图"。这里的所谓晋舆地图,当然就是禹贡地域图。此事,由于晋书裴秀传记之甚详,裴秀为此图所撰序言,全文收录于其本传之中,在学术界长期来造成一种印象,认为此图是裴秀的作品。这篇序言中,提出了著名的"六体",即分率、准望、道里、高下、方邪、迂直。一直被认为是我国最早的地图学理论,所以在中国地图学史上具有重要地位。正是由于这篇序言,使裴秀几乎成为我国古代地图绘制的无可争议的奠基人。清胡渭禹贡锥指禹贡图后识云:"此三代之绝学,裴氏继之于秦汉之后,著为图说,神解妙合,而志家终莫知其义。"近年以来,不少有关中国科学史和地图学史的著作,也都让裴秀稳稳地坐在这个宝座上,而且把上述"六体"称为裴秀"制图六体"。让这位在晋武帝时拜尚书令以后又成为司空的大官,同时又捞到了这项重要的知识产权。

我曾于六十年代在中国建设(*China Reconstructs*)用英文发表过一篇中国古代的地图绘制(Map Making in Ancient China)的文章,也把裴秀捧为禹贡地域图作者,并且介绍了所谓"制图六体"。不过我在此文中也提及了京相璠,我说:"对于地图编制的计划和执行，以及把制图的实践上升为理论，裴秀有一些能人作为助手，其中最著名的是京相璠。”现在，在谈到了以下引及的刘盛佳教授的文章，又作了古今历代的观察对比，深深感到，尽管我在此文中也提到了京相璠，但其实仍然是本末倒置，愧对京相璠这位寄大官篱下的古代地图学家和地名学家。

穀水注明明把京相璠的名字置于裴秀之前，用现代概念来说，京相璠就是此图的第一作者。由于穀水注提及的还有春秋土地名，而隋书经籍志著录此书却并不及于裴秀：“春秋土地名三卷，晋裴秀客京相璠等撰。”为此，刘盛佳教授在其晋代杰出的地图学家——京相璠（自然科学史研究一九八七年第一期）一文中提出了他的看法。他认为“京相璠与裴彦季修晋舆地图，作春秋地名”一语的这个“与”字，不作“同”字解。因为若作“同”字解，则此图此书是二人合撰的作品，而裴、京二人地位悬殊，京决不能位列于前。所以这个“与”字，应作“给予”解释。他举了论语雍也“与之粟九百，辞”、孟子离娄下“可以与，可以无与，与伤惠”等例子说明。我认为刘说是很有道理的。何况春秋土地名在隋书经籍志著录，明说是京等所撰，裴不过是养着一批食客的主人而已。禹贡地域图的绘制，很可与后世修纂地方志的事相比。地方志的领衔人总是修者，修者当然就是地方父母官，其实他们根本不涉编纂事务。而纂者多是地方的文人学士，当然也有冬烘腐儒，但他们都是实际执笔的人。

京相璠和裴秀的著作权问题，确实为历史上有关这类事件开了一个恶例。曹丕在典论论文中指出:“盖文章,经国之大业,不朽之盛事。”平头百姓之间,若有剽窃、钞袭之事,不仅要受到谴责挞伐,现在并且有了所谓“知识产权”这个名词,可以向法院起诉。但当了大官就可以公然占门客的“大业”、“盛事”为己有,而后世竟信以为真。假使没有郦道元在引用时提及这一句,而刘盛佳教授据此审理了京相璠“知识产权”被占的这场官司,终使事实真相大白。否则,这件沉沦了一千七百多年的冤案,将永远得不到公正的昭雪。刘教授的论文确实发人深省,因为裴秀所开的这个恶例,后来发展得愈演愈烈,变本加厉。在裴秀的时代,虽官至司空,毕竟还得自己花钱(暂不计较钱的来路)养一批门客,再在这批门客中挑选有学问的人为他著书立说。以后就发展到可以由朝廷国家支付俸禄,集中一批诸如“秘书”和“写作班子”的智囊,来为上面的人创造“大业”和“盛事”。读各代历史,这样的“大业”和“盛事”有的是,实在令人感慨系之。

〔一四〕札记官虾蟆和私虾蟆:

卷十六穀水经“又东过河南县北,东南入于洛”注云:

> 晋中州记曰:惠帝为太子,出闻虾蟆声,问人为是官虾蟆、私虾蟆?侍臣贾胤对曰:在官地为官虾蟆,在私地为私虾蟆。令曰:若官虾蟆,可给廪。先是有谶云:虾蟆当贵。

晋惠帝名司马衷,是晋武帝司马炎的次子,九岁被立为太子,二十三岁当上了皇帝。韩国磐先生在他所著魏晋南北朝史纲(人民出版社一九八三年出版)一书中说他是个“白痴”,

或许有些过分，但至少是个低能儿。他在位以后，西晋大乱，百姓没有饭吃，大批饿死。他居然说出这样的话来："何不食肉糜。"（晋书惠帝纪）说明即使不到"白痴"的程度，用现代话来说，这个人的智力商数一定是很低的。

司马衷的下场当然很惨，他在位时贾后专政，朝政腐败。他自己的太子，由于非贾后所出，也受到残杀。榖水注所说："昔晋朝收愍怀太子于后池，即是池也。"指的就是贾后残杀太子的事。由于惠帝昏聩，兄弟阋墙，终于酿成了一场自相残杀的"八王之乱"。他自己最后也被东海王司马越在面饼中置毒而鸩死。

我在前面说司马衷虽然愚蠢，但还不能算是"白痴"，这是因为在卷九荡水经"荡水出河内荡阴县西山东"注中，还记载了他的一句似乎明白道理的话：

> 晋伐成都王颖，败帝于是水之南。卢綝四王起事曰：惠帝征成都王颖，战败时，举辇司马八人，辇犹在肩上，军人竞就杀举辇者，乘舆顿地，帝伤三矢，百僚奔散，唯侍中嵇绍扶帝。士将兵之，帝曰：吾吏也，勿害之。众曰：受太弟命，惟不犯陛下一人耳。遂斩之，血污帝袂。将洗之，帝曰：嵇侍中血，勿洗也。

"嵇侍中血，勿洗也。"这一句话与"官虾蟆私虾蟆"及"何不食肉糜"相比，却显得大不相同。就凭这一句话，说明司马衷与历史上许多愚蠢的王孙公子和衙内们相比，似乎还略胜一筹。

〔一五〕注释本云："按魏书术艺传，永宁寺九层浮图，郭安与为匠。"按永宁寺九层浮图，建成于北魏熙平元年（五一六），至永熙三年(五三四)就毁于火,其存在时间不到二十年。通鉴卷一五六梁纪十二武帝中大通元年:“魏永宁浮图灾,观者皆哭,声震城阙。”

〔一六〕方舆纪要卷四十八河南三河南府洛阳县永宁寺引水经注云:“高百丈,最为壮丽。”当是此段下佚文。

〔一七〕毕沅晋书地理志新补正卷二河南郡“西有广阳”引水经注云:“郭缘生述征记:广阳门西南有刘曜垒、试弩棚,西北有斗鸡台、射雉观。”当是此段下佚文。

〔一八〕苑门　通鉴卷七十五魏纪七邵陵厉公嘉平元年“授兵出屯洛水浮桥”胡注引水经注、方舆纪要卷四十八河南三河南府小苑门引水经注均作“小苑门”。注疏本作“小苑门”。疏:“朱脱‘小’字,守敬按:续汉书百官志雒阳城有小苑门。洛阳伽蓝记,南面次西曰宣阳门,汉曰津阳门,晋曰宣阳门,高祖因而不改。‘津阳’字误,当依续汉志作小苑。寰宇记,汉小苑门在午上,晋改曰宣阳门。”

〔一九〕“清正”下,注疏本有“称”字。疏:“各本脱‘称’字。笺曰:此下疑脱为郡功曹四字。三辅决录云,第五颉,字子陵,以清正为郡功曹。全、赵从朱增四字。守敬按:非也。后汉书第五伦传,少子颉嗣,历桂阳、庐江、南阳三郡太守,所在见称。章怀注引三辅决录注,颉字子陵,为郡功曹,州从事,公府辟举高第,为侍御史,南顿令,桂阳、南阳、庐江三郡太守,谏议大夫云云。是以清正下当脱‘称’字,即本传云,所在见称也,今订。朱笺于‘清正’下,补‘为郡功曹’,与下文不相接。且颉京兆南陵人,为郡功曹,何得居洛阳?此注明云亦谏议大夫第五陵之所居,则正指颉为谏议大夫时也。故下文皆指颉居洛阳事。”

〔二〇〕“可受大舫过也”下，注释本、注疏本均有“奇制作”三字。水经注笺云:“奇制作未详，玉海引此注无此三字。”注释本赵一清云:“按‘奇制作’所谓桥之制作甚奇，即上制作甚佳之意，岂可以玉海所引无之而遂疑之。”

〔二一〕殿本在此下案云:“案穀水自阊阖门而南以下并阳渠水，原本及近刻独此处及下迳亳殷忽两称阳渠，后复称穀水，考其地相比次，非有错紊，而称名参差，或后人臆改使然，今姑仍之。”注疏本熊会贞按:“戴不知穀水阳渠通称，于上渠水又有枝分南入华林园，改为穀水，盖专以东出之水为穀水。然无解于注叙此水至建春门乐里道，又有屈而东出阳渠之说，而此又惟以自阊阖门而南之水为阳渠，此郦氏故意错出，使人知阳渠即穀水。戴疑为后人所改，诬矣。”

〔二二〕东晋疆域志卷二洛阳引水经注云:“尸乡南有亳坂，东有桐城，即太甲所放处。”当是此段下佚文。

〔二三〕今河南县西南有甘水　注疏本作“今河南河南县，西有甘水”。疏:“朱脱‘西’字，赵增‘西南’二字，云:郡国志，河南县有甘城。刘注:杜预曰，县西南有甘泉，即此水也。戴增同。守敬按:大典本、残宋本、黄本并作‘西’，与上合。京不必与杜同也。戴不从大典作‘西’而作‘西南’，盖为赵说所误，今订。”

〔二四〕漆水　残宋本作“柒水”。

〔二五〕漆沮　残宋本作“柒沮”。

〔二六〕温池　残宋本、黄本、沈本均作“温地”，大典本作“温水”。

〔二七〕漆渠　残宋本、黄本、项本、沈本、张本、顾炎武金石文字记卷三岱岳观造像记注引水经注均作"柒渠"。

〔二八〕漆县　同上注均作"柒县"。

〔二九〕漆溪　残宋本、黄本、沈本、张本均作"柒溪"。

〔三〇〕霸水　残宋本、大典本、黄本、注笺本、谭本、项本、沈本、注释本、张本、注疏本均作"灞水"。

〔三一〕直路县　注笺本、项本、五校钞本、七校本、注释本、张本均作"畿县"。

〔三二〕谯石山　黄本、沈本、注疏本、方舆纪要卷五十七陕西六延安府鄜州中部县洛水引水经注均作"燋石山"，注笺本、五校钞本、七校本、注释本均作"烧石山"。

〔三三〕中山　禹贡会笺卷九"漆沮既从"徐文靖笺引水经注、乾隆醴泉县志卷一县属第一"秦曰谷口，亦曰瓠口"引水经注均作"仲山"。

〔三四〕邸瓠口　注笺本、项本、张本、熙宁长安志卷十七县七泾阳焦获薮引水经注、方舆纪要卷五十三陕西二西安府泾阳县宜秋城引水经注、禹贡会笺卷九"漆沮既从"徐文靖笺引水经注均作"瓠口"。

〔三五〕焦获　残宋本、王校明钞本均作"焦护"，注笺本、何校明钞本均作"焦误"。

〔三六〕漆水　残宋本、何校明钞本、注释本均作"柒水"。

水经注卷十七

渭水〔一〕

渭水出陇西首阳县渭谷亭南鸟鼠山，

渭水出首阳县首阳山渭首亭南谷，山在鸟鼠山西北。此县有高城岭，岭上有城，号渭源城，渭水出焉。三源合注，东北流迳首阳县西与别源合，水南出鸟鼠山渭水谷，尚书禹贡所谓渭出鸟鼠者也。地说曰：鸟鼠山，同穴之枝干也。渭水出其中，东北过同穴枝间，既言其过，明非一山也。又东北流而会于殊源也。渭水东南流，迳首阳县南，右得封溪水，次南得广相溪水，次东得共谷水，左则天马溪水，次南则伯阳谷水，并参差翼注，乱流东南出矣。

东北过襄武县北，

广阳水出西山，二源合注，共成一川，东北流注于渭。渭水又东南迳襄武县东北，荆头川水入焉。水出襄武西南鸟鼠山荆谷，东北迳襄武县故城北，王莽更名相桓。汉护羌校尉温序行部，为隗嚣部将苟宇所拘，衔须自刎处也。其水东北流注于渭。渭水常若东南，不东北也。又东，臯水注之，水出西南雀富谷，东北迳襄武县南，东北流入于渭。魏志称，咸熙二年，襄武上言，大人见，身长三丈馀，迹长三尺二寸，白发，著黄单衣巾，拄杖呼民王，始语云：今当太平，十二月天禄永终，历数在晋。遂迁魏而事晋。

又东过獂道县南，

右则岑溪水，次则同水，俱左注之，次则过水右注之。渭水又东南迳獂道县故城西，昔秦孝公西斩戎之獂王，应劭曰：獂，戎邑也。汉灵帝中平五年，别为南安郡，赤亭水出郡之东山赤谷，西流迳城北，南入渭水。渭水又迳城南得粟水，水出西南安都谷，东北流注于渭。渭水又东，新兴川水出西南鸟鼠山，二源合舍，东北流与彰川合，水出西南溪下，东北至彰县南，本属故道候尉治，后汉县之，永元元年，和帝封耿秉为侯国也。万年川水出南山，东北流注之，又东北注新兴川，又东北迳新兴县北，晋书地道记，南安之属县也。其水又东北与南川水合，水出西南山下，东北合北水，又东北注于渭水。渭水又东迳武城县〔二〕西，武城川水入焉。津源所导，出鹿部西山，两源合注，东北流迳鹿部南，亦谓之鹿部水。又东北，昌丘水出西南丘下，东北注武城水，乱流东北注渭水。渭水又东入武阳川，又有关城川水出南，安城谷水出北，两川参差注渭水。渭水又东，有落门西山东流三谷水〔三〕注之，三川统一，东北流注于渭水。有落门聚，昔冯异攻落门，未拔而薨。建武十年，来歙又攻之，擒隗嚣子纯，陇右平。渭水自落门东至黑水峡，左右六水夹注：左则武阳溪水，次东得土门谷水，俱出北山，南流入渭；右则温谷水，次东有故城溪水，次东有闾里溪水，亦名习溪水，次东有黑水，并出南山，北流入渭。渭水又东出黑水峡，历冀川。

又东过冀县北，

渭水自黑水峡至岑峡，南北十一水注之。北则温谷水，导平襄县南山温溪，东北流迳平襄县故城南，故襄戎邑也，王莽之所谓平相矣。其水东南流，历三堆南，又东流南屈，历黄槐川，梗津渠，冬则辍流，春夏水盛，则通川注渭。次则牛谷水〔四〕，南入渭水。南有长堑谷水，次东有安蒲溪水，次东有衣谷水，并南出朱圉山，山在梧中聚，有石鼓，不击自鸣，鸣则兵起。汉成帝鸿嘉三年，天水冀南山有大石自鸣，声隐隐如雷，有顷止，闻于平襄二百四十里，野鸡皆鸣，石长丈三尺，广厚略等。著崖胁，去地百馀丈，民俗名曰石鼓，石鼓鸣则有兵。是岁广汉钳子攻死囚，盗库兵，略吏民，衣绣衣，自号为仙君，党与漫广，明年冬伏诛，自归者三千馀人。信而有征矣。其水北迳冀县城北，秦武公十年伐冀戎，县之，故天水郡治，王莽更名镇戎，县曰冀治。汉明帝永平十七年，改曰汉阳郡，城，即隗嚣称西伯所居也。后汉马超之围冀也，凉州别驾阎伯俭潜出水中，将告急夏侯渊，为超所擒，令告城无救，伯俭曰：大军方至，咸称万岁。超怒数之，伯俭曰：卿欲令长者出不义之言乎？遂杀之。渭水又东合冀水，水出冀谷。次东有浊谷水，次东有当里溪水，次东有託里水，次东有渠谷水，次东有黄土川水，俱出南山，北迳冀城东，而北流注于渭。渭水又东出岑峡，入新阳川，迳新阳下城南，溪谷、赤蒿二水并出南山，东北入渭水。渭水又东与新阳崖水合，即陇水也，东北出陇山。其水西流右迳瓦亭南，隗嚣闻略阳陷，使牛邯守瓦亭，即此亭也。一水亦出陇山，东南流历瓦亭北，又西南合为一水，谓之瓦亭川。西南流迳清宾溪北，又西南与黑水合。水出黑城北，西南迳黑城西，西南流，莫吾南川水注之，水东北出陇垂，西南流历黑城，南注黑水。黑水西南出悬镜峡，又西南入瓦亭水。又有澨水，自西来会，世谓之鹿角口。又南迳阿阳县故城东，中平元年，北地羌胡与边章侵陇右，汉阳长史盖勋屯阿阳以拒贼，即此城也。其水又南与燕无水合，水源延发东山，西注瓦亭水。瓦亭水又南，左会方城川，西注瓦亭水。瓦亭水又南迳成纪县东，历长离川，谓之长离水。右与成纪水合，水导源西北当亭川，东流出破石峡，津流遂断，故渎东迳成纪县，故帝太皞、庖牺所生之处也。汉以为天水郡县，王莽之阿阳郡治也。又东，潜源隐发，通入成纪水，东南入瓦亭水。瓦亭水又东南，与受渠水相会，水东出大陇山，西迳受渠亭北，又西南入瓦亭水。瓦亭水又西南流，历僵人峡，路侧岩上有死人僵尸峦穴，故岫壑取名焉。释鞍就穴直上，可百馀仞，石路逶迆，劣通单步，僵尸倚窟，枯骨尚全，惟无肤发而已。访其川居之士，云其乡中父老作童儿时，已闻其长旧传，此当是数百年骸矣。其水又西南与略阳川水合，水出陇山香谷西，西流，右则单溪西注，左则閤川水入焉。其水又西历蒲池郊，石鲁水出东南石鲁溪，西北注之。其水又西历略阳川，西得破社谷水，次西得平相谷水，又西得金里谷水，又西得南室水，又西得蹏谷水〔五〕，并出南山，北流于略阳城东，扬波北注川水。又西迳略阳道故城北，浧渠水〔六〕出南山，北迳浧峡〔七〕北入城。建武八年，中郎将来歙与祭遵所部护军王忠、右辅将军朱宠，将二千人，皆持卤刀斧，自安民县之杨城。元始二年，平帝罢安定滹沱苑〔八〕以为安民县，起官寺市里，从番须、回中伐树木，开山道至略阳，夜袭击嚣拒守将金梁等，皆杀之，因保其城。隗嚣闻略阳陷，悉众以攻歙，激水灌城，光武亲将救之，嚣走西城，世祖与来歙会于此。其水自城北注川，一水二川，盖嚣所堨以灌略阳也。川水西得白杨泉，又西得蒲谷水，又西得蒲谷西川，又西得龙尾溪水，与蒲谷水合，俱出南山，飞清〔九〕北入川水。川水又西南得水洛口，水源东导陇山，西迳水洛亭，西南流，又得犊奴水口，水出陇山，西迳犊奴川，又西迳水洛亭南，西北注之，乱流西南迳石门峡，谓之石门水，西南注略阳川。略阳川水又西北流入瓦亭水。瓦亭水又西南出显亲峡，石宕水〔一〇〕注之，水出北山，山上有女娲祠，庖羲之后有帝女娲焉，与神农为三皇矣。其水南流注瓦亭水。瓦亭水又西南迳显亲县故城东南，汉封大鸿胪窦固为侯国。自石宕次得虾蟆溪水，次得金黑水，又得宜都溪水，咸出左右，参差相入瓦亭水。又东南合安夷川口，水源东出胡谷，西北流历夷水川，与东阳川水会，谓之取阳交。又西得何宕川水，又西得罗汉水，并自东北、西南注夷水，夷水又西迳显亲县南，西注瓦亭水。瓦亭水又东南得大华谷水。又东南得折里溪水，又东得六谷水，皆出近溪湍峡，注瓦亭水。又东南出新阳峡，崖岫壁立，水出其间，谓之新阳崖水，又东南注于渭也。

又东过上邽县，

渭水东历县北邽山之阴，流迳固岭东北，东南流，兰渠川水出自北山，带佩众溪，南流注于渭。渭水东南与神涧水合，开山图所谓灵泉池也，俗名之为万石湾，渊深不测，实为灵异，先后漫游者，多罹其毙。渭水又东南得历泉水，水北出历泉溪，东南流注于渭。渭水又东南出桥亭西，又南得藉水口，水出西山，百涧声流，总成一川，东历当亭川，即当亭县治也。左则当亭水，右则曾席水注之。又东与大弁川水合，水出西山，二源合注，东历大弁川，东南流注于藉水。藉水又东南流与竹岭水合，水出南山竹岭，二源同泻，东北入藉水。藉水又东北迳上邽县，左佩四水，东会占溪水，次东有大鲁谷水，次东得小鲁谷水，次东有杨反谷水，咸自北山，流注藉水。藉水右带四水：竹岭东得乱石溪水，次东得木门谷水，次东得罗城溪水，次东得山谷水，皆导源南山，北流入藉水。藉水又东，黄瓜水注之，其水发源黄瓜西谷，东流迳黄瓜县北，又东，清溪、白水左右夹注，又东北，大旱谷水南出旱溪，历涧北流，泉溪委漾，同注黄瓜水。黄瓜水又东北历赤谷，咸归于藉。藉水又东得毛泉谷水，又东迳上邽城南，得核泉水，并出南山，北流注于藉。藉水即洋水也。北有濛水注焉，水出县西北邽山，翼带众流，积以成溪，东流南屈，迳上邽县故城西，侧城南出。上邽，故邽戎国也。秦武公十年伐邽，县之，旧天水郡治。五城相接，北城中有湖水，有白龙出是湖，风雨随之，故汉武帝元鼎三年，改为天水郡。其乡居悉以板盖屋，诗〔一一〕所谓西戎板屋也。濛水又南注藉水，山海经曰：邽山，濛水出焉，而南流注于洋，谓是水也。藉水又东得阳谷水，又得宕谷水〔一二〕，并自南山，北入于藉。藉水又东合段溪水，水出西南马门溪，东北流合藉水。藉水又东入于渭。渭水又历桥亭南,而迳绵诸县东,与东亭水合,亦谓之为桥水也,清水又或为通称矣。水源东发小陇山,众川泻注,统成一水,西入东亭川为东亭水,与小祇、大祇二水合。又西北得南神谷水,三川并出东南,差池泻注。又有埋蒲水,翼带二川,与延水并西南注东亭水。东亭水又西,右则叹沟水,次西得麴谷水,水出东南,二溪西北流,注东亭川。东亭川水右则温谷水出小陇山,又西,莎谷水〔一三〕出南山莎溪〔一四〕,西南注东亭川水。东亭川水又西得清水口,水导源东北陇山,二源俱发,西南出陇口,合成一水,西南流历细野峡,迳清池谷,又迳清水县故城东,王莽之识睦县矣。其水西南合东亭川,自下亦通谓之清水矣。又迳清水城南,又西与秦水合,水出东北大陇山秦谷,二源双导,历三泉,合成一水,而历秦川。川有故秦亭,秦仲所封也,秦之为号,始自是矣。秦水西迳降陇县故城南,又西南,自亥、松多二水出陇山,合而西南流,迳降陇城北,又西南注秦水。秦水又西南历陇川,迳六槃口〔一五〕,过清水城,西南注清水。清水上下,咸谓之秦川。又西,羌水注焉,水北出羌谷,引纳众流,合以成溪。濛水星会,谓之小羌水。西南流,左则长谷水西南注之,右则东部水东南入焉。羌水又南入清水。清水又西南得绵诸水口,其水导源西北绵诸溪,东南有长思水,北出长思溪,南入绵诸水。又东南历绵诸道故城北,东南入清水。清水东南注渭。渭水又东南合泾谷水,水出西南泾谷之山,东北流与横水合,水出东南横谷,西北迳横水圹,又西北入泾谷水,乱流西北出泾谷峡,又西北,轩辕谷水注之,水出南山轩辕溪,南安姚瞻以为黄帝生于天水,在上邽城东七十里轩辕谷。皇甫谧云:生寿丘,丘在鲁东门北。未知孰是也。其水北流注泾谷水。泾谷水又西北,白城溪东北流,白娥泉水出其西,东注白城水。白城水又东北入泾谷水,泾谷水又东北历董亭下,杨难当使兄子保宗镇董亭,即是亭也。其水东北流注于渭。山海经曰:泾谷之山,泾水出焉,东南流注于渭是也。渭水又东,伯阳谷水入焉,水出刑马之山伯阳谷,北流,白水出东南白水溪,西北注伯阳水。伯阳水又西北历谷,引控群流,北注渭水。渭水又东历大利,又东南流,苗谷水〔一六〕注之,水南出刑马山,北历平作,西北迳苗谷,屈而东迳伯阳城南,谓之伯阳川,盖李耳西入,往迳所由,故山原畎谷,往往播其名焉。渭水东南流,众川泻浪,雁次鸣注:左则伯阳东溪水注之,次东得望松水,次东得毛六溪水,次东得皮周谷水,次东得黄杜东溪水,出北山,南入渭水;其右则明谷水〔一七〕,次东得丘谷水,次东得丘谷东溪水,次东有钳岩谷水〔一八〕,并出南山,东北注渭。渭水又东南出石门,度小陇山,迳南由县〔一九〕南,东与楚水合,世所谓长蛇水,水出汧县之数历山也。南流迳长蛇戍东,魏和平三年筑,徙诸流民以遏陇寇。楚水又南流注于渭。阚骃以是水为汧水焉。渭水又东,汧、汙二水入焉。余按诸地志,汧水出汧县西北。阚骃十三州志与此同,复以汧水为龙鱼水,盖以其津流迳通而更摄其通称矣。渭水东入散关,抱朴子神仙传曰:老子西出关,关令尹喜候气,知真人将有西游者,遇老子,强令之著书,耳不得已,为著道德二经,谓之老子书也。有老子庙。干宝搜神记云:老子将西入关,关令尹喜好道之士,睹真人当西,乃要之途也。皇甫士安高士传云:老子为周柱下史,及周衰,乃以官隐,为周守藏室史,积八十馀年,好无名接,而世莫知其真人也。至周景王十年,孔子年十七,遂适周见老聃。然幽王失道,平王东迁,关以捍移,人以职徙,尹喜候气,非此明矣。往迳所由,兹焉或可。渭水又东迳西武功北,俗以为散关城,非也。褚先生乃曰:武功,扶风西界小邑也,蜀口栈道近山,无他豪,易高者是也。渭水又与扞水〔二〇〕合,水出周道谷,北迳武都故道县之故城西,王莽更名曰善治也。故道县有怒特祠,列异传曰:武都故道县有怒特祠,云神本南山大梓也,昔秦文公二十七年,伐之,树疮随合,秦文公乃遣四十人持斧斫之,犹不断。疲士一人,伤足不能去,卧树下,闻鬼相与言曰:劳攻战乎? 其一曰:足为劳矣。又曰:秦公必持不休。答曰:其如我何? 又曰:赤灰跋于子何如。乃默无言。卧者以告,令士皆赤衣,随所斫以灰跋,树断化为牛入水,故秦为立祠。其水又东北历大散关而入渭水也。渭水又东南,右合南山五溪水,夹涧流注之。

又东过陈仓县西,

县有陈仓山,山上有陈宝鸡鸣祠。昔秦文公感伯阳之言,游猎于陈仓,遇之于此坂〔二一〕,得若石焉,其色如肝,归而宝祠之,故曰陈宝。其来也自东南,晖晖声若雷,野鸡皆鸣,故曰鸡鸣神也。地理志曰:有上公、明星、黄帝孙、舜妻盲冢祠。有羽阳宫,秦武王起。应劭曰:县氏陈山。姚睦曰:黄帝都陈,言在此。荣氏开山图注曰:伏牺生成纪,徙治陈仓,非陈国所建也。魏明帝遣将军太原郝昭筑陈仓城,成,诸葛亮围之。亮使昭乡人靳祥说之，不下，亮以数万攻昭千馀人，以云梯、冲车、地道逼射昭；昭以火射连石拒之，亮不利而还〔二二〕。今汧水对亮城，是与昭相御处也。陈仓水出于陈仓山下，东南流注于渭水。渭水又东与绥阳溪水合，其水上承斜水，水自斜谷分注绥阳溪，北屆陈仓入渭。故诸葛亮与兄瑾书曰：有绥阳小谷，虽山崖绝险，溪水纵横，难用行军，昔逻候往来，要道通入，今使前军斫治此道，以向陈仓，足以扳连贼势，使不得分兵东行者也。渭水又东迳郁夷县故城南，地理志曰：有汧水祠，王莽更之曰郁平也。东观汉记曰：隗嚣围来歙于略阳，世祖诏曰：桃花水出船槃，皆至郁夷、陈仓，分部而进者也。汧水入焉〔二三〕，水出汧县之蒲谷乡弦中谷，决为弦蒲薮。尔雅曰：水决之泽为汧，汧之为名，实兼斯举。水有二源，一水出县西山，世谓之小陇山，岩嶂高险，不通轨辙，故张衡四愁诗曰：我所思兮在汉阳，欲往从之陇坂长。其水东北流，历涧，注以成渊，潭涨不测，出五色鱼，俗以为灵，而莫敢采捕，因谓是水为龙鱼水，自下亦通谓之龙鱼川〔二四〕。川水东迳汧县故城北，史记：秦文公东猎汧田，因遂都其地是也。又东历泽，乱流为一。右得白龙泉，泉径五尺，源穴奋通，沦漪四泄，东北流注于汧。汧水又东会一水，水发南山西侧，俗以此山为吴山，三峰霞举，叠秀云天，崩峦倾返，山顶相捍，望之恒有落势。地理志曰：吴山在县西，古文以为汧山也。国语所谓虞矣。山下石穴广四尺，高七尺，水溢石空，悬波侧注，漰渀震荡，发源成川，北流注于汧。自水会上下，咸谓之为龙鱼川。汧水又东南迳隃糜县故城南，王莽之扶亭也。昔郭歙耻王莽之征，而遁迹于斯。建武四年，光武封耿况为侯国矣。汧水东南历慈山，东南迳郁夷县平阳故城南，史记：秦宁公二年徙平阳。徐广曰：故郿之平阳亭也。城北有汉邠州刺史赵融碑，灵帝建安元年立。汧水又东流注于渭。渭水之右，磻溪水注之，水出南山兹谷，乘高激流，注于溪中，溪中有泉，谓之兹泉。泉水潭积，自成渊渚，即吕氏春秋所谓太公钓兹泉也。今人谓之丸谷，石壁深高，幽隍邃密，林障秀阻，人迹罕交。东南隅有一石室，盖太公所居也。水次平石钓处，即太公垂钓之所也。其投竿跽饵，两膝遗迹犹存，是有磻溪之称也。其水清泠神异，北流十二里注于渭，北去维堆城七十里。渭水又东迳积石原，即北原也。青龙二年，诸葛亮出斜谷，司马懿屯渭南，雍州刺史郭淮，策亮必争北原而屯，遂先据之，亮至，果不得上。渭水又东迳五丈原北，魏氏春秋曰：诸葛亮据渭水南原，司马懿谓诸将曰：亮若出武功，依山东转者，是其勇也。若西上五丈原，诸君无事矣。亮果屯此原，与懿相御。渭水又东迳郿县故城南，地理志曰：右辅都尉治。魏春秋：诸葛亮寇郿，司马懿据郿拒亮。即此县也。渭水又东迳郿坞南，汉献帝传曰：董卓发卒筑郿坞，高与长安城等，积谷为三十年储。自云：事成，雄据天下；不成，守此足以毕老。其愚如此。

〔一〕注疏本作“渭水上”。疏：“全上作一，戴删。”

〔二〕札记牛渚县：“卷十七渭水注的武城县，上起汉书地理志，下至魏书地形志，均不见记载。”

〔三〕三谷水　大典本、注笺本、项本、注释本、张本、注疏本均作“三谷府水”。

〔四〕牛谷水　黄本、注笺本、谭本、项本、注释本、张本、禹贡会笺卷十“西倾、朱圉、乌鼠至于太华”徐文靖笺引水经注均作“午谷水”。

〔五〕虒谷水　大典本、黄本、何校明钞本、王校明钞本、沈本均作“蹄谷水”。

〔六〕涇渠水　残宋本、大典本均作“涯渠水”，黄本、吴本、注笺本、谭本、何校明钞本、王校明钞本、项本、张本均作“渥渠水”。

〔七〕涇峡　黄本、吴本、注笺本、谭本、何校明钞本、王校明钞本、项本、沈本、张本均作“渥峡”。

〔八〕滹沱苑　吴本作“呼他苑”，五校钞本、七校本均作“呼沲苑”，刘宝楠愈愚录卷六水经注之误引水经注作“呼沱苑”。

〔九〕水经注记载的瀑布（陈桥驿水经注研究，天津古籍出版社一九八五年出版）：

> 瀑布一词是现代自然地理学对这种地理事物的专门名称。但古人的记载并不如此，其名称是多种多样的。当然，瀑布也是古人记载这种地理事物的常用名称之一，例如卷九清水注记载的白鹿山瀑布，注文说：“瀑布乘岩悬河，注壑二十馀丈。”卷二十六淄水注记载的劈头山瀑布，注文说：“长津激浪，瀑布而下。”但是在全注记载的瀑布之中，这只占很小的一部分。此外则是其他各式各样称谓，有的称为“泷”，有的称为“洪”，有的称为“泄”。因为瀑布自上而下，形同悬挂，所以“悬”字常常作为瀑布的名称，如悬水、悬流、悬泉、悬涛、悬湍等等；由于瀑布飞流而下，因此“飞”字也是常见的瀑布名称，

如飞波、飞清、飞泉、飞瀑、飞流等等;瀑布是从高处向下颓落的,所以"颓"字有时也用来称谓瀑布,例如淇水注的沮洳山瀑布,圣水注的玉石山瀑布和淮水注的鸡翅山瀑布等,原注都称为颓波。在研究郦注记载的瀑布时,弄清他记载瀑布所采用的各种辞例是很重要的。因为在注文中,对于某些瀑布,内容写得很生动详细;而对另一些瀑布,注文却仅仅提出其名称。假使不掌握郦注记载瀑布的解例,则对于那些记载疏略的瀑布可能就会遗漏。前辈治郦学者也已经注意了这个问题。例如卷十七渭水经"又东过冀县北"注云:

川水西得白杨泉,又西得蒲谷水,又西得蒲谷西川,又西得龙尾溪水,与蒲谷水合,俱出南山,飞清北入川水。

对于这个"飞清",明谭元春在此处批云:"扬波飞清,止以二字描赞便活现,何其省捷。"注疏本也在此处疏云:"夷水注:激素飞清,其辞例也。"

由此可见,尽管在渭水注中只有"飞清北入川水"一语,此外没有对这些瀑布作更多的描写,但治郦精湛如谭元春、杨守敬等辈是领会的。其实,"飞清"作为记载瀑布的辞例,郦注中还不仅在杨氏指出的夷水注中出现,此外如卷二十漾水注中的平乐水瀑布,卷二十七沔水注中的南山巴岭瀑布以及卷三十四江水注中的孔子泉瀑布等,注文都用了"飞清"这个辞例。

〔一〇〕石宕水　黄本、谭本、沈本均作"石岩水",吴本、注笺本、项本、张本、注疏本均作"石巖水"。注疏本疏云:"赵据孙潜校改'巖'作'宕',全、戴改同。守敬按:孙潜盖因下作'宕'改,不知

'巖'或省作'岩','岩'与'宕'形近,下乃误作'宕'耳,则当据此改下作'岩',不当依下改'岩'作'宕'。"

〔一一〕诗　注疏本作"毛公",段熙仲校记:"按诗秦风小戎有'在其板屋'。毛传曰:'西戎板屋。'注用毛传,非诗语也。依济水二'毛公曰:景山大山也'词例,诗字宜改毛公,或诗下增传字。今改'毛公'二字。"

〔一二〕宕谷水　大典本、黄本、注笺本、谭本、沈本、张本均作"宕水、谷水"。

〔一三〕莎谷水　残宋本、大典本、黄本、吴本、谭本、沈本、五校钞本、七校本、注释本均作"蒃谷水"。

〔一四〕莎溪　同上注,各本均作"蒃溪"。

〔一五〕六槃口　名胜志陕西卷七平凉府华亭县引水经注作"六盘口"。

〔一六〕苗谷水　大典本、黄本、吴本、何校明钞本、沈本均作"猫谷水"。

〔一七〕明谷水　黄本、注笺本、谭本、何校明钞本、项本、沈本、五校钞本、七校本、注释本均作"胡谷水"。

〔一八〕钳岩谷水　黄本、吴本、注笺本、何校明钞本、项本、沈本、五校钞本、七校本、注释本、张本、注疏本、骈字类编卷四十山水门五丘谷引水经注均作"铜岩谷水"。

〔一九〕南由县　注笺本、项本、张本、山海经笺疏卷二西山经"楚水出焉而南流注于渭"郝懿行案引水经注、同书毕沅注引水经注均作"南田县"。

〔二〇〕扞水　注笺本、项本、五校钞本、七校本、注释本、张本、注疏本均作“捍水”。注疏本疏:“戴捍改扞,捍、扞同。”

〔二一〕此坂　注疏本作“北坂”。疏云:“戴改‘北’作‘此’。守敬按:非也。封禅书、郊祀志并作北坂城,此足见戴氏未检原书。”

〔二二〕札记诸葛亮与司马懿:

卷十七渭水经“又东过陈仓县西”注云:

> 县有陈仓山……魏明帝遣将军太原郝昭筑陈仓城,成,诸葛亮围之。亮使昭乡人靳祥说之,不下,亮以数万攻昭千馀人,以云梯、冲车、地道逼射昭;昭以火射连石拒之,亮不利而还。

这里,诸葛亮以数十倍兵力进攻陈仓城,而心理战与阵地战并举,花了极大的代价。但郝昭拒绝游说,凭险固守,挫败了诸葛亮的一切进攻。司马懿虽然并不在这条注文中露面,但司马懿的治军严明,守备有方,仍然于此可见。

同卷同条经文下又云:

> 青龙二年,诸葛亮出斜谷,司马懿屯渭南。雍州刺史郭淮,策亮必争北原而屯,遂先据之。亮至,果不得上。
>
> 渭水又东迳五丈原北,魏氏春秋曰:诸葛亮据渭水南原,司马懿谓诸将曰:亮若出武功,依山东转者,是其勇也。若西上五丈原,诸君无事矣。亮果屯此原,与懿相御。

上述两段注文,都说明了诸葛亮与司马懿在战争中的失利,而司马懿在军事上的韬略,常常让诸葛亮在战场上处于被动地位。因此,从水经注的记载评判此二人,棋逢敌手而已。

〔二三〕寰宇记卷三十三关西道八陇州吴山县引水经注云："南由县有白环水，源出白环谷。"当是此段下佚文。案注释本收此条于卷十九补泾水内，谢锺英水经注洛泾二水补云："如南由县有白环水一条，考寰宇记，南由县在陇州西南一百二十里，去泾甚远，决非泾水篇佚文。"今案方舆纪要卷五十五陕西四凤翔府陇州南由县云："州东南百二十里，本汉汧县地。"则白环水当为汧水枝流。汧水见卷十七渭水经"又东过陈仓县西"注内，则此条当为卷十七渭水篇佚文。

〔二四〕陆佃埤雅卷一鱼部龙引水经注云："鱼龙以秋日为夜。"或是此段下佚文。

水经注卷十八

渭水〔一〕

又东过武功县北，

渭水于县，斜水自南来注之。水出县西南衙岭山，北历斜谷，迳五丈原东，诸葛亮与步骘书曰：仆前军在五丈原，原在武功西十里馀。水出武功县，故亦谓之武功水也。是以诸葛亮表云：臣遣虎步监孟琰据武功水东，司马懿因水长攻琰营，臣作竹桥，越水射之，桥成驰去。其水北流注于渭。地理志曰：斜水出衙岭，北至郿注渭。渭水又东迳马冢北〔二〕，诸葛亮与步骘书曰：马冢在武功东十馀里，有高势，攻之不便，是以留耳。渭水又迳武功县故城北，王莽之新光也。地理志曰：县有太一山〔三〕。古文以为终南，杜预以为中南也。亦曰太白山，在武功县南，去长安二百里，不知其高几何。俗云：武功太白，去天三百。山下军行，不得鼓角，鼓角则疾风雨至。杜彦达曰：太白山南连武功山，于诸山最为秀杰，冬夏积雪，望之皓然。山上有谷春祠，春，栎阳人，成帝时病死，而尸不寒。后忽出栎南门及光门上，而入太白山，民为立祠于山岭，春秋来祠中上宿焉。山下有太白祠，民所祀也。刘曜之世，是山崩，长安人刘终于崩〔四〕所得白玉，方一尺，有文字曰：皇亡皇亡败赵昌，井水竭，构五梁，咢西小衰困嚣丧。呜呼呜呼，赤牛奋靷其尽乎？时群官毕贺，中书监刘均进曰：此国灭之象，其可贺乎？终如言矣。渭水又东，温泉水注之，水出太一山，其水沸涌如汤，杜彦达曰：可治百病，世清则疾愈，世浊则无验〔五〕。其水下合溪流，北注十三里入渭。渭水又东迳釐县故城南，旧邰城也，后稷之封邑矣。诗所谓即有邰家室也。城东北有姜嫄祠，城西南百步有稷祠，郿之釐亭也。王少林之为郿县也，路迳此亭。亭长曰：亭凶杀人。少林曰：仁胜凶邪，何鬼敢忤。遂宿，夜中闻女子称冤之声。少林曰：可前来理。女子曰：无衣不敢进。少林投衣与之。女子前诉曰：妾夫为涪令，之官，过宿此亭，为亭长所杀。少林曰：当为理寝冤，勿复害良善也。因解衣于地，忽然不见。明告亭长，遂服其事，亭遂清安。渭水又东迳雍县南，雍水注之〔六〕，水出雍山，东南流历中牢溪，世谓之中牢水，亦曰冰井水。南流迳胡城东，俗名也，盖秦惠公之故居，所谓祈年宫也，孝公又谓之为橐泉宫。按地理志曰：在雍。崔骃曰：穆公冢在橐泉宫祈年观下，皇览亦言是矣。刘向曰：穆公葬无丘垄处也。史记曰：穆公之卒，从死者百七十七人，良臣子车氏奄息、仲行、鍼虎，亦在从死之中，秦人哀之，为赋黄鸟焉。余谓崔骃及皇览，谬志也〔七〕。惠公、孝公，并是穆公之后，继世之君矣，子孙无由起宫于祖宗之坟陵矣，以是推之，知二证之非实也。雍水又东，左会左阳水，世名之西水，水北出左阳溪，南流迳岐州城西，魏置岐州刺史治。左阳水又南流注于雍水。雍水又与东水合，俗名也。北出河桃谷，南流右会南源，世谓之返眼泉，乱流南迳岐州城东，而南合雍水。州居二水之中，南则两川之交会也，世亦名之为淬空水。东流，邓公泉注之，水出邓艾祠北，故名曰邓公泉。数源俱发于雍县故城南，县，故秦德公所居也。晋书地道记以为西虢地也。汉书地理志以为西虢县。太康地记曰：虢叔之国矣。有虢宫，平王东迁，叔自此之上阳，为南虢矣。雍有五畤祠〔八〕，以上祠祀五帝。昔秦文公田于汧、渭之间，梦黄蛇自天下属地，其口止于鄜衍，以为上帝之神，于是作鄜畤祀白帝焉。秦宣公作密畤于渭南，祀青帝焉。灵公又于吴阳作上畤，祀黄帝；作下畤，祀炎帝焉。献公作畦畤于栎阳而祀白帝。汉高帝问曰：天有五帝，今四何也〔九〕？博士莫知其故，帝曰：我知之矣，待我而五。遂立北畤祀黑帝焉。应劭曰：四面积高曰雍。阚骃曰：宜为神明之隩，故立群祠焉。又有凤台、凤女祠。秦穆公时，有箫史者，善吹箫，能致白鹄、孔雀，穆公女弄玉好之，公为作凤台以居之。积数十年，一旦随凤去。云雍宫世有箫管之声焉。今台倾祠毁，不复然矣。邓泉东流注于雍，自下虽会他津，犹得通称，故禹贡有雍、沮会同之文矣〔一〇〕。雍水又东迳召亭南，世谓之树亭川，盖召、树声相近，误耳。亭，故召公之采邑也。京相璠曰：亭在周城南五十里。后汉郡国志曰：郿县有召亭。谓此也。雍水又东南流与横水〔一一〕合，水出杜阳山，其水南流，谓之杜阳川。东南流，左会漆水，水出杜阳县之漆溪，谓之漆渠。故徐广曰：漆水出杜阳之岐山者是也。漆渠水南流，大峦水注之。水出西北大道川，东南流入漆，即故岐水也。淮南子曰：岐水出石桥山，东南流。相如封禅书曰：

收龟于岐。汉书音义曰:岐,水名也。谓斯水矣。二川并逝,俱为一水,南与横水合,自下通得岐水之目,俗谓之小横水,亦或名之米流川。迳岐山西,又屈迳周城南,城在岐山之阳而近西,所谓居岐之阳也。非直因山致名,亦指水取称矣。又历周原下,北则中水乡成周聚,故曰有周也。水北,即岐山矣。昔秦盗食穆公马处也。岐水又东迳姜氏城南为姜水,按世本:炎帝,姜姓。帝王世纪曰:炎帝,神农氏,姜姓。母女登游华阳,感神而生炎帝。长于姜水,是其地也。东注雍水。雍水又南,迳美阳县之中亭川,合武水,水发杜阳县大岭侧,东西三百步,南北二百步,世谓之赤泥岘。沿波历涧,俗名大横水也,疑即杜水矣。其水东南流,东迳杜阳县故城,世谓之故县川。又故虢县有杜阳山,山北有杜阳谷,有地穴北入,亦不知所极,在天柱山南〔一二〕,故县取名焉,亦指是水而摄目矣,即王莽之通杜也。故地理志曰:县有杜水。杜水又东,二坑水注之,水有二源,一水出西北,与渎魋水合,而东历五将山,又合乡谷水,水出乡溪,东南流入杜水,谓之乡谷川。又南,莫水〔一三〕注之,水出好畤县梁山大岭东,南迳梁山宫西,故地理志曰:好畤有梁山宫,秦始皇起。水东有好畤县故城,王莽之好邑也,世祖建武二年,封建威大将军耿弇为侯国。又南迳美阳县之中亭川,注雍水,谓之中亭水。雍水又南迳美阳县西,章和二年,更封彰侯耿秉为侯国。其水又南流注于渭。渭水又东,洛谷之水〔一四〕出其南山洛谷,北流迳长城西,魏甘露三年〔一五〕,蜀遣姜维出洛谷,围长城,即斯地也。

又东,芒水从南来流注之。

芒水出南山芒谷，北流迳玉女房，水侧山际有石室，世谓之玉女房。芒水又北迳盩厔县之竹圃中，分为二水。汉冲帝诏曰：翟义作乱于东，霍鸿负倚盩厔芒竹。即此也。其水分为二流，一水东北为枝流，一水北流注于渭也。

〔一〕注疏本作"渭水中"。疏云："戴删'中'字。"

〔二〕关中水道记卷三渭水引水经注云："武功县渭水又东，五谷水北注之，亦名乾沟河。"或是此段下佚文。

〔三〕太一山　五校钞本、七校本、注释本均作"太壹山"。

〔四〕此下注释本云："刘终以下文理不属，盖简也。按孙潜用柳佥钞本校补四百二十字，真希世之宝也。"

〔五〕札记殿本尚可再校：

卷十八渭水经"又东过武功县北"注云：

渭水又东，温泉水注之，水出太一山，其水沸涌如汤，杜彦达曰：可治百病，世清则疾愈，世浊则无验。

对于这条注文，今所见各本均同。但"世清则疾愈，世浊则无验"，实在牵强附会，我早年就不以此语为然，但因各本均同，无可据校。后来看到了康熙陇州志卷一方舆温泉下所引水经注，却与各本甚不相同。陇州志引水经注作：

然水清则愈，浊则无验。

陇州志所引的水经注是何种版本，不得而知，但是其文字显然优于殿本和其他各本。

〔六〕名胜志陕西卷三乾州武功县引水经注云："雍水俗名白水，亦曰围川水，西北自扶风界流入。"当是此段下佚文。

〔七〕殿本在此下案云:"案'所得白玉'至此句'谬'字止,共四百三十七字,近刻脱落,据原本补。"戴案"近刻脱落,据原本补"之语颇涉含糊。本卷注〔四〕已引注释本赵一清所云孙潜据柳佥本钞补事。此中经过,近代郦学家多已明白。郑德坤水经注板本考(收入于郑氏水经注引书考,台北艺文印书馆一九七四年出版)柳佥钞本下云:"又补渭水篇脱文凡四百二十馀字,首有功于郦书。"(吴天任郦学研究史第二〇八页同。)胡适记孙潜过录的柳佥水经注钞本与赵琦美三校水经注本并记此本上的袁廷梼校记(胡适手稿第四集中册)云:"卷十八有脱叶一整叶,孙潜自记云:戊申(一六六八)正月九日补写缺叶。"按孙潜系用朱谋㙔水经注笺作底过录柳、赵二本,则知柳本卷十八渭水较朱本多一整叶。至于柳本这一整叶从何而来,则汪辟疆水经注与水经注疏(汪辟疆论文集,上海古籍出版社一九八八年出版)叙说甚明:"傅氏(按指傅增湘)取大典本与此本互校,其脱叶之文及字句异同,与残宋本八九合,乃知大典本水经注,即依据此本钞录。渭水篇卷十八中柳佥据宋本所补四百一十八字脱文,正在此残宋本十八卷第二页,真人间鸿宝也。"残宋本是景祐缺佚以后的本子,但尚较以后辗转传钞的本子完整。而柳佥钞本即录自此类版本,为孙潜所过录而得以传世。朱谋㙔所见宋本,却因缺失一页,以致有卷十八渭水之漏。残宋本之复出,对于证明柳钞之功,甚有价值。至于所漏字数有四百二十馀字至四百三十七字之别,当因以后各本以意增补所致。此事来龙去脉既已清楚,字数稍有出入,不足计较也。注疏本疏:"赵氏所云:孙潜用柳佥钞本校补者也。但细核赵本,实止四百一十九字,全、戴皆有增加,故字数各异。"段熙仲校记云:"按:戴氏云:共四百三十七字，近刻脱落，据原本补。今细核大典本实四百二十字，其多出之十七字，则戴氏所增而大典本所无者也。”

〔八〕方舆纪要卷五十四陕西三乾州武功县六门堰引水经注云：“五泉渠自扶风县流入，经三畤原。”或是此段下佚文。

〔九〕注疏本疏：“朱作‘何四也’，赵同。戴作‘四何’。会贞按：大典本、残宋本作‘四何’。”

〔一〇〕殿本在此下案云：“案此句舛误。”注释本在此下云：“全氏曰：善长误矣，岂可以兖州之澭沮释岐西之水道乎？”注疏本杨守敬按：“道元瓠子河篇明引禹贡，何得于渭北之雍水牵合之？阎百诗乃云，专门名家之书，有此笑柄，余疑此三句为后人窜入，直当删之。”

〔一一〕横水　注笺本、项本、五校钞本、七校本、注释本、张本均作“杜水”。

〔一二〕寰宇记卷三十关西道六凤翔府岐山县引水经注云：“天柱山下有凤凰祠，或云其高峻，迥出诸山，状若柱，因以为名。”当是此句下佚文。五校钞本已录入此文。

〔一三〕莫水　残宋本、黄本、注笺本、何校明钞本、项本、沈本、注释本、张本、雍正陕西通志卷八山川一大川考渭水引水经注、熙宁长安志卷十四县四武功莫谷水毕沅案引水经注均作“荚水”。五校钞本、七校本、寰宇记卷二十七关西道三雍州三武功县引水经注、熙宁长安志卷十四县四武功莫谷水引水经注、名胜志陕西卷三乾州武功县引水经注均作“莫谷水”。

〔一四〕洛谷之水　通鉴卷七十七魏纪九高贵乡公甘露二年“维壁于芒水”胡注引水经注、蜀鉴卷五永和五年引水经注、方舆纪要卷五十三陕西二西安府盩厔县骆谷水引水经注均作“骆谷水”。

〔一五〕三年　注疏本作“二年”。疏:“朱‘二年’作‘三年’,全、赵、戴同。会贞按:蜀志后主传,姜维出骆谷,在延熙二十年,景耀元年还。姜维传同。延熙二十年当魏甘露二年,景耀元年当甘露三年。是维于二年出,三年还。此三年为二年之误,今订。”

水经注卷十九

渭水〔一〕

又东过槐里县南，又东，涝水从南来注之。

渭水迳县之故城南，汉书集注，李奇谓之小槐里，县之西城也。又东与芒水枝流合，水受芒水于竹圃，东北流，又屈而北入于渭。渭水又东北迳黄山宫南，即地理志所云，县有黄山宫，惠帝二年起者也。东方朔传曰：武帝微行，西至黄山宫。故世谓之游城也。就水注之，水出南山就谷，北迳大陵西，世谓之老子陵。昔李耳为周柱史，以世衰入戎，于此有冢。事非经证，然庄周著书云：老聃死，秦失吊之，三号而出。是非不死之言，人禀五行之精气，阴阳有终变，亦无不化之理。以是推之，或复如传，古人许以传疑，故两存耳。就水历竹圃北，与黑水合，水上承三泉，就水之右，三泉奇发，言归一渎，北流，左注就水。就水又北流注于渭。渭水又东合田溪水，水出南山田谷，北流迳长杨宫西，又北迳盩厔县故城西，又东北与一水合。水上承盩厔县南源，北迳其县东，又北迳思乡城西，又北注田溪。田溪水又北流，注于渭水也。县北有蒙茏渠〔二〕，上承渭水于郿县,东迳武功县为成林渠〔三〕,东迳县北,亦曰灵轵渠〔四〕,河渠书以为引堵水。徐广曰:一作诸川是也。渭水又东迳槐里县故城南,县,古犬丘邑也,周懿王都之,秦以为废丘,亦曰舒丘。中平元年,灵帝封左中郎将皇甫嵩为侯国。县南对渭水,北背通渠。史记秦本纪云:秦武王三年,渭水赤三日;秦昭王三十四年,渭水又大赤三日。洪范五行传云:赤者,火色也;水尽赤,以火沴水也;渭水,秦大川也;阴阳乱,秦用严刑,败乱之象。后项羽入秦,封司马欣为塞王,都栎阳;董翳为翟王,都高奴;章邯为雍王,都废丘。为三秦。汉祖北定三秦,引水灌城,遂灭章邯。三年,改曰槐里,王莽更名槐治也,世谓之为大槐里。晋太康中,始平郡治也。其城递带防陆,旧渠尚存,即汉书所谓槐里环堤者也。东有漏水〔五〕,出南山赤谷,东北流迳长杨宫东,宫有长杨树,因以为名。漏水又北历苇圃西,亦谓之仙泽。又北迳望仙宫,又东北,耿谷水注之,水发南山耿谷,北流与柳泉合,东北迳五柞宫西,长杨、五柞二宫,相去八里,并以树名宫,亦犹陶氏以五柳立称。故张晏曰:宫有五柞树,在盩厔县西。其水北迳仙泽东,又北迳望仙宫东,又北与赤水会〔六〕,又北迳思乡城东,又北注渭水。渭水又东合甘水,水出南山甘谷,北迳秦文王萯阳宫西,又北迳五柞宫东,又北迳甘亭西,在水东鄠县〔七〕,昔夏启伐有扈作誓于是亭。故马融曰:甘,有扈南郊地名也。甘水又东得涝水口,水出南山涝谷,北迳汉宜春观东,又北迳鄠县故城西,涝水际城北出合美陂水〔八〕,水出宜春观北,东北流注涝水。涝水北注甘水,而乱流入于渭。即上林故地也。东方朔称武帝建元中微行,北至池阳，西至黄山，南猎长杨，东游宜春。夜漏十刻，乃出，与侍中、常侍、武骑、待诏及陇西、北地良家子能骑射者，期诸殿下，故有期门之号。旦明，入山下，驰射鹿、豕、狐、兔，手格熊罴，上大欢乐之。上乃使大中大夫虞丘寿王与待诏能用算者，举籍阿城以南，盩厔以东，宜春以西，提封顷亩及其贾直，属之南山以为上林苑。东方朔谏秦起阿房而天下乱，因陈泰阶六符之事，上乃拜大中大夫，给事中，赐黄金百斤，卒起上林苑。故相如请为天子游猎之赋，称乌有先生、亡是公而奏上林也。

又东，丰水从南来注之。

丰水出丰溪，西北流分为二水：一水东北流为枝津，一水西北流，又北，交水自东入焉，又北，昆明池水注之，又北迳灵台西，又北至石墩注于渭〔九〕。地说云：渭水又东与丰水会于短阴山内，水会无他高山异峦，所有惟原阜石激而已。水上旧有便门桥，与便门对直，武帝建元三年造。张昌曰：桥在长安西北茂陵东。如淳曰：去长安四十里。渭水又迳太公庙北，庙前有太公碑，文字褫缺，今无可寻。渭水又东北与鄗水〔一〇〕合，水上承鄗池〔一一〕于昆明池北，周武王之所都也。故诗云：考卜维王，宅是鄗京〔一二〕，维龟正之，武王成之。自汉武帝穿昆明池于是地，基搆沦褫，今无可究。春秋后传曰：使者郑容入柏谷关，至平舒置，见华山有素车白马，问郑容安之？答曰：之咸阳。车上人曰：吾华山君使，愿托书致鄗池君，子之咸阳，过鄗池，见大梓下有文石，取以款列梓，当有应者，以书与之，勿妄发，致之得所欲。郑容行至鄗池，见一梓下果有文石，取以款梓，应曰：诺。郑容如睡觉而见宫阙，若王者之居焉。谒者出，受书入。有顷,闻语声言祖龙死。神道茫昧,理难辨测,故无以精其幽致矣。鄗水又北流,西北注与滮池合,水出鄗池西,而北流入于鄗。毛诗云:滮,流浪也。而世传以为水名矣。郑玄曰:丰、鄗之间,水北流也。鄗水北迳清泠台西,又迳磁石门西,门在阿房前,悉以磁石为之,故专其目。令四夷朝者,有隐甲怀刃入门而胁之以示神,故亦曰却胡门也。鄗水又北注于渭。渭水北有杜邮亭,去咸阳十七里,今名孝里亭,中有白起祠。嗟乎!有制胜之功,惭尹商之仁〔一三〕,是地即其伏剑处也。渭水又东北迳渭城南,文颖以为故咸阳矣。秦孝公之所居离宫也。献公都栎阳,天雨金,周太史儋见献公曰:周故与秦国合而别,别五百岁复合,合七十岁而霸王出。至孝公作咸阳、筑冀阙而徙都之。故西京赋曰:秦里其朔,实为咸阳。太史公曰:长安,故咸阳也。汉高帝更名新城,武帝元鼎三年,别为渭城,在长安西北渭水之阳,王莽之京城也。始隶扶风,后并长安。南有沇水〔一四〕注之,水上承皇子陂于樊川,其地即杜之樊乡也。汉祖至栎阳,以将军樊哙灌废丘,最,赐邑于此乡也。其水西北流迳杜县之杜京西,西北流迳杜伯冢南,杜伯与其友左儒仕宣王,儒无罪见害,杜伯死之,终能报恨于宣王。故成公子安五言诗曰:谁谓鬼无知,杜伯射宣王。沇水又西北迳下杜城,即杜伯国也。沇水又西北枝合故渠,渠有二流,上承交水,合于高阳原,而北迳河池陂东,而北注沇水。沇水又北与昆明故池会,又北迳秦通六基东,又北迳堨水陂东,又北得陂水,水上承其陂,东北流入于沇水。沇水又北迳长安城,西与昆明池水合,水上承池于昆明台,故王仲都所居也。桓谭新论称元帝被病，广求方士，汉中送道士王仲都。诏问所能，对曰：能忍寒暑。乃以隆冬盛寒日，令袒载驷马于上林昆明池上，环冰而驰，御者厚衣狐裘寒战，而仲都独无变色，卧于池台上，曛然自若。夏大暑日，使曝坐，环以十炉火，不言热，又身不汗。池水北迳鄗京东、秦阿房宫西，史记曰：秦始皇三十五年，以咸阳人多，先王之宫小，乃作朝宫于渭南，亦曰阿城也。始皇先作前殿阿房，可坐万人，下可建五丈旗，周驰为阁道，自殿直抵南山。表山巅为阙，为复道自阿房度渭，属之咸阳，象天极，阁道绝汉抵营室也。关中记曰：阿房殿在长安西南二十里，殿东西千步，南北三百步，庭中受十万人。其水又屈而迳其北，东北流注堨水陂。陂水北出，迳汉武帝建章宫东，于凤阙南，东注泬水。泬水又北迳凤阙东，三辅黄图曰：建章宫，汉武帝造，周二十馀里，千门万户，其东凤阙，高七丈五尺，俗言贞女楼，非也。汉武帝故事云：阙高二十丈。关中记曰：建章宫圆阙，临北道，有金凤在阙上，高丈馀，故号凤阙也。故繁钦建章凤阙赋曰：秦汉规模，廓然毁泯，惟建章凤阙，岿然独存，虽非象魏之制，亦一代之巨观也。泬水又北，分为二水，一水东北流，一水北迳神明台东。傅子宫室曰：上于建章中作神明台、井幹楼，咸高五十馀丈，皆作悬阁，辇道相属焉。三辅黄图曰：神明台在建章宫中，上有九室，今人谓之九子台，即实非也。泬水又迳渐台东，汉武帝故事曰：建章宫北有太液池，池中有渐台三十丈。渐，浸也，为池水所渐。一说星名也。南有璧门三层，高三十馀丈，中殿十二间，阶陛咸以玉为之，铸铜凤五丈，饰以黄金，楼屋上椽首，薄以玉璧。因曰璧玉门也。泬水又北流注渭，亦谓是水为滈水也。故吕忱曰：滈水出杜陵县。汉书音义曰：滈，水声，而非水也。亦曰高都水。前汉之末，王氏五侯大治池宅，引沉水入长安城。故百姓歌之曰：五侯初起，曲阳最怒，坏决高都，竟连五杜，土山渐台，像西白虎。即是水也。

又东过长安县北，

渭水东分为二水，广雅曰：水自渭出为㳄，其犹河之有雍也。此渎东北流迳魏雍州刺史郭淮碑南，又东南合一水，迳两石人北。秦始皇造桥，铁墩重不胜，故刻石作力士孟贲等像以祭之，墩乃可移动也。又东迳阳侯祠北，涨辄祠之，此神能为大波，故配食河伯也。后人以为邓艾祠，悲哉。谗胜道消，专忠受害矣。此水又东注渭水，水上有梁，谓之渭桥，秦制也，亦曰便门桥。秦始皇作离宫于渭水南北，以象天宫，故三辅黄图曰：渭水贯都，以象天汉，横桥南度，以法牵牛。南有长乐宫，北有咸阳宫，欲通二宫之间，故造此桥。广六丈，南北三百八十步，六十八间，七百五十柱，百二十二梁。桥之南北有堤激，立石柱，柱南，京兆主之；柱北，冯翊主之。有令丞，各领徒千五百人。桥之北首，垒石水中，故谓之石柱桥也。旧有忖留神像，此神尝与鲁班语，班令其人出。忖留曰：我貌很丑，卿善图物容，我不能出。班于是拱手与言曰：出头见我。忖留乃出首，班于是以脚画地，忖留觉之，便还没水，故置其像于水，惟背以上立水上。后董卓入关，遂焚此桥，魏武帝更修之，桥广三丈六尺。忖留之像，曹公乘马见之惊，又命下之。燕丹子曰：燕太子丹质于秦，秦王遇之无礼，乃求归。秦王为机发之桥,欲以陷丹,丹过之桥,不为发。又一说,交龙扶轝而机不发。但言〔一五〕,今不知其故处也。渭水又东与泬水枝津合,水上承泬水,东北流迳邓艾祠南,又东分为二水,一水东入逍遥园注藕池,池中有台观,莲荷被浦,秀实可玩。其一水北流注于渭。渭水又东迳长安城北,汉惠帝元年筑,六年成,即咸阳也。秦离宫无城,故城之,王莽更名常安。十二门:东出北头第一门,本名宣平门,王莽更名春王门正月亭,一曰东都门,其郭门亦曰东都门,即逢萌挂冠处也。第二门,本名清明门,一曰凯门,王莽更名宣德门布恩亭,内有藉田仓,亦曰藉田门。第三门,本名霸城门,王莽更名仁寿门无疆亭,民见门色青,又名青城门,或曰青绮门,亦曰青门。门外旧出好瓜,昔广陵人邵平为秦东陵侯,秦破,为布衣,种瓜此门,瓜美,故世谓之东陵瓜。是以阮籍咏怀诗云:昔闻东陵瓜,近在青门外,连畛拒阡陌,子母相钩带。指谓此门也。南出东头第一门,本名覆盎门,王莽更名永清门长茂亭。其南有下杜城,应劭曰:故杜陵之下聚落也,故曰下杜门,又曰端门,北对长乐宫。第二门,本名安门,亦曰鼎路门,王莽更名光礼门显乐亭,北对武库。第三门,本名平门,又曰便门,王莽更名信平门诚正亭,一曰西安门,北对未央宫。西出南头第一门,本名章门,王莽更名万秋门亿年亭,亦曰光华门也。第二门,本名直门,王莽更名直道门端路亭,故龙楼门也。张晏曰:门楼有铜龙。三辅黄图曰:长安西出第二门,即此门也。第三门,本名西城门,亦曰雍门,王莽更名章义门著义亭,其水北入有函里,民名曰函里门〔一六〕,亦曰突门。北出西头第一门,本名横门,王莽更名霸都门左幽亭。如淳曰：音光，故曰光门〔一七〕。其外郭有都门、有棘门。徐广曰：棘门在渭北。孟康曰：在长安北，秦时宫门也。如淳曰：三辅黄图曰棘门在横门外，按汉书：徐厉军于此备匈奴，又有通门、亥门也。第二门，本名厨门，又曰朝门，王莽更名建子门广世亭，一曰高门。苏林曰：高门，长安城北门也。其内有长安厨官在东，故名曰厨门也。如淳曰：今名广门也。第三门，本名杜门，亦曰利城门，王莽更名进和门临水亭，其外有客舍，故民曰客舍门，又曰洛门也。凡此诸门，皆通逵九达，三途洞开，隐以金椎，周以林木，左出右入，为往来之径，行者升降，有上下之别。汉成帝之为太子，元帝尝急召之，太子出龙楼门不敢绝驰道，西至直城门方乃得度。上怪迟，问其故，以状对，上悦，乃著令令太子得绝驰道也。渭水东合昆明故渠，渠上承昆明池东口，东迳河池陂北，亦曰女观陂。又东合沉水，亦曰漕渠，又东迳长安县南，东迳明堂南，旧引水为辟雍处，在鼎路门东南七里，其制上圆下方，九宫十二堂，四向五室，堂北三百步有灵台，是汉平帝元始四年立。渠南有汉故圜丘，成帝建始二年，罢雍五畤，始祀皇天上帝于长安南郊。应劭曰：天郊在长安南，即此也。故渠之北有白亭博望苑，汉武帝为太子立，使通宾客，从所好也。太子巫蛊事发，斫杜门东出，史良娣死，葬于苑北，宣帝以为戾园，以倡优千人乐思后园庙，故亦曰千乡。故渠又东而北屈迳青门外，与沉水枝渠会，渠上承沉水于章门西，飞渠引水入城，东为仓池，池在未央宫西，池中有渐台。汉兵起，王莽死于此台。又东迳未央宫北，高祖在关东，令萧何成未央宫，何斩龙首山而营之。山长六十徐里，头临渭水，尾达樊川，头高二十丈，尾渐下，高五六丈，土色赤而坚，云昔有黑龙从南山出饮渭水，其行道因山成迹，山即基，阙不假筑，高出长安城。北有玄武阙，即北阙也。东有苍龙阙，阙内有阊阖、止车诸门。未央殿东有宣室、玉堂、麒麟、含章、白虎、凤皇、朱雀、鹓鸾、昭阳诸殿，天禄、石渠、麒麟三阁。未央宫北，即桂宫也。周十馀里，内有明光殿、走狗台、柏梁台，旧乘复道，用相迳通。故张衡西京赋曰：钩陈之外，阁道穹隆，属长乐与明光。迳北通于桂宫，故渠出二宫之间，谓之明渠也。又东历武库北，旧樗里子葬于此，樗里子名疾，秦惠王异母弟也，滑稽多智，秦人号曰智囊。葬于昭王庙西，渭南阴乡樗里，故俗谓之樗里子。云我百岁后，是有天子之宫夹我墓。疾，以昭王七年卒，葬于渭南章台东。至汉，长乐宫在其东，未央宫在其西，武库直其墓。秦人谚曰：力则任鄙，智则樗里是也。明渠又东迳汉高祖长乐宫北，本秦之长乐宫也。周二十里，殿前列铜人，殿西有长信、长秋、永寿、永昌诸殿，殿之东北有池，池北有层台，俗谓是池为酒池，非也。故渠北有楼，竖汉京兆尹司马文预碑。故渠又东出城分为二渠，即汉书所谓王渠者也。苏林曰：王渠，官渠也，犹今御沟矣。晋灼曰：渠名也，在城东覆盎门外。一水迳杨桥下，即青门桥也，侧城北迳邓艾祠西，而北注渭，今无水。其一水右入昆明故渠，东迳奉明县广城乡之廉明苑南。史皇孙及王夫人葬于郭北，宣帝迁苑南，卜以为悼园，益园民千六百家，立奉明县，以奉二园。园在东都门，昌邑王贺自霸御法驾，郎中令龚遂骖乘，至广明东都门是也。故渠东北迳汉太尉夏侯婴冢西，葬日，柩马悲鸣，轻车罔进，下得石椁铭云：于嗟滕公居此室。故遂葬焉。冢在城东八里饮马桥南四里，故时人谓之马冢。故渠又北分为二渠：东迳虎圈南而东入霸，一水北合渭，今无水。

又东过霸陵县北，霸水从县西北流注之。

霸者，水上地名也，古曰滋水矣。秦穆公霸世，更名滋水为霸水，以显霸功。水出蓝田县蓝田谷，所谓多玉者也。西北有铜谷水〔一八〕，次东有辋谷水〔一九〕，二水合而西注，又西流入浧水〔二〇〕。浧水又西迳峣关，北历峣柳城。东、西有二城，魏置青浧军〔二一〕于城内，世亦谓之青浧城〔二二〕也。秦二世三年，汉祖入，自武关攻秦，赵高遣将距于峣关者也。土地记曰：蓝田县南有峣关，地名峣柳道，通荆州。晋地道记曰：关当上洛县西北。浧水又西北流入霸，霸水又北历蓝田川，迳蓝田县东。竹书纪年：梁惠成王三年，秦子向命为蓝君，盖子向之故邑也。川有汉临江王荣冢，景帝以罪征之，将行，祖于江陵北门，车轴折，父老泣曰：吾王不反矣。荣至，中尉郅都急切责王，王年少，恐而自杀，葬于是川，有燕数万，衔土置冢上，百姓矜之。霸水又左合浐水，历白鹿原东，即霸川之西，故芷阳矣。史记：秦襄王葬芷阳者是也。谓之霸上，汉文帝葬其上，谓之霸陵。上有四出道以泻水，在长安东南三十里。故王仲宣赋诗云：南登霸陵岸，回首望长安。汉文帝尝欲从霸陵上西驰下峻坂，袁盎揽辔于此处。上曰：将军怯也。盎曰：臣闻千金之子，坐不垂堂，百金之子，立不倚衡，圣人不乘危，今驰不测，如马惊车败，奈高庙何？上乃止。霸水又北，长水注之，水出杜县白鹿原，其水西北流，谓之荆溪。又西北，左合狗枷川水，水有二源，西川上承魄山之斫槃谷，次东有苦、谷二水合，而东北流迳风凉原西，关中图曰：丽山〔二三〕之西，川中有阜，名曰风凉原，在魄山之阴，雍州之福地。即是原也。其水傍溪北注，原上有汉武帝祠。其水右合东川，水出南山之石门谷，次东有孟谷，次东有大谷，次东有雀谷，次东有土门谷。五水北出谷，西北历风凉原东，又北与西川会。原为二水之会，乱流北迳宣帝许后陵东，北去杜陵十里，斯川于是有狗枷之名。川东亦曰白鹿原也，上有狗枷堡。三秦记曰：丽山西有白鹿原，原上有狗枷堡，秦襄公时，有大狗来，下有贼则狗吠之，一堡无患，故川得厥目焉。川水又北迳杜陵东，元帝初元元年，葬宣帝杜陵，北去长安五十里。陵之西北有杜县故城，秦武公十一年县之，汉宣帝元康元年，以杜东原上为初陵，更名杜县为杜陵，王莽之饶安也。其水又北注荆溪，荆溪水又北迳霸县，又有温泉入焉。水发自原下，入荆溪水，乱流注于霸，俗谓之浐水，非也。史记音义：文帝出安门，注云：在霸陵县，有故亭，即郡国志所谓长门亭也。史记云：霸、浐，长水也。虽不在祠典，以近咸阳秦、汉都；泾、渭，长水，尽得比大川之礼。昔文帝居霸陵北，临厕指新丰路示慎夫人曰：此走邯郸道也。因使慎夫人鼓瑟，上自倚瑟而歌，凄怆悲怀，顾谓群臣曰：以北山石为椁，用纻絮斫陈漆其间，岂可动哉。释之曰：使其中有可欲，虽锢南山犹有隙；使无可欲，虽无石椁，又何戚焉。文帝曰：善。拜廷尉。韦昭曰：高岸夹水为厕，今斯原夹二水也。霸水又北会两川，又北，故渠右出焉。霸水又北迳王莽九庙南。王莽地皇元年，博征天下工匠，坏撤西苑、建章诸宫馆十馀所，取材瓦以起九庙。算及吏民，以义入钱谷，助成九庙。庙殿皆重屋，太初祖庙，东西南北各四十丈，高十七丈，馀庙半之，为铜薄栌，饰以金银雕文，穷极百工之巧，褫高增下，功费数百巨万，卒死者万数。霸水又北迳枳道，在长安县东十三里，王莽九庙在其南。汉世有白蛾群飞，自东都门过枳道，吕后祓除于霸上，还见仓狗戟胁于斯道也。水上有桥，谓之霸桥。地皇三年，霸桥木灾自东起，卒数千以水泛沃救不灭，晨熿夕尽。王莽恶之，下书曰：甲午火桥，乙未，立春之日也，予以神明圣祖，黄、虞遗统受命，至于地皇四年，为十五年，正以三年终冬，绝灭霸驳之桥，欲以兴成新室，统一长存之道，其名霸桥为长存桥。霸水又北，左纳漕渠，绝霸右出焉。东迳霸城北，又东迳子楚陵北，皇甫谧曰：秦庄王葬于芷阳之丽山，京兆东南霸陵山。刘向曰：庄王大其名立坟者也。战国策曰：庄王字异人，更名子楚，故世人犹以子楚名陵。又东迳新丰县，右会故渠，渠上承霸水，东北迳霸城县故城南，汉文帝之霸陵县也，王莽更之曰水章。魏明帝景初元年，徙长安金狄，重不可致，因留霸城南，人有见蓟子训与父老共摩铜人曰：正见铸此时，计尔日已近五百年矣。故渠又东北迳刘更始冢西，更始二年，为赤眉所杀，故侍中刘恭夜往取而埋之，光武使司徒邓禹收葬于霸陵县。更始尚书仆射行大将军事鲍永，持节安集河东，闻更始死，归世祖，累迁司隶校尉，行县经更始墓，遂下拜哭，尽哀而去。帝问公卿，大中大夫张湛曰：仁不遗旧，忠不忘君，行之高者。帝乃释。又东北迳新丰县，右合漕渠，汉大司农郑当时所开也。以渭难漕，命齐水工徐伯发卒穿渠引渭。其渠自昆明池，南傍山原，东至于河，且田且漕，大以为便，今无水。霸水又北迳秦虎圈东，列士传曰：秦昭王会魏王，魏王不行，使朱亥奉璧一双。秦王大怒，置朱亥虎圈中，亥瞋目视虎，眦裂血出溅虎，虎不敢动。即是处也。霸水又北入于渭水。渭水又东会成国故渠。渠，魏尚书左仆射卫臻征蜀所开也，号成国渠，引以浇田。其渎上承汧水于陈仓东，东迳郿及武功槐里县北，渠左有安定梁严冢，碑碣尚存。又东迳汉武帝茂陵南，故槐里之茂乡也。应劭曰：帝自为陵，在长安西北八十馀里。汉武帝故事曰：帝崩后见形，谓陵令薛平曰：吾虽失势，犹为汝君，奈何令吏卒上吾陵磨刀剑乎？自今以后，可禁之。平顿首谢，因不见。推问陵傍，果有方石，可以为砺，吏卒常盗磨刀剑。霍光欲斩之，张安世曰：神道茫昧，不宜为法。乃止。故阮公咏怀诗曰：失势在须臾，带剑上吾丘。陵之西而北一里，即李夫人冢，冢形三成，世谓之英陵。夫人兄延年知音，尤善歌舞，帝爱之，每为新声变曲，闻者莫不感动。常侍上起舞，歌曰：北方有佳人，绝世而独立，一顾倾人城，再顾倾人国。宁不知倾城复倾国，佳人难再得。上曰：世岂有此人乎？平阳主曰：延年女弟。上召见之，妖丽善歌舞，得幸，早卒，上悯念之，以后礼葬，悲思不已，赋诗悼伤。故渠又东迳茂陵县故城南，武帝建元二年置。地理志曰：宣帝县焉，王莽之宣成也。故渠又东迳龙泉北，今人谓之温泉，非也。渠北故坂北，即龙渊庙。如淳曰：三辅黄图有龙渊宫，今长安城西有其庙处，盖宫之遗也。故渠又东迳姜原北，渠北有汉昭帝陵，东南去长安七十里。又东迳平陵县故城南，地理志曰：昭帝置，王莽之广利也。故渠之南有窦氏泉，北有徘徊庙。又东迳汉大将军魏其侯窦婴冢南，又东迳成帝延陵南，陵之东北五里，即平帝康陵坂也。故渠又东迳渭陵南，元帝永光四年，以渭城寿陵亭原上为初陵，诏不立县邑。又东迳哀帝义陵南，又东迳惠帝安陵南，陵北有安陵县故城。地理志曰：惠帝置，王莽之嘉平也。渠侧有杜邮亭。又东迳渭城北，地理志曰：县有兰池宫。秦始皇微行，逢盗于兰池，今不知所在。又东迳长陵南，亦曰长山也。秦名天子冢曰山，汉曰陵，故通曰山陵矣。风俗通曰：陵者，天生自然者也，今王公坟垅称陵。春秋左传曰：南陵，夏后皋之墓也。春秋说题辞曰：丘者，墓也，冢者，种也，种墓也，罗倚于山，分卑尊之名者也。故渠又东迳汉丞相周勃冢南，冢北有亚夫冢。故渠东南谓之周氏曲，又东南迳汉景帝阳陵南，又东南注于渭，今无水。渭水又东迳霸城县北，与高陵分水，水南有定陶恭王庙、傅太后陵。元帝崩，傅昭仪随王归国，称定陶太后。后十年，恭王薨，子代为王，征为太子，太子即帝位，立恭王寝庙于京师，比宣帝父悼皇故事。元寿元年，傅后崩，合葬渭陵。潘岳关中记：汉帝后同茔则为合葬，不共陵也，诸侯皆如之。恭王庙在霸城西北，庙西北，即傅太后陵，不与元帝同茔。渭陵，非谓元帝陵也。盖在渭水之南，故曰渭陵也。陵与元帝齐者，谓同十二丈也。王莽奏毁傅太后冢，冢崩，压杀数百人；开棺，臭闻数里。公卿在位，皆阿莽旨，入钱帛，遣子弟及诸生、四夷，凡十馀万人，操持作具，助将作掘傅后冢，二旬皆平，周棘其处，以为世戒。今其处积土犹高，世谓之增墀，又亦谓之增阜，俗亦谓之成帝初陵处，所未详也。渭水又迳平阿侯王谭墓北，冢次有碑,左则泾水〔二四〕注之。渭水又东迳鄣县西,盖陇西郡之鄣徙也。渭水又东得白渠枝口,又东与五丈渠合,水出云阳县石门山,谓之清水,东南流迳黄嵚山西,又南入祋祤县,历原南出,谓之清水口。东南流绝郑渠,又东南入高陵县,迳黄白城西,本曲梁宫也。南绝白渠,屈而东流,谓之曲梁水。又东南迳高陵县故城北,东南绝白渠渎,又东南入万年县,谓之五丈渠,又迳藕原东,东南流注于渭。渭水右迳新丰县故城北,东与鱼池水会,水出丽山东北,本导源北流,后秦始皇葬于山北,水过而曲行,东注北转,始皇造陵,取土其地,污深水积成池,谓之鱼池也。在秦皇陵东北五里,周围四里,池水西北流,迳始皇冢北。秦始皇大兴厚葬,营建冢圹于丽戎之山,一名蓝田〔二五〕,其阴多金,其阳多玉,始皇贪其美名,因而葬焉。斩山凿石,下锢三泉,以铜为椁,旁行周回三十馀里,上画天文星宿之象,下以水银为四渎、百川、五岳、九州,具地理之势。宫观百官,奇器珍宝,充满其中。令匠作机弩,有所穿近,辄射之。以人鱼膏为灯烛,取其不灭者久之。后宫无子者,皆使殉葬甚众。坟高五丈,周回五里馀,作者七十万人,积年方成。而周章百万之师,已至其下,乃使章邯领作者以御难,弗能禁。项羽入关,发之,以三十万人三十日运物不能穷。关东盗贼,销椁取铜,牧人寻羊烧之,火延九十日不能灭。北对鸿门十里,池水又西北流,水之西南有温泉,世以疗疾。三秦记曰:丽山西北有温水,祭则得入,不祭则烂人肉。俗云:始皇与神女游而忤其旨,神女唾之生疮,始皇谢之,神女为出温水,后人因以浇洗疮。张衡温泉赋序曰:余出丽山,观温泉,浴神井,嘉洪泽之普施,乃为之赋云。此汤也,不使灼人形体矣。池水又迳鸿门西,又迳新丰县故城东,故丽戎地也。高祖王关中,太上皇思东归,故象旧里,制兹新邑,立城社,树枌榆,令街庭若一,分置丰民以实兹邑,故名之为新丰也。汉灵帝建宁三年,改为都乡,封段颎为侯国。后立阴槃城,其水际城北出,世谓是水为阴槃水。又北绝漕渠,北注于渭。渭水又东迳鸿门北,旧大道北下坂口名也。右有鸿亭。汉书:高祖将见项羽。楚汉春秋曰:项王在鸿门,亚父曰:吾使人望沛公,其气冲天,五色采相缪,或似龙,或似云,非人臣之气,可诛之。高祖会项羽,范增目羽,羽不应。樊哙杖盾撞人入,食豕肩于此,羽壮之。郡国志曰:新丰县东有鸿门亭者也。郭缘生述征记,或云霸城南门曰鸿门也。项羽将因会危高祖,羽仁而弗断,范增谋而不纳,项伯终护高祖以获免。既抵霸上,遂封汉王。按汉书注:鸿门在新丰东十七里,则霸上应百里。按史记:项伯夜驰告张良,良与俱见高祖,仍使夜返。考其道里,不容得尔。今父老传在霸城南门数十里,于理为得。按缘生此记,虽历览史、汉,述行涂经见,可谓学而不思矣。今新丰县故城东三里有坂,长二里馀,堑原通道,南北洞开,有同门状,谓之鸿门。孟康言,在新丰东十七里,无之。盖指县治而言,非谓城也。自新丰故城西至霸城五十里,霸城西十里则霸水,西二十里则长安城。应劭曰:霸,水上地名,在长安东二十里,即霸城是也。高祖旧停军处,东去新丰既远,何由项伯夜与张良共见高祖乎〔二六〕?推此言之,知缘生此记乖矣。渭水又东,石川水南注焉。渭水又东,戏水注之,水出丽山冯公谷,东北流,又北迳丽戎城东,春秋:晋献公五年伐之,获丽姬于是邑。丽戎,男国也,姬姓,秦之丽邑矣。又北,右总三川,迳鸿门东,又北迳戏亭东。应劭曰:戏,弘农湖县西界也。地隔诸县,不得为湖县西。苏林曰:戏,邑名,在新丰东南四十里。孟康曰:乃水名也,今戏亭是也。昔周幽王悦褒姒,姒不笑,王乃击鼓举烽火以征诸侯,诸侯至,无寇,褒姒乃笑,王甚悦之。及犬戎至,王又举烽以征诸侯,诸侯不至,遂败幽王于戏水之上,身死于丽山之北,故国语曰:幽灭者也。汉成帝建始二年,造延陵为初陵,以为非吉,于霸曲亭南更营之。鸿嘉元年,于新丰戏乡为昌陵县,以奉初陵。永始元年,诏以昌陵卑下,客土疏恶,不可为万岁居,其罢陵作,令吏民反,故徙将作大匠解万年燉煌。关中记曰:昌陵在霸城东二十里,取土东山,与粟同价,所费巨万,积年无成。即此处也。戏水又北分为二水,并注渭水。渭水又东,泠水入焉,水南出肺浮山〔二七〕,盖丽山连麓而异名也。北会三川,统归一壑,历阴槃、新丰两原之间,北流注于渭。渭水又东,酋水〔二八〕南出倒虎山,西总五水,单流迳秦步高宫东,世名市丘城。历新丰原东而北迳步寿宫西,又北入渭。渭水又东得西阳水,又东得东阳水,并南出广乡原北垂,俱北入渭。渭水又东迳下邽县故城南,秦伐邽,置邽戎于此。有上邽,故加下也。渭水又东与竹水合,水南出竹山北,迳媚加谷,历广乡原东,俗谓之大赤水,北流注于渭。渭水又东得白渠口,大始二年,赵国中大夫白公奏穿渠引泾水,首起谷口,出于郑渠南,名曰白渠。民歌之曰:田于何所,池阳谷口,郑国在前,白渠起后。即水所始也。东迳宜春城南,又东南迳池阳城北,枝渎出焉。东南历藕原下，又东迳鄣县故城北，东南入渭，今无水。白渠又东，枝渠出焉，东南迳高陵县故城北，地理志曰：左辅都尉治，王莽之千春也。太康地记谓之曰高陆也。车频秦书曰：苻坚建元十四年〔二九〕，高陆县民穿井得龟，大二尺六寸，背文负八卦古字，坚以石为池养之，十六年而死，取其骨以问吉凶，名为客龟。大卜佐高鲁梦客龟言：我将归江南，不遇，死于秦。鲁于梦中自解曰：龟三万六千岁而终，终必亡国之征也。为谢玄破于淮、肥，自缢新城浮图中，秦祚因即沦矣。又东迳栎阳城北，史记：秦献公二年，城栎阳，自雍徙居之；十八年，雨金于是处也。项羽以封司马欣为塞王。按汉书：高帝克关中始都之，王莽之师亭也。后汉建武二年，封骠骑大将军景丹为侯国。丹让，世祖曰：富贵不还故乡，如衣锦夜行，故以封卿。白渠又东迳秦孝公陵北，又东南迳居陵城北、莲芍城南，又东注金氏陂，又东南注于渭。故汉书沟洫志曰：白渠首起谷口，尾入栎阳是也。今无水。

又东过郑县北，

渭水又东迳峦都城北，故蕃邑，殷契之所居。世本曰：契居蕃。阚骃曰：蕃在郑西。然则今峦城是矣。俗名之赤城，水曰赤水，非也。苻健入秦，据此城以抗杜洪。小赤水即山海经之灌水也，水出石脆之山〔三〇〕，北迳萧加谷于孤柏原西，东北流与禺水〔三一〕合。水出英山，北流与招水相得，乱流西北注于灌，灌水又北注于渭。渭水又东，西石桥水南出马岭山，积石据其东，丽山距其西，源泉上通，悬流数十，与华岳同体。其水北迳郑城西，水上有桥，桥虽崩褫，旧迹犹存，东去郑城十里，故世以桥名水也。而北流注于渭，阚骃谓之新郑水。渭水又东迳郑县故城北，史记：秦武公十年〔三二〕县之，郑桓公友之故邑也。汉书薛瓒注言：周自穆王已下，都于西郑，不得以封桓公也。幽王既败，虢、侩又灭，迁居其地，国于郑父之丘，是为郑桓公。无封京兆之文。余按迁史记，考春秋、国语、世本言，周宣王二十二年，封庶弟友于郑。又春秋、国语并言桓公为周司徒，以王室将乱，谋于史伯，而寄帑与贿于虢、侩之间。幽王霣于戏，郑桓公死之。平王东迁，郑武公辅王室，灭虢、侩而兼其土。故周桓公言于王曰：我周之东迁，晋、郑是依。乃迁封于彼。左传隐公十一年，郑伯谓公孙获曰：吾先君新邑于此，其能与许争乎？是指新郑为言矣。然班固、应劭、郑玄、皇甫谧、裴頠、王隐、阚骃及诸述作者，咸以西郑为友之始封，贤于薛瓒之单说也。无宜违正经而从逸录矣。赤眉樊崇于郭北设坛，祀城阳景王，而尊右校卒史刘侠卿牧牛儿盆子为帝，年十五，被发徒跣，为具绛单衣，半头赤帻，直綦履。顾见众人拜，恐畏欲啼。号年建世，后月馀，乘白盖小车，与崇及尚书一人，相随向郑北，渡渭水，即此处也。城南山北有五部神庙，东南向华岳，庙前有碑，后汉光和四年，郑县令河东裴毕字君先立。渭水又东与东石桥水会，故沈水也〔三三〕，水南出马岭山，北流迳武平城东。按地理志：左冯翊有武城县，王莽之桓城也。石桥水又迳郑城东，水有故石梁，述征记曰：郑城东、西十四里各有石梁者也。又北迳沈阳城北，注于渭。汉书地理志：左冯翊有沈阳县，王莽更之曰制昌也。盖藉水以取称矣。渭水又东，敷水注之，水南出石山之敷谷，北迳告平城东，耆旧所传，言武王伐纣，告太平于此，故城得厥名，非所详也。敷水又北迳集灵宫西，地理志曰：华阴县有集灵宫，武帝起，故张昶华岳碑称，汉武慕其灵，筑宫在其后。而北流注于渭。渭水又东，粮馀水注之，水南出粮馀山之阴，北流入于渭，俗谓之宣水也。渭水又东合黄酸之水，世名之为千渠水，水南出升山，北流注于渭。渭水又东迳平舒城北，城侧枕渭滨，半破沦水，南面通衢。昔秦始皇之将亡也，江神素车白马，道华山下，返璧于华阴平舒道曰：为遗镐池君。使者致之，乃二十八年渡江所沉璧也。即江神返璧处也。渭水之阳即怀德县界也。城在渭水之北，沙苑之南，即怀德县故城也。世谓之高阳城，非矣。地理志曰：禹贡北条荆山在南，山下有荆渠，即夏后铸九鼎处也。王莽更县曰德驩。渭水又东迳长城北，长涧水注之，水南出太华之山，侧长城东而北流，注于渭水。史记：秦孝公元年，楚、魏与秦接界，魏筑长城，自郑滨洛者也。

又东过华阴县北，

洛水入焉，阚骃以为漆沮之水也。曹瞒传曰：操与马超隔渭水，每渡渭，辄为超骑所冲突，地多沙，不可筑城，娄子伯说，今寒可起沙为城，以水灌之，一宿而成。操乃多作缣囊以堙水，夜汲作城，比明城立于是水之次也。渭水迳县故城北，春秋之阴晋也，秦惠文王五年，改曰宁秦，汉高帝八年，更名华阴，王莽之华坛也。县有华山〔三四〕。山海经曰：其高五千仞，削成而四方，远而望之，又若华状，西南有小华山也。韩子曰：秦昭王令工施钩梯上华山，以节柏之心为博，箭长八尺，棋长八寸，而勒之曰：昭王尝与天神博于是。神仙传曰：中山卫叔卿尝乘云车，驾白鹿，见汉武帝。帝将臣之，叔卿不言而去，武帝悔，求得其子度世，令追其父，度世登华山，见父与数人博于石上，敕度世令还。山层云秀，故能怀灵抱异耳。山上有二泉，东西分流，至若山雨滂湃，洪津泛洒，挂溜腾虚，直泻山下。有汉文帝庙，庙有石阙数碑，一碑是建安中立，汉镇远将军段煨更修祠堂，碑文汉给事黄门侍郎张昶造，昶自书之。文帝又刊其二十馀字，二书存，垂名海内。又刊侍中司隶校尉锺繇、弘农太守毌丘俭姓名，广六行，郁然修平。是太康八年，弘农太守河东卫叔始为华阴令，河东裴仲恂役其逸力，修立坛庙，夹道树柏，迄于山阴，事见永兴元年华百石所造碑。渭水又东，沙渠水注之。水出南山北流，西北入长城，城自华山北达于河。华岳铭曰：秦、晋争其祠，立城建其左者也。郭著述征记指证魏之立长城，长城在后，不得在斯，斯为非矣。渠水又北注于渭。三秦记曰：长城北有平原，广数百里，民井汲巢居，井深五十尺。渭水又东迳定城北，西征记曰：城因原立。述征记曰：定城去潼关三十里，夹道各一城。渭水又东，泥泉水注之，水出南山灵谷，而北流注于渭水也。渭水又东合沙渠水，水即符禺之水〔三五〕也，南出符石，又迳符禺之山〔三六〕，北流入于渭。

东入于河。

春秋之渭汭也。左传闵公二年，虢公败犬戎于渭队。服虔曰：队谓汭也。杜预曰：水之隈曲曰汭。王肃云：汭，入也。吕忱云：汭者，水相入也。水会，即船司空所在矣。地理志曰：渭水东至船司空入河。服虔曰：县名，都官〔三七〕。三辅黄图有船库官，后改为县。王莽之船利者也。

〔一〕注疏本作“渭水下”。疏:“全‘下’作‘二’,戴删‘下’字。”

〔二〕蒙茏渠　黄本、注笺本、项本、张本、玉海卷二十一地理河渠汉灵轵源引水经注、名胜志陕西卷六凤翔府郿县引水经注均作“蒙茏源”。

〔三〕成林渠　名胜志陕西卷六凤翔府郿县引水经注作“成林源”。

〔四〕灵轵渠　黄本、注笺本、项本、沈本、张本、玉海卷二十一地理河渠汉灵轵源引水经注均作“灵轵源”。

〔五〕漏水　注笺本、项本、五校钞本、七校本、注释本、张本均作“涌水”。

〔六〕清吴焘游蜀日记引水经注云:“赤水即竹水,一名箭谷水。”当是此段下佚文。

〔七〕寰宇记卷二十六关西道二雍州二鄠县引水经注云:“亭在甘水之东。”又云:“扈水上承扈阳池。”当是此段下佚文。

〔八〕美陂水　注笺本、项本、注释本、张本、雍正陕西通志卷八山川一大川考渭水引水经注均作“渼陂水”。

〔九〕全、赵无自“丰水出丰溪”至“又北至石墩注于渭”五十五字,而移此于补丰水篇中。注疏本亦无,疏:“戴地说上增‘丰水出丰溪,西北流,分为二水,一水东北流为枝津,一水西北流,又北,交水自东入焉,又北,昆明池水注之,又北迳灵台西,又北至石墩,注于渭’五十五字。守敬按:除‘为枝津一水西北流’八字外,其馀四十七字引见长安志,当是丰水篇逸文,缘长安志引水经注此处逸文凡四条,知别有丰水篇也。戴氏依长安志增补丰水出丰溪云云四十七字,又见其脉络不贯,增‘为枝津’云云八字,不知此处无脱文，全、赵载入补丰水篇是也。”

〔一〇〕鄗水　残宋本、黄本、吴本、注笺本、谭本、项本、沈本、五校钞本、七校本、注释本、张本、疏证本、御览卷六十二地部二十七镐引水经注、通鉴卷十七汉纪九武帝建元三年“故酆、镐之间号为土膏”胡注引水经注、通鉴地理通释卷四“武王徙都镐”注引水经注、雍录卷一镐引水经注、名胜志陕西卷二西安府属县咸阳县引水经注、春秋地名考略卷一周“作都于酆”引水经注、雍正陕西通志卷九山川上西安府咸阳县渭水引水经注均作“镐水”，史记卷六本纪六秦始皇本纪“有人持璧遮使者曰为吾遗滈池君”正义引水经注、诗地理考卷三雅镐京引水经注、辛卯侍行记卷三“五里泗池铺”注引水经注、秦蜀驿程记引水经注均作“滈水”。

〔一一〕鄗池　大典本、吴本、何校明钞本、项本、张本、疏证本、雍录卷一镐引水经注、通鉴地理通释卷四“武王徙都镐”注引水经注、名胜志陕西卷二西安府属县咸阳县引水经注、春秋地名考略卷一周“作都于酆”引水经注均作“镐池”，史记卷六秦始皇本纪“有人持璧遮使者曰为吾遗滈池君”正义引水经注、诗地理考卷三雅镐京引水经注、关东水道记卷三丰水引水经注均作“滈池”。

〔一二〕鄗京　残宋本、大典本、何校明钞本、王校明钞本、疏证本均作“镐京”。

〔一三〕注疏本熊会贞疏：“会贞按：白起传，起善用兵，所谓秦战胜攻取者七十馀城。南定鄢、郢、汉中，北禽赵括之军，虽周、召、吕望之功不益于此矣。郦氏议其不仁，指长平坑赵卒四十万事。尹商无考。尹与召、商与周，并形近，疑本作周召，传钞误为商尹，而又倒置也。”

〔一四〕沉水　大典本、黄本、吴本、注笺本、谭本、项本、沈本、五校钞本、七校本、注释本、张本、雍正陕西通志卷八山川一大川考渭水引水经注、秦蜀驿程记引水经注均作“沈水”。

〔一五〕殿本在此下案云：“案此下有脱文。”注疏本疏：“朱笺曰：谢云，疑有脱误。”

〔一六〕注疏本此下有“又曰光门”四字。疏：“戴删此四字，守敬按：御览引有此四字，玉海同。”

〔一七〕手稿海外读书笔记（第一集上册，署名藏晖）（一）长安横门汉人叫做光门：

戴东原与王凤喈书，因孔传“光，充也”一条，“欲就一字见考古之难”，因大胆的推想尧典“光被四表”古本必有作“横被四表”者。

我在二十三年前（民国九年）曾引此例作我的清代学者治学方法一篇最后的一个例子，说这个故事最可代表清代学者做学的真精神。

东原在乾隆乙亥（一七五五），提出尧典古本必有作“横被四表”者的大胆假设。此后几年中共得着六个证据：

（一）后汉书冯异传有“横被四表，昭假上下”。

（二）班固西都赋有“横被六合”。

（三）王莽传“昔唐尧横被四表”。

（四）王褒圣主得贤颂“化溢四表，横被无穷”。

（五）淮南原道“横四维而含阴阳”。高诱注“‘横’读‘桄车’之‘桄’”。

（六）李善注魏都赋引东京赋“惠风广被”。

这里是“大胆的假设,小心的求证”的最好例子。

今天我读水经注(聚珍版本),看见卷十九渭水注文中记长安的十二门,有:

> 北出西头第一门,本名横门,王莽更名霸都门左幽亭。如淳曰:音光,故曰光门。

又汉书西域传鄯善国传云:

> 乃立尉屠耆为王,更名其国(楼兰)为鄯善。为刻印章,赐以宫女为夫人。备车骑辎重。丞相将军率百官送至横门外。

注引孟康曰:“横音光。”

这不但给“横被四表”说添一证,并且可以改正东原解释此字的错误。东原的解释是:

> 横转写为桄,脱写为光。追原古初,当读“古旷反”(孙愐唐韵)。……而释文于尧典无音切,殊少精核。

东原错在推想“横”变为“光”,是先由“横”“桄”的声同,后由“桄”“光”的写脱。今看横门,汉人叫做光门,可见“横”“光”本同音,故或作“横被四表”,或作“光被四表”,与横门叫做光门,又写做光门,同是一个道理。其时四声的分别还没有严格,故光、横、广、桄,皆可说是同音之字。三十二、十一、十八下午。(按“三十二”指一九四三年。)

陈桥驿胡适研究水经注的贡献(水经注研究四集):

胡适的郦学研究,在考据和校勘等方面也取得了不少出色的成绩。尽管他的若干论断,后来被证明是诬断,但令人信服的见解也是很多的。例如手稿第一集上册所收胡适于一九四三年撰于海外的长安横门汉人叫做光门一文，从卷十九渭水注的“北出西头第一门，本名横门，王莽更名霸都门左幽亭。如淳曰：音光，故曰光门”一段文字，盛赞戴震与王凤喈书中，推断尧典的“光被四表”，古书必有作“横被四表”的。同时也指出戴震在解释此字上有错误。戴震说：“横转写为桄，脱写为光。”胡适说：“今看横门，汉人叫做光门，可知‘横’‘光’本同音，故或作‘横被四表’，或作‘光被四表’，与横门叫做光门，又写做光门，同是一个道理。”在这个例子中，胡适的考证显然是正确的，他比戴震更前进了一步。

〔一八〕铜谷水　大典本、黄本、注笺本、项本、沈本、张本、名胜志陕西卷二西安府属县蓝田县引水经注均作“铜公水”。宋敏求熙宁长安志卷十六县六蓝田铜谷水引水经注云“其水右合东川水，水出南山之石门谷”句中，“石门谷”三字，当为此句下佚文。

〔一九〕辋谷水　残宋本、大典本、黄本、注笺本、谭本、项本、沈本、张本、关中水道记卷三霸水引水经注均作“轻谷水”。

〔二〇〕埿水　大典本、黄本、吴本、注笺本、何校明钞本、项本、沈本、张本、名胜志陕西卷二西安府属县蓝田县引水经注、雍正陕西通志卷八山川一大川考渭水引水经注均作“渥水”。

〔二一〕青埿军　大典本、黄本、吴本、注笺本、何校明钞本、项本、沈本、张本均作“青渥军”。

〔二二〕青埿城　大典本、黄本、吴本、注笺本、何校明钞本、项本、沈本、张本均作“青渥城”。

〔二三〕丽山　史记卷六秦始皇本纪“二年冬，陈涉所遣周章等将西至戏”正义引水经注、御览卷六十五地部三十戏水引水经注、寰宇记卷二十七关西道三雍州三昭应县引水经注、熙宁长安志卷十五县五临潼骊山引水经注、乾隆同州府志卷二山川华州马岭山引水经注均作“骊山”。

〔二四〕渊鉴类函卷三十九地部渭三合流引水经注云:“渭与泾合流三百里,清浊不相杂。”当是此句下佚文。

〔二五〕宋敏求熙宁长安志卷十六县六蓝田刘谷水引水经注云:“刘谷水出蓝田山之东谷,俗谓之刘谷,西北与石门水合。”当是此段下佚文。

〔二六〕王国维宋刊水经注残本跋(原载民国十四年六月清华学报第一期,收入于观堂集林第十二卷史林四):

卷十九渭水注:“东去新丰既近,何恶项伯夜与张良共见高祖乎?”诸本“近”作“远”,“恶”作“由”,乃与郦氏论旨相反。案本注云:“渭水又东迳鸿门北,旧大道北下坂口名也。古有鸿宁(中略,‘宁’当作‘亭’)。郡国志曰:新丰县东有鸿门亭者也。郭缘生(下夺‘述征记曰’四字),或云霸城南门曰鸿门也。项羽将因会高祖,危高祖。羽仁而弗断,范增谋而不纳,项伯终护高祖以获免,既抵霸上遂封汉王。案汉书注,鸿门在新丰东十七里,则霸上应百里。案史记,项伯夜驰告张良,良与俱见高祖,仍便夜返,考其道里,不容得尔。今父老传在霸城南门(下当夺‘相去’二字)数十里,于理为得(以上郭缘生说)。案缘生此记,述行途径见,可谓学而不思矣。今新丰县故城东三里,有长阪二里馀,堑原通道,南北洞开,有同门汰(当作‘状’),谓之鸿门。孟康言在新丰东十七里,无之,盖指县治而言,非谓城也。自新丰故城西至霸城五十里,霸城西十里则霸水，西二十里则长安城。应劭曰：霸，水上地名，在长安东二十里，即霸城是也。高祖旧停军处，东去新丰既近，何恶项伯夜与张良共见高祖乎？推此言之，知缘生此说乖矣”云云。案郭、郦二氏相歧之点，郭氏谓如孟康汉书注，则鸿门距霸上百里，项伯无由夜见张良，仍以夜返，故主霸城南门为鸿门之说。郦氏谓新丰故城距霸上（郦增霸城）仅五十里，不碍一夕中往返，故主城东三里坂口为鸿门之说。若如今本，则郦说殆不可通矣。又郦氏谓新丰故城西至霸城五十里，如孟康说鸿门在新丰东十七里，则西至霸上亦不足七十里，何以缘生有百里之说，盖缘生以孟康时新丰县治起算，非以汉新丰故城起算。太平寰宇记，汉灵帝末，移安定郡阴槃县寄理新丰故城，其新丰县又移理于故城东三十里零水侧，则孟康时，新丰县治西去霸城八十里，鸿门又在其东十七里，则近百里矣。故既言新丰故城东十七里无鸿门，而又引申之曰，盖指县治而言，非谓城也。如此则郦氏此注始可读。然非宋本“近”“恶”二字不讹，何由知郦氏之论旨乎？诸本中，惟大典本、明钞本与宋本同。戴氏虽见大典本而亦从讹本，盖未深思郦氏之说也。

〔二七〕肺浮山　五校钞本、七校本、寰宇记卷二十七关西道三雍州二昭应县引水经注、熙宁长安志卷十五县五临潼县引水经注、秦蜀驿程记引水经注均作“浮肺山”。

〔二八〕酋水　注笺本、项本、五校钞本、七校本、注释本、张本、注疏本、方舆纪要卷五十三陕西二西安府渭南县湭水引水经注均作“首水”。

〔二九〕十四年　注疏本作“十二年”。疏：“戴改作十四年，守敬按:十六国春秋在十二年正月。”

〔三〇〕石脆之山　山海经西山经“曰石脃之山”毕沅注引水经注、山海经笺疏卷二西山经“又西六十里曰石脆之山”郝懿行笺引水经注均作“石脆之山”。

〔三一〕禺水　注笺本、项本、张本、寰宇记卷二十九关西道五华州郑县引水经注、山海经广注卷二西山经“禺水出焉”吴任臣注引水经注均作“愚水”。

〔三二〕十年　注疏本作“十一年”。疏:“朱无‘一’字,全、赵、戴同。会贞按:秦本纪,武公十一年,初县郑。此脱‘一’字,今增。”

〔三三〕寰宇记卷二十九关西道五华州郑县引水经注云:“沈水北迳沈城之西。”当是此段下佚文。

〔三四〕方舆纪要卷五十二陕西一泰华引水经注云:“华岳有三峰,直上数千仞,基广而峰峻叠秀,迄于岭表,有如削成。”当是此句下佚文。

〔三五〕符禺之水　残宋本、注笺本、项本、五校钞本、七校本、张本均作“符愚之水”。

〔三六〕符禺之山　注笺本、项本、五校钞本、七校本、山海经广注卷二西山经“又西八十里曰符愚之山”吴任臣注引水经注作“符愚之山”。

〔三七〕都官　注疏本疏:“全云:二字疑有讹误。守敬按:何焯曰:百官表都司空注,如淳云,律,司空主水及罪人。船既司空所主,兼有罚作船之徒役,皆在此县也。然则‘都官’二字,当作有都司空官。”

水经注卷二十

漾水　丹水

漾水出陇西氐道县嶓冢山，东至武都沮县为汉水。

常璩华阳国志曰：汉水有二源，东源出武都氐道县漾山为漾水，禹贡导漾东流为汉是也；西源出陇西西县嶓冢山，会白水迳葭萌入汉。始源曰沔。按沔水出东狼谷，迳沮县入汉。汉中记曰：嶓冢以东，水皆东流；嶓冢以西，水皆西流。即其地势源流所归，故俗以嶓冢为分水岭。即此推沔水无西入之理。刘澄之云：有水从阿阳县〔一〕南至梓潼、汉寿入大穴，暗通冈山。郭景纯亦言是矣。冈山穴小，本不容水，水成大泽而流与汉合。庾仲雍又言：汉水自武遂川南入蔓葛谷，越野牛迳至关城〔二〕，合西汉水。故诸言汉者，多言西汉水至葭萌入汉。又曰：始源曰沔。是以经云：漾水出氐道县，东至沮县为汉水，东南至广魏白水。诊其沿注，似与三说相符，而未极西汉之源矣。然东、西两川，俱受沔、汉之名者，义或在兹矣。班固地理志，司马彪、袁山松郡国志，并言汉有二源，东出氐道，西出西县之嶓冢山。阚骃云：汉或为漾，漾水出昆仑西北隅，至氐道重源显发而为漾水。又言，陇西西县，嶓冢山在西，西汉水所出，南入广魏白水。又云：漾水出豲道，东至武都入汉。许慎、吕忱并言：漾水出陇西豲道，东至武都为汉水。不言氐道，然豲道在冀之西北，又隔诸川，无水南入，疑出豲道之为谬矣。又云：汉，漾也，东为沧浪水。山海经曰：嶓冢之山，汉水出焉，而东南流注于江。然东、西两川，俱出嶓冢而同为汉水者也。孔安国曰：泉始出为漾，其犹蒙耳。而常璩专为漾山、漾水，当是作者附而为山水之殊目矣。余按山海经，漾水出昆仑西北隅，而南流注于醜塗之水〔三〕。穆天子传曰：天子自舂山西征，至于赤乌氏，己卯，北征；庚辰，济于洋水；辛巳，入于曹奴。曹奴人戏，觞天子于洋水之上，乃献良马九百，牛羊七千，天子使逢固受之；天子乃赐之黄金之鹿，戏乃膜拜而受。余以太和中从高祖北巡，狄人犹有此献。虽古今世殊，而所贡不异，然川流隐伏，卒难详照，地理潜閟，变通无方，复不可全言阚氏之非也。虽津流派别，枝渠势悬，原始要终，潜流或一，故俱受汉、漾之名，纳方土之称，是其有汉川、汉阳、广汉、汉寿之号，或因其始，或据其终，纵异名互见，犹为汉、漾矣。川共目殊，或亦在斯。今西县嶓冢山，西汉水所导也，然微涓细注，若通幂历，津注而已。西流与马池水合，水出上邽西南六十馀里，谓之龙渊水，言神马出水，事同余吾〔四〕、来渊之异，故因名焉。开山图曰：陇西神马山有渊池，龙马所生。即是水也。其水西流谓之马池川，又西流入西汉水。西汉水又西南流，左得兰渠溪水，次西有山黎谷水，次西有铁谷水，次西有石耽谷水〔五〕，次西有南谷水，并出南山，扬湍北注。右得高望谷水，次西得西溪水，次西得黄花谷水，咸出北山，飞波南入。西汉水又西南，资水注之，水北出资川，导源四壑，南至资峡，总为一水，出峡西南流，注西汉水。西汉水又西南得峡石水口，水出苑亭、西草、黑谷三溪，西南至峡石口，合为一渎〔六〕。东南流，屈而南注西汉水。西汉水又西南合杨廉川水，水出西谷，众川泻流，合成一川，东南流迳西县故城北。秦庄公伐西戎，破之。周宣王与其先大骆犬丘之地，为西垂大夫，亦西垂宫也。王莽之西治矣。建武八年，世祖至阿阳，窦融等悉会，天水震动。隗嚣将妻子奔西城从杨广，广死，嚣愁穷城守。时颍川贼起，车驾东归，留吴汉、岑彭围嚣。岑等壅西谷水，以缣幔盛土为堤灌城，城未没丈馀，水穿壅不行，地中数丈涌出，故城不坏。王元请蜀救至，汉等退还上邽。但廣、廉字相状，后人因以人名名之，故习讹为杨廉也，置杨廉县焉。又东南流，右会茅川水，水出西南戎溪，东北流迳戎丘城南，吴汉之围西城，王捷登城向汉军曰：为隗王城守者皆必死无二心，愿诸将亟罢，请自杀以明之，遂刎颈而死。又东北流注西谷水，乱流东南入于西汉水。西汉水又西南迳始昌峡，晋书地道记曰：天水，始昌县故城西也，亦曰清崖峡。西汉水又西南迳宕备戍〔七〕南，左则宕备水〔八〕自东南、西北注之，右则盐官水南入焉。水北有盐官，在嶓冢西五十许里，相承营煮不辍，味与海盐同。故地理志云：西县有盐官是也。其水东南迳宕备戍西，东南入汉水。汉水又西南合左谷水，水出南山穷溪，北注汉水。又西南，兰皋水〔九〕出西北五交谷，东南历祁山军，东南入汉水。汉水又西南迳祁山军南，鸡水南出鸡谷，北迳水南县，西北流注于汉。汉水又西，建安川水入焉。其水导源建威西北山白石戍东南，二源合注，东迳建威城南，又东与兰坑水会，水出西南近溪，东北迳兰坑城西，东北流注建安水。建安水又东迳兰坑城北、建安城南，其地，故西县之历城也。杨定自陇右徙治历城，即此处也。去仇池百二十里，后改为建安城。其水又东合错水，水出错水戍东南，而东北入建安水。建安水又东北，有雉尾谷水；又东北，有太谷水；又北，有小祁山水。并出东溪，扬波西注。又北，左会胡谷水，水西出胡谷，东迳金盘、历城二军北，军在水南层山上，其水又东注建安水。建安水又东北迳塞峡，元嘉十九年，宋太祖遣龙骧将军裴方明伐杨难当，难当将妻子北奔，安西参军鲁尚期追出塞峡，即是峡矣。左山侧有石穴洞，人言潜通下辨，所未详也。其水出峡，西北流注汉水。汉水北，连山秀举，罗峰竞峙。祁山在嶓冢之西七十许里，山上有城，极为岩固〔一〇〕。昔诸葛亮攻祁山，即斯城也。汉水迳其南，城南三里有亮故垒，垒之左右犹丰茂宿草，盖亮所植也，在上邽西南二百四十里。开山图曰：汉阳西南有祁山，蹊径逶迆，山高岩险，九州之名阻，天下之奇峻。今此山于众阜之中，亦非为杰矣。汉水又西南与甲谷水〔一一〕合，水出西南甲谷，东北流注汉水。汉水又西迳南岈、北岈中，上下有二城相对，左右坟垅低昂，亘山被阜。古谚云：南岈、北岈，万有馀家。诸葛亮表言：祁山去沮县五百里，有民万户。瞩其丘墟，信为殷矣。汉水西南迳武植戍南。武植戍水发北山，二源奇发，合于安民戍南，又南迳武植戍西，而西南流，注于汉水。汉水又西南迳平夷戍南，又西南，夷水注之。水出北山，南迳其戍西，南入汉水。汉水又西迳兰仓城南，又南，右会两溪，俱出西山，东流注于汉水。张华博物志云：温水出鸟鼠山，下注汉水。疑是此水，而非所详也。汉水又南入嘉陵道而为嘉陵水，世俗名之为阶陵水〔一二〕，非也。汉水又东南得北谷水，又东南，得武街水〔一三〕，又东南得仓谷水。右三水，并出西溪，东流注汉水。汉水又东南迳瞿堆西，又屈迳瞿堆南，绝壁峭峙，孤险云高，望之形若覆唾壶。高二十馀里，羊肠蟠道三十六回，开山图谓之仇夷，所谓积石嵯峨，嵚岑隐阿者也。上有平田百顷，煮土成盐，因以"百顷"为号。山上丰水泉，所谓清泉涌沸，润气上流者也，汉武帝元鼎六年，开以为武都郡，天池大泽在西，故以都为目矣。王莽更名乐平郡，县曰循虏。常璩、范晔云，郡居河池，一名仇池，池方百顷，即指此也。左右悉白马氐矣。汉献帝建安中，有天水氐杨腾者，世居陇右，为氐大帅，子驹，勇健多计，徙居仇池，魏拜为百顷氐王。汉水又东合洛谷水，水有二源，同注一壑，迳神蛇戍西，左右山溪多五色蛇，性驯良，不为物毒。洛谷水又南迳虎馗戍东，又南迳仇池郡西、瞿堆东，西南入汉水。汉水又东合洛溪水〔一四〕，水北发洛谷，南迳威武戍南，又西南与龙门水合，水出西北龙门谷，东流与横水会，东北穷溪，即水源也。又南迳龙门戍东，又东南入洛溪水。又东南迳上禄县故城西，修源浚导，迳引北溪，南总两川，单流纳汉。汉水又东南迳浊水城南，又东南会平乐水。水出武街〔一五〕东北四十五里，更驰〔一六〕。南溪〔一七〕导源东北流，山侧有甘泉涌波，飞清下注平乐水。又迳甘泉戍南，又东迳平乐戍南，又东入汉，谓之会口。汉水东南迳脩城道南，与脩水合，水总二源，东北合汉。汉水又东南于槃头郡南与浊水合，水出浊城北，东流，与丁令溪水会，其水北出丁令谷，南迳武街城西，东南入浊水。浊水又东迳武街城南，故下辨县治也。李玱、李稚以氐王杨难敌妻死葬阴平，袭武街，为氐所杀于此矣。今广业郡治〔一八〕。浊水又东，宏休水注之，水出北溪，南迳武街城东，而南流注于浊水。浊水又东迳白石县南，续汉书曰：虞诩为武都太守，下辨东三十馀里有峡，峡中白水生大石，障塞水流，春夏辄濆溢，败坏城郭，诩使烧石，以醯灌之，石皆碎裂，因镌去焉，遂无泛溢之害。浊水即白水之异名也。浊水又东南，埿阳水〔一九〕北出埿谷〔二〇〕，南迳白石县东，而南入浊水。浊水又东南与仇鸠水合，水发鸠溪，南迳河池县故城西，王莽之乐平亭也。其水西南流注浊水。浊水又东南与河池水合，水出河池北谷，南迳河池戍东，西南入浊水。浊水又东南，两当水注之，水出陈仓县之大散岭〔二一〕，西南流入故道川，谓之故道水〔二二〕。西南迳故道城东，魏征仇池，筑以置戍，与马鞍山水合，水东出马鞍山，历谷西流，至故道城东，西入故道水。西南流，北川水注之，水出北洛檷山南，南流迳唐仓城下，南至困冢川，入故道水。故道水又西南历广香交，合广香川水，水出南田县利乔山，南流至广香川，谓之广香川水，又南注故道水，谓之广香交。故道水又西南入秦冈山，尚婆水注之，山高入云，远望增状，若岭纡曦轩，峰枉月驾矣。悬崖之侧，列壁之上，有神象，若图指状妇人之容，其形上赤下白，世名之曰圣女神，至于福应愆违，方俗是祈。水源北出利乔山，南迳尚婆川，谓之尚婆水。历两当县之尚婆城南，魏故道郡治也。西南至秦冈山，入故道水。故道水又右会黄卢山水,水出西北天水郡黄卢山腹,历谷南流,交注故道水。故道水南入东益州之广业郡界,与沮水枝津合,谓之两当溪水,上承武都沮县之沮水渎,西南流,注于两当溪。虞诩为郡,漕谷布在沮,从沮县至下辨,山道险绝,水中多石,舟车不通,驴马负运,僦五致一。诩乃于沮受僦直,约自致之,即将吏民按行,皆烧石櫍木,开漕船道,水运通利,岁省万计,以其僦廪与吏士,年四十馀万也。又西南注于浊水。浊水南迳槃头郡东,而南合凤溪水,水上承浊水于广业郡,南迳凤溪,中有二石双高,其形若阙,汉世有凤凰止焉,故谓之凤凰台。北去郡三里,水出台下,东南流,左注浊水。浊水又南注汉水。汉水又东南历汉曲,迳挟崖与挟崖水合,水西出担潭交,东流入汉水。汉水又东迳武兴城南,又东南与北谷水合,水出武兴东北,而西南迳武兴城北,谓之北谷水。南转迳其城东,而南与一水合,水出东溪,西流注北谷水,又南流注汉水。汉水又西南迳关城北,除水出西北除溪,东南流入于汉。汉水又西南迳通谷,通谷水出东北通溪,上承漾水,西南流为西汉水。汉水又西南,寒水注之,水东出寒川,西流入汉。汉水又西迳石亭戍,广平水西出百顷川,东南流注汉,又有平阿水出东山,西流注汉水。汉水又迳晋寿城西,而南合汉寿水,水源出东山,西迳东晋寿故城南,而西南入于汉水也。

又东南至广魏白水县西,又东南至葭萌县,东北与羌水合。

白水西北出于临洮县西南西倾山,水色白浊,东南流与黑水合,水出羌中,西南迳黑水城西,又西南入白水。白水又东迳洛和城南，洛和水西南出和溪，东北流迳南黑水城西，而北注白水。白水又东南迳邓至城南，又东南与大夷祝水合，水出夷祝城西南穷溪，北注夷水。又东北合羊洪水，水出东南羊溪，西北迳夷祝城东，又西北流，屈而东北注于夷水，夷水又东北入白水。白水又东与安昌水会，水源发卫大西溪，东南迳邓至、安昌郡南，又东南合无累水，无累水出东北近溪，西南入安昌水，安昌水又东南入白水。白水又东南入阴平，得东维水，水出西北维谷，东南迳维城西，东南入白水。白水又东南迳阴平道故城南，王莽更名摧虏矣，即广汉之北部也。广汉属国都尉治，汉安帝永初三年，分广汉蛮夷置。又有白马水，出长松县西南白马溪，东北迳长松县北，而东北注白水。白水又东迳阴平大城北，盖其渠帅自故城徙居也。白水又东，偃溪水出西南偃溪，东北流迳偃城西，而东北流入白水。白水又东迳偃城北，又东北迳桥头，昔姜维之将还蜀也，雍州刺史诸葛绪邀之于此，后期不及，故维得保剑阁而锺会不能入也。白水又与羌水合，自下羌水又得其通称矣。白水又东迳郭公城南，昔郭淮之攻廖化于阴平也，筑之，故因名焉。白水又东，雍川水出西南雍溪。东北注白水。白水又东合空泠水，傍溪西南穷谷，即川源也。白水又东南与南五部水会，水有二源：西源出五部溪，东南流；东源出郎谷，西南合注白水。白水又东南迳建昌郡东，而北与一水合，二源同注，共成一溪，西南流入于白水。白水又东南迳白水县故城东，即白水郡治也。经云：汉水出其西，非也。白水又东南与西谷水相得，水出西溪，东流迳白水城南，东南入白水。白水又南，左会东流水，东入极溪，便即水源也。白水又南迳武兴城东，又东南，左得刺稽水口，溪东北出，便水源矣。白水又东南，清水左注之，庾仲雍曰：清水自祁山来合白水。斯为孟浪也。水出于平武郡东北瞩累亘下，南迳平武城东，屈迳其城南，又西历平洛郡东南，屈而南，迳南阳侨郡东北，又东南迳新巴县东北，又东南迳始平侨郡南，又东南迳小剑戍北，西去大剑三十里，连山绝险，飞阁通衢，故谓之剑阁也。张载铭曰：一人守险，万夫趑趄。信然。故李特至剑阁而叹曰：刘氏有如此地而面缚于人，岂不奴才也。小剑水西南出剑谷，东北流迳其戍下入清水，清水又东南注白水。白水又东南于吐费城南，即西晋寿之东北也，东南流注汉水。西晋寿，即蜀王弟葭萌所封为苴侯邑，故遂名城为葭萌矣。刘备改曰汉寿；太康中，又曰晋寿。水有津关〔二三〕。段元章善风角，弟子归，元章封筒药授之。曰：路有急难，开之。生到葭萌，从者与津吏诤，打伤。开筒得书言：其破头者，可以此药裹之。生乃叹服，还卒业焉。亦廉叔度抱父柩自沉处也。

又东南过巴郡阆中县，

巴西郡治也。刘璋之分三巴，此其一焉。阚骃曰：强水出阴平西北强山，一曰强川。姜维之还也，邓艾遣天水太守王颀败之于强川，即是水也。其水东北迳武都、阴平、梓潼、南安入汉水。汉水又东南迳津渠戍东，又南迳阆中县东，阆水出阆阳县，而东迳其县南，又东注汉水。昔刘璋之攻霍峻于葭萌也，自此水上。张达、范彊害张飞于此县。汉水又东南得东水口，水出巴岭，南历獠中，谓之东游水。李寿之时，獠自牂柯北入，所在诸郡，布满山谷。其水西南迳宋熙郡东，又东南迳始平城东，又东南迳巴西郡东，又东入汉水。汉水又东与潧溪水合，水出獠中，世亦谓之为清水也。东南流注汉水。汉水又东南迳宕渠县东，又东南合宕渠水。水西北出南郑县巴岭，与槃余水同源，派注南流，谓之北水，东南流与难江水合，水出东北小巴山，西南注之，又东南流迳宕渠县，谓之宕渠水，又东南入于汉。

又东南过江州县东，东南入于江。

涪水注之，庾仲雍所谓涪内水者也。

丹水出京兆上洛县西北冢岭山，

一名高猪岭〔二四〕也。丹水东南流与清池水合，水源东北出清池山，西南流入于丹水。

东南过其县南，

县，故属京兆，晋分为郡。地道记曰：郡在洛上，故以为名。竹书纪年：晋烈公三年，楚人伐我南鄙，至于上洛。楚水注之，水源出上洛县西南楚山，昔四皓隐于楚山，即此山也。其水两源合舍于四皓庙东，又东迳高车岭南，翼带众流，北转入丹水。岭上有四皓庙。丹水自仓野又东历菟和山，即春秋所谓左师军于菟和，右师军于仓野者也。

又东南过商县南，又东南至于丹水县，入于均。

契始封商，鲁连子曰：在太华之阳。皇甫谧、阚骃并以为上洛商县也。殷商之名，起于此矣。丹水自商县东南流注，历少习，出武关。应劭曰：秦之南关也，通南阳郡。春秋左传哀公四年，楚左司马使谓阴地之命大夫士蔑曰：晋、楚有盟，好恶同之，不然将通于少习以听命者也。京相璠曰：楚通上洛，陀道也。汉祖下析、郦，攻武关。文颖曰：武关在析县西百七十里，弘农界也。丹水又东南流入臼口,历其戍下,又东南,析水出析县西北弘农卢氏县大蒿山,南流迳脩阳县故城北,县,即析之北乡也。又东入析县,流结成潭,谓之龙渊,清深神异。耆旧传云:汉祖入关,迳观是潭,其下若有府舍焉。事既非恒,难以详矣。其水又东迳其县故城北,盖春秋之白羽也。左传昭公十八年,楚使王子胜迁许于析是也。郭仲产云:相承言,此城汉高所筑,非也,余按史记:楚襄王元年,秦出武关,斩众五万,取析十五城。汉祖入关,亦言下析、郦,非无城之言,修之则可矣。析水又历其县东,王莽更名县为君亭也。而南流入丹水县注于丹水。故丹水会均有析口之称。丹水又东南迳一故城南,名曰三户城。昔汉祖入关,王陵起兵丹水,以归汉祖,此城疑陵所筑也。丹水又迳丹水县故城西南,县有密阳乡,古商密之地,昔楚申息之师所戍也。春秋之三户矣。杜预曰:县北有三户亭。竹书纪年曰:壬寅,孙何侵楚,入三户郛者是也。水出丹鱼,先夏至十日,夜伺之,鱼浮水侧,赤光上照如火,网而取之,割其血以涂足,可以步行水上,长居渊中,丹水东南流至其县南,黄水北出芬山〔二五〕黄谷,南迳丹水县,南注丹水。黄水北有墨山,山石悉黑,缋彩奋发,黝焉若墨,故谓之墨山。今河南新安县有石墨山,斯其类也。丹水南有丹崖山,山悉赪壁霞举,若红云秀天,二岫更为殊观矣。丹水又南迳南乡县故城东北,汉建安中,割南阳右壤为南乡郡,逮晋封宣帝孙畅为顺阳王。因立为顺阳郡,而南乡为县。旧治酂城,永嘉中,丹水浸没,至永和中,徙治南乡故城。城南门外,旧有郡社柏树,大三十围,萧欣为郡,伐之。言有大蛇从树腹中坠下,大数围,长三丈，群小蛇数十，随入南山，声如风雨。伐树之前，见梦于欣，欣不以厝意，及伐之，更少日，果死。丹水又东迳南乡县北，兴宁末，太守王靡之改筑今城，城北半据在水中，左右夹涧深长，及春夏水涨，望若孤洲矣。城前有晋顺阳太守丁穆碑，郡民范甯立之。丹水迳流两县之间，历于中之北，所谓商於者也。故张仪说楚绝齐，许以商於之地六百里，谓以此矣。吕氏春秋曰：尧有丹水之战以服南蛮，即此水也。又南合均水，谓之析口。

〔一〕阿阳县　注疏本作“沔阳县”。疏：“朱笺曰：宋本作‘河阳’。赵改‘河’，云：汉书高帝纪，师古曰，阿阳，天水之县也，今流俗书本或作‘河阳’者，非也。章怀后汉书注亦云，然则写‘阿阳’为‘河阳’，其来旧矣。戴改‘阿阳’，以‘沔阳’为误。守敬按：作‘沔阳’是也。郦意谓嶓冢为分水岭，沔水无西入之理，转引刘说为东汉通西汉之证，即所谓‘潜水’也。惟从沔阳南至汉寿，正东汉通西汉之道。若阿阳县在今静宁州南，远在渭水之北，如谓有水流至汉寿，势必横截渭水而南，较之说文‘貆阳’误字，更为悠远，与东汉毫不相涉，与‘潜水’之意亦乖，其误显然。沔阳县详沔水篇。”

〔二〕关城　注笺本、项本、注释本、张本均作“开城”。

〔三〕醜塗之水　吴本、注笺本、何校明钞本、项本、张本、禹贡水道考异卷一南条水道考异“嶓冢导漾，南流为汉”引水经注、山海经笺疏卷二西山经“又西南流注于醜塗之水”郝懿行案引水经注均作“配塗之水”。

〔四〕余吾　黄本、沈本、注疏本均作“徐吾”，注释本作“涂吾”,注疏本疏:“朱笺曰:‘徐吾’当作‘余吾’。汉书,元狩二年,马生余吾水中。元鼎四年,马生渥洼水中。应劭注云,余吾在朔方。全、戴改‘余吾’。赵改‘涂吾’,云:按山海经北山经作‘塗吾’,与‘徐’字为近。守敬按:御览六十五寰宇记引此并作‘徐吾’。文选长杨赋注、史记匈奴传索隐引山海经,又作‘余吾’,集解徐广曰,‘余’,一作‘斜’,音邪。考诗鄘风,其虚其邪,郑笺,邪读如徐。易困卦,来徐徐,释文,王肃作余余,则徐、余音同错出,而涂盖徐之异文也。王先谦汉书补注匈奴传,匈奴闻公孙敖出,悉远其累重于余吾水北,则其水在匈奴北边,何关汉事而史纪之?地理志,上党郡有余吾县。水经浊漳水注,涑水出发鸠山,东迳余吾县故城北,又迳屯留县北入漳。所谓余吾水,即此水也。余吾,在今屯留县西。”

〔五〕石耽谷水　大典本、黄本、何校明钞本、沈本均作“石躭谷水”。

〔六〕札记殿本尚可再校:

戴震在殿本校上案语中虽说据大典本校,但其实大典本的优点他并未充分利用。卷二十漾水经“漾水出陇西氐道县嶓冢山,东至武都沮县为汉水”注中,殿本的注文作:

西汉水又西南得峡石水口,水出苑亭西草黑谷,三溪西南至峡石口,合为一渎。

这里,注文记载的西汉水的支流峡石水,此水发源于苑亭以西的草黑谷,上源有三条溪水,到峡石口合而为一。但是既然是源有三溪,难道三溪均发源于一个草黑谷之中?这当然值得怀疑。这一段注文在大典本作:

西汉水又西南得峡石水口,水出苑亭、白草、黑谷三溪，西南至峡石口，合为一渎。

按大典本，则峡石水由上源的苑亭、白草、黑谷三溪汇合而成，说得清楚明白，虽然实际上只有“白”与“西”一字之差，但由于此一字之差，句读也就随之而异，使文义绝不相同。而殿本在这一句上当然不及大典本。

〔七〕宕备戍　吴本、注笺本、项本、张本、注疏本均作“巖备戍”，注疏本疏：“笺曰：‘巖’，宋本作‘宕’。赵、戴改‘宕’，下同。会贞按：‘巖’，俗作‘岩’，‘宕’乃‘岩’之讹，与渭水注‘石巖水’作‘石宕水’一也。”

〔八〕宕备水　同上各本均作“巖备水”。

〔九〕兰皋水　大典本、王校明钞本、孙潜校本、何本均作“兰单水”，吴本、注笺本、何校明钞本、项本、张本均作“兰军水”，谭本引谢兆申云：“兰军”字误，宋本作“兰单”，而下文又有“兰坑”，疑作“兰坑”。

〔一〇〕岩固　注疏本作“严固”。疏：“朱讹作‘岩固’，戴、赵同。会贞按：通鉴注引此作‘险固’，盖以‘岩’字不可通，臆改之。明钞本作‘严固’，通释十一引同。又通典、寰宇记并作‘严固’，邢邵请置学立明堂奏，城隍严固之重，亦可为‘严固’之证。今订。”

〔一一〕甲谷水　注笺本、项本、摘钞本、张本均作“申谷水”，摘钞本马曰璐曰：“宋本作甲。”

〔一二〕阶陵水　黄本、吴本、注笺本、沈本、项本、张本均作“皆陵水”。

〔一三〕武街水　黄本、吴本、注笺本、项本、沈本、张本均作“城阶水”，孙潜校本、五校钞本、七校本、注释本均作“武阶水”。

〔一四〕洛溪水　黄本、注笺本、项本、注释本、张本均作“洛汉水”。

〔一五〕武街　注疏本作“武阶”。疏:“朱笺曰:宋本作‘水出武源’。埠按,下文数举‘武街’,知‘武阶’当作‘武街’,而宋本自误耳。十六国春秋亦作‘武街’。赵仍,戴改。守敬按:下武街城本下辨县治,在西汉北。平乐水在西汉南,水出武阶东北,则武阶更在平乐水之西南,此即地形志之武阶郡,羌水注称武阶者,是也。朱氏未加详考,故合武街、武阶为一,戴亦沿其误。今水曰谭家河,出阶州东北。”

〔一六〕更驰　注疏本杨守敬按:“‘更’,疑当作‘东’,‘驰’字断句,此以马之驰喻水之流也。柳宗元诗,‘天庭楼高文,万字若波驰’。秦观龙井记,浙江介于吴越之间,一昼一夜,涛头自海上者再,疾击而远驰,可证。又韩愈送廖道士序,衡之南八九十里,地益高,山益峻,水清而益驶。义亦同。”

〔一七〕南溪　注疏本杨守敬按:“此南溪乃别一水,在平乐水之右。”

〔一八〕殿本案:“案魏书地形志,槃头郡、广业郡皆属东益州,后凡数见,又云东益州之广业郡。朱谋埠于其下并云,宋本作‘广汉’,盖此书为宋人臆改者甚多,故宋本亦往往不足据证。”

札记宋本:

不少人有一种嗜古之癖,南宋时,江西袁州人赵希鹄写过一卷洞天清禄集,专辨古代器物,全书分成古琴辨、古砚辨、古钟鼎彝器辨等十门,在古画辨中说:“古画色黑或淡黑,则积尘所成,自有一种古香可爱。”这大概就是“古色古香”一语的来源,后来成为许多嗜古者的口头禅。

藏书家的嗜古癖，往往表现在对宋本的搜求。我不是说宋本不好，但是他们笔下的宋本，实在太神乎其神了。明张应文的清秘录说："藏书者贵宋刻，大都书写肥瘦有则，佳者绝有欧、柳笔法，纸质莹洁，墨色清纯，为可爱耳。"明高濂的遵生八笺说："宋人之书，纸坚刻软，字划如写，格用单边，间多讳字，用墨稀薄，虽着水湿，燥无湮迹，开卷一种书香，自生异味。"没有翻过宋本的人，读了他们的描述，就会下定决心，去见识一部宋本，否则真是毕生遗憾。

我生长在一个读平装书和精装书的时代，不要说宋本，生平翻阅过的线装书，要是与平装书、精装书相比，实在也是很少的。但由于家庭的关系，与我年龄相似的一辈人比较，我翻阅的线装书或许比一般人要多得多，而且也算看过几部宋本的。因为从小看到家里堆积如山的线装书，包括我祖父放在红木盒子里不肯轻易示人的几部宋本，和我叔伯一辈读过的用连史纸线装的共和国教科书。回想那时，家里真像一个线装书的书海。我祖父的藏书不少，可惜后来在抗日战争中毁于一旦。

每当我祖父向几位被他看得起的客人展示他装在红木盒子里的几部宋本时，我常常从旁参与欣赏，但是实在提不起我的兴趣。在祖父的藏书中，我最感兴趣的是一部石印巾箱本合校水经注，因为那曾是我幼年时代从我祖父那里获得故事的泉源。后来这部巾箱本就归了我。开始，我经常阅读，但是由于纸质单薄易破，我又舍不得。接着因为商务、世界各书局的铅印本出来了，我就买了铅印本，而把这石印巾箱本保藏起来,正是因为这部书离开了我祖父的书库,因此幸免于难。经过这四五十年中的许多灾难,奇迹般地一直保存到今天。这或许是我祖父的大量藏书中唯一一部留在人间的吧。

水经注当然也有宋本,明代的不少郦学家,都据宋本从事校勘。正德年代的柳佥(大中)影宋钞本,就是明代的名本。而朱谋㙔校勘水经注笺,也利用了宋本。但宋本到了清代就凤毛麟角,许多郦学家都以毕生未见宋本为憾事,杨守敬即是其例。据傅增湘宋刊残本水经注书后(图书季刊第二卷第二期或藏园群书题记初集卷三)云:

> 忆辛壬(案指辛亥、壬子,即宣统三年与民国元年之间)之交晤杨君惺吾于海上,时君方撰水经注疏,为言研治此书历四十年,穷搜各本以供参考,独以未睹宋本为毕生憾事。余语君曰:此书宋刻之绝迹于世固已久矣,设一旦宋刻出世,吾恐经注之混淆,文字之讹夺,仍不能免,未必遂优于黄、吴诸本也。洎余获此书,而君已久谢宾客,不能相与赏异析奇,一慰其生平之愿,思之怆然。

上述傅增湘获得的宋本是个残本,一共七册,只存卷五至八,十六至十九,三十四,三十八至四十共十二卷,其中首尾完整的只有十卷(卷五缺前二十六叶,卷十八仅存前五叶),今藏北京图书馆,我有幸阅读了此书的缩微胶卷,在显微阅读器上,整整阅读了四天。以后又在武汉湖北省图书馆阅读了此书的一种过录本。傅增湘与杨守敬谈话时的这种估计是不错的,从这部残籍的十卷来看,"经注之混淆,文字之讹夺,仍不能免"。当然不是说没有优点,但此书在满足人们嗜古的欲望方面,显然大大超过此书能提供校勘上的作用。

水经注从隋唐以来都是朝廷藏书,北宋景祐时缺佚五卷,民间传钞刊行的本子,都是景祐以后的本子,所以宋本除了可以嗜古以外,文字上并不可贵。对于这一点,戴震最清楚,他在殿本卷二十二洧水经“又东南至慎县东,南入于淮”注“盖颍水之会淮也”下案云:“朱氏以为据宋本,实前后舛谬。”在卷二十漾水经“漾水出陇西氐道县嶓冢山,东至武都沮县为汉水”注“今广业郡治”下的案语说得更明白,他说:“朱谋㙔于其下并云,宋本作广汉。盖此书为宋人臆改者甚多,故宋本亦往往不足据证。”其实,戴氏在其进四库馆以前所完成的水经注校本自序(见孔继涵编戴氏遗书)中早已指出:“王伯厚通鉴地理通释引水经四事,惟魏兴安阳一事属经文,馀三事咸郦注之讹为经者。”王伯厚(应麟)宋人,其所引的宋本,已经经注混淆了。所以全祖望在五校本题辞中也说:“今世得一宋椠,则校书者凭之,以为鸿宝。宋椠虽间有误,然终不至大错也。而独不可以论于水经,盖水经自初雕时,已不可问矣。”说明对于宋本水经的实际价值,著名的郦学家都是清楚的。

永乐大典本也是从景祐缺佚以后的宋本录出的,因为它同样没有滹沱水、(北)洛水、泾水等篇,所以同样并不是什么了不起的本子,戴震为了另外目的,大大地替它吹嘘了一番。后来大典本影印问世,大家都看到了,不过如此。其实,假使大典本真的可以作为圭臬,那末,戴震当年为什么不径以它作为底本,却要冒着后世责骂的风险而用赵一清的本子呢?

宋本当然不能一概而论,也有在今天的校勘上很有价值的。但宋本水经注却不是这样，现在的不少本子，如殿本、赵本、注疏本等，都远远超过了它。作为一种历史文物，它当然价值极高，但是从内容上说，它已经没有多大作用了。

〔一九〕涇阳水　黄本、吴本、注笺本、何校明钞本、王校明钞本、项本、沈本、张本、禹贡锥指卷十四上引水经注均作“涅阳水”。

〔二〇〕涇谷　同上各本均作“涅谷”。

〔二一〕御览卷一六七州郡部十三凤州引水经注云：“大散水流入黄花川，黄花县因水得名。”当是此句下佚文。

〔二二〕故道水　晏元献公类要卷六陕西路凤两当县引水经注作“固道水”。

〔二三〕通鉴卷一二二宋纪四文帝元嘉十一年“置戍于葭萌水”胡注引水经注云：“白水东南流至葭萌县北，因谓之葭萌水，水有津关，即所谓白水关也。”当是此句下佚文。

〔二四〕高猪岭　吴本、注笺本、项本、注释本、张本、注疏本、山海经广注卷一南山经“丹水出焉而南流注于勃海”吴任臣注引水经注均作“高猪山”。

〔二五〕芬山　吴本、注笺本、孙潜校本、项本、五校钞本、七校本、张本均作“北予山”，注释本作“北芬山”，注疏本作“予山”。疏：“朱笺曰：一作‘北予山’。赵云：按汉志，析县下云，黄水出黄谷，鞠水出析谷，俱东至郦入湍水。湍水经云，出郦县北芬山。黄水、鞠水同出北芬山。特异谷耳。笺说无据。戴乙‘出北’作‘北出’，而改‘予’作‘芬’。盖以赵说为据。全氏则驳赵说。会贞按：汉志所云黄水入湍，在均水之东，今犹名黄水河，此注下云黄水注丹，则在均水之西，今无此水，岂郦氏误系乎？”

水经注卷二十一

汝水

汝水出河南梁县勉乡西天息山，

地理志曰：出高陵山，即猛山也。亦言出南阳鲁阳县之大盂山〔一〕，又言出弘农卢氏县还归山〔二〕。博物志曰：汝出燕泉山。并异名也。余以永平中蒙除鲁阳太守，会上台下列山川图〔三〕，以方誌参差〔四〕，遂令寻其源流。此等既非学徒，难以取悉，既在迳见，不容不述。今汝水西出鲁阳县之大盂山蒙柏谷〔五〕，岩鄣深高，山岫邃密，石径崎岖，人迹裁交，西即卢氏界也。其水东北流迳太和城西，又东流迳其城北，左右深松列植，筠柏交荫〔六〕，尹公度之所栖神处也。又东届尧山西岭下，水流两分，一水东迳尧山南，为滍水也。即经所言滍水出尧山矣。一水东北出为汝水，历蒙柏谷〔七〕，左右岫壑争深，山阜竞高，夹水层松茂柏，倾山荫渚，故世人以名也。津流不已，北历长白沙口，狐白溪水注之，夹岸沙涨若雪，因以取名。其水南出狐白川，北流注汝水，汝水又东北趣狼皋山者也。

东南过其县北，

汝水自狼皋山东出峡，谓之汝阸也。东历麻解城北，故鄤乡城也，谓之蛮中。左传所谓单浮馀围蛮氏，蛮氏溃者也。杜预曰：城在河南新城县之东南，伊洛之戎陆浑蛮氏城也。俗以为麻解城，盖蛮、麻读声近故也。汝水又迳周平城南，京相璠曰：霍阳山在周平城东南者也。汝水又东与三屯谷水合，水出南山，北流迳石碣东，柱侧刊云：河南界。又有一碣题言：洛阳南界。碑柱相对，既无年月，竟不知何代所表也。其水又北流，注于汝水。汝水又东与广成泽水合，水出狼皋山北泽中，安帝永初元年，以广成游猎地假与贫民。元初二年，邓太后临朝，邓骘兄弟辅政，世士以为文德可兴，武功宜废，寝蒐狩之礼，息战阵之法。于时，马融以文武之道，圣贤不坠，五材之用，无或可废，作广成颂云：大汉之初基也，揆厥灵囿，营于南郊，右蠻三塗，左枕嵩岳，面据衡阴，背箕王屋，浸以波、溠，演以荥、洛，金山、石林，殷起乎其中，神泉侧出，丹水、涅池，怪石浮磬，燿焜于其陂。桓帝延熹元年，校猎广成，遂幸函谷关。其水自泽东南流，迳温泉南，与温泉水合。温水数源，扬波于川左泉上，华宇连荫，茨甍交拒，方塘石沼，错落其间，颐道者多归之。其水东南流注广成泽水，泽水又东南入于汝水。汝水又东得鲁公水口，水上承阳人城东鲁公陂。城，古梁之阳人聚也，秦灭东周，徙其君于此。陂水东南流，合于涧水，水出北山，南流注之，又乱流注于汝水。汝水之右，有霍阳聚，汝水迳其北，东合霍阳山水，水出南山，杜预曰：河南梁县有霍山者也。其水东北流迳霍阳聚东，世谓之华浮城，非也。春秋左传哀公四年，楚侵梁及霍。服虔曰：梁、霍，周南鄙也。建武二年，世祖遣征虏将军祭遵攻蛮中山贼张满,时,厌新、柏华馀贼合,攻得霍阳聚。即此。霍阳山水又迳梁城西,按春秋,周小邑也,于战国为南梁矣。故经云汝水迳其县北。俗谓之治城,非也,以北有注城故也,今置治城县,治霍阳山。水又东北流,注于汝水。汝水又左合三里水,水北出梁县西北,而东南流迳其县故城西,故㠯狐聚也。地理志云:秦灭西周徙其君于此,因乃县之。杜预曰:河南县西南有梁城,即是县也。水又东南迳注城南,司马彪曰:河南梁县有注城。史记:魏文侯三十二年,败秦于注者也。又与一水合,水发注城东坂下,东南流注三里水,三里水又乱流入于汝。汝水又东迳成安县故城北,按地理志,颍川郡有成安县,侯国也。史记建元以来功臣侯者年表曰:汉武帝元朔五年,校尉韩千秋击南越,死,封其子韩延年为成安侯,即此邑矣。世谓之白泉城,非也,俗谬耳。汝水又东为周公渡,藉承休之徽号,而有周公之嘉称也。汝水又东,黄水注之。水出梁山东南,迳周承休县故城东,为承休水。县,故子南国也。汉武帝元鼎四年,幸洛阳,巡省豫州,观于周室,邈而无祀,询问耆老。乃得孽子嘉,封为周子南君,以奉周祀。按汲冢古文,谓卫将军文子为子南弥牟,其后有子南劲。纪年:劲朝于魏,后惠成王如卫,命子南为侯。秦并六国,卫最后灭,疑嘉是卫后,故氏子南而称君也。初元五年,为周承休邑,地理志曰:侯国也,元帝置。元始二年,更曰郑公,王莽之嘉美也。故汝渡有周公之名,盖藉邑以纳称。世谓之黄城,水曰黄水,皆非也。其水又东南迳白茅台东,又南迳梁瞿乡西,世谓之期城,非也。按后汉书,世祖自颍川往梁瞿乡,冯鲂先诣行所,即是邑也。水积为陂，世谓之黄陂，东转迳其城南东流，右合汝水。

又东南过颍川郏县南，

汝水又东与张磨泉合，水发北阜，春夏水盛，则南注汝水。汝水又东分为西长湖，湖水南北五十馀步，东西三百步。汝水又东，扈涧水北出大刘山，南迳木蓼堆东郏城西，南流入于汝。汝水又右迤为湖，湖水南北八九十步，东西四五百步，俗谓之东长湖。湖水下入汝，古养水也。水出鲁阳县北将孤山北长冈下，数泉俱发，东历永仁三堆南，又东迳沙川，世谓之沙水。历山符垒北，又东迳沙亭南，故养阴里也。司马彪郡国志曰：襄城有养阴里。京相璠曰：在襄城郏县西南，养，水名也。俗以是水为沙水，故亦名之为沙城，非也。又城处水之阳，而以阴为称，更用惑焉。但流杂间居，裂溉互移，致令川渠异容，津途改状，故物望疑焉。又右会堇沟水，水出沛公垒西六十许步。盖汉祖入关，往征是由，故地擅斯目矣。其水东北注养水。养水又东北入东长湖，乱流注汝水也。汝水又迳郏县故城南，春秋昭公十九年，楚令尹子瑕之所城也。滍水注之，水出鲁阳县之将孤山，东南流。许慎云：水出南阳鲁阳，入父城，从水，敖声。吕忱字林亦言在鲁阳。滍水东入父城县与桓水会，水出鲁阳北山，水有二源奇导，于贾复城合为一渎，迳贾复城北复南，击鄛所筑也，俗语讹谬，谓之寡妇城，水曰寡妇水。此渎水有穷通，故有枯渠之称焉。其水东北流至父城县北，右注滍水，乱流又东北至郏入汝。汝水又东南，左合蓝水，水出阳翟县重岭山，东南流迳纪氏城，西有层台，谓之纪氏台。续汉书曰:世祖车驾西征,盗贼群起,郏令冯鲂为贼延裒所攻,力屈,上诣纪氏,群贼自降,即是处,在郏城东北十馀里。其水又东南流迳黄阜东,而南入汝水。汝水又东南流,与白沟水合,水出夏亭城西,又南迳龙城西,城西北,即摩陂也,纵广可十五里。魏青龙元年,有龙见于郏之摩陂,明帝幸陂观龙于是,改摩陂曰龙陂,其城曰龙城。其水又南入于汝水。汝水又东南与龙山水会,水出龙山龙溪,北流际父城县故城东,昔楚平王大城城父,以居太子建,故杜预曰:即襄城之父城县也。冯异据之以降世祖,用报巾车之恩也。其水又东北流与二水合,俱出龙山,北流注之,又东北入于汝水。汝水又东南迳襄城县故城南,王隐晋书地道记曰:楚灵王筑。刘向说苑曰:襄城君始封之日,服翠衣,带玉佩,徙倚于流水之上。即是水也。楚大夫庄辛所说处,后乃县之。吕后元年,立孝惠后宫子义为侯国,王莽更名相成也。黄帝尝遇牧童于其野,故嵇叔夜赞曰:奇矣难测,襄城小童,倦游六合,来憩兹邦也。其城南对汜城,周襄王出郑居汜,即是此城也。春秋襄公二十六年,楚伐郑,涉汜而归。杜预曰:涉汝水于汜城下也。晋襄城郡治。京相璠曰:周襄王居之,故曰襄城也。今置关于其下。汝水又东南流迳西不羹城南,春秋左传昭公十二年,楚灵王曰:昔诸侯远我而畏晋,今我大城陈、蔡、不羹,赋皆千乘,诸侯其畏我乎?东观汉记曰:车骑马防以前参药,勤劳省闼,增封侯国襄城羹亭千二百五十户,即此亭也。汝水又东南迳繁丘城南,而东南出也。

又东南过定陵县北,

湛水出犨县北鱼齿山西北，东南流，历鱼齿山下为湛浦，方五十馀步。春秋襄公十六年，晋伐楚，报杨梁之役。楚公子格及晋师，战于湛阪，楚师败绩，遂侵方城之外。今水北悉枕翼山阜，于父城东南、湛水之北，山有长阪，盖即湛水以名阪，故有湛阪之名也。湛水又东南迳蒲城北，京相璠曰：昆阳县北有蒲城，蒲城北有湛水者是也。湛水又东，于汝水九曲北东入汝。杜预亦以是水为湛水矣。周礼：荆州其浸颍、湛。郑玄云：未闻。盖偶有不照也。今考地则不乖其土，言水则有符经文矣。汝水又东南迳定陵县故城北，汉成帝元延三年，封侍中卫尉淳于长为侯国，王莽更之曰定城矣。东观汉记曰：光武击王莽二公，还到汝水上，于涯以手饮水，澡颊尘垢，谓傅俊曰：今日疲倦，诸君宁惫也。即是水也。水右则滍水左入焉，左则百尺沟出矣。沟水夹岸层崇，亦谓之为百尺堤也。自定陵城北通颍水于襄城县，颍盛则南播，汝泆则北注。沟之东有澄潭，号曰龙渊，在汝北四里许，南北百步，东西二百步，水至清深，常不耗竭，佳饶鱼笋。湖溢则东注澺水矣。汝水又东南，昆水注之，水出鲁阳县唐山〔八〕，东南流迳昆阳县故城西。更始元年，王莽征天下能为兵法者，选练武卫，招募猛士，旌旗辎重，千里不绝。又驱诸犷兽虎、豹、犀、象之属，以助威武，自秦、汉出师之盛，未尝有也。世祖以数千兵徼之阳关，诸将见寻、邑兵盛，反走入昆阳。世祖乃使成国上公王凤、廷尉大将军王常留守，夜与十三骑出城南门，收兵于郾。寻、邑围城数十重，云车十馀丈，瞰临城中，积弩乱发，矢下如雨。城中人负户而汲，王凤请降，不许。世祖帅营部俱进，频破之，乘胜以敢死三千人,径冲寻、邑兵,败其中坚于是水之上,遂杀王寻。城中亦鼓噪而出,中外合势,震呼动天地。会大雷风,屋瓦皆飞,莽兵大溃。昆水又屈迳其城南,世祖建武中,封侍中傅俊为侯国,故后汉郡国志有昆阳县,盖藉水以氏县也。昆水又东迳定陵城南,又东注汝水。汝水又东南迳奇頟城〔九〕西北,今南颍川郡治也。濆水出焉,世亦谓之大㶏水。尔雅曰:河有雍,汝有濆。然则濆者,汝别也。故其下夹水之邑,犹流汝阳之名,是或濆、㶏之声相近矣,亦或下合㶏、颍,兼统厥称耳。

又东南过郾县北,

汝水迳奇頟城西东南流,其城衿带两水,侧背双流。汝水又东南流迳郾县故城北,故魏下邑也。史记:楚昭阳伐魏取郾是也。汝水又东得醴水口〔一〇〕,水出南阳雉县,亦云导源雉衡山。即山海经云衡山也。郭景纯以为南岳,非也。马融广成颂曰:面据衡阴,指谓是山。在雉县界,故世谓之雉衡山。依山海经,不言有水。然醴水〔一一〕东流历唐山下,即高凤所隐之山也。醴水又东南与皋水合,水发皋山,郭景纯言或作章山,东流注于醴水。醴水又东南迳唐城北,南入城而西流出城,城盖因山以即称矣。醴水又屈而东南流,迳叶县故城北,春秋昭公十五年,许迁于叶者也。楚盛周衰,控霸南土,欲争强中国,多筑列城于北方,以逼华夏,故号此城为万城,或作方字。唐勒奏土论曰:我是楚也〔一二〕,世霸南土,自越以至叶,垂弘境万里,故号曰万城也。余按春秋,屈完之在召陵,对齐侯曰:楚国方城以为城。杜预曰:方城,山名也,在叶南。未详孰是。楚惠王以封诸梁子高,号曰叶公城。即子高之故邑也。

叶公好龙，神龙下之。河东王乔之为叶令也，每月望，常自诣台朝帝，怪其来数而不见车骑，显宗密令太史伺望之，言其临至，辄有双凫从东南飞来，于是候凫至，举罗张之，但得一只舄，乃诏尚方诊视，则四年中所赐尚书官属履也。每当朝时，叶门下鼓不击自鸣，闻于京师。后天下玉棺于堂前，吏民推排，终不摇动。乔曰：天帝独欲召我耶？乃沐浴服饰寝其中，盖便立覆，宿昔葬于城东，土自成坟。其夕，县中牛皆流汗喘乏，而人无知者。百姓为立庙，号叶君祠，牧守每班录，皆先谒拜之，吏民祈祷，无不如应，若有违犯，亦立能为祟。帝乃迎取其鼓，置都亭下，略无复声焉。或云，即古仙人王乔也，是以干氏书之于神化。醴水又迳其城东与烧车水合，水西出苦菜山，东流侧叶城南，而下注醴水。醴水又东迳叶公庙北，庙前有沈子高诸梁碑，旧秦汉之世，庙道有双阙几筵，黄巾之乱，残毁颓阙，魏太和、景初中，令长修饰旧宇，后长汝南陈晞，以正始元年立碑，碑字破落，遗文殆存，事见其碑。醴水又东与叶西陂水会，县南有方城山，屈完所谓楚国方城以为城者也。山有涌泉北流，畜之以为陂，陂塘方二里，陂水散流，又东迳叶城南而东北注醴水。醴水又东注叶陂，陂东西十里，南北七里，二陂并诸梁之所堨也。陂水又东迳沅阳县故城北，又东迳定陵城南，东与芹沟水合，其水导源叶县，东迳沅阳城北，又东迳定陵县南，又东南流注醴。其水迳流昆、醴之间，缠络四县之中，疑即吕忱所谓岘水〔一三〕也。今于定陵更无别水，惟是水可当之。醴水东迳郾县故城南，左入汝。山海经曰：醴水东流注于涀水〔一四〕也。汝水又东南流迳邓城西，春秋左传桓公二年，蔡侯、郑伯会于邓者也。汝水又东南流，沅水注之。

又东南过汝南上蔡县西，

汝南郡，楚之别也，汉高祖四年置，王莽改郡曰汝汾。县，故蔡国，周武王克殷，封其弟叔度于蔡。世本曰：上蔡也。九江有下蔡，故称上。竹书纪年曰：魏章率师及郑师伐楚，取上蔡者也。永初元年，安帝封邓骘为侯国。汝水又东迳悬瓠城北，王智深云：汝南太守周矜起义于悬瓠者是矣。今豫州刺史汝南郡治。城之西北，汝水枝别左出，西北流，又屈西东转，又西南会汝，形若垂瓠。耆彦云：城北名马湾，中有地数顷，上有栗园，栗小，殊不并固安之实也，然岁贡三百石，以充天府。水渚即栗州也。树木高茂，望若屯云积气矣。林中有栗堂，射埻甚闲敞，牧宰及英彦多所游薄。其城上西北隅，高祖以太和中幸悬瓠，平南王肃〔一五〕起高台于小城，建层楼于隅阿，下际水湄，降眺栗渚，左右列榭，四周参差竞跱，奇为佳观也。

又东南过平舆县南，

溱水出浮石岭北青衣山，亦谓之青衣水也。东南迳朗陵县故城西，应劭曰：西南有朗陵山，县以氏焉。世祖建武中，封城门校尉臧宫为侯国也。溱水又南屈迳其县南，又东北迳北宜春县故城北，王莽更名之为宜孱也。豫章有宜春，故加北矣。元初三年，安帝封后父侍中阎畅为侯国。溱水又东北迳马香城北，又东北入汝。汝水又东南迳平舆县南，安成县〔一六〕故城北，王莽更名至成也。汉武帝元光六年，封长沙定王子刘苍为侯国矣。汝水又东南，陂水注之，水首受慎水于慎阳县故城南陂，陂水两分，一水自陂北绕慎阳城四周城堑，颍川荀淑遇县人黄叔度于逆旅，与语移日，曰：子，吾师表也。范奕论曰：黄宪言论风旨，无所传闻。然士君子见之者，靡不服深远，去玼吝，将以道周性全，无得而称乎。堑水又自渎东北流注北陂。一水自陂东北流积为鲖陂，陂水又东北又结而为陂，世谓之窖陂。陂水上承慎阳县北陂，东北流积而为土陂，陂水又东为窖陂，陂水又东南流注壁陂，陂水又东北为太陂，陂水又东入汝。汝水又东南迳平陵亭北，又东南迳阳遂乡北，汝水又东迳栎亭北，春秋之棘栎也。杜预曰：汝阴新蔡县东北有栎亭，今城在新蔡故城西北，城北半沦水。汝水又东南迳新蔡县故城南，昔管、蔡间王室，放蔡叔而迁之。其子胡，能率德易行，周公举之为卿士，以见于王，王命之以蔡，申吕地也，以奉叔度祀，是为蔡仲矣。宋忠曰：故名其地为新蔡，王莽所谓新迁者也。世祖建武二十八年，封吴国为侯国。汝南先贤传曰：新蔡郑敬，字次都，为郡功曹，都尉高懿厅事前有槐树，白露类甘露者。懿问掾属，皆言是甘露。敬独曰：明府政未能致甘露，但树汁耳。懿不悦，托疾而去。汝水又东南，左会澺水，水上承汝水别流于奇頟城东，东南流为练沟，迳召陵县西，东南流注，至上蔡西冈北为黄陵陂，陂水东流，于上蔡冈东为蔡塘，又东迳平舆县故城南，为澺水。县，旧沈国也，有沈亭。春秋定公四年，蔡灭沈，以沈子嘉归，后楚以为县。史记曰：秦将李信攻平舆，败之者也。建武三十年，世祖封铫统为侯国，本汝南郡治。昔费长房为市吏，见王壶公悬壶郡市，长房从之，因而自远同入此壶，隐沦仙路，骨谢怀灵，无会而返，虽能役使鬼神，而终同物化。城南里馀有神庙，世谓之张明府祠，水旱之不节则祷之。庙前有圭碑，文字紊碎，不可复寻，碑侧有小石函。按桂阳先贤画赞：临武张熹，字季智，为平舆令。时天大旱，熹躬祷雩，未获嘉应，乃积薪自焚，主簿侯崇、小吏张化从熹焚焉，火既燎，天灵感应，即澍雨，此熹自焚处也。澺水又东南，左迆为葛陂，陂方数十里，水物含灵，多所苞育，昔费长房投杖于陂，而龙变所在也。又劾东海君于是陂矣。陂水东出为鲖水，俗谓之三丈陂，亦曰三严水。水迳鲖阳县故城南，应劭曰：县在鲖水之阳。汉明帝永平中，封卫尉阴兴子庆为侯国也。县有葛陵城，建武十五年，更封安成侯铫丹为侯国。城之东北有楚武王冢，民谓之楚王琴。城北祝社里下，土中得铜鼎，铭云：楚武王。是知武王隧也。鲖陂东注为富水，水积之处，谓之陂塘，津渠交络，枝布川隰矣。澺水自葛陂东南迳新蔡县故城东，而东南流注于汝。汝水又东南迳下桑里，左迆为横塘陂，又东北为青陂者也。汝水又东南迳壶丘城北，故陈地。春秋左传文公九年，楚侵陈，克壶丘，以其服于晋是也。汝水又东与青陂合，水上承慎水于慎阳县之上慎陂。右沟〔一七〕，北注马城陂，陂西有黄丘亭。陂水又东迳新息亭北，又东为绸陂，陂水又东迳新息县，结为墙陂，陂水又东迳遂乡东南而为壁陂，又东为青陂，陂东对大吕亭。春秋外传曰：当成周时，南有荆蛮、申、吕，姜姓矣，蔡平侯始封也。西南有小吕亭，故此称大也。侧陂南有青陂庙，庙前有陂，汉灵帝建宁三年，新蔡长河南缑氏李言，上请修复青陂，司徒臣训、尚书臣袭，奏可洛阳宫，于青陂东塘南树碑，碑称青陂在县坤地，源起桐柏淮川别流，入于溽涢，迳新息墙陂，衍入褒信界，灌溉五百馀顷。陂水又东分为二水，一水南入淮,一水东南迳白亭北,又东迳吴城南。史记:楚惠王二年,子西召太子建之子胜于吴,胜入居之,故曰吴城也。又东北屈迳壶丘东而北流,注于汝水,世谓之薄溪水。汝水又东迳褒信县故城北而东注矣。

又东至原鹿县,

汝水又东南迳县故城西,杜预释地曰:汝阴有原鹿县也。

南入于淮。

所谓汝口,侧水有汝口戍,淮、汝之交会也。

〔一〕大盂山 吴本、王校明钞本、诗地理考卷一周南汝坟引水经注、康熙字典水部汝引水经注均作"大孟山"。

〔二〕方舆纪要卷五十一河南六南阳府青山引水经注云:"宏农有柏华聚。"当是此段下佚文。

〔三〕札记郦氏据图以为书:

卷二十一汝水经"汝水出河南梁县勉乡西天息山"注云:

地理志曰:出高陵山,即猛山也。亦言出南阳鲁阳县之大盂山,又言出弘农卢氏县还归山。博物志曰:汝出燕泉山,并异名也。余以永平中蒙除鲁阳太守,会上台下列山川图,以方志参差,遂令寻其源流。此等既非学徒,难以取悉,既在迳见,不容不述。

这段注文明白指出,关于汝水源流,确有一种上台下列的山川图,但这种山川图并不可靠,所以郦道元要进行实地考察,以纠正错误。

〔四〕修纂地方志是中国的重要文化传统,其肇始年代,各家说法不一,但“方誌”一词,在现存文献中以此为最早,以后在渠水注中又出现一次,汝水注作“方誌”,渠水注作“方志”。

〔五〕蒙柏谷　注疏本作“黄柏谷”。疏:“赵据何焯说,改‘黄’作‘蒙’,全、戴改同。守敬按:非也。说见下,今水出嵩县西南分水岭。”同条经文下注“一水东北出为汝水,历蒙柏谷”下,注疏本疏:“朱笺曰:孙云,按上文当作‘黄柏谷’。赵云:按何焯云,以下文观之,则上文‘黄’字亦当作‘蒙’。守敬按:孙、何说皆误合黄柏、蒙柏为一谷,不知有必不可合者。黄柏谷在大盂山,蒙柏谷在尧山,一也。黄柏谷为汝水所出,蒙柏谷为汝水所历,二也。注叙黄柏谷,以‘岩嶂深高’四语状之,叙蒙柏谷,则状以‘左右岩岫争深’四语,三也。二谷判然各别,当仍原文作‘黄’、作‘蒙’为是。”

〔六〕王国维明钞本水经注跋(民国十四年六月清华学报第一期,又收入于观堂集林第十二卷史林四):“就戴校聚珍本勘之,知戴本于明钞本,佳处亦十得八九,盖本于大典。其有明钞不误,而戴本仍从通行本或别本改者。……如汝水注‘筠柏交阴’,诸本‘阴’并作‘荫’。”

〔七〕此“蒙柏谷”与注疏本同,见注〔五〕。

〔八〕唐山　顺治河南通志卷六山川南阳府青山引水经注、康熙南阳府志卷一舆地叶县昆水引水经注均作“西唐山”。

〔九〕奇領城　吴本、注笺本、项本、五校钞本、七校本、张本均作“奇雒城”。

〔一〇〕醴水口　吴本、注笺本、项本、张本均作“澧水口”。

〔一一〕醴水　吴本、注笺本、项本、张本、顺治河南通志卷六山川南阳府青山引水经注均作"澧水"。

〔一二〕殿本在此下案云:"案此语有舛误。"注疏本录入殿本此语。

〔一三〕岘水　吴本、注笺本、项本、五校钞本、七校本、张本均作"涀水",孙潜校本作"瀙水"。

〔一四〕涀水　注释本作"视水"。

〔一五〕平南王肃　注疏本疏:"守敬按:魏书王肃传,太和中以功进号平南将军,除豫州刺史。"

〔一六〕安成县　注笺本、项本、五校钞本、七校本、注释本、张本均作"安城县"。

〔一七〕右沟　注疏本作"左沟"。疏:"朱作'右沟'。赵、戴同。会贞按:淮水篇,上慎陂又东为中慎陂,其水东流在右,此水北注在左,当为'左沟','右'为'左'之误无疑,今订。"

水经注卷二十二

颍水　洧水　潩水　潧水
渠沙水

颍水出颍川阳城县西北少室山，

秦始皇十七年灭韩，以其地为颍川郡，盖因水以著称者也。汉高帝二年〔一〕，以为韩国，王莽之左队也。山海经曰：颍水出少室山。地理志曰：出阳城县阳乾山。今颍水有三源奇发，右水出阳乾山之颍谷，春秋颍考叔为其封人。其水东北流。中水导源少室通阜，东南流迳负黍亭东，春秋定公六年，郑伐冯、滑、负黍者也。冯敬通显志赋曰：求善卷之所在，遇许由于负黍。京相璠曰：负黍在颍川阳城县西南二十七里，世谓之黄城也。亦或谓是水为瀷水，东与右水合。左水出少室南溪，东合颍水。故作者互举二山，言水所发也。吕氏春秋曰：卞随耻受汤让，自投此水而死。张显逸民传、嵇叔夜高士传并言投洞水〔二〕而死。未知其孰是也。

东南过其县南，

颍水又东，五渡水注之，其水导源崈高县〔三〕东北太室东溪。

县，汉武帝置，以奉太室山，俗谓之崧阳城。及春夏雨泛，水自山顶而迭相灌澍，崿流相承，为二十八浦也。旸旱辍津，而石潭不耗，道路游憩者，惟得餐饮而已，无敢澡盥其中，苟不如法，必数日不豫，是以行者惮之。山下大潭，周数里，而清深肃洁。水中有立石，高十馀丈，广二十许步，上甚平整，缁素之士，多泛舟升陟，取畅幽情。其水东南迳阳城西，石溜萦委，溯者五涉，故亦谓之五渡水，东南流入颍水。颍水迳其县故城南，昔舜禅禹，禹避商均，伯益避启〔四〕，并于此也。亦周公以土圭测日景处。汉成帝永始元年，封赵临为侯国也。县南对箕山，山上有许由冢，尧所封也。故太史公曰：余登箕山，其上有许由墓焉。山下有牵牛墟，侧颍水有犊泉，是巢父还牛处也，石上犊迹存焉。又有许由庙，碑阙尚存，是汉颍川太守朱宠所立。颍水迳其北，东与龙渊水合，其水导源龙渊，东南流迳阳城北，又东南入于颍。颍水又东，平洛溪水注之，水发玉女台下平洛涧，世谓之平洛水。吕忱所谓勺水〔五〕出阳城山。盖斯水也。又东南流，注于颍。颍水又东出阳关，历康城南，魏明帝封尚书右仆射卫臻为康乡侯，此即臻封邑也。

又东南过阳翟县北，

颍水东南流迳阳关聚，聚夹水相对，俗谓之东、西二土城也。颍水又迳上棘城西，又屈迳其城南，春秋左传襄公十八年，楚师伐郑，城上棘以涉颍者也。县西有故堰，堰石崩褫，颓基尚存，旧遏颍水枝流所出也。其故渎东南迳三封山北，今无水。渠中又有泉流出焉，时人谓之嵎水，东迳三封山东，东南历大陵西连山，亦曰启筮亭〔六〕。启享神于大陵之上，即钧台也〔七〕。春秋左传曰：夏启有钧台之飨是也。杜预曰：河南阳翟县南有钧台。其水又东南流，水积为陂，陂方十里，俗谓之钧台陂，盖陂指台取名也。又西南流迳夏亭城西，又屈而东南为郏之靡陂。颍水自堨东迳阳翟县故城北，夏禹始封于此为夏国，故武王至周曰：吾其有夏之居乎？遂营洛邑。徐广曰：河南阳城、阳翟，则夏地也。春秋经书：秋，郑伯突入于栎。左传桓公十五年，突杀檀伯而居之。服虔曰：檀伯，郑守栎大夫；栎，郑之大都。宋忠曰：今阳翟也。周末，韩景侯自新郑徙都之。王隐曰：阳翟本栎也。故颍川郡治也。城西有郭奉孝碑，侧水有九山祠碑。从柏犹茂，北枕川流也。

又东南过颍阳县西，又东南过颍阴县西南，

应劭曰：县在颍水之阳，故邑氏之。按东观汉记，汉封车骑将军马防为侯国。防，城门校尉，位在九卿上，绝席。颍水又南迳颍乡城西，颍阴县故城在东北，旧许昌典农都尉治也，后改为县，魏明帝封侍中辛毗为侯国也。颍水又东南迳柏祠曲东，历冈丘城南，故汾丘城也。春秋左传襄公十八年，楚子庚治兵于汾。司马彪曰：襄城县有汾丘。杜预曰：在襄城县之东北也。迳繁昌故县北，曲蠡之繁阳亭也。魏书国志曰：文帝以汉献帝延康元年，行至曲蠡，登坛受禅于是地，改元黄初。其年，以颍阴之繁阳亭为繁昌县。城内有三台，时人谓之繁昌台。坛前有二碑，昔魏文帝受禅于此。自坛而降曰：舜、禹之事，吾知之矣。故其石铭曰：遂于繁昌筑灵坛也。于后其碑六字生金，论者以为司马金行，故曹氏六世迁魏而事晋也。颍水又东南流迳青陵亭城北，北对青陵陂，陂纵广二十里，颍水迳其北，枝入为陂。陂西则滃水注之，水出襄城县之邑城下，东流注于陂。陂水又东入临颍县之狼陂。颍水又东南流而历临颍县也。

又东南过临颍县南，又东南过汝南灈强县北，洧水从河南密县东流注之。

临颍，旧县也。颍水自县西注，小灈水出焉。尔雅曰：颍别为沙。郭景纯曰：皆大水溢出，别为小水之名也，亦犹江别为沱也。颍水又东南迳皋城北，即古皋城亭矣。春秋经书，公及诸侯盟于皋鼬者也。皋、泽字相似，名与字乖耳。颍水又东迳灈阳城南，竹书纪年曰：孙何取灈阳。灈强城在东北，颍水不得迳其北也。颍水又东南，溵水入焉，非洧水也。

又东过西华县北，

王莽更名之曰华望也。有东，故言西矣。世祖光武皇帝建武中，封邓晨为侯国。汉济北戴封，字平仲，为西华令，遇天旱，慨治功无感，乃积柴坐其上以自焚，火起而大雨暴至，远近叹服。永元十三年〔八〕，征太常焉。县北有习阳城，颍水迳其南，经所谓洧水流注之也。

又南过女阳县北，

县故城南有汝水枝流，故县得厥称矣。阚骃曰：本汝水别流，其后枯竭，号曰死汝水，故其字无水。余按汝、女乃方俗之音，故字随读改，未必一如阚氏之说，以穷通损字也。颍水又东，大灈水注之，又东南迳博阳县故城东，城在南顿县北四十里，汉宣帝封邴吉为侯国，王莽更名乐嘉。

又东南过南顿县北，灈水从西来流注之。

灢水于乐嘉县入颍，不至于顿。顿，故顿子国也，周之同姓。春秋僖公二十五年，楚伐陈，纳顿子于顿是也。俗谓之颍阴城，非也。颍水又东南迳陈县南，又东南，左会交口者也。

又东南至新阳县北，蒗荡渠水从西北来注之。

经云蒗荡渠者，百尺沟之名别〔九〕也。颍水南合交口，新沟自是东出。颍上有堰，谓之新阳堰，俗谓之山阳堨，非也。新沟自颍北东出，县在水北，故应劭曰：县在新水之阳。今县故城在东，明颍水不出其北，盖经误耳。颍水自堰东南流，迳项县故城北，春秋僖公十七年，鲁灭项是矣。颍水又东，右合谷水，水上承平乡诸陂，东北迳南顿县故城南，侧城东注。春秋左传所谓顿迫于陈而奔楚，自顿徙南，故曰南顿也。今其城在顿南三十馀里。又东迳项城中，楚襄王所郭，以为别都。都内西南小城，项县故城也，旧颍州治〔一〇〕。谷水迳小城北，又东迳魏豫州刺史贾逵祠北。王隐言，祠在城北。非也。庙在小城东，昔王凌为宣王司马懿所执，届庙而叹曰：贾梁道，王凌魏之忠臣，惟汝有灵知之。遂仰鸩而死。庙前有碑，碑石金生。干宝曰：黄金可采，为晋中兴之瑞。谷水又东流出城，东注颍。颍水又东，侧颍有公路城，袁术所筑也，故世因以术字名城矣。颍水又东迳临颍城北，城临水阙南面，又东迳云阳二城间，南北翼水，并非所具。又东迳丘头，丘头南枕水，魏书郡国志曰：宣王军次丘头，王凌面缚水次，故号武丘矣。颍水又东南流，于故城北，细水注之，水上承阳都陂，陂水枝分，东南出为细水。东迳新阳县故城北，又东南迳宋县故城北，县，即所谓郪丘者也。秦伐魏取郪丘，谓是邑矣。汉成帝绥和元年，诏封殷后于沛，以存三统。平帝元始四年，改曰宋公。章帝建初四年，徙邑于此，故号新郪，为宋公国也，王莽之新延矣。细水又南迳细阳县，新沟水注之。沟首受交口，东北迳新阳县故城南，汉高帝六年，封吕青为侯国，王莽更名曰新明也。故应劭曰：县在新水之阳，今无水，故渠旧道而已。东入泽渚而散流入细。细水又东南迳细阳县故城南，王莽更之曰乐庆也，世祖建武中，封岑彭子遵为侯国。细水又东南，积而为陂，谓之次塘，公私引裂，以供田溉。又东南流，屈而西南入颍。地理志曰：细水出细阳县，东南入颍。颍水又东南流迳胡城东，故胡子国也。春秋定公十五年，楚灭胡，以胡子豹归是也。杜预释地曰：汝阴县西北有胡城也。颍水又东南，汝水枝津注之，水上承汝水别渎于奇洛城〔一一〕东三十里，世谓之大灈水也。东南迳召陵县故城南，春秋左传僖公四年，齐桓公师于召陵，责楚贡不入，即此处也。城内有大井，径数丈，水至清深。阚骃曰：召者，高也。其地丘墟，井深数丈，故以名焉。又东南迳征羌县，故召陵县之安陵乡安陵亭也。世祖建武十一年，以封中郎将来歙，歙以征定西羌功，故更名征羌也。阚骃引战国策以为秦昭王欲易地，谓此，非也。汝水别渎又东迳公路台北，台临水，方百步，袁术所筑也。汝水别沟又东迳西门城，即南利也，汉宣帝封广陵厉王子刘昌为侯国。县北三十里有孰城，号曰北利，故渎出于二利之间，间关女阳之县，世名之死汝县，取水名，故曰女阳也。又东迳南顿县故城北，又东南迳鲖阳城北，又东迳邸乡城北，又东迳固始县故城北，地理志：县，故寝也。寝丘在南，故藉丘名县矣。王莽更名之曰闰治。孙叔敖以土浸薄，取而为封，故能绵嗣，城北犹有叔敖碑。建武二年，司空李通又慕叔敖受邑，故光武以嘉之，更名固始。别汝又东迳蔡冈北，冈上有平阳侯相蔡昭冢。昭字叔明，周后稷之胄，冢有石阙，阙前有二碑，碑字沦碎，不可复识，羊虎倾低，殆存而已。枝汝又东北流迳胡城南，而东历女阴县故城西北，东入颍水。颍水又东迳女阴县故城北，史记高祖功臣侯者年表曰：高祖六年，封夏侯婴为侯国，王莽更名之曰汝濆也。县在汝水之阴，故以汝水纳称。城西有一城，故陶丘乡也，汝阴郡治。城外东北隅有旧台翼城若丘，俗谓之女郎台，虽经颓毁，犹自广崇。上有一井，疑故陶丘乡，所未详。

又东南至慎县东，南入于淮。

颍水东南流，左合上吴、百尺二水，俱承次塘细陂，南流注于颍。颍水又东南，江陂水注之，水受大漴陂，陂水南流，积为江陂，南迳慎城西，侧城南流入于颍。颍水又迳慎县故城南，县，故楚邑，白公所居以拒吴。春秋左传哀公十六年，吴人伐慎，白公败之。王莽之慎治也。世祖建武中，封刘赐为侯国。颍水又东南迳蜩蟟郭东，俗谓之郑城矣。又东南入于淮。春秋昭公十二年，楚子狩于州来，次于颍尾，盖颍水之会淮也。

洧水出河南密县西南马领山〔一二〕，

水出山下。亦言出颍川阳城山，山在阳城县之东北，盖马领之统目焉。洧水东南流，迳一故台南，俗谓之阳子台。又东迳马领坞北，坞在山上，坞下泉流北注，亦谓洧别源也，而入于洧水。洧水东流，绥水会焉，水出方山绥溪，即山海经所谓浮戏之山也。东南流，迳汉弘农太守张伯雅墓，茔域四周，垒石为垣，隅阿相降，列于绥水之阴，庚门表二石阙，夹对石兽于阙下。冢前有石庙，列植三碑，碑云：德字伯雅，河南密人也。碑侧树两石人，有数石柱及诸石兽矣。旧引绥水南入茔域，而为池沼，沼在丑地，皆蟾蠩吐水，石隍承溜。池之南，又建石楼、石庙，前又翼列诸兽。但物谢时沦，凋毁殆尽，夫富而非义，比之浮云，况复此乎？王孙、士安，斯为达矣〔一三〕。绥水又东南流迳上郭亭南，东南注洧。洧水又东，襄荷水注之。水出北山子节溪，亦谓之子节水，东南流注于洧。洧水又东会沥滴泉水，出深溪之侧，泉流丈馀，悬水散注，故世士以沥滴称，南流入洧水也。

东南过其县南，

洧水又东南流，与承云二水合，俱出承云山，二源双导，东南流注于洧，世谓之东、西承云水。洧水又东，微水注之，水出微山，东北流入于洧，洧水又东迳密县故城南，春秋谓之新城，左传僖公六年，会诸侯伐郑围新密，郑所以不时城也。今县城东门南侧，有汉密令卓茂祠。茂字子康，南阳宛人，温仁宽雅，恭而有礼。人有认其马者，茂与之，曰：若非公马，幸至丞相府归我。遂挽车而去，后马主得马，谢而还之。任汉黄门郎，迁密令，举善而教，口无恶言，教化大行，道不拾遗，蝗不入境，百姓为之立祠，享祀不辍矣。洧水又左会璅泉水，水出玉亭西，北流注于洧水。洧水又东南与马关水合，水出玉亭下，东北流历马关，谓之马关水，又东北注于洧。洧水又东合武定水，水北出武定冈，西南流，又屈而东南，流迳零鸟坞西，侧坞东南流。坞侧有水，悬流赴壑，一匹有馀，直注涧下，沦积成渊，嬉游者瞩望,奇为佳观,俗人睹此水挂于坞侧,遂目之为零鸟水,东南流入于洧。洧水又东与虎牍山水合,水发南山虎牍溪,东北流入洧。洧水又东南,赤涧水注之,水出武定冈,东南流迳皇台冈下,又历冈东,东南流注于洧。洧水又东南流,潧水注之。洧水又东南迳郐城南,世本曰:陆终娶于鬼方氏之妹,谓之女隤,是生六子,孕三年。启其左胁,三人出焉;破其右胁,三人出焉。其四曰莱言,是为郐人。郐人者,郑是也。郑桓公问于史伯,曰:王室多难,予安逃死乎?史伯曰:虢、郐,公之民,迁之可也。郑氏东迁,虢、郐献十邑焉。刘桢云:郐在豫州外方之北,北邻于虢,都荥之南,左济右洛,居两水之间,食溱、洧焉。徐广曰:郐在密县,妘姓矣,不得在外方之北也。洧水又东迳阴坂北,水有梁焉,俗谓是济为参辰口。左传襄公九年,晋伐郑,济于阴坂,次于阴口而还是也。杜预曰:阴坂,洧津也。服虔曰:水南曰阴,口者,水口也,参、阴声相近,盖传呼之谬耳。又晋居参之分,实沈之土,郑处大辰之野,阏伯之地,军师所次,故济得其名也。

又东过郑县南,潧水从西北来注之。

洧水又东迳新郑县故城中,左传襄公元年,晋韩厥、荀偃帅诸侯伐郑,入其郛,败其徒兵于洧上是也。竹书纪年晋文侯二年,周惠王子多父伐郐,克之,乃居郑父之丘,名之曰郑,是曰桓公。皇甫士安帝王世纪云:或言县故有熊氏之墟,黄帝之所都也,郑氏徙居之,故曰新郑矣。城内有遗祠,名曰章乘是也。洧水又东为洧渊水,春秋传曰:龙斗于时门之外洧渊,即此潭也。今洧水自郑城西北入而东南流,迳郑城南城之南门内,旧外蛇与内蛇斗，内蛇死。六年，大夫傅瑕杀郑子，纳厉公，是其征也。水南有郑庄公望母台，庄姜恶公寤生，与段京居，段不弟，姜氏无训，庄公居夫人于城颍，誓曰：不及黄泉，无相见也。故成台以望母，用伸在心之思。感考叔之言，忻大隧之赋，泄泄之慈有嘉，融融之孝得常矣。洧水又东与黄水合，经所谓潧水，非也。黄水出太山南黄泉，东南流迳华城西，史伯谓郑桓公曰：华君之土也。韦昭曰：华，国名矣。史记：秦昭王三十三年，白起攻魏，拔华阳，走芒卯，斩首十五万。司马彪曰：华阳，亭名，在密县。嵇叔夜常采药于山泽，学琴于古人，即此亭也。黄水东南流，又与一水合，水出华城南冈，一源两分，泉流派别，东为七虎涧水，西流即是水也。其水西南流注于黄水。黄，即春秋之所谓黄崖也。故杜预云：苑陵县西有黄水者也。又东南流，水侧有二台，谓之积粟台，台东，即二水之会也。捕獐山水〔一四〕注之，水东出捕獐山〔一五〕，西流注于黄水。黄水又南至郑城北，东转于城之东北，与黄沟合，水出捕獐山东，南流至郑城，东北入黄水。黄水又东南迳龙渊东南，七里沟水注之，水出隙候亭东南平地，东注，又屈而南流，迳升城东，又南历烛城西，即郑大夫烛之武邑也，又南流注于洧水也。

又东南过长社县北，

洧水东南流，南濮、北濮二水入焉。濮音僕。洧水又东南与龙渊水合，水出长社县西北，有故沟上承洧水，水盛则通注龙渊水，减则津渠辍流，其渎中濊泉南注，东转为渊，绿水平潭，清洁澄深，俯视游鱼，类若乘空矣，所谓渊无潜鳞也〔一六〕。又东迳长社县故城北，郑之长葛邑也。春秋隐公五年，宋人伐郑，围长葛是也。后社树暴长，故曰长社，魏颍川郡治也。余以景明中出宰兹郡，于南城西侧修立客馆，版筑既兴，于土下得一树根，甚壮大，疑是故社怪长暴茂者也。稽之故说，县无龙渊水名，盖出近世矣。京相璠春秋土地名曰：长社北界有禀水，但是水导于隍壍之中，非北界之所谓。又按京、杜地名，并云长社县北有长葛乡，斯乃县徙于南矣。然则是水即禀水也，其水又东南迳棘城北，左传所谓楚子伐郑救齐，次于棘泽者也。禀水又东，左注洧水。洧水又东南分为二水，其枝水东北流注沙，一水东迳许昌县，故许男国也，姜姓，四岳之后矣。穆天子传所谓天子见许男于洧上者也。汉章帝建初四年，封马光为侯国。春秋佐助期曰：汉以许失天下，及魏承汉历，遂改名许昌也。城内有景福殿基，魏明帝太和中造，准价八百馀万。洧水又东入汶仓城内，俗以是水为汶水，故有汶仓之名，非也。盖洧水之邸阁耳〔一七〕。洧水又东迳鄢陵县故城南。李奇曰：六国为安陵也，昔秦求易地，唐且受使于此。汉高帝十二年，封都尉朱濞为侯国，王莽更名左亭。洧水又东，鄢陵陂水注之，水出鄢陵南陂东，西南流注于洧水也。

又东南过新汲县东北，

洧水自鄢陵东迳桐丘南，俗谓之天井陵，又曰冈，非也。洧水又屈而南流，水上有梁，谓之桐门桥，藉桐丘以取称，亦言取桐门亭而著目焉，然不知亭之所在，未之详也。洧水又东南迳桐丘城，春秋左传庄公二十八年，楚伐郑，郑人将奔桐丘，即此城也。杜预春秋释地曰：颍川许昌城东北。京相璠曰：郑地也。今图无而城见存，西南去许昌故城可三十五里，俗名之曰堤。

其城南即长堤，固洧水之北防也。西面桐丘，其城邪长而不方，盖凭丘之称，即城之名矣。洧水又东迳新汲县故城北，汉宣帝神雀二年置于许之汲乡曲洧城，以河内有汲县，故加新也。城在洧水南堤上，又东，洧水右迆为濩陂。洧水又迳匡城南，扶沟之匡亭也。又东，洧水左迆为鸭子陂，谓之大穴口也。

又东南过茅城邑之东北，

洧水自大穴口东南迳洧阳城西，南迳茅城东北，又南，左合甲庚沟，沟水上承洧水，于大穴口东北枝分，东迳洧阳故城南，俗谓之复阳城，非也。盖洧、复字类音读变。汉建安中，封司空祭酒郭奉孝为侯国。其水又东南为鸭子陂，陂广十五里，馀波南入甲庚沟，西注洧，东北泻沙。洧水又南迳一故城西，世谓之思乡城，西去洧水十五里。洧水又右合濩陂水，水上承洧水于新汲县，南迳新汲县故城东，又南积而为陂，陂之西北即长社城。陂水东翼洧堤，西面茅邑，自城北门列筑堤道，迄于此冈。世尚谓之茅冈，即经所谓茅城邑也。陂水北出东入洧津，西纳北异流〔一八〕。

又东过习阳城西，折入于颍。

洧水又东南迳辰亭东，俗谓之田城，非也。盖田、辰声相近，城、亭音韵联故也。经书：鲁宣公十一年，楚子、陈侯、郑伯盟于辰陵也。京相璠曰：颍川长平有故辰亭。杜预曰：长平县东南有辰亭。今此城在长平城西北，长平城在东南，或杜氏之谬，传书之误耳。长平东南淋陂北畔有一阜，东西减里，南北五十许步，俗谓之新亭台，又疑是杜氏所谓辰亭而未之详也。洧水又南迳长平县故城西，王莽之长正也。洧水又南分为二水，枝分东出，谓之五梁沟，迳习阳城北，又东迳赭丘南，丘上有故城。郡国志曰：长平故属汝南，县有赭丘城。即此城也。又东迳长平城南，东注澇陂。洧水南出，谓之鸡笼水，故水会有笼口之名矣。洧水又东迳习阳城西，西南折入颍。地理志曰：洧水东南至长平县入颍者也。

潩水出河南密县大騩山，

大騩，即具茨山也。黄帝登具茨之山，升于洪堤上，受神芝图于华盖童子，即是山也〔一九〕。潩水出其阿，流而为陂，俗谓之玉女池。东迳陉山北，史记：魏襄王六年，败楚于陉山者也。山上有郑祭仲冢，冢西有子产墓，累石为方坟。坟东有庙，并东北向郑城。杜元凯言不忘本。际庙旧有一枯柏树，其尘根故株之上，多生稚柏成林，列秀青青，望之奇可嘉矣。潩水又东南迳长社城西北，南濮、北濮二水出焉。刘澄之著永初记云：水经濮水，源出大騩山，东北流注泗，卫灵闻音于水上，殊为乖矣。余按水经为潩水不为濮也。是水首受潩水，川渠双引，俱东注洧。洧与之过沙，枝流派乱，互得通称。是以春秋昭公九年，迁城父人于陈，以夷濮西田益之。京相璠曰：以夷之濮西田益也。杜预亦言，以夷田在濮水西者与城父人。服虔曰：濮，水名也。且字类音同，津澜邈别，不得为北濮上源，师氏传音于其上矣。潩水又南迳锺亭西，又东南迳皇台西，又东南迳关亭西，又东南迳宛亭西，郑大夫宛射犬之故邑也。潩水又南分为二水，一水南出迳胡城东，故颍阴县之狐人亭也。其水南结为陂，谓之胡城陂。潩水自枝渠东迳曲强城东，皇陂水注之，水出西北皇台七女冈北，皇陂即古长社县之浊泽也。

史记:魏惠王元年,韩懿侯与赵成侯合军伐魏,战于浊泽是也。其陂北对鸡鸣城,即长社县之浊城也。陂水东南流迳胡泉城北,故颍阴县之狐宗乡也。又东合狐城陂水,水上承皇陂,而东南流注于黄水,谓之合作口,而东迳曲强城北,东流入濦水。时人谓之敕水,非也。敕、濦音相类,故字从声变耳。濦水又迳东、西武亭间,两城相对,疑是古之岸门,史迁所谓走犀首于岸门者也。徐广曰:颍阴有岸亭。未知是否?濦水又南迳射犬城东,即郑公孙射犬城也。盖俗谬耳。濦水又南迳颍阴县故城西,魏明帝封司空陈群为侯国。其水又东南迳许昌城南,又东南与宣梁陂水合,陂上承狼陂于颍阴城西南,陂南北二十里,东西十里。春秋左传曰:楚子伐郑师于狼渊是也。其水东南入许昌县,迳巨陵城北,郑地也。春秋左氏传庄公十四年,郑厉公获傅瑕于大陵。京相璠曰:颍川临颍县东北二十五里有故巨陵亭,古大陵也。其水又东积而为陂,谓之宣梁陂也。陂水又东南入濦水。濦水又西南流迳陶城西,又东南迳陶陂东。

东南入于颍。

潧水出郑县西北平地,

潧水出郐城西北鸡络坞下,东南流迳贾复城西,东南流,左合滥水,水出贾复城,东南流注于潧。潧水又南,左会承云山水,水出西北承云山,东南历浑子冈东注,世谓冈峡为五鸣口,东南流注于潧。潧水又东南流,历下田川,迳郐城西,谓之为柳泉水也。故史伯答桓公曰:君以成周之众,奉辞伐罪,若克虢、郐,君之土也,如前华后河,右洛左济,主芣騩而食潧、洧,修典刑以守之,可以少固。即谓此矣。潧水又南,悬流奔壑,崩注丈馀,其下积水成潭,广四十许步,渊深难测。又南注于洧。诗所谓溱与洧者也。世亦谓之为郐水也〔二〇〕。

东过其县北,又东南过其县东,又南入于洧水。

自郐、潧东南,更无别渎,不得迳新郑而会洧也。郑城东入洧者,黄崖水也,盖经误证耳。

渠出荥阳北河,东南过中牟县之北,

风俗通曰:渠者,水所居也〔二一〕。渠水自河与济乱流,东迳荥泽北,东南分济,历中牟县之圃田泽,北与阳武分水。泽多麻黄草,故述征记曰:践县境便睹斯卉,穷则知逾界。今虽不能,然谅亦非谬。诗所谓东有圃草也。皇武子曰:郑之有原圃,犹秦之有具囿。泽在中牟县西,西限长城,东极官渡,北佩渠水,东西四十许里,南北二十许里,中有沙冈,上下二十四浦,津流径通,渊潭相接。各有名焉:有大渐、小渐、大灰、小灰、义鲁、练秋、大白杨、小白杨、散吓、禺中、羊圈、大鹄、小鹄、龙泽、蜜罗、大哀、小哀、大长、小长、大缩、小缩、伯丘、大盖、牛眼等。浦水盛则北注,渠溢则南播〔二二〕。故竹书纪年,梁惠成王十年,入河水于甫田,又为大沟而引甫水者也。又有一渎,自酸枣受河,导自濮渎,历酸枣迳阳武县南出,世谓之十字沟而属于渠,或谓是渎为梁惠之年所开,而不能详也。斯浦乃水泽之所钟,为郑隰之渊薮矣。渠水右合五池沟,沟上承泽水,下流注渠,谓之五池口。魏嘉平三年,司马懿帅中军讨太尉王凌于寿春,自彼而还,帝使侍中韦诞劳军于五池者也。今其地为五池乡矣。渠水又东,不家沟水注之,水出京县东南梅山北溪,春秋襄公十八年，楚芳子冯、公子格率锐师侵费，右回梅山。杜预曰：在密东北。即是山也。其水自溪东北流迳管城西，故管国也，周武王以封管叔矣。成王幼弱，周公摄政。管叔流言曰：公将不利于孺子。公赋鸱鸮以伐之，即东山之师是也。左传宣公十二年，晋师救郑，楚次管以待之。杜预曰：京县东北有管城者是也。俗谓之为管水。又东北，分为二水，一水东北流注黄雀沟，谓之黄渊，渊周百步。其一水东越长城，东北流，水积为渊，南北二里，东西百步，谓之百尺水，北入圃田泽，分为二水，一水东北迳东武强城北。汉书曹参传：击羽婴于昆阳，追至叶，还攻武强，因至荥阳。薛瓒云：按武强城在阳武县，即斯城也。汉高帝六年，封骑将庄不识为侯国。又东北流，左注于渠，为不家水口也。一水东流，又屈而南，转东南注白沟也。渠水又东，清池水注之，水出清阳亭西南平地，东北流迳清阳亭南，东流，即故清人城也。诗所谓清人在彭。彭为高克邑也。故杜预春秋释地云：中牟县西有清阳亭是也。清水又屈而北流至清口泽，七虎涧水注之，水出华城南冈，一源两派，津川趣别，西入黄雀沟〔二三〕，东为七虎溪，亦谓之为华水也。又东北流，紫光沟水注之，水出华阳城东北而东流，俗名曰紫光涧，又东北注华水。华水又东迳棐城北，即北林亭也。春秋：文公与郑伯宴于棐林，子家赋鸿雁者也。春秋宣公元年，诸侯会于棐林以伐郑，楚救郑，遇于北林。服虔曰：北林，郑南地也。京相璠曰：今荥阳苑陵县有故林乡，在新郑北，故曰北林也。余按林乡故城在新郑东如北七十许里，苑陵故城在东南五十许里，不得在新郑北也。考京、服之说，并为疏矣。杜预云:荥阳中牟县西南有林亭,在郑北,今是亭南去新郑县故城四十许里,盖以南有林乡亭,故杜预据是为北林,最为密矣。又以林乡为棐,亦或疑焉。诸侯会棐,楚遇于此,宁得知不在是而更指他处也。积古之传,事或不谬矣。又东北迳鹿台南冈北,出为七虎涧,东流,期水注之。水出期城西北平地,世号龙渊水。东北流,又北迳期城西,又北与七虎涧合,谓之虎溪水,乱流东注迳期城北,东会清口水。司马彪郡国志曰:中牟有清口水。即是水也。清水又东北,白沟水注之,水有二源,北水出密之梅山东南,而东迳靖城南,与南水合。南水出太山,西北流至靖城南,左注北水,即承水也。山海经曰:承水出太山之阴,东北流注于役水者也。世亦谓之靖涧水。又东北流,太水注之,水出太山东平地,山海经曰:太水出于太山之阳,而东南流注于役水。世谓之礼水也。东北迳武陵城西,东北流注于承水。承水又东北入黄瓮涧,北迳中阳城西,城内有旧台甚秀,台侧有陂池,池水清深。涧水又东屈迳其城北,竹书纪年:梁惠成王十七年,郑釐侯来朝中阳者也。其水东北流为白沟,又东北迳伯禽城北,盖伯禽之鲁,往迳所由也。屈而南流,东注于清水,即潘岳都乡碑所谓自中牟故县以西,西至于清沟。指是水也。乱流东迳中牟宰鲁恭祠南,汉和帝时,右扶风鲁恭,字仲康,以太尉掾迁中牟令,政专德化,不任刑罚,吏民敬信,蝗不入境。河南尹袁安疑不实,使部掾肥亲按行之,恭随亲行阡陌,坐桑树下,雉止其旁,有小儿,亲曰:儿何不击雉?曰:将雏。亲起曰:虫不入境,一异;化及鸟兽,二异;竖子怀仁,三异。久留非优贤,请还。是年嘉禾生县庭,安美其治，以状上之，征博士侍中。车驾每出，恭常陪乘，上顾问民政，无所隐讳，故能遗爱自古，祠享来今矣。清沟水又东北迳沈清亭，疑即博浪亭也。服虔曰：博浪，阳武南地名也，今有亭。所未详也。历博浪泽，昔张良为韩报仇于秦，以金椎击秦始皇不中，中其副车于此。又北分为二水，枝津东注清水。清水自枝流北注渠，谓之清沟口。渠水又左迳阳武县故城南，东为官渡水，又迳曹太祖垒北，有高台，谓之官渡台，渡在中牟，故世又谓之中牟台。建安五年，太祖营官渡，袁绍保阳武，绍连营稍前，依沙堆为屯，东西数十里，公亦分营相御，合战不利，绍进临官渡，起土山地道以逼垒，公亦起高台以捍之，即中牟台也。今台北土山犹在，山之东悉绍旧营，遗基并存。渠水又东迳田丰祠北，袁本初惭不纳其言，害之。时人嘉其诚谋，无辜见戮，故立祠于是，用表袁氏覆灭之宜矣。又东，役水注之，水出苑陵县西隙候亭东，世谓此亭为郤城，非也，盖隙、郤声相近耳。中平陂〔二四〕，世名之埿泉也，即古役水矣。山海经曰：役山，役水所出，北流注于河。疑是水也。东北流迳苑陵县故城北，东北流迳焦城东、阳丘亭西，世谓之焦沟水。竹书纪年：梁惠成王十六年，秦公孙壮率师伐郑，围焦城不克，即此城也。俗谓之驿城，非也。役水自阳丘亭东流，迳山民城北，为高榆渊。竹书纪年：梁惠成王十六年，秦公孙壮率师城上枳、安陵、山民者也。又东北为酢沟，又东北，鲁沟水〔二五〕出焉，役水又东北，埿沟水出焉。又东北为八丈沟。又东，清水枝津注之，水自沈城东派，注于役水。役水又东迳曹公垒南，东与沬水合。山海经云：沬山，沬水所出，北流注于役。今是水出中牟城西南，疑即沫水也。东北流迳中牟县故城西，昔赵献侯自耿都此。班固云：赵自邯郸徙焉。赵襄子时，佛肸以中牟叛，置鼎于庭，不与己者烹之，田英将褰裳赴鼎处也。薛瓒注汉书云：中牟在春秋之时为郑之堰也，及三卿分晋，则在魏之邦土。赵自漳北不及此也。春秋传曰：卫侯如晋过中牟。非卫适晋之次也。汲郡古文曰：齐师伐赵东鄙，围中牟。此中牟不在赵之东也。按中牟当在漯水之上矣。按春秋：齐伐晋夷仪，晋车千乘在中牟，卫侯过中牟，中牟人欲伐之，卫褚师固〔二六〕亡在中牟，曰：卫虽小，其君在，未可胜也。齐师克城而骄，遇之必败。乃败齐师。服虔不列中牟所在。杜预曰：今荥阳有中牟。回远，疑为非也。然地理参差，土无常域，随其强弱，自相吞并，疆里流移，宁可一也。兵车所指，迳纡难知，自魏徙大梁，赵以中牟易魏，故赵之南界，极于浮水，匪直专漳也。赵自西取后止中牟，齐师伐其东鄙，于宜无嫌。而瓒径指漯水，空言中牟所在，非论证也。汉高帝十一年，封单父圣为侯国。沫水又东北注于役水。昔魏太祖之背董卓也，间行出中牟，为亭长所录。郭长公世语云：为县所拘，功曹请释焉。役水又东北迳中牟泽，即郑太叔攻萑蒲之盗于是泽也。其水东流北屈注渠。续述征记所谓自酱魁城到酢沟十里者也。渠水又东流而左会渊水，其水上承圣女陂，陂周二百馀步，水无耗竭，湛然清满，而南流注于渠。渠水又东南而注大梁也。

又东至浚仪县，

渠水东南迳赤城北，戴延之所谓西北有大梁亭，非也。竹书纪年：梁惠成王二十八年，穰疵率师及郑孔，夜战于梁赫，郑师败逋。即此城也。左则故渎出焉。秦始皇二十年,王贲断故渠,引水东南出以灌大梁,谓之梁沟。又东迳大梁城南,本春秋之阳武高阳乡也,于战国为大梁。周梁伯之故居矣。梁伯好土功,大其城,号曰新里,民疲而溃,秦遂取焉。后魏惠王自安邑徙都之,故曰梁耳。竹书纪年:梁惠成王六年四月甲寅,徙都于大梁〔二七〕是也。秦灭魏以为县,汉文帝封孝王于梁,孝王以土地下湿,东都睢阳,又改曰梁,自是置县。以大梁城广,居其东城夷门之东,夷门,即侯嬴抱关处也。续述征记以此城为师旷城,言郭缘生曾游此邑,践夷门,升吹台,终古之迹,缅焉尽在。余谓此乃梁氏之台门,魏惠之都居,非吹台也,当是误证耳。西征记论仪封人即此县,又非也。竹书纪年:梁惠成王三十一年三月,为大沟于北郛,以行圃田之水。陈留风俗传曰:县北有浚水,像而仪之,故曰浚仪。余谓故汳沙为阴沟矣,浚之,故曰浚,其犹春秋之浚洙乎?汉氏之浚仪水,无他也,皆变名矣。其国多池沼,时池中出神剑,到今其民像而作之,号大梁氏之剑也。渠水又北屈,分为二水,续述征记曰:汳沙到浚仪而分也。汳东注,沙南流,其水更南流,迳梁王吹台东。陈留风俗传曰:县有苍颉、师旷城,上有列仙之吹台,北有牧泽,泽中出兰蒲,上多俊髦,衿带牧泽,方十五里,俗谓之蒲关泽。即谓此矣。梁王增筑,以为吹台。城隍夷灭,略存故迹,今层台孤立于牧泽之右矣。其台方百许步,即阮嗣宗咏怀诗所谓驾言发魏都,南向望吹台,箫管有遗音,梁王安在哉?晋世丧乱,乞活凭居,削堕故基,遂成二层,上基犹方四五十步,高一丈馀,世谓之乞活台,又谓之繁台城。渠水于此,有阴沟、鸿沟之称焉。项羽与汉高分王，指是水以为东西之别。苏秦说魏襄王曰：大王之地，南有鸿沟是也。故尉氏县有波乡、波亭、鸿沟乡、鸿沟亭，皆藉水以立称也。今萧县西亦有鸿沟亭，梁国睢阳县东有鸿口亭，先后谈者，亦指此以为楚、汉之分王，非也。盖春秋之所谓红泽者矣。渠水右与汜水合，水上承役水于苑陵县，县，故郑都也，王莽之左亭县也。役水枝津东派为汜水者也，而世俗谓之湮沟水也。春秋左传僖公三十年，晋侯、秦伯围郑，晋军函陵，秦军汜南，所谓东汜者也。其水又东北迳中牟县南，又东北迳中牟泽与渊水合，水出中牟县故城北，城有层台。按郭长公世语及干宝晋纪，并言中牟县故魏任城玉台下池中，有汉时铁锥，长六尺，入地三尺，头西南指不可动。正月朔自正，以为晋氏中兴之瑞。而今不知所在，或言在中阳城池台，未知焉是？渊水自池西出，屈迳其城西，而东南流注于汜。汜水又东迳大梁亭南，又东迳梁台南，东注渠。渠水又东南流迳开封县，睢、涣二水出焉。右则新沟注之，其水出逢池，池上承役水于苑陵县，别为鲁沟水。东南流迳开封县故城北，汉高帝十一年，封陶舍为侯国也。陈留志称，阮简字茂弘，为开封令，县侧有劫贼，外白甚急数，简方围棋长啸。吏云：劫急。简曰：局上有劫亦甚急。其耽乐如是。故语林曰：王中郎以围棋为坐隐，或亦谓之为手谈，又谓之为棋圣。鲁沟南际富城，东南入百尺陂，即古之逢泽也。徐广史记音义曰：秦使公子少官率师会诸侯逢泽。汲郡墓竹书纪年作秦孝公会诸侯于逢泽。斯其处也。故应德琏西征赋曰：鸾衡东指，弭节逢泽。其水东北流为新沟，新沟又东北流迳牛首乡北，谓之牛建城，又东北注渠，即沙水也。音蔡，许慎正作沙音，言水散石也，从水少，水少沙见矣。楚东有沙水，谓此水也。

又屈南至扶沟县北，

沙水又东南迳牛首乡东南，鲁沟水〔二八〕出焉，亦谓之宋沟也。又迳陈留县故城南，孟康曰：留，郑邑也，后为陈所并，故曰陈留矣。鲁沟水又东南迳圉县故城北，县苦楚难，修其干戈以圉其患，故曰圉也，或曰边陲之号矣。历万人散。王莽之篡也，东郡太守翟义兴兵讨莽，莽遣奋威将军孙建击之于圉北，义师大败，尸积万数，血流溢道，号其处为万人散，百姓哀而祠之。又历鲁沟亭，又东南至阳夏县故城西，汉高祖六年，封陈豨为侯国。鲁沟又南入涡，今无水也。沙水又东南迳斗城西。左传襄公三十年，子产殡伯有尸，其臣葬之于是也。沙水又东南迳牛首亭东，左传桓公十四年，宋人与诸侯伐郑东郊，取牛首者也，俗谓之车牛城矣。沙水又东南，八里沟水出焉。又东南迳陈留县裘氏乡裘氏亭西，又迳澹台子羽冢东，与八里沟合。按陈留风俗传曰：陈留县裘氏乡有澹台子羽冢，又有子羽祠，民祈祷焉。京相璠曰：今泰山南武城县有澹台子羽冢，县人也。未知孰是。因其方志所叙〔二九〕，就记缠络焉。沟水上承沙河而西南流，迳牛首亭南，与百尺陂水合，其水自陂南迳开封城东三里冈，左屈而西流南转，注八里沟。又南得野兔水口，水上承西南兔氏亭北野兔陂，郑地也。春秋传云：郑伯劳屈生于兔氏者也。陂水东北入八里沟。八里沟水又南迳石仓城西，又南迳兔氏亭东，又南迳召陵亭西，东入沙水。沙水南迳扶沟县故城东，县即颍川之縠平乡也。有扶亭，又有洧水沟，故县有扶沟之名焉。建武元年，汉光武封平狄将军朱鲔为侯国。沙水又东与康沟水合，水首受洧水于长社县东，东北迳向冈西，即郑之向乡也。后人遏其上口，今水盛则北注，水耗则辍流。又有长明沟水注之，水出苑陵县故城西北，县有二城，此则西城也。二城以东，悉多陂泽，即古制泽也。京相璠曰：郑地。杜预曰：泽在荥阳苑陵县东，即春秋之制田也。故城西北平地出泉，谓之龙渊泉，泉水流迳陵丘亭西，又西，重泉水注之，水出城西北平地，泉涌南流，迳陵丘亭西，西南注龙渊水。龙渊水又东南迳凡阳亭西，而南入白雁陂。陂在长社县东北，东西七里，南北十里，在林乡之西南，司马彪郡国志曰：苑陵有林乡亭。白雁陂又引渎南流，谓之长明沟，东转北屈，又东迳向城北，城侧有向冈，左传襄公十一年，诸侯伐郑，师于向者也。又东，右迆为染泽陂，而东注于蔡泽陂。长明沟水又东迳尉氏县故城南，圈称云：尉氏，郑国之东鄙，弊狱官名也，郑大夫尉氏之邑。故栾盈曰：盈将归死于尉氏也。沟渎自是三分，北分为康沟，东迳平陆县故城北，高后元年，封楚元王子礼为侯国。建武元年，以户不满三千，罢为尉氏县之陵树乡。又有陵树亭，汉建安中，封尚书荀攸为陵树乡侯。故陈留风俗传曰：陵树乡，故平陆县也。北有大泽，名曰长乐厩。康沟又东迳扶沟县之白亭北，陈留风俗传曰：扶沟县有帛乡、帛亭，名在七乡十二亭中。康沟又东迳少曲亭，陈留风俗传曰：尉氏县有少曲亭，俗谓之小城也。又东南迳扶沟县故城东，而东南注沙水。沙水又南会南水，其水南流，又分为二水，一水南迳关亭东，又东南流，与左水合，其水自枝渎南迳召陵亭西，疑即扶沟之亭也，而东南合右水。世以是水与鄢陵陂水双导，亦谓之双沟。又东南入沙水。沙水南与蔡泽陂水合，水出鄢陵城西北，春秋成公十六年，晋、楚相遇于鄢陵，吕锜射中共王目，王召养由基，使射杀之，亦子反醉酒自毙处也。陂东西五里，南北十里，陂水东迳匡城北，城在新汲县之东，北即扶沟之匡亭也。亭在匡城乡，春秋文公元年，诸侯朝晋，卫成公不朝，使孔达侵郑，伐绵訾及匡，即此邑也。今陈留长垣县南有匡城，即平丘之匡亭也。襄邑又有承匡城，然匡居陈、卫之间，亦往往有异邑矣。陂水又东南至扶沟城北，又东南入沙水。沙水又南迳小扶城西，而东南流也。城即扶沟县之平周亭，东汉和帝永元中，封陈敬王子参为侯国。沙水又东南迳大扶城西，城即扶乐故城也。城北二里有袁良碑，云良，陈国扶乐人。后汉世祖建武十七年，更封刘隆为扶乐侯，即此城也。涡水于是分焉，不得在扶沟北便分为二水也。

其一者，东南过陈县北，

沙水又东南迳东华城西，又东南，沙水枝渎西南达洧，谓之甲庚沟，今无水。沙水又南与广漕渠合，上承庞官陂，云邓艾所开也。虽水流废兴，沟渎尚夥。昔贾逵为魏豫州刺史，通运渠二百里馀，亦所谓贾侯渠也。而川渠迳复，交错畛陌，无以辨之。沙水又东迳长平县故城北，又东南迳陈城北，故陈国也。伏羲、神农并都之。城东北三十许里，犹有羲城实中，舜后妫满，为周陶正，武王赖其器用，妻以元女太姬而封诸陈，以备三恪。太姬好祭祀，故诗所谓坎其击鼓，宛丘之下。宛丘在陈城南道东，王隐云：渐欲平。今不知所在矣。楚讨陈，杀夏徵舒于栗门,以为夏州。后城〔三〇〕之东门内有池,池水东西七十步,南北八十许步,水至清洁,而不耗竭,不生鱼草,水中有故台处,诗所谓“东门之池”也。城内有汉相王君造四县邸碑,文字剥缺,不可悉识,其略曰:惟兹陈国,故曰淮阳郡云云。清惠著闻,为百姓畏爱,求贤养士,千有馀人,赐与田宅吏舍,自损俸钱,助之成邸。五官掾西华陈骐等二百五人,以延熹二年云云。故其颂曰:修德立功,四县回附。今碑之左右,遗墉尚存,基础犹在,时人不复寻其碑证,云孔子庙学,非也。后楚襄王为秦所灭,徙都于此。文颖曰:西楚矣。三楚,斯其一焉。城南郭里,又有一城,名曰淮阳城,子产所置也。汉高祖十一年以为淮阳国,王莽更名,郡为新平,县曰陈陵。故豫州治。王隐晋书地道记云:城北有故沙,名之为死沙,而今水流津通,漕运所由矣。沙水又东而南屈,迳陈城东,谓之百尺沟,又南分为二水,新沟水出焉。沟水东南流,谷水注之,水源上承涝陂,陂在陈城西北,南暨苹城,皆为陂矣。陂水东流谓之谷水,东迳涝城北,王隐曰:苹北有谷水是也。苹即柽矣。经书:公会齐、宋于柽者也。杜预曰:柽即苹也。在陈县西北为非,柽,小城也,在陈郡西南。谷水又东迳陈城南,又东流入于新沟水,又东南注于颍,谓之交口。水次有大堰,即古百尺堰也。魏书国志曰:司马宣王讨太尉王凌,大军掩至百尺堨,即此堨也。今俗呼之为山阳堰,非也。盖新水首受颍于百尺沟,故堰兼有新阳之名也。以是推之,悟故俗谓之非矣。

又东南至汝南新阳县北,

沙水自百尺沟东迳宁平县之故城南,晋阳秋称晋太傅东海王越之东奔也，石勒追之，燔尸于此。数十万众，敛手受害，勒纵骑围射，尸积如山，王夷甫死焉〔三一〕。余谓俊者所以智胜群情，辨者所以文身祛惑，夷甫虽体荷俊令，口擅雌黄，污辱君亲，获罪羯勒，史官方之华、王，谅为褒矣。沙水又东，积而为陂，谓之阳都陂，明水注之。水上承沙水枝津，东出迳汝南郡之宜禄县故城北，王莽之赏都亭也。明水又东北流注于陂，陂水东南流，谓之细水。又东迳新阳县北，又东，高陂水东出焉。沙水又东分为二水，即春秋所谓夷濮之水也。枝津北迳谯县故城西，侧城入涡。沙水东南迳城父县西南，枝津出焉，俗谓之章水。一水东注，即濮水也，俗谓之艾水〔三二〕。东迳城父县之故城南，东流注也。

又东南过山桑县北，

山桑故城在涡水北，沙水不得迳其北明矣。经言过北，误也。

又东南过龙亢县南，

沙水迳故城北，又东南迳白鹿城北而东注也。

又东南过义成县〔三三〕西，南入于淮。

义成县故属沛，后隶九江。沙水东流注于淮，谓之沙汭。京相璠曰：楚东地也。春秋左传昭公二十七年，楚令尹子常以舟师及沙汭而还。杜预曰：沙，水名也。

〔一〕汉高帝二年　注疏本疏："守敬按：汉志颍川郡，高帝五年为韩国，六年复故。考史记高祖纪五年，立韩王信为韩王，都阳翟，六年，徙太原。信传同。此'二年'为'五年'之误，无疑。"

〔二〕洞水　章宗源隋书经籍志考证卷十三杂传逸民传七卷

引水经注作“洞水”。

〔三〕嵩高县　黄本、注笺本、何校明钞本、王校明钞本、项本、摘钞本、注释本、张本、康熙登封县志卷五山川志水属五渡谿引水经注、乾隆河南府志卷十六山川志十颍水引水经注均作“崇高县”，谭本注云：“一作嵩。”

〔四〕陈桥驿水经注记载的禹迹（原载浙江学刊一九九六年第五期，收入于水经注研究四集，杭州出版社二〇〇三年出版）：

读一读水经注记载的禹迹，对我来说，也不无启发，因为我从这里看到了禹的传说在内容上和地域上都有进一步的扩大。神话和传说本来不必如同历史一样地认真对待，但应该承认，它们仍然是值得研究的。其实，对于上古历史，特别是经过儒家们打扮并且统一了口径的上古历史，它们与神话、传说的差距有时实在不大，就以这个夏朝为例，对于传说中的禹的儿子，或许实际上是夏这个部落的第一位酋长启，有关他的登台，儒家经典与其他文献就有截然不同的记载。孟子万章上说：“禹荐益于天，七年，禹崩，三年丧毕，益避禹之子于箕山之阴，朝觐讼狱者，不之益而至启，曰：吾君之子也。讴歌者，不讴歌益而讴歌启，曰：吾君之子也。”但古本竹书纪年却说：“益干启位，启杀之。”长期在儒教薰陶下的中国人当然既不愿也不敢相信竹书纪年的话。何况竹书在泥土里埋了五六百年，而在这段时间里，儒家的学说早已先声夺人，一统天下。

现在我们不妨设想一下，按照儒家，夏朝初期的这种权力斗争是和平过渡的；但按照竹书纪年，夏部落中的启和益两大势力，是在腥风血雨中定局的。假使真的如此，那么，启无疑是夏部落的第一位酋长。至于我们要议论的禹，作为治水先驱，那当然是个神话；作为夏朝的开国之君，则其身份也不过是以后的周文王而已。

又案：郦书中引及竹书纪年甚多，但对“益干启位，启杀之”这一条却视而不见，仍执着于“伯益避启”云云，说明其崇儒之深。

〔五〕勺水　大典本作“沟水”。

〔六〕札迻卷三孙诒让云：“案此文‘连山亦曰启筮亭’七字有误，考御览八十二引归藏易云：‘昔夏后启筮享神于大陵而上钧台枚占，皋陶曰不吉。’（初学记二十二亦引其略）此文疑当作‘连山易曰：启筮享神于大陵之上’，盖连山、归藏两易皆有此文，抑或本出归藏，郦氏误忆为连山，皆未可知，今本‘连山亦’，‘亦’即‘易’之误（易、亦音相近），‘启筮亭’三字又涉下‘启筮享’三字而衍（亭、享形相近），文字传讹，虚构成实，遂若此地自有山名连，亭名启筮者。不知郦意但引连山易以释大陵耳，安得陵之外，别有山与亭乎？”

〔七〕此句，注疏本作“东南历大陵西，归藏易曰：启筮享神于大陵之上，即钧台也”。疏略引孙诒让札迻，称“其记甚审”。

〔八〕永元十三年　注疏本同，熊会贞疏：“范书本传作‘十二年’。”

〔九〕名别　注疏本作“别名”。疏：“戴‘别名’误作‘名别’。”

〔一〇〕札记别体字：

王国维明钞本水经注跋（观堂集林第十二卷）云：

如颍水注，颍水又东迳项城中，楚襄王所郭，以为别都，都内西南小城，项县故城也，旧预州治。案"预"者，"豫"之别字，诸本讹作"颍"。考项县在汉魏时本属豫州汝南郡，至后魏孝昌四年始置颍州，不得为项县地，而天平二年置北扬州，乃治项城。是项县故城，当是旧豫州治，不得为后魏颍州治也。且下文云：又东迳刺史贾逵祠，刺史上不著州名，乃承上文"旧预州治"言之（魏志本传，逵为豫州刺史），则此本作"预州"是，诸本作"颍州"者误也。

王氏的这一校勘成果是很出色的，其中"案预者，豫之别字"是这一校勘的关键；他的自注"魏志本传，逵为豫州刺史"是有力的旁证。最后是正确的结论："则此本作'预州'是，诸本作'颍州'者误也。"王氏不愧是一位学识渊博，思路敏捷的学者，令人折服。

〔一一〕奇洛城　注疏本疏："戴作'洛'。守敬按：奇領城本书屡见，皆作'領'，独官刻戴本此处作'洛'，误。孔刻戴本仍作'領'。"

〔一二〕马领山　康熙登封县志卷五山川志山属洧水引水经注、道光尉氏县志卷三河渠志溱洧水引水经注均作"马岭山"。

〔一三〕札记表彰薄葬：

我曾经撰文议论过郦道元对于厚葬的鞭挞（读水经注札记之八，明报月刊一九九一年三月号），特别是对于那些暴君污吏的厚葬，注文已经达到了无情痛斥的程度。但是在另一方面，对于薄葬和那些提倡薄葬的人，他是非常赞赏的。常常在注文中加以表彰。卷二十二洧水注中,在他鞭挞了张伯雅"夫富而非义,比之浮云,况复此乎"以下,又加上一句"王孙、士安,斯为达矣"的话。这里表彰的王孙,指的是汉杨王孙,而士安则是指的晋皇甫士安。

按汉书杨王孙传:"及病且终,先令其子曰:吾欲裸葬(颜师古注:裸者,不为衣衾棺椁者也),以反吾真,必亡易吾意,死则为布囊盛尸入地七尺,既下,从足引脱其囊,以身亲土。"对于他的这种薄葬意愿,其子碍于当时习俗,甚感为难,只好去请教杨王孙的友人祁侯,祁侯为此事给他写信,引孝经劝说:"为之棺椁衣衾,是亦圣人之遗制,何必区区独守所闻,愿王孙察焉。"而王孙的回答很合乎情理:"盖闻古之圣王,缘人情不忍其亲,故为制礼,今则越之,吾是以裸葬,将以矫世也。夫厚葬诚亡益于死者,而俗人竞以相高,靡财单币,腐之地下,或乃今日入而明日发,此其与暴骸于中野何异?""靡财单币,腐之地下",厚葬的劳民伤财,被他一语道破。

皇甫士安名谧,即是帝王世纪一书的撰者。他的薄葬思想,其实与杨王孙一样。晋书皇甫谧传云:

> 今生不能保七尺躯,死何故隔一棺之土?然则衣衾所以秽尸,棺椁所以隔真,故桓司马石椁不如速朽,季孙玙璠比之暴骸。文公厚葬,春秋以为华元不臣;杨王孙亲土,汉书以为贤于秦始皇。如令魂必有知,则人鬼异制,黄泉之亲,死多于生,必将备其器物用待亡者。今若以存况终,非即灵之意也。如其无知,则空夺生用,损之无益,而启奸心,是招露形之祸,增亡者之毒也。

"黄泉之亲,死多于生,必将备其器物用待亡者",这是对厚葬者的一种别出心裁的嘲笑。"王孙、士安,斯为达矣"。郦道元对他们薄葬思想的表彰,语言简洁,意义深长。这也就是他在泗水注中对宋大夫桓魋冢的斥责:"夫子以为不如死之速朽也。"

〔一四〕捕獐山水　黄本、吴本、注笺本、项本、沈本、张本、注疏本均作"捕章山水"。注疏本疏:"赵据河南总志改'章'作'獐',下同。戴改同。按'章'、'獐'古通。考工记,画缋之事山以章,注,读如獐,是也。戴奈何轻改之。"

〔一五〕捕獐山　同上注各本均作"捕章山"。

〔一六〕札记郦道元与柳宗元:

明末清初的学者张岱,他在跋寓山注二则(琅嬛文集卷五)一文中写道:"古人记山水,太上郦道元,其次柳子厚,近时则袁中郎。"这里,张岱拿郦、柳、袁三人相比,说明三人都是写景能手。袁中郎就是袁宏道,是明末"公安体"的代表人物,毕生写过不少游记,收入于袁中郎全集卷十四。以后又有人把他的游记抽出来,单独出版了袁中郎游记(中国图书馆出版部一九三五年出版)。张岱和袁宏道差不多是同时代人,所以完全有资格对袁作出评价,并把他列入三人中的第三位,这种评价是公允的。但是张在郦、柳二人中进行评比,称郦为"太上",称柳为"其次",这是根据什么标准呢?柳子厚就是柳宗元,是著名的唐宋八大家之一,在文学上的名气,要比郦道元大得多,却让他屈居郦氏之下,是否有失公平?

不过仔细地咀嚼一下张岱的文字,他的所谓"太上"和

"其次",指的是"古人记山水"。柳宗元毕生写的文章虽多,但山水文章主要以永州八记出名。永州八记当然是名重一时的千古文章,但是在写景的技巧上,确实有继承郦道元之处,不妨举点例子。

郦注卷二十二洧水经"又东南过长社县北"注云:

> 潩泉南注,东转为渊,绿水平潭,清洁澄深,俯视游鱼,类若乘空矣,所谓渊无潜鳞也。

又卷三十七夷水经"东入于江"注云:

> 其水虚映,俯视游鱼,如乘空也。

又卷三十七澧水经"澧水出武陵充县西,历山东过其县南"注云:

> 澧水又东,茹水注之,水出龙茹山,水色清澈,漏石分沙。

上面列举的各条,郦道元的"俯视游鱼,类若乘空","渊无潜鳞","漏石分沙"等词句,用以描写水的清澈。而永州八记中的至小丘西小石潭记中,柳宗元用来描写潭水清澈,也用了这样的词句:

> 潭中鱼可百许头,皆若空游而无所依。

当然,人类的一切学问和经验,后代总是继承前代而不断发展的。柳宗元在写景技巧上吸取了郦道元之长,这是很自然的事。而张岱所说的"太上"和"其次",看来也并无不当之处。

〔一七〕札记邸阁:

水经注记载中有一种称为"邸阁"的事物,初读时颇不解。例如卷八济水经"又东北过卢县北"注:"济水又迳什城北,城际水湄,故邸阁也。"又如卷三十一淯水经"又南过新野县西"注:"淯水又东南迳士林东,戍名也,戍有邸阁。"

这样的例子还可以举出不少,例如卷三十八湘水经"又北至巴丘山,入于江"注:"山有巴陵故城,本吴之巴丘邸阁城也。"又如卷三十九赣水经"又北过南昌县西"注:"赣水又历钓圻邸阁下,度支校尉治,太尉陶侃移置此也。"

这个问题,在杨守敬、熊会贞的水经注疏中得到解决。卷二十二洧水经"又东南过长社县北"注云:

> 洧水又东入汶仓城内,俗以是水为汶水,故有汶仓之名,非也。盖洧水之邸阁耳。

熊会贞在此下疏云:

> 河水五、淇水、浊漳水、赣水等篇,并言邸阁。此以洧水邸阁释汶仓,是邸阁即仓之殊目矣。

熊疏使人豁然开朗。案通典卷十食货十漕运记及后魏时云:"有司请于水运之次,随便置仓,乃于小平、石门、白马津……凡八所,各立邸阁。"三国志吴书孙策传:"策渡江攻繇牛渚营,尽得邸阁粮谷战具。"由此可知,邸阁不仅是粮仓,并且也是军火库。通鉴卷七十二魏纪四明帝青龙元年云:"诸葛亮劝农讲武,作木牛流马,运米及斜谷口,治斜谷邸阁,息民休士,三年而后用之。"又同上书晋纪六惠帝永宁元年,成都王颖表称:"大司马前在阳翟,与贼相持既久,百姓困敝,乞运河北邸阁米十五万斛,以赈阳翟饥民。"设邸阁以储粮的例子,真是不胜枚举,所以胡三省在通鉴释文辨误卷三明帝青龙元年云:

"魏延所谓横门邸阁,足以周食,王基所谓南顿有大邸阁,足计军人四十日粮。"对于邸阁一名的意义,胡三省在通鉴卷六十一汉纪献帝兴平二年"尽得邸阁粮谷战具"下解释说:"邸,至也,言所归至也。阁,庋置也。邸阁,谓转输之归至而庋置之也。"在上述淯水注中记及的士林戍邸阁,戍是屯兵防卫之所,所以注文说"戍有邸阁",这是理所当然。因为邸阁所储,可充戍的军粮,而戍对邸阁,则起了保卫作用。在战争时期,邸阁显然是敌我争夺的要害所在,所以必须加强保卫。前面提到湘水注三国吴的巴丘邸阁城,至东晋仍然存在使用。晋书殷仲堪传云:"玄击仲堪,顿巴丘而馆其谷,玄又破杨广于夏口,仲堪既失巴陵之积,又诸将皆败,江陵震惊,城内大饥,以胡麻为廪。"由于邸阁被占,粮秣尽失,军马无食,士气涣散,当然溃败。

水经注全书记载的邸阁共有十处,正因为熊会贞这一疏,这十处邸阁的重要性就可以一一考实。在水经注疏中,熊疏的价值常常超过杨疏,青出于蓝,这也是学术发展的必然趋势。

〔一八〕殿本在此下案云:"案此句有脱误,未详。"

〔一九〕嘉靖许州志卷一山川襄城县具茨山引水经注云:"其山有轩辕避暑洞。"当是此句下佚文。

〔二〇〕嘉靖鄢陵志卷一地理志山川引水经注云:"郄水注于潧。"当是此句下佚文。

〔二一〕禹贡山川地理图卷下莨菪渠口辨引水经注云:"渠水即莨菪渠也。"又方舆纪要卷四十六河南一颍水引水经注云:"莨荡渠自中牟东流，至浚仪县分为二水，南流曰沙水，东注曰汴水。”当是此段下佚文。

〔二二〕札记湖泊湮废：

关于我国湖泊在历史时期淤浅和湮废的过程，水经注记载中有清楚的例子。卷二十二渠水注中记载的圃田泽，是见于职方、尔雅和汉书地理志的著名大湖。渠水注描述此湖时，虽然已经淤浅，但面积还相当大，“西限长城，东极官渡，北佩渠水，东西四十许里，南北二十许里”。但在全湖范围，即自然地理学中所谓的湖盆中，已经不是全部积水。在干燥的季节，全湖分成许多小湖，即渠水注所说的：“中有沙冈，上下二十四浦，津流径通，渊潭相接。各有名焉：有大渐、小渐、大灰、小灰、义鲁、练秋、大白杨、小白杨、散吓、禺中、羊圈、大鹄、小鹄、龙泽、蜜罗、大哀、小哀、大长、小长、大缩、小缩、伯丘、大盖、牛眼等。浦水盛则北注，渠溢则南播。”这种由大到小，由整体到分散，是湖泊湮废中常常发生的现象。到了宋代，上述所谓二十四浦也陆续湮废，古代著名的圃田泽，终于不复存在。

〔二三〕黄雀沟　注笺本、项本、五校钞本、七校本、张本、注疏本均作“黄崖沟”。注疏本疏：“全改‘崖’作‘雀’，云：此即济水注之黄雀沟，郑国别有黄崖沟，非此沟也。赵、戴改同。会贞按：洧水篇叙黄水，谓黄为春秋之黄崖，即此所入之水。若济水篇之黄雀沟，不得与此通也。全说谬，赵、戴并依改，脉水之功疏矣。”

〔二四〕中平陂　似不类陂湖名称。注释本云：“按‘中平陂’上有脱文。”

〔二五〕鲁沟水　注笺本、项本、注释本、张本均作“鲁渠水”。

〔二六〕固　合校本、疏证本、注疏本均作“圃”。王国维明钞本水经注跋：“渠水注，卫褚师圃亡在中牟，诸本‘圃’并作‘固’。”注疏本杨守敬疏：“明钞本作‘圃’。”

〔二七〕徙都于大梁　王国维明钞本水经注跋：“徙邦于大梁，诸本‘邦’并作‘都’。”

〔二八〕鲁沟水　注疏本作“鲁渠水”。疏：“戴以‘渠’为讹，改作‘沟’。守敬按：汉志陈留县载鲁渠水，是郦所本，下乃变为鲁沟耳。戴依下改‘渠’作‘沟’，失考。”

〔二九〕因其方志所叙　此水经注第二次叙及“方志”。汝水注作“方誌”，此作“方志”。

〔三〇〕城　明钞本作“灭”。王国维明钞本水经注跋：“以为夏州后灭之，诸本‘灭’并作‘城’。”

〔三一〕札记战祸：

卷二十二渠经“又东南至汝南新阳县北”注下记载一个关于石勒残杀西晋士民的故事，更是惨绝人寰，令人不堪卒读：

> 晋阳秋称晋太傅东海王越之东奔也，石勒追之，燌尸于此。数十万众，敛手受害，勒纵骑围射，尸积如山。

我们的民族和国家，在历史上确实受尽了战争的折磨。水经注记载的战争，还不过是发生在北魏以前的战争，北魏以后，历代以还，战争也是史不绝书。而且由于武器的进步，战争愈演愈烈，杀伤越来越大。战争的破坏性较之北魏以前大为增加。希望研究中国战争史的学者，能够把有史以来的一切战争作一次统计，估算出历次战争生命和财产的损失总数，看一看我们的民族和国家,到底在战争中付出了多大的代价。更希望研究世界战争史的学者,能对全世界有史以来的战争作同样的统计和估算。对于反对战争和呼吁和平,这或许是一件很有价值的工作。

〔三二〕艾水　注疏本作"父水"。疏:"朱'父'讹作'欠',赵改云:寰宇记城父县下云:父水在县东四里,受漳水,南流经县入蒙。水经云,沙水支分东注。戴改'艾'。守敬按:九域志作'欠水',与此同。又地形志秣陵下作'次',与'欠'形近,则'欠'字似是。然寰宇记本郦说作'父',父水因城父得名,较合。故赵从之。戴作'艾',则'父'之讹也。"

〔三三〕义成县　五校钞本、七校本均作"义城县"。

水经注卷二十三

阴沟水　汳水　获水

阴沟水出河南阳武县蒗荡渠，

阴沟首受大河于卷县，故渎东南迳卷县故城南，又东迳蒙城北，史记：秦庄襄王元年，蒙骜击取成皋、荥阳，初置三川郡。疑即骜所筑也，于事未详。故渎东分为二，世谓之阴沟水。京相璠以为出河之济，又非所究，俱东绝济隧。右渎东南迳阳武城北，东南绝长城，迳安亭北，又东北会左渎。左渎又东绝长城，迳垣雍城南，昔晋文公战胜于楚，周襄王劳之于此。故春秋书〔一〕：甲午至于衡雍，作王宫于践土。吕氏春秋曰：尊天子于衡雍者也。郡国志曰：卷县有垣雍城，即史记所记韩献秦垣雍是也。又东迳开光亭南，又东迳清阳亭南，又东合右渎。又东南迳封丘县，绝济渎。东南至大梁，合蒗荡渠〔二〕。梁沟既开，蒗荡渠故渎实兼阴沟浚仪之称，故云出阳武矣。东南迳大梁城北，左屈与梁沟合。俱东南流，同受鸿沟、沙水之目。其川流之会左渎东导者，即汳水也，盖津源之变名矣。故经云：阴沟出蒗荡渠也。

东南至沛，为過水，

阴沟始乱蒗蕩，终别于沙，而過水〔三〕出焉。過水受沙水于扶沟县，许慎又曰：過水首受淮阳扶沟县蒗蕩渠，不得至沛方为過水也。尔雅曰：過为洵。郭景纯曰：大水泆为小水也。吕忱曰：洵，過水也。過水迳大扶城西，城之东北，悉诸袁旧墓，碑字倾低，羊虎碎折，惟司徒滂、蜀郡太守腾、博平令光。碑字所存惟此，自馀殆不可寻。過水又东南迳阳夏县西，又东迳邈城北，城实中而西，有隙郭。過水又东迳大棘城南，故鄢之大棘乡也。春秋宣公二年，宋华元与郑公子归生战于大棘，获华元。左传曰：华元杀羊食士，不及其御，将战，羊斟曰：畴昔之羊，子为政；今日之事，我为政。遂御入郑，故见获焉。后其地为楚庄所并。故圈称曰：大棘，楚地，有楚太子建之坟及伍员钓台。池沼具存。過水又东迳安平县故城北，陈留风俗传曰：大棘乡，故安平县也。士人敦惷，易以统御。過水又东迳鹿邑城北，世谓之虎乡城，非也，春秋之鸣鹿矣。杜预曰：陈国武平西南有鹿邑亭是也。城南十里有晋中散大夫胡均碑，元康八年立。過水之北有汉温令许续碑，续字嗣公，陈国人也，举贤良，拜议郎，迁温令，延熹中立。過水又东迳武平县故城北，城之西南七里许有汉尚书令虞诩碑，碑题云：虞君之碑。讳诩，字定安，虞仲之后，为朝歌令、武都太守。文字多缺，不复可寻。按范晔汉书，诩字升卿，陈国武平人，祖为县狱吏，治存宽恕，尝曰：于公为里门，子为丞相，吾虽不及于公，子孙不必不为九卿。故字诩曰升卿。定安，盖其幼字也。魏武王初封于此，终以武平华夏矣。過水又东迳广乡城北，圈称曰：襄邑有蛇丘亭，故广乡矣。改曰广世，后汉顺帝阳嘉四年，封侍中挚填为侯国。即广乡也。濄水又东迳苦县西南，分为二水，枝流东北注，于赖城入谷，谓死濄也。濄水又东南屈，迳苦县故城南，郡国志曰：春秋之相也，王莽更名之曰赖陵矣。城之四门列筑驰道，东起赖乡，南自南门，越水直指故台西面；南门列道，径趣广乡道；西门驰道，西届武平；北门驰道，暨于北台。濄水又东北屈，至赖乡西，谷水注之。谷水首受涣水于襄邑县东，东迳承匡城东。春秋经书：夏叔仲彭生会晋郤缺于承匡。左传曰：谋诸侯之从楚者。京相璠曰：今陈留襄邑西三十里有故承匡城。谷水又东南迳已吾县故城西。陈留风俗传曰：县，故宋也，杂以陈、楚之地，故梁国宁陵县之徙种龙乡也。以成、哀之世，户至八九千，冠带之徒求置县矣。永元十一年，陈王削地，以大棘乡、直阳乡十二年自鄢隶之，命以嘉名曰已吾，犹有陈、楚之俗焉。谷水又东迳柘县故城东，地理志：淮阳之属县也。城内有柘令许君清德颂，石碎字紊，惟此文见碑。城西南里许，有汉阳台令许叔种碑，光和中立；又有汉故乐成陵令太尉掾许婴碑，婴字虞卿，司隶校尉之子，建宁元年立。馀碑文字碎灭，不复可观，当似司隶诸碑也。谷水又东迳苦县故城中，水泛则四周隍壍，耗则孤津独逝。谷水又东迳赖乡城〔四〕南，其城实中，东北隅有台偏高，俗以是台在谷水北，其城又谓之谷阳台，非也。谷水自此东入濄水。濄水又北迳老子庙东，庙前有二碑，在南门外。汉桓帝遣中官管霸祠老子，命陈相边韶撰文，碑北有双石阙甚整顿，石阙南侧，魏文帝黄初三年经谯所勒，阙北东侧，有孔子庙，庙前有一碑，西面是陈相鲁国孔畤建和三年立,北则老君庙,庙东院中有九井焉。又北,濄水之侧又有李母庙,庙在老子庙北,庙前有李母冢,冢东有碑,是永兴元年谯令长沙王阜所立。碑云:老子生于曲、濄间。濄水又屈东迳相县故城南,其城卑小实中,边韶老子碑文云:老子,楚相县人也,相县虚荒,今属苦,故城犹存,在赖乡之东,濄水处其阳。疑即此城也,自是无郭以应之。濄水又东迳谯县故城北,春秋左传僖公二十二年〔五〕,楚成得臣帅师伐陈,遂取谯,城顿而还是也。王莽之延成亭也,魏立谯郡,沇州治。沙水自南枝分,北迳谯城西,而北注濄。濄水四周城侧,城南有曹嵩冢,冢北有碑,碑北有庙堂,馀基尚存,柱础仍在。庙北有二石阙双峙,高一丈六尺,榱栌及柱皆雕镂云矩,上罦罳已碎,阙北有圭碑,题云:汉故中常侍长乐太仆特进费亭侯曹君之碑,延熹三年立。碑阴又刊诏策二,碑文同。夹碑东西,列对两石马,高八尺五寸,石作粗拙,不匹光武隧道所表象马也。有腾兄冢,冢东有碑,题云:汉故颍川太守曹君墓,延熹九年卒。而不刊树碑岁月。坟北有其元子炽冢,冢东有碑,题云:汉故长水校尉曹君之碑。历大中大夫、司马长史、侍中,迁长水,年三十九卒,熹平六年造。炽弟胤冢,冢东有碑,题云:汉谒者曹君之碑,熹平六年立。城东有曹太祖旧宅,所在负郭对廛,侧隍临水。魏书曰:太祖作议郎,告疾归乡里,筑室城外,春夏习读书传,秋冬射猎以自娱乐。文帝以汉中平四年生于此,上有青云如车盖,终日乃解。即是处也。后文帝以延康元年幸谯,大飨父老,立坛于故宅,坛前树碑,碑题云:大飨之碑。碑之东北,濄水南,有谯定王司马士会冢。冢前有碑,晋永嘉三年立。碑南二百许步有两石柱,高丈馀,半下为束竹交文,作制极工。石榜云:晋故使持节散骑常侍都督扬州江州诸军事、安东大将军谯定王河内温司马公墓之神道。濄水又东迳朱龟墓北,东南流,冢南枕道有碑,碑题云:汉故幽州刺史朱君之碑。龟字伯灵,光和六年卒官,故吏别驾从事史,右北平无终年化〔六〕,中平二年造。碑阴刊故吏姓名,悉蓟、涿及上谷、北平等人。濄水东南迳层丘北,丘阜独秀,巍然介立,故壁垒所在也。濄水又东南迳城父县故城北,沙水枝分注之,水上承沙水于思善县,世谓之章水,故有章头之名也。东北流迳城父县故城西,侧城东北流入于濄。濄水又东迳下城父北,郡国志曰:山桑县有下城父聚者也。濄水又屈迳其聚东郎山西,又东南屈迳郎山南,山东有垂惠聚,世谓之礼城。袁山松郡国志曰:山桑县有垂惠聚。即此城也。濄水又东南迳濄阳城北,临侧濄水,魏太和中为濄州治,以盖表为刺史,后罢州立郡,衿带遏戍。濄水又东南迳龙亢县故城南,汉建武十三年,世祖封傅昌为侯国,故语曰:沛国龙亢至山桑者也。濄水又屈而南流出石梁,梁石崩褫,夹岸积石高二丈,水历其间,又东南流,迳荆山北而东流注也。

又东南至下邳淮陵县,入于淮。

濄水又东,左合北肥水。北肥水出山桑县西北泽薮,东南流,左右翼佩数源,异出同归,盖微脉涓注耳。东南流迳山桑邑南,俗谓之北平城。昔文钦之封山桑侯,疑食邑于此城。东南有一碑,碑文悉破无验,惟碑背故吏姓名尚存,熹平元年义士门生沛国萧刘定兴立。北肥水又东迳山桑县故城南,俗谓之都亭，非也。今城内东侧犹有山亭桀立，陵阜高峻，非洪台所拟。十三州志所谓山生于邑，其亭有桑，因以氏县者也。郭城东有文穆冢碑，三世二千石，穆郡户曹史，征试博士太常丞，以明气候，擢拜侍中右中郎将，迁九江、彭城、陈留三郡，光和中卒，故吏涿郡太守彭城吕虔等立。北肥水又东积而为陂，谓之瑕陂。陂水又东南迳瑕城南，春秋左传成公十六年，楚师还及瑕。即此城也。故京相璠曰：瑕，楚地。北肥水又东南迳向县故城南，地理志曰：故向国也。世本曰：许、州、向、申，姜姓也，炎帝后。京相璠曰：向，沛国县，今并属谯国龙亢也。杜预曰：龙亢县东有向城，汉世祖建武十三年，更封富波侯王霸为侯国。即此城也。俗谓之圆城〔七〕，非。又东南迳义成南，世谓之楮城，非。又东入于渦，渦水又东注淮。经言下邳淮陵入淮，误矣。

汳水出阴沟于浚仪县北，

阴沟，即蒗蒻渠〔八〕也，亦言汳受旃然水，又云丹、沁乱流，于武德绝河，南入荥阳合汳，故汳兼丹水之称。河、济〔九〕水断，汳承旃然而东，自王贲灌大梁，水出县南而不迳其北，夏水洪泛，则是渎津通，故渠即阴沟也，于大梁北又曰浚水矣。故圈称著陈留风俗传曰：浚水迳其北者也。又东，汳水〔一〇〕出焉。故经云汳出阴沟于浚仪县北也。汳水东迳仓垣城南，即浚仪县之仓垣亭也。城临汳水，陈留相毕邈治此。征东将军荀晞之西也，邈走归京，晞使司马东莱王讚代据仓垣，断留运漕。汳水又东迳陈留县之鉼乡亭北，陈留风俗传所谓县有鉼乡亭。即斯亭也。汳水又迳小黄县故城南，神仙传称灵寿光，扶风人，死于江陵胡罔家，罔殡埋之。后百馀日，人有见光于此县，寄书与罔，罔发视之，惟有履存。汳水又东迳鸣雁亭南，春秋左传成公十六年，卫侯伐郑，至于鸣雁者也。杜预释地云：在雍丘县西北，今俗人尚谓之为白雁亭。汳水又东迳雍丘县故城北，迳阳乐城南。西征记曰：城在汳北一里，周五里，雍丘县界。汳水又东，有故渠出焉，南通睢水，谓之董生决，或言董氏作乱，引水南通睢水，故斯水受名焉。今无水。汳水又东，枝津出焉，俗名之为落架口〔一一〕。西征记曰：落架，水名也。续述征记曰：在董生决下二里。汳水又迳外黄县南，又东迳莠仓城北。续述征记曰：莠仓城去大游墓二十里。又东迳大齐城南，陈留风俗传曰：外黄县有大齐亭。又东迳科城北。陈留风俗传曰：县有科禀亭，是则科禀亭也。汳水又东迳小齐城南，汳水又南迳利望亭南。风俗传曰：故成安也。地理志：陈留县名，汉武帝以封韩延年为侯国。汳水又东，龙门故渎出焉，渎旧通睢水，故西征记曰：龙门，水名也。门北有土台，高三丈馀，上方数十步。汳水又东迳济阳考城县故城南，为菑获渠。考城县，周之采邑也，于春秋为戴国矣。左传隐公十年，秋，宋、卫、蔡伐戴是也。汉高帝十一年秋，封彭祖为侯国。陈留风俗传曰：秦之穀县也。后遭汉兵起，邑多灾年，故改曰菑县，王莽更名嘉穀。章帝东巡过县，诏曰：陈留菑县，其名不善，高祖鄙柏人之邑，世宗休闻喜而显获嘉应，亨吉元符，嘉皇灵之顾，赐越有光，列考武皇，其改菑县曰考城。是渎盖因县以获名矣。汳水又东迳宁陵县之沙阳亭北，故沙随国矣。春秋左传成公十六年，秋，会于沙随，谋伐郑也。杜预释地曰：在梁国宁陵县北沙阳亭是也。世以为堂城,非也。汳水又东迳黄蒿坞北,续述征记曰:堂城至黄蒿二十里。汳水又东迳斜城下,续述征记曰:黄蒿到斜城五里。陈留风俗传曰:考城县有斜亭。汳水又东迳周坞侧,续述征记曰:斜城东三里。晋义熙中,刘公遣周超之自彭城缘汳故沟,斩树穿道七百馀里,以开水路,停泊于此。故兹坞流称矣。汳水又东迳葛城北,故葛伯之国也。孟子曰:葛伯不祀。汤问曰:何为不祀?称无以供祠祭。遗葛伯,葛伯又不祀。汤又问之,曰:无以供牺牲。汤又遗之,又不祀。汤又问之,曰:无以供粢盛。汤使亳众往,为之耕,老弱馈食。葛伯又率民夺之,不授者则杀之,汤乃伐葛。葛于六国属魏,魏安釐王以封公子无忌,号信陵君,其地葛乡,即是城也,在宁陵县西十里。汳水又东迳神坑坞,又东迳夏侯长坞。续述征记曰:夏侯坞至周坞,各相距五里。汳水又东迳梁国睢阳县故城北,而东历襄乡坞南。续述征记曰:西去夏侯坞二十里,东一里,即襄乡浮图也。汳水迳其南,汉熹平中某君所立。死因葬之,其弟刻石树碑,以旌厥德。隧前有狮子、天鹿,累砖作百达柱八所,荒芜颓毁,凋落略尽矣。

又东至梁郡蒙县,为获水,馀波南入睢阳城中,

汳水又东迳贳城南,俗谓之薄城,非也。阚骃十三州志以为贳城也,在蒙县西北。春秋僖公二年,齐侯、宋公、江、黄盟于贯。杜预以为贳也。云贳、贯字相似。贯在齐,谓贯泽也,是矣。非此也,今于此地更无他城,在蒙西北惟是邑耳。考文准地,贳邑明矣,非亳可知。汳水又东迳蒙县故城北,俗谓之小蒙城也。西征记:城在汳水南十五六里,即庄周之本邑也,为蒙之

漆园吏。郭景纯所谓漆园有傲吏者也。悼惠施之没,杜门于此邑矣。汳水自县南出,今无复有水。惟睢阳城南侧有小水,南流入于睢城。南二里有汉太傅掾桥载墓碑,载字元宾,梁国睢阳人也,睢阳公子,熹平五年立。城东百步有石室,刊云:汉鸿胪桥仁祠。城北五里有石虎、石柱,而无碑志,不知何时建也。汳水又东迳大蒙城北,自古不闻有二蒙,疑即蒙亳也,所谓景薄为北亳矣。椒举云:商汤有景亳之命者也。阚骃曰:汤都也。亳本帝喾之墟,在禹贡豫州河、洛之间,今河南偃师城西二十里尸乡亭是也。皇甫谧以为考之事实,学者失之,如孟子之言汤居亳,与葛为邻,是即亳与葛比也。汤地七十里,葛又伯耳,封域有限,而宁陵去偃师八百里,不得童子馈饷而为之耕。今梁国自有二亳,南亳在穀熟,北亳在蒙,非偃师也。古文仲虺之诰曰:葛伯仇饷,征自葛始。即孟子之言是也。崔骃曰:汤冢在济阴薄县北。皇览曰:薄城北郭东三里平地有汤冢,冢四方,方各十步,高七尺,上平也。汉哀帝建平元年,大司空使郃长卿按行水灾,因行汤冢,在汉属扶风,今徵之回渠亭有汤池、徵陌是也。然不经见,难得而详。按秦宁公本纪云:二年伐汤,三年与亳战,亳王奔戎,遂灭汤。然则周桓王时自有亳王号汤,为秦所灭,乃西戎之国,葬于徵者也,非殷汤矣。刘向言,殷汤无葬处为疑。杜预曰:梁国蒙县北有薄伐城,城中有成汤冢,其西有箕子冢。今城内有故冢方坟,疑即杜元凯之所谓汤冢者也。而世谓之王子乔冢。冢侧有碑,题云:仙人王子乔碑。曰:王子乔者,盖上世之真人,闻其仙,不知兴何代也。博问道家,或言颍川,或言产蒙,初建此城,则有斯丘，传承先民曰：王氏墓暨于永和之元年冬十二月，当腊之时。夜，上有哭声，其音甚哀，附居者王伯怪之，明则祭而察焉。时天鸿雪下，无人径，有大鸟迹在祭祀处，左右咸以为神。其后有人著大冠，绛单衣，杖竹立冢前，呼采薪孺子伊永昌曰：我王子乔也，勿得取吾坟上树也。忽然不见。时令泰山万熹，稽故老之言，感精瑞之应，乃造灵庙，以休厥神。于是好道之俦自远方集，或弦琴以歌太一，或覃思以历丹丘，知至德之宅兆，实真人之祖先。延熹八年秋八月，皇帝遣使者奉牺牲，致礼祠，濯之，敬肃如也。国相东莱王璋，字伯仪，以为神圣所兴，必有铭表，乃与长史边乾遂树之玄石，纪颂遗烈。观其碑文，意似非远，既在迳见，不能不书存耳。

获水出汳水于梁郡蒙县北，

汉书地理志曰：获水首受甾获渠，亦兼丹水之称也。竹书纪年曰：宋杀其大夫皇瑗于丹水之上，又曰宋大水。丹水壅不流，盖汳水之变名也。获水自蒙东出，水南有汉故绎幕令匡碑，匡字公辅，鲁府君之少子也。碑字碎落，不可寻识，竟不知所立岁月也。获水又东迳长乐固北、己氏县南，东南流迳于蒙泽。十三州志曰：蒙泽在县东。春秋庄公十二年，宋万与公争博，杀闵公于斯泽矣。获水又东迳虞县故城北，古虞国也。昔夏少康逃奔有虞，为之庖正，虞思于是妻之以二姚者也。王莽之陈定亭也。城东有汉司徒盛允墓碑。允字伯世，梁国虞人也。其先奭氏，至汉中叶，避孝元皇帝讳，改姓曰盛。世济其美，以迄于公，察孝廉，除郎，累迁司空、司徒。延熹中立墓，中有石庙，庙宇倾颓，基构可寻。获水又东南迳空桐泽北，泽在虞城东南，春秋哀公二十六年，冬，宋景公游于空泽；辛巳，卒于连中。大尹、左师兴空泽之士千甲，奉公自空桐入如沃宫者矣。获水又东迳龙谯固，又东合黄水口，水上承黄陂，下注获水。获水又东入栎林，世谓之九里柞。获水又东南迳下邑县故城北，楚考烈王灭鲁，顷公亡迁下邑。又楚、汉彭城之战，吕后兄泽军于下邑，高祖败还从泽军。子房肇捐地之策，收垓下之师，陆机所谓即下邑者也，王莽更名下治矣。获水又东迳砀县〔一二〕故城北，应劭曰：县有砀山，山在东，出文石，秦立砀郡，盖取山之名也。王莽之节砀县也。山有梁孝王墓，其冢斩山作郭，穿石为藏，行一里到藏中，有数尺水，水有大鲤鱼。黎民谓藏有神，不敢犯神，凡到藏，皆洁斋而进，不斋者，至藏辄有兽噬其足。兽难得见，见者云似狗，所未详也。山上有梁孝王祠。获水又东，穀水注之，上承砀陂。陂中有香城〔一三〕，城在四水之中，承诸陂散流，为零水、瀤水、清水也。积而成潭，谓之砀水。赵人有琴高者，以善鼓琴，为康王舍人，行彭、涓之术，浮游砀郡间二百馀年，后入砀水中取龙子，与弟子期曰：皆洁斋待于水旁，设屋祠。果乘赤鲤鱼出，入坐祠中，砀中有可万人观之，留月馀，复入水也。陂水东注，谓之穀水，东迳安山北，即砀北山也。山有陈胜墓，秦乱，首兵伐秦，弗终厥谋，死，葬于砀，谥曰隐王也。穀水又东北注于获水。获水又东历蓝田乡郭，又东迳梁国杼秋县故城南，王莽之予秋也。获水又东历洪沟东注，南北各一沟，沟首对获，世谓之鸿沟〔一四〕，非也。春秋昭公八年，秋，蒐于红。杜预曰：沛国萧县西有红亭，即地理志之虹县也。景帝三年，封楚元王子富为侯国，王莽之所谓贡矣。盖沟名音同,非楚、汉所分也。

又〔一五〕东过萧县南,睢水北流注之。

萧县南对山,世谓之萧城南山也。戴延之谓之同孝山,云取汉阳城侯刘德所居里名目山也。刘澄之云:县南有冒山。未详孰是也。山有箕谷,谷水北流注获,世谓之西流水,言水上承梧桐陂,陂水西流,因以为名也。余尝迳萧邑,城右惟是水北注获水,更无别水,疑即经所谓睢水也。城东、西及南三面临侧获水,故沛郡治县亦同居矣。城南旧有石桥耗处,积石为梁,高二丈,今荒毁殆尽,亦不具谁所造也。县本萧叔国,宋附庸,楚灭之。春秋宣公十二年,楚伐萧,萧溃,申公巫臣曰:师人多寒,王巡三军抚之,士同挟纩。盖恩使之然矣。萧女聘齐为顷公之母,郤克所谓萧同叔子也。获水又东历龙城,不知谁所创筑也。获水又东迳同孝山北,山阴有楚元王冢,上圆下方,累石为之,高十馀丈,广百许步,经十馀坟,悉结石也。获水又东,净净沟水〔一六〕注之。水上承梧桐陂,西北流,即刘中书澄之所谓白沟水也。又北入于获,俗名之曰净净沟也。

又东至彭城县北,东入于泗。

获水自净净沟东迳阿育王寺北,或言楚王英所造,非所详也。盖遵育王之遗法,因以名焉。与安陂水合,水上承安陂馀波,北迳阿育王寺,侧水上有梁,谓之玄注桥。水旁有石墓,宿经开发,石作工奇,殊为壮构,而不知谁冢,疑即澄之所谓凌冢也。水北流注于获。获水又东迳弥黎城北,刘澄之永初记所谓城之西南有弥黎城者也。获水于彭城西南回而北流,迳彭城,城西北旧有楚大夫龚胜宅,即楚老哭胜处也。获水又东转迳城北而东注泗水，北三里有石冢被开，传言楚元王之孙刘向冢，未详是否。城即殷大夫老彭之国也。于春秋为宋地，楚伐宋并之，以封鱼石。崔子季珪述初赋曰：想黄公于邳圯，勤〔一七〕鱼石于彭城。即是县也。孟康曰：旧名江陵为南楚，陈为东楚，彭城为西楚。文颖曰：彭城，故东楚也。项羽都焉，谓之西楚。汉祖定天下，以为楚郡，封弟交为楚王，都之。宣帝地节元年，更为彭城郡，王莽更之曰和乐郡也，徐州治。城内有汉司徒袁安、魏中郎将徐庶等数碑，并列植于街右，咸曾为楚相也。大城之内有金城，东北小城，刘公更开广之，皆垒石高四丈，列壍环之。小城西又有一城，是大司马琅邪王所修，因项羽故台，经始即构，宫观门阁，惟新厥制。义熙十二年，霖雨骤澍，汳水暴长，城遂崩坏，冠军将军彭城刘公之子也，登更筑之。悉以砖垒，宏壮坚峻，楼橹赫奕，南北所无。宋平北将军徐州刺史河东薛安都举城归魏，魏遣博陵公尉苟仁、城阳公孔伯恭援之，邑阁如初，观不异昔。自后毁撤，一时俱尽，间遗工雕镂，尚存龙云逞势，奇为精妙矣。城之东北角起层楼于其上，号曰彭祖楼。地理志曰：彭城县，古彭祖国也。世本曰：陆终之子，其三曰篯，是为彭祖。彭祖城是也，下曰彭祖冢。彭祖长年八百，绵寿永世，于此有冢，盖亦元极之化矣。其楼之侧，襟汳带泗，东北为二水之会也。耸望川原，极目清野，斯为佳处矣。

〔一〕故春秋书　注疏本杨守敬疏："守敬按：左传僖二十八年文。'故春秋书'四字，当作'左传'二字。"段熙仲校记："按左氏传盛行后，前人往往简称春秋传。此不必改，但增一‘传’字即可。”

〔二〕蒗蕩渠　黄本、吴本、练湖书院钞本、何校明钞本、王校明钞本、注删本、沈本、五校钞本、七校本、疏证本、方舆纪要卷二十一江南三凤阳府怀远县涡水引水经注、禹贡易知编卷四徐州“浮于淮泗达于河”注引水经注、汉书地理志补注卷九河南郡“有狼汤渠”注引水经注、宋东京考卷十八汴河引水经注、雍正河南通志卷十二河防二引水经注、乾隆亳州志卷二河渠涡河引水经注、乾隆祥符县志卷三河渠历朝河务引水经注、康熙上蔡县志卷一舆地志山川蔡河引水经注均作“蒗荡渠”，初学记卷八河南道第二荡渠引水经注作“荡渠”，玉海卷二十一地理河渠引水经注作“莨荡渠”。

〔三〕濄水　乾隆亳州志卷二河渠涡河引水经注、乾隆陈州府志卷四山川太康县涡河引水经注、乾隆颍州府志卷二蒙城县瑕城引水经注均作“涡水”。

〔四〕赖乡城　名胜志卷十四亳州引水经注、佩文韵府卷十十灰台谷阳台引水经注均作“濑乡城”。

〔五〕二十二年　注疏本作“二十三年”。疏：“朱讹作‘二十二年’，戴同，赵改‘二十三年’。守敬按：左传在二十三年。‘谯’作‘焦’。杜注：焦，今谯县也。顿国，今汝阳南顿县。”

〔六〕年化　王校明钞本作“牟化”，王国维明钞本水经注跋：“阴沟水注，从事史右北平无终牟化，诸本‘牟’并作‘年’。”

〔七〕雍正江南通志卷三十五舆地志古迹六凤阳府向城引水经注云：“北淝水迳向县故城南，俗谓之圆城，或谓团城。”“或谓团城”四字，当是此句下佚文。

〔八〕蒗蕩渠　黄本、吴本、练湖书院钞本、何校明钞本、王校明钞本、沈本、五校钞本、七校本、疏证本、汴水说引水经注、宋东京考卷十八汴河引水经注，康熙字典水部汳引水经注均作"蒗荡渠"，御览卷六十三地部二十八引水经注作"浪荡渠"。

〔九〕济　黄本、沈本均作"沛"，何本、五校钞本、七校本、注释本均作"泲"。

〔一〇〕汳水　汴水说引水经注作"汴水"。

〔一一〕落架口　黄本、吴本、沈本、注释本均作"洛架口"。

〔一二〕砀县　注笺本、项本、张本、寰宇记卷一河南道一东京上尉氏县引水经注均作"砀山县"。

〔一三〕香城　晏元献公类要卷四京东路单引水经注作"百城"。

〔一四〕鸿沟　注笺本、项本、注释本、张本均作"洪沟"。

〔一五〕注疏本无"又"字。疏："朱'东'上有'又'字，戴、赵同。守敬按：依例不当有'又'字，今删。"

〔一六〕净净沟水　孙潜校本作"净沟水"，何本云："宋本但作：名之曰净沟也。"

〔一七〕勤　注疏本作"封"。疏："朱'封'讹'勤'。赵云：依孙潜校改'勤'。事在春秋襄公九年。戴改同。会贞按：'勤'字亦不可通。左传襄公元年，围宋彭城，为宋讨鱼石。'讨'与'勤'形近，似'讨'之误。然'封'与'勤'亦形近，作'封'为胜。'九年'当作'元年'。严可均辑全后汉文失采此二语。"

水经注卷二十四

睢水　瓠子河　汶水

睢水出梁郡鄢县，

睢水出陈留县西蒗荡渠〔一〕，东北流，地理志曰：睢水首受陈留浚仪狼汤水〔二〕也。经言出鄢，非矣。又东迳高阳故亭北，俗谓之陈留北城，非也。苏林曰：高阳者，陈留北县也。按在留，故乡聚名也。有汉广野君庙碑，延熹六年十二月，雍丘令董生，仰徐徽于千载，遵茂美于绝代，命县人长照为文，用章不朽之德。其略云：辍洗分餐，谘谋帝猷，陈、郑有涿鹿之功，海岱无牧野之战，大康华夏，绥静黎物，生民以来，功盛莫崇。今故宇无闻，而单碑介立矣。陈留风俗传曰：郦氏居于高阳，沛公攻陈留县，郦食其有功，封高阳侯。有郦峻，字文山，官至公府掾，大将军商，有功，食邑于涿，故自陈留徙涿。县有鉼亭、鉼乡，建武二年，世祖封王常为侯国也。睢水又东迳雍丘县故城北，县，旧杞国也。殷汤、周武以封夏后〔三〕，继禹之嗣。楚灭杞，秦以为县。圈称曰：县有五陵之名，故以氏县矣。城内有夏后祠。昔在二代，享祀不辍。秦始皇因筑其表为大城，而以县焉。睢水又东，水积成湖，俗谓之白羊陂，陂方四十里，右则菱梁陂水注之，其水上承陂水，东北迳雍丘城北，又东分为两渎，谓之双沟，俱入白羊陂。陂水东合洛架口〔四〕，水上承汳水，谓之洛架水，东南流入于睢水。睢水又东迳襄邑县故城北，又东迳雍丘城北，睢水又东迳宁陵县故城南，故葛伯国也，王莽改曰康善矣。历鄢县北，二城南北相去五十里，故经有出鄢之文。城东七里，水次有单父令杨彦、尚书郎杨禅字文节兄弟二碑，汉光和中立也。

东过睢阳县南，

睢水又东迳横城北，春秋左传昭公二十一年，乐大心御华向于横。杜预曰：梁国睢阳县南有横亭。今在睢阳县西南，世谓之光城，盖光、横声相近，习传之非也。睢水又迳新城北，即宋之新城亭也。春秋左传文公十四年，公会宋公、陈侯、卫侯、郑伯、许男、曹伯、晋赵盾，盟于新城者也。睢水又东迳高乡亭北，又东迳亳城北，南亳也，即汤所都矣。睢水又东迳睢阳县故城南，周成王封微子启于宋以嗣殷后，为宋都也。昔宋元君梦江使乘辎车，被绣衣，而谒于元君，元君感卫平之言而求之于泉阳，男子余且献神龟于此矣。秦始皇二十二年以为砀郡，汉高祖尝以沛公为砀郡长，天下既定，五年为梁国。文帝十二年，封少子武为梁王，太后之爱子、景帝宠弟也。是以警卫貂侍，饰同天子，藏珍积宝，多拟京师，招延豪杰，士咸归之，长卿之徒，免官来游。广睢阳城七十里，大治宫观、台苑、屏榭，势并皇居。其所经构也，役夫流唱，必曰睢阳曲，创传由此始也。城西门即寇先鼓琴处也。先好钓，居睢水旁，宋景公问道不告，杀之。后十年，止此门鼓琴而去，宋人家家奉事之。南门曰卢门也。春秋:华氏居卢门里叛。杜预曰:卢门,宋城南门也。司马彪郡国志曰:睢阳县有卢门亭,城内有高台,甚秀广,巍然介立,超焉独上,谓之蠡台,亦曰升台焉。当昔全盛之时,故与云霞竞远矣。续述征记曰:回道似蠡,故谓之蠡台,非也。余按阙子,称宋景公使工人为弓,九年乃成。公曰:何其迟也?对曰:臣不复见君矣,臣之精尽于弓矣。献弓而归,三日而死。景公登虎圈之台,援弓东面而射之,矢逾于孟霜之山〔五〕,集于彭城之东,馀势逸劲,犹饮羽于石梁。然则蠡台即是虎圈台也,盖宋世牢虎所在矣。晋太和中,大司马桓温入河,命豫州刺史袁真开石门,鲜卑坚戍此台,真顿甲坚城之下,不果而还。蠡台如西〔六〕,又有一台,俗谓之女郎台。台之西北城中有凉马台,台东有曲池,池北列两钓台,水周六七百步。蠡台直东,又有一台,世谓之雀台也。城内东西道北〔七〕,有晋梁王妃王氏陵表,并列二碑,碑云:妃讳粲,字女仪,东莱曲城人也。齐北海府君之孙,司空东武景侯之季女,咸熙元年嫔于司马氏,泰始二年妃于国,太康五年薨,营陵于新蒙之〔八〕,太康九年立碑。东即梁王之吹台也。基陛阶础尚在,今建追明寺。故宫东即安梁之旧地也,齐周五六百步,水列钓台。池东又有一台,世谓之清泠台。北城凭隅,又结一池台。晋灼曰:或说平台在城中东北角,亦或言兔园在平台侧。如淳曰:平台,离宫所在,今城东二十里有台,宽广而不甚极高,俗谓之平台。余按汉书梁孝王传称:王以功亲为大国,筑东苑,方三百里,广睢阳城七十里,大治宫室,为复道,自宫连属于平台三十馀里,复道自宫东出杨之门,左阳门,即睢阳东门也。连属于平台则近矣，属之城隅则不能，是知平台不在城中也。梁王与邹、枚、司马相如之徒，极游于其上，故齐随郡王山居序所谓西园多士，平台盛宾，邹、马之客咸在，伐木之歌屡陈，是用追芳昔娱，神游千古，故亦一时之盛事。谢氏赋雪亦曰：梁王不悦，游于兔园。今也歌堂沦宇，律管埋音，孤基块立，无复曩日之望矣。城北五六里，便得汉太尉桥玄墓，冢东有庙，即曹氏孟德亲酹处。操本微素，尝候于玄。玄曰：天下将乱，能安之者，其在君乎。操感知己，后经玄墓，祭云：操以顽质，见纳君子，士死知己，怀此无忘。又承约言，徂没之后，路有经由，不以斗酒只鸡，过相沃酹，车过三步，腹痛勿怨，虽临时戏言，非至亲笃好，胡肯为此辞哉。凄怆致祭，以申宿怀。冢列数碑，一是汉朝群儒、英才、哲士感桥氏德行之美，乃共刊石立碑，以示后世。一碑是故吏司徒博陵崔烈〔九〕、廷尉河南吴整等，以为至德在己，扬之由人，苟不皦述，夫何考焉。乃共勒嘉石，昭明芳烈。一碑是陇西枹罕北次陌砀守长骘为左尉汉阳獂道赵冯孝高〔一〇〕，以桥公尝牧凉州，感三纲之义，慕将顺之节，以为公之勋美，宜宣旧邦，乃树碑颂，以昭令德。光和七年，主记掾李友字仲僚作碑文，碑阴有右鼎文建宁三年拜司空，又有中鼎文建宁四年拜司徒，又有左鼎文光和元年拜太尉。鼎铭文曰：故臣门人，相与述公之行咨度体，则文德铭于三鼎，武功勒于征钺，书于碑阴，以昭光懿。又有钺文，称是用镂石假象，作兹征钺军鼓，陈之于东阶，亦以昭公之文武之勋焉。庙南列二柱，柱东有二石羊，羊北有二石虎，庙前东北有石驼，驼西北有二石马，皆高大，亦不甚凋毁。惟庙颓構，粗传遗墉，石鼓仍存，钺今不知所在。睢水于城之阳,积而为逢洪陂,陂之西南有陂,又东合明水,水上承城南大池,池周千步,南流会睢,谓之明水,绝睢注涣。睢水又东南流,历于竹圃,水次绿竹荫渚,菁菁实望,世人言梁王竹园也。睢水又东迳穀熟县故城北,睢水又东,蕲水出焉。睢水又东迳粟县故城北,地理志曰:侯国也,王莽曰成富。睢水又东迳太丘县故城北,地理志曰:故敬丘也。汉武帝元朔三年,封鲁恭王子节侯刘政为侯国,汉明帝更从今名。列仙传曰:仙人文宾,邑人,卖靴履为业,以正月朔日会故妪于乡亭西社,教令服食不老,即此处矣。睢水又东迳芒县故城北,汉高帝六年,封耏跖为侯国,王莽之传治,世祖改曰临睢。城西二里,水南有豫州从事皇毓碑,殒身州牧,阴君之罪,时年二十五。临睢长平舆李君,二千石丞纶氏夏文则,高其行而悼其殒,州国咨嗟,旌闾表墓,昭叙令德,式示后人。城内有临睢长左冯翊王君碑,善有治功,累迁广汉属国都尉,吏民思德,县人公府掾陈盛孙,郎中兒定兴、刘伯鄜等,共立石表政,以刊远绩。县北与砀县分水,有砀山。芒、砀二县之间,山泽深固,多怀神智,有仙者涓子、主柱,并隐砀山得道。汉高祖隐之,吕后望气知之,即于是处也。京房易候曰:何以知贤人隐。师曰:视四方常有大云,五色具而不雨,其下贤人隐矣。

又东过相县南,屈从城北东流,当萧县南,入于陂。

相县,故宋地也。秦始皇二十三年,以为泗水郡,汉高帝四年,改曰沛郡,治此。汉武帝元狩六年,封南越桂林监居翁为侯国,曰湘成也。王莽更名,郡曰吾符,县曰吾符亭。睢水东迳石马亭,亭西有汉故伏波将军马援墓。睢水又东迳相县故城南，宋共公之所都也。国府园中，犹有伯姬黄堂基。堂夜被火，左右曰：夫人少避。伯姬曰：妇人之义，保傅不具，夜不下堂，遂遇火而死。斯堂即伯姬熿死处也。城西有伯姬冢。昔郑浑为沛郡太守，于萧、相二县兴陂堰，民赖其利，刻石颂之，号曰郑陂。睢水又左合白沟水〔一一〕，水上承梧桐陂，陂侧有梧桐山，陂水西南流，迳相城东而南流注于睢。睢盛则北流入于陂，陂溢则西北注于睢，出入回环，更相通注，故经有入陂之文。睢水又东迳彭城郡之灵壁东，东南流，汉书：项羽败汉王于灵壁东。即此处也。又云：东通穀泗。服虔曰：水名也，在沛国相界。未详。睢水迳穀熟，两分睢水而为蕲水。故二水所在枝分，通谓兼称，穀水之名，盖因地变，然则穀水即睢水也。又云，汉军之败也，睢水为之不流。睢水又东南迳竹县故城〔一二〕南，地理志曰：王莽之笃亭也。李奇曰：今竹邑县也。睢水又东与滭湖水〔一三〕合，水上承甾丘县之潩陂，南北百馀里，东西四十里，东至朝解亭，西届彭城甾丘县之故城东，王莽更名之曰善丘矣。其水自陂南系于睢水，又东，睢水南，八丈故沟水注之，水上承蕲水而北会睢水。又东迳符离县故城北，汉武帝元狩四年，封路博德为侯国，王莽之符合也。睢水又东迳临淮郡之取虑县故城北，昔汝南步游张少失其母，及为县令，遇母于此，乃使良马踟蹰，轻轩罔进，顾访病姬〔一四〕，乃其母也。诚愿宿凭，而冥感昭征矣。睢水又东合乌慈水，水出县西南乌慈渚，潭涨东北流，与长直故渎合，渎旧上承蕲水，北流八十五里，注乌慈水。乌慈水又东迳取虑县南，又东屈迳其城东，而北流注于睢。睢水又东迳睢陵县故城北，汉武帝元朔元年,封江都易王子刘楚为侯国,王莽之睢陆也。睢水又东与潼水故渎会,旧上承潼县西南潼陂,东北流迳潼县故城北,又东北迳睢陵县,下会睢水。睢水又东南流,迳下相县故城南,高祖十二年,封庄侯泠耳为侯国。应劭曰:相水出沛国相县,故此加下也。然则相又是睢水之别名也。东南流入于泗,谓之睢口,经止萧县,非也。所谓得其一而亡其二矣。

瓠子河出东郡濮阳县北河,

县北十里,即瓠河口也。尚书禹贡:雷夏既泽,雝沮会同。尔雅曰:水自河出为雝。许慎曰:雝者,河雝水也。暨汉武帝元光三年,河水南泆,漂害民居。元封二年,上使汲仁、郭昌发卒数万人,塞瓠子决河。于是上自万里沙还,临决河,沉白马玉璧,令群臣将军以下皆负薪填决河,上悼功之不成,乃作歌曰:瓠子决兮将奈何?浩浩洋洋虑殚为河,殚为河兮地不宁,功无已时兮吾山平,吾山平兮巨野溢,鱼沸郁兮柏冬日,正道弛兮离常流,蛟龙骋兮放远游,归旧川兮神哉沛,不封禅兮安知外,皇谓河公兮何不仁,泛滥不止兮愁吾人,啮桑浮兮淮、泗满,久不返兮水维缓。一曰:河汤汤兮激潺湲,北渡回兮迅流难,搴长茭兮湛美玉,河公许兮薪不属,薪不属兮卫人罪,烧萧条兮噫乎何以御水?隤竹林兮楗石菑,宣防塞兮万福来。于是卒塞瓠子口,筑宫于其上,名曰宣房宫,故亦谓瓠子堰为宣房堰,而水亦以瓠子受名焉。平帝已后,未及修理,河水东浸,日月弥广。永平十二年,显宗诏乐浪人王景治渠筑堤,起自荥阳,东至千乘,一千馀里。景乃防遏冲要,疏决壅积,瓠子之水,绝而不通,惟沟渎存焉。河水旧东决[一五],迳濮阳城东北,故卫也，帝颛顼之墟。昔颛顼自穷桑徙此，号曰商丘，或谓之帝丘，本陶唐氏火正阏伯之所居，亦夏伯昆吾之都，殷相土又都之。故春秋传曰：阏伯居商丘。相土因之是也。卫成公自楚丘迁此，秦始皇徙卫君角于野王，置东郡，治濮阳县。濮水迳其南，故曰濮阳也。章邯守濮阳，环之以水。张晏曰：依河水自固。又东迳鹹城南，春秋僖公十三年，夏，会于鹹。杜预曰：东郡濮阳县东南，有鹹城者是也。瓠子故渎又东迳桃城南，春秋传曰：分曹地，自洮以南，东傅于济，尽曹地也。今鄄城〔一六〕西南五十里有姚城〔一七〕，或谓之洮也。瓠渎又东南迳清丘北，春秋宣公十二年，经书楚灭萧，晋人、宋、卫、曹同盟于清丘。京相璠曰：在今东郡濮阳县东南三十里，魏东都尉治。

东至济阴句阳县为新沟，

瓠河故渎又东迳句阳县之小成阳，城北侧渎。帝王世纪曰：尧葬济阴成阳西北四十里，是为穀林。墨子以为尧堂高三尺，土阶三等，北教八狄，道死，葬蛩山之阴。山海经曰：尧葬狄山之阳，一名崇山。二说各殊，以为成阳近是尧冢也。余按小成阳在成阳西北半里许，实中，俗喭以为囚尧城，士安盖以是为尧冢也。瓠子北有都关县故城，县有羊里亭，瓠河迳其南，为羊里水，盖资城地而变名，犹经有新沟之异称矣。黄初中，贾逵为豫州刺史，与诸将征吴于洞浦有功，魏封逵为羊里亭侯，邑四百户，即斯亭也。俗名之羊子城，非也。盖韵近字转耳。又东，右会濮水枝津，水上承濮渠，东迳沮丘城〔一八〕南，京相璠曰：今濮阳城西南十五里有沮丘城，六国时，沮、楚同音，以为楚丘。非也。又东迳浚城南，西北去濮阳三十五里，城侧有寒泉冈，即诗所谓爰有寒泉，在浚之下。世谓之高平渠，非也。京相璠曰：濮水故道在濮阳南者也。又东迳句阳县西，句渎出焉。濮水枝渠又东北迳句阳县之小成阳东垂亭西，而北入瓠河。地理志曰：濮水首受沛于封丘县东北，至都关入羊里水者也。又按地理志，山阳郡有都关县。今其城在廪丘城西，考地志，句阳、廪丘，俱属济阴，则都关无隶山阳理。又按地理志，郕都亦是山阳之属县矣。而京、杜考地验城，又并言在廪丘城南，推此而论，似地理志之误矣。或亦疆理参差，所未详。瓠渎又东迳垂亭北，春秋隐公八年，宋公、卫侯遇于犬丘。经书垂也。京相璠曰：今济阴句阳县小成阳东五里，有故垂亭者也。

又东北过廪丘县为濮水，

瓠河又左迳雷泽北，其泽薮在大成阳县故城西北十馀里，昔华胥履大迹处也。其陂东西二十馀里，南北十五里，即舜所渔也。泽之东南即成阳县，故史记曰：武王封弟叔武于成。应劭曰：其后乃迁于成之阳，故曰成阳也。地理志曰：成阳有尧冢、灵台。今成阳城西二里有尧陵，陵南一里有尧母庆都陵，于城为西南，称曰灵台。乡曰崇仁，邑号脩义，皆立庙，四周列水，潭而不流。水泽通泉，泉不耗竭，至丰鱼笋，不敢采捕。前并列数碑，栝柏数株，檀马成林。二陵南北，列驰道迳通，皆以砖砌之，尚修整。尧陵东城西五十馀步中山夫人祠，尧妃也。石壁阶墀仍旧，南、西、北三面，长栎联荫，扶疏里馀。中山夫人祠南有仲山甫冢，冢西有石庙，羊虎倾低，破碎略尽，于城为西南，在灵台之东北。按郭缘生述征记，自汉迄晋，二千石及丞尉多刊石，述叙尧即位至永嘉三年，二千七百二十有一载，记于尧妃祠，见汉建宁五年五月，成阳令管遵所立碑文云。尧陵北仲山甫墓南，二冢间有伍员祠，晋大安中立。一碑是永兴中建，今碑祠并无处所。又言尧陵在城南九里，中山夫人祠在城南二里，东南六里，尧母庆都冢，尧陵北二里有仲山甫墓。考地验状，咸为疏僻，盖闻疑书疑耳。雷泽西南十许里有小山，孤立峻上，亭亭杰峙，谓之历山。山北有小阜，南属池泽之东北。有陶墟，缘生言：舜耕陶所在。墟阜联属，滨带瓠河也。郑玄言：历山在河东，今有舜井。皇甫谧或言今济阴历山是也。与雷泽相比，余谓郑玄之言为然。故扬雄河水赋〔一九〕曰：登历观而遥望兮，聊浮游于河之岩。今雷首山西枕大河，校之图纬，于事为允。士安又云：定陶西南陶丘，舜所陶处也。不言在此，缘生为失。瓠河之北即廪丘县也。王隐晋书地道记曰：廪丘者，春秋之所谓齐邑矣，实表东海者也。竹书纪年：晋烈公十一年，田悼子卒，田布杀其大夫公孙孙，公孙会以廪丘叛于赵，田布围廪丘，翟角、赵孔屑、韩师救廪丘，及田布战于龙泽，田师败逋是也。瓠河与濮水俱东流，经所谓过廪丘为濮水者也。县南瓠北有羊角城，春秋传曰：乌馀取卫羊角，遂袭我高鱼，有大雨自窦入，介于其库，登其城，克而取之者也。京相璠曰：卫邑也。今东郡廪丘县南有羊角城。高鱼，鲁邑也。今廪丘东北有故高鱼城，俗谓之交鱼城，谓羊角为角逐城，皆非也。瓠河又迳阳晋城南，史记：苏秦说齐曰：过卫阳晋之道，迳于亢父之险者也。今阳晋城在廪丘城东南十馀里，与都关为左右也。张仪曰：秦下甲攻卫阳晋，大关天下之匈。徐广史记音义云：关一作开，东之亢父，则其道矣。瓠河之北又有郕都城。春秋隐公五年，郕侵卫。京相璠曰：东郡廪丘县南三十里有郕都故城。褚先生曰：汉封金安上为侯国，王莽更名之曰城榖者也。瓠河又东迳黎县〔二〇〕故城南，王莽改曰黎治矣。孟康曰：今黎阳也。薛瓒言：按黎阳在魏郡，非黎县也。世谓黎侯城。昔黎侯寓于卫，诗所谓胡为乎泥中？毛云：泥中，邑名，疑此城也。土地污下，城居小阜，魏濮阳郡治也。瓠河又东迳秺县〔二一〕故城南，地理志：济阴之属县也。褚先生曰：汉武帝封金日磾为侯国，王莽之万岁矣。世犹谓之为万岁亭也。瓠河又东迳郓城南，春秋左传成公十六年，公自沙随还，待于郓。京相璠曰：公羊作运字。今东郡廪丘县东八十里有故运城，即此城也。

又北过东郡范县东北，为济渠，与将渠合。

瓠河自运城东北，迳范县与济濮枝渠合，故渠上承济渎于乘氏县，北迳范县，左纳瓠渎，故经有济渠之称。又北与将渠合，渠受河于范县西北，东南迳秦亭南，杜预释地曰：东平范县西北有秦亭者也。又东南迳范县故城南，王莽更名建睦也。汉兴平中，靳允为范令，曹太祖东征陶谦于徐州，张邈迎吕布，郡县响应。程昱说允曰：君必固范，我守东阿，田单之功可立。即斯邑也。将渠又东会济渠，自下通谓之将渠，北迳范城东，俗又谓之赵沟，非也。

又东北过东阿县东，

瓠河故渎又东北，左合将渠枝渎。枝渎上承将渠于范县，东北迳范县北，又东北迳东阿城南，而东入瓠河故渎。又北迳东阿县故城东，春秋经书：冬，及齐侯盟于柯。左传曰：冬，盟于柯，始及齐平。杜预曰：东阿即柯邑也。按国语：曹沫挟匕首劫齐桓公返，遂邑于此矣。

又东北过临邑县西，又东北过茌平县东，为邓里渠，

自宣防已下，将渠已上，无复有水。将渠下水，首受河，自北为邓里渠。

又东北过祝阿县，为济渠，

河水自四渎口出为济水。济水二渎合而东注于祝阿也。

又东北至梁邹县西，分为二：

脉水寻梁邹，济无二流，盖经之误。

其东北者为济河，其东者为时水，又东北至济西，济河东北入于海，时水东至临淄县西，屈南过太山华县东，又南至费县，东入于沂。

时，即耏水也，音而。春秋襄公三年，齐、晋盟于耏者也。京相璠曰：今临淄惟有澅水，西北入济。即地理志之如水矣。耏、如声相似，然则澅水即耏水也。盖以澅与时合，得通称矣。时水自西安城西南分为二水，枝津别出，西流，德会水注之，水出昌国县黄山，西北流迳昌国县故城南，昔乐毅攻齐，有功，燕昭王以是县封之，为昌国君。德会水又西北，五里泉水注之，水出县南黄阜，北流迳城西，北入德会，又西北，世谓之沧浪沟，又北流注时水。地理志曰：德会水出昌国西北，至西安入如是也。时水又西迳东高苑城中而西注也。俗人遏令侧城南注，

又屈迳其城南，史记：汉文帝十五年，分齐为胶西王国，都高苑，徐广音义曰：乐安有高苑城，故俗谓之东高苑也。其水又北注故渎，又西，盖野沟水注之。源导延乡城东北，平地出泉，西北迳延乡城北。地理志：千乘有延乡县，世人谓故城为从城，延、从字相似，读随字改，所未详也。西北流，世谓之盖野沟，又西北流，迳高苑县北注时水。时水又西迳西高苑县故城南，汉高帝六年，封丙倩为侯国，王莽之常乡也。其水侧城西注，京相璠曰：今乐安博昌县〔二二〕南界有时水，西通济，其源上出盘阳，北至高苑，下有死时，中无水。杜预亦云：时水于乐安枝流〔二三〕，旱则竭涸，为春秋之乾时也。左传庄公九年，齐、鲁战地，鲁师败处也。时水西北至梁邹城入于济，非济入时，盖时来注济，若济分东流，明不得以时为名，寻时、济更无别流南延华、费之所，斯为谬矣。

汶水出泰山莱芜县原山，西南过其县南，

莱芜县在齐城西南，原山又在县西南六十许里。地理志：汶水与淄水俱出原山，西南入济。故不得过其县南也。从征记曰：汶水出县西南流，又言自入莱芜谷，夹路连山百数里，水隍多行石涧中，出药草，饶松柏，林藿绵蒙，崖壁相望，或倾岑阻径，或回岩绝谷，清风鸣条，山壑俱响，凌高降深，兼惴栗之惧，危蹊断径，过悬度之艰。未出谷十馀里，有别谷在孤山，谷有清泉，泉上数丈有石穴二口，容人行，入穴丈馀，高九尺许，广四五丈，言是昔人居山之处，薪爨烟墨犹存。谷中林木致密，行人鲜有能至矣。又有少许山田，引灌之踪尚存。出谷有平丘，面山傍水，土人悉以种麦，云此丘不宜殖稷黍而宜麦，齐人相

承以殖之。意谓麦丘所栖愚公谷也。何其深沉幽翳,可以托业怡生如此也。余时迳此,为之踌躕,为之屡眷矣。余按麦丘愚公在齐川谷犹传其名,不在鲁,盖志者之谬耳。汶水又西南迳嬴县故城南,春秋左传桓公三年,公会齐侯于嬴,成婚于齐也。

又西南过奉高县北,

奉高县,汉武帝元封元年立,以奉泰山之祀,泰山郡治也。县北有吴季札子墓,在汶水南曲中。季札之聘上国也,丧子于嬴、博之间,即此处也。从征记曰:嬴县西六十里有季札儿冢,冢圆,其高可隐也。前有石铭一所,汉末奉高令所立,无所述叙,标志而已。自昔恒蠲民户洒扫之,今不能,然碑石糜碎,靡有遗矣,惟故趺存焉。

屈从县西南流〔二四〕,

汶出牟县故城西南阜下,俗谓之胡卢堆。淮南子曰:汶出弗其。高诱曰:山名也。或斯阜矣。牟县故城在东北,古牟国也。春秋时,牟人朝鲁,故应劭曰:鲁附庸也。俗谓是水为牟汶也。又西南迳奉高县故城西,西南流注于汶。汶水又南,右合北汶水,水出分水溪,源与中川分水,东南流迳泰山东,右合天门下溪水,水出泰山天门下谷,东流。古者,帝王升封,咸憩此水,水上往往有石窍存焉,盖古设舍所跨处也。马第伯书云:光武封泰山,第伯从登山,去平地二十里,南向极望,无不睹,其为高也〔二五〕,如视浮云,其峻也,石壁窅窱,如无道径。遥望其人,或为白石,或雪,久之,白者移过,乃知是人。仰视岩石松树,郁郁苍苍,如在云中,俯视溪谷,碌碌不可见丈尺。

直上七里天门，仰视天门，如从穴中视天矣。应劭汉官仪云：泰山东南山顶，名曰日观。日观者，鸡一鸣时见日，始欲出，长三丈许，故以名焉。其水自溪而东，浚波注壑，东南流，迳龟阴之田，龟山在博县北十五里，昔夫子伤政道之陵迟，望山而怀操，故琴操有龟山操焉。山北即龟阴之田也。春秋定公十年，齐人来归龟阴之田是也。又合环水，水出泰山南溪，南流历中、下两庙间，从征记曰：泰山有下、中、上三庙，墙阙严整，庙中柏树夹两阶，大二十馀围，盖汉武所植也。赤眉尝斫一树，见血而止，今斧创犹存。门阁三重，楼榭四所，三层坛一所，高丈馀，广八尺，树前有大井，极香冷，异于凡水，不知何代所掘，不常浚渫而水旱不减。库中有汉时故乐器及神车、木偶，皆靡密巧丽。又有石虎建武十三年永贵侯张余上金马一匹，高二尺馀，形制甚精。中庙去下庙五里，屋宇又崇丽于下庙，庙东西夹涧。上庙在山顶，即封禅处也。其水又屈而东流，又东南迳明堂下，汉武帝元封元年，封泰山降，坐明堂于山之东北阯，武帝以古处险狭而不显也，欲治明堂于奉高傍而未晓其制。济南人公玉带上黄帝时明堂图，图中有一殿，四面无壁，以茅盖之，通水，圜宫垣为复道，上有楼从西南入，名曰昆仑，天子从之入，以拜祀上帝焉。于是上令奉高作明堂于汶上，如带图也。古引水为辟雍处，基渎存焉，世谓此水为石汶。山海经曰：环水出泰山，东流注于汶。即此水也。环水又左入于汶水，汶水数川合注〔二六〕，又西南流迳徂徕山西，山多松柏，诗所谓徂徕之松也。广雅曰：道梓松也。抱朴子称玉策记曰：千岁之松，中有物，或如青牛，或如青犬，或如人，皆寿万岁。又称天陵有偃盖之松也，所谓楼松也。鲁连子曰：松枞高十仞而无枝，非忧正室之无柱也。尔雅曰：松叶柏身曰枞。邹山记曰：徂徕山在梁甫、奉高、博三县界，犹有美松，亦曰尤徕之山也。赤眉渠帅樊崇所保也，故崇自号尤徕三老矣。山东有巢父庙，山高十里，山下有陂，水方百许步，三道流注。一水东北沿溪而下，屈迳县南，西北流入于汶；一水北流历涧，西流入于汶；一水南流迳阳关亭南，春秋襄公十七年，逆臧纥自阳关者也。又西流入于汶水也。

过博县西北，

汶水南迳博县故城东，春秋哀公十一年，会吴伐齐取博者也。灌婴破田横于城下，屈从其城南西流，不在西北也。汶水又西南迳龙乡故城南，春秋成公二年，齐侯围龙，龙囚顷公嬖人卢蒲就魁，杀而膊诸城上，齐侯亲鼓取龙者也。汉高帝八年，封谒者陈署为侯国。汶水又西南迳亭亭山东，黄帝所禅也。山有神庙，水上有石门，旧分水下溉处也。汶水又西南迳阳关故城西，本钜平县之阳关亭矣。阳虎据之以叛，伐之，虎焚莱门而奔齐者也。汶水又南，左会淄水，水出泰山梁父县东，西南流迳菟裘城北，春秋隐公十一年营之，公谓羽父曰：吾将归老焉。故郡国志曰：梁父有菟裘聚。淄水又迳梁父县故城南，县北有梁父山。开山图曰：泰山在左，亢父在右，亢父知生，梁父主死。王者封泰山，禅梁父，故县取名焉。淄水又西南迳柴县故城北，地理志：泰山之属县也。世谓之柴汶矣。淄水又迳郕县北，汉高帝六年，封董渫为侯国。春秋：齐师围郕，郕人伐齐，饮马于斯水也。昔孔子行于郕之野，遇荣启期于是，衣鹿裘，被发，琴歌，三乐之欢，夫子善其能宽矣。淄水又西迳阳关城南，西流注于汶水。汶水又南迳钜平县故城东，而西南流，城东有鲁道，诗所谓鲁道有荡，齐子由归者也。今汶上夹水有文姜台。汶水又西南流，诗云汶水滔滔矣。淮南子曰：貉渡汶则死。天地之性，倚伏难寻，固不可以情理穷也。汶水又西南迳鲁国汶阳县北，王莽之汶亭也。县北有曲水亭，春秋桓公十二年，经书公会杞侯、莒子，盟于曲池。左传曰：平杞、莒也。故杜预曰：鲁国汶阳县北有曲水亭。汉章帝元和二年，东巡泰山，立行宫于汶阳，执金吾耿恭〔二七〕屯于汶上，城门基壍存焉，世谓之阙陵城也。汶水又西迳汶阳县故城北而西注。

又西南过蛇丘县南，

汶水又西，洸水注焉。又西迳蛇丘县南，县有铸乡城〔二八〕，春秋左传，宣叔娶于铸。杜预曰：济北蛇丘县所治铸乡城者也。

又西南过刚县〔二九〕北，

地理志：刚，故阐也，王莽更之曰柔。应劭曰；春秋经书，齐人取讙及阐。今阐亭是也。杜预春秋释地曰：阐在刚县北，刚城东有一小亭，今刚县治，俗人又谓之阐亭〔三〇〕。京相璠曰：刚县西四十里有阐亭。未知孰是。汶水又西，蛇水注之〔三一〕，水出县东北泰山，西南流迳汶阳之田，齐所侵也。自汶之北，平畅极目，僖公以赐季友。蛇水又西南迳铸城西，左传所谓蛇渊囿也。故京相璠曰：今济北有蛇丘城，城下有水，鲁囿也。俗谓之浊须水，非矣。蛇水又西南迳夏晖城南，经书公会齐侯于下讙是也。今俗谓之夏晖城，盖春秋左传桓公三年，公子翚如齐，齐侯送姜氏于下讙，非礼也。世有夏晖之名矣。蛇水又西南入汶。汶水又西，沟水注之，水出东北马山，西南流迳棘亭南。春秋成公三年，经书，秋，叔孙侨如帅师围棘。左传曰：取汶阳之田，棘不服，围之。南去汶水八十里。又西南迳遂城东，地理志曰：蛇丘遂乡，故遂国也。春秋庄公十三年，齐灭遂而戍之者也。京相璠曰：遂在蛇丘东北十里。杜预亦以为然。然县东北无城以拟之，今城在蛇丘西北，盖杜预传疑之非也。又西迳下讙城西而入汶水。汶水又西迳春亭北，考古无春名，惟平陆县有崇阳亭，然是亭东去刚城四十里，推璠所注则符，并所未详也。

又西南过东平章县南，

地理志曰：东平国，故梁也。景帝中六年，别为济东国，武帝元鼎元年，为大河郡，宣帝甘露二年，为东平国，王莽之有盐也。章县，按世本任姓之国也，齐人降章者也。故城在无盐县东北五十里。汶水又西南，有泌水注之，水出肥成县东白原，西南流迳肥成县故城南。乐正子春谓其弟子曰：子适齐过肥，肥有君子焉。左迳句窳亭北，章帝元和二年，凤凰集肥成句窳亭，复其租而巡泰山，即是亭也。泌水又西南迳富成县故城西，王莽之成富也。其水又西南流注于汶。汶水又西南迳桃乡县故城西，王莽之鄣亭也。世以此为鄣城，非，盖因巨新之故目耳。

又西南过无盐县南，又西南过寿张县北，又西南至安民亭，入于济。

汶水自桃乡四分，当其派别之处，谓之四汶口。其左，二水双流，西南至无盐县之郈乡城〔三二〕南，郈昭伯之故邑也。祸起斗鸡矣。春秋左传定公十二年，叔孙氏堕郈。今其城无南面。

汶水又西南迳东平陆县故城北,应劭曰:古厥国也。今有厥亭。汶水又西迳危山南,世谓之龙山也。汉书宣元六王传曰:哀帝时,无盐危山土自起,覆草如驰道状,又瓠山石转立。晋灼曰:汉注作报山,山胁石一枚,转侧起立,高九尺六寸,旁行一丈,广四尺。东平王云及后谒曰:汉世石立,宣帝起之表也。自之石所祭,治石象报山立石,束倍草,并祠之。建平三年,息夫躬告之,王自杀,后谒弃市,国除。汶水又西,合为一水,西南入茂都淀,淀,陂水之异名也。淀水西南出,谓之巨野沟,又西南迳致密城南,郡国志曰:须昌县有致密城,古中都也。即夫子所宰之邑矣。制养生送死之节,长幼男女之礼,路不拾遗,器不雕伪矣。巨野沟又西南入桓公河北,水西出淀,谓之巨良水,西南迳致密城北,西南流注洪渎。次一汶西迳郈亭北,又西至寿张故城东,潴为泽渚。初平三年,曹公击黄巾于寿张东,鲍信战死于此。其右一汶,西流迳无盐县之故城南,旧宿国也。齐宣后之故邑,所谓无盐丑女也。汉武帝元朔四年,封城阳共王子刘庆为东平侯,即此邑也,王莽更名之曰有盐亭。汶水又西迳郈乡城南,地理志所谓无盐有郈乡者也。汶水西南流,迳寿张县故城北,春秋之良县也。县有寿聚,汉曰寿良。应劭曰,世祖叔父名良,故光武改曰寿张也。建武十二年,世祖封樊宏为侯国。汶水又西南,长直沟水注之,水出须昌城东北榖阳山南,迳须昌城东,又南,漆沟水注焉。水出无盐城东北五里阜山下,西迳无盐县故城北,水侧有东平宪王仓冢,碑阙存焉。元和二年,章帝幸东平,祀以太牢,亲拜祠坐,赐御剑于陵前。其水又西流注长直沟。沟水奇分为二,一水西迳须昌城南入济，一水南流注于汶。汶水又西流入济，故淮南子曰：汶出弗其，西流合济。高诱云：弗其，山名，在朱虚县东。余按诱说是，乃东汶，非经所谓入济者也。盖其误证耳。

〔一〕蒗藹渠　大典本、黄本、吴本、注笺本、何校明钞本、王校明钞本、项本、沈本、五校钞本、七校本、注释本、疏证本、张本均作“蒗荡渠”，名胜志河南卷四归德府商丘县引水经注作“浪宕渠”。

〔二〕狼汤水　吴本、注笺本、项本、五校钞本、七校本、注释本、张本、注疏本均作“蒗荡水”，通鉴卷八秦纪三二世皇帝三年“沛公引兵西过高阳”胡注引水经注作“浪荡水”。

〔三〕夏后　注笺本、五校钞本、七校本、注释本均同，唯注疏本作“夏後”。疏：“守敬按：史记夏本纪，汤封夏之後，至周，封于杞。又杞世家，殷时或封或绝，周武王封东楼公于杞，以奉夏祀。汉志亦云，周武王封禹後东楼公，是不以殷、周俱封夏後于杞。故括地志以夏亭故城在郏城县者，为殷所封，以雍邱县古杞国城为周所封。然考大戴礼少閒篇，成汤放移夏桀，迁姒姓于杞。史、汉载郦生说，汤伐桀，封其後于杞。文选张士然求为诸孙置守冢人表，成汤革夏而封杞，则殷已先封杞。殷敬顺列子释文引系本，谓殷汤封夏後于杞，周又封之。则郦氏谓殷、周俱以杞封夏後，信矣。”

〔四〕洛架口　大典本、黄本、吴本、注笺本、项本、沈本、注释本、张本均作“洛架水口”。

〔五〕孟霜之山　大典本、注笺本、项本、注释本均作“西霜之山”。

〔六〕蠡台如西　王校明钞本作“蠡南如西”,王国维明钞本水经注跋:“睢水注,‘蠡南如西’,诸本作‘蠡台而西’,戴校作‘蠡台如西’。”注疏本与殿本同,疏:“朱‘如’作‘而’,戴、赵改。会贞按:明钞本、黄本并作‘如’。”

〔七〕城内东西道北　注疏本熊会贞疏:“会贞按:‘西’当‘南’之误。”

〔八〕殿本在此下案云:“案此下有脱文。”

〔九〕崔列　注疏本作“崔烈”。疏:“戴‘烈’改‘列’,守敬按:隶释作‘烈’,烈附后汉书崔骃传,即入钱五百万为司徒者。戴氏改作‘列’,何谬也。”

〔一〇〕注疏本熊会贞疏:“会贞按:此碑是凉州人官梁国者所立。而二语多误。砀、隅并梁国县,‘隅’误‘鹭’,又衍‘为’字,‘砀长’当在‘陇西枹罕’上,与‘左尉’对,‘北次陌守’当是人姓名及字,与‘赵冯孝高’对,而文有误也。”

〔一一〕白沟水　大典本、黄本、注笺本、项本、沈本、张本均作“白渎水”,道光安徽通志舆地志卷十七山川七凤阳府引水经注作“百渎水”。

〔一二〕竹县故城　寰宇记卷十七河南道十七宿州符离县引水经注作“竹邑城”。

〔一三〕滜湖水　孙潜校本、王校明钞本均作“滭湖水”。

〔一四〕顾访病姬　王校明钞本作“顾访病妪”,王国维明钞本水经注跋:“顾访病妪,即其母也。诸本‘妪’并作‘姬’。”

〔一五〕东决　注疏本作“东流”。疏:“朱讹作‘河’,戴改‘决’,赵改‘流’。云:‘河’字当作‘流’,全改同。”

〔一六〕鄄城　吴本、注笺本、项本均作"甄城"。

〔一七〕姚城　五校钞本、七校本、注释本均作"桃城"。

〔一八〕沮丘城　黄本、注笺本、项本、沈本、注释本、张本、注疏本均作"鉏丘(邱)城"。注疏本疏:"戴以'鉏'为讹,改作'沮'。会贞按:依下改'鉏'为'沮',非也。左传襄四年,魏绛曰,后羿自鉏迁于穷石。续汉志,濮阳有鉏城(括地志作'锄城',锄、鉏同),即郦氏所指。'鉏'字不误,惟'鉏城'作'鉏邱城',盖沿俗称耳。"

〔一九〕河水赋　注疏本作"河东赋",疏:"宋'东'讹作'水',戴同,赵改。守敬按:明钞本作'东'。赋载汉书雄传。"王国维明钞本水经注跋:"瓠子水注,扬雄河东赋,诸'东'并作'水'。"

〔二〇〕黎县　注笺本、项本、注释本、张本均作"黎阳"。

〔二一〕秺县　黄本、注笺本、项本、五校钞本、七校本、注释本、张本均作"秺县",注疏本作"秺县"。疏:"戴'秺'改'秺',云:说文,秺,从广,秺声,济阴有秺县。守敬按:汉县属济阴郡(见下)。后汉废。续志成武注引地道记有秺城。元和志,故城在成武县西北二十九里。与此异,此所叙当在今郓城县西。"

〔二二〕博昌县　大典本作"傅昌县"。

〔二三〕枝流　注疏本作"岐流"。疏:"朱'岐'作'枝',戴、赵同。会贞按:左传杜注作'岐流',释例同。释文,岐,其宜反。史记齐世家集解、续汉志博昌注引杜说,并作'岐'。此'枝'为'岐'之误无疑,今订。"

〔二四〕康熙山东通志卷六山川兖州府汶河云:"按水经注有五汶:北汶、瀛汶、柴汶、浯汶、牟汶。"此瀛汶当是此条经文下佚文。

〔二五〕手稿第四集上册记铁琴铜剑楼瞿氏藏明钞本水经注云：

卷廿四汶水篇，引马第伯书，中有十四字，大典本作：

其为高，或以为小伯石，或以为冰雪。

朱本与大典本相同。瞿本作：

其为高，或以为小伯石，或以为冰雪。

作"冰雪"是也。此十四字，黄省曾刻本改作：

其为高也，如视浮云，其峻石壁窅条。

此是依刘昭补注续汉书祭祀志所引，但实非宋本原文。孙潜校本引柳大中本，与大典及朱本相同。可见黄刻本以前的古本都如此，其中"伯石"是"白石"之误（参看戴东原本校改此条的文字）。

又手稿第四集上册跋天津图书馆藏的明钞残本水经注云：

这是一部明钞宋本，绝无可疑，我试举一个证据。此本卷二十四，汶水篇经文"屈从县西南流"下注文引马第伯书，其中有云：

南向极望，无不睹。其为高，或以为小伯石，或以为冰雪。

"其为高"以下，凡十三字（案此是胡适偶误，前引铁琴铜剑楼文作"十四字"，此文作"十三字"，实则"其为高"以下为十一字，合"其为高"在内则十四字），永乐大典本与此本相同，海盐朱氏藏的明钞宋本也与此本相同。但嘉靖十三年黄省曾刻本，这十三字已改成了：

其为高也，如视浮云，其峻石壁窅条。

吴琯刻本依黄刻(但改“条”为“篠”)。朱谋㙔从吴琯本,但笺云,“峻”下当有“也”字。后来谭元春、项细、黄晟三家刻本都从朱本。故这十三字最可以证明此本的底本是宋本,故与黄省曾以下改动了十个字的明、清刻本都不相同(黄省曾本是依据续汉书祭祀志注引马第伯书改动的)。

〔二六〕注疏本无“数川合注”四字。疏:“戴‘水’下增‘数川合注’四字,全增同。会贞按:此叙汶水经流,不必增此四字,戴误删上‘入于汶水’四字,故臆增,谓北汶、汶水合注耳。”

〔二七〕耿恭　注疏本作“耿秉”。疏:“朱‘秉’作‘恭’,戴、赵同。会贞按:惠栋后汉书补注,恭传,未尝为执金吾,或别有据。今考耿秉传,章帝建初末,征为执金吾,帝每巡郡国,秉常领郡兵宿卫左右。至章和二年,副窦宪击北匈奴,则元和时秉正为执金吾,此误‘秉’为‘恭’也,今订。”

〔二八〕铸乡城　大典本作“冶铸乡城”,注笺本、项本、注释本、张本均作“铸乡故城”。

〔二九〕刚县　黄本、沈本、注释本均作“冈县”,注笺本、项本、张本均作“乡县”。

〔三〇〕阐亭　吴本、注笺本、项本、张本均作“关亭”。

〔三一〕舆地广记卷七京东西路龚丘县引水经注云:“蛇水,即讙水也。”当是此句下佚文。

〔三二〕郈乡城　大典本、黄本、注笺本、项本、沈本、张本均作“洽乡城”。

水经注卷二十五

泗水　沂水　洙水

泗水出鲁卞县北山，

地理志曰：出济阴乘氏县。又云：出卞县北。经言北山，皆为非矣。山海经曰：泗水出鲁东北。余昔因公事，沿历徐、沇，路迳洙、泗，因令寻其源流。水出卞县故城东南，桃墟西北。春秋昭公七年，谢息纳季孙之言，以孟氏成邑与晋而迁于桃。杜预曰：鲁国卞县东南有桃墟，世谓之曰陶墟，舜所陶处也。井曰舜井，皆为非也。墟有漏泽，方十五里，渌水澄渟，三丈如减，泽西际阜，俗谓之妫亭山，盖有陶墟、舜井之言，因复有妫亭之名矣。阜侧有三石穴，广圆三四尺，穴有通否，水有盈漏，漏则数夕之中，倾陂竭泽矣。左右民居，识其将漏，预以木为曲洑〔一〕，约障穴口，鱼鳖暴鳞，不可胜载矣。自此连冈通阜，西北四十许里。冈之西际，便得泗水之源也。博物志曰：泗出陪尾。盖斯阜者矣。石穴吐水，五泉俱导，泉穴各径尺馀，水源南侧有一庙，栝柏成林，时人谓之原泉祠，非所究也。泗水西迳其县故城南，春秋襄公二十九年，季武子取卞，曰：闻守卞者将叛，臣率徒以讨之是也。南有姑蔑城〔二〕，春秋隐公元年，公及邾仪父盟于蔑者也。水出二邑之间，西迳郚城北，春秋文公七年，经书公伐邾。三月甲戌取须句，遂城郚。杜预曰：鲁邑也。卞县南有郚城，备邾难也。泗水自卞而会于洙水也。

西南过鲁县北〔三〕，

泗水又西南流，迳鲁县分为二流，水侧有一城，为二水之分会也，北为洙渎。春秋庄公九年，经书，冬，浚洙。京相璠、服虔、杜预，并言洙水在鲁城北，浚深之为齐备也。南则泗水。夫子教于洙、泗之间，今于城北二水之中，即夫子领徒之所也。从征记曰：洙、泗二水交于鲁城东北十七里，阙里背洙面泗，南北百二十步，东西六十步，四门各有石阃，北门去洙水百步馀。后汉初，阙里荆棘自辟，从讲堂至九里。鲍永为相，因修飨祠，以诛鲁贼彭丰等。郭缘生言：泗水在城南，非也。余按国语，宣公夏滥于泗渊，里革断罟弃之。韦昭云：泗在鲁城北。史记、冢记、王隐地道记，咸言葬孔子于鲁城北泗水上，今泗水南有夫子冢。春秋孔演图曰：鸟化为书，孔子奉以告天，赤爵衔书，上化为黄玉。刻曰：孔提命，作应法，为赤制。说题辞曰：孔子卒，以所受黄玉葬鲁城北，即子贡庐墓处也。谯周云：孔子死后，鲁人就冢次而居者，百有馀家，命曰孔里。孔丛曰：夫子墓茔方一里，在鲁城北六里泗水上，诸孔氏〔四〕封五十馀所，人名昭穆，不可复识，有铭碑三所，兽碣具存。皇览曰：弟子各以四方奇木来植，故多诸异树，不生棘木刺草。今则无复遗条矣。泗水自城北南迳鲁城，西南合沂水。沂水出鲁城东南尼丘山〔五〕西北，山即颜母所祈而生孔子也。山东十里有颜母庙，山南数里，孔子父葬处。礼所谓防墓崩者也。平地发泉，流迳鲁县故城南，水北东门外，即爰居所止处也。国语曰：海鸟曰爰居，止于鲁城东门之外三日，臧文仲祭之，展禽讥焉。故庄子曰：海鸟止郊，鲁侯觞之，奏以广乐，具以太牢，三日而死，此养非所养矣。门郭之外，亦戎夷死处，吕氏春秋曰：昔戎夷违齐如鲁，天大寒而后门，与弟子宿于郭门外，寒愈甚，谓弟子曰：子与我衣，我活；我与子衣，子活。我国士也，为天下惜，子不肖人，不足爱。弟子曰：不肖人恶能与国士并衣哉？戎〔六〕叹曰：不济夫。解衣与弟子，半夜而死。沂水北对稷门，昔圉人荦有力，能投盖于此门。服虔曰：能投千钧之重，过门之上也。杜预谓走接屋之桷，反覆门上也。春秋僖公二十年，经书：春，新作南门。左传曰：书不时也。杜预曰：本名稷门，僖公更高大之，今犹不与诸门同，改名高门也。其遗基犹在地八丈馀矣，亦曰雩门。春秋左传庄公十年，公子偃请击宋师，窃从雩门蒙皋比而出者也。门南隔水，有雩坛，坛高三丈，曾点所欲风舞处也。高门一里馀道西，有道兒君碑，是鲁相陈君立。昔曾参居此，枭不入郭。县，即曲阜之地，少昊之墟，有大庭氏之库，春秋竖牛之所攻也。故刘公幹鲁都赋曰：戢武器于有炎之库，放戎马于巨野之垌。周成王封姬旦于曲阜，曰鲁。秦始皇二十三年，以为薛郡，汉高后元年，为鲁国。阜上有季氏宅，宅有武子台，今虽崩夷，犹高数丈。台西百步有大井，广三丈，深十馀丈，以石垒之，石似磬制。春秋定公十二年，公山不狃帅费人攻鲁，公入季氏之宫，登武子之台也。台之西北二里有周公台，高五丈，周五十步，台南四里许则孔庙，即夫子之故宅也。宅大一顷，所居之堂，后世以为庙。汉高祖十三年过鲁〔七〕，以太牢祀孔子。自秦烧诗、书，经典沦缺，汉武帝时鲁恭王坏孔子旧宅，得尚书、春秋、论语、孝经。时人已不复知有古文，谓之科斗书，汉世秘之，希有见者。于时闻堂上有金石丝竹之音，乃不坏。庙屋三间，夫子在西间，东向；颜母在中间，南面；夫人隔东一间，东向。夫子床前有石砚一枚，作甚朴，云平生时物也。鲁人藏孔子所乘车于庙中，是颜路所请者也。献帝时，庙遇火烧之。永平中，锺离意为鲁相，到官，出私钱万三千文，付户曹孔䜣，治夫子车，身入庙，拭几席、剑履。男子张伯除堂下草，土中得玉璧七枚，伯怀其一，以六枚白意。意令主簿安置几前。孔子寝堂床首有悬瓮，意召孔䜣问：何等瓮也？对曰：夫子瓮也，背有丹书，人勿敢发也。意曰：夫子圣人，所以遗瓮，欲以悬示后贤耳。发之，中得素书。文曰：后世修吾书，董仲舒；护吾车、拭吾履、发吾笥，会稽锺离意；璧有七，张伯藏其一。意即召问伯，果服焉。魏黄初元年，文帝令郡国修起孔子旧庙，置百石吏卒，庙有夫子像，列二弟子，执卷立侍，穆穆有询仰之容。汉魏以来，庙列七碑，二碑无字，栝柏犹茂。庙之西北二里，有颜母庙，庙像犹严，有修栝五株。孔庙东南五百步，有双石阙，即灵光之南阙，北百馀步即灵光殿基，东西二十四丈〔八〕，南北十二丈，高丈馀，东西廊庑别舍，中间方七百馀步，阙之东北有浴池，方四十许步，池中有钓台，方十步，台之基岸，悉石也，遗基尚整。故王延寿赋曰：周行数里，仰不见日者也。是汉景帝程姬子鲁恭王之所造也。

殿之东南，即泮宫也，在高门直北道西，宫中有台，高八十尺，台南水东西百步，南北六十步，台西水南北四百步，东西六十步，台池咸结石为之，诗所谓思乐泮水也。沂水又西迳圜丘北，丘高四丈馀。沂水又西流，昔韩雉射龙于斯水之上。尸子曰：韩雉见申羊于鲁，有龙饮于沂。韩雉曰：吾闻之，出见虎搏之，见龙射之，今弗射，是不得行吾闻也。遂射之。沂水又西，右注泗水也。

又西过瑕丘县东，屈从县东南流，漷水从东来注之。

瑕丘，鲁邑，春秋之负瑕矣。哀公七年，季康子伐邾，囚诸负瑕是也。应劭曰：瑕丘在县西南。昔卫大夫公叔文子升于瑕丘，蘧伯玉从。文子曰：乐哉斯丘，死则我欲葬焉。伯玉曰：吾子乐之，则瑗请前。刺其欲害民良田也。瑕丘之名，盖因斯以表称矣。曾子吊诸负夏，郑玄、皇甫谧并言卫地。鲁、卫虽殊，土则一也。漷水出东海合乡县，汉安帝永初七年，封马光子朗为侯国。其水西南流入邾。春秋哀公二年，季孙斯伐邾取漷东田及沂西田是也。漷水又迳鲁国邹山东南而西南流，春秋左传所谓峄山也。邾文公之所迁，今城在邹山之阳，依岩阻以墉固，故邾娄之国，曹姓也，叔梁纥之邑也。孔子生于此，后乃县之，因邹山之名以氏县也，王莽之邹亭矣。京相璠曰：地理志，峄山在邹县北，绎邑之所依以为名也。山东西二十里，高秀独出，积石相临，殆无土壤，石间多孔穴，洞达相通，往往有如数间屋处，其俗谓之“峄孔”，遭乱辄将家入峄，外寇虽众，无所施害。晋永嘉中，太尉郗鉴将乡曲保此山，胡贼攻守不能得。

今山南有大峄，名曰郗公峄，山北有绝岩。秦始皇观礼于鲁，登于峄山之上，命丞相李斯以大篆勒铭山岭，名曰昼门，诗所谓保有凫峄者也。漷水又西南迳蕃县故城南，又西迳薛县故城北，地理志曰：夏车正奚仲之国也。竹书纪年梁惠成王三十一年，邳迁于薛，改名徐州。城南山上有奚仲冢。晋太康地记曰：奚仲冢在城南二十五里山上，百姓谓之神灵也。齐封田文于此，号孟尝君，有惠喻，今郭侧犹有文冢，结石为郭，作制严固，莹丽可寻，行人往还，莫不迳观，以为异见矣。漷水又西迳仲虺城北，晋太康地记曰：奚仲迁于邳，仲虺居之以为汤左相，其后当周爵称侯，后见侵削，霸者所绌为伯，任姓也。应劭曰：邳在薛。徐广史记音义曰：楚元王子郢客，以吕后二年封上邳侯也。有下，故此为上矣。晋书地道记曰：仲虺城在薛城西三十里，漷水又西至湖陆县入于泗。故京相璠曰：薛县漷水首受蕃县，西注山阳湖陆是也。经言瑕丘东，误耳。

又南过平阳县西，

县，即山阳郡之南平阳县也。竹书纪年曰：梁惠成王二十九年，齐田肸及宋人伐我东鄙，围平阳者也。王莽改之曰黾平矣。泗水又南迳故城西，世谓之漆乡〔九〕。应劭十三州记曰：漆乡，邾邑也。杜预曰：平阳东北有漆乡。今见有故城西南，方二里，所未详也。

又南过高平县西，洸水从西北来流注之。

泗水南迳高平山，山东西十里，南北五里，高四里，与众山相连。其山最高，顶上方平，故谓之高平山，县亦取名焉。泗水又南迳高平县故城西，汉宣帝地节三年，封丞相魏相为侯国。

高帝七年[一〇],封将军陈锴为槖侯。地理志:山阳之属县也。王莽改曰高平。应劭曰:章帝改。按本志曰:王莽改名,章帝因之矣。所谓洸水者,洙水也。盖洸、洙相入,互受通称矣。

又南过方与县东,

汉哀帝建平四年,县女子田无啬生子,先未生二月,儿啼腹中,及生,不举,葬之陌上,三日,人过闻啼声,母掘养之。

菏水从西来注之。

菏水即济水之所苞注以成湖泽也。而东与泗水合于湖陵县西六十里穀庭城下,俗谓之黄水口。黄水西北通巨野泽,盖以黄水沿注于菏,故因以名焉。

又屈东南,过湖陆县南,涓涓水[一一]从东北来流注之。

地理志:故湖陵县也。菏水在南,王莽改曰湖陆。应劭曰:一名湖陵,章帝封东平王苍子为湖陆侯,更名湖陆也[一二]。泗水又东迳郗鉴所筑城北,又东迳湖陵城东南,昔桓温之北入也,范懽擒慕容忠于此,城东有度尚碑。泗水又左会南梁水,地理志曰:水出蕃县。今县之东北,平泽出泉若轮焉。发源成川,西南流分为二水,北水枝出,西迳蕃县北,西迳滕城北,春秋左传隐公十一年,滕侯、薛侯来朝,争长。薛侯曰:我先封。滕侯曰:我周之卜正也。薛庶姓也,我不可以后之。公使羽父请薛侯曰:君辱在寡人,周谚有之,曰:山有木,工则度之;宾有礼,主则择之。周之宗盟,异姓为后,寡人若朝于薛,不敢与诸任齿,君若辱贶寡人,则愿以滕君为请。薛侯许之,乃长滕侯者也。汉高祖封夏侯婴为侯国,号曰滕公。邓晨曰:今沛郡公丘也。其水又溉于丘焉。县故城在滕西北，城周二十里，内有子城，按地理志，即滕也。周懿王子错叔绣文公所封也。齐灭之，秦以为县，汉武帝元朔三年，封鲁恭王子刘顺为侯国。世以此水溉我良田，遂及百秭，故有两沟之名焉。南梁水自枝渠西南迳鲁国蕃县故城东，俗以南邻于漷，亦谓之西漷水。南梁水又屈迳城南，应劭曰：县，古小邾邑也。地理志曰：其水西流注于济渠。济在湖陆西而左注泗，泗、济合流，故地记或言济入泗，泗亦言入济，互受通称，故有入济之文。阚骃十三州志曰：西至湖陆入泗是也。经无南梁之名，而有涓涓之称，疑即是水也。戴延之西征记亦言湖陆县之东南有涓涓水，亦无记于南梁，谓是吴王所道之渎也。余按湖陆西南止有是水，延之盖以国语云，吴王夫差起师，将北会黄池，掘沟于商、鲁之间，北属之沂，西属于济，以是言之，故谓是水为吴王所掘，非也。余以水路求之，止有泗川耳。盖北达沂，西北迳于商、鲁，而接于济矣。吴所浚广耳，非谓起自东北受沂西南注济也。假之有通，非吴所趣，年载诚眇，人情则近，以今忖古，益知延之之不通情理矣。泗水又南，漷水注之，又迳薛之上邳城西，而南注者也。

又东〔一三〕过沛县东，

昔许由隐于沛泽，即是县也，县盖取泽为名。宋灭属楚，在泗水之滨，于秦为泗水郡治。黄水注之。黄水出小黄县黄乡黄沟，国语曰：吴子会诸侯于黄池者也。黄水东流迳外黄县故城南，张晏曰：魏郡有内黄县，故加外也。薛瓒曰：县有黄沟，故县氏焉。圈称陈留风俗传曰：县南有渠水，于春秋为宋之曲棘里，故宋之别都矣。春秋昭公二十五年，宋元公卒于曲棘是也。宋华元居于稷里，宣公十五年，楚、郑围宋，晋解扬违楚，致命于此。宋人惧，使华元乘闉夜入楚师，登子反之床曰：寡君使元以病告，弊邑易子而食，析骸以爨，城下之盟，所不能也。子反退一舍，宋、楚乃平。今城东闉上犹有华元祠，祠之不辍。城北有华元冢。黄沟自城南东迳葵丘下，春秋僖公九年，齐桓公会诸侯于葵丘，宰孔曰：齐侯不务德而勤远略，北伐山戎，南伐楚，西为此会，东略之不知，西则否矣，其在乱乎？君务靖乱，无勤于行。晋侯乃还，即此地也。黄沟又东注大泽，蒹葭萑苇生焉，即世所谓大荠陂也。陂水东北流迳定陶县南，又东迳山阳郡成武县之楚丘亭北，黄沟又东迳成武县故城南，王莽更之曰成安也。黄沟又东北迳郜城北，春秋桓公二年，经书，取郜大鼎于宋，戊申，纳于太庙。左传曰：宋督攻孔父而取其妻，杀殇公而立公子冯，以郜大鼎赂公，臧哀伯谏为非礼。十三州志曰：今成武县东南有郜城，俗谓之北郜者也。黄沟又东迳平乐县故城南，又东，右合泡水，即丰水之上源也。水上承大荠陂，东迳贳城〔一四〕北，又东迳已氏县故城北，王莽之已善也。县有伊尹冢。崔骃曰：殷帝沃丁之时，伊尹卒，葬于薄。皇览曰：伊尹冢在济阴已氏平利乡。皇甫谧曰：伊尹年百馀岁而卒，大雾三日，沃丁葬以天子之礼，亲自临丧，以报大德焉。又东迳孟诸泽，杜预曰：泽在梁国睢阳县东北，又东迳郜成县〔一五〕故城南，地理志：山阳县也，王莽更名之曰告成矣。故世有南郜、北郜之论也。又东迳单父县故城南，昔宓子贱之治也。孔子使巫马期观政，入其境，见夜渔者，问曰：子得鱼辄放何也？曰：小者，吾大夫欲长育之故也。子闻之曰：诚彼形此，子贱得之，善矣。惜哉！不齐所治者小也。王莽更名斯县为利父矣。世祖建武十三年，封刘茂为侯国。又东迳平乐县，右合泡水〔一六〕，水上承睢水于下邑县界，东北注一水，上承睢水于杼秋县界北流，世又谓之瓠卢沟，水积为渚，渚水东北流，二渠双引，左合沣水，俗谓之二泡也。自下，沣、泡并得通称矣。故地理志曰：平乐，侯国也，泡水所出。又迳丰西泽，谓之丰水，汉书称高祖送徒丽山，徒多亡，到丰西泽，有大蛇当径，拔剑斩之。此即汉高祖斩蛇处也。又东迳大堰，水分为二，又东迳丰县故城南，王莽之吾丰也。水侧城东北流，右合〔一七〕枝水，上承丰西大堰，派流东北迳丰城北，东注沣水〔一八〕。沣水又东合黄水，时人谓之狂水〔一九〕，盖狂、黄声相近，俗传失实也。自下黄水又兼通称矣。水上旧有梁，谓之泡桥〔二〇〕。王智深宋史云：宋太尉刘义恭于彭城遣军主稽玄敬〔二一〕北至城，觇候魏军，魏军于清西望见玄敬士众，魏南康侯杜道儁引趣泡桥，沛县民逆烧泡桥，又于林中打鼓，儁谓宋军大至，争渡泡水，水深酷寒，冻溺死者殆半。清水即泡水之别名也。沈约宋书称魏军欲渡清西，非也。泡水又东迳沛县故城南，秦末兵起，萧何、曹参迎汉祖于此城。高帝十一年，封合阳侯刘仲子为侯国。城内有汉高祖庙，庙前有三碑，后汉立。庙基以青石为之，阶陛尚存。刘备之为徐州也，治此。袁术遣纪灵攻备，备求救吕布，布救之，屯小沛，招灵请备共饮，布谓灵曰：玄德，布弟也，布性不喜合斗，但喜解斗。乃植戟于门，布弯弓曰：观布射戟小枝，中者，当各解兵；不中，可留决斗。一发中之,遂解。此即布射戟枝处也。述征记曰:城极大,四周壍通丰水,丰水于城南东注泗,即泡水也。地理志曰:泡水自平乐县东北至沛入泗者也。泗水南迳小沛县东,县治故城南垞上。东岸有泗水亭,汉祖为泗水亭长,即此亭也。故亭今有高祖庙,庙前有碑,延熹十年立。庙阙崩褫,略无全者。水中有故石梁处,遗石尚存。高祖之破黥布也,过之,置酒沛宫,酒酣歌舞,慷慨伤怀曰:游子思故乡也〔二二〕。泗水又东南流迳广戚县故城南,汉武帝元朔元年,封刘择为侯国,王莽更之曰力聚也。泗水又迳留县而南迳垞城东,城西南有崇侯虎庙,道沦遗爱,不知何因而远有此图。泗水又南迳宋大夫桓魋冢西,山枕泗水,西上尽石,凿而为冢,今人谓之石郭者也。郭有二重,石作工巧。夫子以为不如死之速朽也。

又东南过彭城县东北,

泗水西有龙华寺,是沙门释法显远出西域,浮海东还,持龙华图,首创此制。法流中夏,自法显始也。其所持天竺二石,仍在南陆东基堪中,其石尚光洁可爱。泗水又南,获水入焉,而南迳彭城县故城东。周显王四十二年,九鼎沦没泗渊,秦始皇时而鼎见于斯水。始皇自以德合三代,大喜,使数千人没水求之,不得,所谓鼎伏也。亦云系而行之,未出,龙齿啮断其系。故语曰:称乐大早绝鼎系。当是孟浪之传耳。泗水又迳龚胜墓南,墓碣尚存。又经亚父冢东,皇览曰:亚父冢在庐江县郭东居巢亭中,有亚父井,吏民亲事,皆祭亚父于居巢厅上,后更造祠于郭东,至今祠之。按汉书项羽传,历阳人范增,未至彭城而发疽死,不言之居巢,今彭城南有项羽凉马台,台之西南山麓上，即其冢也。增不慕范蠡之举，而自绝于斯，可谓褊矣。推考书事，墓近于此也。

又东南过吕县南，

吕，宋邑也。春秋襄公元年，晋师伐郑及陈，楚子辛救郑，侵宋吕、留是也。县对泗水，汉景帝三年，有白颈乌与黑乌，群斗于县，白颈乌不胜，堕泗水中，死者数千。京房易传曰：逆亲亲，厥妖白黑乌斗。时有吴、楚之反。泗水之上有石梁焉，故曰吕梁也。昔宋景公以弓工之弓，弯弧东射，矢集彭城之东，饮羽于石梁，即斯梁也。悬涛漰渀，实为泗险，孔子所谓鱼鳖不能游。又云：悬水三十仞，流沫九十里。今则不能也。盖惟岳之喻，未便极天明矣。晋太康地记曰：水出磬石，书所谓泗滨浮磬者也。泗水又东南流，丁溪水注之，溪水上承泗水于吕县，东南流，北带广隰，山高而注于泗川。泗水冬春浅涩，常排沙通道，是以行者多从此溪。即陆机行思赋所云：乘丁水之捷岸，排泗川之积沙者也。晋太元九年，左将军谢玄于吕梁遣督护闻人奭用工九万，拥水立七挖〔二三〕，以利漕运者。

又东南过下邳县西，

泗水历县迳葛峄山东，即奚仲所迁邳峄者也。泗水又东南迳下邳县故城西，东南流，沂水流注焉，故东海属县也。应劭曰：奚仲自薛徙居之，故曰下邳也。汉徙齐王韩信为楚王，都之。后乃县焉，王莽之闰俭矣，东阳郡治。文颖曰：秦嘉，东阳郡人，今下邳是也。晋灼曰：东阳县，本属临淮郡，明帝分属下邳，后分属广陵。故张晏曰：东阳郡，今广陵郡也，汉明帝置下邳郡矣。城有三重，其大城中有大司马石苞、镇东将军胡质、司徒王浑、监军石崇四碑。南门谓之白门，魏武擒陈宫于此处矣。中城，吕布所守也。小城，晋中兴北中郎将荀羡、郗昙所治也。昔泰山吴伯武，少孤，与弟文章相失二十馀年，遇于县市，文章欲殴伯武，心神悲恸，因相寻问，乃兄弟也。县为沂、泗之会也。又有武原水注之，水出彭城武原县西北，会注陂南，迳其城西，王莽之和乐亭也。县东有徐庙山，山因徐徙，即以名之也。山上有石室，徐庙也。武原水又南合武水，谓之洳水〔二四〕，南迳刚亭城，又南至下邳入泗，谓之武原水口也。又有桐水出西北东海容丘县，东南至下邳入泗。泗水东南迳下相县故城东，王莽之从德也。城之西北有汉太尉陈球墓，墓前有三碑，是弟子管宁、华歆等所造。初平四年，曹操攻徐州，破之，拔取虑、睢陵、夏丘等县，以其父避难被害于此，屠其男女十万，泗水为之不流，自是数县人无行迹，亦为暴矣。泗水又东南得睢水口，泗水又迳宿预城之西，又迳其城南，故下邳之宿留县也，王莽更名之曰康义矣。晋元皇之为安东也，督运军储，而为邸阁也。魏太和中，南徐州治，后省为戍。梁将张惠绍北入，水军所次，凭固斯城，更增修郭壍，其四面引水环之，今城在泗水之中也。

又东南入于淮。

泗水又东迳陵栅南，西征记曰：旧陵县之治也。泗水又东南迳淮阳城北，城临泗水，昔菑丘䜣饮马斩蛟，眇目于此处也。泗水又东南迳魏阳城北，城枕泗川，陆机行思赋曰：行魏阳之枉渚。故无魏阳，疑即泗阳县故城也，王莽之所谓淮平亭矣。盖魏文帝幸广陵所由，或因变之，未详也。泗水又东迳角城北，而东南流注于淮。考诸地说，或言泗水于睢陵入淮，亦云于下相入淮，皆非实录也。

沂水出泰山盖县艾山，

郑玄云：出沂山，亦或云临乐山。水有二源：南源所导，世谓之柞泉；北水所发，俗谓之鱼穷泉。俱东南流合成一川，右会洛预水，水出洛预山，东北流注之。沂水东南流，左合桑预水，水北出桑预山，东注于沂水。沂水又东南，螳蜋水入焉。水出鲁山，东南流，右注沂水。沂水又东迳盖县故城南，东会连绵之水，水发连绵山，南流迳盖城东而南入沂。沂水又东迳浮来之山，春秋经书：公及莒人盟于浮来者也。即公来山也。在邳乡西，故号曰邳来之间也。浮来之水注之，其水左控三川，右会甘水而注于沂。沂水又南迳爆山西，山有二峰，相去一里，双峦齐秀，圆峙若一。沂水又东南迳东莞县故城西，与小沂水合。孟康曰：县，故郓邑〔二五〕，今郓亭是也。汉武帝元朔二年，封城阳共王子吉为东莞侯。魏文帝黄初中立为东莞郡。东燕录谓之团城。刘武帝北伐广固，登之以望王难〔二六〕。魏南青州治。左氏传曰：莒、鲁争郓，为日久矣。今城北郓亭是也。京相璠曰：琅邪姑幕县南四十里员亭，故鲁郓邑，世变其字，非也。郡国志：东莞有郓亭。今在团城东北四十里，犹谓之故东莞城矣。小沂水出黄孤山，西南流迳其城北，西南注于沂。沂水又南与闾山水合，水出闾山，东南流，右佩二水，总归于沂。沂水南迳东安县故城东，而南合时密水，水出时密山，春秋时莒地。左传：莒人归共仲于鲁，及密而死是也。时密水东流，迳东安城南，汉封鲁孝王子强为东安侯。时密水又东南流入沂。沂水又南,桑泉水北出五女山,东南流,巨围水注之,水出巨围之山,东南注于桑泉水。桑泉水又东南,堂阜水入焉。其水导源堂阜,春秋庄公九年,管仲请囚,鲍叔受之,及堂阜而税之。杜预曰:东莞蒙阴县西北有夷吾亭者是也。堂阜水又东南注桑泉水,桑泉水又东南迳蒙阴县故城北,王莽之蒙恩也。又东南与叟崮水合,水有二源双会,东导一川,俗谓之汶水也。东迳蒙阴县注桑泉水。又东南,卢川水注之,水出鹿岭山,东南流,左则二川臻凑,右则诸葛泉源。斯奔乱流,迳城阳之卢县,故盖县之卢上里也。汉武帝元朔二年,封城阳共王子刘豨为侯国,王莽更名之曰著善矣。又东南注于桑泉水。桑泉水又东南,右合蒙阴水,水出蒙山之阴,东北流,昔琅邪承宫,避乱此山,立性好仁,不与物竞,人有认其黍者,舍之而去。其水东北流入于沂。沂水又南迳阳都县故城东,县,故阳国也。齐同盟,齐利其地而迁之者也。汉高帝六年,封将军丁复为侯国。沂水又南与蒙山水合,水出蒙山之阴,东流迳阳都县南,东注沂水。沂水又左合温水,水上承温泉陂,而西南入于沂水者也。

南过琅邪临沂县东,又南过开阳县东,

沂水南迳中丘城西,春秋隐公七年,夏,城中丘。左传曰:书不时也。沂水又南迳临沂县故城东,郡国志曰:琅邪有临沂县,故属东海郡,有治水〔二七〕注之,水出泰山南武阳县之冠石山。地理志曰:冠石山,治水所出。应劭地理风俗记曰:武水出焉。盖水异名也。东流迳蒙山下,有祠。治水又东南迳颛臾城北,郡国志曰:县有颛臾城。季氏将伐之,孔子曰:昔者,先王以为

东蒙主,社稷之臣,何以伐之为?冉有曰:今夫颛臾固而便,近于费者也。治水又东南流,迳费县故城南,地理志:东海之属县也。为鲁季孙之邑,子路将堕之,公山弗扰师袭鲁,弗克,后季氏为阳虎所执,弗扰以费畔,即是邑也。汉高帝六年,封陈贺为侯国。王莽更名之曰顺从也。许慎说文云:沂水出东海费县东,西入泗,从水,斤声。吕忱字林亦言是矣。斯水东南所注者,沂水在西,不得言东南趣也,皆为谬矣,故世俗谓此水为小沂水。治水又东南迳祊城南。春秋隐公八年,郑伯请释泰山之祀,而祀周公,使宛归泰山之祊而易许田。杜预释地曰:祊,郑祀泰山之邑也,在琅邪费县东南。治水又东南流注于沂。沂水又南迳开阳县故城东,县,故鄅国也。春秋左传昭公十八年,邾人袭鄅,尽俘以归,鄅子曰:余无归矣。从孥于邾是也。后更名开阳矣。春秋哀公三年,经书:季孙斯、叔孙州仇帅师城启阳者是矣。县,故琅邪郡治也。

又东过襄贲县东,屈从县南西流,又屈南过郯县西,

鲁连子称,陆子谓齐湣王曰:鲁费之众,臣甲舍于襄贲者也。王莽更名章信也。郯,故国也,少昊之后。春秋昭公十七年,郯子朝鲁,公与之宴,昭子叔孙婼问曰:少昊,鸟名官,何也?郯子曰:吾祖也,我知之矣。黄帝、炎帝以云火纪官,太皞以龙纪,少皞瑞凤鸟,统历鸟官之司,议政斯在,孔子从而学焉。既而告人曰:天子失官,学在四夷者也。竹书纪年晋烈公四年,越子朱句〔二八〕灭郯,以郯子鸪归。县,故旧鲁也,东海郡治,秦始皇以为郯郡,汉高帝二年,更从今名,即王莽之沂平者也。

又南过良城县西，又南过下邳县西，南入于泗。

春秋左传曰：昭公十三年，秋，晋侯会吴子于良，吴子辞水道不可以行，晋乃还是也。地理志曰：良城，王莽更名承翰矣。沂水于下邳县北西流，分为二水，一水于城北西南入泗，一水迳城东屈从县南，亦注泗，谓之小沂水。水上有桥，徐、泗间以为圯，昔张子房遇黄石公于圯上，即此处也。建安二年，曹操围吕布于此，引沂、泗灌城而擒之。

洙水出泰山盖县临乐山，

地理志曰：临乐山，洙水所出，西北至盖入泗水。或作池字，盖字误也。洙水自山西北迳盖县，汉景帝中五年，封后兄王信为侯国。又西迳泰山东平阳县。春秋宣公八年，冬，城平阳。杜预曰：今泰山平阳县是也。河东有平阳，故此加东矣。晋武帝元康九年，改为新泰县也。

西南至卞县，入于泗。

洙水西南流，盗泉水注之，泉出卞城东北卞山之阴。尸子曰：孔子至于暮矣，而不宿于盗泉，渴矣而不饮，恶其名也。故论语比考谶曰：水名盗泉，仲尼不漱。即斯泉矣。西北流注于洙水。洙水又西南流于卞城西，西南入泗水，乱流西南至鲁县东北，又分为二水，水侧有故城，两水之分会也。洙水西北流迳孔里北，是谓洙、泗之间矣。春秋之浚洙，非谓始导矣，盖深广之耳。洙水又西南，枝津出焉，又南迳瑕丘城东，而南入石门，古结石为水门，跨于水上也。西南流，世谓之杜武沟。洙水又西南迳南平阳县之显闾亭西，邾邑也。春秋襄公二十一年，经书，邾庶其以漆、闾丘来奔者也。杜预曰：平阳北有显闾亭。

十三州记曰:山阳南平阳县又有闾丘乡。从征记曰:杜谓显闾,闾丘也。今按漆乡在县东北,漆乡东北十里,见有闾丘乡,显闾非也,然则显闾自是别亭,未知孰是。又南,洸水注之。吕忱曰:洸水出东平阳,上承汶水于刚县西阐亭东。尔雅曰:汶别为阐,其犹洛之有波矣。洸水西南流迳盛乡城西,京相璠曰:刚县西南有盛乡城者也。又南迳泰山宁阳县故城西,汉武帝元朔三年,封鲁共王子刘恬为侯国,王莽改之曰宁顺也。又南,洙水枝津注之,水首受洙,西南流迳瑕丘城北,又西迳宁阳城南,又西南入于洸水。洸水又西南迳泰山郡乘丘县故城东,赵肃侯二十年,韩将举与齐、魏战于乘丘,即此县也。汉武帝元朔五年,封中山靖王子刘将夜为侯国也。洸水又东南流注于洙。洙水又南至高平县,南入于泗水。西有茅乡城,东去高平三十里,京相璠曰:今高平县西三十里有故茅乡城者也。

〔一〕曲洑　注疏本作"曲状"。疏:"全校改'状'作'洑',戴、赵改同。守敬按:诗'鱼丽于罶',传,罶,曲梁也,寡妇之笱也。疏郭璞曰,凡以薄取鱼者名为罶。孙炎曰,罶,曲梁,其功易,故谓之寡妇之笱。然则曲薄也。此当是以木为曲薄之状。若洑字训为洄流,亦曰洑流,曲洑之义,殊不可通。"

〔二〕姑蔑城　大典本、吴本作"姑蔑城"。

〔三〕方舆纪要卷三十二山东三兖州府曲阜县五父衢引水经注云:"(五父衢)在鲁东门外二里,襄十一年,季子将作三军,盟诸僖闳,诅诸五父之衢;八年,阳货取宝玉大弓以出,舍于五父之衢。"当是此经文下佚文。

〔四〕此下王校明钞本有“丘”字。王国维明钞本水经注跋：“泗水注，诸孔氏丘封，诸本并夺‘丘’字。”

〔五〕尼丘山　尚书详解卷六“海岱及淮惟徐州”篇，夏僎解引水经注作“居石山”，康熙山东通志卷六山川沂河引水经注作“尼山”。

〔六〕此下注疏本有“夷”字。疏：“朱脱‘夷’字，戴同，赵增。”

〔七〕注疏本杨守敬疏：“守敬按：汉书高帝纪在十二年，此‘三’为‘二’之误。”段熙仲校记：“按：不误也。汉太初以前以建子月十月为岁之首月，太初以后以寅月为正月。此事在十二年之十二月，为次年(十三年)之首，但高帝纪终于十二年耳。”

〔八〕二十四丈　注疏本熊会贞疏：“会贞按：御览一百七十五、天中记十三引此，并无四字，后汉书东海恭王彊传注亦无此四字，当衍。”

〔九〕漆乡　注笺本、项本、张本均作“漆乡㴔”，注释本作“漆乡郭”。

〔一〇〕七年　注疏本作“八年”，疏：“全云：当作‘七年’。戴改‘七’。守敬按：史、汉表俱作‘八年’，‘八’字不误。”

〔一一〕涓涓水　黄本作“洧涓水”。

〔一二〕殿本在此下案云：

> 案原本及近刻并讹作：“为湖陵侯，更名湖陵也。”考后汉书郡国志，山阳郡湖陆，故文有“陵”字为更名耳，五也；“仓”，当作“苍”，六也；“为湖陵侯”当作“为湖陆侯”，七也；“更名湖陵”，当作“更名湖陆”，八也。道元此注亦有“尚书”二字，盖校是书者据汉志讹本增入。说文“菏”字下云，菏泽水出山阳

湖陵，引禹贡“浮于淮泗，达于菏”，而水经济水内叙菏水云，又东南过湖陆县南，东入于泗水。道元注亦引尚书“浮于淮泗，达于菏”。今尚书本皆讹作“达于河”。以尚书及前后汉书、水经注互有舛误，彼此纷纠，仅就一处订正，终难了彻，故备论之。

注疏本在此下疏：

朱两“湖陆”俱讹作“湖陵”。赵云：按此注全是袭用汉志而又误者。汉志山阳郡湖陵县下云，禹贡，浮于淮泗，通于河，水在南，莽曰湖陆。应劭曰，尚书一名湖，章帝封东平王仓子为湖陵侯，更名湖陵。“通于河”，据说文是“达于菏”，一名湖之“湖”，亦当是“菏”字。盖仲瑗引尚书之菏，以证世本、汉书“通于河”之误。传写者更讹而为“湖”。道元不察，又加“陵”。湖陵，章帝更名。刘昭注云：前汉志，王莽改曰湖陵，章帝复其号。又郡国志，高平侯国，故橐，章帝更名。刘昭注云：前汉志，王莽改曰高平，章帝复莽此号。盖光武中兴，凡莽所改，即不行用，至章帝改湖陵为湖陆，改橐为高平，偶与莽同，以莽不足道，故直曰章帝更名耳。光武永平二年，以橐、湖陵益东平国，见光武十王列传。注云：稟县一名高平。其正文及注两“稟”字，皆“橐”之讹。是光武时仍前汉之旧，称橐、湖陵，章帝已后则称高平、湖陆也。今汉书地理志山阳郡湖陵下云：禹贡：浮于泗淮，通于河。水在南，莽曰湖陆。应劭曰：尚书一名湖，章帝封东平王仓子为湖陆侯，更名湖陵。此条舛误者八：“泗淮”当作“淮泗”，一也；“通于河”，当作“通于菏”，二也；“水在南”，当作“菏水在南”，三也；“尚书”二字，当在“禹贡”二字之上，不当在“应劭曰”下，四也；应劭时称湖陆已久，所引应劭语，宜为地理风俗记湖陆县下之文，"一名湖"，当是"一名湖陵"，校汉书者妄删"陵"字，以起下字，遂有尚书一名湖陵之谬词。更考郡国志山阳郡湖陆，故湖陵，章帝更名。刘昭补注云，前汉志，王莽改曰湖陆，章帝复其号。晋以后总曰湖陆。戴删"尚书"二字，谓"一名湖陵"，宜为地理风俗记之文。改"湖陵侯"作"湖陆侯"，改"更名湖陵"作"更名湖陆"。守敬按：赵说是也。戴删非，改是也。

〔一三〕又东　注疏本作"又南"。疏："戴作'又东'，与锺、谭、黄晟等本同。会贞按：黄本作'又南'，证以水道适合，则作'东'者误也。"

〔一四〕贯城　注笺本、项本、注释本、张本均作"贯城"。

〔一五〕郜成县　大典本、注笺本、项本、张本均作"卬城县"，五校钞本、七校本、注释本均作"郜城县"，注疏本作"邛城县"。疏："朱脱'又东'二字，戴、赵增。又'邛'讹作'卬'，戴、赵改作'郜'。戴并改'城'作'成'。守敬按：明钞本作'邛城'。汉志山阳郡，郜城，侯国。宋祁曰，'郜'当作'邛'。外戚侯表，邛成属济阴，与山阳相距不远。说文，邛成，济阴县。段氏云，玉篇邛字下曰，山阳邛成县。此'郜成'当作'邛成'之确证。济阴、山阳，容有改属。今本汉志误郜成者，以王莽改告成之故（二'成'字此作'城'，古通）。郜城本在成武，自王莽改邛城曰告城，于是谓郜城曰北郜，此曰南郜。段说其审，则当改'卬'为'邛'。戴、赵改'邛'为'郜'，非也。县后汉省，在今城武县东南。"

〔一六〕泡水　方舆纪要卷二十九江南十一徐州沛县泡河引水经注作"苞水"。

〔一七〕右合　注疏本作“左合”。疏:“朱‘左’讹作‘右’,戴、赵同。会贞按:丰水东迳丰城南,枝水东北迳丰城北,则枝水在丰水之左,此当作‘左合’无疑,今订。”

〔一八〕沣水　五校钞本、七校本、注释本均作“丰水”。

〔一九〕狂水　后汉书卷八十五列传七十五东夷传“偃王处潢氏东地方五百里”注引水经注作“汪水”。

〔二〇〕泡桥　方舆纪要卷二十九江南十一徐州沛县泡河引水经注作“苞桥”。

〔二一〕稽玄敬　“稽”各本同,宋书索虏传作“嵇”。

〔二二〕思故乡　注疏本熊会贞疏:“会贞按:在高祖十二年,史、汉‘思’并作‘悲’。”

〔二三〕七挖　注疏本作“七埭”。疏:“朱‘埭’作‘拖’,笺曰:当作‘埭’。晋书,谢玄堰吕梁水,植栅,立七埭为派,拥二岸之流,以利漕运。赵‘拖’改‘埭’,‘运漕’作‘漕运’,删‘者’字。”

〔二四〕洳水　于鬯香草续校书云:“‘洳’,盖‘治’字之误。沂水篇云:沂水又南迳临沂县故城东,有治水注之,水出泰山南武阳县之冠石山,地理志曰:冠石山,治水所出。应劭地理风俗记曰:武水出焉,盖水异名也。是武水又名治水,即洳水矣。‘洳’字为‘治’字之误,明甚。”

〔二五〕郓邑　注笺本、项本、张本均作“邺邑”,何本作“鄆邑”。

〔二六〕王难　殿本在此下案云:“案此二字有舛误,朱谋㙔云:当作‘五龙’。广固有五龙口,见二十六卷。”注释本、注疏本均作“五龙”。注疏本杨守敬疏:“守敬按:名胜志作‘五龙’,赵依笺改至确,戴失考耳。”

〔二七〕治水　吴本、注笺本、项本、张本均作“洛水”。

〔二八〕末句　注释本、注疏本均作“朱句”。注疏本疏:“朱笺曰:今竹书纪年晋烈公六年,於越子朱句伐郑,以郑子鸱归。赵‘末’改‘朱’。守敬按:史记越世家索隐引纪年,在朱句三十五年。”

水经注卷二十六

沭水　巨洋水　淄水　汶水　潍水　胶水

沭水出琅邪东莞县西北山，

大弁山〔一〕与小泰山连麓而异名也。引控众流，积以成川，东南流迳邳乡南，南去县八十许里，城有三面而不周于南，故俗谓之半城。沭水又东南流，左合岘水，水北出大岘山，东南流迳邳乡东，东南流注于沭水也。

东南过其县东，

沭水左与箕山之水合，水东出诸县西箕山。刘澄之以为许由之所隐也，更为巨谬矣。其水西南流，注于沭水也。

又东南过莒县东，

地理志曰：莒子之国，盈姓也，少昊后。列女传曰：齐人杞梁殖，袭莒战死，其妻将赴之，道逢齐庄公，公将吊之。杞梁妻曰：如殖死有罪，君何辱命焉；如殖无罪，有先人之敝庐在，下妾不敢与郊吊。公旋车吊诸室，妻乃哭于城下，七日而城崩〔二〕。故琴操云：殖死，妻援琴作歌曰："乐莫乐兮新相知，悲莫悲兮生别离。”哀感皇天,城为之堕。即是城也。其城三重,并悉崇峻,惟南开一门。内城方十二里,郭周四十许里。尸子曰:莒君好鬼巫而国亡,无知之难,小白奔焉。乐毅攻齐,守险全国,秦始皇县之,汉兴以为城阳国,封朱虚侯章,治莒,王莽之莒陵也。光武合城阳国为琅邪国,以封皇子京,雅好宫室,穷极伎巧,壁带饰以金银。明帝时,京不安莒,移治开阳矣。沭水又南,袁公水〔三〕东出清山,遵坤维而注沭。沭水又南,浔水注之,水出于巨公之山〔四〕,西南流,旧堨以溉田,东西二十里,南北十五里。浔水又西南流入沭。沭水又南与葛陂水会,水发三柱山,西南流迳辟土城南,世谓之辟阳城。史记建元以来王子侯者年表曰:汉武帝元朔二年,封城阳共王子节侯刘壮为侯国也。其水于邑,积以为陂,谓之辟阳湖,西南流注于沭水也。

又南过阳都县,东入于沂〔五〕。

沭水自阳都县又南会武阳沟水,水东出仓山,山上有故城,世谓之监官城,非也,即古有利城矣。汉武帝元朔四年,封城阳共王子刘钉为侯国也。其城因山为基,水导山下,西北流,谓之武阳沟,又西至即丘县,注于沭。沭水又南迳东海郡即丘县,故春秋之祝丘也。桓公五年,经书:齐侯、郑伯,如纪城祝丘。左传曰:齐、郑朝纪,欲袭之。汉立为县,王莽更之曰就信也。郡国志曰:自东海分属琅邪。阚骃曰:即、祝,鲁之音,盖字承读变矣。沭水又南迳东海厚丘县,王莽更之曰祝其亭也。分为二渎:一渎西南出,今无水,世谓之枯沭;一渎南迳建陵县故城东。汉景帝六年,封卫绾为侯国,王莽更之曰付亭也。沭水又南迳建陵山西，魏正光中，齐王之镇徐州也，立大堨，遏水西流，两渎之会，置城防之，曰曲沭戍。自堨流三十里，西注沭水旧渎，谓之新渠。旧渎自厚丘西南出，左会新渠，南入淮阳宿预县注泗水，地理志所谓至下邳注泗者也。经言于阳都入沂，非矣。沭水左渎自大堰水断，故渎东南出，桑堰水注之，水出襄贲县，泉流东注。沭渎又南，左合〔六〕横沟水，水发渎右，东入沭之〔七〕。故渎又南暨于遏。其水西南流，迳司吾山东，又迳司吾县故城西，春秋左传：楚执锺吾子以为司吾。县，王莽更之曰息吾也。又西南至宿预注泗水也。沭水故渎自下堰东南迳司吾城东，又东南历柤口城〔八〕中，柤水〔九〕出于楚之柤地。春秋襄公十年，经书：公与晋及诸侯，会吴于柤。京相璠曰：宋地。今彭城偪阳县西北有柤水沟〔一〇〕，去偪阳八十里。东南流迳傅阳县〔一一〕故城东北，地理志曰：故偪阳国也。春秋左传襄公十年，夏四月戊午，会于柤，晋荀偃、士匄请伐偪阳而封宋向戌焉。荀罃曰：城小而固，胜之不武，弗胜为笑。固请，丙寅围之，弗克，孟氏之臣秦堇父，辇重如役，偪阳人启门，诸侯之士门焉。县门发，鄹人纥抉之以出门者，狄虒弥建大车之轮而蒙之以甲，以为橹，左执之，右拔戟，以成一队，孟献子曰：诗所谓有力如虎者也。主人县布，堇父登之，及堞而绝之，坠，则又县之，苏而复上者三，主人辞焉。乃退，带其断以徇于军三日，诸侯之师久于偪阳，请归，智伯怒曰：七日不克，尔乎取之，以谢罪也。荀偃、士匄攻之，亲受矢石，遂灭之，以偪阳子归，献于武宫，谓之夷俘。偪阳，妘姓也，汉以为县，汉武帝元朔三年，封齐孝王子刘就为侯国，王莽更之曰辅阳也。郡国志曰:偪阳有柤水。柤水又东南,乱于沂而注于沭,谓之柤口,城得其名矣。东南至朐县〔一二〕,入游注海也。

巨洋水出朱虚县泰山,北过其县西〔一三〕,

泰山,即东小泰山〔一四〕也。巨洋水,即国语所谓具水矣。袁宏谓之巨昧〔一五〕,王韶之以为巨蔑〔一六〕,亦或曰朐弥〔一七〕,皆一水也,而广其目焉。其水北流迳朱虚县故城西,汉惠帝二年,封齐悼惠王子刘章为侯国。地理风俗记曰:丹山在西南,丹水所出,东入海。丹水由朱虚丘阜矣。故言朱虚城西有长坂远峻,名为破车岘。城东北二十里有丹山,世谓之凡山。县在西南,非山也。丹、凡字相类,音从字变也。丹水有二源,各导一山,世谓之东丹、西丹水也。西丹水自凡山北流,迳剧县故城东,东丹水注之。水出方山,山有二水,一水即东丹水也。北迳县合西丹水,而乱流又东北出,迳渏薄涧北。渏水亦出方山,流入平寿县,积而为渚,水盛则北注,东南流,屈而东北流,迳平寿县故城西,而北入丹水,谓之鱼合口。丹水又东北迳望海台东,东北注海,盖亦县所氏者也。

又北过临朐县东,

巨洋水自朱虚北入临朐县,熏冶泉水注之。水出西溪,飞泉侧濑于穷坎之下,泉溪之上,源麓之侧有一祠,目之为冶泉祠。按广雅,金神谓之清明。斯地盖古冶官所在,故水取称焉。水色澄明而清泠特异,渊无潜石,浅镂沙文,中有古坛,参差相对,后人微加功饰,以为嬉游之处。南北邃岸凌空,疏木交合。先公以太和中,作镇海岱。余总角之年〔一八〕,侍节东州。至若炎夏火流,闲居倦想,提琴命友,嬉娱永日,桂笄寻波,轻林委浪,琴歌既洽,欢情亦畅,是焉栖寄,实可凭衿。小东有一湖,佳饶鲜笋,匪直芳齐芍药,实亦洁并飞鳞。其水东北流入巨洋,谓之熏冶泉。又迳临朐县故城东,城,古伯氏骈邑也。汉武帝元朔元年〔一九〕,封菑川懿王子刘奴为侯国。应劭曰:临朐,山名也,故县氏之。朐亦水名,其城侧临朐川,是以王莽用表厥称焉。城上下,沿水悉是刘武皇北伐广固,营垒所在矣。巨洋又东北迳委粟山东,孤阜秀立,形若委粟。又东北,洋水注之,水西出石膏山西北石涧口,东南迳逢山祠西。洋水又东南,历逢山下,即石膏山也。山麓三成,壁立直上。山上有石鼓,鸣则年凶。郭缘生续述征记曰:逢山在广固南三十里,有祠并石鼓,齐地将乱,石人辄打石鼓,声闻数十里。洋水历其阴而东北流,世谓之石沟水。东北流出于委粟山北,而东注于巨洋,谓之石沟口。然是水下流,亦有时通塞,及其春夏水泛,川澜无辍,亦或谓之为龙泉水。地理志:石膏山,洋水所出是也。今于此县,惟是渎当之,似符群证矣。巨洋水又东北得邳泉口,泉源西出平地,东流注于巨洋水。巨洋水又北会建德水,水西发逢山阜而东流入巨洋水也。

又北过剧县西,

巨洋水又东北合康浪水,水发县西南峨山,无事树木而圆峭孤峙,巑岏分立。左思齐都赋曰:峨岭镇其左是也。康浪水北流注于巨洋。巨洋又东北迳剧县故城西,古纪国也。春秋庄公四年,纪侯不能下齐,以与弟季,大去其国,违齐难也。后改曰剧。故鲁连子曰:朐剧之人,辩者也。汉文帝十八年,别为菑川国,后并北海。汉武帝元朔二年,封菑川懿王子刘错为侯国，王莽更之曰俞县也。城之北侧有故台，台西有方池，晏谟曰：西去齐城九十七里。耿弇破张步于临淄，追至巨洋水〔二〇〕上，僵尸相属，即是水也。巨洋〔二一〕又东北迳晋龙骧将军、幽州刺史辟闾浑墓东而东北流，墓侧有一坟甚高大，时人咸谓之为马陵，而不知谁之丘垄也。巨洋水又东北迳益县故城东，王莽更之曰涤荡也。晏谟曰：南去齐城五十里。司马宣王伐公孙渊，北徙丰人，住于此城，遂改名为南丰城也。又东北，积而为潭，枝津出焉，谓之百尺沟。西北流迳北益都城，汉武帝元朔二年，封菑川懿王子刘胡为侯国。又西北流而注于巨淀矣。

又东北过寿光县西，

巨洋水自巨淀湖东北流，迳县故城西，王莽之翼平亭也。汉光武建武二年，封更始子鲤为侯国。城之西南，水东有孔子石室，故庙堂也。中有孔子像，弟子问经。既无碑志，未详所立。巨洋〔二二〕又东北流，尧水注之，水出剧县南角崩山，即故义山也。俗人以其山角若崩，因名为角崩山，亦名为角林山，皆世俗音讹也。水即蕤水矣。地理志曰：剧县有义山，蕤水所出也。北迳峗山，东俗亦名之为青山〔二三〕矣。尧水又东北迳东、西寿光二城间。应劭曰：寿光县有灌亭。杜预曰：在县东南斟灌国也。又言斟亭在平寿县东南，平寿故城在白狼水西，今北海郡治。水上承营陵县之下流，东北迳城东，西入别画湖，亦曰朕怀湖。湖东西二十里，南北三十里，东北入海。斟亭在溉水东，水出桑犊亭东覆甑山。亭，故高密郡治，世谓之故郡城，山谓之塔山，水曰鹿孟水，亦曰戾孟水，皆非也。地理志:桑犊,北海之属县矣,有覆甑山〔二四〕,溉水所出。北迳斟亭,西北合白狼水。按地理志,北海有斟县。京相璠曰:故斟寻国,禹后,西北去灌亭九十里。溉水又北迳寒亭西而入别画湖。郡国志曰:平寿有斟城,有寒亭。薛瓒汉书集注云:按汲郡古文,相居斟灌。东郡灌是也。明帝以封周后,改曰卫斟。寻在河南,非平寿也。又云:太康居斟寻,羿亦居之,桀又居之。尚书序曰:太康失国,兄弟五人徯于河汭〔二五〕。此即太康之居为近洛也。余考瓒所据,今河南有寻地,卫国有观土。国语曰:启有五观,谓之奸子。五观盖其名也。所处之邑,其名曰观。皇甫谧曰:卫地。又云:夏相徙帝丘,依同姓之诸侯于斟寻氏,即汲冢书云相居斟灌也。既依斟寻,明斟寻非一居矣。穷后既仗善射篡相,寒浞亦因逢蒙弑羿,即其居以生浇,因其室而有豷。故春秋襄公四年,魏绛曰:浇用师灭斟灌,及斟寻氏处浇于过,处豷于戈,是以伍员言于吴子曰:过浇杀斟灌以伐斟寻是也。有夏之遗臣曰:靡事羿,羿之死也,逃于鬲氏。今鬲县也。收斟灌、斟寻二国之馀烬,杀寒浞而立,少康灭之,有穷遂亡也。是盖寓其居而生其称,宅其业而表其邑。纵遗文沿褫,亭郭有传,未可以彼有灌目。谓专此为非,舍此寻名,而专彼为是。以土推传,应氏之据亦可按矣。尧水又东北注巨洋。伏琛、晏谟,并言尧尝顿驾于此,故受名焉,非也。地理志曰:蕤水自剧东北至寿光入海。沿其迳趣,即是水也。

又东北入于海。

巨洋水东北迳望海台西,东北流。伏琛、晏谟并以为平望亭在平寿县故城西北八十里古县,又或言秦始皇升以望海,因曰望海台,未详也。按史记,汉武帝元朔二年,封菑川懿王子刘赏为侯国。又东北注于海也。

淄水出泰山莱芜县原山,

淄水出县西南山下,世谓之原泉。地理志曰:原山,淄水所出。故经有原山之论矣。淮南子曰:水出自饴山。盖山别名也。东北流迳莱芜谷,屈而西北流,迳其县故城南。从征记曰:城在莱芜谷,当路阻绝,两山间道由南北门。汉末,有范史云为莱芜令,言莱芜在齐,非鲁所得引。旧说云,齐灵公灭莱,莱民播流此谷,邑落荒芜,故曰莱芜。禹贡所谓莱夷也。夹谷之会,齐侯使莱人以兵劫鲁侯,宣尼称夷不乱华是也。余按泰无、莱柞,并山名也,郡县取目焉。汉高祖置。左传曰:与之无山及莱柞是也。应劭十三州记曰:太山莱芜县,鲁之莱柞邑。淄水又西北转迳城西,又东北流与一水合,水出县东南,俗谓之家桑谷水,从征记名曰圣水。列仙传曰:鹿皮公者,淄川人也。少为府小史,才巧,举手成器。山岑上有神泉,人不能到,小史白府君,请木工斤斧三十人,作转轮,造县阁,意思横生。数十日,梯道成,上其巅作祠屋,留止其旁,其二间以自固,食芝草,饮神泉,七十馀年。淄水来山下〔二六〕,呼宗族,得六十馀人,命上山半,水出,尽漂一郡,没者万计。小史辞遣家室令下山,著鹿皮衣,升阁而去。后百馀年,下卖药齐市也。其水西北流注淄水,淄水又北出山,谓之莱芜口,东北流者也。

东北过临淄县东,

淄水自山东北流,迳牛山西,又东迳临淄县故城南,东得天齐水口,水出南郊山下,谓之天齐渊。五泉并出,南北三百步,广十步，山即牛山也。左思齐都赋曰：牛岭镇其南者也。水在齐八祠中，齐之为名，起于此矣。地理风俗记曰：齐所以为齐者，即天齐渊名也。其水北流注于淄水。淄水又东迳四豪冢北，水南山下有四冢，方基圆坟，咸高七尺，东西直列，是田氏四王冢也。淄水又东北迳荡阴里〔二七〕西，水东有冢，一基三坟，东西八十步，是列士公孙接、田开疆、古冶子之坟也。晏子恶其勇而无礼，投桃以毙之，死葬阳里，即此也。淄水又北迳其城东，城临淄水，故曰临淄，王莽之齐陵县也。尔雅曰：水出其前左为营丘。武王以其地封太公望，赐之以四履，都营丘为齐，或以为都营陵。史记：周成王封师尚父于营丘，东就国，道宿行迟，莱侯与之争营丘，逆旅之人曰：吾闻时难得而易失，客寝安，殆非就封者也。太公闻之，夜衣而行，至营丘，陵亦丘也。献公自营丘徙临淄。余按营陵城南无水，惟城北有一水，世谓之白狼水，西出丹山，俗谓凡山也。东北流，由尔雅出前左之文，不得以为营丘矣。营丘者，山名也，诗所谓子之营兮，遭我乎猺之间兮。作者多以丘陵号同，缘陵又去莱差近，咸言太公所封，考之春秋经书：诸侯城缘陵。左传曰：迁杞也。毛诗郑注并无营字，瓒以为非近之。今临淄城中有丘，在小城内，周回三百步，高九丈，北降丈五，淄水出其前，故有营丘之名，与尔雅相符。城对天齐渊，故城有齐城之称。是以晏子言：始爽鸠氏居之，逄伯陵居之，太公居之。又曰：先君太公，筑营之丘。季札观风，闻齐音曰：泱泱乎大风也哉。表东海者，其太公乎？田巴入齐，过淄自镜。郭景纯言，齐之营丘，淄水迳其南及东也。非营陵明矣。献公之徙，其犹晋氏深翼名绛，非谓自营陵而之也。其外郭,即献公所徙临淄城也,世谓之虏城。言齐湣王伐燕,燕王哙死,虏其民实诸郭,因以名之。秦始皇三十四年〔二八〕,灭齐为郡,治临淄。汉高帝六年,封子肥于齐为王国,王莽更名济南也。战国策曰:田单为齐相,过淄水,有老人涉淄而出,不能行,坐沙中,单乃解裘于斯水之上也。

又东过利县东,

淄水自县东北流,迳东安平城北,又东迳巨淀县故城南,征和四年,汉武帝幸东莱,临大海,三月耕巨淀。即此也。县东南则巨淀湖,盖以水受名也。淄水又东北迳广饶县故城南,汉武帝元鼎中,封菑川靖王子刘国为侯国。淄水又东北,马车渎水注之,受巨淀〔二九〕,淀即浊水所注也。吕忱曰:浊水一名溷水,出广县为山。世谓之冶岭山,东北流迳广固城西,城在广县西北四里,四周绝涧,阻水深隍,晋永嘉中,东莱人曹嶷所造也。水侧山际有五龙口,义熙五年,刘武帝伐慕容超于广固也,以藉险难攻,兵力劳弊,河间人玄文说裕云,昔赵攻曹嶷,望气者以为渑水带城,非可攻拔,若塞五龙口,城当必陷。石虎从之,嶷请降。降后五日大雨,雷电震开。后慕容恪之攻段龛,十旬不拔,塞口而龛降,降后无几,又震开之。今旧基犹存,宜试修筑。裕塞之,超及城内男女,皆悉脚弱〔三〇〕,病者大半,超遂出奔,为晋所擒也。然城之所跨,实凭地险,其不可固城者在此。浊水东北流迳尧山东,从征记曰:广固城北三里有尧山祠,尧因巡狩登此山,后人遂以名山。庙在山之左麓,庙像东面,华宇修整,帝图严饰,轩冕之容穆然。山之上顶,旧有上祠,今也毁废,无复遗式。盘石上尚有人马之迹,徒黄石而已，惟刀剑之踪逼真矣。至于燕锋代锷，魏铗齐铓，与今剑莫殊，以密模写，知人功所制矣。西望胡公陵，孙畅之所云，青州刺史傅弘仁言得铜棺隶书处。浊水又东北流迳东阳城北，东北流合长沙水，水出逢山〔三一〕北阜，世谓之阳水也。东北流迳广县故城西，旧青州刺史治，亦曰青州城。阳水又东北流，石井水注之，水出南山，山顶洞开，望若门焉，俗谓是山为甓头山〔三二〕。其水北流注井，井际广城东侧，三面积石，高深一匹有馀，长津激浪，瀑布而下，澎赑之音，惊川聒谷，漰渀之势，状同洪河，北流入阳水。余生长东齐，极游其下，于中阔绝，乃积绵载，后因王事，复出海岱，郭金、紫惠〔三三〕同石井，赋诗言意，弥日嬉娱，尤慰羁心，但恨此水时有通塞耳。阳水东迳故七级寺禅房南，水北则长庑遍驾，迴阁承阿。林之际，则绳坐疏班，锡钵閒设。所谓修修释子，眇眇禅栖者也。阳水又东迳东阳城东南，义熙中，晋青州刺史羊穆之筑此，以在阳水之阳，即谓之东阳城。世以浊水为西阳水故也，水流亦有时穷通，信为灵矣。昔在宋世，是水绝而复流，刘晃赋通津焉。魏太和中，此水复竭，辍流积年，先公除州，即任未期，是水复通，澄映盈川，所谓幽谷枯而更溢，穷泉辍而复流矣。海岱之士，又颂通津焉。平昌龙民孙道相颂曰：惟彼渑泉，竭逾三龄，祈尽珪璧，谒穷斯牲，道从隆替，降由圣明。耋民河间赵巖颂云：敷化未期，元泽潜施，枯源扬澜，涸川涤陂。北海郭钦曰：先政辍津，我后通洋。但颂广文烦，难以具载。阳水又北屈迳汉城阳景王刘章庙东，东注于巨洋。后人堨断令北注浊水，时人通谓浊水为阳水，故有南阳、北阳水之论。二水浑流，世谓之为长沙水也。亦或通名之为渑水，故晏谟、伏琛为齐记，并云东阳城既在渑水之阳，宜为渑阳城〔三四〕，非也。世又谓阳水为洋水，余按群书，盛言洋水出临朐县，而阳水导源广县，两县虽邻，川土不同，于事疑焉。浊水又北迳臧氏台西，又北迳益城西，又北流注巨淀。地理志曰：广县为山，浊水所出，东北至广饶入巨淀。巨淀之右，又有女水注之〔三五〕，水出东安平县之蛇头山〔三六〕，从征记曰：水西有桓公冢，甚高大，墓方七十馀丈，高四丈，圆坟围二十馀丈，高七丈馀，一墓方七丈。二坟，晏谟曰：依陵记，非葬礼，如承世，故与其母同墓而异坟，伏琛所未详也。冢东山下女水原有桓公祠，侍其衡奏魏武王所立。曰：近日路次齐郊，瞻望桓公坟垄，在南山之阿，请为立祀，为块然之主。郭缘生述征记曰：齐桓公冢在齐城南二十里，因山为坟。大冢东有女水，或云齐桓公女冢在其上，故以名水也。女水导川东北流，甚有神焉。化隆则水生，政薄则津竭。燕建平六年，水忽暴竭，玄明恶之，寝病而亡。燕太上四年，女水又竭，慕容超恶之，燕祚遂沦。女水东北流迳东安平县故城南，续述征记曰：女水至安平城南伏流十五里，然后更流，北注阳水。城，故酅亭也。春秋鲁庄公三年，纪季以酅入齐。公羊传曰：季者何？纪侯弟也。贤其服罪，请酅以奉五祀。田成子单之故邑也。后以为县，博陵有安平，故此加东也。世祖建武七年，封菑川王子刘茂为侯国。又迳东安平城东，东北迳垄丘东，东北入巨淀。地理志曰：菟头山，女水所出，东北至临淄入巨淀。又北为马车渎，北合淄水，又北，时渑之水〔三七〕注之。时水出齐城西北二十五里，平地出泉，即如水也。亦谓之源水，因水色黑，俗又目之为黑水。西北迳黄山东，又北历愚山东，有愚公冢。时水又屈而迳杜山北，有愚公谷。齐桓公时，公隐于谷，邻有认其驹者，公以与之。山，即杜山之通阜，以其人状愚，故谓之愚公。水有石梁，亦谓之为石梁水。又有澅水注之，水出时水，东去临淄城十八里，所谓澅中也。俗以澅水为宿留水，西北入于时水。孟子去齐，三宿而后出澅，故世以此而变水名也。水南山西有王歜墓，昔乐毅伐齐，贤而封之，歜不受，自缢而死。水侧有田引水，溉迹尚存。时水又西北迳西安县故城南，本渠丘也。齐大夫雝廪之邑矣，王莽更之曰东宁。时水又西至石洋堰〔三八〕，分为二水，谓之石洋口〔三九〕，枝津西北至梁邹入济。时水又北迳西安城西，又北，京水、系水注之，水出齐城西南，世谓之寒泉也。东北流直申门西，京相璠、杜预并言：申门即齐城南面西第一门矣。为申池，昔齐懿公游申池，邴歜、阎职二人，害公于竹中，今池无复仿佛，然水侧尚有小小竹木，以时遗生也。左思齐都赋注，申池在海滨，齐薮也。余按春秋襄公十八年，晋伐齐，戊戌，伐雍门之萩，己亥，焚雍门，壬寅，焚东北二郭，甲辰，东侵及潍南及沂。而不言北掠于海。且晋献子尚不辞死以逞志，何容对仇敌而不惩，暴草木于海嵎乎？又炎夏火流，非远游之辰，懿公见弑，盖是白龙鱼服，见困近郊矣。左氏舍近举远，考古非矣。杜预之言，有推据耳。系水傍城北流，迳阳门西，水次有故封处，所谓齐之稷下也。当战国之时，以齐宣王喜文学，游说之士邹衍、淳于髡、田骈、接子、慎到之徒七十六人，皆赐列第，为上大夫，不治而论议，是以齐稷下学士复盛，且数百十人。刘向别录以稷为齐城门名也。谈说之士,期会于稷门下,故曰稷下也。郑志:张逸问书赞云,我先师棘下生,何时人? 郑玄答云,齐田氏时,善学者所会处也。齐人号之棘下生,无常人也。余按左传昭公二十二年,莒子如齐,盟于稷门之外。汉以叔孙通为博士,号稷嗣君。史记音义曰:欲以继踪齐稷下之风矣。然棘下又是鲁城内地名,左传定公八年,阳虎劫公伐孟氏,入自上东门,战于南门之内,又战于棘下者也。盖亦儒者之所萃焉。故张逸疑而发问,郑玄释而辩之。虽异名互见,大归一也。城内有故台,有营丘,有故景王祠,即朱虚侯章庙矣。晋起居注云:齐有大蛇长三百步,负小蛇长百馀步,迳于市中,市人悉观,自北门所入处也。北门外东北二百步,有齐相晏婴冢宅。左传:晏子之宅近市,景公欲易之,而婴弗更。为诫曰:吾生则近市,死岂易志。乃葬故宅,后人名之曰清节里。系水又北迳临淄城西门北,而西流迳梧宫南,昔楚使聘齐,齐王飨之梧宫,即是宫矣。其地犹名梧台里,台甚层秀,东西百馀步,南北如减,即古梧宫之台。台东即阙子所谓宋愚人得燕石处。台西有石社碑,犹存,汉灵帝熹平五年立。其题云:梧台里。系水又西迳葵丘北,春秋庄公八年,襄公使连称、管至父戍葵丘。京相璠曰:齐西五十里有葵丘地。若是,无庸戍之。僖公九年,齐桓会诸侯于葵丘。宰孔曰:齐侯不务修德而勤远略。明葵丘不在齐也。引河东汾阴葵丘,山阳西北葵城宜在此,非也。余原左传,连称、管至父之戍葵丘,以瓜时为往还之期,请代弗许,将为齐乱,故令无宠之妹候公于宫,因无知之绌,遂害襄公。若出远无代,宁得谋及妇人,而为公室之乱乎？是以杜预稽春秋之旨，即传安之，注于临淄西〔四〇〕，不得舍近托远，苟成已异，于异可殊，即义为负，然则葵丘之戍，即此地也。系水西，左迆为潭，又西，迳高阳侨郡南，魏所立也。又西北流，注于时。时水又东北流，渑水注之，水出营城东，世谓之汉溱水〔四一〕也。西北流迳营城北，汉景帝〔四二〕四年，封齐悼惠王子刘信都为侯国。渑水又西迳乐安博昌县故城南，应劭曰：昌水出东莱昌阳县，道远不至，取其嘉名。阚骃曰：县处势平，故曰博昌。渑水西历贝丘，京相璠曰：博昌县南近渑水，有地名贝丘，在齐城西北四十里。春秋庄公八年，齐侯田于贝丘，见公子彭生豕立而泣，齐侯坠车伤足于是处也。渑水又西北入时水。从征记又曰：水出临淄县，北迳乐安博昌南界，西入时水者也。自下通谓之为渑也。昔晋侯与齐侯宴，齐侯曰：有酒如渑。指喻此水也。时水又屈而东北，迳博昌城北，时水又东北迳齐利县故城北，又东北迳巨淀县故城北，又东北迳广饶县故城北，东北入淄水。地理风俗记曰：淄入濡。淮南子曰：白公问微言曰：若以水投水，如何？孔子曰：淄、渑之水〔四三〕合，易牙尝而知之。谓斯水矣。

又东北入于海。

淄水入马车渎，乱流东北迳琅槐故城南，又东北迳马井城北，与时渑之水互受通称，故邑流其号。又东北至皮丘坑〔四四〕，入于海。故晏谟、伏琛并言：淄、渑之水合于皮丘坑西。地理志曰：马车渎至琅槐入于海。盖举县言也。

汶水出朱虚县泰山，

山上有长城，西接岱山，东连琅邪巨海，千有馀里，盖田氏之所造也。竹书纪年梁惠成王二十年,齐筑防以为长城。竹书又云:晋烈公十二年,王命韩景子、赵烈子、翟员伐齐,入长城。史记所谓齐威王越赵侵我,伐长城者也。伏琛、晏谟并言:水出县东南峿山,山在小泰山东者也。

北过其县东,

汶水自县东北迳郚城北,地理风俗记曰:朱虚县东四十里有郚城亭,故县也。又东北迳管宁冢东,故晏谟言,柴阜西南有魏独行君子管宁墓,墓前有碑。又东北迳柴阜山北,山之东有征士邴原冢,碑志存焉。汶水又东北迳汉青州刺史孙嵩墓西,有碑碣。汶水又东迳安丘县故城北,汉高帝八年,封将军张说为侯国。地理志曰:王莽之诛郅也。孟康曰:今渠丘亭是也。伏琛、晏谟齐记并言:莒渠丘亭在安丘城东北十里。非矣。城对牟山,山之西南有孙宾硕兄弟墓,碑志并在也。

又北过淳于县西,又东北入于潍。

故夏后氏之斟灌国也。周武王以封淳于公,号曰淳于国。春秋桓公六年,冬,州公如曹。传曰:淳于公如曹,度其国危,遂不复也。其城东北,则两川交会也。

潍水出琅邪箕县潍山,

琅邪,山名也。越王句践之故国也。句践并吴,欲霸中国,徙都琅邪。秦始皇二十六年,灭齐以为郡。城即秦皇之所筑也〔四五〕。遂登琅邪大乐之山,作层台于其上,谓之琅邪台。台在城东南十里,孤立特显,出于众山,上下周二十里馀,傍滨巨海。秦王乐之,因留三月,乃徙黔首三万户于琅邪山下,复十二年。所作台基三层,层高三丈,上级平敞,方二百馀步,广五里。刊石立碑，纪秦功德。台上有神渊，渊至灵焉，人污之则竭，斋洁则通。神庙在齐八祠中，汉武帝亦尝登之。汉高帝吕后七年，以为王国，文帝三年，更名为郡，王莽改曰填夷矣。潍水导源潍山，许慎、吕忱云：潍水出箕屋山。淮南子曰：潍水出覆舟山。盖广异名也。东北迳箕县故城西，又西，析泉水注之，水出析泉县北松山，东南流迳析泉县东，又东南迳仲固山东，北流入于潍。地理志曰：至箕县北入潍者也。潍水又东北迳诸县故城西，春秋文公十二年，季孙行父城诸及郓。传曰：城其下邑也。王莽更名诸并矣。潍水又东北，涓水注之，水出马耳山，山高百丈，上有二石并举，望齐马耳，故世取名焉。东去常山三十里，涓水发于其阴，北迳娄乡城东，春秋昭公五年，经书：夏，莒牟夷以牟娄、防、兹来奔者也。又分诸县之东为海曲县，故俗人谓此城为东诸城，涓水又北注于潍水。

东北过东武县西，

县因冈为城，城周三十里。汉高帝六年，封郭蒙为侯国。王莽更名之曰祥善矣。又北，左合扶淇之水，水出西南常山，东北流注潍。晏、伏并以潍水为扶淇之水，以扶淇之水为潍水，非也。按经脉志，潍自箕县北迳东武县西北流，合扶淇之水。晏谟、伏琛云：东武城西北二里潍水者，即扶淇之水也。潍水又北，右合卢水，即久台水也。地理志曰：水出琅邪横县故山，王莽之令丘也。山在东武县故城东南，世谓之卢山也。西北流迳昌县故城西东北流。齐地记曰：东武城东南有卢水，水侧有胜火木。方俗音曰柽子，其木经野火烧死，炭不灭，故东方朔云不灰之木者也。其水又东北流迳东武县故城东，而西北入潍。地理志曰:久台水东南至东武入潍者也。尚书所谓潍、淄其道矣。

又北过平昌县东,

潍水又北迳石泉县故城西,王莽之养信也。地理风俗记曰:平昌县东南四十里有石泉亭,故县也。潍水又北迳平昌县故城东,荆水注之,水出县南荆山阜,东北流迳平昌县故城东,汉文帝封齐悼惠王肥子卬为侯国。城之东南角有台,台下有井,与荆水通,物坠于井,则取之荆水。昔常有龙出入于其中,故世亦谓之龙台城也〔四六〕。荆水又东北流注于潍。潍水又北,浯水注之,水出浯山,世谓之巨平山也。地理志曰:灵门县有高原山、壶山,浯水所出,东北入潍。今是山西接浯山。许慎说文言,水出灵门山,世谓之浯汶矣。其水东北迳姑幕县故城东,县有五色土,王者封建诸侯,随方受之,故薄姑氏之国也。阚骃曰:周成王时,薄姑与四国作乱,周公灭之,以封太公。是以地理志曰:或言薄姑也,王莽曰季睦矣。应劭曰:左传曰,薄姑氏国,太公封焉。薛瓒汉书注云:博昌有薄姑城。未知孰是?浯水又东北迳平昌县故城北,古堨此水以溢溉田,南注荆水。浯水又东北流,而注于潍水也。

又北过高密县西,

应劭曰:县有密水,故有高密之名也。然今世所谓百尺水者,盖密水也。水有二源,西源出奕山,亦曰鄣日山,山势高峻,隔绝阳曦。晏谟曰:山状鄣日,是有此名。伏琛曰:山上鄣日,故名鄣日山也。其水东北流。东源出五弩山,西北流同泻一壑,俗谓之百尺水。古人堨以溉田数十顷,北流迳高密县西,下注潍水，自下亦兼通称焉。乱流历县西碑产山西，又东北，水有故堰，旧凿石竖柱断潍水，广六十许步，掘东岸，激通长渠。东北迳高密县故城南，明帝永平中，封邓震为侯国。县南十里，蓄以为塘，方二十馀里，古所谓高密之南都也，溉田一顷许。陂水散流，下注夷安泽。潍水自堰北迳高密县故城西，汉文帝十六年，别为胶西国，宣帝本始元年，更为高密国，王莽之章牟也。潍水又北，昔韩信与楚将龙且夹潍水而阵于此。信夜令为万馀囊，盛沙以遏潍水，引军击且伪退，且追北，信决水，水大至，且军半不得渡，遂斩龙且于是水。水西有厉阜，阜上有汉司农卿郑康成冢，石碑犹存。又北迳昌安县故城东，汉明帝永平中，封邓袭为侯国也。郡国志曰：汉安帝延光元年复也。

又北过淳于县东，

潍水又北，左会汶水，北迳平城亭西，又东北迳密乡亭西，郡国志曰：淳于县有密乡。地理志：皆北海之属县也。应劭曰：淳于县东北六十里有平城亭，又四十里有密乡亭，故县也。潍水又东北迳下密县故城西，城东有密阜。地理志曰：有三户山祠。余按应劭曰：密者，水名，是有下密之称。俗以之名阜，非也。

又东北过都昌县东，

潍水东北迳逢萌墓，萌，县人也，少有大节，耻给事县亭，遂浮海至辽东，复还，在不其山隐学。明帝安车征，萌以佯狂免。又北迳都昌县故城东，汉高帝六年，封朱轸为侯国。北海相孔融为黄巾贼管亥所围于都昌也，太史慈为融求救刘备，持的突围其处也。

又东北入于海。

胶水出黔陬县胶山，北过其县西，

齐记曰：胶水出五弩山。盖胶山之殊名也。北迳祝兹县故城东，汉武帝元鼎中，封胶东康王子延为侯国。又迳扶县〔四七〕故城西，地理志：琅邪之属县也。汉文帝元年，封吕平为侯国。胶水又北迳黔陬故城西，袁山松郡国志曰：县有介亭。地理志曰：故介国也。春秋僖公九年〔四八〕，介葛卢来朝，闻牛鸣，曰：是生三牺皆用之。问之果然。晏谟、伏琛并云：县有东、西二城，相去四十里，有胶水。非也，斯乃拒艾水〔四九〕也。水出县西南拒艾山〔五〇〕，即齐记所谓黔艾山也。东北流迳柜县故城西，王莽之祓同也。世谓之王城，又谓是水为洋水〔五一〕矣。又东北流，晏、伏所谓黔陬城西四十里有胶水者也。又东入海。地理志：琅邪有柜县，根艾水〔五二〕出焉，东入海。即斯水也。今胶水北流，迳西黔陬城东，晏、伏所谓高密郡侧有黔陬县。地理志曰：胶水出郏县，王莽更之纯德矣，疑即是县，所未详也。

又北过夷安县东，

县，故王莽更名之原亭也。应劭曰：故莱夷维邑也。太史公曰：晏平仲，莱之夷维之人也。汉明帝永平中，封邓珍为侯国，西去潍水四十里。胶水又北迳胶阳县东，晏、伏并谓之东亭。自亭结路，南通夷安。地理风俗记曰：淳于县东南五十里有胶阳亭，故县也。又东北流，左会一水，世谓之张奴水，水发夷安县东南皁下，西北流历胶阳县注于胶。胶水之左为泽渚，东北百许里，谓之夷安潭，潭周四十里，亦潍水枝津之所注也。胶水又东北迳下密县故城东，又东北迳胶东县故城西，汉高帝元年，别为国，景帝封子寄为王国，王莽更之郁秩[五三]也，今长广郡治。伏琛、晏谟言，胶水东北回达于胶东城北百里，流注于海。

又北过当利县西，北入于海。

县，故王莽更名之为东莱亭也。又北迳平度县，汉武帝元朔二年，封菑川懿王子刘衍为侯国，王莽更名之曰利卢也。县有土山，胶水北历土山注于海。海南，土山以北悉盐坑，相承修煮不辍。北眺巨海，杳冥无极，天际两分，白黑方别，所谓溟海者也。故地理志曰：胶水北至平度入海也。

〔一〕大弁山　吴本、注删本均作"大弃山"，嘉靖临朐县志卷一风土志引水经注作"太弁山"。

〔二〕札记长城：

中国历史上的主要长城，都修筑在北方，其目的确实是为了防止游牧民族的侵入。所以长城可以视作农耕民族与游牧民族的界线。上述河水注记载的"始皇三十三年，起自临洮，东暨辽海，西并阴山，筑长城"，显然是把列国兴修的长城联接起来。由于在筑城之时，游牧民族也可以随时侵袭，所以不得不采用"昼警夜作"的办法，白日放哨备战，晚上夯土筑城，昼夜不得休息，所以造成了"尸骸相支拄"的惨况。以后民间流传了许多修筑长城的悲惨故事，其中家喻户晓的是孟姜女的故事。孟姜女的丈夫万喜良被征筑长城，孟姜女千里送寒衣，到长城而其夫已死，孟姜女十分悲痛，哭于长城之下，长城竟至崩裂，发现了丈夫的遗骸，孟姜女于是投海而死。这个故事大概是春秋杞梁殖故事的附会。杞梁殖的故事出于列女传。卷二十六沭水经"又东南过莒县东"注中曾经引及：

> 列女传曰：齐人杞梁殖，袭莒战死，其妻将赴之，道逢齐庄公，公将吊之。杞梁妻曰：如殖死有罪，君何辱命焉；如殖无罪，有先人之敝庐在，下妾不敢与郊吊。公旋车吊诸室，妻乃哭于城下，七日而城崩。故琴操云：殖死，妻援琴作歌曰："乐莫乐兮新相知，悲莫悲兮生别离。"哀感皇天，城为之堕。即是城也。

〔三〕袁公水　大典本、吴本均作"表公水"。

〔四〕乾隆忻州府志卷二山川莒州浔水引水经注云："浔水出巨公山，迳马髻山、阴缠山右出西南，髻水入焉。"当是此段下佚文。

〔五〕寰宇记卷二十二河南道二十二海州沭阳县引水经注云："梁天监二年三月，土人张高等五百馀人，相率开凿此谿，引水溉田二百馀顷，俗名为红花水，东流入泗州涟水界。"当是此经文之佚文。

〔六〕左合　注疏本作"右合"。疏："朱'右'作'左'，戴、赵同。会贞按：沭水左渎南流，横沟水自渎右东入之，则是右合，非左合也，今订。"

〔七〕之　注释本作"水"。按"之"，句读不可断；按"水"，句读可断。水经注疏作"东入沭之故渎"。

〔八〕相口城　吴本作"祖口城"。

〔九〕相水　吴本、何校明钞本均作"祖水"。

〔一〇〕相水沟　吴本、何校明钞本均作"祖水沟"。

〔一一〕傅阳县　注笺本、项本、五校钞本、七校本、注释本、张本均作“偪阳县”。

〔一二〕朐县　大典本、吴本均作“煦县”。

〔一三〕元于钦齐乘巨洋水云：“（巨洋水）又东北迳故益县城，古别出一支为百尺沟，道元谓曲北入淀者沟也，今废。又北迳寿光县东，水经云：……又东北由黑冢泊入海。黑冢泊，述征记谓之马常泛，冢即秦始皇望海台也。余按……东北迳藏台，又北至乐安东北灌河口合女水，又东北入巨淀。”按此段齐乘文字中，“道元谓”，“水经云”，与于钦按语混杂，并有讹字，如“马常泛”当是“马常坑”之讹。又如“曲北入（巨）淀者（百尺）沟也”，即经“又北过剧县西”注内末段语言而为于钦所概括者。惟“黑冢泊”一名未见于今本，当是此篇中佚文。

〔一四〕小泰山　嘉靖临朐县志卷一风土志引水经注作“东泰山”。

〔一五〕巨昧　通鉴卷四十一汉纪三十三光武帝建武五年“追之钜昧水上”胡注引水经注作“钜昧”。

〔一六〕巨蔑　大典本、吴本、注笺本、张本均作“具覆”。

〔一七〕嘉靖临朐县志卷一风土志弥水引水经注云：“王韶以为巨蔑，或曰朐弥，或曰沫，实一水也。”此处“或曰沫”三字，当是此句下佚文。

〔一八〕札记水经注成书年代：

历来推算郦氏生年的学者甚多，但一切推算，实际上都以巨洋水注中“余总角之年，侍节东州”一语为基础，而“总角”一词并无确切的数量标准，所以均不可置信。

注疏本"余总角之年，侍节东州"下疏："朱'侍'讹作'持'，戴改。赵据齐乘校云：隋书麦铁杖传云，陪麾问罪，亦其义也。守敬按：明钞本作侍节。考道元孝昌三年遇害，年四十二，上距太和二十三年，计二十八年，十五岁，是生于太和九年，故以太和中为总角之年也。"

案魏书及北史均未及郦氏受害时年岁，故杨守敬所谓"孝昌三年遇害，年四十二"、"生于太和九年"云云，俱不可信。"故以太和中为总角之年"一语亦涉含混。其实均因"总角"一词无数量标准之故。礼记内则第十二："男女未冠笄者，鸡初鸣，咸盥、漱，栉、縰、拂髦、总角、衿缨，皆佩容臭。"郑玄注："总角，收发结之。"案"冠"、"笄"、"总角"三词，唯"冠"有数量标准，礼记曲礼上第一："人生十年曰幼，学；二十曰弱，冠。"又内则第十二："二十而冠，始学礼。"

〔一九〕元年　注疏本作"二年"。疏："戴以'二'为讹，改作'元'。守敬按：史、汉表俱是二年。"

〔二〇〕巨洋水　黄本、王校明钞本均作"巨昧水"，王国维明钞本水经注跋："巨洋水注，追至巨昧水上（黄本同），诸本'昧'并作'洋'。"

〔二一〕巨洋　注释本、注疏本均作"巨洋水"。注疏本疏："朱无'水'字，戴同，赵增。"

〔二二〕巨洋　注释本、注疏本均作"巨洋水"。

〔二三〕青山　注笺本、项本、注释本、张本、注疏本均作"青水"。注疏本疏："戴改'水'作'山'。守敬按：齐乘二尧水，一名蕘，又名青，则青水字不误。"

〔二四〕覆甑山　嘉靖青州府志卷六地理志一山川朐山引水经注作“覆釜山”。

〔二五〕河汭　注疏本作“洛汭”，杨守敬按：“官刻戴本‘洛’作‘河’，误，孔刻不误。此五子之歌序。”

〔二六〕淄水来山下　王校明钞本作“淄水未下”，王国维明钞本水经注跋：“淄水注，‘淄水未下’，诸本并作‘淄水来山下’。”

〔二七〕荡阴里　吴本作“阳阴里”。

〔二八〕三十四年　注疏本“二十六年”，疏：“朱讹‘三十四年’，全、赵、戴同。守敬按：史记始皇本纪，灭齐在二十六年，田齐世家，灭齐为郡。阎若璩曰，郡治临淄，以齐悼惠王子及主父偃传知之。则汉因秦旧。”

〔二九〕受巨淀　注释本、注疏本均作“首受巨淀”。注疏本疏：“朱无‘首’字，戴同。笺曰：李云，当作‘首受巨淀’。赵增。会贞按：汉志钜定下，马车渎水首受钜定。”

〔三〇〕皆悉脚弱　注疏本作“皆患脚弱”，疏：“朱‘患’作‘悉’，戴、赵同。会贞按：元和志、寰宇记作‘患’，是也。今据订。”

〔三一〕逄山　嘉靖临朐县志卷一风土志引水经注、康熙山东通志卷七山川南北二阳水引水经注均作“逢山”。

〔三二〕辟头山　谭本、注释本均作“劈头山”。

〔三三〕注疏本在此下疏云：“守敬按：郭金、紫惠当是二人，而有讹文。郭金疑即下之郭钦，‘紫’疑本作‘柴’。”

〔三四〕渑阳城　大典本作“绳阳城”。

〔三五〕嘉靖青州府志卷六地理志一女水引水经注云：“女水又东北入淀，城东二十里淄河铺东南，淀，即清水泊也。”当是此段下佚文。

〔三六〕蛇头山　注释本作“菟头山”。

〔三七〕时渑之水　大典本、吴本、注笺本、注释本、尚书今古文注疏卷三禹贡第三上“潍淄既道”疏引水经注均作“时绳之水”，项本、张本均作“淄绳之水”。

〔三八〕石洋堰　大典本作“石羊堰”。

〔三九〕石洋口　大典本作“石羊口”。

〔四〇〕殿本在此下案云：“案此句有舛误。”注疏本杨守敬疏：“守敬按：杜注，临淄县西有地名葵丘。”

〔四一〕汉溱水　嘉靖青州府志卷六地理志一山川渑之水引水经注、方舆纪要卷三十五山东六青州府临淄县渑水引水经注、春秋地名考略卷三齐、渑引水经注均作“汉凑水”。

〔四二〕汉景帝　注释本、注疏本均作“汉文帝”。注疏本疏：“朱‘文’讹作‘景’，戴同。赵云：按王子侯表是文帝四年封。守敬按：史、汉表俱文帝四年封。”

〔四三〕淄渑之水　大典本、吴本、王校明钞本均作“淄绳之水”。

〔四四〕皮丘坈　大典本、吴本、注笺本、王校明钞本、尚书今古文注疏卷三禹贡第三上“潍淄既道”疏引水经注、禹贡会笺卷三“潍淄既道”徐文靖笺引水经注均作“皮丘沆”。

〔四五〕注疏本在此下有“二十八年”四字。疏：“朱无此四字，全、赵、戴同。守敬按：史记登琅邪是二十八年，不得承上二十六年，今增。”

〔四六〕方舆纪要卷三十五山东六青州府安邱县平昌城引水

经注云:“荆水迳其下,亦谓之龙台水。”当是此句下佚文。

〔四七〕扶县　注释本作“郏县”。

〔四八〕僖公九年　注释本、注疏本均作“僖公二十九年”。注疏本疏:“朱脱‘二十’二字,戴同,赵增。”

〔四九〕拒艾水　注释本、方舆纪要卷三十六山东七莱州府高密县柜城引水经注均作“柜艾水”。

〔五〇〕拒艾山　同上各本均作“柜艾山”。

〔五一〕洋水　注笺本、五校钞本、七校本、注释本、方舆纪要卷三十六山东七莱州府胶州胶水引水经注、山东考古录考洋水引水经注、光绪山东通志卷二十一疆域志第三山川川总引水经注均作“洋洋水”。

〔五二〕根艾水　吴本、注笺本均作“拒艾水”。孙潜校本、注释本均作“柜艾水”。

〔五三〕郁秩　注笺本、项本、注释本、张本均作“郁秩”。注疏本作“郁袟”,疏:“戴云:按‘袟’,今汉书作‘秩’,戴改‘秩’。”案“戴改秩”三字讹,殿本作“袟”。

水经注卷二十七

沔水[一]

沔水出武都沮县东狼谷中[二]，

沔水一名沮水。阚骃曰：以其初出沮洳然，故曰沮水也，县亦受名焉。导源南流，泉街水注之，水出河池县，东南流入沮县，会于沔。沔水又东南迳沮水戍，而东南流注汉，曰沮口，所谓沔汉者也。尚书曰：嶓冢导漾，东流为汉。山海经所谓汉出鲋嵎山也。东北流得献水口。庾仲雍云：是水南至关城合西汉水。汉水又东北合沮口，同为汉水之源也。故如淳曰：此方人谓汉水为沔水。孔安国曰：漾水东流为沔。盖与沔合也。至汉中为汉水，是互相通称矣。沔水又东迳白马戍南，浕水入焉。水北发武都氐中，南迳张鲁城东。鲁，沛国张陵孙，陵学道于蜀鹤鸣山，传业衡，衡传于鲁，鲁至行宽惠，百姓亲附，供道之费，米限五斗，故世号五斗米道。初平中，刘焉以鲁为督义司马，住汉中，断绝谷道，用远城治，因即崤岭，周回五里，东临浚谷，杳然百寻，西北二面，连峰接崖，莫究其极，从南为盘道，登陟二里有馀。浕水又南迳张鲁治东，水西山上有张天师堂，于今民事之。庾仲雍谓山为白马塞，堂为张鲁治。东对白马城，一名阳平关。浕水南流入沔，谓之浕口。其城西带浕水，南面沔川，城侧二水之交，故亦曰浕口城矣。沔水又东迳武侯垒南，诸葛武侯所居也。南枕沔水，水南有亮垒，背山向水，中有小城，回隔难解。沔水又东迳沔阳县故城南，城，旧言汉祖在汉中，萧何所筑也。汉建安二十四年，刘备并刘璋，北定汉中，始立坛，即汉中王位于此。其城南临汉水，北带通逵，南面崩水三分之一，观其遗略，厥状时传。南对定军山，曹公南征汉中，张鲁降，乃命夏侯渊等守之。刘备自阳平关南渡沔水，遂斩渊首，保有汉中。诸葛亮之死也，遗令葬于其山，因即地势，不起坟垄，惟深松茂柏，攒蔚川阜，莫知墓茔所在。山东名高平，是亮宿营处，有亮庙。亮薨，百姓野祭，步兵校尉习隆、中书郎向充共表云：臣闻周人思召伯之德，甘棠为之不伐；越王怀范蠡之功，铸金以存其像〔三〕。亮德轨遐迩，勋盖来世，王室之不坏，实赖斯人，而使百姓巷祭，戎夷野祀，非所以存德念功，追述在昔者也。今若尽顺民心，则黩而无典，建之京师，又逼宗庙，此圣怀所以惟疑也。臣谓宜近其墓，立之沔阳，断其私祀，以崇正礼。始听立祀斯庙，盖所启置也。锺士季征蜀，枉驾设祠。茔东，即八阵图也，遗基略在，崩褫难识。沔水又东迳西乐城北，城在山上，周三十里，甚险固，城侧有谷，谓之容裘谷。道通益州，山多群獠，诸葛亮筑以防遏。梁州刺史杨亮，以即险之固，保而居之，为苻坚所败，后刺史姜守、潘猛，亦相仍守此城。城东，容裘溪水注之，俗谓之洛水也。水南导巴岭山，东北流，水左有故城，凭山即险，四面阻绝，昔先主遣黄忠据之，以拒曹公。溪水又北迳西乐城东，而北流注于汉〔四〕。汉水又左得度口水，出阳平北山，水有二源：一曰清检，出佳鳠；一曰浊检，出好鲋。常以二月、八月取之，美珍常味。度水南迳阳平县故城东，又南迳沔阳县故城东，西南流注于汉水。汉水又东，右会温泉水口，水发山北平地，方数十步，泉源沸涌，冬夏汤汤〔五〕，望之则白气浩然，言能瘥百病云。洗浴者皆有硫黄气，赴集者常有百数。池水通注汉水，汉水又东，黄沙水左注之，水北出远山，山谷邃险，人迹罕交。溪曰五丈溪，水侧有黄沙屯，诸葛亮所开也。其水南注汉水，南有女郎山，山下有女郎冢，远望山坟，嵬嵬状高，及即其所，裁有坟形。山上直路下出，不生草木，世人谓之女郎道。下有女郎庙及捣衣石，言张鲁女也。有小水北流入汉，谓之女郎水。汉水又东合褒水，水西北出衙岭山，东南迳大石门，历故栈道下谷，俗谓千梁无柱也〔六〕。诸葛亮与兄瑾书云：前赵子龙退军，烧坏赤崖以北阁道，缘谷百馀里，其阁梁一头入山腹，其一头立柱于水中。今水大而急，不得安柱，此其穷极，不可强也。又云：顷大水暴出，赤崖以南桥阁悉坏，时赵子龙与邓伯苗，一戍赤崖屯田，一戍赤崖口，但得缘崖与伯苗相闻而已。后诸葛亮死于五丈原，魏延先退而焚之，谓是道也。自后按旧修路者，悉无复水中柱，迳涉者浮梁振动，无不摇心眩目也。褒水又东南迳三交城，城在三水之会故也。一水北出长安，一水西北出仇池，一水东北出太白山，是城之所以取名矣。褒水又东南得丙水口，水上承丙穴，穴出嘉鱼，常以三月出，十月入地。穴口广五六尺，去平地七八尺，有泉悬注，鱼自穴下透入水。穴口向丙，故曰丙穴，下注褒水。故左思称嘉鱼出于丙穴，良木攒于褒谷矣。褒水又东南历小石门，门穿山通道，六丈有馀。刻石言：汉明帝永平中，司隶校尉犍为杨厥之所开。逮桓帝建和二年，汉中太守同郡王升，嘉厥开凿之功，琢石颂德，以为石牛道。来敏本蜀论云：秦惠王欲伐蜀而不知道，作五石牛，以金置尾下，言能屎金。蜀王负力，令五丁引之成道。秦使张仪、司马错寻路灭蜀，因曰石牛道。厥盖因而广之矣。蜀都赋曰：阻以石门。其斯之谓也。门在汉中之西，褒中之北。褒水又东南历褒口，即褒谷之南口也。北口曰斜，所谓北出褒斜。褒水又南迳褒县故城东，褒中县也，本褒国矣。汉昭帝元凤六年置。褒水又南流入于汉。汉水又东迳万石城下，城在高原上，原高十馀丈，四面临平，形若覆瓮。水南遏水为阻，西北并带汉水。其城宿是流杂聚居，故世亦谓之流杂城。汉水又东迳汉庙堆下，昔汉女所游。侧水为钓台，后人立庙于台上，世人睹其颓基崇广，因谓之汉庙堆。传呼乖实，又名之为汉武堆。非也。

东过南郑县南，

县，故褒之附庸也。周显王之世，蜀有褒汉之地，至六国，楚人兼之。怀王衰弱，秦略取焉。周赧王二年，秦惠王置汉中郡，因水名也。耆旧传云：南郑之号，始于郑桓公。桓公死于犬戎，其民南奔，故以南郑为称。即汉中郡治也。汉高祖入秦，项羽封为汉王。萧何曰：天汉，美名也。遂都南郑。大城周四十二里，城内有小城，南凭津流，北结环雉，金墉漆井，皆汉所修筑，地沃川险，魏武方之鸡肋。曰：释骐骥而不乘焉，皇皇而更求。遂留杜子绪镇南郑而还。晋咸康中,梁州刺史司马勋断小城东面三分之一,以为梁州汉中郡南郑县治也。自齐、宋、魏,咸相仍焉。水南即汉阴城也,相承言吕后所居也。有廉水出巴岭山,北流迳廉川,故水得其名矣。廉水又北注汉水。汉水右合池水,水出旱山,山下有祠,列石十二,不辨其由,盖社主之流,百姓四时祈祷焉。俗谓之獠子水,夹溉诸田,散流左注汉水。汉水又东得长柳渡,长柳,村名也。汉太尉李固墓,碑铭尚存,文字剥落,不可复识。汉水又东迳胡城南,义熙十五年〔七〕,城上有密云细雨,五色昭彰,人相与谓之庆云休符。当出晓而云霁,乃觉城崩,半许沦水,出铜钟十二枚,刺史索邈奉送洛阳,归之宋公府。南对扁鹊城,当是越人旧所迳涉,故邑流其名耳。汉水出于二城之间,右会磐余水〔八〕,水出南山巴岭上,泉流两分,飞清派注,南入蜀水,北注汉津,谓之磐余口〔九〕。庾仲雍曰:磐余去胡城二十里。汉水又左会文水,水,即门水也,出胡城北山石穴中。长老云:杜阳有仙人宫,石穴宫之前门。故号其川为门川,水为门水。东南流迳胡城北,三城奇对,隔谷罗布,深沟固垒,高台相距。门水右注汉水,谓之高桥溪口。汉水又东,黑水注之,水出北山,南流入汉。庾仲雍曰:黑水去高桥三十里。诸葛亮笺云:朝发南郑,暮宿黑水,四五十里。指谓是水也,道则百里也〔一〇〕。

又东过成固县〔一一〕南,又东过魏兴安阳县南,涔水出自旱山北注之。

常璩华阳国志曰:蜀以成固为乐城县也。安阳县故隶汉中,魏分汉中立魏兴郡,安阳隶焉。涔水出西南而东北入汉,左谷水出西北，即壻水也〔一二〕。北发听山，山下有穴水，穴水东南流历平川中，谓之壻乡〔一三〕，水曰壻水。川有唐公祠，唐君字公房，成固人也，学道得仙，入云台山，合丹服之，白日升天，鸡鸣天上，狗吠云中，惟以鼠恶留之，鼠乃感激，以月晦日，吐肠胃更生，故时人谓之唐鼠也。公房升仙之日，婿行未还，不获同阶云路，约以此川为居，言无繁霜蛟虎之患，其俗以为信然，因号为壻乡，故水亦即名焉。百姓为之立庙于其处也，刊石立碑，表述灵异。壻水南历壻乡溪〔一四〕，出山东南流，迳通关势南，山高百馀丈，上有匈奴城，方五里，浚堑三重，高祖北定三秦，萧何守汉中，欲修北道通关中，故名为通关势。壻水又东迳七女冢，冢夹水，罗布如七星，高十馀丈，周回数亩。元嘉六年，大水破坟，坟崩，出铜不可称计。得一砖，刻云：项氏伯无子，七女造墎。世人疑是项伯冢。水北有七女池，池东有明月池，状如偃月，皆相通注，谓之张良渠，盖良所开也。壻水迳樊哙台南，台高五六丈，上容百许人。又东南迳大成固〔一五〕北，城乘高势，北临壻水。水北有韩信台，高十馀丈，上容百许人，相传高祖斋七日，置坛设九宾礼，以礼拜信也。壻水东回南转，又迳其城东而南入汉水，谓之三水口也。汉水又东会益口水，出北山益谷，东南流注于汉水。汉水又东至灙城南，与洛谷水〔一六〕合。水北出洛谷，谷北通长安，其水南流，右则灙水注之，水发西溪，东南流合为一水，乱流南出际其城，西南注汉水。汉水又东迳小成固南，州治大成固，移县北，故曰小成固〔一七〕。城北百二十里有兴势坂，诸葛亮出洛谷，戍兴势，置烽火楼处，通照汉水。东历上涛，而迳于龙下，盖伏石惊湍，流屯激怒，故有上、下二涛之名。龙下，地名也。有丘墩坟墟，旧谓此馆为龙下亭。自白马迄此，则平川夹势，水丰壤沃，利方三蜀矣。度此溯洄从汉，为山行之始。汉水又东迳石门滩，山峡也。东会酉水，水北出秦岭酉谷，南历重山与寒泉合。水东出寒泉岭，泉涌山顶，望之交横，似若瀑布，颓波激石，散若雨洒，势同厌原风雨之池。其水西流入于酉水。酉水又南注汉，谓之酉口。汉水又东迳妫虚滩，世本曰：舜居妫汭〔一八〕，在汉中西城县。或言妫虚〔一九〕在西北，舜所居也。或作姚虚，故后或姓姚，或姓妫，妫、姚之异是妄，未知所从。余按应劭之言，是地于西城为西北也。汉水又东迳猴径滩，山多猴猿，好乘危缀饮，故滩受斯名焉。汉水又东迳小、大黄金南，山有黄金峭，水北对黄金谷，有黄金戍，傍山依峭，险折七里，氐掠汉中，阻此为戍，与铁城相对。一城在山上，容百馀人；一城在山下，可置百许人。言其险峻，故以金铁制名矣。昔杨难当令魏兴太守薛健据黄金，姜宝据铁城，宋遣秦州刺史萧思话西讨，话令阴平太守萧垣〔二〇〕攻拔之。贼退酉水矣。汉水又东合蘧蒢溪口，水北出就谷，在长安西南，其水南流迳巴溪戍西，又南迳阳都坂东，坂自上及下，盘折十九曲，西连寒泉岭。汉中记曰：自西城涉黄金峭、寒泉岭、阳都坂，峻崿百重，绝壁万寻，既造其峰，谓已逾崧、岱，复瞻前岭，又倍过之。言陟羊肠，超烟云之际，顾看向涂，杳然有不测之险。山丰野牛、野羊，腾岩越岭，驰走若飞，触突树木，十围皆倒，山殚艮阻，地穷坎势矣。其水南历蘧蒢溪，谓之蘧蒢水，而南流注于汉，谓之蒢口。汉水又东，右会洋水〔二一〕，川流漫阔，广几里许。洋水导源巴山〔二二〕,东北流迳平阳城,汉中记曰:本西乡县治也。自成固南入三百八十里,距南郑四百八十里。洋川者,汉戚夫人之所生处也。高祖得而宠之,夫人思慕本乡,追求洋川米,帝为驿致长安,蠲复其乡,更名曰县。故又目其地为祥川,用表夫人载诞之休祥也。城即定远矣。汉顺帝永光七年,封班超以汉中郡南郑县之西乡,为定远侯,即此也。洋水又东北流入汉,谓之城阳水口也。汉水又东历敖头,旧立仓储之所,傍山通道,水陆险凑,魏兴安康县治,有戍,统领流杂。汉水又东合直水,水北出子午谷岩岭下,又南枝分,东注旬水〔二三〕。又南迳蓰阁下,山上有戍,置于崇阜之上,下临深渊,张子房烧绝栈阁,示无还也。又东南历直谷,迳直城西,而南流注汉。汉水又东迳直城南,又东迳千渡而至虾蟆頧,历汉阳、沅口而届于彭溪、龙灶矣。并溪涧滩碛之名也。汉水又东迳晋昌郡之宁都县南,县治松溪口。又东迳魏兴郡广城县,县治王谷。谷道南出巴獠,有盐井,食之令人瘿疾。汉水又东迳鱼脯谷口〔二四〕,旧西城、广城二县,指此谷而分界也。

又东过西城县南,

汉水又东迳鳖池南鲸滩〔二五〕。鲸,大也。蜀都赋曰:流汉汤汤,惊浪雷奔,望之天回,即之云昏者也。汉水又东迳岚谷北口,嶂远溪深,涧峡险邃,气萧萧以瑟瑟,风飕飕而飏飏。故川谷擅其目矣。汉水又东,右得大势,势阻急溪,故亦曰急势也。依山为城,城周二里,在峻山上,梁州督护吉挹所治,苻坚遣偏军韦锺伐挹,挹固守二年,不能下,无援遂陷。汉水右对月谷口,山有坂月川,于中黄壤沃衍〔二六〕,而桑麻列植,佳饶水田。

故孟达与诸葛亮书，善其川土沃美也。汉水又东迳西城县故城南，地理志：汉中郡之属县也。汉末为西城郡。建安二十四年，刘备以申仪为西城太守。仪据郡降魏，魏文帝改为魏兴郡治，故西城县之故城也。氐略汉川，梁州移治于此。城内有舜祠、汉高帝庙，置民九户，岁时奉祠焉。汉水又东为鳣湍，洪波济荡，漰浪云颓。古耆旧言，有鳣鱼奋鳍溯流，望涛直上，至此则暴鳃失济，故因名湍矣。汉水又东合旬水，水北出旬山，东南流迳平阳戍下，与直水枝分东注。迳平阳戍入旬水。旬水又东南迳旬阳县与柞水合，水西出柞溪，南流迳重岩堡，西屈而东流迳其堡南，东南注于旬水。旬水又东南迳旬阳县南，县北山有悬书崖，高五十丈，刻石作字，人不能上，不知所道。山下有石坛，上有马迹五所，名曰马迹山。旬水东南注汉，谓之旬口。汉水又东迳木兰塞南，右岸有城，名伎陵城，周回数里，左岸垒石数十行，重垒数十里，中谓是处为木兰塞云。吴朝遣军救孟达于此矣。汉水又东，左得育溪，兴晋、旬阳二县，分界于是谷。汉水又东合甲水口，水出秦岭山，东南流迳金井城南，又东迳上庸郡北，与关祔水〔二七〕合。水出上洛阳亭县北青泥西山，南迳阳亭聚西，俗谓之平阳水。南合丰乡川水，水出弘农丰乡东山，西南流迳丰乡故城南。京相璠曰：南乡淅县有故酆乡，春秋所谓丰淅也。于地理志属弘农。今属南乡。又西南合关祔水。关祔水又南入上津注甲水。甲水又东南迳魏兴郡之兴晋县南，晋武帝太康中立。甲水又东，右入汉水。汉水又东为龙渊，渊上有胡鼻山，石类胡人鼻故也。下临龙井渚，渊深数丈。汉水又东迳魏兴郡之锡县故城北，为白石滩。

县,故春秋之锡穴地也,故属汉中,王莽之锡治也。县有锡义山,方圆百里,形如城。四面有门,上有石坛,长数十丈〔二八〕,世传列仙所居,今有道士被发饵术,恒数十人。山高谷深,多生薇蘅草,其草有风不偃,无风独摇。汉水又东迳长利谷南,入谷有长利故城,旧县也。汉水又东历姚方,盖舜后枝居是处,故地留姚称也。

〔一〕注疏本作"沔水上"。疏:"戴删'上'字。"

〔二〕东狼谷中　各本唯合校本作"东狼谷口"。注疏本疏:"王刻本作'谷口',守敬按:又考后汉书岑彭传及法雄传注,通鉴汉高后三年注、寰宇记引此经,并作'谷中',与各本合。"

〔三〕札记水经注推崇范蠡:

范蠡,楚人,越绝书称其为范伯,吕氏春秋高诱注称其字少伯。春秋末期入越,为越王句践大夫。越为吴所败,句践夫妇入质于吴,范蠡随行。句践七年(前四九〇)获释,随同返越,助句践定都建国,发展生产,训练士兵,所谓"十年生聚,十年教训"。终于由弱变强,灭吴称霸。范蠡深知"越王为人,长颈鸟喙,鹰视狼步,可与共患难而不可与共处乐;可与履危,不可与安",即所谓"高鸟已散,良弓将藏;狡兔已尽,良犬就烹"(均据吴越春秋卷十),所以功成之日,他就及时离越,先去齐,后居陶,经商作贾,终于富甲天下,称为陶朱公。这段故事,在我国古代的不少文献上都有记载,在社会上也广为流传。

又案:水经注除此处"越王怀范蠡之功,铸金以存其像"外,全书在卷六涑水注、卷七济水注、卷二十八沔水注、卷二十九沔水注、卷三十一淯水注、卷三十二夏水注、卷四十渐江水注中，也均记及范蠡，郦道元推崇范蠡甚力。

〔四〕注疏本疏："按注内自此以下称汉。"

〔五〕汤汤　王校明钞本作"扬汤"，王国维明钞本水经注跋："沔水注，温泉水冬夏扬汤，诸本'扬汤'并作'汤汤'。"

〔六〕札记千梁无柱：

卷二十七沔水经"沔水出武都沮县东狼谷中"注：

(褒)水西北出衙岭山，东南迳大石门，历故栈道下谷，俗谓千梁无柱也。

这里所谓"栈道"，是古代沟通陕、川、甘各省间群山之中的沿山险路，又称阁道或复道，是在沿山的石壁上凿石穿梁而修成的道路。著名的如金牛道(又称石牛道)，从今陕西省勉县向西南伸展，翻七盘岭入川，经朝天驿到剑门关。这是古代从汉中入川的要道，上述沔水注记载的，即是金牛道的一段。

栈道的建筑，原是在旁山的悬崖峭壁中凿孔，插入木梁，木梁的一端入岩石，另一端立柱。木梁甚密，铺以木板，敷以土石。用这样的方法修建一条人工的旁山险路，工程当然是十分浩大的。上述注文所记载的褒水所经从大石门历栈道下谷一段，栈道的俗名是"千梁无柱"。这当然是因为悬崖峭壁，与山坡或山下溪涧河流的距离甚远，所以无法立柱，因而出现了这种更为险峻的"千梁无柱"的栈道。在这种情况下，插入岩石中的木梁，其一端没有立柱的支撑，当然很不牢固，容易折断。要使"千梁"牢固，唯一的办法是加长木梁，让木梁尽量深插于岩壁之中。这样就必须在岩壁中凿入极深，工程的巨大,可以想见。当然,在整个栈道中,这种“千梁无柱”的段落不可能太多。在古代的技术条件下,进行这种悬崖峭壁上的工程,真是难以想象。

当然,在木梁的一端立柱,其工程也不是轻而易举的。因为要设置栈道的地区,地形条件必然非常困难。卷二十七沔水在上述同条经文下引用了诸葛亮致其兄诸葛瑾的信,描述这种工程的困难程度。注云:

> 前赵子龙退军,烧坏赤崖以北阁道,缘谷百馀里,其阁梁一头入山腹,其一头立柱于水中。今水大而急,不得安柱,此其穷极,不可强也。……自后按旧修路者,悉无复水中柱,迳涉者浮梁振动,无不摇心眩目也。

由此可见,在“千梁无柱”的栈道上行走,“浮梁振动,无不摇心眩目”,仍然是非常危险的。这一带的地形困难,诸葛亮在上述信中也有所提及,他说:“顷大水暴出,赤崖以南桥阁悉坏,时赵子龙与邓伯苗,一戍赤崖屯田,一戍赤崖口,但得缘崖与伯苗相闻而已。”在这样的地形条件下,要维持交通,除了修造栈道以外,别无他法。栈道的修建极端困难,但在历代的军事行动中,一方为了阻遏另一方的行动,栈道往往成为破坏的主要目标。历史记载中首先破坏栈道在汉初。汉书张良传云:“项王许之汉王之国,良送至褒中,遣良归韩,良因说汉王绝栈道,示天下无还心以固项王意。”张良所烧的栈道,也就是沔水注所记载的一段。此后,烧栈道的军事行动不断发生,除了上述沔水注记载的赵子龙以外,注文还说到:“后诸葛亮死于五丈原,魏延先退而焚之,谓是道也。”

〔七〕十五年　注疏本作“十三年”。疏:“朱作‘十五年’,戴、赵同。守敬按:初学记七、御览六十二引孙岩宋书,言汉中城固县,崩岸出铜钟事,不云在何年。书钞一百八引晋起居注称咸熙十年,误。晋纪年无咸熙之号也。此作义熙十五年亦误。义熙十四年十二月,安帝崩,则义熙无十五年,据宋书五行志下、符瑞志上,事在义熙十三年七月,则此‘十五年’当作‘十三年’无疑,今订。”

〔八〕磐余水　黄本、沈本均作“盘余水”。

〔九〕磐余口　同上注各本均作“盘余口”。

〔一〇〕注疏本疏:“会贞按:句有脱文。”

〔一一〕成固县　大典本、黄本、吴本、何校明钞本、王校明钞本、项本、沈本、注疏本、名胜志陕西卷四汉中府城固县引水经注均作“城固县”。注疏本疏:“戴、赵改‘城’作‘成’,下同。守敬按:宋、齐、后魏志作‘城’,‘成’、‘城’通。”

〔一二〕壻水　大典本、黄本、吴本、注笺本、严本、何校明钞本、王校明钞本、项本、沈本、张本均作“智水”。何本、注释本、注疏本均作“聟水”。注疏本疏:“朱‘聟’作‘智’,下同。笺曰:六朝‘壻’字皆书作‘聓’,此智水、智乡即聓水、聓乡也。后世传写,误作‘智’字,赵改‘聟’,云:按‘壻’,汉碑作‘聟’,与‘智’字形尤近。古隶已然,何待六朝? 戴改‘壻’。会贞按:观朱本,此聟水及下谓聟乡水曰聟水,三‘聟’字,原作‘聟’,馀皆作‘壻’。盖郦氏好奇,故意错出,全、戴依后改作‘壻’,赵依前改作‘聟’,泥矣。”

〔一三〕壻乡　同上注各本均作“聟乡”。

〔一四〕壻乡溪　何本、注释本均作“聟乡溪”。王校明钞本、佩文韵府卷三十四上四纸水智水引水经注均作“智乡水”。

〔一五〕大成固　大典本、黄本、吴本、何校明钞本、王校明钞本、项本、沈本、张本、注疏本、通鉴地理通释卷十一兴势引水经注、玉海卷一六二宫室台韩信台引水经注均作“大城固”。

〔一六〕洛谷水　舆地纪胜卷一九〇利州路洋州景物上傥水引水经注、关中水道记卷三渭水引水经注均作“骆谷水”。初学记卷八山南道第七骆谷引水经注作“路谷水”。

〔一七〕小成固　同注〔一五〕各本均作“小城固”。

〔一八〕妫汭　黄本、王校明钞本均作“饶内”，王国维明钞本水经注跋：“沔水注引世本舜居饶内（明黄省曾刊本同），‘饶内’，诸本并作‘妫汭’。”

〔一九〕初学记卷八山南道第七妫墟引水经注云：“在金牛县界。”当是此段下佚文。

〔二〇〕萧垣　注笺本作“萧祖”，注释本、注疏本均作“萧坦”。注疏本疏：“朱‘坦’作‘祖’，赵据萧思话传改，戴又改‘垣’。会贞按：戴改非也。”

〔二一〕洋水　大典本作“羊水”。

〔二二〕寰宇记卷一三八山南西道六洋川西乡县引水经注云：“迳县东八里，北流入黄金县界，郡因此水为名。”当是此句下佚文。

〔二三〕名胜志陕西卷三商州山阳县引水经注云：“表德沟两河入洵水，即晋、秦二水之分界也。”或是此段中佚文。

〔二四〕鱼脯谷口　名胜志陕西卷四兴安川引水经注作“鱼脯溪口”。

〔二五〕鳖池南鲸滩　注释本作“鳖池为鲸滩”，注疏本作“鳖池而为鲸滩”。疏:“朱无‘为’字,赵改‘而’作‘为’,戴改‘而’作‘南’。守敬按:初学记七引此,‘而’下有‘为’字,是也。戴、赵所勘均未审。在今西城县西。”

〔二六〕合校本在“于中”下据孙星衍校本注:“孙校删‘山’字,改作‘有月坂,有月川于中’。”注疏本在“山有坂月川”下疏:“孙星衍据初学记七引此,删上‘口’字,以‘山’字属‘月’合读,改‘有坂月川’作‘有月坂,有月川’。会贞按:舆地纪胜引元和志,月川水出汉阴县东梁门山,水出麸金。陕西通志谓之月河,东南流至今安康县西入汉。”

〔二七〕关袝水　吴本、方舆纪要卷五十四陕西三西安府下商州山阳县关树水引水经注均作“关树水”。注笺本、项本、注释本、张本均作“关拊水”。

〔二八〕长数十丈　注疏本作“长十数丈”。疏:“戴乙作‘数十丈’,会贞按:道书福地志作‘十馀丈’,与‘十数丈’合,戴乙误矣。”

水经注卷二十八

沔水〔一〕

又东过堵阳县，堵水出自上粉县〔二〕，北流注之。

堵水出建平郡界故亭谷，东历新城郡。郡，故汉中之房陵县也。世祖建武元年，封邓晨为侯国。汉末以为房陵郡，魏文帝合房陵、上庸、西城，立以为新城郡，以孟达为太守，治房陵故县。有粉水，县居其上，故曰上粉县〔三〕也。堵水之旁有别溪，岸侧土色鲜黄，乃云可啖；有言饮此水者，令人无病而寿，岂其信乎？又有白马山，山石似马，望之逼真。侧水谓之白马塞，孟达为守，登之而叹曰：刘封、申耽据金城千里，而更失之乎！为上堵吟，音韵哀切，有恻人心，今水次尚歌之。堵水又东北迳上庸郡，故庸国也。春秋文公十六年，楚人、秦人、巴人灭庸。庸小国，附楚。楚有灾不救，举群蛮以叛，故灭之以为县，属汉中郡，汉末又分为上庸郡，城三面际水。堵水又东迳方城亭南，东北历嵾山下，而北迳堵阳县南，北流注于汉，谓之堵口。汉水又东，谓之涝滩，冬则水浅而下多大石。又东为净滩，夏水急盛，川多湍洑，行旅苦之。故谚曰：冬涝夏净，断官使命。言二滩阻碍。

又东过郧乡南，

汉水又东迳郧乡县南之西山，上有石虾蟆，仓卒看之，与真不别。汉水又东迳郧乡县故城南，谓之郧乡滩。县，故黎也，即长利之郧乡矣。地理志曰：有郧关。李奇以为郧子国。晋太康五年，立以为县。汉水又东迳琵琶谷口，梁、益二州分境于此，故谓之琵琶界也。

又东北流，又屈东南，过武当县东北，

县西北四十里，汉水中有洲，名沧浪洲〔四〕。庾仲雍汉水记谓之千龄洲。非也，是世俗语讹，音与字变矣。地说曰：水出荆山，东南流为沧浪之水，是近楚都。故渔父歌曰：沧浪之水清兮，可以濯我缨；沧浪之水浊兮，可以濯我足。余按尚书禹贡言：导漾水，东流为汉，又东为沧浪之水。不言过而言为者，明非他水决入也。盖汉沔水自下有沧浪通称耳。缠络鄢、郢，地连纪、鄀，咸楚都矣。渔父歌之，不违水地，考按经传，宜以尚书为正耳。汉水又东为伥子潭，潭中有石碛洲，长六十丈，广十八丈，世亦以此洲为伥子葬父于斯，故潭得厥目焉，所未详也。汉水又东南迳武当县故城北，世祖封邓晨子棠为侯国。内有一碑，文字磨灭，不可复识，俗相传言，是华君铭，亦不详华君何代之士。汉水又东，平阳川水注之，水出县北伏亲山，南历平阳川，迳平阳故城下，又南流注于沔。沔水又东南迳武当县故城东，又东，曾水注之。水导源县南武当山，一曰太和山，亦曰嵾上山〔五〕，山形特秀，又曰仙室。荆州图副记曰：山形特秀，异于众岳，峰首状博山香炉，亭亭远出，药食延年者萃

焉。晋咸和中，历阳谢允，舍罗邑宰隐遁斯山，故亦曰谢罗山焉。曾水发源山麓，迳越山阴，东北流注于沔，谓之曾口。沔水又东迳龙巢山下，山在沔水中，高十五丈，广员一里二百三十步，山形峻峭，其上秀林茂木，隆冬不凋。

又东南过涉都城东北，

故乡名也。按郡国志，筑阳县有涉都乡者也。汉武帝元封元年，封南海守降侯子嘉为侯国。均水于县入沔，谓之均口也。

又东南过酂县之西南，

县治故城，南临沔水，谓之酂头。汉高帝五年〔六〕，封萧何为侯国也。薛瓒曰：今南乡酂头是也。茂陵书曰：在南阳。王莽更名南庚者也。

又南过穀城东，又南过阴县之西，

沔水东迳穀城南而不迳其东矣。城在穀城山上〔七〕，春秋穀伯绥之邑也。墉闉颓毁，基堑亦存。沔水又东南迳阴县故城西，故下阴也。春秋昭公十九年，楚工尹赤迁阴于下阴是也。县东有冢。县令济南刘熹，字德怡，魏时宰县，雅好博古，教学立碑，载生徒百有馀人，不终业而夭者，因葬其地，号曰“生坟”。沔水又东南得洛溪口，水出县西北集池陂，东南流迳洛阳城，北枕洛溪，溪水东南注沔水也。

又南过筑阳县东，筑水出自房陵县，东过其县南流注之。

沔水又南，汎水注之，水出梁州阆阳县。魏遣夏侯渊与张郃下巴西，进军宕渠，刘备军汎口，即是水所出也。张飞自别道袭张郃于此水，郃败，弃马升山，走还汉中。汎水又东迳巴西，历巴渠北新城、上庸，东迳汎阳县故城南，晋分筑阳立。自县以上，山深水急，枉渚崩湍，水陆径绝。又东迳学城南，梁州大路所由也。旧说昔者有人立学都于此，值世荒乱，生徒罔依，遂共立城以御难，故城得厥名矣。汎水又东流注于沔，谓之汎口也。沔水又南迳阙林山东，本郡陆道之所由，山东有二碑，其一即记阙林山。文曰：君国者不跻高堙下。先时，或断山冈以通平道，民多病，守长冠军张仲瑜乃与邦人筑断故山道，作此铭。其一郭先生碑，先生名辅，字甫成，有孝友悦学之美，其女为立碑于此，并无年号，皆不知何代人也。沔水又南迳筑阳县东，又南，筑水注之，杜预以为彭水也。水出梁州新城郡魏昌县界，县以黄初中分房陵立，筑水东南流迳筑阳县，水中有孤石挺出，其下澄潭，时有见此石根如竹根而黄色，见者多凶，相与号为承受石，所未详也。筑水又东迳筑阳县故城南，县，故楚附庸也。秦平鄢、郢，立以为县，王莽更名之曰宜禾也。建武二十八年，世祖封吴盱为侯国。筑水又东流注于沔，谓之筑口。沔水又南迳高亭山东，山有灵焉，士民奉之，所请有验。沔水又东为漆滩，新野郡山都县与顺阳、筑阳，分界于斯滩矣。

又东过山都县东北，

沔南有固城，城侧沔川，即新野山都县治也，旧南阳之赤乡矣。秦以为县，汉高后四年，封卫将军王恬启为侯国。沔北有和城，即郡国志所谓武当县之和城聚，山都县旧尝治此，故亦谓是处为故县滩。沔水北岸数里有大石激，名曰五女激〔八〕，或言女父为人所害，居固城，五女思复父怨，故立激以攻城。城北今沦于水。亦云有人葬沔北，墓宅将为水毁，其人五女无男，皆悉巨富，共修此激以全坟宅。然激作甚工。又云女嫁为阴县佷子妇，家赀万金，而自少小不从父语，父临亡，意欲葬山上，恐儿不从，故倒言葬我著渚下石碛上。佷子曰：我由来不奉教，今从语，遂尽散家财作石冢，积土绕之成一洲，长数百步，元康中始为水所坏，今石皆如半榻许，数百枚聚在水中。佷子是前汉人。襄阳太守胡烈有惠化，补塞堤决，民赖其利，景元四年九月，百姓刊石铭之，树碑于此。沔水又东偏浅，冬月可涉渡，谓之交湖，兵戎之交，多自此济。晋太康中得鸣石于此，水撞之声闻数里。沔水又东迳乐山北，昔诸葛亮好为梁甫吟，每所登游，故俗以乐山为名。沔水又东迳隆中，历孔明旧宅北〔九〕，亮语刘禅云：先帝三顾臣于草庐之中，咨臣以当世之事。即此宅也。车骑沛国刘季和之镇襄阳也，与犍为人李安共观此宅，命安作宅铭云：天子命我于沔之阳，听鼓鞞而永思，庶先哲之遗光。后六十馀年，永平之五年，习凿齿又为其宅铭焉。

又东过襄阳县北，

沔水又东迳万山〔一〇〕北，山上有邹恢碑，鲁宗之所立也。山下潭中有杜元凯碑，元凯好尚后名，作两碑并述己功，一碑沉之岘山水中，一碑下之于此潭，曰：百年之后，何知不深谷为陵也〔一一〕。山下水曲之隈，云汉女昔游处也。故张衡南都赋曰：游女弄珠于汉皋之曲。汉皋，即万山之异名也。沔水又东合檀溪水，水出县西柳子山下，东为鸭湖，湖在马鞍山东北，武陵王爱其峰秀，改曰望楚山〔一二〕。溪水自湖两分，北渠即溪水所导也。北迳汉阴台西，临流望远，按眺农圃，情邈灌蔬，意寄汉阴,故因名台矣。又北迳檀溪,谓之檀溪水,水侧有沙门释道安寺,即溪之名,以表寺目也。溪之阳有徐元直、崔州平故宅,悉人居,故习凿齿与谢安书云:每省家舅,纵目檀溪,念崔、徐之交,未尝不抚膺踌躇,惆怅终日矣。溪水傍城北注,昔刘备为景升所谋,乘的颅马西走,坠于斯溪。西去城里馀,北流注于沔。一水东南出,应劭曰:城在襄水之阳,故曰襄阳。是水当即襄水也。城北枕沔水,即襄阳县之故城也,王莽之相阳矣。楚之北津戍也,今大城西垒是也。其土古鄢、鄀、卢、罗之地,秦灭楚,置南郡,号此为北部。建安十三年,魏武平荆州,分南郡立为襄阳郡,荆州刺史治。邑居殷赈,冠盖相望,一都之会也。城南门道东有三碑:一碑是晋太傅羊祜碑,一碑是镇南将军杜预碑,一碑是安南将军刘俨碑,并是学生所立。城东门外二百步刘表墓,太康中为人所发,见表夫妻,其尸俨然,颜色不异,犹如平生。墓中香气远闻三四里中,经月不歇。今坟冢及祠堂犹高显整顿。城北枕沔水,水中常苦蛟害,襄阳太守邓遐负其气果,拔剑入水,蛟绕其足,遐挥剑斩蛟,流血丹水,自后患除,无复蛟难矣。昔张公遇害,亦亡剑于是水。后雷氏为建安从事,迳践濑溪,所留之剑,忽于其怀跃出落水,初犹是剑,后变为龙。故吴均剑骑诗云:剑是两蛟龙。张华之言不孤为验矣。沔水又迳平鲁城南,城,鲁宗之所筑也,故城得厥名矣。东对樊城,樊,仲山甫所封也。汉晋春秋称,桓帝幸樊城,百姓莫不观,有一老父独耕不辍,议郎张温使问焉,父笑而不答〔一三〕,温因与之言,问其姓名,不告而去。城周四里,南半沦水,建安中,关羽围于禁于此城,会沔水泛溢,三丈有馀，城陷禁降，庞德奋剑，乘舟投命于东冈。魏武曰：吾知于禁三十馀载，至临危授命，更不如庞德矣。城西南有曹仁记水碑，杜元凯重刊，其后书伐吴之事也。

又从县东屈西南，淯水从北来注之。

襄阳城东有东白沙〔一四〕，白沙北有三洲，东北有宛口，即淯水所入也。沔水中有鱼梁洲，庞德公所居，士元居汉之阴，在南白沙，世故谓是地为白沙曲矣。司马德操宅洲之阳，望衡对宇，欢情自接，泛舟褰裳，率尔休畅，岂待还桂柁于千里，贡深心于永思哉！水南有层台，号曰景升台，盖刘表治襄阳之所筑也。言表盛游于此，常所止憩，表性好鹰，尝登此台，歌野鹰来曲，其声韵似孟达上堵吟矣。沔水又迳桃林亭东，又迳岘山东，山上有桓宣所筑城，孙坚死于此。又有桓宣碑。羊祜之镇襄阳也，与邹润甫尝登之，及祜薨，后人立碑于故处，望者悲感，杜元凯谓之堕泪碑。山上又有征南将军胡罴碑，又有征西将军周访碑，山下水中，杜元凯沉碑处。沔水又东南迳蔡洲，汉长水校尉蔡瑁居之，故名蔡洲。洲东岸西，有洄湖，停水数十亩，长数里，广减百步，水色常绿。杨仪居上洄，杨颙居下洄，与蔡洲相对。在岘山南广昌里，又与襄阳湖水合，水上承鸭湖，东南流迳岘山西，又东南流注白马陂，水又东入侍中襄阳侯习郁鱼池。郁依范蠡养鱼法作大陂〔一五〕，陂长六十步，广四十步，池中起钓台，池北亭，郁墓所在也。列植松篁于池侧沔水上，郁所居也。又作石洑逗引大池水于宅北作小鱼池，池长七十步，广二十步。西枕大道，东北二边限以高堤，楸竹夹植，莲芡覆水，是游宴之名处也。山季伦之镇襄阳，每临此池，未尝不大醉而还，恒言此是我高阳池。故时人为之歌曰：山公出何去？往至高阳池，日暮倒载归，酩酊无所知。其水下入沔。沔水西又有孝子墓，河南秦氏性至孝，事亲无倦，亲没之后，负土成坟，常泣血墓侧，人有咏蓼莪者，氏为泣涕，悲不自胜。于墓所得病，不能食，虎常乳之，百馀日卒。今林木幽茂，号曰孝子墓也。其南有蔡瑁冢，冢前刻石为大鹿状，甚大，头高九尺，制作甚工。沔水又东南迳邑城北，习郁襄阳侯之封邑也，故曰邑城矣。沔水又东合洞口，水出安昌县故城东北大父山，西南流谓之白水。又南迳安昌故城东，屈迳其县南。县，故蔡阳之白水乡也。汉元帝以长沙卑湿，分白水、上唐二乡为舂陵县，光武即帝位，改为章陵县，置园庙焉。魏黄初二年，更从今名，故义阳郡治也。白水又西南流而左会昆水，水导源城东南小山，西流迳金山北，又西南流迳县南，西流注于白水。水北有白水陂，其阳有汉光武故宅，基址存焉。所谓白水乡也，苏伯阿望气处也。光武之征秦丰，幸旧邑，置酒极欢，张平子以为真人，南巡观旧里焉。东观汉记曰：明帝幸南阳，祀旧宅，召校官子弟作雅乐，奏鹿鸣，上自御埙篪和之，以娱宾客，又于此宅矣。白水又西合浕水，水出于襄乡县东北阳中山，西迳襄乡县之故城北，按郡国志，是南阳之属县也。浕水又西迳蔡阳县故城东，西南流注于白水。又西迳其城南，建武十三年，世祖封城阳王祉世子本为侯国。应劭曰：蔡水出蔡阳，东入淮。今于此城南更无别水，惟是水可以当之。川流西注，苦其不东，且淮源阻碍，山河无相入之理，盖应氏之误耳。洞水又西南流注于沔水。

又东过中庐县东，维水自房陵县维山，东流注之。

县，即春秋庐戎之国也。县故城南有水出西山，山有石穴出马，谓之马穴山。汉时有数百匹马出其中，马形小，似巴滇马。三国时，陆逊攻襄阳，于此穴又得马数十匹送建业。蜀使至，有家在滇池者，识其马毛色，云其父所乘马，对之流涕。其水东流百四十里迳城南，名曰浴马港，言初得此马，洗之于此，因以名之。亦云乘出沔次浴之，又曰洗马厩，渡沔宿处，名之曰骑亭。然候水诸蛮北遏是水，南壅维川，以周田溉，下流入沔。沔水东南流迳犁丘故城〔一六〕西，其城下对缮州〔一七〕，秦丰居之，故更名秦洲。王莽之败也，秦丰阻兵于犁丘。犁丘城在观城西二里，建武三年，光武遣征南岑彭击丰；四年，朱祐自观城擒丰于犁丘是也。沔水又南与疏水合，水出中庐县西南，东流至邔县北界，东入沔水，谓之疏口也。水中有物如三四岁小儿，鳞甲如鲮鲤，射之不可入。七八月中，好在碛上自曝，膝头似虎，掌爪常没水中，出膝头，小儿不知，欲取弄戏，便杀人。或曰，人有生得者，摘其皋厌，可小小使，名为水虎者也〔一八〕。

又南过邔县东北，

沔水之左有骑城，周回二里馀，高一丈六尺，即骑亭也。县，故楚邑也，秦以为县，汉高帝十一年，封黄极忠为侯国。县南有黄家墓，墓前有双石阙，雕制甚工，俗谓之黄公阙。黄公名尚，为汉司徒。沔水又东迳猪兰桥，桥本名木兰桥，桥之左右丰蒿荻。于桥东，刘季和大养猪，襄阳太守曰：此中作猪屎臭，可易名猪兰桥，百姓遂以为名矣。桥北有习郁宅，宅侧有鱼池，池不假功，自然通洫，长六七十步，广十丈，常出名鱼。沔水又南得木里水会，楚时于宜城东穿渠，上口去城三里，汉南郡太守王宠又凿之，引蛮水灌田，谓之木里沟。迳宜城东而东北入于沔，谓之木里水口也。

又南过宜城县东，夷水出自房陵，东流注之。

夷水〔一九〕，蛮水也。桓温父名夷，改曰蛮水。夷水导源中庐县界康狼山，山与荆山相邻。其水东南流历宜城西山，谓之夷溪，又东南迳罗川城，故罗国也。又谓之鄢水，春秋所谓楚人伐罗渡鄢者也。夷水又东南流与零水合，零水即沶水〔二〇〕也。上通梁州没阳县〔二一〕之默城山，司马懿出沮之所由。其水东迳新城郡之沶乡县〔二二〕，县分房陵立，谓之沶水。又东历軨乡，谓之軨水〔二三〕，晋武帝平吴，割临沮之北乡、中庐之南乡立上黄县，治軨乡，沶水又东历宜城西山，谓之沶溪，东流合于夷水，谓之沶口〔二四〕也。与夷水乱流东出，谓之淇水，迳蛮城南，城在宜城南三十里。春秋莫敖自罗败退及鄢，乱次以济淇水是也。夷水又东注于沔。昔白起攻楚，引西山长谷水，即是水也。旧堨去城百许里，水从城西灌城东，入注为渊，今熨斗陂是也。水溃城东北角，百姓随水流，死于城东者数十万，城东皆臭，因名其陂为臭池。后人因其渠流，以结陂田城西，陂，谓之新陂，覆地数十顷。西北又为土门陂，从平路渠以北、木兰桥以南，西极土门山，东跨大道，水流周通，其水自新陂东入城。城，故鄢郢之旧都，秦以为县，汉惠帝三年，改曰宜城。其水历大城中，迳汉南阳太守秦颉墓北。墓前有二碑，颉，鄀人也，以江夏都尉出为南阳太守，迳宜城中，见一家东向，颉住车视之，曰：此居处可作冢。后卒于南阳，丧还，至昔住车处，车不肯进，故吏为市此宅葬之，孤坟尚整。城南有宋玉宅。玉，邑人，隽才辩给，善属文而识音也。其水又迳金城前，县南门有古碑犹存。其水又东出城，东注臭池。臭池溉田，陂水散流，又入朱湖陂。朱湖陂亦下灌诸田。馀水又下入木里沟，木里沟是汉南郡太守王宠所凿故渠，引鄢水也，灌田七百顷。白起渠溉三千顷，膏良肥美，更为沃壤也。县有太山，山下有庙，汉末名士居其中。刺史、二千石卿长数十人〔二五〕，朱轩华盖，同会于庙下。荆州刺史行部见之，雅叹其盛，号为冠盖里而刻石铭之。此碑于永嘉中始为人所毁，其馀文尚有可传者，其辞曰：峨峨南岳，烈烈离明，实敷俊乂，君子以生，惟此君子，作汉之英，德为龙光，声化鹤鸣。此山以建安三年崩，声闻五六十里，雉皆屋雊，县人恶之，以问侍中庞季。季云：山崩川竭，国土将亡之占也。十三年，魏武平荆州，沔南凋散。沔水又迳鄀县故城南，古鄀子之国也。秦、楚之间，自商密迁此，为楚附庸，楚灭之以为邑。县南临沔津，津南有石山，上有古烽火台，县北有大城，楚昭王为吴所迫，自纪郢徙都之。即所谓鄢、鄀、卢、罗之地也。秦以为县。沔水又东，敖水〔二六〕注之，水出新市县东北，又西南迳太阳山西，南流迳新市县北，又西南而右合枝水。水出大洪山，而西南流迳襄阳鄀县界，西南迳狄城东南，左注敖水。敖水又西南流注于沔〔二七〕，寔曰敖口。沔水又南迳石城西，城因山为固，晋太傅羊祜镇荆州立，晋惠帝元康九年，分江夏西部置竟陵郡，治此。沔水又东南与臼水合，水出竟陵县东北聊屈山，一名卢屈山，西流注于沔。鲁定公四年，吴师入郢，昭王奔随，济于成臼，谓是水者也。

又东过荆城东，

沔水自荆城东南流，迳当阳县之章山东，山上有故城，太尉陶侃伐杜曾所筑也。禹贡所谓内方至于大别者也。既滨带沔流，实会尚书之文矣。沔水又东，右会权口，水出章山，东南流迳权城北，古之权国也。春秋鲁庄公十八年，楚武王克权，权叛，围而杀之，迁权于那处是也。东南有那口城。权水又东入于沔。沔水又东南与扬口合，水上承江陵县赤湖。江陵西北有纪南城，楚文王自丹阳徙此，平王城之。班固言：楚之郢都也。城西南有赤坂冈，冈下有渎水，东北流入城，名曰子胥渎。盖吴师入郢所开也，谓之西京湖。又东北出城，西南注于龙陂。陂，古天井水也，广圆二百馀步，在灵溪东江堤内，水至渊深，有龙见于其中，故曰龙陂。陂北有楚庄王钓台，高三丈四尺，南北六丈，东西九丈。陂水又迳郢城南，东北流谓之扬水〔二八〕。又东北，路白湖水〔二九〕注之，湖在大港北，港南曰中湖，南堤下曰昏官湖，三湖合为一水，东通荒谷，荒谷东岸有冶父城，春秋传曰：莫敖缢于荒谷，群帅囚于冶父。谓此处也。春夏水盛，则南通大江，否则南迄江堤，北迳方城西。方城，即南蛮府也。又北与三湖会，故盛弘之曰：南蛮府东有三湖，源同一水。盖徙治西府也。宋元嘉中，通路白湖，下注扬水，以广运漕。扬水又东历天井北，井在方城北里馀，广圆二里，其深不测，井有潜室，见辄兵。西岸有天井台，因基旧堤，临际水湄，游憩之佳处也。扬水又东北流，东得赤湖水口，湖周五十里，城下陂池，皆来会同。湖东北有大暑台，高六丈馀，纵广八尺，一名清暑台，秀宇层明，通望周博，游者登之，以畅远情。扬水又东入华容县，有灵溪水〔三〇〕，西通赤湖水口，已下多湖，周五十里，城下陂池，皆来会同。又有子胥渎，盖入郢所开也。水东入离湖，湖在县东七十五里，国语所谓楚灵王阙为石郭陂，汉以象帝舜者也。湖侧有章华台，台高十丈，基广十五丈。左丘明曰：楚筑台于章华之上。韦昭以为章华亦地名也。王与伍举登之，举曰：台高不过望国之氛祥，大不过容宴之俎豆。盖讥其奢而谏其失也。言此渎灵王立台之日，漕运所由也。其水北流注于扬水。扬水又东北与柞溪水合，水出江陵县北，盖诸池散流咸所会合，积以成川。东流迳鲁宗之垒，南当驿路，水上有大桥，隆安三年，桓玄袭殷仲堪于江陵，仲堪北奔，缢于此桥。柞溪又东注船官湖，湖水又东北入女观湖，湖水又东，入于扬水。扬水又北迳竟陵县西，又北，纳巾吐柘，柘水，即下扬水〔三一〕也。巾水出县东百九十里，西迳巾城，城下置巾水戍。晋元熙二年，竟陵郡巾水戍得铜钟七口，言之上府。巾水又西迳竟陵县北，西注扬水，谓之巾口。水西有古竟陵大城，古郧国也。郧公辛所治，所谓郧乡矣。昔白起拔郢，东至竟陵，即此也。秦以为县，王莽之守平矣，世祖建武十三年，更封刘隆为侯国。城旁有甘鱼陂，左传昭公十三年，公子黑肱为令尹，次于鱼陂者也。扬水又北注于沔，谓之扬口，中夏口也。曹太祖之追刘备于当阳也，张飞按矛于长坂，备得与数骑斜趋汉津，遂济夏口是也。沔水又东得浐口，其水承大浐、马骨诸湖水，周三四百里，及其夏水来同，渺若沧海，洪潭巨浪，萦连江沔，故郭景纯江赋云：其旁则有朱、浐、丹、漅是也。

又东南过江夏云杜县东，夏水从西来注之。

即堵口也，为中夏水。县，故郧亭。左传：若敖娶于郧是也。禹贡所谓云土梦作乂〔三二〕。故县取名焉。县有云梦城，城在东北。沔水又东迳左桑。昔周昭王南征，船人胶舟以进之，昭王渡沔，中流而没，死于是水。齐、楚之会，齐侯曰：昭王南征而不复，寡人是问。屈完曰：君其问诸水滨。庾仲雍言：村老云，百姓佐昭王丧事于此，成礼而行，故曰佐丧。左桑，字失体耳。沔水又东合巨亮水口，水北承巨亮湖，南达于沔。沔水又东得合驿口。庾仲雍言：须导村耆旧云，朝廷驿使合王丧于是，因以名焉。今须导村正有大敛口，言昭王于此殡敛矣。沔水又东，谓之横桑，言得昭王丧处也。沔水又东谓之郑公潭，言郑武公与王同溺水于是。余谓世数既悬，为不近情矣。斯乃楚之郑乡，守邑大夫僭言公，故世以为郑公潭耳。沔水又东得死沔，言昭王济沔自是死，故有死沔之称。王尸岂逆流乎？但千古茫昧，难以昭知，推其事类，似是而非矣。沔水又东与力口合，有溳水出竟陵郡新阳县西南池河山，东流迳新阳县南，县治云杜故城，分云杜立。溳水又东南流注宵城县南大湖，又南入于沔水，是曰力口。沔水又东南，涢水入焉。沔水又东迳沌水口，水南通县之太白湖〔三三〕，湖水东南通江，又谓之沌口。沔水又东迳沌阳县北，处沌水之阳也。沔水又东迳临嶂故城〔三四〕北，晋建兴二年，太尉陶侃为荆州，镇此也。

又南至江夏沙羡县北，南入于江。

庾仲雍曰：夏口亦曰沔口矣。尚书禹贡云：汉水南至大别入江。春秋左传定公四年,吴师伐郢,楚子常济汉而陈,自小别至于大别。京相璠春秋土地名曰:大别,汉东山名也。在安丰县南。杜预释地曰:二别近汉之名,无缘乃在安丰也。案地说言,汉水东行触大别之阪[三五],南与江合。则与尚书、杜预相符,但今不知所在矣。

〔一〕注疏本作"沔水中"。疏:"朱此卷经文'又东过堵阳县'至注文'习凿齿又为其宅铭焉',为卷二十九之首,表目作'沔水下',以'又东过襄阳县北'至末为卷二十八,前后互讹。戴订正表目,删'下'字。赵前后互移同,惟以此经'又东过堵阳县'至'宅铭焉'接二十七卷末,全亦前后互移,移此经'又东过堵阳县'至'宅铭焉'接上卷末,今从戴订,自此至末为一卷,而表目作'沔水中'。"

〔二〕据札记牛渚县:卷二十八沔水注和卷二十九粉水注中并见的上粉县……均不见于两汉志和晋、宋、齐诸志……由此可知,正史地理志所失载的县名是不在少数的。

〔三〕同注〔二〕。

〔四〕沧浪洲　注释本、尚书正读卷二"东为北江"曾运乾注引水经注均作"沧浪州",何本作"按考洲"。

〔五〕嵾上山　楚宝卷三十九山水武当山引水经注作"嵾上",无"山"字。

〔六〕五年　注疏本作"六年"。疏:"朱讹作'五年',戴、赵同。守敬按:史、汉表是六年封,今订。"

〔七〕方舆纪要卷七十九湖广五襄阳府穀城县穀山引水经注

云:“古穀国城在穀城山上。”当是此段中佚文。

〔八〕五女激　孙潜校本作“五女磝”。

〔九〕诸葛忠武侯故事卷五遗迹篇引水经注云:“隆中诸葛故宅有旧井一,今涸无水。”当是此句下佚文。

〔一〇〕万山　注笺本、项本、五校钞本、七校本均作“方山”。

〔一一〕札记好名:

卷二十八沔水经“又东过襄阳县北”注云:

> 沔水又东迳万山北,山上有邹恢碑,鲁宗之所立也。山下潭中有杜元凯碑,元凯好尚后名,作两碑,并述己功,一碑沉之岘山水中,一碑下之于此潭,曰:百年之后,何知不深谷为陵也。

这段注文写出了杜预(元凯)好名的突出事例。为了希望留名后世,竟至于刊碑而又沉碑,其用心可谓苦矣。当然,杜预是应该留名的,他是西晋的开国功臣,既有文治,又有武功,当过河南尹、度支尚书等文官,又当过镇南大将军都督荆州诸军事这样头衔很大的武官。特别是他还是一个知识渊博的历史学家,写过春秋左氏经传集解、春秋释例、春秋长历等专著。尤其是集解,是历来解释左传的权威著作。像他这样的人,当然不怕名不传后,而实际上也用不着他自己沉碑,晋书(卷三十四)为他立了传。由此可知,以著作传名,以学问传名,比“沉碑”的办法要稳当可靠得不知多少。关于这一点,好名者务宜知道。

〔一二〕方舆纪要卷七十九湖广五襄阳府襄阳县岘山引水经注云:“(望楚山)刘宋武陵王骏屡登陟,望见鄢城,故名。”当是此段中佚文。

〔一三〕父笑而不答　注疏本作“父啸而不答”。疏:“朱‘啸’作‘笑’,戴、赵同。会贞按:考字下接后汉书,后汉书逸民传,皇甫谧高士传下作‘笑’,似作‘笑’有据。然明钞本、黄本作‘啸’。类聚十九、御览三百九十二引汉晋春秋至此句上并作‘啸’。则‘啸’字是也。今改正以还旧观。”

〔一四〕东白沙　方舆纪要卷七十九湖广五襄阳府襄阳县白河引水经注作“白沙”,无“东”字。

〔一五〕札记范蠡养鱼法:

卷二十八沔水经“又从县东屈西南,淯水从北来注之”注中,记载了根据范蠡著作,从事淡水养殖的故事。注云:

> (沔)水又东入侍中襄阳侯习郁鱼池。郁依范蠡养鱼法作大陂,陂长六十步,广四十步,池中起钓台,池北亭,郁墓所在也。列植松篁于池侧沔水上,郁所居也。又作石洑逗引大池水于宅北作小鱼池,池长七十步,广二十步。

案范蠡原是春秋越大夫,曾经在句吴围困的会稽山蓄池养鱼。越绝书卷八:“会稽山上城者,句践与吴战,大败,栖其中,因以下为目鱼池,其利不租。”故世传其有养鱼经(即沔水注的养鱼法)之作。清姚振宗隋书经籍志考证卷三十一云:“梁有陶朱公养鱼经一卷,亡。”但沔水注记及“郁依范蠡养鱼法作大陂”。案郁,东汉初年人,艺文类聚卷四十九引襄阳记:“习郁为侍中,光武录其前后功,封襄阳侯。”则此书在汉时已经流行,何须到梁时方有陶朱公养鱼经?故姚振宗的考证当有讹误。或许在东汉时已经流行,而梁时又有人重录,亦未可知。

养鱼法一书，除沔水注引及外，文选卷三十五张景阳七命注亦均引及。此书亡佚已久，唯齐民要术辑存(卷六养鱼第六十一)。宋高似孙剡录卷十草木禽鱼诂下引此作范蠡鱼经。南宋时此书亡佚已久，故高氏所引当亦是齐民要术本。宋代以来，公私书目著录此书者甚多，如遂初堂书目谱录类、红雨楼书目卷三农圃类、澹生堂书目卷八牧养类、述古堂书目卷四鸟兽、虞山钱遵王书目卷二史部豢养、也是园书目卷二豢养、光绪苏州府志卷一三九艺文中等。所有上列著录，均系齐民要术本。而明代以来各书所收录者，如说郛、宛委山堂说郛、辍耕录、玉函山房辑佚书等，亦均从齐民要术传钞而来。

沔水注所载习郁所据范蠡养鱼法，在齐民要术本之篇末云：

> 又作鱼池法，三尺大鲤，非近江湖，仓卒难求，若养小鱼，积年不大，欲令生大鱼法，要须截取薮泽陂湖饶大鱼之处，近水际，土经十数载，以布池底，二年之内，即生大鱼，盖由土中先有大鱼子，得水即生也。

水经注所引书，有时可以正历史上公私著录之误。此沔水注所引之养鱼法一书，竟比姚振宗考证的著录早五百多年，即是一例。

〔一六〕犁丘故城　注笺本、项本、张本、通鉴卷二二七唐纪四十三德宗建中二年“追之疏口，又破之”胡注引水经注均作“黎丘故城”。

〔一七〕缮州　注释本、乾隆襄阳府志卷四山川均州襄郡汉水经流考引水经注均作“缮洲”。

〔一八〕札记水虎：

卷二十八沔水经“又东过中庐县东，维水自房陵县维山，东流注之”注中，记载了一种称为“水虎”的奇异动物。注云：

> 沔水又南与疏水合，水出中庐县西南，东流至邔县北界，东入沔水，谓之疏口也。水中有物如三四岁小儿，鳞甲如鲮鲤，射之不可入。七八月中，好在碛上自曝，膝头似虎，掌爪常没水中，出膝头，小儿不知，欲取弄戏，便杀人。或曰，人有生得者，摘其皋厌，可小小使，名为水虎者也。

上面这段注文中，按地区说，这个所谓“水虎”的产地，在今汉水襄阳和宜城之间的河段中，疏口当在今小河镇附近。所以注文所记载的地区范围是很明确的。但是注文记及的这种称为“水虎”的动物，还需稍作分析。从“如三四岁小儿”到“掌爪常没水中，出膝头”一段，记载的分明是扬子鳄(Alligator sinensis)，这就是在我国古书上称为鼍，俗语称为猪婆龙的动物。按照上述地区范围来说，也是符合事实的。今日它生活的地区，一年中有三个月是月平均气温在摄氏五度的冬天。它每年至少有半年的蛰伏休眠期，长期过着穴居生活。这是全世界唯我国独有的珍稀动物，是国家公布的一类保护动物。在浙江省的长兴县，就有这种动物的自然保护区，并有扬子鳄的人工养殖场。在中国动物地理区划中，它目前存在于华中区的东北丘陵平原区，即长江中下游及太湖周围，相当于中亚热带与北亚热带交界的一狭长地带内。宋陆佃埤雅释鱼云：“今江淮间谓鼍鸣为鼍鼓，亦或谓之鼍更。”陆佃所说的“江淮间”，与今天的动物地理区划也基本符合。

扬子鳄虽然是食肉爬行类动物，但它并不是猛兽，平日只以鱼、蛙、鼠等小动物为食物，不像马来鳄那样凶猛，吞食大动物甚至人。所以注文所说“小儿不知，欲取弄戏，便杀人”，可能是小儿在沙滩上与它戏弄而失足落水，因而使它得到这个“杀人”的罪名。至于人们称它为“水虎”，究竟是因为它的形状可怕，抑是由于“杀人”的传说所致，却不得而知。

山海经中山经蔓渠之山下云：“其上多金玉，其下多竹箭，伊水出焉，而东流注于洛。有兽焉，其名曰马腹，其状如人面虎身，其音如婴儿，是食人。”清郝懿行案：“刀剑录云：汉章帝建初八年，铸一金剑，令投伊水中以厌人膝之怪。宏景案，水经云：伊水有一物，如人膝头，有爪，人浴，辄没不复出。陶氏所说，参以刘昭注郡国志南郡中庐引荆州记云：陵水中有物，如马甲，如鲮鲤，不可入。七八月中，好在碛上自曝，膝头如虎掌爪，小儿不知，欲取弄戏，便杀人。或曰，生得者摘其鼻厌，可小小便，名为水卢。水经沔水注与荆州记小有异同，然则人膝之名盖取此。据陶、刘二家所说，形状与马腹相近，因附记焉。”

据上述中山经郝氏所案，足见沔水注的记载，当是郦氏从荆州记引来。案荆州记一书，晋范汪、刘宋盛弘之、庾仲雍、郭仲产、刘澄之等均有撰作，至少有五六种之多，均可为郦氏所见及，而各书均已亡佚，已经无从核对。各书所引文字不同如“皋厌”与“鼻厌”，“小小使”与“小小便”，“水虎”与“水卢”等，都是字形相近，显系传钞致讹无疑。据诸书所述，则此物有“马腹”、“人膝”、“水卢”、“水虎”等名称，而特别值得注意的是，古代在伊水中曾有此物。既然汉章帝要铸金剑投入，说明此物在伊水中数量不少。从现在看来，扬子鳄的分布地区已经十分狭小，不仅伊水流域绝不再有此物，即沔水注所记载的襄阳、宜城一带，此物也早已绝迹。但古代的情况不同，伊水流域在动物区划中，适当东洋界和古北界之间的过渡地带，扬子鳄出现于这个地区，不足为怪。今天，扬子鳄分布最多的地区，是安徽省的清弋江流域和太湖沿岸。与中山经、荆州记、水经注等文献相对照，我们可以考察这两千多年时间里，这种动物分布地区逐渐向东南缩小的情况。不仅地区缩小，数量当然也大大减少，所以我们国家要把它定为一类动物而加以保护。

〔一九〕魏源释道山南条阳列（魏源集下集）黄象离按引水经注云：“夷水入汉，俗名蛮河口。”当是此段中佚文。

〔二〇〕泝水　吴本、注笺本、项本、何本、张本均作“沂水”。

〔二一〕没阳县　注释本作“沔阳县”。

〔二二〕泝乡县　大典本作“瀰乡县”。

〔二三〕軨水　大典本作“轸水”。

〔二四〕泝口　大典本作“瀰口”。

〔二五〕汉末名士居其中刺史二千石卿长数十人　注疏本“名士”作“多士”，“卿长”作“乡长”。疏：“赵据何焯校本改‘多’作‘名’，‘士’下增‘居’字。戴改增同。守敬按：非也。上句云，‘山下有庙’，名士何以居庙中乎？此当以‘汉末多士’为句，‘其中’二字，连‘刺史’读，原文不误，乃凭臆改增，是以不狂为狂矣，谬甚!”

〔二六〕敖水　方舆纪要卷七十七湖广三安陆府钟祥县管城引水经注作“漖水”。

〔二七〕名胜志湖广卷四承天府钟祥县引水经注云:“沔水又东,丰乐水注之,敖水枝水又注之。”当是此段中佚文。

〔二八〕扬水　大典本、注笺本、项本、张本、乾隆荆州府志卷五山川柞溪水引水经注均作“杨水”,名胜志湖广卷四荆门引水经注作“阳水”。

〔二九〕路白湖水　名胜志湖广卷四荆门引水经注、乾隆荆州府志卷五山川三湖引水经注均作“白湖水”。

〔三〇〕灵溪水　注笺本、项本、张本、乾隆荆州府志卷五山川灵港水引水经注均作“灵港水”。

〔三一〕下扬水　大典本作“下杨水”。

〔三二〕禹贡所谓云土梦作乂　注疏本疏:“守敬按:史记志疑言,梦溪笔谈所称古本尚书作‘云土梦’。未必真禹贡之旧,当依汉志作‘云梦土’。今惟王鏊史记本作‘云梦土’,他本史记与水经注皆后人所改。余谓此之差互最难言,若以‘云梦土’为非耶,而‘云梦’见周礼,若以‘云土梦’为非耶,而汉志有云杜县,‘杜’即‘土’。诗,彻彼桑土,又作‘桑杜’,自土沮漆,又作‘自杜’,是其证。”

〔三三〕水南通县之太白湖　注疏本在“水南通”下有“沌阳”二字。疏:“朱‘县’上有脱文,戴同。赵增‘沔阳’二字,云:以江水注参校增。守敬按:通鉴晋永嘉六年注引此作‘南通沔阳县之太白湖’,则增‘沔阳’字似是。不知胡氏作‘沔阳’误,当作‘沌阳’。赵氏于江水篇误以‘沌阳’为‘沔阳’，此又据作佐证，则一误而再误也，今订。”

〔三四〕临嶂故城　注笺本、项本、注释本、张本、通鉴卷八十九晋纪十一愍帝建兴二年“杜弢将王真袭陶侃于林鄣”胡注引水经注均作“林鄣故城”。

〔三五〕大别之阪　大典本、黄本、吴本、注笺本、项本、何校明钞本、王校明钞本、沈本、五校钞本、七校本、张本、尚书后案“过三澨至于大别南入于江”案引水经注、书水经沔水篇后（七经楼文钞卷三）引水经注、尚书正读卷二“东为北江，入于海”曾运乾注引水经注均作“大别之陂”。

水经注卷二十九

沔水〔一〕　潜水　湍水　均水
粉水　白水　比水

沔水与江合流，又东过彭蠡泽，

尚书禹贡，汇泽也。郑玄曰：汇，回也。汉与江斗，转东成其泽矣。

又东北出居巢县南，

古巢国也，汤伐桀，桀奔南巢，即巢泽也。尚书，周有巢伯来朝。春秋文公十二年，夏，楚人围巢。巢，群舒国也。舒叛，故围之。永平元年，汉明帝更封菑丘侯刘般为侯国也。江水自濡须口又东，左会栅口，水导巢湖〔二〕，东迳乌上城北，又东迳南谯侨郡城南，又东绝塘，迳附农山北，又东，左会清溪水。水出东北马子砚〔三〕之清溪也，东迳清溪城南屈而西南，历山西南流注栅水，谓之清溪口。栅水又东，左会白石山水，水发白石山，西迳李鹊城南，西南注栅水。栅水又东南积而为窦湖，中有洲，湖东有韩综山，山上有城，山北湖水东出，为后塘北湖，湖南即塘也。塘上有颍川侨郡故城也。窦湖水东出，谓之窦湖口，东迳刺史山北，历韩综山〔四〕南，迳流二山之间，出王武子城北，城在刺史山上。湖水又东迳右塘穴北为中塘，塘在四水中，水出格虎山北，山上有虎山城〔五〕，有郭僧坎城，水北有赵祖悦城，并故东关城也。昔诸葛恪帅师作东兴堤以遏巢湖，傍山筑城，使将军全端、留略等，各以千人守之。魏遣司马昭督镇东诸葛诞，率众攻东关三城，将毁堤遏，诸军作浮梁，陈于堤上，分兵攻城，恪遣冠军丁奉等登塘鼓噪奋击，朱异等以水军攻浮梁，魏征东胡遵军士争渡，梁坏，投水而死者数千。塘即东兴堤，城亦关城也。栅水又东南迳高江产城南，胡景略城北，又东南迳张祖禧城南，东南流屈而北，迳郑卫尉城西，魏事已久，难用取悉，推旧访新，略究如此。又北委折，蒲浦出焉，栅水又东南流注于大江，谓之栅口。

又东过牛渚县南，又东至石城县〔六〕，

经所谓石城县者，即宣城郡之石城县也。牛渚在姑熟、乌江两县界中，于石城东北减五百许里，安得迳牛渚而方届石城也。盖经之谬误也。

分为二：其一东北流，其一又过毗陵县北，为北江。

地理志，毗陵县，会稽之属县也。丹徒县北二百步有故城，本毗陵郡治也。旧去江三里，岸稍毁，遂至城下。城北有扬州刺史刘繇墓，沦于江，江即北江也。经书为北江则可，又言东至馀姚则非。考其迳流，知经之误矣。地理志曰：江水自石城东出迳吴国南为南江。江水自石城东入为贵口，东迳石城县北，晋太康元年立，隶宣城郡。东合大溪，溪水首受江，北迳其县故城东，又北入南江。南江又东与贵长池水〔七〕合，水出县南

郎山，北流为贵长池，池水又北注于南江。南江又东迳宣城之临城县南，又东合泾水。南江又东与桐水合，又东迳安吴县，号曰安吴溪。又东，旋溪水注之，水出陵阳山下，迳陵阳县西为旋溪水，昔县人阳子明钓得白龙处。后三年，龙迎子明上陵阳山，山去地千馀丈。后百馀年，呼山下人，令上山半与语溪中。子安问子明钓车所在。后二十年，子安死，山下有黄鹤栖其冢树，鸣常呼子安，故县取名焉。晋咸康四年，改曰广阳县。溪水又北合东溪水，水出南里山，北迳其县东，桑钦曰：淮水出县之东南，北入大江。其水又北历蜀由山，又北，左合旋溪，北迳安吴县东，晋太康元年，分宛陵立。县南有落星山，山有悬水五十馀丈，下为深潭，潭水东北流，左入旋溪，而同注南江。南江之北，即宛陵县界也。南江又东迳宁国县南，晋太康元年分宛陵置。南江又东迳故鄣县南、安吉县北，光和之末，天下大乱，此乡保险守节，汉朝嘉之。中平二年，分故鄣之南乡以为安吉县，县南有钓头泉，悬涌一仞，乃流于川，川水下合南江。南江又东北为长渎，历湖口，南江东注于具区，谓之五湖口。五湖：谓长荡湖〔八〕、太湖〔九〕、射湖〔一〇〕、贵湖、滆湖也。郭景纯江赋曰：注五湖以漫漭。盖言江水经纬五湖而苞注太湖也。是以左丘明述国语曰：越伐吴，战于五湖是也。又云：范蠡灭吴，返至五湖而辞越。斯乃太湖之兼摄通称也。虞翻曰：是湖有五道，故曰五湖。韦昭曰：五湖，今太湖也。尚书谓之震泽。尔雅以为具区。方圆五百里，湖有苞山，春秋谓之夫椒山，有洞室入地潜行，北通琅邪东武县，俗谓之洞庭。旁有青山，一名夏架山，山有洞穴，潜通洞庭。山上有石鼓，长丈馀,鸣则有兵。故吴记曰:太湖有苞山,在国西百馀里,居者数百家,出弓弩材,旁有小山,山有石穴,南通洞庭,深远莫知所极。三苗之国,左洞庭,右彭蠡,今宫亭湖也。以太湖之洞庭对彭蠡,则左右可知也。余按二湖俱以洞庭为目者,亦分为左右也。但以趣瞩为方耳。既据三苗,宜以湘江为正。是以郭景纯之江赋云:爰有包山〔一一〕洞庭,巴陵地道,潜达旁通,幽岫窈窕。山海经曰:浮玉之山,北望具区,苕水出于其阴,北流注于具区。谢康乐云:山海经浮玉之山在句馀东五百里,便是句馀县之东山,乃应入海。句馀今在馀姚鸟道山西北,何由北望具区也。以为郭于地理甚昧矣。言洞庭南口有罗浮山,高三千六百丈,浮山东石楼下有两石鼓,叩之清越,所谓神钲者也。事备罗浮山记。会稽山宜直湖南,又有山阴溪水入焉。山阴西四十里有二溪,东溪广一丈九尺,冬暖夏冷;西溪广三丈五尺,冬冷夏暖。二溪北出行三里,至徐村合成一溪,广五丈馀而温凉又杂,盖山海经所谓苕水也。北迳罗浮山而下注于太湖,故言出其阴,入于具区也。湖中有大雷、小雷三山,亦谓之三山湖,又谓之洞庭湖。杨泉五湖赋曰:头首无锡,足蹄松江,负乌程于背上,怀太吴以当胸,岞岭崔嵬,穹隆纡曲,大雷、小雷,湍波相逐。用言湖之苞极也。太湖之东,吴国西十八里有岞岭山,俗说此山本在太湖中,禹治水移进近吴。又东及西南有两小山,皆有石如卷笮,俗云禹所用牵山也。太湖中有浅地,长老云:是笮岭山蹠,自此以东差深,言是牵山之沟,此山去太湖三十馀里,东则松江出焉。上承太湖,更迳笠泽,在吴南松江左右也。国语曰:越伐吴,吴御之笠泽,越军江南,吴军江北者也。虞氏曰:松江北去吴国五十里,江侧有丞、胥二山,山各有庙。鲁哀公十三年,越使二大夫畴无馀、讴阳等伐吴,吴人败之,获二大夫,大夫死,故立庙于山上,号丞、胥二王也。胥山上今有坛石,长老云:胥神所治也。下有九折路,南出太湖,阖闾造以游姑胥之台,以望太湖也。松江自湖东北流迳七十里,江水歧分,谓之三江口。吴越春秋称范蠡去越,乘舟出三江之口,入五湖之中者也。此亦别为三江、五湖,虽名称相乱,不与职方同。庾仲初扬都赋注曰:今太湖东注为松江,下七十里有水口,分流东北入海为娄江,东南入海为东江,与松江而三也。吴记曰:一江东南行七十里入小湖为次溪,自湖东南出谓之谷水。谷水出吴小湖,迳由卷县故城下,神异传曰:由卷县,秦时长水县也。始皇时,县有童谣曰:城门当有血,城陷没为湖。有老妪闻之忧惧,旦往窥城门,门侍欲缚之,妪言其故。妪去后,门侍杀犬以血涂门,妪又往,见血,走去不敢顾,忽有大水长欲没县,主簿令幹入白令,令见幹曰:何忽作鱼?幹又曰:明府亦作鱼。遂乃沦陷为谷矣。因目长水城水曰谷水也。吴记曰:谷中有城,故由卷县治也。即吴之柴辟亭,故就李乡檇李之地。秦始皇恶其势王,令囚徒十馀万人污其土表,以污恶名,改曰囚卷,亦曰由卷也。吴黄龙三年,有嘉禾生卷县,改曰禾兴,后太子讳和,改为嘉兴。春秋之檇李城也。谷水又东南迳嘉兴县城西,谷水又东南迳盐官县故城南,旧吴海昌都尉治,晋太康中,分嘉兴立。太康地道记:吴有盐官县。乐资九州志曰:县有秦延山〔一二〕。秦始皇迳此,美人死,葬于山上,山下有美人庙。谷水之右有马皋城,故司盐都尉城，吴王濞煮海为盐于此县也。是以汉书地理志曰：县有盐官。东出五十里有武原乡，故越地也。秦于其地置海盐县。地理志曰：县，故武原乡也。后县沦为柘湖，又徙治武原乡，改曰武原县，王莽名之展武。汉安帝时，武原之地又沦为湖，今之当湖也，后乃移此。县南有秦望山，秦始皇所登以望东海，故山得其名焉。谷水于县出为澉浦，以通巨海。光熙元年，有毛民三人集于县，盖泛于风也。

又东至会稽馀姚县，东入于海〔一三〕。

谢灵运云：具区在馀暨。然则馀暨是馀姚之别名也。今馀暨之南，馀姚西北，浙江与浦阳江同会归海，但水名已殊，非班固所谓南江也〔一四〕。郭景纯曰：三江者，岷江、松江、浙江也。然浙江出南蛮中，不与岷江同，作者述志，多言江水至山阴为浙江。今江南枝分，历乌程县，南通馀杭县，则与浙江合，故阚骃十三州志曰：江水至会稽与浙江合。浙江自临平湖南通浦阳江，又于馀暨东合浦阳江，自秦望分派，东至馀姚县，又为江也。东与车箱水合，水出车箱山，乘高瀑布，四十馀丈。虽有水旱而澍无增减。江水又东迳黄桥下，临江有汉蜀郡太守黄昌宅，桥本昌创建也。昌为州书佐，妻遇贼相失，后会于蜀，复修旧好。江水又东迳赭山〔一五〕南，虞翻尝登此山四望，诫子孙可居江北，世有禄位，居江南则不昌也。然住江北者，相继代兴；时在江南者，辄多沦替。仲翔之言为有征矣。江水又经官仓，仓即日南太守虞国旧宅，号曰西虞，以其兄光居县东故也。是地即其双雁送故处。江水又东迳馀姚县故城南，县城是吴将朱然所筑，南临江津，北背巨海，夫子所谓沧海浩浩，万里之渊也。县西去会稽百四十里，因句馀山以名县。山在馀姚之南，句章之北也。江水又东迳穴湖塘，湖水沃其一县，并为良畴矣。江水又东注于海。是所谓三江者也。故子胥曰：吴、越之国，三江环之，民无所移矣。但东南地卑，万流所凑，涛湖泛决，触地成川，枝津交渠，世家分夥，故川旧渎，难以取悉，虽粗依县地，缉综所缠，亦未必一得其实也。

潜水出巴郡宕渠县，

潜水，盖汉水枝分潜出，故受其称耳。今爰有大穴，潜水入焉。通冈山下，西南潜出谓之伏水，或以为古之潜水。郑玄曰：汉别为潜，其穴本小，水积成泽，流与汉合。大禹自导汉疏通，即为西汉水也。故书曰：沱、潜既道。刘澄之称白水入潜。然白水与羌水合入汉，是犹汉水也。县以延熙中分巴立宕渠，郡，盖古賨国也，今有賨城。县有渝水，夹水上下，皆賨民所居。汉祖入关，从定三秦，其人勇健好歌儛，高祖爱习之，今巴渝儛是也。县西北有徐曹水〔一六〕，南迳其县下注潜水。县有车骑将军冯绲、桂阳太守李温冢，二子之灵，常以三月还乡，汉水〔一七〕暴长，郡县吏民，莫不于水上祭之，今所谓冯、李也。

又南入于江。

庾仲雍云：垫江有别江出晋寿县，即潜水也。其南源取道巴西，是西汉水也。

湍水出郦县北芬山，南流过其县东，又南过冠军县东〔一八〕，

湍水出弘农界翼望山，水甚清彻，东南流迳南阳郦县〔一九〕故城东，史记所谓下郦析也。汉武帝元朔元年，封左将黄同为侯

国。湍水又南，菊水注之，水出西北石涧山芳菊溪，亦言出析谷，盖溪涧之异名也。源旁悉生菊草，潭涧滋液，极成甘美。云此谷之水土，餐挹长年。司空王畅、太傅袁隗、太尉胡广，并汲饮此水，以自绥养。是以君子留心，甘其臭尚矣。菊水东南流入于湍。湍水又迳其县东南，历冠军县西，北有楚堨，高下相承八重，周十里，方塘蓄水，泽润不穷。湍水又迳冠军县故城东，县，本穰县之卢阳乡，宛之临駣聚，汉武帝以霍去病功冠诸军，故立冠军县以封之。水西有汉太尉长史邑人张敏碑，碑之西有魏征南军司张詹墓，墓有碑，碑背刊云：白楸之棺，易朽之裳，铜铁不入，丹器〔二〇〕不藏，嗟矣后人，幸勿我伤。自后古坟旧冢，莫不夷毁，而是墓至元嘉初尚不见发。六年大水，蛮饥，始被发掘。说者言：初开，金银铜锡之器，朱漆雕刻之饰烂然，有二朱漆棺，棺前垂竹帘，隐以金钉。墓不甚高，而内极宽大。虚设白楸之言，空负黄金之实，虽意锢南山，宁同寿乎？湍水又迳穰县为六门陂。汉孝元之世，南阳太守邵信臣以建昭五年断湍水，立穰西石堨。至元始五年，更开三门为六石门，故号六门堨也。溉穰、新野、昆阳三县五千馀顷，汉末毁废，遂不修理。晋太康三年，镇南将军杜预复更开广，利加于民，今废不修矣。六门侧又有六门碑，是部曲主安阳亭侯邓达等以太康五年立。湍水又迳穰县故城北，又东南迳魏武故城之西南，是建安三年，曹公攻张绣之所筑也。

又东过白牛邑南，

湍水自白牛邑南，建武中，世祖封刘嵩为侯国，东南迳安众县故城南。县，本宛之西乡，汉长沙定王子康侯丹之邑也。湍水东南流，涅水注之，水出涅阳县西北岐棘山东南，迳涅阳县故城西，汉武帝元朔四年，封路最为侯国，王莽之所谓前亭也。应劭曰：在涅水之阳矣。县南有二碑，碑字紊灭，不可复识，云是左伯豪碑。涅水又东南迳安众县，堨而为陂，谓之安众港。魏太祖破张绣于是处。与荀彧书曰：绣遏吾归师，迫我死地。盖于二水之间，以为沿涉之艰阻也。涅水又东南流，注于湍水。

又东南至新野县，

湍水至县西北，东分为邓氏陂。汉太傅邓禹故宅，与奉朝请西华侯邓晨故宅隔陂，邓飏谓晨宅略存焉。

东入于淯。

均水〔二一〕出析县北山，南流过其县之东，

均水发源弘农郡之卢氏县熊耳山，山南即脩阳、葛阳二县界也。双峰齐秀，望若熊耳，因以为名。齐桓公召陵之会，西望熊耳，即此山也。太史公司马迁皆尝登之。县即析县之北乡，故言出析县北山也。均水又东南流迳其县下，南越南乡县〔二二〕，又南流与丹水合。

又南当涉都邑北，南入于沔。

均水南迳顺阳县西，汉哀帝更为博山县，明帝复曰顺阳。应劭曰：县在顺水之阳。今于是县，则无闻于顺水矣。章帝建初四年，封卫尉马廖为侯国。晋太康中立为顺阳郡县。西有石山，南临均水。均水又南流注于沔水，谓之均口〔二三〕者也。故地理志谓之淯水〔二四〕，言熊耳之山，淯水出焉。又东南至顺阳入于沔。

粉水出房陵县，东流过郢邑南，

粉水导源东流，迳上粉县〔二五〕，取此水以渍粉，则皓耀鲜洁，有异众流，故县、水皆取名焉。

又东过穀邑南，东入于沔。

粉水至筑阳县西，而下注于沔水，谓之粉口。粉水旁有文将军冢，墓隧前有石虎、石柱，甚修丽。闾丘羡之为南阳，葬妇墓侧，将平其域，夕忽梦文谏止，羡之不从。后羡之为杨佺期所害。论者以为文将军之祟也。

白水出朝阳县西，东流过其县南，

王莽更名朝阳为厉信县。应劭曰：县在朝水之阳。今朝水迳其北，而不出其南也。盖邑郭沦移，川渠状改，故名旧传，遗称在今也。

又东至新野县南，东入于淯。

比水〔二六〕出比阳东北太胡山〔二七〕，东南流过其县南，泄水从南来注之。

太胡山在比阳北如东三十馀里，广圆五六十里。张衡赋南都，所谓天封、太狐〔二八〕者也。应劭曰：比水出比阳县，东入蔡。经云：泄水从南来注之。然比阳无泄水，盖误引寿春之沘泄耳。余以延昌四年，蒙除东荆州刺史，州治比阳县故城，城南有蔡水，出南磐石山，故亦曰磐石川，西北流注于比，非泄水也。吕氏春秋曰：齐令章子与韩、魏攻荆，荆使唐蔑应之，夹比而军，欲视水之深浅，荆人射之而莫知也。有刍者曰：兵盛则水浅矣。章子夜袭之，斩蔑于是水之上也。比水又西，澳水注之，水北出茈丘山[二九]，东流屈而南转，又南入于比水。按山海经云：澳水又北入视，不注比水。余按吕忱字林及难字、尔雅并言：瀙水在比阳。脉其川流所会，诊其水土津注，宜是瀙水，音药也。比水又西南历长冈旧月城北。比水右会马仁陂水，水出沅阴北山，泉流竞凑，水积成湖，盖地百顷，谓之马仁陂。陂水历其县下，西南堨之以溉田畴，公私引裂，水流遂断，故渎尚存。比水又南迳会口，与堵水枝津合。比水又南与澧水会，澧水源出于桐柏山，与淮同源而别流西注，故亦谓水为派水。澧水西北流迳平氏县故城东北，王莽更名其县曰平善。城内有南阳都乡正卫弹劝碑。澧水又西北合溲水，水出湖阳北山[三〇]，西流北屈，迳平氏城西而北入澧水。澧水又西注比水。比水自下亦通谓之为派水。昔汉光武破甄阜、梁丘赐于比水西，斩之于斯水也。比水又南，赵、醴[三一]二渠出焉。比水又西南流，谢水注之，水出谢城北，其源微小，至城渐大，城周回侧水，申伯之都邑，诗所谓申伯番番，既入于谢者也。世祖建武十三年，封樊重少子丹为谢阳侯，即其国也。然则是水即谢水也。高岸下深，浚流徐平，时人目之为渟潜水，城、戍又以渟潜为目，非也。其城之西，旧棘阳县治，故亦谓之棘阳城也。谢水又东南迳新都县，左注比水。比水又西南流迳新都县故城西，王莽更之曰新林。郡国志以为新野之东乡，故新都者也。

又西至新野县，南入于淯。

比水于冈南西南流，戍在冈上。比水又西南与南长、坂门二水合。其水东北出湖阳东隆山，山之西侧有汉日南太守胡著碑。

子珍，骑都尉，尚湖阳长公主，即光武之伯姊也。庙堂皆以青石为阶陛，庙北有石堂。珍之玄孙桂阳太守玚，以延熹四年遭母忧，于墓次立石祠，勒铭于梁，石宇倾颓，而梁字无毁。盛弘之以为樊重之母畏雷室，盖传疑之谬也。隆山南有一小山，山坂有两石虎，相对夹隧道，虽处蛮荒，全无破毁，作制甚工，信为妙矣，世人因谓之为石虎山。其水西南流迳湖阳县故城南，地理志曰：故廖国也。竹书纪年曰：楚共王会宋平公于湖阳者矣。东城中有二碑，似是樊重碑，悉载故吏人名。司马彪曰：仲山甫封于樊，因氏国焉。爰自宅阳徙居湖阳，能治田殖，至三百顷，广起庐舍，高楼连阁，波陂灌注，竹木成林，六畜放牧，鱼羸梨果，檀棘桑麻，闭门成市。兵弩器械，赀至百万。其兴工造作，为无穷之功，巧不可言，富拟封君。世祖之少，数归外氏，及之长安受业，赍送甚至。世祖即位，追爵敬侯，诏湖阳为重立庙，置吏奉祠。巡祠章陵，常幸重墓。其水四周城溉，城之东南，有若令樊萌、中常侍樊安碑。城南有数碑，无字。又有石庙数间，依于墓侧，栋宇崩毁，惟石壁而已，亦不知谁之胄族矣。其水南入大湖，湖阳之名县，藉兹而纳称也。湖水西南流，又与湖阳诸陂散水合，谓之板桥水。又西南与醴渠合，又有赵渠注之。二水上承派水，南迳新都县故城东，两渎双引，南合板桥水。板桥水又西南与南长水会，水上承唐子、襄乡诸陂散流也。唐子陂在唐子山西南，有唐子亭。汉光武自新野屠唐子乡，杀湖阳尉于是地。陂水清深，光武后以为神渊。西南流于新野县，与板桥水合，西南注于比水。比水又西南流，注于淯水也。

〔一〕注疏本作“沔水下”。疏:“朱无此目,赵亦无,戴作‘沔水’二字,今又增‘下’字。”

〔二〕文选卷十二江赋“珠、浐、丹、漅”宋六臣注引水经注云:“沔水又东得浐湖,水周围三四百里。”当是此段中佚文。

〔三〕马子砚　项本、五校钞本、七校本、注释本、张本、注疏本均作“马子岘”。注疏本疏:“朱讹作‘砚’,笺曰:疑作‘岘’。戴仍,赵改。会贞按:与大岘山相接。”

〔四〕韩综山　注笺本、注释本均作“韩纵山”。

〔五〕虎山城　注笺本、项本、张本、注疏本均作“虎山”,无“城”字。

〔六〕札记牛渚县:

卷二十九沔水经“又东过牛渚县南,又东至石城县”。殿本在此下案云:“案牛渚乃山名,非县名。大江过其北,非过其南,‘县南’二字之上有脱文。”赵一清水经注释亦云:“牛渚圻名,汉未尝置县也。”杨、熊水经注疏则云:“通典,当涂县有牛渚圻,地理通释二十引舆地志,牛渚山北谓之采石。”

这里,殿本案语中的所谓“大江过其北,非过其南”的话当然是对的。水经中特别是对南方河流弄错方位的,所在多有,不足为怪。但把山名误作县名的事,却令人不解。在古代,郡县建置是最重要的事,汉书地理志带头重视此事,以后历代亦无不以此事为重。当然,失载的事不能说没有,但原无郡县建置而凭空制造郡县的事却属罕见。而水经居然推出一个牛渚县,郦氏所注,居然又不加纠正。在这条经文之下,注文云:

经所谓石城县者，即宣城郡之石城县也。牛渚在姑熟、乌江两县界中，于石城东北减五百许里，安得迳牛渚而方届石城也。盖经之谬误也。

这里，注文纠正了经文之谬，但所纠正的绝非经文提出的牛渚县名，只是纠正了牛渚的地理位置。按照经、注文字的惯例，经文的牛渚县，就算被注文所承认了。清王鸣盛在尚书后案"过三澨至于大别南入于江"下案云："且牛渚下接'县南'二字尤紊谬，而郦亦不辨。盖牛渚非县，'县南'上疑有脱文。"（载皇清经解卷四〇六下）王鸣盛的见解其实是重复了殿本的案语。他们认为牛渚非县是肯定的，因此这一条经文应该作："又东过牛渚（圻），又东过（□□）县南，又东至石城县。""县南"二字上有脱文的设想就是如此。王氏云："郦亦不辨。"这话就很难说了，公元三世纪有没有牛渚县的事，究竟是公元六世纪的郦道元不辨，抑是公元十八世纪的王鸣盛不辨，或许是很难论定的。

牛渚山或牛渚矶（圻）的存在是无疑的。说文九下："矶，大石激水也。"故苏、皖长江沿岸石阜濒江者如采石矶、燕子矶等均是，牛渚矶是其中之一。但牛渚之名由来甚古，越绝书卷八："道渡牛渚。"此牛渚即是渡口之名。三国志吴书周瑜传："以瑜恩信著于庐江，出备牛渚。"同书全琮传："以精兵万人，出屯牛渚。"周、全二传的牛渚，既非山名，也非渡口，而是一个军事重镇之名。通鉴地理通释卷十二："孙皓时，以何植为牛渚督。"由此可知，作为一个聚落地名，东吴末年的牛渚，规模已经不小了。到了东晋，牛渚终于成为一个州治。通鉴卷一百晋纪二十二穆帝永和十一年"镇寿春"胡注:"南渡初,祖逖以豫州刺史治芜湖;咸康四年,毛宝以豫州刺史治邾城;六年,庾翼以豫州刺史治芜湖;永和六年,赵胤以豫州刺史治牛渚。"当然,当时的豫州不过是个侨州,所以治所迁移不定。但侨州也有衙门、官吏、皂隶,总不能建在一座小山之上或一个渡口。所以牛渚之有聚落可以无疑。聚落既可以建为州治,当然更可以建为县治。

牛渚非县,根据何在?赵一清说得很清楚:"汉未尝置县也。"因为汉书地理志不载牛渚县,续汉书郡国志、晋书地理志,宋、齐二书州郡志,以上五志俱不载。但奇怪的是,五志之中,除晋书出于唐代郦氏不及见外,其馀四志,都是水经注常用参考书。郦氏明见各志不载,却又对经文不作纠正。更奇怪的是,他为了纠正牛渚县的地理位置而提出一个姑孰(郦作熟)县来,此姑孰县,同样也为上述五志所不载。其实,水经和水经注中列载县名,为上述五志所不载的,所在多有。例如卷四十禹贡山水泽地所在篇经文中提到的金兰县,注文不仅因各志不载而不加纠正,而且在卷三十二决水篇中,注文也提出了"庐江金兰县"之名。说明尽管各志不载,但庐江郡下金兰县的建置是确实存在的。还有卷十七渭水注的武城县,上起汉书地理志,下至魏书地形志均不见记载。卷二十八沔水注和卷二十九粉水注中并见的上粉县,卷三十二夏水注的西戎县,也均不见于两汉志和晋、宋、齐诸志。此外,如卷三十五江水注的沌阳县,卷三十六沫水注的灵道县,卷三十七澧水注的溇阳县,卷三十九赣水注的豫宁县,上述四县,注文不仅提出县名，而且都说明建县年代，但两汉志和晋、宋、齐诸志也均不载。由此可知，正史地理志所失载的县名是不在少数的。不必说用水经注资料与正史地理志核对，可以查出不少正史失载的县名。即用正史列传与同史地理志核对，也可以查出地理志失载的县名。以晋书为例，陶侃传言侃"领枞阳令"，但地理志却无枞阳县名，其失载可以无疑。由此可知，牛渚在西汉以至三国，其间是否建县，县址存于何处，都不宜轻易否定，而值得继续研究。

〔七〕贵长池水　道光安徽通志卷十四舆地志山川四池州府郎山引水经注作"贵池水"。

〔八〕长荡湖　大典本、吴本、注笺本、项本、张本、注疏本、玉海卷二十三周五湖引水经注、通鉴地理通释卷十三五湖注引水经注、景定建康志卷十八山川志二江湖长塘湖引水经注、方舆胜览卷二平江府山川五湖引水经注、寰宇通志卷八南京长塘湖引水经注、丹铅总录卷二地理类五湖引水经注、汉书地理志补注卷三十八会稽郡"具区泽在西"注引水经注、康熙无锡县志卷三水太湖引水经注均作"长塘湖"。

〔九〕太湖　大典本作"大湖"。

〔一〇〕射湖　大典本、吴本、注笺本、项本、张本、玉海卷二十三周五湖引水经注、通鉴地理通释卷十三五湖引水经注、字汇已集水部湖引水经注、丹铅总录卷二地理类五湖引水经注、佩文韵府卷七上七虞湖五湖引水经注、康熙无锡县志卷三水太湖引水经注均作"射贵湖"。

〔一一〕包山　注释本、注疏本均作"苞山"。

〔一二〕秦延山　注笺本、项本、注释本、张本均作“秦迳山”。

〔一三〕明黄宗羲今水经序：“余越人也，以越水证之，以曹娥江为浦阳江，以姚江为大江之奇分，苕水出山阴县，具区在馀姚县，沔水至馀姚入海，皆错误之大者。”案黄氏所云“错误之大者”，有误于经，亦有误于注，有误于卷二十九沔水，亦有误于卷四十渐江水。

〔一四〕非班固所谓南江也　案班固南江见汉书地理志。陈桥驿郦道元评传第十章水经注的错误和学者的批评：

> 因为禹贡扬州下有“三江既入”的话，又出现北江、中江两个地名，但并不一定与“三江”有关，“三江”一名，很可能是表示多数的意思。从汉书地理志又臆加“南江”，连同“中江”和“北江”，以敷合禹贡“三江”之数。于是，大江南北，就这样存在了两条与大江平行的北江和南江，在中国历史上传讹甚久。水经注同样在卷二十九沔水经“分为二：其一东北流，其一又过毗陵县北，为北江”注中提出了“江即北江也”，“江水自石城东出迳吴国南为南江”等错误说法。其实，北江和南江都是并不存在的河流。

〔一五〕赭山　注笺本、注删本、项本、张本、注疏本、乾隆馀姚志卷三山水龙泉山引水经注均作“绪山”。

〔一六〕徐曹水　注笺本、项本、注释本、张本均作“不曹水”。

〔一七〕注疏本疏：“朱‘水’上有脱文，赵据寰宇记相如县西汉水下引增‘汉’字。全、戴同。守敬按：御览引作‘潜水’，似增‘潜’字尤合。”

〔一八〕魏武帝集文集卷三引水经注云：“微足下之相难，所失多矣。”当是此篇中佚文。

〔一九〕南阳郦县　注疏本作“南郦县”。疏:“戴、赵‘迳南’下增‘阳’字。会贞按:非也。各本皆无‘阳’字。淯水注,郦有二城,北郦也,则此为南郦句十字与黄本、吴本同。明钞本又作‘东流南迳郦县故城东’。”

〔二〇〕丹器　注疏本作“瓦器”。疏:“朱‘瓦’误作‘凡’。何氏曰:‘凡’,古‘丹’字,俗本作‘凡’,误也。赵改‘凡’,戴改‘丹’。会贞按:孙诒让札迻云:‘丹器’义难通,当从旧本作‘凡’,即隶书‘瓦’字之误……何氏以‘凡’为古‘丹’字,非也。孙说至确。书钞一百二、御览五百五十一、五百八十九,并作‘瓦器’。史记孝文本纪,治霸陵,皆以瓦器。魏志裴潜传遗令,墓中惟置瓦器数枚,盖俭葬但用瓦器也。”

〔二一〕均水　吴本、何本、康熙字典水部汮引水经注、汉书水道疏证卷三弘农郡引水经注、乾隆襄阳府志卷四山川均州襄郡汉水经流考引水经注均作“汮水”。

〔二二〕殿本在此下案云:“案‘下南越’三字有舛误,当作‘又南迳’。”注疏本疏:“戴以‘下’字属此句,云:按‘下南越’三字有舛误,当作‘又南迳’。会贞按:丹水篇云,历其县下;江水篇云,迳郫县下。即其辞例,戴不察耳。‘南迳’亦偶变作‘南越’,文无舛误。”

〔二三〕均口　吴本、何本、康熙字典水部汮引水经注均作“汮口”。注笺本、项本、张本、注疏本、通鉴卷一四二齐纪八东昏侯永元元年“军入汮口”胡注引水经注、乾隆襄阳府志卷四山川均州襄郡汉水经流考引水经注均作“汮口”。

〔二四〕淯水　注释本作“育水”。

〔二五〕上粉县　见注〔六〕。

〔二六〕比水　大典本、吴本、注笺本、项本、注释本、张本均作“沘水”，通鉴卷三十八汉纪三十王莽地皇三年“临沘水”胡注引水经注、方舆纪要卷五十一河南六南阳府唐县沘水引水经注、战国策释地卷下重邱释引水经注均作“沘水”。

〔二七〕太胡山　注释本、疏证本、通鉴卷三十八汉纪三十王莽地皇三年“临沘水”胡注引水经注、御览卷四十三地部八太狐山引水经注均作“大胡山”。山海经广注卷二西山经“沘水出焉”吴任臣注引水经注作“太湖山”。

〔二八〕太狐　注释本作“太胡”。

〔二九〕茈丘山　方舆纪要卷五十一河南六南阳府唐县沘水引水经注、战国策释地卷下重邱释引水经注均作“茈邱山”。

〔三〇〕湖阳北山　注笺本、项本、注释本、张本均作“湖南北山”。

〔三一〕醴　注笺本、项本、注释本、张本均作“澧”。

水经注卷三十

淮水

淮水出南阳平氏县胎簪山〔一〕，东北过桐柏山，

山海经曰：淮出馀山。在朝阳东，义乡西。尚书：导淮自桐柏。地理志曰：南阳平氏县，王莽之平善也。风俗通曰：南阳平氏县桐柏，大复山在东南，淮水所出也。淮，均也。春秋说题辞曰：淮者，均其势也。释名曰：淮，韦也，韦绕扬州北界，东至于海也。尔雅曰：淮为浒。然淮水与醴水同源俱导，西流为醴，东流为淮。潜流地下〔二〕三十许里，东出桐柏之大复山南，谓之阳口，水南即复阳县也。阚骃言：复阳县，胡阳之乐乡也。元帝元延二年置，在桐柏大复山之阳，故曰复阳也。东观汉记曰：朱祐少孤，归外家复阳刘氏。山南有淮源庙，庙前有碑，是南阳郭苞立。又二碑，并是汉延熹中守令所造，文辞鄙拙，殆不可观。故经云：东北过桐柏也。淮水又东迳义阳县，县南对固成山，山有水注流数丈，洪涛灌山，遂成巨井，谓之石泉水，北流注于淮。淮水又迳义阳县故城南，义阳郡治也。世谓之白茅城，其城圆而不方。阚骃言：晋太始中，割南阳东鄙之安昌、平林、平氏、义阳四县，置义阳郡于安昌城。又太康记、晋书地道记并有义阳郡，以南阳属县为名。汉武帝元狩四年，封北地都尉卫山为侯国也。有九渡水注之，水出鸡翅山，溪涧潆委，沿溯九渡矣。其犹零阳之九渡水，故亦谓之为九渡焉。于溪之东山有一水发自山椒下，数丈素湍，直注颓波，委壑可数百丈，望之若霏幅练矣。下注九渡水，九渡水又北流注于淮。

东过江夏平春县北，

淮水又东，油水注之，水出县西南油溪，东北流迳平春县故城南，汉章帝建初四年，封子全为王国。油水又东曲，岸北有一土穴，径尺，泉流下注，沿波三丈，入于油水。乱流南屈，又东北注于淮。淮水又东北迳城阳县故城南，汉高帝十二年，封定侯奚意为侯国，王莽之新利也。魏城阳郡治。淮水又东北与大木水合，水西出大木山，山即晋车骑将军祖逖自陈留将家避难所居也。其水东迳城阳县北，而东入于淮。淮水又东北流，左会湖水，傍川西南出穷溪，得其源也。淮水又东迳安阳县故城南，江国也，嬴姓矣。今其地有江亭，春秋文公四年，楚人灭江，秦伯降服出次，曰：同盟灭，虽不能救，敢不矜乎？汉乃县之。文帝八年，封淮南厉王子刘勃为侯国，王莽之均夏也。淮水又东得浉口，水源南出大溃山，东北流，翼带三川，乱流北注浉水〔三〕。又北迳贤首山西。又北出东南，屈迳仁顺城南，故义阳郡治，分南阳置也。晋太始初，以封安平献王孚长子望，本治在石城山上，因梁希侵逼，徙治此城。梁司州刺史马仙琕不守，魏置郢州也。昔常珍奇自悬瓠遣三千骑援义阳，行事庞定光屯于浉水者也。浉水东南流历金山北，山无树木，峻峭层峙。浉水又东迳义阳故城北，城在山上，因倚陵岭，周回三里，是郡昔所旧治城，城南十五步，对门有天井，周百馀步，深一丈。东迳锺武县故城〔四〕南，本江夏之属县也，王莽之当利县矣。又东迳石城山北，山甚高峻。史记曰：魏攻冥阨。音义曰：冥阨，或言在鄳县葙山也。按吕氏春秋，九塞其一也。浉水迳鄳县故城南，建武中，世祖封邓邯为鄳侯。按苏林曰：音盲。浉水又东迳七井冈南，又东北注于淮。淮水又东至谷口，谷水南出鲜金山，北流，瑟水注之，水出西南具山，东北迳光淹城东，而北迳青山东、罗山西，俗谓之仙居水〔五〕，东北流注于谷水。谷水东北入于淮。

又东过新息县南，

淮水东迳故息城南，春秋左传隐公十一年，郑、息有违，言息侯伐郑，郑伯败之者也。淮水又东迳浮光山北，亦曰扶光山，即弋阳山也，出名玉及黑石，堪为棋。其山俯映长淮，每有光辉。淮水又东，迳新息县故城南，应劭曰：息后徙东，故加新也。王莽之新德也。光武十九年，封马援为侯国。外城北门内有新息长贾彪庙，庙前有碑。面南又有魏汝南太守程晓碑。魏太和中，蛮田益宗效诚，立东豫州，以益宗为刺史。淮水又东合慎水〔六〕，水出慎阳县西，而东迳慎阳县故城南，县取名焉。汉高帝十一年，封栾说为侯国。颍阴刘陶为县长，政化大行，道不拾遗，以病去官。童谣歌曰：恺然不乐，思我刘君，何时复来，安此下民。见思如此。应劭曰：慎水所出，东北入淮。慎水又东流，积为燋陂，陂水又东南流为上慎陂，又东为中慎陂，又东南为下慎陂，皆与鸿郤陂水散流。其陂首受淮川，左结鸿陂。汉成帝时，翟方进奏毁之。建武中，汝南太守邓晨欲修复之，知许伟君晓知水脉，召与议之。伟君言：成帝用方进言毁之，寻而梦上天，天帝怒曰：何敢〔七〕败我濯龙渊？是后民失其利。时有童谣曰：败我陂，翟子威，反乎覆，陂当复。明府兴复废业，童谣之言，将有征矣。遂署都水掾，起塘四百馀里，百姓得其利。陂水散流，下合慎水，而东南迳息城北，又东南入淮，谓之慎口。淮水又东与申陂水合，水上承申陂于新息县北，东南流，分为二水，一水迳深丘西，又屈迳其南，南派为莲湖水，南流注于淮。淮水又左迤，流结两湖，谓之东、西莲湖矣。淮水又东，右合壑水，水出白沙山，东北迳柴亭西，俗谓之柴水。又东北流与潭溪水合，水发潭谷，东北流，右会柴水。柴水又东迳黄城西，故弋阳县也。城内有二城，西即黄城也。柴水又东北入于淮，谓之柴口也。淮水又东北，申陂枝水注之，水首受陂水于深丘北，东迳钓台南，台在水曲之中，台北有琴台。又东迳阳亭南，东南合淮。淮水又东迳淮阴亭北，又东迳白城南，楚白公胜之邑也。东北去白亭十里。淮水又东迳长陵戍南，又东，青陂水注之。分青陂东渎，东南迳白亭西，又南于长陵戍东，东南入于淮。淮水又东北合黄水，水出黄武山，东北流，木陵关水〔八〕注之，水导源木陵山，西北流注于黄水。黄水又东迳晋西阳城南，又东迳光城南，光城左郡治。又东北迳高城南，故弦国也。又东北迳弋阳郡东，有虞丘，郭南有子胥庙。黄水又东北入于淮，谓之黄口。淮水又东北迳褒信县故城南，而东流注也。

又东过期思县北，

县,故蒋国,周公之后也。春秋文公十年,楚王田于孟诸,期思公复遂为右司马。楚灭之以为县,汉高帝十二年,以封贲赫为侯国。城之西北隅有楚相孙叔敖庙,庙前有碑。淮水又东北,淠水注之,水出弋阳县南垂山,西北流历阴山关,迳二城间,旧有贼难,军所顿防。西北出山,又东北流迳新城戍东,又东北得诏虞水口,西北去弋阳虞丘郭二十五里。水出南山,东北流迳诏虞亭东,而北入淠水。又东北注淮,俗曰白鹭水〔九〕。

又东过原鹿县南,汝水从西北来注之。

县,即春秋之鹿上也。左传僖公二十一年,宋人为鹿上之盟,以求诸侯于楚。建武十五年,世祖更封侍中执金吾阴乡侯阴识为侯国者也。

又东过庐江安丰县东北,决水从北来注之。

庐江,故淮南也。汉文帝十六年,别以为国。应劭曰:故庐子国也。决水自舒蓼北注,不于北来也。安丰东北注淮者,穷水矣,又非决水,皆误耳。淮水又东,谷水入焉,水上承富水,东南流,世谓之谷水也。东迳原鹿县故城北,城侧水南,谷水又东迳富陂县故城北,俗谓之成闾亭,非也。地理志,汝南郡有富陂县。建武二年,世祖改封平乡侯王霸为富陂侯。十三州志曰:汉和帝永元九年,分汝阴置。多陂塘以溉稻,故曰富陂县也。谷水又东于汝阴城东南注淮。淮水又东北,左会润水。水首受富陂,东南流为高塘陂,又东,积而为陂水,东注焦陵陂。陂水北出为鲖陂。陂水潭涨,引渎北注汝阴。四周隍堑,下注颍水。焦湖东注,谓之润水,迳汝阴县东,迳荆亭北而东入淮。淮水又东北,穷水入焉。水出六安国安风县〔一〇〕穷谷。春秋左传:楚救灊,司马沈尹戌与吴师遇于穷者也。川流泄注于决水之右,北灌安风之左,世谓之安风水〔一一〕,亦曰穷水,音戎,并声相近,字随读转。流结为陂,谓之穷陂,塘堰虽沦,犹用不辍,陂水四分,农事用康,北流注于淮。京相璠曰:今安风有穷水,北入淮。淮水又东为安风津〔一二〕,水南有城,故安风都尉治,后立霍丘戍。淮中有洲,俗号关洲,盖津关所在,故斯洲纳称焉。魏书国志有曰:司马景王征毌丘俭,使镇东将军〔一三〕、豫州刺史诸葛诞从安风津先至寿春。俭败,与小弟秀藏水草中,安风津都尉部民张属斩之,传首京都,即斯津也。

又东北至九江寿春县西,沘水、泄水合北注之。又东,颍水从西北来流注之。

淮水又东,左合沘口〔一四〕,又东迳中阳亭北为中阳渡,水流浅碛,可以厉也〔一五〕。淮水又东流与颍口会,东南迳苍陵城北,又东北流迳寿春县故城西。县,即楚考烈王自陈徙此,秦始皇立九江郡,治此,兼得庐江、豫章之地,故以九江名郡。汉高帝四年,为淮南国,孝武元狩六年,复为九江焉。文颖曰:史记货殖传曰:淮以北,沛、陈、汝南、南郡为西楚;彭城以东,东海、吴、广陵为东楚;衡山、九江、江南、豫章、长沙为南楚;是为三楚者也。淮水又北,左合椒水,水上承淮水,东北流迳蛇城南,又历其城东,亦谓之清水,东北流,注于淮水,谓之清水口者,是此水焉。

又东过寿春县北,肥水从县东北流注之。

淮水于寿阳县西北,肥水从城西而北入于淮〔一六〕,谓之肥口。

淮水又北，夏肥水注之，水上承沙水，于城父县右出，东南流迳城父县故城南，王莽之思善也。县，故焦夷之地，春秋左传昭公九年，楚公子弃疾迁许于夷，实城父矣。取州来淮北之田以益之，伍举授许男田。杜预曰：此时改城父为夷，故传实之者也。然丹迁城父人于陈，以夷濮西田益之。言夷田在濮水西者也。然则濮水即沙水之兼称，得夏肥之通目矣。汉桓帝永寿元年，封大将军梁冀孙桃为侯国也。夏肥水自县又东迳思善县之故城南，汉章帝章和三年，分城父立。夏肥水又东为高陂，又东为大漴陂〔一七〕，水出分为二流：南为夏肥水，北为鸡陂。夏肥水东流，左合鸡水，水出鸡陂，东流为黄陂，又东南流积为茅陂，又东为鸡水。吕氏春秋曰：宋人有取道者，其马不进，投之鸡水是也。鸡水右会夏肥水，而乱流东注，俱入于淮。淮水又北迳山硖中，谓之硖石，对岸山上结二城以防津要，西岸山上有马迹，世传淮南王乘马升仙所在也。今山之东南，石上有大小马迹十馀所，仍今存焉。淮水又北迳下蔡县故城东，本州来之城也。吴季札始封延陵，后邑州来，故曰延州来矣。春秋哀公二年，蔡昭侯自新蔡迁于州来，谓之下蔡也。淮之东岸又有一城，即下蔡新城也。二城对据，翼带淮渍。淮水东迳八公山北，山上有老子庙。淮水历潘城南，置潘溪戍，戍东侧潘溪，吐川纳淮，更相引注。又东迳梁城，临侧淮川，川左有湄城，淮水左迆为湄湖。淮水又右纳洛川于西曲阳县北，水分阎溪，北绝横塘，又北迳萧亭东。又北，鹊甫溪水入焉，水出东鹊甫谷，西北流迳鹊甫亭南，西北流注于洛水。北迳西曲阳县故城东，王莽之延平亭也。应劭曰：县在淮曲之阳，下邳有曲阳，故是加西也。洛涧北历秦墟，下注淮，谓之洛口。经所谓淮水迳寿春县，北肥水从县东北注者也。盖经之谬矣。考川定土，即实为非，是曰洛涧，非肥水也。淮水又北迳莫邪山西，山南有阴陵县故城。汉高祖五年，项羽自垓下从数百骑，夜驰渡淮至阴陵迷失道，左陷大泽，汉令骑将灌婴以五千骑追及之于斯县者也。按地理志，王莽之阴陆也。后汉九江郡治。时多虎灾，百姓苦之，南阳宗均为守，退贪残，进忠良，虎悉东渡江。

又东过当塗县北，濄水从西北来注之。

淮水自莫邪山东北迳马头城北，魏马头郡治也，故当塗县之故城也。吕氏春秋曰：禹娶塗山氏女，不以私害公，自辛至甲四日，复往治水。故江、淮之俗，以辛、壬、癸、甲为嫁娶日也。禹墟在山西南，县即其地也。地理志曰：当塗，侯国也。魏不害以圉守尉，捕淮阳反者公孙勇等，汉以封之，王莽更名山聚也。淮水又东北，濠水注之，水出莫邪山东北溪，溪水西北引渎迳禹墟北，又西流注于淮。淮水又北，沙水注之，经所谓蒗蕩渠〔一八〕也。淮之西有平阿县故城，王莽之平宁也。建武十三年，世祖更封耿阜为侯国。郡国志曰：平阿县有塗山〔一九〕，淮出于荆山之左，当塗之右，奔流二山之间，而扬涛北注也〔二〇〕。春秋左传哀公十年，大夫对孟孙曰：禹会诸侯于塗山，执玉帛者万国。杜预曰：塗山在寿春东北。非也。余按国语曰：吴伐楚，堕会稽，获骨焉，节专车。吴子使来聘，且问之，客执骨而问曰：敢问骨何为大？仲尼曰：丘闻之，昔禹致群神于会稽之山，防风氏后至，禹杀之，其骨专车，此为大也〔二一〕。盖丘明亲承圣旨，录为实证矣。又按刘向说苑辨物，王肃之叙孔子廿二世孙孔猛所出先人书家语，并出此事。故塗山有会稽之名。考校群书及方土之目，疑非此矣。盖周穆之所会矣。淮水于荆山北，過水〔二二〕东南注之，又东北迳沛郡义城县东，司马彪曰：后隶九江也。

又东过锺离县北，

世本曰：锺离，嬴姓也。应劭曰：县，故锺离子国也，楚灭之以为县。春秋左传所谓吴公子光伐楚，拔锺离者也。王莽之蚕富也。豪水出阴陵县之阳亭北，小屈有石穴，不测所穷，言穴出钟乳，所未详也。豪水东北流迳其县西，又屈而南转，东迳其城南，又北历其城东，迳小城而北流注于淮。淮水又东迳夏丘县南。又东，涣水入焉，水首受蒗蕩渠于开封县。史记韩釐王二十一年，使暴鸢救魏，为秦所败，鸢走开封者也。东南流迳陈留北，又东南，西入九里注之〔二三〕。涣水又东南流迳雍丘县〔二四〕故城南，又东迳承匡城，又东迳襄邑县故城南。故宋之承匡、襄牛之地，宋襄公之所葬，故号襄陵矣。竹书纪年：梁惠成王十七年，宋景敾、卫公孙仓会齐师，围我襄陵。十八年，惠成王以韩师败诸侯师于襄陵，齐侯使楚景舍来求成，即于此也。西有承匡城，春秋会于承匡者也。秦始皇以承匡卑湿，徙县于襄陵，更为襄邑，王莽以为襄平也。汉桓帝建和元年，封梁冀子胡狗为侯国。陈留风俗传曰：县南有涣水，故传曰：睢、涣之间出文章，天子郊庙御服出焉。尚书所谓厥篚织文者也。涣水又东南迳已吾县故城南，又东迳鄫城北，春秋襄公元年，经书晋韩厥帅师伐郑，鲁仲孙蔑会齐、曹、邾、杞，次于鄫。杜预曰：陈留襄邑县东南有鄫城。涣水又东南迳鄢城北、新城南，又东南，左合明沟，沟水自蓬洪陂东南流，谓之明沟，下入涣水。又迳亳城北，帝王世纪曰：穀熟为南亳，即汤都也。十三州志曰：汉武帝分穀熟置。春秋庄公十二年，宋公子御说奔亳者也。涣水东迳穀熟城南，汉光武建武二年，封更始子歆为侯国。又东迳杨亭〔二五〕北，春秋左氏传襄公十二年，楚子囊、秦庶长无地，伐宋师于杨梁，以报晋之取郑也。京相璠曰：宋地矣。今睢阳东南三十里有故杨梁城，今曰阳亭也。俗名之曰缘城，非矣。西北去梁国八十里。涣水又东迳沛郡之建平县故城南，汉武帝元凤元年，封杜延年为侯国，王莽之田平也。又东迳酂县故城南，春秋襄公十年，公会诸侯及齐世子光于鄌。今其地鄌聚是也。王莽之酂治〔二六〕矣。涣水又东南迳费亭南，汉建和元年，封中常侍沛国曹腾为侯国。腾字季兴，谯人也。永初中，定桓帝策，封亭侯，此城即其所食之邑也。涣水又东迳铚县故城南，昔吴广之起兵也，使葛婴下之。涣水又东，苞水注之，水出谯城北白汀陂，陂水东流迳酂县南，又东迳郸县故城南，汉景帝中元年，封周应为侯国，王莽更之曰单城〔二七〕也。音多。又东迳嵇山北，嵇氏故居，嵇康本姓奚，会稽人也。先人自会稽迁于谯之铚县，改为嵇氏，取稽字之上以为姓，盖志本也。嵇氏谱曰：谯有嵇山，家于其侧，遂以为氏。县，魏黄初中，文帝以酂、城父、山桑、铚置谯郡，故隶谯焉。苞水东流入涣。涣水又东南迳蕲县故城南，地理志曰：故甀乡〔二八〕也。汉高帝破黥布于此，县，旧都尉治，王莽之蕲城也。水上有故石梁处，遗基尚存。涣水又东迳穀阳县，左会八丈故渎，渎上承洨水，南流注于涣。涣水又东迳穀阳戍南，又东南迳穀阳故城东北，右与解水会。水上承县西南解塘，东北流迳穀阳城南，即穀水也。应劭曰：城在穀水之阳。又东北流注于涣。涣水又东南迳白石戍南，又迳虹城南，洨水注之，水首受蕲水于蕲县，东南流迳穀阳县，八丈故渎出焉。又东合长直故沟，沟上承蕲水，南会于洨。洨水又东南流迳洨县故城北，县有垓下聚，汉高祖破项羽所在也。王莽更名其县曰肴城。应劭曰：洨水所出，音绞，经之绞也。洨水又东南与涣水乱流而入于淮。故应劭曰：洨水南入淮。淮水又东至巉石山，潼水注之〔二九〕，水首受潼县西南潼陂，县，故临淮郡之属县，王莽改曰成信矣。南迳沛国夏丘县绝蕲水。又南迳夏丘县故城西，王莽改曰归思也。又东南流迳临潼戍西，又东南至巉石西，南入淮。淮水又东迳浮山，山北对巉石山，梁氏天监中，立堰于二山之间，逆天地之心，乖民神之望，自然水溃坏矣。淮水又东迳徐县南，历涧水注之，导徐城西北徐陂，陂水南流绝蕲水，迳历涧戍西，东南流注于淮。淮水又东，池水注之。水出东城县东北，流迳东城县故城南，汉以数千骑追羽，羽帅二十八骑引东城，因四隤山，斩将而去，即此处也。史记，孝文帝八年，封淮南厉王子刘良为侯国。地理志，王莽更名之曰武城也。池水又东北流历二山间，东北入于淮，谓之池河口〔三〇〕也。淮水又东，蕲水注之，水首受睢水于穀熟城东北，东迳建城县故城北，汉武帝元朔四年，封长沙定王子刘拾为侯国，王莽之多聚也。蕲水又东南迳蕲县，县有大泽乡，陈涉起兵于此，篝火为狐鸣处也。南则洨水出焉。蕲水又东南，北八丈故渎出焉，又东流，长直故沟出焉，又东入夏丘县，东绝潼水，迳夏丘县故城北,又东南迳潼县南,又东流入徐县,东绝历涧,又东迳大徐县故城南,又东注于淮。淮水又东历客山,迳盱眙县故城南,地理志曰:都尉治。汉武帝元朔元年,封江都易王子刘蒙之为侯国,王莽更命之曰匡武。淮水又东迳广陵淮阳城南,城北临泗水,阻于二水之间。述征记,淮阳太守治。自后置戍,县〔三一〕亦有时废兴也。

又东北至下邳淮阴县西,泗水从西北来流注之。

淮、泗之会,即角城也。左右两川,翼夹二水,决入之所,所谓泗口也。

又东过淮阴县北,中渎水出白马湖,东北注之。

淮水右岸即淮阴也,城西二里有公路浦,昔袁术向九江,将东奔袁谭,路出斯浦,因以为名焉。又东迳淮阴县故城北,北临淮水,汉高帝六年,封韩信为侯国,王莽之嘉信也。昔韩信去下乡而钓于此处也。城东有两冢,西者即漂母冢也。周回数百步,高十馀丈,昔漂母食信于淮阴,信王下邳,盖投金增陵以报母矣。东一陵即信母冢也。县有中渎水,首受江于广陵郡之江都县,县城临江,应劭地理风俗记曰:县为一都之会,故曰江都也。县有江水祠,俗谓之伍相庙也。子胥但配食耳,岁三祭,与五岳同。旧江水道也。昔吴将伐齐,北霸中国,自广陵城东南筑邗城,城下掘深沟,谓之韩江,亦曰邗溟沟〔三二〕,自江东北通射阳湖。地理志所谓渠水也。西北至末口入淮。自永和中,江都水断,其水上承欧阳埭,引江入埭,六十里至广陵城,楚、汉之间为东阳郡,高祖六年为荆国,十一年为吴城,即吴王濞所筑也。景帝四年更名江都,武帝元狩三年,更曰广陵，王莽更名，郡曰江平，县曰定安〔三三〕。城东水上有梁，谓之洛桥。中渎水自广陵北出武广湖东、陆阳湖西，二湖东西相直五里，水出其间，下注樊梁湖。旧道东北出，至博芝、射阳二湖，西北出夹邪，乃至山阳矣。至永和中，患湖道多风，陈敏因穿樊梁湖北口，下注津湖迳渡，渡十二里方达北口，直至夹邪。兴宁中，复以津湖多风，又自湖之南口，沿东岸二十里，穿渠入北口，自后行者不复由湖。故蒋济三州论曰：淮湖纡远，水陆异路，山阳不通，陈敏穿沟，更凿马濑，百里渡湖者也。自广陵出山阳白马湖，迳山阳城西，即射阳县之故城也。应劭曰：在射水之阳。汉高祖六年，封楚左令尹项缠为侯国也。王莽更之曰监淮亭，世祖建武十五年，封子荆为山阳公，治此，十七年为王国。城，本北中郎将庾希所镇。中渎水又东，谓之山阳浦，又东入淮，谓之山阳口者也。

又东，两小水流注之。

淮水左迳泗水国南，故东海郡也。徐广史记音义曰：泗水，国名，汉武帝元鼎四年，初置都凌，封常山宪王子思王商为国。地理志曰：王莽更泗水郡为水顺〔三四〕，凌县为生凌。凌水注之，水出凌县，东流迳其县故城东，而东南流注于淮，寔曰凌口也。应劭曰：凌水出县西南入淮，即经之所谓小水者也。

又东至广陵淮浦县，入于海。

应劭曰：淮崖也。盖临侧淮渎，故受此名。淮水迳县故城东，王莽更名之曰淮敬。淮水于县枝分，北为游水，历朐县与沭合，又迳朐山西，山侧有朐县故城，秦始皇三十五年，于朐县立石海上，以为秦之东门。崔琰述初赋曰：倚高舻以周眄兮，观秦门之将将者也。东北海中有大洲，谓之郁洲〔三五〕。山海经所谓郁山在海中者也。言是山自苍梧徙此云。山上犹有南方草木，今郁州治。故崔季珪之叙述初赋，言郁洲者，故苍梧之山也。心悦而怪之，闻其上有仙士石室也，乃往观焉。见一道人独处，休休然不谈不对，顾非己及也。即其赋所云：吾夕济于郁洲者也。游水又北迳东海利成县故城东，故利乡也。汉武帝元朔四年，封城阳共王子婴为侯国，王莽更之曰流泉。游水又北历羽山西，地理志曰：羽山在祝其县东南。尚书曰：尧畴咨四岳得舜，进十六族，殛鲧于羽山，是为梼杌，与驩兜、三苗、共工同其罪，故世谓之四凶。鲧既死，其神化为黄熊，入于羽渊，是为夏郊，三代祀之。故连山易曰：有崇伯鲧，伏于羽山之野者是也。游水又北迳祝其县故城西，春秋经书，夏，公会齐侯于夹谷。左传定公十年，公及齐平，会于祝其，实夹谷也。服虔曰：地二名。王莽更之曰犹亭。县之东有夹口浦。游水左迳琅邪计斤县故城之西，地理志曰：莒子始起于此。后徙莒，有盐官，故世谓之南莒也。游水又东北迳赣榆县北，东侧巨海，有秦始皇碑，在山上，去海百五十步，潮水至，加其上三丈，去则三尺，所见东北倾石，长一丈八尺，广五尺，厚三尺八寸，一行十二字。游水又东北迳纪鄣故城南，春秋昭公十九年，齐伐莒，莒子奔纪鄣，莒之妇人怨莒子之害其夫，老而托纺焉，取其纑而夜缒，缒绝鼓噪，城上人亦噪，莒共公惧，启西门而出，齐遂入纪。故纪子帛之国。穀梁传曰：吾伯姬归于纪者也。杜预曰：纪鄣，地二名。东海赣榆县东北有故纪城，即此城也。游水东北入海，旧吴之燕岱，常泛巨海，惮其涛险，更沿溯是渎,由是出。地理志曰:游水自淮浦北入海。尔雅曰:淮别为浒。游水亦枝称者也〔三六〕。

〔一〕胎簪山　艺文类聚卷八山部上淮水引水经作"昭稽山"。

〔二〕此下水经注释云:"按下有脱文。"

〔三〕浉水　通鉴卷三十九汉纪三十一淮阳王更始元年"前锺武侯刘望起兵汝南"胡注引水经注作"师水"。

〔四〕锺武县故城　注笺本、项本、张本、通鉴卷三十九汉纪三十一淮阳王更始元年"前锺武侯刘望起兵汝南"胡注引水经注均作"锺武故城"。

〔五〕水经注疏无"俗谓之仙居水"六字,疏:"赵据名胜志'罗山西'下增'俗谓之仙居水'句,戴增同。守敬案:非也。寰宇记仙居县下谷河水在县西八里。注水经云,其水南出鲜金山,北流合瑟水,东北合淮水,俗谓之仙居水。考天宝中,敕改乐安县为仙居县,乐安山为仙居山,仙居水乃因此得名。则郦氏时无仙居水之目,俗谓句盖乐氏语,名胜志亦沿乐氏文,赵遂据增,戴从之,皆失于不考。"

〔六〕慎水　大典本、注笺本、项本、张本均作"慎县水"。

〔七〕何敢　注疏本作"何故"。

〔八〕木陵关水　大典本作"木陵关",无"水"字。黄本、沈本均作"水陵关水"。

〔九〕白鹭水　名胜志河南卷十一汝宁府固始县引水经注作"白露水"。

〔一〇〕安风县　大典本、吴本、注笺本、项本、五校钞本、七校本、注释本、张本均作“安丰县”。

〔一一〕安风水　大典本、注笺本、孙潜校本、项本、五校钞本、七校本、注释本、张本均作“安丰水”。

〔一二〕安风津　大典本、吴本、注笺本、项本、五校钞本、七校本、注释本、张本、通鉴卷七十六魏纪八高贵乡公正元二年“安风津民张属就杀俭”胡注引水经注，方舆纪要卷二十一江南三凤阳府寿州霍邱县安风城引水经注、乾隆颍州府志卷十杂志辨误引水经注均作“安丰津”。

〔一三〕镇东将军　注疏本作“镇南将军”，疏：“朱讹作‘西’，赵改‘东’，戴改同。会贞按：诸葛诞传是‘镇南’，今订。”

〔一四〕沘口　大典本、吴本、注笺本、项本、张本均作“泚口”。

〔一五〕后汉书卷三十二列传二十二樊宏传“十三年封弟丹为射阳侯”注引水经注云：“沘水西南流，射水注之，水出射城北，建武十三年，封樊重少子丹为射阳侯，即其国也。”当是此段中佚文。

〔一六〕注疏本作“肥水从城北西入于淮”，疏：“朱作‘从城而北入于淮’，赵‘而’改‘西’，戴‘而’上增‘西’字。会贞按：皆非也。肥水注，肥水西迳寿春城北，西北注淮。是迳城北，不迳城西也。又寰宇记寿春县下，肥水经县北二里，又西入淮。亦一证。此当本作‘从城北西入于淮’，传钞讹‘西’为‘而’，又错入‘北’字上耳，今订。”

〔一七〕大漴陂　大典本、吴本、注笺本、项本、五校钞本、七校本、注释本、道光安徽通志卷十七舆地志山川七凤阳府西肥河引水经注均作“天漴陂”。

〔一八〕蒗蕩渠　大典本、黄本、吴本、注笺本、项本、沈本、注释本、张本、注疏本、治河前策卷上淮泗沂考引水经注均作“蒗荡渠”。

〔一九〕塗山　注释本作“当塗山”。

〔二〇〕弘治中都志卷二山川塗山引水经注云：“二山对峙，相为一脉，自神禹以桐柏之水泛滥为害，凿山为二以通之，今两崖间凿痕犹存。”当是此句下佚文。又名胜志卷十四凤阳府怀远县引水经注与中都志同，但“凿痕犹存”作“铲痕犹故”。方舆纪要卷二十一江南三凤阳府怀远县塗山引水经注云：“荆、塗二山，相为一脉，禹以桐柏之流，泛滥为害，乃凿为二以通之，今两山间有断接谷，滨淮为胜。”

〔二一〕札记化石：

卷三十淮水经“又东过当塗县北，濄水从西北来注之”注中，记载了一处古代动物化石的资料。注云：

> 春秋左传哀公七年，大夫对孟孙曰：禹会诸侯于塗山，执玉帛者万国。杜预曰：塗山在寿春东北。非也。余按国语曰：吴伐楚，堕会稽，获骨焉，节专车。吴子使来聘，且问之，客执骨而问曰：敢问骨何为大？仲尼曰：丘闻之，昔禹致群神于会稽之山，防风氏后至，禹杀之，其骨专车，此为大也。

郦道元此语引自国语鲁语下，所记是一种中国古代的传说，古籍多有记载。但吴越春秋卷四记得最为完整：

> 禹三年服毕，哀民，不得已接天子之位，三载考功，五年政定，周行天下。归，还大越，登茅山，以朝四方群

臣，观示中州诸侯。防风氏后至，斩以示众，示天下悉属禹也。

这一段话，作为传说，当然不妨听听；但作为历史，显然是荒唐透顶的。姑且说确实有禹这个人吧，那时浙江尚在荒服之外，居住着一种被中原汉人视为蛮夷的於越族，禹怎能到域外去组织一个各路诸侯会议。散布在全国的诸侯，又怎能跑到会稽这个偏僻的地方去赴会呢？想想现在的条件，我们现在每举行一次学术会议，总有一些人因为买不到飞机、火车票而迟到，但在几千年以前，防风氏竟因迟到而受戮，实在令人诧异。而这个防风氏，却又似神似兽，身上长了这样大的骨骼，岂不怪哉。

鲁语的记载中，"获骨焉，节专车"的话，与这个地区以后的发现对照，或许是确有其事的。因为这类巨大的骨骼，这个地区以后的记载中，继续有所发现。据嘉庆山阴县志卷二十一坛庙所载："七尺庙在偏门外县西四十里湖塘村，宋时建里社，掘土得骨长七尺，仍瘗之，立祀神像于其上，故名七尺庙。"显然，这种在春秋时代当作防风氏的遗体，而宋代又专门为它修建七尺庙的巨大骨骼，其实就是中生代活动于这个地区的恐龙一类的化石。

〔二二〕濄水　道光安徽通志卷十七舆地志山川七凤阳府淮水引水经注作"涡水"。

〔二三〕殿本在此处案云："案此六字脱误未详。"

〔二四〕雍丘县　五校钞本、七校本均作"雝丘县"。

〔二五〕杨亭　注释本作"阳亭"。

〔二六〕酂治　五校钞本、七校本、注释本均作“赞治”。

〔二七〕单城　注笺本、项本、注释本、张本均作“留城”。

〔二八〕甀乡　黄本、注笺本、项本、五校钞本、七校本、注释本、张本、乾隆亳州志卷二河渠苞河引水经注均作“垂乡”。

〔二九〕寰宇记卷十七河南道十七宿州虹县引水经注云：“潼水自万安湖南流。”当是此段中佚文。

〔三〇〕池河口　大典本、注笺本、项本、注释本、张本均作“池口”。

〔三一〕注疏本疏：“会贞按：注不言何县，似有脱文，细审此县，盖指角城也。”

〔三二〕邗溟沟　方舆纪要卷二十三江南五扬州府仪真县欧阳戍引水经注作“邗溟水”。

〔三三〕定安　注释本作“安定”。

〔三四〕水顺　吴本、注笺本、项本、注释本、张本均作“顺水”。

〔三五〕寰宇记卷二十二河南道二十二海州东海县引水经注云：“朐县东北海中有大洲，谓之郁洲，有道者学徒十人，游于苍梧郁洲之上，数百年，皆得至道，其山自苍梧徙至东海上，今犹有南方草木生焉。故崔琰述初赋曰：郁州者，故苍梧之山也。古老传言，此岛人皆是糜家之隶，今存牛栏一村，旧是糜家庄牧犹枯，祭之呼曰糜郎，否则为祟。”当是此句下佚文。

〔三六〕注疏本在此下尚有“淮水又东入于海”七字，杨守敬按：“篇末当有此句以应经，见上，今增。”

水经注卷三十一

滍水　淯水　㶏水　瀷水　㵐水　㶁水　涢水

滍水出南阳鲁阳县西之尧山，

尧之末孙刘累，以龙食帝孔甲，孔甲又求之，不得，累惧而迁于鲁县，立尧祠于西山，谓之尧山。故张衡南都赋曰：奉先帝而追孝，立唐祠于尧山。尧山在太和川太和城东北，滍水出焉。张衡南都赋曰：其川渎则滍、澧、藻、浕，发源岩穴〔一〕，布濩漫汗，漭沆洋溢，总括急趣，箭驰风疾者也。滍水又历太和川，东迳小和川，又东，温泉水注之，水出北山阜，七源奇发，炎热特甚。阚骃曰：县有汤水，可以疗疾。汤侧又有寒泉焉，地势不殊，而炎凉异致，虽隆火盛日，肃若冰谷矣。浑流同溪，南注滍水，滍水又东迳胡木山，东流又会温泉口，水出北山阜，炎势奇毒，痾疾之徒，无能澡其冲漂，救痒者咸去汤十许步别池，然后可入。汤侧有石铭云：皇女汤，可以疗万疾者也。故杜彦达云：然如沸汤，可以熟米，饮之愈百病。道士清身沐浴，一日三饮，多少自在，四十日后，身中万病愈，三虫死，学道遭难逢危，终无悔心，可以牢神存志，即南都赋所谓汤谷涌其后者也。然宛县有紫山，山东有一水，东西十五里，南北二百步〔二〕，湛然冲满，无所通会，冬夏常温，世亦谓之汤谷也。非鲁阳及南阳之县故也。张平子广言土地所苞，明非此矣。滍水又东，房阳川水注之，水出南阳雉县西房阳川，北流注于滍。滍水之北，有积石焉，世谓女灵山。其山平地介立，不连冈以成高；峻石孤峙，不托势以自远。四面壁绝，极能灵举，远望亭亭，状若单楹插霄矣。北面有如颓落，劣得通步，好事者时有扳陟耳。滍水又与波水合，水出霍阳西川大岭东谷，俗谓之歇马岭，川曰广阳川。非也。即应劭所谓孤山，波水所出也。马融广成颂曰：浸以波、溠。其水又南迳蛮城下，盖蛮别邑也，俗谓之麻城。非也。波水又南，分三川于白亭东，而俱南入滍水。滍水自下，兼波水之通称也。是故阚骃有东北至定陵入汝之文。滍水又东迳鲁阳县故城南，城即刘累之故邑也。有鲁山，县居其阳，故因名焉，王莽之鲁山也。昔在于楚，文子守之，与韩遘战，有返景之诚。内有南阳都乡正卫为碑。滍水右合鲁阳关水，水出鲁阳关外分头山横岭下夹谷，东北出入滍。滍水又东北合牛兰水，水发县北牛兰山，东南迳鲁阳城东，水侧有汉阳侯焦立碑。牛兰水又东南与柏树溪水合，水出鲁山北峡谷中，东南流迳鲁山西，而南合牛兰水。又东南迳鲁山南，阚骃曰：鲁阳县，今其地鲁山是也。水南注于滍。滍水东迳应城南，故应乡也，应侯之国。诗所谓应侯顺德者也。彭水注之，俗谓之小滍水，水出鲁阳县南彭山蚁坞东麓，北流迳彭山西，下有彭山庙，庙前有彭山碑，汉桓帝元嘉三年，杜仲长立。彭水迳其西北，汉安邑长尹俭墓东，冢西有石庙，庙前有两石阙，阙东有碑,阙南有二狮子相对,南有石碣二枚,石柱西南有两石羊,中平四年立。彭水又东北流直应城南而入滍。滍水又左合桥水,水出鲁阳县北恃山东南,迳应山北,又南迳应城西,地理志曰:故父城县之应乡也,周武王封其弟为侯国。应劭曰:韩诗外传称周成王与弟戏,以桐叶为圭曰:吾以封汝。周公曰:天子无戏言。王乃应时而封,故曰应侯,乡亦曰应乡。按吕氏春秋云:成王以桐叶为圭封叔虞,非应侯也。汲郡古文,殷时已有应国,非成王矣。战国范睢所封邑也,谓之应水。滍水又东迳犨县故城北。左传昭公元年,冬,楚公子围使伯州犁城犨是也。出于鱼齿山下。春秋襄公十八年,楚伐郑,次于鱼陵,涉于鱼齿之下,甚雨,楚师多冻,役徒几尽。晋人闻有楚师,师旷曰:不害,吾骤歌北风,又歌南风,南风不竞,多死声,楚必无功矣。所涉即滍水也。水南有汉中常侍长乐太仆吉成侯州苞冢,冢前有碑,基西枕冈城,开四门,门有两石兽,坟倾墓毁,碑兽沦移,人有掘出一兽,犹全不破,甚高壮,头去地减一丈许,作制甚工,左膊上刻作"辟邪"字,门表壍上起石桥,历时不毁。其碑云:六帝四后,是谘是诹。盖仕自安帝,没于桓后。于时阍阉擅权,五侯暴世,割剥公私,以事生死。夫封者表有德,碑者颂有功,自非此徒,何用许为?石至千春,不若速朽,苞墓万古,只彰诮辱。呜呼,愚亦甚矣〔三〕。滍水又东,犨水注之,俗谓之秋水,非也。水有二源,东源出其县西南践犊山东崖下,水方五十许步,不测其深。东北流迳犨县南,又东北屈迳其县东,而北合西源水〔四〕。西源出县西南颇山北阜下,东北迳犨城西,又屈迳其县北,东合右水〔五〕。乱流北注于湛。汉高祖入关，破南阳太守吕齮于犨东，即于是地，湛水之阴也。湛水又东南迳昆阳县故城北，昔汉光武与王寻、王邑战于昆阳，败之，走者相腾践，奔殪百馀里间。会大雨如注，湛川盛溢，虎豹皆股战，士卒争赴，溺死者以万数，水为不流。王邑、严尤、陈茂轻骑，皆乘尸而度矣。

东北过颍川定陵县西北，又东过郾县南，东入于汝。

湛水东迳西不羹亭南，亭北背汝水于定陵城北，东入汝。郾县在南，不得过。

淯水出弘农卢氏县支离山〔六〕，东南过南阳西鄂县西北，又东过宛县南，

淯水导源东流，迳郦县故城北。郭仲产曰：郦县故城在支离山东南。郦，旧县也。三仓曰：樊、邓、郦。郦有二城，北郦也。汉祖入关，下淅、郦，即此县也。淯水又东南流历雉县之衡山，东迳百章郭北，又东，鲁阳关水注之，水出鲁阳县南分水岭，南水自岭南流，北水从岭北注，故世俗谓此岭为分头也。其水南流迳鲁阳关，左右连山插汉，秀木干云，是以张景阳诗云：朝登鲁阳关，峡路峭且深。亦司马芝与母遇贼处也。关水历雉衡山西南，迳皇后城西，建武元年，世祖遣侍中傅俊持节迎光烈皇后于淯阳，俊发兵三百馀人，宿卫皇后道路，归京师，盖税舍所在，故城得其名矣。山有石室甚饰洁，相传名"皇后浴室"，又所幸也。关水又西南迳雉县故城南，昔秦文公之世，有伯阳者，逢二童，曰舀，曰被。二童，二雉也。得雌者霸，雄者王。二童翻飞化为双雉，光武获雉于此山，以为中兴之祥，故置县

以名焉。关水又屈而东南流，注于淯。淯水又东南流迳博望县故城东，郭仲产曰：在郡东北百二十里，汉武帝置。校尉张骞随大将军卫青西征，为军前导，相望水草，得以不乏。元光六年，封骞为侯国。地理志南阳有博望县，王莽改之曰宜乐也。淯水又东南迳西鄂故城〔七〕东，应劭曰：江夏有鄂，故加西也。昔刘表之攻杜子绪于西鄂也，功曹柏孝长闻战鼓之音，惧而闭户，蒙被自覆，渐登城而观，言勇可习也。淯水又南，洱水注之，水出弘农郡卢氏县之熊耳山，东南迳郦县北，东南迳房阳城北，汉哀帝四年〔八〕，封南阳太守孙宠为侯国，俗谓之房阳川。又迳西鄂县南，水北有张平子墓，墓之东，侧坟有平子碑，文字悉是古文，篆额是崔瑗之辞。盛弘之、郭仲产并云：夏侯孝若为郡，薄其文，复刊碑阴为铭。然碑阴二铭乃是崔子玉及陈翕耳，而非孝若，悉是隶字，二首并存，尝无毁坏。又言墓次有二碑，今惟见一碑，或是余夏景驿途，疲而莫究矣。水南道侧有二石楼，相去六七丈，双跱齐竦，高可丈七八，柱圆围二丈有馀，石质青绿，光可以鉴，其上栾栌承栱；雕檐四注，穷巧绮刻，妙绝人工。题言：蜀郡太守姓王，字子雅，南阳西鄂人，有三女无男，而家累千金，父没当葬，女自相谓曰：先君生我姊妹，无男兄弟，今当安神玄宅，翳灵后土，冥冥绝后，何以彰吾君之德？各出钱五百万，一女筑墓，二女建楼，以表孝思。铭云：墓楼东，平林下，近坟墓，而不能测其处所矣。洱水又东南流注于淯水，世谓之肄水。肄、洱声相近，非也。地理志曰：熊耳之山出三水，洱水其一焉，东南至鲁阳入沔是也。淯水又南迳预山东，山上有神庙，俗名之为独山也。山南有魏车骑将军黄权夫妻二冢，地道潜通，其冢前有四碑，其二魏明帝立，二是其子及臣吏所树者也。淯水又西南迳史定伯碑南，又西为瓜里津，水上有三梁，谓之瓜里渡。自宛道途东出堵阳〔九〕，西道方城。建武三年，世祖自堵阳西入，破虏将军邓奉怨汉掠新野，拒瓜里，上亲搏战，降之夕阳下，遂斩奉。郡国志所谓宛有瓜里津、夕阳聚者也。阻桥即桓温故垒处，温以升平五年与范汪众军北讨所营。淯水又西南迳晋蜀郡太守邓义山墓南，又南迳宛城东，其城，故申伯之都，楚文王灭申以为县也。秦昭襄王使白起为将，伐楚取郢，即以此地为南阳郡，改县曰宛，王莽更名，郡曰前队，县曰南阳。刘善曰：在中国之南而居阳地，故以为名。大城西南隅即古宛城也，荆州刺史治，故亦谓之荆州城。今南阳郡，治大城。其东城内有旧殿基，周二百步，高八尺，陛阶皆砌以青石，大城西北隅有殿基，周百步，高五尺，盖更始所起也。城西三里，有古台高三丈馀，文帝黄初中，南巡行所筑也。淯水又屈而迳其县南，故南都赋所言，淯水荡其胸者也。王莽地皇二年，朱鲔等共于城南会诸将，设坛燔燎，立圣公为天子于斯水上。世语曰：张绣反，公与战，败，子昂不能骑，进马于公，而昂遇害。魏书曰：公南征至宛，临淯水，祠阵亡将士，歔欷流涕，众皆哀恸。淯水又南，梅溪水注之，水出县北紫山南，迳百里奚故宅。奚，宛人也，于秦为贤大夫，所谓迷虞智秦者也。梅溪又迳宛西吕城东，史记曰：吕尚先祖为四岳，佐禹治水有功，虞、夏之际，受封于吕，故因氏为吕尚也。徐广史记音义曰：吕在宛县，高后四年，封昆弟子吕忿为吕城侯，疑即此也。又按新蔡县有大吕、小吕亭，而未知所是也。梅溪又南迳杜衍县东，故城在西，汉高帝七年，封郎中王翳为侯国，王莽更之曰闰衍矣。土地垫下，湍溪是注，古人于安众堨之，令游水是潴，谓之安众港。世祖建武三年，上自宛遣颍阳侯祭遵西击邓奉弟终，破之于杜衍，进兵涅阳者也。梅溪又南，谓之石桥水，又谓之女溪，南流而左注淯水。淯水之南，又有南就聚，郡国志所谓南阳宛县有南就聚者也。郭仲产言：宛城南三十里有一城，甚卑小，相承名三公城，汉时邓禹等归乡饯离处也。盛弘之著荆州记，以为三公置。余按淯水左右旧有二澨，所谓南澨、北澨者，水侧之渍。聚在淯阳之东北，考古推地则近矣。城侧有范蠡祠。蠡，宛人，祠即故宅也。后汉末有范曾，字子闵，为大将军司马，讨黄巾贼，至此祠，为蠡立碑，文勒可寻。夏侯湛之为南阳，又为立庙焉。城东有大将军何进故宅，城西有孔嵩旧居。嵩字仲山，宛人，与山阳范式有断金契，贫无养亲，赁为阿街卒，遣迎式，式下车把臂曰：子怀道卒伍，不亦痛乎。嵩曰：侯嬴贱役，晨门，卑下之位，古人所不耻，何痛之有？故其赞曰：仲山通达，卷舒无方，屈身厮役，挺秀含芳。

又屈南过淯阳县东，

淯水又南入县，迳小长安。司马彪郡国志曰：县有小长安聚。谢沈汉书称，光武攻淯阳不下，引兵欲攻宛，至小长安，与甄阜战，败于此。淯水又西南迳其县故城南，桓帝延熹七年，封邓秉为侯国。县，故南阳典农治，后以为淯阳郡，省郡复县，避晋简文讳，更名雲阳〔一〇〕焉。淯水又迳安乐郡北，汉桓帝建和元年，封司徒胡广为淯阳县安乐乡侯。今于其国立乐宅戍。

郭仲产襄阳记曰：南阳城南九十里有晋尚书令乐广故宅，广字彦辅，善清言，见重当时。成都王，广女婿，长沙王猜之。广曰：宁以一女而易五男。犹疑之，终以忧殒。其故居，今置戍，因以为名。

又南过新野县西，

淯水又南入新野县，枝津分派东南出，隰衍苞注，左积为陂，东西九里，南北十五里，陂水所溉，咸为良沃。淯水又南与湍水会，又南迳新野县故城西，世祖之败小长安也，姊元遇害，上即位，感悼姊没，追谥元为新野节义长公主，即此邑也。晋咸宁二年，封大司马扶风武王少子歆为新野郡公，割南阳五属棘阳〔一一〕、蔡阳、穰、邓、山都封焉。王文舒更立中隔〔一二〕，西即郡治，东则民居，城西傍淯水，又东与朝水合，水出西北赤石山，而东南迳冠军县界，地名沙渠。又东南迳穰县故城南，楚别邑也，秦拔鄢郢，即以为县。秦昭王封相魏冉为侯邑，王莽更名曰农穰也。魏荆州刺史治。朝水又东南分为二水，一水枝分东北，为樊氏陂，陂东西十里，南北五里，俗谓之凡亭陂。陂东有樊氏故宅，樊氏既灭，庾氏取其陂。故谚曰：陂汪汪，下田良，樊子失业庾公昌。昔在晋世，杜预继信臣之业，复六门陂，遏六门之水，下结二十九陂，诸陂散流，咸入朝水，事见六门碑。六门既陂，诸陂遂断。朝水又东迳朝阳县故城北，而东南注于淯水。又东南与棘水合，水上承堵水〔一三〕，堵水出棘阳县北山，数源并发，南流迳小堵乡〔一四〕，谓之小堵水〔一五〕。世祖建武二年，成安侯臧宫从上击堵乡。东源方七八步，腾涌若沸，故世名之腾沸水，南流迳于堵乡〔一六〕，谓之堵水。建武三年,祭遵引兵南击董䜣于堵乡,以水氏县,故有堵阳之名也。地理志曰:县有堵水,王莽曰阳城也。汉哀帝改为顺阳,建武二年,更封安阳侯朱祐为堵阳侯。堵水于县,堨以为陂,东西夹冈,水相去五六里,古今断冈两舌。都水潭涨〔一七〕,南北十馀里,水决南溃,下注为湾,湾分为二:西为堵水,东为荥源。堵水参差,流结两湖。故有东陂、西陂之名。二陂所导,其水枝分,东南至会口入比。是以地理志,比水、堵水,皆言入蔡,互受通称故也。二湖流注,合为黄水〔一八〕,惟所受焉。迳棘阳县之黄淳聚,又谓之为黄淳水者也。谢沈后汉书,甄阜等败光武于小长安东,乘胜南渡黄淳水,前营背阻两川,谓临比水,绝后桥,示无还心。汉兵击之,三军溃,溺死黄淳水者二万人。又南迳棘阳县故城西,应劭曰:县在棘水之阳,是知斯水为棘水也。汉高帝七年,封杜得臣为侯国。后汉兵起,击唐子乡,杀湖阳尉,进拔棘阳。邓晨将宾客,会光武于此县也。棘水又南迳新野县,历黄邮聚,世祖建武三年,傅俊、岑彭进击秦丰,先拔黄邮者也。谓之黄邮水,大司马吴汉破秦丰于斯水之上。其聚落悉为蛮居,犹名之为黄邮蛮。棘水自新野县东而南流,入于淯水,谓之为力口也。棘、力声相近,当为棘口也。又是方俗之音,故字从读变,若世以棘子木为力子木是也。淯水又东南迳士林东,戍名也。戍有邸阁。水左有豫章大陂,下灌良畴三千许顷也。

南过邓县东〔一九〕,

县,故邓侯吾离之国也。楚文王灭之,秦以为县。淯水右合浊水,俗谓之弱沟水。上承白水于朝阳县,东南流迳邓县故城南，习凿齿襄阳记曰：楚王至邓之浊水，去襄阳二十里。即此水也。浊水又东迳邓塞北，即邓城东南小山也，方俗名之为邓塞，昔孙文台破黄祖于其下。浊水东流注于淯。淯水又南迳邓塞东，又迳鄾城东，古鄾子国也，盖邓之南鄙也。昔巴子请楚与邓为好，鄾人夺其币，即是邑也。司马彪以为邓之鄾聚矣。

南入于沔。

灈水出灈强县南泽中，东入颍。

灈水出颍川阳城县少室山，东流注于颍水。而乱流东南，迳临颍县西北，小灈水出焉。东迳临颍县故城北，灈水又东迳灈阳城北，又东迳灈强县故城南。建武二年〔二〇〕，世祖封扬化将军坚镡为侯国。灈水东为陶枢陂。余按灈阳城在灈水南，然则此城正应为灈阴城而有灈阳之名者，明在南，犹有灈水，故此城以阳为名矣。颍水之南有二渎，其南渎东南流，历临颍亭西，东南入汝，今无水也，疑即灈水之故渎矣。汝水于奇雒城〔二一〕西别东派，时人谓之大灈水。东北流，枝渎右出，世谓之死汝也。别汝又东北迳召陵城北，练沟出焉。别汝又东，汾沟出焉。别汝又东迳征羌城北，水南有汾陂，俗音粪。汾水自别汝东注而为此陂，水积征羌城北四五里，方三十里许。渎左合小灈水，水上承狼陂，南流名曰巩水。青陵陂水自陂东注之，东回又谓之小灈水，而南流注于大灈水。大灈水取称，盖藉灈沿注而总受其目矣。又东迳西华县故城南，又东迳汝阳县故城北，东注于颍。

瀙水出汝南吴房县西北奥山，东过其县北，入于汝。

县西北有棠谿城〔二二〕,故房子国。春秋定公五年,吴王阖闾弟夫概奔楚,封之于棠谿,故曰吴房也。汉高帝八年,封庄侯杨武为侯国。建武中,世祖封泗水王歙子煇为棠谿侯。山溪有白羊渊,渊水旧出山羊,汉武帝元封二年,白羊出此渊,畜牧者祷祀之。俗禁拍手,尝有羊出水,野母惊拍〔二三〕,自此绝焉。渊水下合瀙水,瀙水东迳瀙阳县故城西,东流入灈水。乱流迳其县南,世祖建武二十八年,封吴汉孙旦为侯国。其水又东入于汝水。

灈水出沅阴县东上界山,

山海经谓之视水也。郭景纯注,或曰视宜为灈,出葴山。许慎云:出中阳山。皆山之殊目也。而东与泌水合,水出沅阴县旱山〔二四〕,东北流注灈。灈水又东北,杀水出西南大熟之山〔二五〕,东北流入于灈。灈水又东,沦水注之,水出宣山,东南流注灈水。灈水又东得奥水口,水西出奥山,东入于灈水也。

东过吴房县南,又东过瀙阳县南,

应劭曰:瀙水出吴房县,东入灈。县之西北,即两川之交会也。

又东过上蔡县南,东入汝。

沅水出沅阴县西北扶予山,东过其县南,

山海经曰:朝歌之山,沅水出焉。东南流,注于荥。经书扶予者,其山之异名乎?荥水上承堵水〔二六〕,东流,左与西辽水合,又东,东辽水注之,俱导北山,而南流注于荥。荥水又东北,于沅阴县北,左会沅水,其道稍西,不出其县南,其故城在山之阳，汉光武建武中，封岑彭为侯国，汉以为阳山县。魏武与张绣战于宛，马名绝景，为流矢所中，公伤右臂，引还沅阴，即是地也。城之东有马仁陂，郭仲产曰：陂在比阳县〔二七〕西五十里，盖地百顷，其所周溉田万顷，随年变种，境无俭岁，陂水三周其隍，故渎自隍西南而会于比，沅水不得复迳其南也。且邑号沅阴，故无出南之理，出南则为阳也。非直不究，又不思矣。沅水又东北，澧水注之，水出雉衡山，东南迳建城东。建，当为卷，字读误耳。郡国志云：叶县有卷城。其水又东流入于沅。沅水东北迳于东山西，西流入沅〔二八〕。沅水之左即黄城山也，有溪水出黄城山，东北迳方城。郡国志曰：叶县有方城。郭仲产曰：苦菜、于东之间有小城，名方城，东临溪水，寻此城致号之由，当因山以表名也。苦菜即黄城也，及于东，通为方城矣。世谓之方城山水，东流注沅水。故圣贤冢墓记曰：南阳叶邑方城西，有黄城山〔二九〕，是长沮、桀溺耦耕之所，有东流水，则子路问津处。尸子曰：楚狂接舆耕于方城，盖于此也。盛弘之云：叶东界有故城，始犨县东，至瀙水，达比阳界，南北联联数百里，号为方城，一谓之长城。云郦县有故城一面，未详里数，号为长城，即此城之西隅，其间相去六百里，北面虽无基筑，皆连山相接，而汉水流其南，故屈完答齐桓公云：楚国，方城以为城，汉水以为池。郡国志曰：叶县有长山曰方城，指此城也。沅水又东北历舞阳县故城南，汉高祖六年，封樊哙为侯国也。

又东过西平县北，

县，故柏国也，春秋左传所谓江、黄、道、柏，方睦于齐也。汉曰西平，其西吕墟，即西陵亭也。西陵平夷，故曰西平。汉宣帝甘露三年，封丞相于定国为侯国，王莽更之曰新亭。晋太康地记曰：县有龙泉水，可以砥砺刀剑，特坚利。故有坚白之论矣。是以龙泉之剑，为楚宝也。县出名金，古有铁官。

又东过郾县南，

郾县故城，去此远矣，不得过。

又东过定颍县北，东入于汝。

汉安帝永初二年，分汝南郡之上蔡县置定颍县，顺帝永建元年，以阳翟郭镇为尚书令，封定颍侯。即此邑也。

涢水出蔡阳县，

涢水〔三〇〕出县东南大洪山〔三一〕，山在随郡之西南，竟陵之东北，槃基所跨，广圆百馀里，峰曰悬钩，处平原众阜之中，为诸岭之秀。山下有石门，夹鄣层峻，岩高皆数百许仞。入石门，又得钟乳穴，穴上素崖壁立，非人迹所及，穴中多钟乳，凝膏下垂，望齐冰雪，微津细液，滴沥不断，幽穴潜远，行者不极穷深。以穴内常有风热，无能经久故也〔三二〕。涢水出于其阴，初流浅狭，远乃广厚〔三三〕，可以浮舟栰，巨川矣。时人以涢水所导，故亦谓之为涢山矣。涢水东北流合石水，石水出大洪山，东北流注于涢，谓之小涢水，而乱流东北，迳上唐县故城南，本蔡阳之上唐乡，旧唐侯国。春秋定公三年，唐成公如楚，有两肃霜马，子常欲之，弗与，止之三年，唐人窃马而献之子常，归唐侯是也。涢水又东，均水注之，水出大洪山，东北流迳土山北，又东北流入于涢水。涢水又屈而东南流。

东南过随县西，

县，故随国矣，春秋左传所谓汉东之国，随为大者也。楚灭之以为县，晋武帝太康中，立为郡。有溠水出县西北黄山，南迳㵐西县〔三四〕西，又东南，㵐水入焉。㵐水出桐柏山之阳，吕忱曰：水在义阳。㵐水东南迳㵐西县西，又东南注于溠。溠水又东南迳随县故城西，春秋鲁庄公四年，楚武王伐随，令尹鬬祁、莫敖屈重，除道梁溠，军临于随，谓此水也。水侧有断蛇丘，随侯出而见大蛇中断，因举而药之，故谓之断蛇丘。后蛇衔明珠报德，世谓之"随侯珠"，亦曰"灵蛇珠"。丘南有随季梁大夫池，其水又南与义井水合，水出随城东南，井泉尝涌溢而津注，冬夏不异，相承谓之义井，下流合溠。溠水又南流注于涢，涢水又会于支水，水源亦出大洪山，而东流注于涢。涢水又迳随县南随城山北而东南注。

又南过江夏安陆县西，

随水〔三五〕出随郡永阳县东石龙山，西北流，南回迳永阳县西，历横尾山，即禹贡之陪尾山也。随水又西南〔三六〕至安陆县〔三七〕故城西，入于涢，故郧城也。因冈为墉，峻不假筑。涢水又南迳石岩山北，昔张昌作乱于其下，笼彩凤以惑众。晋太安二年，镇南将军刘弘遣牙门皮初，与张昌战于清水，昌败，追斩于江涘。即春秋左传定公四年，吴败楚于柏举，从之，及于清发。盖涢水兼清水之目矣。又东南流而右会富水，水出竟陵郡新市县东北大阳山。水有二源〔三八〕，大富水出山之阳，南流而左合小富水，水出山之东，而南迳三王城东。前汉末，王匡、王凤、王常所屯，故谓之三王城。城中有故碑，文字阙落，不可复识。其水屈而西南流，右合大富水，俗谓之大泌水也。又西南流迳杜城西，新市县治也。郡国志以为南新市也，中山有新市，故此加南，分安陆县立。又王匡中兴初举兵于县，号曰新市兵者也。富水又东南流于安陆界，左合土山水，世谓之章水，水出土山，南迳随郡平林县故城西，俗谓之将陂城，与新市接界，故中兴之始，兵有新市、平林之号。又南流，右入富水，富水又东入于涢。涢水又迳新城南，永和五年，晋大司马桓温筑。涢水又会温水，温水出竟陵之新阳县东泽中，口径二丈五尺，垠岸重沙，端净可爱，靖以察之，则渊泉如镜，闻人声则扬汤奋发，无所复见矣。其热可以焞鸡，洪浏百馀步，冷若寒泉。东南流注于涢水。又右得潼水，水出江夏郡之曲陵县西北潼山，东南流迳其县南，县治石潼故城，城圆而不方，东入安陆，注于涢水。

又东南入于夏。

涢水又南分为二水，东通滠水，西入于沔，谓之涢口也。

〔一〕文选卷四京都中张平子南都赋"其川渎则滍、澧、藻、涢，发源岩壑"宋六臣注引水经注云"涢水出襄乡县东北阳中山"，当是此句下佚文。

〔二〕二百步　注疏本作"二十步"。疏："朱'十'作'百'，戴、赵同。黄本作'步'，与下复，明为讹字。吴臆改作'百'，朱从之，亦非。守敬按：明钞本作'十'是也。今订。"

〔三〕札记鞭挞厚葬：

卷三十一滍水经"滍水出南阳鲁阳县西之尧山"注中，注文记及了一座后汉贪官污吏中常侍州苞（按后汉书作辅）的

宏大坟墓。注云:

(滍)水南有汉中常侍长乐太仆吉成侯州苞冢,冢前有碑,基西枕冈城,开四门,门有两石兽,坟倾墓毁,碑兽沦移。人有掘出一兽,犹全不破,甚高壮,头去地减一丈许,作制甚工,左髆上刻作"辟邪"字,门表壍上起石桥,历时不毁。其碑云:六帝四后,是谘是诹。盖仕自安帝,没于桓后。于时阍阉擅权,五侯暴世,割剥公私,以事生死。夫封者表有德,碑者颂有功,自非此徒,何用许为?石至千春,不若速朽;苞墓万古,只彰诮辱。呜呼,愚亦甚矣。

"石至千春,不若速朽;苞墓万古,只彰诮辱。呜呼,愚亦甚矣。"郦道元在注文中一般不常用自己的语言褒贬善恶,这一次,对于这个大兴厚葬的乱臣贼子,他大概确实忍不住了。这几句话,把州苞(辅)这个匹夫民贼的无耻和愚蠢,说得淋漓尽致。

〔四〕西源水　注笺本、项本、注释本、张本均作"西流水"。

〔五〕右水　注笺本、项本、注释本、张本均作"二水"。

〔六〕支离山　大典本、黄本、吴本、注笺本、何校明钞本、王校明钞本、项本、沈本、张本、注疏本、通鉴卷三十九汉纪三十一淮阳王更始元年"设坛场于淯水上沙中"胡注引水经注、山海经中山经"曰支离之山"毕沅注引水经注、山海经广注卷一南山经"而南流注于淯"吴任臣注引水经注均作"攻离山"。注疏本疏:"笺曰:孙按山海经中山经云,支离之山,淯水出焉。赵云,按方舆纪要郡志云,淯水出高县双鸡岭,'双鸡'盖'攻离'之讹。然方俗之称,字随读改,山海经作'支离',字形之近也。戴改作'支离'。守敬按:文选南都赋注引山海经作'攻离'。通鉴汉更始元年、建安二年、晋太康元年注引水经并同,足征'攻'字是。今本山海经作'支',误也。戴反依改,并改注文,失之。"

〔七〕西鄂故城　注释本作"西鄂县故城"。

〔八〕注疏本段熙仲校记:"按:哀帝凡二元,封孙宠事在建平四年,其次年改元为元寿。"

〔九〕堵阳　大典本、黄本、沈本、五校钞本、七校本、注释本、注疏本、名胜志湖广卷七襄阳府光化县引水经注、汉书地理志补注卷十四堵阳引水经注均作"赭阳"。

〔一〇〕雲阳　注疏本作"云阳"。疏:"戴改'雲'。守敬按:简文帝讳昱,盖讳嫌名。宋志晋孝武改云阳。齐志,地形志并作'云',则此字不误。戴改'雲',失考。"

〔一一〕棘阳　注释本作"赭阳"。

〔一二〕此下殿本案云:"案此句上下有脱误。三国志:王昶,字文舒,朱谋㙔以'王'字属上句,作'封为王',非也。"注疏本疏:"赵云:按下有脱文。三国志魏书王昶传,昶以为国有常众,战无常胜;地有常险,守无常势。今屯宛,去襄阳三百馀里,诸军散屯,船在宣池,有急不足相赴。乃表徙治新野。文舒,昶字,此即更立之事也。会贞按:滱水注卢奴城下云,后燕更筑隔城,此谓文舒于新野城中更立隔城也。故随以'西即郡治,东则民居'释之。赵氏似未见及。"

〔一三〕堵水　大典本、黄本、吴本、注笺本、何校明钞本、王校明钞本、项本、沈本、注释本、张本、注疏本、汉书地理志补注卷十四南阳郡堵阳引水经注、康熙南阳府志卷一舆地新野县棘水引水经注、雍正河南通志卷十二河防一南阳府黄淳水引水经注均作“赭水”。后汉书卷四十四列传四齐武王縯传“南渡黄淳水”注引水经注作“诸水”。

〔一四〕小堵乡　黄本、吴本、项本、沈本、张本、注疏本、汉书地理志补注卷十四南阳郡堵阳注引水经注均作“小赭乡”。

〔一五〕小堵水　同注〔一四〕各本均作“小赭水”。

〔一六〕堵乡　同注〔一四〕各本均作“赭乡”。

〔一七〕殿本在此下案云：“案朱谋㙔云：当作‘左右断冈两舌’。冈外下垂陂陀而出者谓之舌。”注释本改“古今”为“右合”。注疏本与殿本同。疏：“朱笺曰：孙云，‘古今’当作‘左右’，‘都水’当作‘潴水’。冈外下垂陂陀而出者，谓之舌，盖削去陂陀之土，接水连岗，筑堨潴水，以成潭涨也。赵云：‘古今’当是‘右合’之误。‘都’义同潴，朱偶不照。守敬按：‘古今’从朱作‘左右’为胜。”

〔一八〕黄水　雍正河南通志卷十二河防一南阳府黄淳水引水经注作“潢水”。

〔一九〕南过邓县东　注疏本作“又西南过邓县东”。疏：“朱无‘又’字，作‘西过’。戴改‘西’作‘南’。赵增‘又’字，仍‘西’。守敬按：当作‘又西南’，今订。”

〔二〇〕建武二年　注疏本作“建武元年”。疏：“沈炳巽曰：据本传是‘二年’，戴、赵改‘二’。守敬按：注不误，沈说反误。戴、赵皆为所惑，失于不考。”

〔二一〕奇雒城　注释本作“奇頟城”。

〔二二〕棠谿城　大典本、黄本、吴本、沈本、五校钞本、七校本、注释本、注疏本均作“堂谿城”。

〔二三〕手稿第三集下册野母惊抃——跋赵氏朱墨校本水经注笺：

濯水篇(卷三十一)有此文：

……山溪有白羊渊，渊水旧出山羊。汉武帝元封二年，白羊出此渊。畜牧者祷祀之。俗禁拍手，当有羊出水，野母惊抃，自此绝焉。

永乐大典与黄省曾本皆作"惊抃"。吴琯本改作"惊仆"，朱谋㙔从之，以后项𬘡、黄晟两本也从朱本作"惊仆"。

戴氏两本都作"惊拍"，是依上文"俗禁拍手"的"拍"字，文义较明顺。官本校云：

案近刻讹作"扑"。

此是"仆"字误排作"扑"。近刻无一本作"扑"。赵氏刻本与库本同作"惊扑"，刊误云：

一清按："仆"当作"扑"。楚辞天问注："手拍曰扑。上云'俗禁拍手'是也。"

我检赵氏朱墨校本，始知库本与刻本皆误。朱墨校本此条上有朱校云：

孙潜夫本改"仆"曰"抃"。楚辞天问注"手兮，鳌虽抃而不倾"。王逸此注，一本作"手拍曰抃"。康熙字典引天问注即作"手拍曰抃"。

赵氏原校如此。底稿写定时，钞写者偶误作"朴"，并改楚辞注文作"扑"，实无根据。

说文：拚，拊手也。拍，拊也。拍、拊，古音同。释名：拍，搏也。戴震屈原赋注天问篇此句作"鳌戴山拚"，引玉海注作

"击手曰拚"。"抃"即"拚"字。古书所谓"抃舞",即是拍手而舞。

水经注此条当作"抃",作"拍"亦通,作"扑"则误。

(此文末署"卅五、一、六夜,按即一九四六年)

〔二四〕旱山　吴本作"草山"。

〔二五〕大熟之山　吴本作"大孰之山"。

〔二六〕堵水　同注〔一三〕各本均作"赭水"。

〔二七〕比阳县　大典本、五校钞本、七校本、注释本均作"沘阳县"。

〔二八〕殿本在此下案云:"案此四字,上有脱文。"注疏本疏:"全改上'入于沅'及'沅水'二字作'叶陂',云:重文,二'沅'字当作'叶陂',不然,沅水何以流入沅乎?以汝水注叙澧水之文参校正之。赵改同。戴云:'西流'句上有脱文。守敬按:全氏之说,盖沿朱笺河水当澧水之误,而曲为迁就。不知二'沅'字,一是上水入沅,一是沅水正流,分明不误,不得妄改。不谓赵亦为所惑。戴谓'西流'上有脱文,是也。寻绎文义,当是言有水出于东山,山在今叶县东南六十里。"

〔二九〕殿本在此下案云:"案圣贤冢墓记,原本及近刻并讹作地理志。考地理志南阳叶下云'有长城,号曰方城'下,更无此文,又'邑'字讹在'方城'下,今据归有光本改正。"孟森戴东原所谓归有光本水经注(原载民国二十五年十一月十二日益世报读书周刊第七十四期,手稿第五集下册全录此文):

王国维跋聚珍本戴校水经注云:"戴氏官本校语,除朱本及所谓近刻外,从未一引他书,独于卷三十一、卷三十二、卷四十中，五引归有光本。今核此五条，均与全、赵本同，且归氏本久佚，惟赵清常、何义门见之。全氏曾见赵、何校本，于此五条，并不著归氏本如此，孙潜夫传校赵本，其卷四十尚存，亦不言归本有此异同。以东原之厚诬大典观之，则所引归本，亦疑伪记也。"

〔三〇〕方舆纪要卷七十七湖广三德安府安陆县涢水引水经注云："涢水亦名清发水。"当是此句下佚文。

〔三一〕大洪山　大典本、注笺本、项本、张本均作"洪山"。

〔三二〕无能经久故也　注疏本作"火无能以经久故也"。疏："戴、赵删'火'字、'以'字。守敬按：御览引此有'火'字、'以'字，盖行穴中须举火，有风则火不久即灭，故不能到尽处也，不当删。"

〔三三〕远乃广厚　王校明钞本作"后乃宽广"，王国维明钞本水经注跋："涢水注，初流浅狭，后乃宽广，诸本'宽广'并作'广厚'。"按王跋未及明钞本作"后"，诸本作"远"。

〔三四〕濒西县　方舆纪要卷七十七湖广三德安府随州溠水引水经注作"濒山县"。

〔三五〕随水　吴本、注笺本、注删本、何校明钞本、王校明钞本、名胜志湖广卷五德安府安陆县引水经注均作"辽水"。

〔三六〕此下注疏本作"入于涢。涢水又南"七字。疏："朱'随水又西南'下，接'至安陆县故城西'为句，戴、赵同，戴于'故城西'下增字。守敬按：戴见随水无归宿，因于'故城西'下增'入于涢'三字，不知随水在涢水东，不得至安陆县西入涢也。细绎文义，此句是终叙随水，'又西南'下当本有'入于涢'三字。下句是另叙涢水，'至'字上当本有'涢水又南'四字，盖因两'南'字相涉而脱也，今订。今蔡家河西南流，至于应山县西南入涢。"

〔三七〕安陆县　注释本作"安乐县"。

〔三八〕雍正湖广通志卷八山川志京山县富水引水经注云："所谓大富水、小富水也，大富水东迳潭滨河至霍河口而与小富水会，二河既合，是曰富水河。"当是此句下佚文。

水经注卷三十二

溳水　蕲水　决水　沘水　泄水
肥水　施水　沮水　漳水　夏水
羌水　涪水　梓潼水　涔水

溳水出江夏平春县西，

溳水北出大义山，南至厉乡西，赐水入焉。水源东出大紫山，分为二水，一水西迳厉乡南，水南有重山〔一〕，即烈山也。山下有一穴，父老相传，云是神农所生处也，故礼谓之烈山氏。水北有九井，子书所谓神农既诞，九井自穿，谓斯水也。又言汲一井则众水动。井今堙塞，遗迹仿佛存焉。亦云，赖乡，故赖国也，有神农社。赐水西南流入于溳，即厉水也。赐、厉声相近，宜为厉水矣。一水出义乡西，南入随，又注溳。溳水又南迳随县，注安陆也。

南过安陆，入于涢。

蕲水出江夏蕲春县北山，

山，即蕲柳〔二〕也。水首受希水枝津，西南流历蕲山，出蛮中，故以此蛮为五水蛮。五水，谓巴水、希水〔三〕、赤亭水、西归水，蕲水其一焉。蛮左凭居，阻藉山川，世为抄暴。宋世沈庆之于西阳上下诛伐蛮夷，即五水蛮也。

南过其县西，

晋改为蕲阳县，县徙江洲，置大阳戍，后齐齐昌郡移治于此也。

又南至蕲口，南入于江。

蕲水南对蕲阳洲，入于大江，谓之蕲口〔四〕。洲上有蕲阳县徙。

决水出庐江雩娄县南大别山，

俗谓之为檀公岘〔五〕，盖大别之异名也。其水历山委注而络其县矣。

北过其县东，

县，故吴也。春秋左传襄公二十六年，楚子、秦人侵吴及雩娄，闻吴有备而还是也。晋书地道记云：在安丰县之西南，即其界也。故地理志曰：决水出雩娄。

又北过安丰县东，

决水自雩娄县北迳鸡备亭。春秋昭公二十三年，吴败诸侯之师于鸡父者也。安丰县故城，今边城郡治也，王莽之美丰〔六〕也。世祖建武八年，封大将军凉州牧窦融为侯国，晋立安丰郡。决水自县西北流，迳蓼县故城东，又迳其北，汉高帝六年，封孔藂为侯国，世谓之史水。决水又西北，灌水注之，其水导源庐江金兰县〔七〕西北东陵乡大苏山，即淮水也。许慎曰：出雩娄县，俗谓之浍水。褚先生所谓神龟出于江、灌之间，嘉林之中。盖谓此水也。灌水东北迳蓼县故城西，而北注决水。故地理志曰：决水北至蓼入淮。灌水亦至蓼入决。春秋宣公八年,冬,楚公子灭舒蓼,臧文仲闻之曰:皋陶庭坚,不祀忽诸,德之不逮,民之无援,哀哉。决水又北,右会阳泉水,水受决水,东北流迳阳泉县故城东,故阳泉乡也。汉献帝中,封太尉黄琬为侯国。又西北流,左入决水,谓之阳泉口也。

又北入于淮。

俗谓之浍口〔八〕,非也,斯决、灌之口矣。余往因公,至于淮津,舟车所届,次于决水,访其民宰,与古名全违,脉水寻经,方知决口。盖灌、浍声相伦,习俗害真耳。

沘水出庐江灊县西南霍山东北,

灊者,山、水名也。开山图,灊山围绕大山为霍山。郭景纯曰:灊水出焉,县即其称矣。春秋昭公二十七年,吴因楚丧,围灊是也。地理志曰:沘水〔九〕出沘山,不言霍山,沘字或作渒。渒水又东北迳博安县,泄水出焉。

东北过六县东,

渒水东北,右会蹹鼓川水,水出东南蹹鼓川,西北流,左注渒水。渒水又西北迳马亭城〔一〇〕西,又西北迳六安县故城西,县,故皋陶国也。夏禹封其少子,奉其祀,今县都陂中有大冢,民传曰公琴者,即皋陶冢也。楚人谓冢为琴矣。汉高帝元年,别为衡山国,五年属淮南,文帝十六年,复为衡山国,武帝元狩二年,别为六安国,王莽之安风也。汉书所谓以舒屠六。晋太康三年,庐江郡治。渒水又西北分为二水,芍陂出焉〔一一〕。又北迳五门亭西,西北流迳安丰县故城西,晋书地道记,安丰郡之属县也,俗名之曰安城矣。又北会濡水,乱流西北注也。

北入于淮。

水之决会谓之沘口也。

泄水出博安县，

博安县，地理志之博乡县也，王莽以为扬陆〔一二〕矣。泄水自县上承沘水于麻步川，西北出，历濡溪，谓之濡水也。

北过芍陂，西与沘水合。

泄水自濡溪迳安丰县〔一三〕，北流注于淠，亦谓之濡须口〔一四〕。

西北入于淮。

乱流同归也。

肥水出九江成德县广阳乡西，

吕忱字林曰：肥水出良馀山，俗谓之连枷山，亦或以为独山也。北流分为二水，施水出焉。肥水又北迳荻城〔一五〕东，又北迳荻丘东，右会施水枝津，水首受施水于合肥县城东，西流迳成德县，注于肥水也。

北过其县西，北入芍陂。

肥水自荻丘北迳成德县故城西，王莽更之曰平阿也。又北迳芍陂东，又北迳死虎塘东，芍陂渎上承井门，与芍陂更相通注，故经言入芍陂矣。肥水又北，右合阎涧水〔一六〕，上承施水于合肥县，北流迳浚遒县西，水积为阳湖。阳湖水自塘西北迳死虎亭〔一七〕南，夹横塘西注，宋泰始初，豫州司马刘顺，帅众八千据其城地，以拒刘勔。赵叔宝以精兵五千，送粮死虎，刘勔破之此塘。水分为二，洛涧出焉〔一八〕。阎浆水注之，水受芍陂，陂水上承涧水于五门亭南，别为断神水，又东北迳五门亭东，亭为二水之会也。断神水又东北迳神迹亭东，又北，谓之豪水。虽广异名，事实一水。又东北迳白芍亭东，积而为湖，谓之芍陂。陂周百二十许里，在寿春县南八十里，言楚相孙叔敖所造。魏太尉王凌与吴将张休战于芍陂，即此处也。陂有五门，吐纳川流。西北为香门陂，陂水北迳孙叔敖祠下，谓之芍陂渎，又北分为二水，一水东注黎浆水，黎浆水东迳黎浆亭南，文钦之叛，吴军北入，诸葛绪拒之于黎浆，即此水也。东注肥水，谓之黎浆水口。

又北过寿春县东，

肥水自黎浆北迳寿春县故城东为长濑津，津侧有谢堂北亭，迎送所薄，水陆舟车是焉萃止。又西北，右合东溪，溪水引渎北出，西南流迳导公寺西，寺侧因溪建刹五层，屋宇闲敞，崇虚携觉〔一九〕也。又西南流注于肥。肥水又西迳东台下，台即寿春外郭东北隅阿之榭也。东侧有一湖，三春九夏，红荷覆水，引渎城隍，水积成潭，谓之东台湖，亦肥南播也。肥水西迳寿春县故城北，右合北溪，水导北山，泉源下注，漱石颓隍，水上长林插天，高柯负日，出于山林精舍右、山渊寺左，道俗嬉游，多萃其下，内外引汲，泉同七净，溪水沿注，西南迳陆道士解南。精庐临侧川溪，大不为广，小足闲居，亦胜境也。溪水西南注于肥水。

北入于淮。

肥水又西分为二水，右即肥之故渎，遏为船官湖，以置舟舰也。肥水左渎又西迳石桥门北，亦曰草市门，外有石梁渡北洲，洲上有西昌寺，寺三面阻水，佛堂设三像，真容妙相，相服精炜，是萧武帝所立也。寺西，即船官坊，苍兕都水，是营是作。湖北对八公山，山无树木，惟童阜耳。山上有淮南王刘安庙，刘安是汉高帝之孙，厉王长子也。折节下士，笃好儒学，养方术之徒数十人〔二○〕，皆为俊异焉。多神仙秘法鸿宝之道。忽有八公，皆须眉皓素，诣门希见，门者曰：吾王好长生，今先生无住衰之术，未敢相闻。八公咸变成童，王甚敬之。八士并能炼金化丹，出入无间，乃与安登山薶金于地，白日升天，馀药在器，鸡犬舐之者，俱得上升。其所升之处，践石皆陷，人马迹存焉。故山即以八公为目。余登其上，人马之迹无闻矣，惟庙像存焉。庙中图安及八士像，皆坐床帐如平生，被服纤丽，咸羽扇裙帔，巾壶枕物，一如常居。庙前有碑，齐永明十年所建也。山有隐室石井，即崔琰所谓：余下寿春，登北岭淮南之道室，八公石井在焉。亦云：左吴与王春、傅生等寻安，同诣玄洲，还为著记，号曰八公记，都不列其鸡犬升空之事矣。按汉书，安反伏诛，葛洪明其得道，事备抱朴子及神仙传。肥水又左纳芍陂渎，渎水自黎浆分水，引渎寿春城北，迳芍陂门右，北入城。昔巨鹿时苗为县长，是其留犊处也。渎东有东都街，街之左道北，有宋司空刘勔庙，宋元徽二年建于东乡孝义里，庙前有碑，时年碑功方创，齐永明元年方立。沈约宋书言，泰始元年，豫州刺史殷琰反，明帝假勔辅国将军，讨之。琰降，不犯秋毫，百姓来苏，生为立碑，文过其实。建元四年，故吏颜幼明为其庙铭，故佐庞珽为庙赞，夏侯敬友为庙颂，并附刊于碑侧。渎水又北迳相国城东，刘武帝伐长安所筑也。堂宇厅馆仍，故以相国为名。又北出城注肥水。又西迳金城北，又西，左合羊头溪水，水受芍陂，西北历羊头溪，谓之羊头涧水。北迳熨湖，左会烽水渎，渎受淮于烽村南，下注羊头溪，侧迳寿春城西，又北历象门，自沙门北出金城西门逍遥楼下，北注肥渎。肥水北注旧渎之横塘，为玄康南路驰道，左通船官坊也。肥水迳玄康城，西北流，北出，水际有曲水堂，亦嬉游所集也。又西北流，昔在晋世，谢玄北御苻坚，祈八公山，及置阵于肥水之滨，坚望山上草木，咸为人状，此即坚战败处。非八公之灵有助，盖苻氏将亡之惑也。肥水又西北注于淮，是曰肥口也。

施水亦从广阳乡肥水别，东南入于湖。

施水受肥于广阳乡，东南流迳合肥县。应劭曰：夏水出城父东南，至此与肥合，故曰合肥。阚骃亦言，出沛国城父东，至此合为肥。余按川殊派别，无沿注之理。方知应、阚二说，非实证也。盖夏水暴长，施合于肥，故曰合肥也。非谓夏水。施水自成德〔二一〕〔二二〕东迳合肥县城南，城居四水中，又东有逍遥津，水上旧有梁，孙权之攻合肥也，张辽败之于津北，桥不撤者两版，权与甘宁蹴马趋津，谷利自后著鞭助势，遂得渡梁。凌统被铠落水，后到追亡，流涕津渚。施水又东分为二水，枝水北出焉，下注阳渊。施水又东迳湖口戍，东注巢湖，谓之施口也。

沮水出汉中房陵县淮水〔二三〕，东南过临沮县界，

沮水出东汶阳郡沮阳县西北景山，即荆山首也，高峰霞举，峻崃层云。山海经云：金玉是出。亦沮水之所导。故淮南子曰：沮出荆山。高诱云：荆山在左冯翊怀德县。盖以洛水有漆沮之名故也，斯谬证耳。杜预云：水出新城郡之西南发阿山，盖山异名也。沮水东南流迳沮阳县东南，县有潼水，东迳其县南，下入沮水。沮水又东南迳汶阳郡北，即高安县界，郡治锡

城，县居郡下城，故新城之下邑，义熙初，分新城立。西表悉重山也。沮水南迳临沮县西，青溪水注之，水出县西青山，山之东有滥泉，即青溪之源也。口径数丈，其深不测，其泉甚灵洁，至于炎阳有亢，阴雨无时，以秽物投之，辄能暴雨。其水导源东流，以源出青山，故以青溪为名，寻源浮溪，奇为深峭。盛弘之云：稠木傍生，凌空交合，危楼倾崖，恒有落势，风泉传响于青林之下，岩猿流声于白云之上，游者常若目不周玩，情不给赏，是以林徒栖托，云客宅心，泉侧多结道士精庐焉。青溪又东流入于沮水，沮水又屈迳其县南，晋咸和中为沮阳郡治也。沮水又东南迳当阳县故城北，城因冈为阻，北枕沮川。其故城在东百四十里，谓之东城，在绿林长坂南，长坂，即张翼德横矛处也。沮水又东南迳驴城西、磨城东，又南迳麦城西，昔关云长诈降处，自此遂叛。传云：子胥造驴、磨二城以攻麦邑。即谚所云：东驴西磨，麦城自破者也。沮水又南迳楚昭王墓，东对麦城，故王仲宣之赋登楼云：西接昭丘是也。沮水又南与漳水合焉。

又东南过枝江县东，南入于江。

沮水又东南迳长城东，又东南流注于江，谓之沮口也。

漳水出临沮县东荆山，东南过蓼亭，又东过章乡南。

荆山在景山东百馀里新城沶乡县界。虽群峰竞举，而荆山独秀。漳水东南流，又屈西南，迳编县南，县旧城之东北百四十里也。西南高阳城，移治许茂故城。城南临漳水，又南历临沮县之章乡〔二四〕南，昔关羽保麦城，诈降而遁，潘璋斩之于此。

漳水又南迳当阳县,又南迳麦城东,王仲宣登其东南隅,临漳水而赋之曰:夹清漳之通浦,倚曲沮之长洲是也。漳水又南,㶟水注之。山海经曰:㶟水出东北宜诸之山,南流注于漳水。

又南至枝江县北乌扶邑,入于沮。

地理志曰:禹贡,南条荆山,在临沮县之东北,漳水所出,东至江陵入阳水,注于沔。非也。今漳水于当阳县之东南百馀里而右会沮水也。

夏水出江津于江陵县东南,

江津豫章口东有中夏口,是夏水之首,江之汜也。屈原所谓过夏首而西浮,顾龙门而不见也。龙门,即郢城之东门也。

又东过华容县南〔二五〕,

县,故容城矣。春秋鲁定公四年,许迁于容城是也。北临中夏水,自县东北迳成都郡故城南,晋永嘉中,西蜀阻乱,割华容诸城为成都王颖国。夏水又迳交趾太守胡宠墓北,汉太傅广身陪陵,而此墓侧有广碑,故世谓广冢,非也。其文言是蔡伯喈之辞。历范西戎墓南,王隐晋书地道记曰:陶朱冢在华容县,树碑云是越之范蠡。晋太康地记、盛弘之荆州记、刘澄之记,并言在县之西南,郭仲产言在县东十里。检其碑,题云:故西戎〔二六〕令范君之墓。碑文缺落,不详其人,称蠡是其先也。碑是永嘉二年立,观其所述,最为究悉,以亲迳其地,故违众说,从而正之。夏水又东迳监利县南,晋武帝太康五年立。县土卑下,泽多陂池。西南自州陵东界,迳于云杜、沌阳,为云梦之薮矣。韦昭曰:云梦在华容县。按春秋鲁昭公三年,郑伯如楚,子产备田具以田江南之梦。郭景纯言,华容县东南巴丘湖是也。杜预云：枝江县、安陆县有云梦，盖跨川亘隰，兼苞势广矣。夏水又东，夏杨水〔二七〕注之，水上承杨水于竟陵县之柘口，东南流与中夏水合，谓之夏杨水，又东北迳江夏惠怀县北而东北注。

又东至江夏云杜县，入于沔。

应劭十三州记曰：江别入沔为夏水源。夫夏之为名，始于分江，冬竭夏流，故纳厥称。既有中夏之目，亦苞大夏之名矣。当其决入之所，谓之堵口〔二八〕焉。郑玄注尚书，沧浪之水，言今谓之夏水。来同，故世变名焉。刘澄之著永初山川记云：夏水，古文以为沧浪，渔父所歌也。因此言之，水应由沔。今按夏水是江流沔，非沔入夏。假使沔注夏，其势西南，非尚书又东之文。余亦以为非也。自堵口下，沔水通兼夏目，而会于江，谓之夏汭也。故春秋左传称，吴伐楚，沈尹射奔命夏汭也。杜预曰：汉水曲入江，即夏口矣。

羌水出羌中参狼谷〔二九〕，

彼俗谓之天池白水矣。地理志曰：出陇西羌道。东南流迳宕昌城东，西北去天池五百馀里。羌水又东南迳宕婆川城〔三〇〕东而东南注。昔姜维之寇陇右也，闻锺会入汉中，引还，知雍州刺史诸葛绪屯桥头，从孔函谷将出北道，绪邀之此路，维更从北道。渡桥头入剑阁，绪追之不及。羌水又东南，阳部水注之，水发东北阳部溪，西南迳安民戍，又西南注羌水。又东南迳武街城〔三一〕西南，又东南迳葭芦城西，羊汤水入焉。水出西北阴平北界汤溪，东南迳北部城北，又东南迳五部城南，东南右合妾水，傍西南出即水源所发也〔三二〕。羌水又迳葭芦城南，迳馀城南，又东南，左会五部水。水有二源，出南、北五部溪，西南流合为一水，屈而东南注羌水。羌水又东南流至桥头合白水，东南去白水县故城九十里。

又东南至广魏白水县〔三三〕，与汉水合。又东南过巴郡阆中县，又南至垫江县东，南入于江。

涪水〔三四〕出广魏涪县西北，

涪水出广汉属国刚氐道徼外，东南流迳涪县西，王莽之统睦矣。臧宫进破涪城，斩公孙恢于涪，自此水上。县有潺水，出潺山〔三五〕，水源有金银矿，洗取火合之，以成金银。潺水历潺亭而下注涪水。涪水又东南迳绵竹县北，臧宫溯涪至平阳，公孙述将王元降，遂拔绵竹。涪水又东南与建始水合，水发平洛郡西溪，西南流屈而东南流，入于涪。涪水又东南迳江油戍北，邓艾自阴平景谷步道，悬兵束马入蜀，迳江油、广汉者也。涪水又东南迳南安郡南，又南与金堂水会，水出广汉新都县，东南流入涪。涪水又南，枝津出焉〔三六〕，西迳广汉五城县为五城水，又西至成都入于江。

南至小广魏，与梓潼水合。

小广魏，即广汉县地，王莽更名曰广信也。

梓潼水出其县北界，西南入于涪。

故广汉郡，公孙述改为梓潼郡，刘备嘉霍峻守葭萌之功，又分广汉以北，别为梓潼郡，以峻为守。县有五女，蜀王遣五丁迎之，至此见大蛇入山穴，五丁引之，山崩，压五丁及五女，因氏山为五妇山，又曰五妇候〔三七〕。驰水所出，一曰五妇水，亦曰潼水也。其水导源山中，南迳梓潼县，王莽改曰子同矣。自县南迳涪城东，又南入于涪水，谓之五妇水口也。

又西南至小广魏南，入于垫江。

亦言涪水至此入汉水，亦谓之为内水也。北迳垫江〔三八〕。昔岑彭与臧宫自江州从涪水上，公孙述令延岑盛兵于沈水，宫左步右骑，夹船而进，势动山谷，大破岑军，斩首、溺水者万馀人，水为浊流。沈水出广汉县，下入涪水也。

涔水出汉中南郑县东南旱山，北至安阳县，南入于沔。

涔水，即黄水也。东北流迳成固〔三九〕南城北，城在山上，或言韩信始立，或言张良创筑，未知定所制矣。义熙九年，索邈为果州刺史，自成固治此，故谓之南城。城周七里，衿涧带谷，绝壁百寻，北谷口造城东门，傍山寻涧，五里有馀，盘道登陟，方得城治。城北水旧有桁，北渡涔水。水北有赵军城，城北又有桁，渡沔取北城，城，即大成固县治也。黄水右岸有悦归馆，涔水历其北，北至安阳，左入沔，为涔水口〔四〇〕也。

〔一〕重山　注释本作“童山”。

〔二〕蕲柳　注疏本作“蕲山”。疏：“朱作‘近柳’，笺曰：宋本作‘蕲柳’。赵、戴依改。守敬按：作‘近柳’固非，作‘蕲柳’亦有误。后汉书袁术传注引此云，即蕲山也。通鉴汉建安二年、魏黄初四年注引并同。观下‘历蕲山’紧承此句，故知当作‘蕲山’。元和志，蕲水出蕲春县东北大浮山，一名蕲山。一统志，蕲山在蕲州北六十里，蕲水发源于此。考蕲水有数源，郦氏谓首受希水枝津，盖以最北之关口河为正源也。”

〔三〕希水　方舆纪要卷七十六湖广二汉阳府蕲州五水引水经注作"浠水"。

〔四〕蕲口　后汉书卷七十五列传六十五袁术传"留张勋、桥蕤于蕲阳"注引水经注、通鉴卷六十二汉纪五十四献帝建安二年"留其将桥蕤于蕲阳以拒操"胡注引水经注均作"蕲阳口"。

〔五〕檀公岘　大典本、注笺本、项本、注释本、张本均作"檀山岘"。

〔六〕美丰　注笺本、项本、五校钞本、七校本、注释本、张本均作"美风"。

〔七〕金兰县　在汉书地理志、续汉书郡国志、晋书地理志、宋书州郡志、齐书州郡志五志均不载。札记牛渚县:"其实,水经和水经注中列载县名,为上述五志所不载的,所在多有。例如卷四十禹贡山水泽地所在篇经文中提到的金兰县,注文不仅因各志不载而不加纠正,而且在卷三十二决水篇中,注文也提出了'庐江金兰县'之名。说明尽管各志不载,但庐江郡下金兰县的建置是确实存在的。"

〔八〕浍口　注笺本、项本、注释本、张本均作"决口"。

〔九〕沘水　大典本、黄本、吴本、沈本均作"泚水"。

〔一〇〕马亨城　黄本、吴本、注笺本、项本、沈本、张本均作"马享城",注疏本作"马亭城"。疏:"朱作'马享',笺曰:宋本作'马亨'。戴、赵改'亨'。守敬按:非也。后汉书丁鸿传,元和三年,徙封马亭乡侯。章怀注引东观记,以庐江郡为六安国,所以徙封为马亭侯,是此当作'马亭'无疑,今订。在今六安州北。"

〔一一〕殿本在此下案云:"案原本及近刻并脱'芍陂'二字,

今据归有光本补入。”归有光本参见卷三十一注〔二九〕。

〔一二〕扬陆　黄本、沈本作“杨陆”。

〔一三〕安丰县　黄本、吴本、沈本均作“安风县”，注笺本、项本、张本均作“安丰水”，注释本作“安丰口”。

〔一四〕濡须口　黄本、注笺本、项本、沈本均作“濡口”，吴本作“其濡口”。

〔一五〕荻城　黄本、注笺本、项本、沈本、张本均作“荻口”。

〔一六〕阎涧水　大典本、吴本、注笺本、项本、张本、通鉴卷一三一宋纪十三明帝泰始二年“马步八千人东据苑塘”胡注引水经注、方舆纪要卷二十一江南三凤阳府寿州霍丘县成德城引水经注、雍正江南通志卷三十五舆地志古迹六凤阳府死虎亭引水经注均作“阎润水”。

〔一七〕死虎亭　吴本、注笺本、项本、张本、通鉴卷一三一宋纪十三明帝泰始二年“马步八千人东据苑塘”胡注引水经注均作“死雩亭”。

〔一八〕方舆纪要卷二十一江南三凤阳府定远县洛河引水经注云：“洛水上承苑马塘。”当是此句下佚文。

〔一九〕崇虚携觉　注疏本作“崇虚嶕峣”。疏：“朱作‘携觉’也，戴同，全、赵改。笺曰：‘携觉’，字误，当作‘嶕峣’。”

〔二〇〕数十人　注疏本作“数千人”。疏：“朱‘千’作‘十’，戴、赵同。会贞按：神仙传作‘千’，御览引此亦作‘千’，今订。”

〔二一〕殿本在此下案云：“案原本及近刻并脱‘施水’二字，‘成德’讹作‘城父’，今据归有光本改正。”归有光本，参见卷三十一注〔二九〕。

〔二二〕成德　注笺本、项本、注释本、张本均作“城父”。

〔二三〕沮水出汉中房陵县淮水　注疏本作“沮水出汉中房陵县景山”。疏：“朱此二字作‘淮水’，赵改作‘睢山’，云：‘淮水’，杨慎本作‘淮山’，‘山’字是也。‘淮’字则非矣。方舆纪要湖广大川下云，沮水本作睢。左传定四年，吴人败楚及郢，楚子出涉睢。又哀六年，楚子所谓江、汉、睢、漳者也。后作‘沮’，又讹为‘柤’，今襄阳以南，沮水左右地皆曰沮中，亦谓柤中。后汉建武二十三年，南郡蛮反，刘尚讨破之。杜佑曰，潳山蛮也。‘潳’亦作‘柤’，即柤中蛮矣。郡国志，南漳县东北一百八十里有柤山，吴朱然、诸葛瑾，从沮中险道北出处也。吴志，赤乌四年，朱然围樊，诸葛瑾取柤中。沮山本因沮水得名，字亦作‘睢’，后误作‘淮’，又讹‘山’为‘水’，今校正。戴云：据汉书当作‘东山’。守敬按：赵改‘睢山’，非也。沮、睢虽同，一句二字错出，必无之理。山海经（中次八经），荆山之首曰景山，睢水出焉。此‘淮水’当据之作‘景山’，观郦氏即以山海经释之，知经文本作‘景山’也。戴从汉志作‘东山’，不知‘东山’亦‘景山’之误，盖‘东’、‘景’形近，此一望而知者。房陵详沔水篇，不在房陵东也。今订。”

〔二四〕章乡　注笺本、项本、五校钞本、七校本、注释本、张本均作“彰乡”，方舆纪要卷七十七湖广三安陆府荆门州当阳县引水经注作“漳乡”。

〔二五〕注疏本作“东过华容县南”，无“又”字。疏：“朱‘东’上有‘又’字，戴、赵同。守敬按：不当有‘又’字，今删。”

〔二六〕札记牛渚县：“……卷三十二夏水注的西戎县，也均不见于两汉志和晋、宋、齐诸志。”

〔二七〕夏杨水　五校钞本、七校本、注释本均作“夏阳水”。

〔二八〕堵口　大典本、黄本、吴本、沈本均作“赌口”，注释本、注疏本均作“腊口”，名胜志湖广卷四引水经注、雍正湖广通志卷八山川志沔阳州夏水引水经注均作“睹口”。

〔二九〕殿本在此下案云：“案‘参狼’，原本及近刻并讹作‘参粮’，脱‘谷’字，今据归有光本改正。”归有光本，参见卷三十一注〔二九〕。

〔三〇〕宕婆川城　黄本、吴本、注笺本、项本、沈本、张本、注疏本均作“宕昌婆川城”。注疏本疏：“守敬按：戴、赵以安昌已见上，故删‘昌’字。然考漾水注，先言白水迳邓至城，后言安昌水迳邓至安昌郡，与此同。盖安昌郡在邓至，故称邓至安昌郡，此婆川城在宕昌，故称宕昌婆川城也。‘昌’字非衍，城当在今阶州西北。”

〔三一〕武街城　黄本、吴本、注笺本、项本、五校钞本、七校本、沈本、注释本、张本、注疏本均作“武阶城”。注疏本疏：“戴改‘阶’作‘街’。守敬按：此地形志南秦州之武阶郡也，在今阶州东北。故漾水注之平乐水，出武阶东北。此羌水迳武阶西南。戴氏既误改彼‘武阶’为‘武街’，此亦改之。总由混武街、武阶为一也。详见漾水篇。”

〔三二〕注疏本熊会贞按：“水当在今阶州西南，此下不言羊汤水所入，明有脱文，当增羊汤水又东注羌水句。”

〔三三〕注疏本作“东南至广魏白水县”，无“又”字。疏：“朱‘东’上有‘又’字，戴、赵同。会贞按：不当有‘又’字，今删。”

〔三四〕辞海（一九七九年上海辞书出版社出版）水经注疏条

云:"因未经审校,错别字及脱漏之处甚多,如涪水漏钞郦注本文竟达九十多字。"陈桥驿排印水经注疏的说明(一九八九年江苏古籍出版社出版水经注疏卷首)云:"这条辞海释文的上半段当然是正确的(按指科学出版社影印水经注疏),我在本文开始时就指出了。但下半段说涪水漏钞郦注本文九十多字的话,其实都是辞海自己的错误。辞海作者认为水经注疏漏钞的郦注本文,所指就是'迳涪县西,王莽之统睦矣。臧宫进破涪城,斩公孙恢于涪,自此水上。县有潺水,出潺山,水源有金银矿,洗取火合之,以成金银。潺水历潺亭而下注涪水。涪水又东南迳绵竹县北,臧宫溯涪至平阳,公孙述将王元降,遂拔绵竹。涪水又东南',共九十一字。这条释文的作者,由于没有考究这一带的山川地理,而只拿别的版本与之对照,一旦发现'涪水出广汉属国刚氐道徼外,东南流'之下,少了上列九十一字,就立刻断言这九十一字被杨、熊或他们的书手所钞漏。其实,只要他稍稍耐心一点,往下再读几段,就会发现,这九十一个字原来未曾少去一个,只是次序前后,被杨、熊重新安排过了。熊会贞在'臧宫溯涪至平阳,公孙述将王元降,遂拔绵竹'句下按云:'朱"徼外"句下,接"东南流迳涪"云云,至"遂拔绵竹",下接"涪水又东南流与建始水合"至"迳江油广汉者也"。戴、赵同。准以地望,建始水在上,江油在下,涪县又在下,何能先迳涪县而后会建始水而迳江油也。明有错简。"东南流"三字下,当接"与建始水合"至"迳江油广汉者也",又移"与建始水合"上"涪水又东南"五字于其下,乃接"迳涪县西",至"遂拔绵竹"方合。今订。'疏文的这种次序调整,无疑是正确的。"

〔三五〕寰宇记卷八十三剑南东道二绵州罗江县引水经注云:

“潺石山下有泉，曰潺水。”当是此段中佚文。

〔三六〕舆地纪胜卷一五四潼川府景物上射江引水经注云：“涪江水东南合射江。”（名胜志四川卷十四潼川州射洪县引水经注略同）又方舆纪要卷六十九四川四重庆府合州定远县平曲城引水经注云：“平曲，即潼川州之平阳乡。”均是此段中佚文。

〔三七〕五妇候　注释本作“五妇堠”。

〔三八〕注疏本杨守敬按：“此四字与上文义不接，盖有错简。据后汉书岑彭传，彭到江州，引兵乘利，直指垫江，攻破平曲。臧宫传，宫与岑彭至江州，彭使宫从涪水上平曲。注文岑彭与臧宫之说，乃采二传。此四字疑当移于‘自江州’之下。”

〔三九〕成固　吴本、注笺本、项本、张本、注疏本均作“城固”。

〔四〇〕涔水口　注疏本作“三水口”。疏：“戴以‘三’为讹，改作‘涔’。会贞按：‘三’字不误，三水口已见沔水篇。”

水经注卷三十三

江水〔一〕

岷山在蜀郡氐道县，大江所出〔二〕，东南过其县北。

岷山，即渎山也，水曰渎水矣。又谓之汶阜山，在徼外，江水所导也。益州记曰：大江泉源，即今所闻，始发羊膊岭下，缘崖散漫，小水百数，殆未滥觞矣。东南下百馀里至白马岭，而历天彭阙，亦谓之为天彭谷也。秦昭王以李冰为蜀守，冰见氐道县有天彭山，两山相对，其形如阙，谓之天彭门，亦曰天彭阙。江水自此已上至微弱，所谓发源滥觞者也。汉元延中，岷山崩，壅江水，三日不流。扬雄反离骚云：自岷山投诸江流，以吊屈原，名曰反骚也。江水自天彭阙东迳汶关，而历氐道县北。汉武帝元鼎六年，分蜀郡北部置汶山郡以统之，县，本秦始皇置，后为昇迁县也。益州记曰：自白马岭回行二十馀里至龙涸，又八十里至蚕陵县〔三〕，又南下六十里至石镜，又六十馀里而至北部，始百许步；又西百二十馀里至汶山故郡，乃广二百馀步；又西南百八十里至湿坂，江稍大矣。故其精则井络瀍曜，江、汉昞灵。河图括地象曰：岷山之精，上为井络，帝以会昌，神以建福。故书曰：岷山导江。泉流深远，盛为四渎之首。广雅曰：江，贡也。风俗通曰：出珍物，可贡献。释名曰：江，共也，小水流入其中，所公共也。东北百四十里曰崃山，中江所出，东注于大江。崃山，邛崃山〔四〕也，在汉嘉严道县，一曰新道南山。有九折坂，夏则凝冰，冬则毒寒，王阳按辔处也。平恒言：是中江所出矣。郭景纯江赋曰：流二江于崌、崃。又东百五十里曰崌山，北江所出，东注于大江。山海经曰：崌山，江水出焉，东注大江，其中多怪蛇。江水又迳汶江道，汶出徼外岷山西玉轮坂下而南行，又东迳其县而东注于大江。故苏代告楚曰：蜀地之甲，浮船于汶，乘夏水而下江，五日而至郢。谓是水也。又有湔水入焉，水出绵虒道〔五〕，亦曰绵虒县〔六〕之玉垒山。吕忱云：一曰半浣水也，下注江。江水又东别为沱，开明之所凿也。郭景纯所谓玉垒作东别之标者也。县，即汶山郡治，刘备之所置也。渡江有笮桥，江水又历都安县，县有桃关、汉武帝祠，李冰作大堰于此〔七〕，壅江作堋，堋有左右口，谓之湔堋。江入郫江、捡江〔八〕以行舟。益州记曰：江至都安，堰其右，捡其左，其正流遂东，郫江之右也。因山颓水，坐致竹木，以溉诸郡。又穿羊摩江、灌江，西于玉女房下白沙邮，作三石人立水中，刻要江神，水竭不至足，盛不没肩。是以蜀人旱则藉以为溉，雨则不遏其流。故记曰：水旱从人，不知饥馑，沃野千里，世号陆海，谓之天府也。邮在堰上，俗谓之都安大堰，亦曰湔堰，又谓之金堤。左思蜀都赋云：西逾金堤者也。诸葛亮北征，以此堰农本，国之所资，以征丁千二百人主护之，有堰官。益州刺史皇甫晏至都安，屯观坂，从事何旅曰：今所安营，地名观坂，上观下反，其征不祥，不从，果为牙门张和所杀。江水又迳临邛县，王莽之监邛也。县有火井、盐水，昏夜之时，光兴上照。江水又迳江原县，王莽更名邛原也。𨛬江水出焉。江水又东北迳郫县下，县民有姚精〔九〕者，为叛夷所杀，掠其二女，二女见梦其兄，当以明日自沉江中，丧后日当至，可伺候之，果如所梦，得二女之尸于水，郡县表异焉。江水又东迳成都县，县以汉武帝元鼎二年立。县有二江，双流郡下，故扬子云蜀都赋曰：两江珥其前者也。风俗通曰：秦昭王使李冰为蜀守，开成都两江，溉田万顷。江神岁取童女二人为妇，冰以其女与神为婚，径至神祠劝神酒，酒杯恒澹澹，冰厉声以责之，因忽不见，良久，有两牛斗于江岸旁，有间，冰还，流汗谓官属曰：吾斗大亟〔一〇〕〔一一〕，当相助也。南向腰中正白者，我绶也。主簿刺杀北面者，江神遂死，蜀人慕其气决，凡壮健者，因名冰儿也。秦惠王二十七年，遣张仪与司马错等灭蜀，遂置蜀郡焉，王莽改之曰导江也。仪筑成都，以象咸阳。晋太康中，蜀郡为王国，更为成都内史，益州刺史治。地理风俗记曰：华阳黑水惟梁州。汉武帝元朔二年，改梁曰益州，以新启犍为、牂柯、越嶲，州之疆壤益广，故称益云。初治广汉之雒县，后乃徙此。故李固与弟圄书曰：固今年五十七，鬓发已白，所谓容身而游，满腹而去，周观天下，独未见益州耳。昔严夫子常言：经有五，涉其四；州有九，游其八。欲类此子矣。初，张仪筑城取土处，去城十里，因以养鱼，今万顷池是也。城北又有龙堤池，城东有千秋池，西有柳池，西北有天井池，津流径通，冬夏不竭。西南两江有七桥，直西门郫江上曰冲治桥〔一二〕，西南石牛门曰市桥，吴汉入蜀，自广都令轻骑先往焚之，桥下谓之石犀渊。李冰昔作石犀五头以厌水精，穿石犀，渠于南江，命之曰犀牛里。后转犀牛二头，一头在府市市桥门，一头沉之于渊也。大城南门曰江桥〔一三〕，桥南曰万里桥，西上曰夷星桥〔一四〕，下曰笮桥〔一五〕。南岸道东有文学，始，文翁为蜀守，立讲堂，作石室于南城。永初后，学堂遇火，后守更增二石室，后州夺郡学，移夷星桥南岸道东。道西城，故锦官也。言锦工织锦，则濯之江流，而锦至鲜明，濯以他江，则锦色弱矣。遂命之为锦里也。蜀有回复水，江神尝溺杀人，文翁为守，祠之，劝酒不尽，拔剑击之，遂不为害。江水东迳广都县，汉武帝元朔二年置，王莽之就都亭也。李冰识察水脉，穿县盐井。江西有望川原，凿山崖度水，结诸陂池，故盛养生之饶，即南江也。又从冲治桥北折，曰长升桥，城北十里曰升仙桥，有送客观，司马相如将入长安，题其门曰：不乘高车驷马，不过汝下也。后入邛蜀，果如志焉。李冰沿水造桥，上应七宿。故世祖谓吴汉曰：安军宜在七桥连星间。汉自广都乘胜进逼成都，与其副刘尚南北相望，夹江为营，浮桥相对。公孙述使谢丰扬军市桥，出汉后袭破，汉坠马落水，缘马尾得出入壁，命将夜潜渡江，就尚击丰，斩之于是水之阴。江北则左对繁田，文翁又穿湔洩以溉灌繁田千七百顷。湔水又东绝绵洛，迳五城界至广都北岸，南入于江，谓之五城水口，斯为北江。江水又东至南安为璧玉津，故左思云：东越玉津也。

又东南过犍为武阳县，青衣水、沫水从西南来，合而注之〔一六〕。

县,故大夜郎国,汉武帝建元六年开置郡县。太初四年,益州刺史任安城武阳,王莽更名,郡曰西顺,县曰戢成,光武谓之士大夫郡。有鄨江入焉,出江原县,首受大江,东南流至武阳县注于江。县下江上,旧有大桥,广一里半,谓之安汉桥。水盛岁坏,民苦治功,后太守李严凿天社山〔一七〕,寻江通道,此桥遂废。县有赤水,下注江。建安二十九年〔一八〕,有黄龙见此水,九日方去。此县藉江为大堰,开六水门,用灌郡下。北山,昔者王乔所升之山也。江水又与文井江会,李冰所导也。自莋道〔一九〕与濛溪〔二〇〕分水,至蜀郡临邛县与布仆水合,水出徼外成都西沈黎郡,汉武帝元封四年,以蜀都西部邛莋邛〔二一〕,理旄牛道,天汉四年置都尉,主外羌,在邛崃山表。自蜀西度邛莋,其道至险,有弄栋八渡之难,扬母阁路之阻。水从县西布仆来,分为二流,一水迳其道,又东迳临邛县,入文井水。文井水又东迳江原县,县滨文井江,江上有常氏堤,跨四十里。有朱亭,亭南有青城山,山上有嘉谷,山下有蹲鸱,即芋也。所谓下有蹲鸱,至老不饥,卓氏之所以乐远徙也。文井江又东至武阳县天社山下入江。其一水南迳越嶲邛都县西,东南至云南郡之青蛉县,入于仆。郡本云川地也,蜀建兴三年置。仆水又南迳永昌郡邪龙县,而与贪水合。水出青蛉县〔二二〕,上承青蛉水〔二三〕,迳叶榆县,又东南至邪龙入于仆。仆水又迳宁州建宁郡。州,故庲降都督屯,故南人谓之屯下,刘禅建兴三年,分益州郡置。历双柏县,即水入焉。水出秦臧县〔二四〕牛兰山,南流至双柏县,东注仆水。又东至来唯县入劳水,水出徼外,东迳其县与仆水合。仆水东至交州交趾郡卷泠县〔二五〕,南流入于海。江水自武阳东至彭亡聚,昔岑彭与吴汉溯江水入蜀,军次是地,知而恶之,会日暮不移,遂为刺客所害。谓之平模水〔二六〕,亦曰外水。此地有彭冢,言彭祖冢焉。江水又东南迳南安县西,有熊耳峡,连山竞险,接岭争高,汉河平中,山崩地震,江水逆流,悬溉有滩,名垒坻,亦曰盐溉,李冰所平也。县治青衣江会,衿带二水矣,即蜀王开明故治也。来敏本蜀论曰:荆人鳖令死,其尸随水上,荆人求之不得,令至汶山下复生,起,见望帝,望帝者,杜宇也。从天下。女子朱利,自江源出为宇妻,遂王于蜀,号曰望帝,望帝立以为相。时巫山峡而蜀水不流。帝使令凿巫峡通水,蜀得陆处。望帝自以德不若,遂以国禅,号曰开明。县南有峨眉山,有濛水,即大渡水〔二七〕也。水发蒙溪,东南流与涐水合〔二八〕,水出徼外,迳汶江道。吕忱曰:渽水出蜀。许慎以为涐水也,出蜀汶江徼外,从水,我声。南至南安入大渡水,大渡水又东入江。故山海经曰:濛水出汉阳,西入江聂阳西〔二九〕。

又东南过僰道县北〔三〇〕,若水、淹水合从西来注之;又东,渚水北流注之。

县,本僰人居之。地理风俗记曰:夷中最仁,有仁道,故字从人。秦纪所谓僰僮之富者也。其邑,高后六年城之。汉武帝感相如之言,使县令南通僰道,费功无成。唐蒙南入斩之,乃凿石开阁,以通南中,迄于建宁,二千馀里,山道广丈馀,深三四丈,其錾凿之迹犹存,王莽更曰僰治也。山多犹猢,似猴而短足,好游岩树,一腾百步,或三百丈,顺往倒返,乘空若飞。县有蜀王兵兰,其神作大难,江中崖峻阻险,不可穿凿,李冰乃积薪烧之，故其处悬岩，犹有五色焉〔三一〕。赤白照水玄黄，鱼从僰来，至此而止，言畏崖屿，不更上也〔三二〕。益部耆旧传曰：张真妻，黄氏女也，名帛。真乘船覆没，求尸不得，帛至没处滩头，仰天而叹，遂自沉渊，积十四日，帛持真手于滩下出。时人为说曰：符有先络，僰道有张帛者也〔三三〕。江水又与符黑水〔三四〕合，水出宁州南广郡南广县，县，故犍为之属县也。汉武帝太初元年置，刘禅延熙中，分以为郡〔三五〕。导源汾关山，北流，有大涉水注之，水出南广县，北流注符黑水，又北迳僰道入江，谓之南广口。渚水则未闻也。

又东过江阳县南，洛水从三危山，东过广魏洛县南，东南注之。

洛水出洛县漳山，亦言出梓潼县柏山。山海经曰：三危在燉煌南，与岷山相接，山南带黑水。又山海经不言洛水所导〔三六〕，经曰出三危山，所未详。常璩云：李冰导洛通山水，流发瀑口，迳什邡县，汉高帝六年，封雍齿为侯国，王莽更名曰美信也。洛水又南迳洛县故城南，广汉郡治也。汉高祖之为汉王也，发巴渝之士，北定三秦，六年乃分巴蜀，置广汉郡于乘乡，王莽之就都，县曰吾雒也。汉安帝永初二年〔三七〕，移治涪城，后治洛县〔三八〕。先是洛县城南，每阴雨常有哭声，闻于府中，积数十年，沛国陈宠为守，以乱世多死亡，暴骸不葬故也，乃悉收葬之，哭声遂绝。刘备自将攻洛〔三九〕，庞士元中流矢死于此。益州旧以蜀郡、广汉、犍为为三蜀，土地沃美，人士隽乂，一州称望。县有沈乡，去江七里，姜士游之所居。诗至孝，母好饮江水，嗜鱼脍，常以鸡鸣溯流汲江，子坐取水溺死，妇恐姑知，称托游学，冬夏衣服，寔投江流。于是至孝上通，涌泉出其舍侧，而有江之甘焉。诗有田，滨江泽卤，泉流所溉，尽为沃野。又涌泉之中，旦旦常出鲤鱼一双，以膳焉。可谓孝悌发于方寸，徽美著于无穷者也。洛水又南迳新都县，蜀有三都：谓成都、广都，此其一焉〔四〇〕。与绵水合，水西出绵竹县，又与湔水合，亦谓之郫江也，又言是涪水。吕忱曰：一曰湔。然此二水俱与洛会矣。又迳犍为牛鞞县为牛鞞水，昔罗尚乘牛鞞水东征李雄，谓此水也。县以汉武帝元封二年置。又东迳资中县，又迳汉安县，谓之绵水也。自上诸县，咸以溉灌。故语曰：绵洛为没沃也。绵水至江阳县方山下入江，谓之绵水口，亦曰中水。江阳县枕带双流，据江、洛会也。汉景帝六年，封赵相苏嘉为侯国，江阳郡治也。故犍为枝江都尉，建安十八年，刘璋立。江中有大阙、小阙焉。季春之月，则黄龙堆没，阙乃平也。昔世祖微时，过江阳县，有一子，望气者言，江阳有贵儿象，王莽求之而獠杀之。后世祖怨，为子立祠于县，谪其民，罚布数世。扬雄琴清英曰：尹吉甫子伯奇至孝，后母谮之，自投江中，衣苔带藻，忽梦见水仙，赐其美药，思惟养亲，扬声悲歌，船人闻之而学之，吉甫闻船人之声，疑似伯奇，援琴作子安之操。江水迳汉安县北，县虽迫山川，土地特美，蚕桑鱼盐家有焉。江水东迳樊石滩，又迳大附滩，频历二险也。

又东过符县北邪东南〔四一〕，鳛部水从符关东北注之。

县，故巴夷之地也。汉武帝建元六年，以唐蒙为中郎将，从万人出巴符关者也。元鼎二年立，王莽之符信矣。县治安乐水会，水源南通宁州平夷郡鳖县，北迳安乐县界之东，又迳符县下，北入江。县长赵祉遣吏先尼和，以永建元年十二月，诣巴郡，没死成湍滩，子贤求丧不得，女络年二十五岁，有二子，五岁以还，至二年二月十五日，尚不得丧，络乃乘小船至父没处，哀哭自沉，见梦告贤曰：至二十一日与父俱出。至日，父子果浮出江上。郡县上言，为之立碑，以旌孝诚也。其鳛部之水，所未闻矣。或是水之殊目，非所究也。

又东北至巴郡江州县东，强水、涪水、汉水、白水、宕渠水，五水合，南流注之。

强水，即羌水也。宕渠水，即潜水、渝水矣。巴水出晋昌郡宣汉县巴岭山，郡隶梁州，晋太康中立，治汉中。县南去郡八百馀里，故属巴渠。西南流历巴中，迳巴郡故城南、李严所筑大城北，西南入江。庾仲雍所谓江州县对二水口，右则涪内水，左则蜀外水。即是水也。江州县，故巴子之都也。春秋桓公九年，巴子使韩服告楚，请与邓好是也。及七国称王，巴亦王焉。秦惠王遣张仪等救苴侯于巴，仪贪巴、苴之富，因执其王以归，而置巴郡焉，治江州。汉献帝初平元年，分巴为三郡，于江州，则永宁郡治也。至建安六年，刘璋纳蹇胤之讼，复为巴郡，以严颜为守。颜见先主入蜀，叹曰：独坐穷山，放虎自卫，此即拊心处也。汉世郡治江州，巴水北，北府城是也。后乃徙南城。刘备初以江夏费观为太守，领江州都督。后都护李严更城，周十六里，造苍龙、白虎门，求以五郡为巴州治，丞相诸葛亮不许，竟不果。地势侧险，皆重屋累居，数有火害，又不相容，结舫水居者五百馀家。承二江之会，夏水增盛，坏散颠没，死者无数。县有官橘、官荔枝园，夏至则熟，二千石常设厨膳，命士大夫共会树下食之。县北有稻田，出御米也。县下又有清水穴，巴人以此水为粉，则皜曜鲜芳，贡粉京师，因名粉水，故世谓之为江州堕林粉，粉水亦谓之为粒水矣。江之北岸，有涂山，南有夏禹庙、涂君祠，庙铭存焉。常璩、庾仲雍并言禹娶于此。余按群书，咸言禹娶在寿春当涂，不于此也。

又东至枳县西，延江水从牂柯郡北流西屈注之。

江水东迳阳关巴子梁，江之两岸，旧有梁处，巴之三关，斯为一也。延熙中，蜀车骑将军邓芝为江州都督，治此。江水又东，右迳黄葛峡，山高险，全无人居。江水又左迳明月峡，东至梨乡，历鸡鸣峡。江之南岸，有枳县治。华阳记曰：枳县在江州巴郡东四百里，治涪陵水会。庾仲雍所谓有别江出武陵者也。水乃延江之枝津，分水北注，迳涪陵入江，故亦云涪陵水也。其水南导武陵郡，昔司马错溯舟此水，取楚黔中地。延熙中，邓芝伐徐巨，射玄猿于是县，猿自拔矢，卷木叶塞射创。芝叹曰：伤物之生，吾其死矣。江水又东迳涪陵故郡北，后乃并巴郡〔四二〕，遂罢省。江水又东迳文阳滩，滩险难上。江水又东迳汉平县二百馀里，左自涪陵东出百馀里，而届于黄石，东为桐柱滩。又迳东望峡，东历平都。峡对丰民洲，旧巴子别都也。华阳记曰：巴子虽都江州，又治平都。即此处也。有平都县，为巴郡之隶邑矣。县有天师治，兼建佛寺，甚清灵。县有市肆，四日一会。江水右迳虎须滩，滩水广大，夏断行旅。江水又东迳临江县南，王莽之监江县也。华阳记曰：县在枳东四百里，东接朐忍县〔四三〕，有盐官。自县北入盐井溪，有盐井营户,溪水沿注江。江水又东得黄华水口,江浦也。左迳石城南。庾仲雍曰:临江至石城黄华口一百里。又东至平洲,洲上多居民。又东迳壤涂而历和滩,又东迳界坛,是地,巴东之西界,益州之东境,故得是名也。

又东过鱼复县南,夷水出焉。

江水又东,右得将龟溪口,华阳记曰:朐忍县出灵龟。咸熙元年,献龟于相府,言出自此溪也。江水又东会南、北集渠,南水出涪陵县界,谓之阳溪〔四四〕,北流迳巴东郡之南浦侨县西,溪硖侧,盐井三口,相去各数十步,以木为桶,径五尺,修煮不绝。溪水北流注于江,谓之南集渠口,亦曰于阳溪口。北水出新浦县北高梁山分溪,南流迳其县西,又南百里至朐忍县,南入于江,谓之北集渠口,别名班口,又曰分水口,朐忍尉治此。江水又东,右迳汜溪口,盖江汜决入也。江水又东迳石龙而至于博阳二村之间,有盘石,广四百丈,长六里,阻塞江川,夏没冬出,基亘通渚。又东迳羊肠虎臂滩。杨亮为益州,至此舟覆,惩其波澜,蜀人至今犹名之为使君滩。江水又东,彭水注之,水出巴渠郡獠中,东南流迳汉丰县东,清水注之,水源出西北巴渠县东北巴岭南獠中,即巴渠水也。西南流至其县,又西入峡,檀井溪水出焉。又西出峡,至汉丰县东而西注彭溪,谓之清水口。彭溪水又南,迳朐忍县西六十里,南流注于江,谓之彭溪口。江水又东,右迳朐忍县故城南,常璩曰:县在巴东郡西二百九十里,县治故城,跨其山阪,南临大江,江之南岸有方山,山形方峭,枕侧江渍。江水又东迳瞿巫滩,即下瞿滩也,又谓之博望滩。左则汤溪水注之,水源出县北六百馀里上庸界,南流历县，翼带盐井一百所，巴、川资以自给。粒大者方寸，中央隆起，形如张伞，故因名之曰伞子盐。有不成者，形亦必方，异于常盐矣。王隐晋书地道记曰：入汤口四十三里，有石煮以为盐，石大者如升，小者如拳，煮之水竭盐成。盖蜀火井之伦，水火相得，乃佳矣。汤水下与檀溪水合，水上承巴渠水，南历檀井溪，谓之檀井水，下入汤水，汤水又南入于江，名曰汤口。江水又迳东阳滩。江上有破石，故亦通谓之破石滩，苟延光没处也。常璩曰：水道有东阳、下瞿数滩，山有大、小石城势，灵寿木及橘圃也。故地理志曰：县有橘官，有民市。江水又迳鱼复县之故陵，旧郡治故陵溪西二里故陵村。溪即永谷也。地多木瓜树，有子，大如甀，白黄，实甚芬香，尔雅之所谓楙也。江水又东为落牛滩，迳故陵北，江侧有六大坟，庾仲雍曰：楚都丹阳所葬，亦犹枳之巴陵矣。故以故陵为名也。有鱼复尉戍此。江之左岸有巴乡村，村人善酿，故俗称"巴乡清"，郡出名酒。村侧有溪，溪中多灵寿木。中有鱼，其头似羊，丰肉少骨，美于馀鱼。溪水伏流迳平头山，内通南浦故县陂湖，其地平旷有湖泽，中有菱、芡、鲫、雁，不异外江，凡此等物，皆入峡所无。地密恶蛮，不可轻至。江水又东，右迳夜清而东历朝阳道口，有县治，治下有市，十日一会。江水又东，左迳新市里南，常璩曰：巴旧立市于江上，今新市里是也。江水又东，右合阳元水〔四五〕，水出阳口县西南高阳山东，东北流迳其县南，东北流，丙水注之。水发县东南柏枝山，山下有丙穴，穴方数丈，中有嘉鱼，常以春末游渚，冬初入穴，抑亦褒汉丙穴之类也。其水北流入高阳溪。溪水又东北流，注于江，谓之阳元口。江水又东迳南乡峡，东迳永安宫南，刘备终于此。诸葛亮受遗处也。其间平地可二十许里，江山迴阔，入峡所无，城周十馀里，背山面江，颓墉四毁，荆棘成林，左右民居，多垦其中。江水又东迳诸葛亮图垒南，石碛平旷，望兼川陆，有亮所造八阵图〔四六〕，东跨故垒，皆累细石为之。自垒西去，聚石八行，行间相去二丈，因曰：八阵既成，自今行师，庶不覆败。皆图兵势行藏之权，自后深识者所不能了。今夏水漂荡，岁月消损，高处可二三尺，下处磨灭殆尽。江水又东迳赤岬城西，是公孙述所造，因山据势，周回七里一百四十步，东高二百丈，西北高千丈。南连基白帝山，甚高大，不生树木，其石悉赤，土人云：如人袒胛，故谓之赤岬山〔四七〕。淮南子曰：徬徨于山岬之旁。注曰：岬，山胁也。郭仲产曰：斯名将因此而兴矣。江水又东迳鱼复县故城南，故鱼国也。春秋左传文公十六年，庸与群蛮叛，楚庄王伐之，七遇皆北，惟裨、鯈、鱼人逐之是也。地理志，江关都尉治。公孙述名之为白帝，取其王色。蜀章武二年，刘备为吴所破，改白帝为永安，巴东郡治也。汉献帝兴平元年，分巴为二郡，以鱼复为故陵郡，蹇胤诉刘璋，改为巴东郡，治白帝山城，周回二百八十步，北缘马岭，接赤岬山。其间平处，南北相去八十五丈，东西七十丈。又东旁东瀼溪，即以为隍，西南临大江，窥之眩目，惟马岭小差委迤，犹斩山为路，羊肠数四，然后得上。益州刺史鲍陋镇此，为谯道福所围，城里无泉，乃南开水门，凿石为函道，上施木天公，直下至江中，有似猿臂相牵引汲，然后得水。水门之西，江中有孤石，为淫预石〔四八〕，冬出水二十馀丈，夏则没，亦有裁出处矣〔四九〕。县有夷溪，即很山清江也，经所谓夷水出焉。江水又东迳广溪峡，斯乃三峡之首也[五〇]。其间三十里，颓岩倚木，厥势殆交。北岸山上有神渊，渊北有白盐崖，高可千馀丈，俯临神渊。土人见其高白，故因名之。天旱，燃木岸上，推其灰烬，下移渊中，寻即降雨。常璩曰：县有山泽水神，旱时鸣鼓请雨，则必应嘉泽。蜀都赋所谓应鸣鼓而兴雨也。峡中有瞿塘、黄龛[五一]二滩，夏水回复，沿溯所忌。瞿塘滩上有神庙，尤至灵验，刺史二千石径过，皆不得鸣角伐鼓，商旅上水，恐触石有声，乃以布裹篙足，今则不能尔，犹飨荐不辍。此峡多猿，猿不生北岸，非惟一处，或有取之放著北山中，初不闻声，将同狢兽渡汶而不生矣。其峡盖自昔禹凿以通江。郭景纯所谓巴东之峡，夏后疏凿者。

〔一〕注疏本作"江水一"。疏："戴删'一'字。"

〔二〕方舆纪要卷一二八川渎五大江引水经注云："岷江泉流深远，为四渎首。"当是此经文内佚文。

〔三〕蚕陵县　注笺本、项本、五校钞本、七校本、张本均作"西陵县"。

〔四〕邛崃山　注笺本、五校钞本、七校本、项本、注释本、张本、注疏本、方舆胜览卷五十六黎州山川邛崃山引水经注均作"邛来山"。

〔五〕绵虒道　黄本、注笺本、项本、沈本、注释本、张本、后汉书卷八十二上列传七十二上方术上任文公传"湔水涌起十馀丈"注引水经注均作"绵道"。

〔六〕绵虒县　黄本、吴本、注笺本、项本、沈本、张本、禹贡水道考异南条水道考异卷二荆州引水经注均作“绵夷县”。

〔七〕名胜志四川卷六成都府六灌县引水经注云:“李冰作大堰于此,立碑六字曰:深淘潭,浅包隅。隅者,于江作堋,堋有左右口。”此“深淘潭,浅包隅。隅者”八字,当为此句中佚文。

〔八〕捡江　五校钞本、七校本、注释本、佩文韵府卷三三江江检江引水经注均作“检江”。

〔九〕姚精　注疏本同。疏:“守敬按:华阳国志十,广柔羌反,寇杀长姚超。又云,广柔长郫姚超二女姚妣饶,未许嫁,随父在官,值九种夷反,杀超,获二女,欲使牧羊,二女誓不辱,乃以衣连腰,自沉水中死,见梦告兄慰,曰:姊妹之丧,当以某日至溉下,慰寤,哀愕,如梦日得丧,郡国图像府庭。又华阳国志十二目录亦称广柔长姚超。则注‘姚精’为‘姚超’之误。”

〔一〇〕吾斗大亟　王校明钞本作“吾斗大极”,王国维明钞本水经注跋:“江水注‘吾斗大极’(黄本同)诸本并作‘疲极’,戴本作‘大亟’。”

〔一一〕大亟　注疏本作“大极”。疏:“朱作‘疲极’,戴改‘大亟’,赵据黄本改‘大极’。守敬按:史记河渠书正义作‘疲极’,明钞本作‘大极’,类聚,御览二百六十二、六百八十二,寰宇记同。”

〔一二〕冲治桥　大典本、黄本、注笺本、项本、沈本、注释本、张本、雍正四川通志卷二十三崇庆州新繁县沱江引水经注均作“冲里桥”,注释本赵一清云:“华阳国志作‘冲治桥’,此云‘冲里’,是唐时写本避高宗讳耳,章怀后汉注作‘冲里桥’可证也。”

〔一三〕名胜志四川卷一川西道成都府成都县引水经注云:“南江桥亦曰安乐桥,在城南二十五步,宋孝武以桥为安乐寺,改名安乐桥。”当是此段中佚文。

〔一四〕夷星桥　大典本、黄本、吴本、沈本均作“夷桥”，何本、注释本、注疏本均作“夷里桥”，方舆纪要卷六十七四川二成都府笮桥引水经注作“彝桥”。

〔一五〕笮桥　注释本作“筰桥”。

〔一六〕寰宇记卷七十五剑南西道四蜀州晋原县引水经注云：“汝江井，李冰所导。”或是此经文下佚文。

〔一七〕天社山　吴本、注笺本、项本、张本均作“大杜山”，何校明钞本作“大社山”。

〔一八〕注疏本杨守敬按：“蜀志先主传，建安二十五年，群臣上言，闻黄龙见武阳、赤水，九日乃去。华阳国志三系此事于建安二十四年，考先主即位，在建安二十六年，黄龙见在其先，则当是二十四年。注作二十九年，误也。”

〔一九〕筰道　注释本、天下郡国利病书卷六十八四川四引水经注均作“筰道”。

〔二〇〕濛溪　注释本作“蒙溪”。

〔二一〕殿本在此处案云：“案此十四字，舛误不可通，当作‘汉武帝元鼎六年，以蜀郡西部筰都置’。汉书武帝本纪可证，不得系之元封四年也。又：越嶲郡治邛都，沈黎郡治筰都，不得兼言邛筰明矣。筰都即旄牛县，亦曰旄牛道，天汉四年罢沈黎郡置，都尉仍治旄牛，其县隶蜀郡，故城在今雅州府清溪县南。”注疏本作“汉武帝元封四年，以蜀郡西部邛筰置”，杨守敬按：“华阳国志蜀志总序，元封六年，以蜀郡北部冉駹为汶山郡，西部邛笮为沈黎郡。其汶山郡下又言，元封四年置。今本汉嘉郡缺，原文亦或称沈黎郡，元封四年置,则此注‘封’字、‘四’字、‘邛’字,皆沿华阳国志之误。至兼言邛莋则不误,盖泛指邛人莋人耳。戴因此郡治莋都而执越嶲郡治邛都以绳之,泥矣。赵删‘邛’字而不增‘置’字,未合。今依戴说补之。”

〔二二〕青蛉县　大典本、黄本、吴本、何校明钞本、王校明钞本、项本、沈本、五校钞本、七校本、注释本、张本、注疏本、读水经注小识卷四引水经注、校水经注江水(经韵楼集卷七)引水经注均作“蜻蛉县”。

〔二三〕青蛉水　同注〔二二〕各本均作“蜻蛉水”。

〔二四〕秦臧县　黄本、吴本、沈本、何校明钞本、校水经注江水(经韵楼集卷七)引水经注均作“秦藏县”。

〔二五〕蒫泠县　大典本、注笺本、项本、注释本、张本均作“蓭泠县”。

〔二六〕平模水　大典本、何校明钞本均作“平谟水”。

〔二七〕大渡水　通鉴卷一三六齐纪二武帝永明二年“益州大度獠恃险骄恣”胡注引水经注作“大度水”。

〔二八〕涐水　五校钞本、七校本、注疏本均作“渽水”。

〔二九〕注疏本疏:“全云:按此三字不可晓,郭注亦无说。守敬按:海内东经文,‘濕’作‘聂’。段玉裁曰:山海经,濛水出汉阳西。郭璞注:汉阳县属朱提。此即地理志山闟谷之汉水。华阳国志亦曰,汉阳县有汉水入延江,非青衣水,郦氏征引误也。汉志见延江水篇。”

〔三〇〕佩文韵府卷十四十四寒滩伏犀滩引水经注云:“昔有黄牛从僰溪而出,上此崖乃化为石,是名伏犀滩。”当是此经文下佚文。

〔三一〕故其处悬岩犹有五色焉　黄本、吴本、练湖书院钞本、注笺本、注删本、何校明钞本、王校明钞本、沈本、注释本、注疏本、名胜志所引本等，均作"故其处悬岩犹有赤白玄黄五色焉"。

〔三二〕注疏本段熙仲校记："按要删卷三十二：御览六十九又引水经曰：'荔枝滩东南二十里山顶上有一冢，冢惟有女贞树，树上恒有白猿栖息。'是当亦此间佚文。"陈桥驿水经注校释在"僰道有张帛者也"下注："佩文韵府卷十四十四寒滩荔枝滩引水经注云：'荔枝滩东南二十里，山上有一冢，冢惟女贞树，树上恒有白猿栖息，郡国志，僰道有玉女冢是也。'或是此段下佚文。"

〔三三〕见注〔三二〕。

〔三四〕符黑水　大典本、黄本、吴本、注笺本、项本、张本均作"符里水"，孙潜校本作"符黚水"。

〔三五〕注疏本疏："赵云：按宋志，朱提太守，刘氏分犍为立。南广太守，晋武帝分朱提立。又云，南广令，晋太康地志属朱提。晋志无南广郡。王逊传云，分朱提为南广郡。'武帝'疑是'成帝'之误。方舆纪要云，蜀志，后主延熙中立南广郡，以常竺为太守，晋废。此事不见陈寿书，盖蜀中志乘耳。然以是注观之，似是蜀置，西晋废而东晋复立也。守敬按：汉武帝太初云云二句，华阳国志卷四文。志又谓晋建武元年省南广郡。但宋志引太康志，南广县属朱提。晋志以太康初为断，县亦属朱提，则郡省于太康前。常氏谓元帝建武元年省者，误也。至晋复立郡。晋书王逊传，逊分朱提立，宋志毛本作怀帝立，一本作武帝立。考华阳国志元帝世，宁州刺史王逊移朱提郡治南广。后刺史君奉却郡还旧治。及李雄定宁州，复置南广郡。则太兴四年，逊发病薨。咸和八年，奉为李寿所破获（见华阳国志）。其时尚无南广郡。晋书谓逊立郡，宋志作怀帝立，及作武帝立者误也。咸康五年，建宁太守孟彦缚宁州刺史霍彪于晋，举建宁为晋（亦见华阳国志），南广郡，当亦此时归而晋因之。赵氏疑宋志'武帝'为'成帝'之误，是矣。但举逊传为说，则非。逊不及成帝时也。方舆纪要即引华阳国志卷四南中志文，偶误为卷三之蜀志耳。赵以为蜀中志乘，尤为疏矣。"

〔三六〕注疏本疏："孙星衍曰：山海经中次九经，岷山之首曰女几之山，洛水出焉，东注于江。正是此洛水，而郦氏以为山海经不言洛水所导，盖亦疏矣。"

〔三七〕水经注疏熊会贞按："华阳国志，广汉郡本治绳乡，永初中，阴平汉中羌反。元初二年，移治涪，后治雒城。则此注'永初'为'元初'之误，今订。"

〔三八〕殿本在此处案云："案原本脱此四字，近刻脱'治'字，今据归有光本补正。"归有光本，参见卷三十一注〔二九〕。

〔三九〕刘备自将攻洛　王校明钞本作"刘备自涪攻之"，王国维明钞本水经注跋："江水注……'刘备自涪攻之'，诸本并作'刘备自将攻雒'。"

〔四〇〕名胜志四川卷八成都府八金堂县引水经注云："新都县有金台山，水通于巴汉，以水出金沙，因以名山。"当是此句下佚文。

〔四一〕注疏本疏："全云：按'邪'字下有脱文。孙汝澄曰，汉志有邪龙县。窃谓江水不得入益州界而复过符关，是不知地理之言也。且注但详符县之建置，以是知经之不及他县也。会贞按：汉之符县，后汉为符节。蜀志辅臣赞王士为符节长，足征安、顺后，县无改易。经作于三国时，当称‘符节’，不当称‘符县’，‘节’字与‘北邪’形近，疑经本作‘又东迳符节县东南’，迨传钞既久，将‘节’字倒入‘县’下，又误分为‘北邪’二字耳。盖经之所言，注必释之，如果有过某地东南之文，注未有无一语及之者。今注但详江南之建置，而不及江北之某地，则经但作‘过符节县东南’可知。全氏亦颇见及之，而犹有所未尽，故订之如此。又按：晋志复作‘符’，注称符县，不言尝改符节者，以前汉之符，至晋仍为符，故略之耳。读者勿疑其与经不相应。汉县属犍为郡，后汉因，蜀属江阳郡，晋因。后荒废，在今合江县西。”

〔四二〕后乃并巴郡　注疏本杨守敬按：“蜀先主立涪陵郡，说见延江水篇，郡治涪陵县，即今彭水县治，东晋徙废，此注‘后’字上当有脱文，言立郡事。”

〔四三〕朐忍县　通鉴卷一六九陈纪三文帝天康元年“腾军于汤口”胡注引水经注、方舆纪要卷六十九四川四夔州府奉节县汤溪引水经注、东归录引水经注均作“朐䏰县”。

〔四四〕谓之阳溪　注疏本作“谓之于阳溪”。疏：“赵云：按蜀志后主传建兴八年，魏延破魏雍州刺史郭淮于阳溪。又魏延传，使延西入羌中，魏后将军费瑶、雍州刺史郭淮，与延战于阳溪，延大破淮等。据传文，‘于’是为义不属‘阳溪’，岂道元误截耶？戴删‘于’字。会贞按：河水注有于黑城，沅水注有于东山，灅水注有于延水，此于阳溪亦其例也。‘于’字非衍。乃赵引蜀志后主传及魏延传之阳溪，谓‘于’字为义不属‘阳溪’，戴即据删（下于阳溪口又未删）。考漾水注白水与黑水合，水出羌中，又东南与大夷祝水合，大夷祝水东北合羊洪水，水出东南羊溪，羊、阳音同，其地在羌中，当即魏延战处，此江水注之于阳溪，非羌中也。赵误引如此条，犹谓戴不见赵书，虽百喙不解矣。”

〔四五〕阳元水　注释本作“阳元水口”。

〔四六〕八阵图　诸葛忠武侯故事卷五遗迹篇引水经注、长江图说卷十二杂说四引水经注均作“八陈图”。

〔四七〕赤岬山　大典本、何校明钞本、王校明钞本、注删本、初学记卷八山南道第七白帝引水经注、蜀鉴卷一建武六年引水经注均作“赤甲山”。

〔四八〕滟预石　乐府诗集卷八十六滟预歌二首引水经注作“滟豫石”，寰宇通志卷六十夔州府滟滪堆引水经注作“滟滪石”。

〔四九〕方舆纪要卷五十七夔州山川引水经注云：“舟子取途不决，名曰犹预。”又寰宇通志卷六十夔州府滟滪堆引水经注云：“秋时方出，谚云：滟滪大如象，瞿唐不可上；滟滪大如马，瞿唐不可下。峡人以此为水候。”此二句，当是此句下佚文。

〔五〇〕札记长江三峡：

三峡是长江在川、鄂之间的许多峡谷的总称。这一段江道上，如江水注所说：“自三峡七百里中，两岸连山，略无阙处。”峡谷的总数实在是很多的。其中最著名的有三处，所以称为三峡。但历来对三峡的名称并不一致，卷三十三江水经“又东过鱼复县南，夷水出焉”注云：“江水又东迳广溪峡，斯乃三峡之首也。”又卷三十四江水经“又东过巫县南，盐水从县东南流注之”注云：“江水又东迳巫峡。”同卷经“又东过夷陵县南”注云：“江水又东迳西陵峡……所谓三峡，此其一也。”所以杨守敬在水经注疏中称:“是郦氏以广溪、巫峡、西陵为三峡。”但历来许多文献中,并无广溪峡之名。例如方舆纪要卷一二八川渎五大江:“西陵峡在焉,与夔州之瞿唐,巫山之巫峡,共为三峡。”现在我们习惯上所说的三峡,多从方舆纪要。

水经注对三峡的描写,历来被学者视为千古绝响。与河水注中所描写的孟门悬流,成为全书最引人入胜的两篇。但这两者之间,其实存在区别。孟门是郦氏常经之地,其所描述,是他亲眼目击的纪实;而三峡为他足迹所未履,他写这一段,是撷取他人的文字精华。由于他广读精选,并且剪裁得当,所以虽未身历其地而也能写出如此绝妙文章。

因为卷三十四江水经“又东过夷陵县南”注下有:“及余来践跻此境,既至欣然,始信耳闻之不如亲见矣。”所以有人以为郦氏曾亲至其地。其实这是郦氏引袁山松宜都记中语。袁曾任宜都郡守,所以有“耳闻之不如亲见”之语。郦氏撰三峡一篇,引及文献不少,但以袁山松宜都记及盛弘之荆州记最为重要,其中描写生动之处,多出自袁、盛所著。

水经注描写三峡景区,最百读不厌的有两段,均在卷三十四江水注中。其中一段在经“又东过巫县南,盐水从县东南流注之”注中:

> 自三峡七百里中,两岸连山,略无阙处。重岩叠嶂,隐天蔽日,自非停午夜分,不见曦月。至于夏水襄陵,沿溯阻绝,或王命急宣,有时朝发白帝,暮到江陵,其间千二百里,虽乘奔御风,不以疾也。春冬之时,则素湍绿潭,回

清倒影，绝巘多生怪柏，悬泉瀑布，飞漱其间，清荣峻茂，良多趣味。每至晴初霜旦，林寒涧肃，常有高猿长啸，属引凄异，空谷传响，哀转久绝。故渔者歌曰：巴东三峡巫峡长，猿鸣三声泪沾裳。

另一段在经"又东过夷陵县南"注中：

江水又东迳西陵峡，宜都记曰：自黄牛滩东入西陵界，至峡口百许里，山水纡曲，而两岸高山重障，非日中夜半，不见日月，绝壁或千许丈，其石彩色，形容多所像类，林木高茂，略尽冬春，猿鸣至清，山谷传响，泠泠不绝。所谓三峡，此其一也。山松言：常闻峡中水疾，书记及口传，悉以临惧相戒，曾无称有山水之美也。及余来践跻此境，既至欣然，始信耳闻之不如亲见矣。其叠崿秀峰，奇构异形，固难以辞叙，林木萧森，离离蔚蔚，乃在霞气之表，仰瞩俯映，弥习弥佳，流连信宿，不觉忘返，目所履历，未尝有也。既自欣得此奇观，山水有灵，亦当惊知己于千古矣。

〔五一〕黄龛　注笺本、项本、五校钞本、七校本、注释本、张本均作"黄龙"。

水经注卷三十四

江水〔一〕

又东出江关，入南郡界，

江水自关东迳弱关、捍关。捍关，廪君浮夷水所置也。弱关在建平秭归界，昔巴、楚数相攻伐，藉险置关，以相防捍。秦兼天下，置立南郡，自巫东上，皆其域也〔二〕。

又东过巫县南，盐水从县东南流注之。

江水又东，乌飞水注之，水出天门郡溇中县界，北流迳建平郡沙渠县南，又北流迳巫县南，西北历山道三百七十里，注于江，谓之乌飞口。江水又东迳巫县故城南，县，故楚之巫郡也，秦省郡立县，以隶南郡，吴孙休分为建平郡，治巫城，城缘山为墉，周十二里一百一十步，东、西、北三面皆带傍深谷，南临大江，故夔国也。江水又东，巫溪水注之，溪水导源梁州晋兴郡之宣汉县东，又南迳建平郡泰昌县南，又迳北井县西，东转历其县北，水南有盐井，井在县北，故县名北井，建平一郡之所资也。盐水下通巫溪，溪水是兼盐水之称矣。溪水又南屈迳巫县东，县之东北三百步有圣泉，谓之孔子泉，其水飞清石穴，洁并高泉，下注溪水，溪水又南入于大江。江水又东迳巫峡，杜宇所凿，以通江水也。郭仲产云：按地理志，巫山在县西南，而今县东有巫山，将郡、县居治无恒故也。江水历峡东迳新崩滩，此山，汉和帝永元十二年崩，晋太元二年又崩，当崩之日，水逆流百馀里，涌起数十丈。今滩上有石，或圆如箪，或方似屋〔三〕，若此者甚众，皆崩崖所陨，致怒湍流，故谓之新崩滩。其颓岩所馀，比之诸岭，尚为竦桀。其下十馀里有大巫山，非惟三峡所无，乃当抗峰岷、峨，偕岭衡、疑，其翼附群山，并概青云，更就霄汉，辨其优劣耳。神孟涂所处，山海经曰：夏后启之臣孟涂，是司神于巴，巴人讼于孟涂之所，其衣有血者执之。是请生居山上，在丹山西。郭景纯云：丹山在丹阳，属巴。丹山西即巫山者也。又帝女居焉，宋玉所谓天帝之季女，名曰瑶姬，未行而亡，封于巫山之阳，精魂为草，实为灵芝。所谓巫山之女，高唐之阻，旦为行云，暮为行雨，朝朝暮暮，阳台之下。旦早视之，果如其言。故为立庙，号朝云焉。其间首尾百六十里，谓之巫峡，盖因山为名也。自三峡七百里中，两岸连山，略无阙处。重岩叠嶂，隐天蔽日，自非停午夜分，不见曦月。至于夏水襄陵，沿溯阻绝，或王命急宣，有时朝发白帝，暮到江陵，其间千二百里，虽乘奔御风，不以疾也。春冬之时，则素湍绿潭，回清倒影，绝巘多生怪柏，悬泉瀑布，飞漱其间，清荣峻茂，良多趣味。每至晴初霜旦，林寒涧肃，常有高猿长啸，属引凄异，空谷传响，哀转久绝。故渔者歌曰：巴东三峡巫峡长，猿鸣三声泪沾裳。江水又东迳石门滩，滩北岸有山，山上合下开，洞达东西，缘江步路所由。刘备为陆逊所破，走迳此门，追者甚急，备乃烧铠断道。孙桓为逊前驱，奋不顾命，斩上夔道，截其要径。备逾山越险，仅乃得免。忿恚而叹曰：吾昔至京，桓尚小儿，而今迫孤，乃至于此。遂发愤而薨矣。

又东过秭归县之南，

县，故归乡。地理志曰：归子国也。乐纬曰：昔归典叶声律。宋忠曰：归即夔，归乡，盖夔乡矣。古楚之嫡嗣有熊挚者，以废疾不立，而居于夔，为楚附庸，后王命为夔子。春秋僖公二十六年，楚以其不祀，灭之者也。袁山松曰：屈原有贤姊，闻原放逐，亦来归，喻令自宽全。乡人冀其见从，因名曰秭归，即离骚所谓女媭婵媛以詈余也。县城东北依山即坂，周回二里，高一丈五尺，南临大江，古老相传，谓之刘备城，盖备征吴所筑也。县东北数十里有屈原旧田宅，虽畦堰縻漫，犹保屈田之称也。县北一百六十里有屈原故宅，累石为室基，名其地曰乐平里，宅之东北六十里有女媭庙，捣衣石犹存。故宜都记曰：秭归盖楚子熊绎之始国，而屈原之乡里也。原田宅于今具存。指谓此也。江水又东迳一城北，其城凭岭作固，二百一十步，夹溪临谷，据山枕江，北对丹阳城〔四〕，城据山跨阜，周八里二百八十步，东北两面，悉临绝涧，西带亭下溪，南枕大江，险峭壁立，信天固也。楚子熊绎始封丹阳之所都也。地理志以为吴之丹阳，论者云：寻吴、楚悠隔，繿缕荆山，无容远在吴境，是为非也。又楚之先王陵墓在其间，盖为征矣。江水又东南迳夔城南，跨据川阜，周回一里百一十八步，西北背枕深谷，东带乡口溪，南侧大江，城内西北角有金城，东北角有圆土狱，西南角有石井，口径五尺。熊挚始治巫城，后疾移此，盖夔徙也。春秋左传僖公二十六年，楚令尹子玉城夔者也。服虔曰：在巫之阳，秭归归乡矣。江水又东迳归乡县故城北，袁山松曰：父老传言，原既流放，忽然蹔归，乡人喜悦，因名曰归乡。抑其山秀水清，故出俊异，地险流疾，故其性亦隘。诗云：惟岳降神，生甫及申。信与。余谓山松此言可谓因事而立证，恐非名县之本旨矣。县城南面重岭，北背大江，东带乡口溪，溪源出县东南数百里，西北入县，迳狗峡西，峡崖龛中，石隐起有狗形，形状具足，故以狗名峡。乡口溪又西北迳县下入江，谓之乡口也。江水又东迳信陵县，南临大江，东傍深溪，溪源北发梁州上庸县界，南流迳县下而注于大江也。

又东过夷陵县南，

江水自建平至东界峡，盛弘之谓之空泠峡，峡甚高峻，即宜都、建平二郡界也。其间远望，势交岭表，有五六峰参差互出，上有奇石如二人像，攘袂相对，俗传两郡督邮争界于此，宜都督邮厥势小东倾，议者以为不如也。江水历峡，东迳宜昌县之插灶下，江之左岸，绝岸壁立数百丈，飞鸟所不能栖。有一火烬，插在崖间，望见可长数尺。父老传言，昔洪水之时，人薄舟崖侧，以馀烬插之岩侧，至今犹存，故先后相承，谓之插灶也。江水又东迳流头滩，其水并峻激奔暴，鱼鳖所不能游，行者常苦之。其歌曰：滩头白勃坚相持，倏忽沦没别无期。袁山松曰：自蜀至此五千馀里，下水五日，上水百日也。江水又东迳宜昌县北，分夷道、佷山所立也。县治江之南岸，北枕大江，与夷陵对界。宜都记曰：渡流头滩十里，便得宜昌县。江水又东迳狼尾滩而历人滩，袁山松曰：二滩相去二里，人滩水至峻峭，南岸有青石，夏没冬出，其石嵚崟，数十步中悉作人面形，或大或小，其分明者，须发皆具，因名曰人滩也。江水又东迳黄牛山，下有滩，名曰黄牛滩，南岸重岭叠起，最外高崖间有石，色如人负刀牵牛，人黑牛黄，成就分明，既人迹所绝，莫得究焉。此岩既高，加以江湍纡回，虽途迳信宿，犹望见此物，故行者谣曰：朝发黄牛，暮宿黄牛，三朝三暮，黄牛如故。言水路纡深，回望如一矣〔五〕。江水又东迳西陵峡，宜都记曰：自黄牛滩东入西陵界，至峡口百许里，山水纡曲，而两岸高山重障，非日中夜半，不见日月，绝壁或千许丈，其石彩色，形容多所像类，林木高茂，略尽冬春，猿鸣至清，山谷传响，泠泠不绝。所谓三峡，此其一也。山松言：常闻峡中水疾，书记及口传，悉以临惧相戒，曾无称有山水之美也。及余来践跻此境，既至欣然，始信耳闻之不如亲见矣。其叠崿秀峰，奇构异形，固难以辞叙，林木萧森，离离蔚蔚，乃在霞气之表，仰瞩俯映，弥习弥佳，流连信宿，不觉忘返，目所履历，未尝有也。既自欣得此奇观，山水有灵，亦当惊知己于千古矣。江水历禹断江南，峡北有七谷村，两山间有水清深，潭而不流。又耆旧传言：昔是大江，及禹治水，此江小不足泻水，禹更开今峡口，水势并冲，此江遂绝，于今谓之断江也。江水出峡东南流，迳故城洲，洲附北岸，洲头曰郭洲，长二里，广一里，上有步阐故城〔六〕，方圆称洲，周回略满。故城洲上，城周五里，吴西陵督步骘所筑也。孙皓凤凰元年，骘息阐复为西陵督，据此城降晋，晋遣太傅羊祜接援，未至，为陆抗所陷也。江水又东迳故城北，所谓陆抗城也，城即山为墉，四面天险，江南岸有山孤秀，从江中仰望，壁立峻绝。袁山松为郡，尝登之瞩望焉。故其记云：今自山南上至其岭，岭容十许人，四面望诸山，略尽其势，俯临大江，如萦带焉，视舟如凫雁矣。北对夷陵县之故城，城南临大江。秦令白起伐楚，三战而烧夷陵者也。应劭曰：夷山在西北，盖因山以名县也。王莽改曰居利，吴黄武元年，更名西陵也。后复曰夷陵。县北三十里有石穴，名曰马穿，尝有白马出穴，人逐之，入穴潜行出汉中，汉中人失马亦尝出此穴，相去数千里。袁山松言：江北多连山，登之望江南诸山，数十百重，莫识其名，高者千仞，多奇形异势，自非烟褰雨霁，不辨见此远山矣。余尝往返十许过，正可再见远峰耳。江水又东迳白鹿岩，沿江有峻壁百余丈，猿所不能游，有一白鹿，陵峭登崖，乘岩而上，故世名此岩为白鹿岩。江水又东历荆门〔七〕、虎牙〔八〕之间，荆门在南，上合下开，暗彻山南有门像；虎牙〔九〕在北，石壁色红，间有白文类牙形，并以物像受名。此二山，楚之西塞也。水势急峻，故郭景纯江赋曰：虎牙桀竖以屹崒，荆门阙竦而盘薄，圆渊九回以悬腾，湓流雷呴而电激者也。汉建武十一年，公孙述遣其大司徒任满、翼江王田戎，将兵数万，据险为浮桥，横江以绝水路，营垒跨山，以塞陆道。光武遣吴汉、岑彭将六万人击荆门，汉等率舟师攻之，直冲浮桥，因风纵火，遂斩满等矣。

又东南过夷道县北，夷水从佷山县南，东北注之。

夷道县，汉武帝伐西南夷，路由此出，故曰夷道矣。王莽更名江南，桓温父名彝，改曰西道，魏武分南郡置临江郡，刘备改曰宜都。郡治在县东四百步故城，吴丞相陆逊所筑也。为二江之会也。北有湖里渊，渊上橘柚蔽野，桑麻暗日，西望佷山诸岭，重峰叠秀，青翠相临，时有丹霞白云，游曳其上。城东北有望堂，地特峻，下临清江，游瞩之名处也。县北有女观山，厥处高显，回眺极目。古老传言，昔有思妇，夫官于蜀，屡愆秋期，登此山绝望，忧感而死，山木枯悴，鞠为童枯，乡人哀之，因名此山为女观焉。葬之山顶，今孤坟尚存矣。

又东过枝江县南，沮水从北来注之。

江水又东迳上明城北，晋大元中，苻坚之寇荆州也，刺史桓冲徙渡江南，使刘波筑之，移州治此城。其地夷敞，北据大江，江汜〔一〇〕枝分，东入大江，县治洲上，故以枝江为称。地理志曰：江沱出西，东入江是也。其地，故罗国，盖罗徙也。罗故居宜城西山，楚文王又徙之于长沙，今罗县是矣。县西三里有津乡，津乡，里名也。春秋庄公十九年，巴人伐楚，楚子御之，大败于津。应劭曰：南郡江陵有津乡，今则无闻矣。郭仲产云：寻楚御巴人，枝江是其涂。便此津乡，殆即其地也。盛弘之曰：县旧治沮中，后移出百里洲，西去郡百六十里，县左右有数十洲，槃布江中，其百里洲最为大也。中有桑田甘果，映江依洲，自县西至上明，东及江津，其中有九十九洲。楚谚云：洲不百，故不出王者。桓玄有问鼎之志，乃增一洲以充百数，僭号数旬，宗灭身屠，及其倾败，洲亦消毁。今上在西，忽有一洲自生，沙流回薄，成不淹时，其后未几，龙飞江汉矣。县东二里有县人刘凝之故宅，凝之字志安，兄盛公高尚不仕，凝之慕老莱、严子陵之为人，立屋江湖，非力不食。妻梁州刺史郭诠〔一一〕女，亦能安贫。宋元嘉中，夫妻隐于衡山，终焉不返矣。县东北十里土台北岸有迆洲，长十馀里，义熙初，烈武王斩桓谦处。

县东南二十里富城洲上有道士范侪精庐，自言巴东人，少游荆土，而多盘桓县界，恶衣粗食，萧散自得。言来事多验，而辞不可详，人心欲见，欻然而对，貌言寻求，终弗遇也。虽迳跨诸洲，而舟人未尝见其济涉也。后东游广陵，卒于彼土。侪本无定止处，宿憩一小庵而已，弟子慕之，于其昔游，共立精舍，以存其人。县有陈留王子香庙，颂称子香于汉和帝之时，出为荆州刺史，有惠政，天子征之，道卒枝江亭中，常有三白虎出入人间，送丧逾境。百姓追美甘棠，以永元十八年立庙设祠，刻石铭德，号曰枝江白虎王君，其子孙至今犹谓之为白虎王。江水又东会沮口，楚昭王所谓江、汉、沮、漳，楚之望也。

又南过江陵县南，

县北有洲，号曰枚迴洲〔一二〕，江水自此两分，而为南、北江也，北江有故乡洲，元兴之末，桓玄西奔，毛祐之与参军费恬射玄于此洲。玄子昇年六岁，辄拔去之。王韶之云：玄之初奔也，经日不得食，左右进粗粥咽不下，昇抱玄胸抚之，玄悲不自胜。至此，益州都护〔一三〕冯迁斩玄于此洲，斩昇于江陵矣。下有龙洲，洲东有宠洲，二洲之间，世擅多鱼矣。渔者投罟历网，往往絓绝，有潜客泳而视之，见水下有两石牛，尝为罾害矣。故渔者莫不击浪浮舟，鼓枻而去矣。其下谓之郧里洲，洲有高沙湖，湖东北有小水通江，名曰曾口。江水又东迳燕尾洲〔一四〕北，合灵溪水，水无泉源，上承散水，合承大溪，南流注江。江溪之会有灵溪戍，背阿面江，西带灵溪，故戍得其名矣。江水东得马牧口，江水断洲通会。江水又东迳江陵县故城南，禹贡：荆及衡阳惟荆州。盖即荆山之称〔一五〕，而制州名矣，故楚也。子革曰：我先君僻处荆山，以供王事，遂迁纪郢〔一六〕。今城，楚船官地也，春秋之渚宫矣。秦昭襄王二十九年，使白起拔鄢郢，以汉南地而置南郡焉。周书曰：南，国名也。南氏有二臣，力钧势敌，竞进争权，君弗能制，南氏用分为二南国也。按韩婴叙诗云：其地在南郡、南阳之间。吕氏春秋所谓禹自塗山巡省南土者也。是郡取名焉。后汉景帝以为临江王荣国，王坐侵庙壖地为宫，被征，升车出北门而轴折，父老窃流涕曰：吾王不还矣。自后北门不开，盖由荣非理终也。汉景帝二年，改为江陵县，王莽更名，郡曰南顺，县曰江陆。旧城，关羽所筑，羽北围曹仁，吕蒙袭而据之。羽曰：此城吾所筑，不可攻也，乃引而退。杜元凯之攻江陵也，城上人以瓠系狗颈示之，元凯病瘿故也。及城陷，杀城中老小，血流沾足，论者以此薄之。江陵城地东南倾，故缘以金堤，自灵溪始，桓温令陈遵造。遵善于方功，使人打鼓，远听之，知地势高下，依傍创筑，略无差矣。城西有栖霞楼，俯临通隍，吐纳江流。城南有马牧城，西侧马径。此洲始自枚迴，下迄于此，长七十馀里。洲上有奉城，故江津长所治。旧主度州郡，贡于洛阳，因谓之奉城，亦曰江津戍也。戍南对马头岸，昔陆抗屯此与羊祜相对，大宏信义，谈者以为华元、子反，复见于今矣。北对大岸，谓之江津口，故洲亦取名焉。江大自此始也。家语曰：江水至江津，非方舟避风，不可涉也。故郭景纯云：济江津以起涨。言其深广也。江水又东迳郢城南，子囊遗言所筑城也。地理志曰：楚别邑。故郢矣。王莽以为郢亭。城中有赵台卿冢，岐平生自所营也。冢图宾主之容，用存情好，叙其宿尚矣。江水又东得豫章口，夏水所通也。西北有豫章冈，盖因冈而得名矣。或言因楚王豫章台名，所未详也。

〔一〕注疏本作“江水二”。疏：“戴删‘二’字。”

〔二〕自巫东上皆其域也　注疏本作“自巫下皆其域也”。疏：“朱讹作‘自巫上皆其城也’。赵、戴增作‘东上’，改‘城’作‘域’。戴云：此乃注释经文入南郡界句。守敬按：汉志南郡西至巫县而止，再上则为鱼复，属巴郡矣。当作‘自巫下皆其域也’，今订。”

〔三〕或方似屋　注疏本作“或方似笥”。疏：“朱‘笥’讹作‘屋’，戴、赵同。会贞按：屋与箪不类，不得对举。考郑玄曲礼注，圆曰箪，方曰笥，郦氏盖本以为说，则‘屋’当作‘笥’，今订。”

〔四〕丹阳城　注释本作“丹杨城”。

〔五〕诸葛忠武侯故事卷五遗迹篇引水经注云：“黄陵庙在夷陵州，面对黄牛峡，相传神常佐禹治水，诸葛武侯建庙，一名黄牛庙。”当是此句下佚文。

〔六〕步阐故城　通鉴卷一八七唐纪三高祖武德二年“追之西陵大破之”胡注引水经注、方舆纪要卷七十八湖广四荆州府彝陵州狼尾滩引水经注均作“步阐垒”。

〔七〕荆门　后汉书卷一下帝纪一下光武帝纪“遣将田戎、任满据荆门”注引水经注、通典卷一八三州郡十三夷陵郡峡州宜都县引水经注、通鉴卷四十二汉纪三十四光武帝建武九年“因据荆门虎牙”胡注引水经注均作“荆门山”。

〔八〕虎牙　同注〔七〕各本均作“虎牙山”。

〔九〕蜀鉴卷一建武九年引水经注云：“公孙述依二山作浮桥

拒汉师，下有急滩，名虎牙滩。”舆地纪胜卷七十三荆湖北路峡州景物下虎牙山引水经注云：“下有急滩，名虎牙滩，一名武牙。”元一统志卷三河南江北等行中书省峡州路山川虎牙山引水经注云：“荆门在南山之半，虎牙在北山之间，公孙述遣二将依山作浮桥，拒汉师，下有急滩，名虎牙滩，一名武牙。”据三书所引，“下有急滩，名虎牙滩，一名武牙”，当是此段中佚文。

〔一〇〕江汜　注释本作“江沱”。

〔一一〕郭诠　注疏本作“郭铨”。疏：“朱‘铨’作‘诠’，戴、赵同。守敬按：宋书刘凝之传作‘铨’，御览五百四引传亦作‘铨’。晋书杨佺期、桓石民、桓玄传并同，则‘诠’字之误无疑。宋书刘道轨传作‘钤’，亦误，今订。”

〔一二〕枚迴洲　大典本、黄本、吴本、沈本、禹贡水道考异南条水道考异引水经注均作“枝迴洲”，注笺本、项本、张本均作“枝回洲”。

〔一三〕益州都护　注疏本作“益州督护”。疏：“朱‘督’作‘都’，戴、赵同。会贞按：晋书安帝纪、桓玄传，魏书岛夷桓玄传并作‘督’，御览三百二十三引晋中兴书亦作‘督’，则‘都’字之误无疑。”

〔一四〕燕尾洲　方舆纪要卷七十八湖广四荆州府江陵县柞溪引水经注作“燕尾湖”。

〔一五〕春秋地名考略卷八楚“国于丹阳”注引水经注云：“荆山以西，冈岭相接，皆谓之西山。”当是此段中佚文。

〔一六〕乐府诗集卷七十二刘禹锡纪南歌郭茂倩引水经注云：“楚之先，僻处荆山，后迁纪郢，即纪南城也。”此处，“即纪南城也”当是此句下佚文。

水经注卷三十五

江水〔一〕

又东至华容县西，夏水出焉。

江水左迆为中夏水，右则中郎浦出焉。江浦右迆，南派屈西，极水曲之势，世谓之江曲者也。

又东南当华容县南，涌水入焉。

江水又东，涌水注之，水自夏水南通于江，谓之涌口。二水之间，春秋所谓阎敖游涌而逸者也〔二〕。江水又迳南平郡孱陵县之乐乡城北，吴陆抗所筑，后王濬攻之，获吴水军督陆景于此渚也。

又东南，油水从东南来注之〔三〕。

又东，右合油口〔四〕，又东迳公安县〔五〕北，刘备之奔江陵，使筑而镇之。曹公闻孙权以荆州借备，临书落笔。杜预克定江南，罢华容置之，谓之江安县，南郡治。吴以华容之南乡为南郡，晋太康元年，改曰南平也。县有油水，水东有景口，口即武陵郡界。景口东有沦口，沦水南与景水合，又东通澧水及诸陂湖。自此渊潭相接，悉是南蛮府屯也。故侧江有大城，相承云仓储城，即邸阁也。江水左会高口，江浦也。右对黄州，江水又东得故市口，水与高水通也。江水又右迳阳岐山〔六〕北，山枕大江，山东有城，故华容县尉旧治也。大江又东，左合子夏口，江水左迆北出，通于夏水，故曰子夏也。大江又东，左得侯台水口，江浦也。大江右得龙穴水口，江浦右迆也。北对虎洲，又洲北有龙巢，地名也。昔禹南济江，黄龙夹舟，舟人五色无主，禹笑曰：吾受命于天，竭力养民，生，性也；死，命也。何忧龙哉？于是二龙弭鳞掉尾而去焉。故水地取名矣。江水自龙巢而东得俞口，夏水泛盛则有，冬无之。江之北岸上有小城，故监利县尉治也。又东得清阳〔七〕、土坞二口，江浦也。大江右迳石首山北，又东迳赭要。赭要，洲名，在大江中次北湖洲下。江水左得饭筐上口，秋夏水通下口，上下口间，相距三十馀里。赭要下即杨子洲，在大江中，二洲之间，常苦蛟害，昔荆佽飞济此，遇两蛟，斩之。自后罕有所患矣。江之右岸，则清水口，口上即钱官也。水自牛皮山东北通江，北对清水洲，洲下接生江洲，南即生江口，水南通澧浦。江水左会饭筐下口，江浦所入也。江水又右得上檀浦〔八〕，江溠也。江水又东迳竹町南，江中有观详溠，溠东有大洲，洲东分为爵洲，洲南对湘江口也。

又东至长沙下隽县北，澧水、沅水、资水合，东流注之。

凡此诸水，皆注于洞庭之陂，是乃湘水，非江川。

湘水从南来注之。

江水右会湘水，所谓江水会者也。江水又东，左得二夏浦，俗谓之西江口。又东迳忌置山南，山东即隐口浦矣。江之右岸有城陵山，山有故城，东接微落山，亦曰晖落矶。江之南畔名黄金濑，濑东有黄金浦、良父口，夏浦也。又东迳彭城口，水东有彭城矶，故水受其名，即玉涧水〔九〕，出巴丘县〔一〇〕东玉山玉溪，北流注于江。江水自彭城矶东迳如山北，北对隐矶，二矶之间，有独石孤立大江中，山东江浦，世谓之白马口。江水又左迳白螺山〔一一〕南，右历鸭兰矶〔一二〕北，江中山也。东得鸭兰、治浦二口，夏浦也。江水左迳上乌林〔一三〕南，村居地名也。又东迳乌黎口，江浦也，即中乌林矣。又东迳下乌林南，吴黄盖败魏武于乌林，即是处也。江水又东，左得子练口。北通练浦，又东合练口，江浦也。南直练洲，练名所以生也。江之右岸得蒲矶口，即陆口也。水出下隽县西三山溪，其水东迳陆城北，又东迳下隽县南，故长沙旧县，王莽之闰隽也。宋元嘉十六年，割隶巴陵郡。陆水又屈而西北流，迳其县北，北对金城，吴将陆涣所屯也。陆水又入蒲圻县，北迳吕蒙城〔一四〕西，昔孙权征长沙、零、桂所镇也。陆水又迳蒲矶山，北入大江，谓之刀环口。又东迳蒲矶山北，北对蒲圻洲，亦曰擎洲，又曰南洲。洲头，即蒲圻县治也，晋太康元年置。洲上有白面洲，洲南又有湺口，水出豫章艾县，东入蒲圻县，至沙阳西北鱼岳山入江。山在大江中扬子洲南，孤峙中洲。江水左得中阳水口，又东得白沙口，一名沙屯，即麻屯口也，本名蔑默口，江浦矣。南直蒲圻洲，水北入百馀里，吴所屯也。又迳鱼岳山北，下得金梁洲，洲东北对渊洲，一名渊步洲，江渍。从洲头以上，悉壁立无岸，历蒲圻至白沙方有浦，上甚难。江中有沙阳洲，沙阳县治也。县，本江夏之沙羡矣，晋太康中改曰沙阳县，宋元嘉十六年，割隶巴陵郡，江之右岸有雍口，亦谓之港口。东北流为长洋港。又东北迳石子冈，冈上有故城，即州陵县之故城也。庄辛所言，左州侯国矣。又东迳州陵新治南，王莽之江夏也。港水东南流注于江，谓之洋口。南对龙穴洲，沙阳洲之下尾也。洲里有驾部口，宋景平二年，迎文帝于江陵，法驾顿此，因以为名。文帝车驾发江陵，至此，黑龙跃出，负帝所乘舟，左右失色，上谓长史王昙首曰：乃夏禹所以受天命矣，我何德以堪之。故有龙穴之名焉。江水又东右得聂口，江浦也。左对聂洲，江水左迳百人山南，右迳赤壁山北，昔周瑜与黄盖诈魏武大军处所也。江水东迳大军山南，山东有山屯，夏浦，江水左池也。江中有石浮出，谓之节度石。右则涂水注之，水出江州武昌郡武昌县金山，西北流迳汝南侨郡故城南。咸和中，寇难南逼，户口南渡，因置斯郡，治于涂口。涂水历县西又西北流，注于江。江水又东迳小军山南，临侧江津，东有小军浦。江水又东迳鸡翅山北，山东即土城浦也。

又东北至江夏沙羡县西北，沔水从北来注之。

沌水上承沌阳县之太白湖，东南流为沌水，迳沌阳县南，注于江，谓之沌口，有沌阳都尉治〔一五〕。晋永嘉六年，王敦以陶侃为荆州，镇此，明年徙林鄣。江水又东迳叹父山，南对叹州，亦曰叹步矣。江之右岸当鹦鹉洲南，有江水右池，谓之驿渚。三月之末，水下通樊口水。江水又东迳鲁山南，古翼际山也。地说曰：汉与江合于衡北翼际山旁者也。山上有吴江夏太守陆涣所治城，盖取二水之名。地理志曰：夏水过郡入江，故曰江夏也。旧治安陆，汉高帝六年置。吴乃徙此城，中有晋征南将军荆州刺史胡奋碑，又有平南将军王世将刻石，记征杜曾事，有刘琦墓及庙也。山左即沔水口矣。沔左有郤月城，亦曰偃月垒，戴监军筑，故曲陵县也，后乃沙羡县治。昔魏将黄祖所守，遣董袭、凌统攻而擒之。祢衡亦遇害于此。衡恃才倜傥，肆狂狷于无妄之世，保身不足，遇非其死，可谓咎悔之深矣。江之右岸有船官浦，历黄鹄矶西而南矣。直鹦鹉洲之下尾，江水溠曰洑浦，是曰黄军浦。昔吴将黄盖军师所屯，故浦得其名，亦商舟之所会矣。船官浦东即黄鹄山，林涧甚美，谯郡戴仲若野服居之。山下谓之黄鹄岸，岸下有湾，目之为黄鹄湾。黄鹄山东北对夏口城，魏黄初二年〔一六〕，孙权所筑也。依山傍江，开势明远，凭墉藉阻，高观枕流〔一七〕。上则游目流川，下则激浪崎岖，实舟人之所艰也。对岸则入沔津，故城以夏口为名，亦沙羡县治也。江水左得湖口，水通太白湖，又东合滠口，水上承涢水〔一八〕于安陆县，而东迳滠阳县北，东流注于江。江水又东，湖水自北南注，谓之嘉吴江〔一九〕。右岸频得二夏浦，北对东城洲西，浦侧有雍伏戍，江之右岸，东会龙骧水口，水出北山蛮中，江之左有武口，水上通安陆之延头。宋元嘉二年〔二〇〕，卫将军荆州刺史谢晦阻兵上流，为征北檀道济所败，走奔于此，为戍主光顺之所执处也。南至武城，俱入大江，南直武洲，洲南对杨桂水口，江水南出也，通金女、大文、桃班三治〔二一〕，吴旧屯所，在荆州界尽此。江水东迳若城南，庾仲雍江水记曰：若城至武城口三十里者也。南对郭口，夏浦，而不常泛矣。东得苦菜夏浦，浦东有苦菜山。江迳其北，故浦有苦菜之名焉。山上有苦菜,可食。江水左得广武口,江浦也。江之右岸有李姥浦,浦中偏无蚊蚋之患矣。北对峥嵘洲,冠军将军刘毅破桓玄于此洲。玄乃挟天子西走江陵矣。

又东过邾县南,

江水东迳白虎矶北,山临侧江濆,又东会赤溪,夏浦浦口,江水右迆也。又东迳贝矶北,庾仲雍谓之沛岸矣。江右岸有秋口,江浦也。又东得乌石水,出乌石山,南流注于江。江水右得黎矶,矶北亦曰黎岸也〔二二〕。山东有夏浦,又东迳上碛北,山名也。仲雍谓之大、小竹碛也。北岸烽火洲,即举洲也,北对举口,仲雍作莒字,得其音而忘其字,非也。举水出龟头山,西北流迳蒙笼戍南,梁定州治,蛮田秀超为刺史。举水又西流,左合垂山之水〔二三〕,水北出垂山之阳,与弋阳湋水同发一山,故是水合之。水之东有南口戍,又南迳方山戍西,西流注于举水。又西南迳梁司、豫二州东,蛮田鲁生为刺史,治湖陂城,亦谓之水城也。举水又西南迳颜城南,又西南迳齐安郡西,倒水注之。水出黄武山,南流迳白沙戍西,又东南迳梁达城戍西,东南合举水。举水又东南历赤亭下,谓之赤亭水。又分为二水,南流注于江,谓之举口,南对举洲。春秋左传定公四年,吴、楚陈于柏举,京相璠曰:汉东地矣。江夏有洰水,或作举,疑即此也。左水东南流入于江,江浒曰文方口。江之右岸有凤鸣口,江浦也,浦侧有凤鸣戍。江水又东迳邾县故城南,楚宣王灭邾,徙居于此,故曰邾也。汉高帝元年,项羽封吴芮为衡山王,都此。晋咸和中,庾翼为西阳太守,分江夏立,四年,豫州刺史毛宝、西阳太守樊俊共镇之,为石虎将张格度所陷,自尔丘墟焉。城南对芦洲，旧吴时筑客舍于洲上，方便惟所止焉，亦谓之罗洲矣。

鄂县北，

江水右得樊口，庾仲雍江水记云：谷里袁口。江津南入，历樊山〔二四〕上下三百里，通新兴、马头二治〔二五〕。樊口之北有湾，昔孙权装大船，名之曰长安，亦曰大舶，载坐直之士三千人，与群臣泛舟江津，属值风起，权欲西取芦洲，谷利不从，乃拔刀急上〔二六〕，令取樊口薄，舶船至岸而败，故名其处为败舶湾。因凿樊山为路以上，人即名其处为吴造岘，在樊口上一里，今厥处尚存。江水又左迳赤鼻山〔二七〕南，山临侧江川，又东迳西阳郡南，郡治即西阳县也。晋书地道记以为弦子国也。江之右岸有鄂县故城，旧樊楚地。世本称熊渠封其中子红为鄂王。晋太康地记以为东鄂矣。九州记曰：鄂，今武昌也。孙权以魏黄初元年〔二八〕，自公安徙此，改曰武昌县。鄂县徙治于袁山东，又以其年立为江夏郡，分建业之民千家以益之。至黄龙元年，权迁都建业，以陆逊辅太子镇武昌，孙皓亦都之，皓还东，令滕牧守之。晋惠帝永平中，始置江州，傅综为刺史，治此城，后太尉庾亮之所镇也，今武昌郡治。城南有袁山，即樊山也。武昌记曰：樊口南有大姥庙，孙权常猎于山下。依夕，见一姥问权：猎何所得？曰：正得一豹。母曰：何不竖豹尾。忽然不见。应劭汉官序曰：豹尾过后，执金吾罢屯，解围。天子卤簿中，后属车施豹尾。于道路，豹尾之内为省中。盖权事应在此，故为立庙也。又孙皓亦尝登之，使将害常侍王蕃，而以其首虎争之〔二九〕。北背大江，江上有钓台，权常极饮其上，曰:堕台醉乃已。张昭尽言处。城西有郊坛,权告天即位于此,顾谓公卿曰:鲁子敬尝言此,可谓明于事势矣。城东故城,言汉将灌婴所筑也。江中有节度石三段,广百步,高五六丈,是西阳、武昌界,分江于斯石也〔三〇〕。又东得次浦〔三一〕,江浦也。东迳五矶北,有五山,沿次江阴,故得是名矣。仲雍谓之五圻〔三二〕。江水左则巴水注之,水出雩娄县之下灵山,即大别山也。与决水同出一山,故世谓之分水山,亦或曰巴山。南历蛮中,吴时旧立屯于水侧,引巴水以溉野。又南迳巴水戍,南流注于江,谓之巴口。又东迳轪县故城南,故弦国也。春秋僖公五年,秋,楚灭弦,弦子奔黄者也。汉惠帝元年〔三三〕,封长沙相利仓为侯国。城在山之阳,南对五洲也。江中有五洲相接,故以五洲为名。宋孝武帝举兵江州,建牙洲上,有紫云荫之,即是洲也。东会希水口,水出灊县霍山西麓,山北有灊县故城。地理志曰:县南有天柱山。即霍山也。有祠南岳庙,音潜,齐立霍州治此〔三四〕〔三五〕。西南流分为二水,枝津出焉。希水又南,积而为湖,谓之希湖。湖水又南流迳轪县东而南流注于江,是曰希水口者也。然水流急浚,霖雨暴涨,漂滥无常,行者难之。大江右岸有厌里口、安乐浦,从此至武昌,尚方作部诸屯相接,枕带长江,又东得桑步,步下有章浦,本西阳郡治,今悉荒芜。江水左得赤水浦,夏浦也。江水又东迳南阳山南,又曰芍矶,亦曰南阳矶,仲雍谓之南阳圻,一名洛至圻,一名石姥,水势迅急。江水又东迳西陵县故城南,史记秦昭王遣白起伐楚,取西陵者也。汉章帝建初二年,封阴堂为侯国。江水东历孟家溠,江之右岸有黄石山,水迳其北，即黄石矶也。一名石茨圻，有西陵县，县北则三洲也。山连延江侧，东山偏高，谓之西塞，东对黄公九矶，所谓九圻者也。于行、小难两山之间，为阙塞，从此济于土复，土复者，北岸地名也。

又东过蕲春县南，蕲水从北东注之。

江水又得苇口，江浦也。浦东有苇山。江水东迳山北，北崖有东湖口，江波左迆，流结成湖，故谓之湖口矣。江水又东得空石口，江浦在右，临江有空石山，南对石穴洲，洲上有蕲阳县治。又东，蕲水注之。江水又东迳蕲春县故城南，世祖建武三十年，封陈俊子浮为侯国。江水又东得铜零口，江浦也。大江右迳虾蟆山北，而东会海口，水南通大湖，北达于江，左右翼山。江水迳其北，东合臧口，江浦也。江水又左迳长风山南，得长风口，江浦也。江水又东迳积布山南，俗谓之积布矶，又曰积布圻，庾仲雍所谓高山也。此即西阳、寻阳二郡界也。右岸有土復口〔三六〕，江浦也。夹浦有江山，山东有护口，江浦也，庾仲雍谓之朝二浦〔三七〕也。

又东过下雉县北，利水从东陵西南注之。

江水东迳琵琶山南，山下有琵琶湾，又东迳望夫山南，又东得苦菜水口，夏浦也。江之右岸，富水注之，水出阳新县之青湓山，西北流迳阳新县，故豫章之属县矣。地多女鸟，玄中记曰：阳新男子于水次得之，遂与共居，生二女，悉衣羽而去。豫章间养儿不露其衣，言是鸟落尘于儿衣中，则令儿病，故亦谓之夜飞游女矣。又西北迳下雉县，王莽更名之润光矣，后并阳新。水之左右，公私裂溉，咸成沃壤，旧吴屯所在也。江水又东,右得兰溪水口,并江浦也。又东,左得青林口,水出庐江郡之东陵乡。江夏有西陵县,故是言东矣。尚书云:江水过九江至于东陵者也。西南流,水积为湖,湖西有青林山。宋太始元年,明帝遣沈攸之西伐子勋,伐栅青山,睹一童子甚丽,问伐者曰:取此何为?答:欲讨贼。童子曰:下旬当平,何劳伐此。在众人之中,忽不复见,故谓之青林湖。湖有鲫鱼,食之肥美,辟寒暑。湖水西流,谓之青林水。又西南历寻阳,分为二水:一水东流通大雷〔三八〕,一水西南流注于江,经所谓利水也。右对马头岸,自富口迄此五十馀里,岸阻江山〔三九〕。

〔一〕注疏本作"江水三"。疏:"戴删'三'字。"

〔二〕此句注疏本作:"春秋左氏所谓阎敖游涌而逸者也。二水之间,谓之夏洲。"疏:"朱有'于二水之间'五字,在'游涌而逸'下。戴、赵删'于'字。戴移四字在春秋上。赵移'二水之间'四字在'谓之涌口'上。守敬按:皆非也。据御览六十九引盛弘之荆州记,'所谓阎敖游涌而逸'下,接云,'二水之间,谓之夏洲',郦氏必本以为说。久之,脱'谓之夏洲'四字,'二水之间'四字,错入'游涌而逸'下,后人见其不可通,又臆增'于'字耳。戴、赵知有衍文错简,而未考得荆州记,不知并有夺文,故以意订,均有未安,今正。"

〔三〕油水从东南来注之　注疏本作"油水从西南来注之"。疏:"朱'西'作'东',戴、赵同。会贞按:名胜志引此作'西',是也。油水在江之西,安得云东南来耶?今订。油水篇见后。"

〔四〕油口　康熙湖广通志卷九堤防荆州府引水经注作"油

河口”。

〔五〕名胜志湖广卷八荆州府公安县引水经注云:“以左公之所安,故曰公安。”当是此句下佚文。案五校钞本已加入此文。

〔六〕阳岐山　大典本作“扬岐山”,注笺本、项本、张本均作“杨岐北山”,五校钞本、七校本、注释本、注疏本均作“杨岐山”。

〔七〕清阳　注笺本、项本、五校钞本、七校本、注释本、张本、注疏本均作“清扬”。

〔八〕上檀浦　隆庆岳州府志卷七职方考檀子湾引水经注作“檀浦”。

〔九〕玉涧水　黄本、注笺本、项本、沈本、张本均作“玉润水”。

〔一〇〕巴丘县　晏元献公类要卷二荆湖南路玉池湖引水经注作“巴陵县”。

〔一一〕白螺山　雍正湖广通志卷十二山川志临湘县鸭栏矶引水经注作“白嬴山”。

〔一二〕鸭兰矶　晏元献公类要卷二荆湖北路岳引水经注作“鸭栏矶”。

〔一三〕上乌林　大典本、方舆胜览卷五十黄州山川乌林引水经注、弘治黄州府志卷二山川乌林引水经注、嘉靖汉阳府志卷二方域志赤壁引水经注、天下郡国利病书卷七十三湖广二引水经注均作“乌林”。

〔一四〕舆地纪胜卷六十六荆湖北路鄂州上古迹吕蒙城引水经注云:“吕蒙城有吕蒙墓在其中。”当是此句下佚文。

〔一五〕沌阳都尉治　注笺本、项本、注释本、张本均作“阳都尉治”。

〔一六〕黄初二年　注疏本作“黄初四年”。疏:“朱作‘二年’,戴、赵同。会贞按:吴志孙权传,黄武二年正月城江夏山。元和志,鄂州城本夏口城,吴黄武二年城江夏,以安屯戍地也。考吴黄武二年,当魏黄初四年,则此‘二’为‘四’之误,今订。”

〔一七〕高观枕流　注疏本疏:“赵云:按高观,山名也,亦曰高冠山,在武昌县城东南五里。守敬按:此谓夏口城据高枕江耳。赵氏乃以方志之高观山释之,非也。江夏县作武昌县,尤谬。”

〔一八〕涢水　注笺本、项本、注释本、张本均作“沔水”。

〔一九〕嘉吴江　广博物志卷六地形二引水经注作“嘉靡江”,云:“嘉靡江者,九江之一也。”其中“九江之一也”一句,当是此句下佚文。

〔二〇〕宋元嘉二年　注疏本作“宋元嘉三年”。疏:“朱‘元’作‘永’,戴、赵改。又‘三’作‘二’,戴、赵同。会贞按:宋书文帝纪在元嘉三年,谢晦传同,则‘二’为‘三’之误审矣,今订。”

〔二一〕札记殿本尚可再校:

卷三十五江水经“又东北至江夏沙羡县西北,沔水从北来注之”注云:

江水南出也,通金女、大文、桃班三治,吴旧屯所,在荆州界。

对于这金女、大文、桃班三治,历来为人所不解,李兆洛历代地理志韵编今释卷首李鸿章序云:“金女、大文、桃班、阳口、历口之类,皆不见于诸志。……亦不能无疑也。”但水经注疏把这三个“治”字改为“冶”字,杨守敬疏云:

隋志，江夏县有铁。寰宇记，冶唐山在江夏南二十六里，旧记云，宋时依山置冶，故名。疑即注所指之冶。

又同卷经“鄂县北”注云：

江津南入，历樊山上下三百里，通新兴、马头二治。

这个“治”字，水经注疏也改作“冶”字，熊会贞疏云：

晋志，武昌县有新兴、马头铁官。唐志，武昌有铁。御览八百三十引武昌记，北济湖当是新兴冶塘湖，元嘉发水冶。……一统志，新兴冶在大冶县南。

熊会贞在御览和一统志找到了这个地名，这是校勘中的一把钥匙，因为既然校出了郦注“新兴治”是“新兴冶”之误，那末其馀各“治”字都可以相应改为“冶”字。

〔二二〕江水右得黎矶矶北亦曰黎岸也　注疏本作“江水右迳黎嶬北亦曰黎岸也”。疏：“朱此七字讹作经，又‘迳’讹作‘得’。戴改注，仍‘得’，重‘矶’字。全、赵改注同，全仍‘得’重‘嶬’，赵但仍‘得’。会贞按：明钞本重‘嶬’字，然实误也。‘得’亦‘迳’之误，今改。此‘右迳黎嶬北亦曰黎岸’与上‘东迳贝嶬北，庾仲雍谓之沛岸’同。重‘矶’字，失之。在今武昌县西北。”

〔二三〕左合垂山之水　注疏本作“右合垂山之水”。疏：“朱作‘左合’，戴、赵同。会贞按：举水西流，垂山水自北来注，则在举水之右，是右合，非左合也，今订。”

〔二四〕通鉴卷六十五汉纪五十七献帝建安十三年“进住鄂县之樊口”胡注引水经注云：“樊山下寒溪水所注也。”当是此句下佚文。

〔二五〕参见注〔二一〕。

〔二六〕乃拔刀急上　注疏本作“及拔刀急止”。疏:“戴、赵改‘止’作‘上’。守敬按:‘止’字不误。”案注疏本改“乃”为“及”,无疏语言及。

〔二七〕赤鼻山　注疏本疏引孙星衍:“苏轼之赋赤壁者也,赤鼻为赤壁,宋人之陋。”段熙仲校记:“固哉孙星衍之说苏轼赤壁赋也。东坡非不知赤鼻非赤壁,于其怀古词中已明云‘人道是三国周郎赤壁’矣。陆放翁入蜀记云:苏公尤疑之,赋云:‘此非曹孟德之困于周郎者乎。’盖一字不轻下如此,东坡何陋之有?”

〔二八〕孙权以魏黄初元年　注疏本作“孙权以魏黄初中”。疏:“朱讹作‘黄初元年中’,戴、赵删‘中’字。会贞按:吴志孙权传,自公安都鄂,改名武昌,在魏黄初二年。例以下称晋惠帝永平中,此当作‘魏黄初中’,盖校者注‘二年’二字于旁,后混入正文,又讹‘二’为‘元’也,今订。”

〔二九〕殿本在此下案云:“案此句有脱误,裴松之引江表传云:使亲近将蕃首作虎跳狼争咋食之。”

〔三〇〕此下注疏本有“又东得五丈浦”六字。疏:“朱讹作‘又得东五丈又得次浦’。全、赵上句‘得东’二字乙转,‘丈’下增‘浦’字,下句增‘东’字。戴删上句,但作‘又东得次浦’。守敬按:戴删,非也。寰宇记,五丈湖在武昌县东,有长湖通江南,冬即干涸。陶侃作塘以遏水,于是水不竭。永嘉年初颓破,太守褚雋之重修复。舆地纪胜,五丈湖在武昌县东八里,旧名南湖。名胜志,五丈湖今名羊栏湖。一统志,五丈口在武昌县东,即江通五丈湖之浦也。戴不知有五丈湖,遂不知有五丈浦,故误删,当以赵订为是。名胜志引此,‘次浦’作‘沙浦’,未知孰是,浦在今武昌县东。”

〔三一〕次浦　见注〔三〇〕,名胜志引此作“沙浦”,雍正湖广通志卷七山川志武昌县五矶引水经注亦作“沙浦”。

〔三二〕雍正湖广通志卷七山川志武昌县五矶引水经注云:“江水又东得五丈口,又东得沙浦,迳五矶。”或是此段中佚文。

〔三三〕元年　注疏本作“二年”。疏:“朱作‘元年’,各本皆同。沈氏曰:汉表作黎朱仓,此从史表。会贞按:史、汉表并在二年,则‘元’字之误无疑,今订。”

〔三四〕齐立霍州治此　注疏本作“梁立霍州治此”。疏:“朱‘梁’作‘齐’,戴、赵同。守敬按:梁书武帝纪,天监六年分豫州置霍州。寰宇记,天监四年,于灊县改置霍州,兼作别城。地形志,霍州,萧衍置,魏因之。隋志,霍山县,梁置霍州。而无言齐置此州也。注文‘齐’为‘梁’字之误无疑,今订。”

〔三五〕通鉴卷一四五梁纪一武帝天监二年“魏人拔关要、颍川、大岘三城”胡注引水经注云:“梁立霍州,治灊县天柱山。”当是此句下佚文。

〔三六〕土復口　注释本作“土澓口”。

〔三七〕朝二浦　五校钞本、七校本、戴本均作“朝江浦”。五校钞本全祖望云:“先宗伯以所见宋本校。”何本何焯云:“朝二疑有讹。”

〔三八〕御览卷六十五地部三十雷水引水经注云:“雷水南迳大雷戍,西注大江,谓之大雷口,一派东南流入江,谓之小雷口,宋鲍明远登大雷岸与妹书乃此地。”当是此句下佚文。

〔三九〕殿本在此下案云:“案水经于沔水内叙其入江之后所过,盖与江水合沔之后,详略两见。今江水止于下雉县,而沔水内订其错简，又东过彭蠡泽，又东过皖县南，又东至石城分为二，其一东北流，又东北出居巢县南，又东过牛渚，又过毗陵县为北江，参以末记禹贡山水泽地，北江在毗陵北界，东入于海。下雉县以下大江入海之大略固具，在道元于江水叙次必详悉，自宋时已阙佚矣。”

陈桥驿水经江水注研究（杭州大学学报哲学社会科学版一九八四年第三期，又收入于水经注研究二集，山西人民出版社一九八七年出版）云：“卷三十三至三十五这三篇江水注记载长江的主要河段，但卷三十五最后只记载到今湖北与江西两省交界处一带的青林湖。以致清代郦学家全祖望怀疑江水注原来还有第四篇。他在水经江水篇跋中说：‘江水失去第四篇，而青林湖以下竟无考。’”

案江水注自青林湖以下缺佚甚多，至于郦注原文江水有第四篇，抑或青林湖以下已记入沔水注，而为沔水注所缺佚，今已无从考证。特将散见于古籍之佚文辑录如下，以补江水注或沔水注之缺。

隆庆岳州府志卷七职方考三湘浦引水经注云：“城陵山有景侯港，乃景泊舟之处，疑即其地也。”

文选卷二十七乐府上谢玄晖之宜城出新林浦向版桥李善注引水经注云：“江水迳三山，又湘浦出焉。水上南北结浮桥渡水，故曰版桥，浦江又北迳新林浦。”

方舆纪要卷八十五江西三湖口县石钟山引水经注云：“石钟山西枕彭蠡，连峰叠嶂，壁立峭削，其西、南、北皆水，四时如一，白波撼山，响如洪钟，因名。”案此条，寰宇记卷一一一江南西道九南康军都昌县引水经注、苏东坡全集卷三十七石钟山记引水经注、名胜志江西卷五九江府湖口县引水经注、明罗洪先游石钟山记(古今天下名山胜概记卷十一上)引水经注、明李龄游石钟山记(古今天下名山胜概记卷二十五)引水经注、嘉靖九江府志卷二山川湖口县石钟山引水经注、康熙江西通志卷六山川上九江府石钟山引水经注、雍正江西通志卷十二山川九江府石钟山引水经注等均有录入,文字小有差异。或是各书转引。苏东坡全集卷三十七石钟山记引文作:"下临深潭,微风鼓浪,水石相搏,声如洪钟。"

事类赋卷六地部江"流九派于浔阳"注引水经注云:"江至浔阳,分为九道。"案杨守敬水经注图第一册凡例云:"禹贡山水泽地谓九江在下隽县西北,郦氏无注而水经不出九江,据事类赋引郦注系九江于浔阳,与汉志合,岂郦氏有详说在江水篇中耶?"

寰宇记卷一二四淮南道二和州历阳县引水经注云:"江水左列洞口。"案名胜志卷二十和州引水经注与寰宇记同。

名胜志卷七安庆府桐城县引水经注云:"枞阳湖水绕团亭,与江水合而东流。"

寰宇记卷一二五淮南道三舒州桐城县引水经注云:"此水东南流盛唐戍,俗讹谓之小益唐,即此也。"

初学记卷八淮南道第九丰浦引水经注云:"江水北合乌江县之丰浦,上通湖也。"

史记卷七本纪七项羽本纪"于是项王乃欲东渡乌江"正义引水经注云:"水又北,左传黄律口,汉书所谓乌江亭长檥船以待项羽,即此也。"

文选卷二十二殷仲文南州桓公九井作李善注引水经注云:"淮南郡之湖县南,所谓姑熟,即南州矣。"

初学记卷八淮南道第九包湖引水经注云:"次得阴塘水,同受皇后湖,湖水连接包湖,西翼潭湖。"

名胜志安庆府卷七太湖县引水经注云:"太湖县,晋泰始二年置,县在龙山太湖水边,水出县西积稻山,东南流入大江。"案全祖望五校钞本已录入此文。

初学记卷八淮南道第九赵屯城引水经注云:"破虏矶东有赵屯城,内有仓。"

文选卷十二郭景纯江赋"跻江津而起涨"宋六臣注引水经注云:"马头崖北对大岸,谓之江津。"

初学记卷八淮南道第九周瑜庙引水经注云:"江水对雷州之北侧,有周瑜庙。"案寰宇记卷一二五淮南道三舒州望江县亦引水经注此条,但文字小有出入,云:"江水对雷州水之地,侧有周瑜庙,亦呼为大雷神。"

舆地纪胜卷四十五淮南西路庐州古迹古滁县城引水经注云:"滁水出于浚遒县。"案名胜志卷十三庐州府合肥县引水经注、雍正江南通志卷十八山川八颍州府滁河引水经注、道光安徽通志卷十六舆地志山川六滁水引水经注均与舆地纪胜同。

寰宇记卷一二四淮南道二和州含山县引水经注云:"滁水东迳大岘山,西北流大岘亭,即此山也。齐东昏侯之末,裴叔业据寿春叛附元氏,东昏遣萧懿往大岘拒之,是其所也。"

书叙指南卷十四州郡地理下引水经注利州地名曰:"桐浦。"

文选卷十二江赋"其旁则有云梦、雷池、彭蠡、青草、具区、洮、滆、珠、浐、丹、漅"宋六臣注引水经注云:"漅湖在居巢。"

景定建康志卷十九山川志三州浦白鹭洲引水经注云:"江宁之

新林浦，西对白鹭洲。"

玉海卷一七一宫室苑囿汉乐游苑引水经注云："旧乐游苑，宋元嘉十一年，以其为曲水，武帝引流转酌赋诗。"案景定建康志卷十九山川志三曲水引水经注与玉海同。

景定建康志卷十六疆域志二堰埭考证引水经注云："中江在丹阳芜湖县南，东至会稽阳羡县入海。"

文选卷十二江赋"其旁则有云梦、雷池、彭蠡、青草、具区、洮、滆、珠、浐、丹、漅"宋六臣注引水经注云："中江东南，左合滆湖。"

事类赋卷六地部江"嘉靡瓜步之名"注引水经注云："瓜步在扬州六合县界。"

文选卷十二江赋"其旁则有云梦、雷池、彭蠡、青草、具区、洮、滆、珠、浐、丹、漅"宋六臣注引水经注云："丹湖在丹阳。"

文选卷十二江赋"其旁则有云梦、雷池、彭蠡、青草、具区、洮、滆、珠、浐、丹、漅"宋六臣注引水经注云："朱湖在溧阳。"

方舆纪要卷二十四江南六苏州府常熟县尚湖引水经注云："昆承湖广长各十八里。"

广博物志卷五地形总地山引水经注云："太湖中穹窿山有铜阙。"

名胜志卷九苏州府长洲县引水经注云："吴西岸有岝岭山，右有土阜曰铃山，左曰索山，皆以狮子名山，南顶上有巨石二如楼，云是狮子两耳。"

后汉书卷四十四列传三十四张禹传"皆以江有子胥之神，难以济涉"注引水经注云："吴王赐子胥死，浮尸于江，夫差悔，与群臣临江设祭，修道塘及坛，吴人因为立庙而祭焉。"

名胜志卷九苏州府胥山引水经注云："胥山上有坛，长老以为胥人所治，下有九折路，南出太湖，阖闾以游姑苏台而望太湖。"

文选卷五京都下左太冲吴都赋"径路绝，风云通，洪桃屈盘"宋六臣注引水经注云："东海中有山焉，名曰度索，上有大桃，屈盘三千里。"

水经注卷三十六

青衣水　桓水　若水　沫水　延江水　存水　温水

青衣水出青衣县西蒙山，东与沫水合也。

县，故青衣羌国也。竹书纪年梁惠成王十年，瑕阳人自秦道岷山青衣水来归。汉武帝天汉四年，罢沈黎郡，分两部都尉，一治青衣，主汉民。公孙述之有蜀也，青衣不服，世祖嘉之。建武十九年以为郡，安帝延光元年，置蜀郡属国都尉。青衣王子心慕汉制，上求内附。顺帝阳嘉二年，改曰汉嘉，嘉得此良臣也。县有蒙山，青衣水所发，东迳其县，与沫水会于越嶲郡之灵关道。青衣水又东，邛水注之，水出汉嘉严道邛来山，东至蜀郡临邛县，东入青衣水。

至犍为南安县，入于江。

青衣水迳平乡，谓之平乡江。益州记曰：平乡江东迳峨眉山，在南安县界，去成都南千里。然秋日清澄，望见两山，相峙如峨眉焉。青衣水又东流，注于大江。

桓水出蜀郡岷山，西南行羌中，入于南海。

尚书禹贡：岷、嶓既艺，沱、潜既道，蔡、蒙旅平，和夷底绩。郑玄曰：和上，夷所居之地也。和，读曰桓。地理志曰：桓水出蜀郡蜀山，西南行羌中者也。尚书又曰：西倾因桓是来。马融、王肃云：西治倾山，惟因桓水自来，言无他道也。余按经据书，岷山、西倾，俱有桓水，桓水出西倾山，更无别流，所导者惟斯水耳。浮于潜、汉而达江、沔，故晋地道记曰：梁州南至桓水，西抵黑水，东限扞关。今汉中、巴郡、汶山、蜀郡、汉嘉、江阳、朱提、涪陵、阴平、广汉、新都、梓潼、犍为、武都、上庸、魏兴、新城，皆古梁州之地。自桓水以南为夷，书所谓和夷底绩也。然所可当者，惟斯水与江耳。桓水，盖二水之别名，为两川之通称矣。郑玄注尚书言：织皮，谓西戎之国也；西倾，雍州之山也。雍、戎二野之间，人有事于京师者，道当由此州而来。桓是陇坂名，其道盘桓，旋曲而上，故名曰桓是。今其下民谓是坂曲为盘也，斯乃玄之别致，恐乖尚书因桓之义，非浮潜入渭之文。余考校诸书，以具闻见，今略辑综川流沿注之绪，虽今古异容，本其流俗，粗陈所由。然自西倾至葭萌入于西汉，即郑玄之所谓潜水者也。自西汉溯流而屆于晋寿界，沮、漾枝津，南历冈穴，迆逦而接汉，沿此入漾，书所谓浮潜而逾沔矣。历汉川至南郑县，属于褒水，溯褒暨于衙岭之南，溪水枝灌于斜川，屆于武功而北达于渭水，此乃水陆之相关，川流之所经复，不乖禹贡入渭之宗，实符尚书乱河之义也。

若水出蜀郡旄牛徼外，东南至故关，为若水也。

山海经曰：南海之内，黑水之间，有木名曰若木，若水出焉。又云：灰野之山有树焉，青叶赤华，厥名若木，生昆仑山西，附西极也。淮南子曰：若木在建木西，木有十华，其光照下地。故屈原离骚天问曰：羲和未阳，若华何光是也。然若木之生非一所也，黑水之间，厥木所植，水出其下，故水受其称焉。若水沿流，间关蜀土，黄帝长子昌意，德劣不足绍承大位，降居斯水，为诸侯焉。娶蜀山氏女，生颛顼于若水之野，有圣德，二十登帝位，承少皞金官之政，以水德宝历矣。若水东南流，鲜水注之，一名州江。大度水〔一〕出徼外，至旄牛道，南流入于若水。又迳越嶲大莋县入绳。绳水出徼外，山海经曰：巴遂之山，绳水出焉。东南流，分为二水：其一水枝流东出，迳广柔县，东流注于江；其一水南迳旄牛道，至大莋与若水合。自下亦通谓之为绳水矣。莋，夷也，汶山曰夷，南中曰昆弥，蜀曰邛，汉嘉、越嶲曰莋。皆夷种也。

南过越嶲邛都县西，直南至会无县，淹水东南流注之。

邛都县，汉武帝开邛莋置之。县陷为池，今因名为邛池，南人谓之邛河。河中有蜯嶲山〔二〕，应劭曰：有嶲水，言越此水以章休盛也。后复反叛。元鼎六年，汉兵自越嶲水伐之，以为越嶲郡，治邛都县。王莽遣任贵为领戎大尹，守之，更名为集嶲也。县，故邛都国也。越嶲水即绳、若矣，似随水地而更名矣。又有温水，冬夏常热，其源可炓鸡豚，下汤沐洗，能治宿疾。昔李骧败李流于温水是也。若水又迳会无县，县有骏马河，水出县东高山，山有天马径，厥迹存焉。马日行千里，民家马牧之山下，或产骏驹，言是天马子。河中有贝子胎铜，以羊祠之，则可取也。又有孙水焉，水出台高县，即台登县也。孙水一名白沙江，南流迳邛都县，司马相如定西南夷，桥孙水，即是水也。又南至会无入若水，若水又南迳云南郡之遂久县，青蛉水〔三〕入焉。水出青蛉县〔四〕西，东迳其县下，县以氏焉。有石猪圻，长谷中有石猪，子母数千头。长老传言，夷昔牧此，一朝化为石，迄今夷人不敢往牧。贪水出焉。青蛉水又东注于绳水。绳水又迳三绛县西，又迳姑复县，北对三绛县，淹水注之。三绛一曰小会无，故经曰：淹至会无注若水。若水又与母血水合，水出益州郡弄栋县东农山母血谷，北流迳三绛县南，北入绳。绳水又东，涂水注之，水出建宁郡之牧靡南山〔五〕，县、山并即草以立名。山在县东北乌句山南五百里，山生牧靡，可以解毒，百卉方盛，鸟多误食乌喙，口中毒，必急飞往牧靡山，啄牧靡以解毒也。涂水导源腊谷，西北流至越嶲入绳。绳水又迳越嶲郡之马湖县，谓之马湖江，又左合卑水，水出卑水县，而东流注马湖江也。

又东北至犍为朱提县西，为泸江水，

朱提，山名也。应劭曰：在县西南，县以氏焉。犍为属国也，在郡南千八百许里。建安二十年立朱提郡，郡治县故城。郡西南二百里得所绾堂琅县〔六〕，西北行，上高山，羊肠绳屈八十馀里，或攀木而升，或绳索相牵而上，缘陟者若将阶天。故袁休明巴蜀志云：高山嵯峨，岩石磊落，倾侧萦回，下临峭壑，行者扳缘，牵援绳索。三蜀之人，及南中诸郡，以为至险。有泸津，东去县八十里，水广六七百步，深十数丈，多瘴气，鲜有行者。晋明帝太宁二年，李骧等侵越嶲，攻台登县，宁州刺史王逊遣将军姚岳击之，战于堂琅，骧军大败，岳追之至泸水〔七〕，赴水死者千馀人，逊以岳等不穷追，怒甚，发上冲冠，帢裂而卒。按永昌郡有兰仓水[八]，出西南博南县，汉明帝永平二年置。博南，山名也，县以氏之。其水东北流迳博南山，汉武帝时通博南山道，渡兰仓津，土地绝远，行者苦之。歌曰：汉德广，开不宾，渡博南，越仓津，渡兰仓，为作人。山高四十里。兰仓水出金沙，越人收以为黄金。又有珠光穴，穴出光珠。又有琥珀、珊瑚，黄、白、青珠也。兰仓水又东北迳不韦县与类水合，水出巂唐县，汉武帝置。类水西南流，曲折又北流，东至不韦县注兰仓水。又东与禁水合，水自永昌县而北迳其郡西，水左右甚饶犀象，山有钩蛇，长七八丈，尾末有岐，蛇在山涧水中，以尾钩岸上人、牛食之。此水傍瘴气特恶，气中有物，不见其形，其作有声，中木则折，中人则害，名曰鬼弹。惟十一月、十二月差可渡，正月至十月迳之，无不害人，故郡有罪人，徙之禁旁，不过十日皆死也。禁水又北注泸津水，又东迳不韦县北而东北流，两岸皆高山数百丈，泸峰最为杰秀，孤高三千馀丈。是山于晋太康中崩，震动郡邑。水之左右，马步之径裁通，而时有瘴气，三月、四月迳之必死，非此时犹令人闷吐。五月以后，行者差得无害。故诸葛亮表言：五月渡泸，并日而食，臣非不自惜也，顾王业不可偏安于蜀故也[九]。益州记曰：泸水源出曲罗巂，下三百里曰泸水。两峰有杀气，暑月旧不行，故武侯以夏渡为艰。泸水又下合诸水，而总其目焉，故有泸江之名矣。自朱提至僰道有水步道，水道有黑水、羊官水，至险难。三津之阻，行者苦之。故俗为之语曰：楢溪、赤水[一〇]，盘蛇七曲，盘羊乌栊[一一]，气与天通，看都濩泚，住柱呼伊，庲降贾子,左担七里〔一二〕。又有牛叩头、马搏颊坂〔一三〕,其艰险如此也。

又东北至僰道县,入于江。

若水至僰道,又谓之马湖江。绳水、泸水、孙水、淹水、大渡水,随决入而纳通称。是以诸书录记群水,或言入若,又言注绳,亦咸言至僰道入江。正是异水沿注,通为一津,更无别川,可以当之〔一四〕。水有孝子石,昔县人有隗叔通者,性至孝,为母给江膂水,天为出平石至江膂中,今犹谓之孝子石,可谓至诚发中,而休应自天矣。

沫水出广柔徼外,

县有石纽乡,禹所生也。今夷人共营之,地方百里,不敢居牧,有罪逃野,捕之者不逼,能藏三年,不为人得,则共原之,言大禹之神所佑之也。

东南过旄牛县北,又东至越嶲灵道县〔一五〕,出蒙山南,

灵道县〔一六〕,一名灵关道。汉制,夷狄曰道。县有铜山,又有利慈渚。晋太始九年,黄龙二见于利慈池。县令董玄之率吏民观之,以白刺史王濬,濬表上之,晋朝改护龙县也。沫水出岷山西,东流过汉嘉郡,南流冲一高山,山上合下开,水迳其间,山,即蒙山也。

东北与青衣水合,

华阳国志曰:二水于汉嘉青衣县东,合为一川,自下亦谓之为青衣水。沫水又东,迳开刊县〔一七〕,故平乡也,晋初置。沫水又东迳临邛南,而东出于江原县也。

东入于江。

昔沫水自蒙山至南安西溷崖，水脉漂疾，破害舟船，历代为患。蜀郡太守李冰发卒凿平溷崖，河神赑怒，冰乃操刀入水与神斗，遂平溷崖。通正水路，开处，即冰所穿也。

延江水出犍为南广县，东至牂柯鳖县，又东屈北流，

鳖县，故犍为郡治也。县有犍山，晋建兴元年置平夷郡〔一八〕，县有鳖水，出鳖邑西不狼山，东与温水合。温水一曰煖水，出犍为符县而南入黚水。黚水亦出符县，南与温水会。阚骃谓之阚水，俱南入鳖水。鳖水于其县而东注延江水。延江水又与汉水合，水出犍为汉阳道山闟谷，王莽之新通也。东至鳖邑入延江水也。

至巴郡涪陵县，注更始水，

更始水，即延江枝分之始也。延江水北入涪陵水，涪陵水出县东，故巴郡之南鄙，王莽更名巴亭，魏武分邑，立为涪陵郡。张堪为县〔一九〕，会公孙述击堪，同心义士，选习水者筏渡堪于小别江，即此水也。其水北至枳县入江。更始水东入巴东之南浦县，其水注引渎口石门。空岫阴深，邃涧暗密，倾崖上合，恒有落势，行旅避瘴，时有经之，无不危心于其下，又谓之西乡水，亦谓之西乡溪。溪水间关二百许里，方得出山，又通波注远，复二百馀里，东南入迁陵县也。

又东南至武陵酉阳县，入于酉水。

武陵先贤传曰：潘京世长为郡主簿，太守赵伟甚器之。问京：贵郡何以名武陵？京答曰：鄙郡本名义陵，在辰阳县界，与夷

相接,数为所破。光武时,移治东山之上,遂尔易号。传曰:止戈为武。诗云:高平曰陵。于是名焉。西水北岸有黚阳县,许慎曰:温水南入黚,盖鳖水以下,津流沿注之通称也。故县受名焉。西乡溪口在迁陵县故城上五十里,左合酉水。酉水又东际其故城北,又东迳酉阳故县南,而东出也。两县相去,水道可四百许里,于酉阳合也。

酉水东南至沅陵县,入于沅。

存水出犍为郁鄢县〔二〇〕,

王莽之𨜒鄢也。益州大姓雍闿反,结垒于山,系马柳柱,柱生成林,今夷人名曰雍无梁林。梁,夷言马也。存水自县东南流,迳牧靡县〔二一〕北,又东迳且兰县北,而东南出也。

东南至鬱林定周县,为周水,

存水又东,迳牂柯郡之毋敛县〔二二〕北,而东南与毋敛水〔二三〕合。水首受牂柯水〔二四〕,东迳毋敛县为毋敛水,又东注于存水。存水又东迳鬱林定周县为周水,盖水变名也。

又东北至潭中县,注于潭。

温水出牂柯夜郎县,

县,故夜郎侯国也。唐蒙开以为县,王莽名曰同亭矣。温水自县西北流,迳谈藁与迷水合,水西出益州郡之铜濑县谈虏山,东迳谈藁县〔二五〕,右注温水。温水又西迳昆泽县南,又迳味县,县,故滇国都也。诸葛亮讨平南中,刘禅建兴三年,分益州郡置建宁郡于此。水侧皆是高山,山水之间,悉是木耳夷居,语言不同,嗜欲亦异。虽曰山居,土差平和,而无瘴毒。温水又西南迳滇池城,池在县西北,周三百许里,上源深广,下流浅狭，似如倒流，故曰滇池也。长老传言，池中有神马，家马交之则生骏驹，日行五百里。晋太元十四年，宁州刺史费统言：晋宁郡滇池县两神马，一白一黑，盘戏河水之上。有滇州，元封三年〔二六〕立益州郡，治滇池城，刘禅建宁郡也。温水又西会大泽，与叶榆仆水合。温水又东南迳牂柯之毋单县，建兴中，刘禅割属建宁郡。桥水注之，水上承俞元之南池，县治龙池洲，周四十七里，一名河水，与邪龙分浦〔二七〕。后立河阳郡，治河阳县，县在河源洲上。又有云平县，并在洲中。桥水东流至毋单县，注于温。温水又东南迳兴古郡之毋棳县东，王莽更名有棳也。与南桥水合，水出县之桥山，东流，梁水注之。梁水上承河水于俞元县〔二八〕，而东南迳兴古之胜休县，王莽更名胜㯋县。梁水又东迳毋棳县，左注桥水，桥水又东注于温。温水又东南迳律高县南。刘禅建兴三年，分牂柯置兴古郡，治温县。晋书地道记，治此。温水又东南迳梁水郡南，温水上合梁水，故自下通得梁水之称，是以刘禅分兴古之盬南〔二九〕，置郡于梁水县也。温水东南迳镡封县北，又迳来惟县东，而仆水右出焉。

又东至鬱林广鬱县，为鬱水，

秦桂林郡也，汉武帝元鼎六年，更名鬱林郡，王莽以为鬱平郡矣。应劭地理风俗记曰：周礼，鬱人掌祼器，凡祭醊宾客之祼事，和鬱鬯以实樽彝。鬱，芳草也，百草之华，煮以合酿黑黍，以降神者也。或说今鬱金香是也。一曰：鬱人所贡，因氏郡矣。温水又东迳增食县，有文象水注之。其水导源牂柯句町县。应劭曰：故句町国也。王莽以为从化。文象水、蒙水与卢惟水、来细水、伐水，并自县东历广鬱至增食县，注于鬱水也。

又东至领方县东，与斤南水合。

县有朱涯水〔三〇〕，出临尘县，东北流，驩水注之。水源上承牂柯水〔三一〕，东迳增食县而下注朱涯水。朱涯水又东北迳临尘县，王莽之监尘也。县有斤南水〔三二〕、侵离水，并迳临尘，东入领方县，流注鬱水。

东北入于鬱。

鬱水，即夜郎豚水也。汉武帝时，有竹王兴于豚水，有一女子浣于水滨，有三节大竹流入女子足间，推之不去，闻有声，持归破之，得一男儿，遂雄夷濮，氏竹为姓，所捐破竹，于野成林，今竹王祠竹林是也。王尝从人止大石上，命作羹，从者白无水。王以剑击石出水，今竹王水是也。后唐蒙开牂〔三三〕柯〔三四〕，斩竹王首，夷獠咸怨，以竹王非血气所生，求为立祠，帝封三子为侯，及死，配父庙，今竹王三郎祠，其神也。豚水东北流迳谈稾县，东迳牂柯郡且兰县，谓之牂柯水。水广数里，县临江上，故且兰侯国也，一名头兰，牂柯郡治也。楚将庄蹻，泝沅伐夜郎，椓牂柯系船，因名且兰为牂柯矣。汉武帝元鼎六年开，王莽更名同亭，有柱浦关〔三五〕。牂柯，亦江中两山名也。左思吴都赋云：吐浪牂柯者也。元鼎五年，武帝伐南越，发夜郎精兵下牂柯江，同会番禺是也。牂柯水又东南迳毋敛县西，毋敛水出焉。又东，驩水出焉。又迳鬱林广鬱县为鬱水。又东北迳领方县北，又东迳布山县北，鬱林郡治也。吴陆绩曰：从今以去六十年，车同轨，书同文。至太康元年，晋果平吴。又迳中留县南与温水合。又东入阿林县，潭水注之，水出武陵郡镡成县玉山，东流迳鬱林郡潭中县，周水自西南来注之。潭水又东南流与刚水合，水西出牂柯毋敛县，王莽之有敛也。东至潭中入潭。潭水又迳中留县东、阿林县西，右入鬱水。地理志曰：桥水东至中留入潭。又云：领方县又有桥水。余诊其川流，更无殊津，正是桥、温乱流，故兼通称。作者咸言至中留入潭，潭水又得鬱之兼称，而字当为温，非桥水也。盖书字误矣。鬱水右则留水注之，水南出布山县，下迳中留入鬱。鬱水东迳阿林县，又东迳猛陵县，泿水注之。又东迳苍梧广信县，漓水注之。鬱水又东，封水注之，水出临贺郡冯乘县西，谢沭县东界牛屯山，亦谓之临水。东南流迳萌渚峤西，又东南，左合峤水。庾仲初云：水出萌渚峤，南流入于临。临水又迳临贺县东，又南至郡，左会贺水，水出东北兴安县西北罗山，东南流迳兴安县西。盛弘之荆州记云：兴安县水边有平石，上有石履，言越王渡溪脱履于此。贺水又西南流至临贺郡东，右注临水。郡对二水之交会，故郡县取名焉。临水又西南流迳郡南，又西南迳封阳县东，为封溪水。故地理志曰：县有封水。又西南流入广信县，南流注于鬱水，谓之封溪水口者也。鬱水又东迳高要县，牢水注之，水南出交州合浦郡，治合浦县，汉武帝元鼎六年，平越所置也。王莽更名曰桓合，县曰桓亭。孙权黄武七年，改曰珠官郡。郡不产谷，多采珠宝，前政烦苛，珠徙交趾，会稽孟伯周为守，有惠化，去珠复还。郡统临允县，王莽之大允也。牢水自县北流，迳高要县入于鬱水。鬱水南迳广州南海郡西，泿水出焉。又南，右纳西随三水，又南迳四会浦，水上承日南郡卢容县西古郎究，浦内漕口，马援所漕。水东南曲屈通郎湖，湖水承金山郎究，究水北流，左会卢容、寿泠二水。卢容水出西南区粟城南高山，山南长岭，连接天障。岭西卢容水凑，隐山绕西卫北，而东迳区粟城北，又东，右与寿泠水合，水出寿泠县界。魏正始九年，林邑进侵，至寿泠县以为疆界，即此县也。寿泠县以水凑，故水得其名。东迳区粟故城南，考古志，并无区粟之名。应劭地理风俗记曰：日南，故秦象郡。汉武帝元鼎六年开日南郡，治西卷县。林邑记曰：城去林邑，步道四百馀里。交州外域记曰：从日南郡南，去到林邑国，四百馀里。准迳相符，然则城故西卷县也。地理志曰：水入海，有竹可为杖。王莽更之曰日南亭。林邑记曰：其城治二水之间，三方际山，南北瞰水，东西涧浦，流凑城下，城西折十角，周围六里一百七十步，东西度六百五十步，砖城二丈，上起砖墙一丈，开方隙孔。砖上倚板，板上五重层阁，阁上架屋，屋上架楼，楼高者七八丈，下者五六丈。城开十三门，凡宫殿南向，屋宇二千一百馀间。市居周绕，阻峭地险，故林邑兵器战具，悉在区粟。多城垒，自林邑王范胡达始，秦馀徙民，染同夷化，日南旧风，变易俱尽。巢栖树宿，负郭接山，榛棘蒲薄，腾林拂云，幽烟冥缅，非生人所安。区粟建八尺表，日影度南八寸。自此影以南在日之南，故以名郡。望北辰星，落在天际。日在北，故开北户以向日。此其大较也。范泰古今善言曰：日南张重，举计入洛，正旦大会。明帝问：日南郡北向视日邪？重曰：今郡有云中、金城者，不必皆有其实，日亦俱出于东耳〔三六〕。至于风气暄暖，日影仰当，官民居止随情，面向东西南北，回背无定，人性凶悍，果于战斗，便山习水，不闲平地。古人云：五岭者,天地以隔内外〔三七〕。况绵途于海表,顾九岭而弥邈,非复行路之迳阻,信幽荒之冥域者矣。寿泠水自城南,东与卢容水合,东注郎究,究水所积,下潭为湖,谓之郎湖。浦口有秦时象郡,墟域犹存。自湖南望,外通寿泠,从郎湖入四会浦。元嘉二十年,以林邑顽凶,历代难化,恃远负众,慢威背德。北宝既臻,南金阙贡,乃命偏将与龙骧将军交州刺史檀和之陈兵日南,修文服远。二十三年,扬旗从四会浦口入郎湖。军次区粟,进逼围城,以飞梯云桥,悬楼登垒,钲鼓大作,虎士电怒,风烈火扬,城摧众陷。斩区粟王范扶龙首,十五以上,坑截无赦,楼阁雨血,填尸成观。自四会南入,得卢容浦口。晋太康三年,省日南郡属国都尉,以其所统卢容县置日南郡及象林县之故治。晋书地道记曰:郡去卢容浦口二百里,故秦象郡象林县治也。永和五年,征西桓温遣督护滕畯率交广兵伐范文于旧日南之卢容县,为文所败,即是处也。退次九真,更治兵,文被创死,子佛代立。七年,畯与交州刺史杨平复进军寿泠浦,入顿郎湖,讨佛于日南故治佛蚁聚,连垒五十馀里,畯、平破之,佛逃窜川薮,遣大帅面缚,请罪军门。遣武士陈延劳佛,与盟而还。康泰扶南记曰:从林邑至日南卢容浦口可二百馀里,从口南发往扶南诸国,常从此口出也。故林邑记曰:尽纮沧之徼远,极流服之无外。地滨沧海,众国津迳。鬱水南通寿泠,即一浦也。浦上承交趾郡南都官塞浦。林邑记曰:浦通铜鼓、外越〔三八〕、安定、黄冈心口,盖藉度铜鼓,即骆越也。有铜鼓,因得其名。马援取其鼓以铸铜马。至凿口,马援所凿,内通九真、浦阳,晋书地道记,九德郡有浦阳县。交州记曰:凿南塘者，九真路之所经也，去州五百里，建武十九年，马援所开。林邑记曰：外越、纪粟、望都。纪粟出浦阳，渡便州，至典由，渡故县，至咸驩。咸驩属九真。咸驩已南，麞麂满冈，鸣咆命畴，警啸聒野，孔雀飞翔，蔽日笼山。渡治口，至九德。按晋书地道记有九德县。交州外域记曰：九德县属九真郡，在郡之南，与日南接。蛮卢■居其地，死，子宝纲代，孙党，服从吴化，定为九德郡，又为隶之。林邑记曰：九德，九夷所极，故以名郡。郡名所置，周越裳氏之夷国。周礼，九夷远极越裳。白雉、象牙，重九译而来。自九德通类口，水源从西北远荒，迳宁州界来也。九德浦内迳越裳究、九德究、南陵究。按晋书地道记，九德郡有南陵县，晋置也。竺枝扶南记：山溪濑中谓之究。地理志曰：郡有小水五十二，并行大川，皆究之谓也。林邑记曰：义熙九年，交趾太守杜慧度造九真水口，与林邑王范胡达战，擒斩胡达二子，虏获百馀人，胡达遁。五月，慧度自九真水历都粟浦，复袭九真，长围跨山，重栅断浦，驱象前锋，接刃城下，连日交战，杀伤乃退。地理志曰：九真郡，汉武帝元鼎六年开，治胥浦县，王莽更之曰驩成也。晋书地道记曰：九真郡有松原县。林邑记曰：松原以西，鸟兽驯良，不知畏弓，寡妇孤居，散发至老，南移之岭，崪不逾仞，仓庚怀春于其北，翡翠熙景乎其南。虽嘤讙接响，城隔殊非，独步难游，俗姓涂分故也。自南陵究出于南界蛮，进得横山。太和三年，范文侵交州，于横山分界，度比景庙，由门浦至古战湾。吴赤乌十一年，魏正始九年，交州与林邑于湾大战，初失区粟也。渡卢容县，日南郡之属县也。自卢容县至无变，越烽火至比景县，日中头上，景当身下，与景为比。如淳曰：故以比景名县。阚骃曰：比，读荫庇之庇。景在己下，言为身所庇也。林邑记曰：渡比景至朱吾。朱吾县浦，今之封界，朱吾以南，有文狼人，野居无室宅，依树止宿，食生鱼肉，采香为业，与人交市，若上皇之民矣。县南有文狼究，下流迳通。晋书地道记曰：朱吾县属日南郡，去郡二百里。此县民，汉时不堪二千石长吏调求，引屈都乾为国。林邑记曰：屈都，夷也。朱吾浦内通无劳湖，无劳究水通寿泠浦。元嘉元年，交州刺史阮弥之征林邑，阳迈出婚不在，奋威将军阮谦之领七千人，先袭区粟，已过四会，未入寿泠，三日三夜无顿止处，凝海直岸，遇风大败。阳迈携婚，都部伍三百许船来相救援，谦之遭风，馀数船舰，夜于寿泠浦里相遇，暗中大战，谦之手射阳迈柁工，船败纵横，昆仑单舸〔三九〕，接得阳迈。谦之以风溺之馀，制胜理难，自此还渡寿泠，至温公浦。升平三年，温放之征范佛于湾分界阴阳圻，入新罗湾，至焉下，一名阿贲浦，入彭龙湾隐避风波，即林邑之海渚。元嘉二十三年，交州刺史檀和之破区粟已，飞旍盖海，将指典冲，于彭龙湾上鬼塔，与林邑大战，还渡典冲、林邑入浦，令军大进〔四〇〕，持重故也。浦西，即林邑都也。治典冲，去海岸四十里，处荒流之徼表，国越裳之疆南，秦汉象郡之象林县也。东滨沧海，西际徐狼，南接扶南，北连九德。后去象林，林邑之号〔四一〕，建国起自汉末，初平之乱，人怀异心，象林功曹姓区，有子名逵，攻其县杀令，自号为王。值世乱离，林邑遂立。后乃袭代，传位子孙，三国鼎争，未有所附。吴有交土，与之邻接，进侵寿泠，以为疆界。自区逵以后，国无文史，失其纂代，世数难详，宗胤灭绝，无复种裔。外孙范熊代立，人情乐推。后熊死，子逸立。有范文，日南西卷县夷帅范椎奴也。文为奴时，山涧牧羊，于涧水中得两鲤鱼，隐藏挟归，规欲私食。郎知检求，文大惭惧，起托云：将砺石还，非为鱼也。郎至鱼所，见是两石，信之而去，文始异之。石有铁，文入山中，就石冶铁，锻作两刀，举刃向鄣，因祝曰：鲤鱼变化，冶石成刀，斫石鄣破者是有神灵，文当得此，为国君王。斫不入者，是刀无神灵。进斫石鄣，如龙渊、干将之斩芦藁，由是人情渐附。今斫石尚在，鱼刀犹存，传国子孙，如斩蛇之剑也。椎尝使文远行商贾，北到上国，多所闻见。以晋愍帝建兴中，南至林邑，教王范逸制造城池，缮治戎甲，经始廓略。王爱信之，使为将帅，能得众心。文谗王诸子，或徙或奔，王乃独立，成帝咸和六年死，无胤嗣。文迎王子于外国，海行取水，置毒椰子中，饮而杀之。遂胁国人，自立为王。取前王妻妾置高楼上，有从己者，取而纳之；不从己者，绝其饮食而死。江东旧事云：范文本扬州人，少被掠为奴，卖堕交州，年十五六，遇罪当得杖，畏怖因逃，随林邑贾人渡海远去，没入于王，大被幸爱。经十馀年，王死，文害王二子，诈杀侯将，自立为王，威加诸国。或夷椎蛮语，口食鼻饮，或雕面镂身，狼賘裸种。汉、魏流赭，咸为其用。建元二年，攻日南、九德、九真，百姓奔迸，千里无烟，乃还林邑。林邑西去广州二千五百里〔四二〕，城西南角，高山长岭，连接天鄣，岭北接涧，大源淮水出郍郍远界，三重长洲，隐山绕西，卫北回东，其岭南开涧；小源淮水出松根界，上山壑流，隐山绕南，曲街回东，合淮流以注典冲。其城西南际山，东北瞰水，重壍流浦，周绕城下，东南壍外，因傍薄城，东西横长，南北纵狭，北边西端，回折曲入。城周围八里一百步，砖城二丈，上起砖墙一丈，开方隙孔，砖上倚板，板上层阁，阁上架屋，屋上构楼，高者六七丈，下者四五丈。飞观鸱尾，迎风拂云，缘山瞰水，骞翥嵬𡸣。但制造壮拙，稽古夷俗。城开四门：东为前门，当两淮渚滨，于曲路有古碑，夷书铭赞前王胡达之德。西门当两重壍，北回上山，山西即淮流也。南门度两重壍，对温公垒。升平二年，交州刺史温放之杀交趾太守杜宝、别驾阮朗，遂征林邑，水陆累战，佛保城自守，重求请服，听之。今林邑东城南五里有温公二垒是也。北门滨淮，路断不通。城内小城，周围三百二十步，合堂瓦殿，南壁不开，两头长屋，脊出南北，南拟背日〔四三〕。西区城内，石山顺淮面阳，开东向殿，飞檐鸱尾，青琐丹墀，榱题桷椽，多诸古法。阁殿上柱，高城丈馀五，牛屎为埿。墙壁青光回度，曲掖绮牖，紫窗椒房，嫔媵无别，宫观、路寝、永巷，共在殿上，临踞东轩，径与下语，子弟臣侍，皆不得上。屋有五十馀区，连甍接栋，檐宇相承。神祠鬼塔，小大八庙，层台重榭，状似佛刹。郭无市里，邑寡人居，海岸萧条，非生民所处，而首渠以永安，养国十世，岂久存哉。元嘉中，檀和之征林邑，其王阳迈，举国夜奔窜山薮。据其城邑，收宝巨亿，军还之后，阳迈归国，家国荒殄，时人靡存，踌蹰崩擗，愤绝复苏，即以元嘉二十三年死。初，阳迈母怀身，梦人铺阳迈金席，与其儿落席上，金光色起，昭晰艳曜。华俗谓上金为紫磨金，夷俗谓上金为阳迈金。父胡达死，袭王位，能得人情，自以灵梦，为国祥庆。其太子初名咄，后阳迈死，咄年十九代立，慕先君之德，复改名阳迈。昭穆二世，父子共名，知林邑之将亡矣。其城，隍壍之外，林棘荒蔓，榛梗冥郁，藤盘筀秀，参错际天。其中香桂成林，气清烟澄。桂父，县人也，栖居此林，服桂得道。时禽异羽，翔集间关，兼比翼鸟，不比不飞，鸟名归飞，鸣声自呼。此恋乡之思孔悲，桑梓之敬成俗也。豫章俞益期〔四四〕，性气刚直，不下曲俗，容身无所，远适在南，与韩康伯书曰：惟槟榔树，最南游之可观，但性不耐霜，不得北植，不遇长者之目，令人恨深。尝对飞鸟恋土，增思寄意，谓此鸟其背青，其腹赤，丹心外露，鸣情未达，终日归飞，飞不十千，路馀万里，何由归哉？九真太守任延，始教耕犁，俗化交土，风行象林。知耕以来，六百馀年，火耨耕艺，法与华同。名白田，种白谷，七月火作，十月登熟；名赤田，种赤谷，十二月作，四月登熟。所谓两熟之稻也。至于草甲萌芽，谷月代种，穜稑早晚，无月不秀，耕耘功重，收获利轻，熟速故也。米不外散，恒为丰国。桑蚕年八熟茧，三都赋所谓八蚕之绵者矣。其崖小水羃𩄲，常吐飞溜，或雪霏沙涨，清寒无底，分溪别壑，津济相通。其水自城东北角流，水上悬起高桥，渡淮北岸，即彭龙、区粟之通逵也。檀和之东桥大战，阳迈被创落象，即是处也。其水又东南流迳船官口，船官川源徐狼，外夷皆裸身，男以竹筒掩体，女以树叶蔽形，外名狼𦙶，所谓裸国者也。虽习俗裸袒，犹耻无蔽，惟依暝夜，与人交市。暗中臭金，便知好恶，明朝晓看，皆如其言。自此外行，得至扶南。按竺枝扶南记曰：扶南去林邑四千里，水步道通。檀和之令军入邑浦，据船官口城六里者也。自船官下注大浦之东湖，大水连行，潮上西流，潮水日夜长七八尺，从此以西，朔望并潮，一上七日，水长丈六七。七日之后，日夜分为再潮，水长一二尺。春夏秋冬，厉然一限，高下定度，水无盈缩，是为海运，亦曰象水也，又兼象浦之名。晋功臣表所谓金潾〔四五〕清迳，象渚澄源者也。其川浦渚，有水虫弥微，攒木食船，数十日坏。源潭湛濑，有鲜鱼，色黑，身五丈，头如马首，伺人入水，便来为害。山海经曰：离耳国、雕题国，皆在鬱水南。林邑记曰：汉置九郡，儋耳与焉。民好徒跣，耳广垂以为饰，虽男女亵露，不以为羞。暑亵薄日，自使人黑，积习成常，以黑为美，离骚所谓玄国矣。然则儋耳即离耳也。王氏交广春秋曰：朱崖、儋耳二郡，与交州俱开，皆汉武帝所置。大海中，南极之外，对合浦徐闻县。清朗无风之日，迳望朱崖州，如囷廪大，从徐闻对渡，北风举帆，一日一夜而至。周回二千馀里，径度八百里，人民可十万馀家，皆殊种异类，被发雕身，而女多姣好，白皙、长发、美鬓，犬羊相聚，不服德教。儋耳先废，朱崖数叛，元帝以贾捐之议罢郡。杨氏南裔异物志曰：儋耳、朱崖，俱在海中，分为东蕃。故山海经曰：在鬱水南也。鬱水又南自寿泠县注于海。昔马文渊积石为塘，达于象浦，建金标为南极之界。俞益期笺曰：马文渊立两铜柱于林邑岸北，有遗兵十馀家不反，居寿泠岸南而对铜柱。悉姓马，自婚姻，今有二百户。交州以其流寓，号曰马流〔四六〕。言语饮食，尚与华同。山川移易，铜柱今复在海中，正赖此民，以识故处也。林邑记曰：建武十九年，马援树两铜柱于象林南界，与西屠国分，汉之南疆也。土人以之流寓，号曰马流，世称汉子孙也。山海经曰：鬱水出象郡而西南注南海，入须陵东南者也。应劭曰：鬱水出广信，东入海。

言始或可，终则非矣。

〔一〕大度水　水经注西南诸水考卷一若水引水经注作"大渡水"。

〔二〕蜯嶲山　大典本、注笺本、何校明钞本、王校明钞本、项本、张本、雍正四川通志卷二十四山川志宁远府泸山引水经注均作"蛙嶲山"。

〔三〕青蛉水　大典本、黄本、吴本、注笺本、何校明钞本、王校明钞本、项本、沈本、五校钞本、七校本、注释本、张本、注疏本、名胜志四川卷二十九上川南道边防会川卫引水经注、滇系卷八之一艺文系引水经注均作"蜻蛉水"。

〔四〕青蛉县　同注〔三〕各本均作"蜻蛉县"。

〔五〕牧靡南山　何本作"收靡县南山"，注释本作"牧靡县南山"。

〔六〕堂琅县　通鉴卷九十二晋纪十四明帝大宁元年"战于螗蜋"胡注引水经注、东晋疆域志卷三堂狼引水经注均作"堂狼县"。案堂琅（堂狼）在两晋均是朱提郡属县。

〔七〕泸水　史记卷一本纪一五帝本纪"其二曰昌意，降居若水"索隐引水经注作"泸江水"。

〔八〕兰仓水　大典本作"兰苍水"。

〔九〕诸葛忠武侯故事卷五遗迹篇引水经注云："邛州西百里有石盘戍，俗呼为望军顶，昔诸葛武侯驻军于此。"当是此段中佚文。

〔一〇〕赤水　吴本、丹铅总录卷二引水经注、丹铅杂录卷七引水经注、滇系卷八之一艺文系引水经注均作“赤木”。

〔一一〕乌栊　丹铅总录卷二引水经注、丹铅杂录卷七引水经注均作“乌拢”。

〔一二〕札记左担道：

对于古代陆上交通的困难，水经注在卷二十七沔水篇中记载了今陕西、四川二省之间的所谓“栈道”，俗称“千梁无柱”。这是一种极端艰巨的陆上交通工程，我曾以“千梁无柱”为题，写过一篇札记。

除了栈道以外，水经注记载的古代陆上交通，还有所谓“左担道”，也是十分艰难的交通道路。卷三十六若水经“又东北至犍为朱提县西，为泸江水”注云：

> 自朱提至僰道有水步道，水道有黑水、羊官水，至险难。三津之阻，行者苦之。故俗为之语曰：楢溪、赤水，盘蛇七曲，盘羊乌栊，气与天通，看都濩泚，住柱呼伊，庲降贾子，左担七里。又有牛叩头、马搏颊坂，其艰险如此也。

“庲降贾子，左担七里。”庲降就是当年的建宁郡治，约在今云南的曲靖县附近。从庲降到僰道，就是由滇入蜀。这一条道路，古代称为“左担道”，是一种非常陡峻、崎岖、狭窄的山道。水经注汇校杨希闵在此处引李克蜀记云：“蜀山自绵谷葭萌，道陉险窄，北来负担者，不容息肩，谓之左担道。”可以设想，用扁担挑了一副重担，在山道上行走，肩挑者的一种休息方式，就是把扁担从左肩换到右肩，行进一段，又从右肩换到左肩，整个行程中作这样的换肩动作，使左、右肩获得间息的机会。但是由于道路陡峻狭窄，在若干段落中，要负重者作换肩的动作也不可能。使肩挑者不得不使用一只肩膀负重到走完这条险路为止,这就叫“左担道”。也可以设想,虽然是这样一条狭窄的“左担道”,但要在这样崎岖险峻的山上,开凿出这样一条道路,其工程也是十分艰巨的。

〔一三〕马搏颊坂　方舆纪要卷七十四川五叙州府宜宾县朱提废县引水经注作“马搏颡坂”。

〔一四〕札记江源:

对于长江江源,我国最早的权威著作禹贡说“岷山导江,东别为沱”,把岷江作为长江的江源。因为禹贡是尚书中的一篇,在古代属于大家都必须尊重的经书。因此禹贡以后的著作,凡是涉及江源,都奉禹贡为经典。水经说:“岷山在蜀郡氐道县,大江所出,东南过其县北。”郦道元在卷三十三这句经文下注云:“岷山,即渎山也,水曰渎水矣,又谓之汶阜山,在徼外,江水所导也。”说明他赞同水经,其实就是服从禹贡的“岷山导江”之说。

徐霞客写了一篇江源考(又称溯江纪源),指出岷江不是江源,因此获得了极大声誉。著名地质学家丁文江为他撰写年谱,赞扬徐霞客在地理学上有五项重要的发现:即北盘江之源流;澜沧江、潞江之出路;枯柯河之出路及碧溪江之上流;大盈、龙川、大金沙江三江之分合经流;江源。对于丁氏所说的这五项“发现”,谭其骧教授在三十多年前已在论丁文江所谓徐霞客在地理上之重要发现(载地理学家徐霞客,商务印书馆一九四八年发行)一文中指出:“自余考之,中惟最不重要之第三项(案指枯柯河之出路及碧溪江之上流),诚足以匡正前人，已引见上文，其馀四项，皆断乎绝无‘发现’之可言。”谭氏的话是信而有征的。以江源为例，实际上人们很早就已经知道远远超过岷江，山海经海内经说：“有巴遂山，绳水出焉。”这个绳水，就是长江的正源金沙江。海内经一般认为是西汉初期的作品，说明在禹贡以后不久，人们对于长江的知识就有了发展。到了汉书地理志，江源就更进一步清楚：“绳水出徼外，东至僰道入江。”僰道即今宜宾，正是金沙江与岷江汇合之处。

水经注记载的长江上源，当然又大大超过汉书地理志，卷三十六若水说：“绳水出徼外，山海经曰：巴遂之山，绳水出焉。东南流，分为二水：其一水枝流东出，迳广柔县，东流注于江；其一水南迳旄牛道，至大莋与若水合。自下亦通谓之为绳水矣。”若水即是今雅砻江，若水与绳水汇合，其下流仍称绳水，这条绳水，当然就是今金沙江。若水注最后说：“若水至僰道，又谓之马湖江。绳水、泸水、孙水、淹水、大渡水，随决入而纳通称。是以诸书录记群水，或言入若，又言注绳，亦咸言至僰道入江。正是异水沿注，通为一津，更无别川，可以当之。”从这段注文中，可见郦道元对于当时长江上游的干支流情况，已经相当清楚了。注文中的绳水，是今金沙江的通称，淹水是金沙江的上流，泸水是金沙江的中流，马湖江是金沙江的下流，孙水是今安宁河，大渡水是今康定县西的坝拉河。尽管他没有突破禹贡的框框，仍把岷江作为长江的正源，但实际上已把长江上游的干支流分布记载得相当清楚了。

〔一五〕札记牛渚县：“卷三十六沬水注的灵道县……注文不

仅提出县名，而且都说明建县年代，但两汉志和晋、宋、齐诸志也均不载。”

〔一六〕同注〔一五〕。

〔一七〕开刊县　大典本、注笺本、项本、注释本、张本均作“开邦县”，东晋疆域志卷三汉嘉引水经注作“开邗县”。

〔一八〕注疏本熊会贞按：“华阳国志平夷郡，晋元帝建兴元年置。考建兴为愍帝年号，元帝年号则建武也。华阳国志‘建兴’为‘建武’之误，此注亦沿其误。”

〔一九〕注疏本杨守敬按：“张堪，范书有传，不载此事。称以谒者诣大司马吴汉，伐公孙述，在道追拜蜀郡太守。中间不得有为涪陵县事，此当本他家后汉书，疑‘为县’是‘为郡’之误，盖以蜀郡太守摄巴郡事也。”

〔二〇〕郁鄢县　大典本、黄本、吴本、项本、沈本、张本均作“郁鄢县”。

〔二一〕牧靡县　何本作“收靡县”。

〔二二〕毋敛县　大典本、黄本、吴本、注笺本、项本、沈本、张本均作“无敛县”。

〔二三〕毋敛水　大典本、黄本、吴本、沈本均作“无敛水”。

〔二四〕牂柯水　大典本、黄本、何校明钞本、王校明钞本、沈本均作“牂牱水”，水经注西南诸水考卷二存水引水经注作“牂牁水”。

〔二五〕谈藁县　大典本、黄本、吴本、注笺本、项本、沈本、张本、禹贡水道考异南条水道考异卷五黑水引水经注、滇系卷八之一艺文系引水经注均作“谈台县”。

〔二六〕三年　注疏本作“二年”。疏:“朱讹作‘三年’,戴、赵同。守敬按:汉志是二年,今订。”

〔二七〕与邪龙分浦　注疏本熊会贞疏:“会贞按:邪龙见叶榆水篇,在今蒙化厅,地去俞元甚远,俞元何得与之分浦? 考华阳国志四,河阳郡宁州刺史王逊分云南立,郡治河阳县,在河源洲上。宋、齐志谓之东河阳郡东河阳县,在今太和县东。又晋、宋、齐,云南郡有河平县,在今云南县东,皆与邪龙近。此数语当是叶榆水篇之错简也。”

〔二八〕俞元县　吴本、滇系卷八之一艺文系引水经注均作“俞亢县”。

〔二九〕監南　注笺本、何校明钞本、项本、张本、注疏本均作“盘南”。注疏本疏:“赵‘盘’改‘監’,云:汉书地理志益州郡律高县,監町山出银、铅。师古曰,監音呼鵙反。戴改同,云:华阳国志,梁水郡在兴古之監南。守敬按:华阳国志作‘盘南’,不作‘監南’,戴臆改以合汉志。而华阳国志又称律高有監町山,则‘盘’、‘監’错出,不必改也。互见叶榆水篇。”

〔三〇〕朱涯水　大典本、吴本均作“朱主水”,注笺本、项本、五校钞本、七校本、注释本、张本、注疏本均作“朱厓水”。

〔三一〕牂柯水　大典本、黄本、吴本、何校明钞本、王校明钞本、项本、沈本、张本、水经注西南诸水考卷二温水引水经注、黔囊引水经注均作“牂牁水”。

〔三二〕斤南水　注释本、续黔书卷三豚水引水经注均作“斤员水”。

〔三三〕牂　大典本、黄本、吴本、沈本均作“牂”。

〔三四〕柯　大典本、黄本、吴本、沈本、严本、何校明钞本、王校明钞本、太平广记卷二九一竹王引水经注均作“牱”。

〔三五〕柱浦关　注释本作“柱蒲关”。

〔三六〕札记日南郡：

卷三十六温水经“东北入于鬱”注云：

> 应劭地理风俗记曰：日南，故秦象郡。汉武帝元鼎六年开日南郡，治西卷县。

按日南郡位于今越南中南部，这是中国历史行政区划中最南的一郡，应劭认为是秦始皇敉平百越之地所建的象郡，虽然并不完全正确，但可以说明这个地区在公元前三世纪已由汉族建立了郡县。汉书地理志记及王莽更名为日南亭，所以直到西汉之末，这个郡仍在汉朝的版图之中。汉路博德和马援几次南征，日南郡也都在疆域之内。同注云：“晋太康三年，省日南郡属国都尉，以其所统卢容县置日南郡及象林县之故治。”则晋时，日南郡的行政区划有过一些内部的调整，但仍在晋朝的管辖之内。温水注又记及：“元嘉二十年，以林邑顽凶，历代难化，恃远负众，慢威背德。北宝既臻，南金阙贡，乃命偏将与龙骧将军交州刺史檀和之陈兵日南，修文服远。”说明直到南北朝之初，南朝势力仍然到达这个地区。

对于领土的地理位置绝大部分在北回归线以北的中国来说，为什么把这个郡名称为日南，倒是一个饶有趣味的问题。温水注对此也有一段解释：

> 区粟建八尺表，日影度南八寸。自此影以南在日之南，故以名郡。望北辰星，落在天际。日在北，故开北户

以向日。此其大较也。

这段注文中所说的"日在北,故开北户以向日",这话并不完全正确。按日南郡的位置大约在北纬十七度南北,因此,在每年夏至前后,约有五十天时间太阳在北。所以一年之中,"开北户以向日"的时间还不到两个月。注文所说的"区粟建八尺表,日影度南八寸",这里的所谓"八尺表",显然是一种类似日晷的仪器,是古人根据日照以确定地理位置的依据。区粟是古代林邑国(在越南顺化一带)的著名城市,对其确实位置,各方尚有不同意见。但大体说来,总在北纬十六度附近。所以一年之中位于日南的时间,大约接近两个月。

温水注又说:"范泰古今善言曰:日南张重,举计入洛,正旦大会。明帝问:日南郡北向视日邪?重曰:今郡有云中、金城者,不必皆有其实,日亦俱出于东耳。"这里所引的范泰古今善言,其书有三十卷,却早已亡佚,但隋书经籍志及两唐志均有著录。范是南朝宋车骑将军,其记东汉事,或许不致有讹。这位从日南到洛阳的张重,观其对汉明帝的回答,可知其人不学无术,却能说会道。这样的人,古今都有不少。从边疆郡县去到首都朝见皇帝,在当时是一种殊荣,获得这种殊荣的人,只凭一套油嘴滑舌的本领,令人一叹。可惜当年汉明帝所知比他更少,所以无法当场揭穿他的胡言乱语。

前面已经述及,日南郡是两汉王朝版图中的最南一郡。其实,在水经注记载的南方地区中,位于日南郡以北,但每年仍有长短不等的时间可以"开北户以向日"(即位于北回归线以南)的郡县,为数还有不少。除日南郡外,尚有汉朝设置的交趾(今越南北部)、九真(今越南北部,郡治在河内以南,顺化以北)、合浦(今广西合浦一带)、朱崖(西汉作朱卢,东汉改朱崖,今海南)、儋耳(今海南儋县一带)及三国吴所设置的九德郡(辖区与九真郡部分相同)等郡。辖境跨北回归线南北的,有秦置的南海(今广东大部)、象郡(今广东雷州、广西庆远等地以至越南北部),汉置的永昌(今云南保山一带)、牂柯(今贵州德江一带)、鬱林(今广西贵县一带)、苍梧(今广西苍梧一带),以及晋置的兴古郡(今贵州普安一带)。因为太阳在夏至日直射北回归线,所以上列各郡,全郡之中也有若干县,一年之中有不等的时间获得北向观日的机会。当然,位于日南时间最长的是日南郡,所以此郡以"日南"为名,还是适当的,并不如那个答非所问的张重所说:"日亦俱出于东耳。"

〔三七〕札记五岭:

五岭之名始于史记陈馀传:"秦为乱政虐刑以残贼天下数十年矣。北有长城之役,南有五岭之戍。"集解:"骃案,汉书音义曰:岭有五,因以为名,在交趾界中也。"索隐:"裴氏广州记云:大庾、始安、临贺、桂阳、揭阳,斯五岭。"案"五岭之戍",实际上是向南方非汉族地区的新领地移民。通鉴秦纪二始皇帝三十三年:"略取南越陆梁地,置桂林、南海、象郡,以谪徙民五十万人戍五岭,与越杂处。"因此,所谓五岭者,乃是将汉族移往桂林、南海、象郡等新领地,与百越杂处,以监视并同化他们,并防制他们的动乱。这是秦对其新领地所采用的普遍做法,不仅是南方,东南地区也是如此。越绝书卷八:"是时徙大越民置馀杭、伊攻、□、故鄣,因徙天下有罪適吏民,置海南故大越处，以备东海外越。”所以这是一种移民政策。当时的所谓五岭，并不一定有五座山岭，正如禹贡三江、九河等一样，“三”和“九”只是表示多数而已，并不一定是“三”、“九”的实数。北方平原之民，来到两广丛山峻岭之地，五岭，是言其多山的意思。但以后三江、九河等，都以江河的名称凑合其数，于是，五岭也就用五座山岭的名称凑合其数。索隐所引裴氏广州记成于晋代，故五座山岭名称的出现，较之三江、九河等，已经要晚了。

到了水经注的时代，实数的五岭概念已经明确，所以郦道元也在注文中写出了五岭的名称。因为五岭是分布在今湘桂、湘粤、赣粤之间的漫长地带的，因此，水经注是在湘水、溱水、锺水、耒水四篇中，才把这五座山岭记载完整的。

卷三十八湘水经“东北过零陵县东”注云：“越城峤水南出越城之峤，峤，即五岭之西岭也。”这里的越城峤，就是广州记的始安岭。又同卷经“又东北过泉陵县西”注云：“冯水又左合萌渚之水，水南出于萌渚之峤，五岭之第四岭也。”这里的萌渚峤，就是广州记的临贺岭。卷三十八溱水经“东至曲江县安聂邑东，屈西南流”注云：“山，即大庾岭也，五岭之最东矣。”卷三十九锺水经“锺水出桂阳南平县都山，北过其县东，又东北过宋渚亭，又北过锺亭，与灌水合”注云：“都山，即都庞之峤，五岭之第三岭也。”这里的都庞峤，就是广州记的揭阳岭。卷三十九耒水经“又北过其县之西”注云：“山则骑田之峤，五岭之第二岭也。”这里的骑田峤，就是广州记的桂阳岭。

前面指出，像三江、九河、五岭等冠以数词的地名，开始只是表示多数，以后才凑合成实。这中间，五岭一名最有实际意义。因为三江说法甚多，而最为普遍的是北江、中江、南江之说，纯属牵强附会，没有实际意义。九河原是描述黄河三角洲枝流纷歧的情况，后来才以徒骇、太史、马颊、覆釜、胡苏、简、洁、句盘、鬲津九条河流充之。但黄河入海处，河口经常摆动，枝流变化频繁，上述九河中除少数外，多数均早失所在，所以也无实际意义。但五岭却不同，它在一旦具有实名以后，就一直稳定不变。在科学的自然地理学诞生以后，五岭又成为南岭的别名。南岭是绵亘于湘、赣、粤、桂四省区边境的一系列东北、西南走向的山脉的总称，是长江和珠江的分水岭，而从西到东，越城（海拔二一二三米）、都庞（二〇〇九米）、萌渚（一七八七米）、骑田（一五一〇米）、大庾（一〇〇〇米）屹立其间，不少重要的南北通道，如梅岭路、折岭路、桂岭路等，都在五岭之下的低谷山口通过。在自然地理上，五岭确实是中国南北的明显分界线。卷三十六温水经"东北入于鬱"注云："古人云：五岭者，天地以隔内外。"说明五岭南北的这种自然地理分异，古人也早已观察到了。

〔三八〕外越　古代越族流散分布，范围甚广，名称甚多，但记及"外越"一名者，现存文献中仅越绝书与水经注二种。越绝书卷二吴地记云："娄门外力士者，阖庐所造，以备外越。"又云："娄北武城，阖庐所以候外越也。"又云："宿甲者，吴宿兵候外越也。"此书卷八地传云："句践徙治山北，引属东海，内、外越别封削焉。"又云："（秦始皇）因徙天下有罪適吏民，置海南故大越处，以备东海外越。"水经注卷三十六温水经"东北入于鬱"注云："林邑记曰：

‘浦通铜鼓、外越、安定、黄冈心口。’”又云：“林邑记曰：外越、纪粟、望都。”卷三十七叶榆河经“过交趾羸泠县北，分为五水，络交趾郡中，至南界，复合为三水，东入海”注云：“林邑记所谓外越、安定、纪粟者也。”案林邑记早已亡佚，故水经注所引值得重视。

〔三九〕伯希和交广印度两道考第七十二页引水经注云：“顿逊昔号昆仑。”又费琅昆仑及南海古代航行考第三页引水经注云：“交州刺史以兵讨林邑，败之，追击至于昆仑。”或均是此段中佚文。又参见卷一河水注〔二〕。

〔四〇〕令军大进　注疏本作“令军不进”。疏：“朱‘不’讹作‘大’，赵改‘大’，戴改同。守敬按：非也。观下‘持重故也’，则当作‘不进’，今订。”

〔四一〕后去象林林邑之号　王校明钞本作“后去象，有林邑之号”，王国维明钞本水经注跋：“后去象，有林邑之号。诸本并作‘后去象林，林邑之号’。案郦意为林邑国号本出象林，后省‘象’字故为‘林邑’。若如诸本，则不辞矣。”

〔四二〕二千五百里　水经注疏熊会贞按：“林邑去广州甚远，何止二千五百里，且中隔交州，亦不得舍交州而别举广州。据寰宇记汉于交趾郡南三千里，置日南郡，林邑在日南郡南界四百里，交州治交趾郡，计林邑去交州三千四百里。此‘广州’当作‘交州’，二千五百里，‘二’当‘三’之误。”

〔四三〕背日　原作“背曰”，据崇文、广雅、合校、汇校诸本改。

〔四四〕札记书信：

卷三十六温水经“东北入于鬱”注中，注文引用了俞益期与韩康伯书及俞益期笺两种书信（这两种可能是同一书信）。

应该说,俞益期的书信,不仅是郦注书信中值得珍贵的文献,在水经注所引的全部文献中也是十分难得的。

俞益期是一个名不见经传的人,温水注对他有几句话的介绍:“豫章俞益期,性气刚直,不下曲俗,容身无所,远适在南。”则此人是豫章人,流落在今中南半岛的古代林邑国一带。这些书信能够从林邑国寄汇回国,当然已非易事。这些书信的接受者韩康伯,是个东晋的知名人士,曾官太常卿,世说新语言语、方正、雅量、品藻、捷悟、贤媛各篇,都曾记及他的掌故。隋书经籍志著录有晋太常卿韩康伯集十六卷。估计韩集中收有韩康伯致俞益期的覆信,而俞笺则附录于覆信之后。因为韩集早已亡佚,所以无可查核。当然,这里也有令人不解之处。既然俞益期与韩康伯这样的当朝名流相熟悉,而且书信往返,交谊不同一般,为什么竟至于“容身无所,远适在南”呢?在文献资料大量亡佚的情况下,这样的问题看来是难以解答的。

正是因为俞益期“远适在南”,因此,他的书信中,描述了许多南方的风物掌故,所以具有很高的价值。

〔四五〕金潾　即“昆仑”别译,参见卷一河水注〔二〕。

〔四六〕札记马流:

卷三十六温水经“东北入于鬱”注云:

林邑记曰:建武十九年,马援树两铜柱于象林南界,与西屠国分,汉之南疆也。土人以之流寓,号曰马流,世称汉子孙也。

假使马流确实如俞益期笺所云,是马援的旧部,则他们无非是留居国外的汉侨。林邑记的说法"世称汉子孙也",含有其实不是汉子孙的意思。关于这一点,初学记卷六海第二的"铜柱"下引张勃吴录,表达得比林邑记更为清楚。初学记云:"象林海中有小洲,生柔金,自北南行三十里,有西属国,人自称汉子孙,有铜柱,汉之疆埸之表。"据此,则所谓汉子孙,确实是西属国(林邑记作西屠国)人的自称。因为当时汉族强大,边疆少数民族称汉人以自保,这是很可能的事。

对于马流,丁谦在新唐书南蛮列传考证(浙江图书馆丛书第一集)一文中所作的考证(丁氏作马留),比俞益期笺和林邑记的说法看来要合理得多。丁氏云:

> 马留为南洋黑人种族之名,或作马来,亦作巫来由,皆音译之转。今云马援所留,实望文生义之谈,不足为据。

水经注中有不少涉及我国边疆民族的资料,由于当时对这些民族了解很少,记载中颇有以讹传讹的东西,但是对于今天的民族史研究,仍然都是有用的资料。

水经注卷三十七

淹水　叶榆河　夷水　油水　澧水　沅水　泿水

淹水出越嶲遂久县徼外，

吕忱曰：淹水一曰复水也。

东南至青蛉县〔一〕，

县有禺同山，其山神有金马、碧鸡，光景倏忽，民多见之。汉宣帝遣谏大夫王褒祭之，欲致其鸡、马，褒道病而卒，是不果焉。王褒碧鸡颂曰：敬移金精神马，缥缥碧鸡。故左太冲蜀都赋曰：金马骋光而绝影，碧鸡倏忽而耀仪。

又东过姑复县南，东入于若水。

淹水迳县之临池泽〔二〕而东北，迳云南县西，东北注若水也。

益州叶榆河，出其县北界，屈从县东北流〔三〕，

县，故滇池叶榆之国也。汉武帝元封二年，使唐蒙开之，以为益州郡。郡有叶榆县，县西北八十里，有吊鸟山〔四〕，众鸟千百为群，其会，鸣呼啁晰，每岁七八月至，十六七日则止，一岁六至。雉雀来吊，夜燃火伺取之。其无嗉不食，似特悲者，以

为义则不取也。俗言，凤凰死于此山，故众鸟来吊，因名“吊鸟”。县之东有叶榆泽〔五〕，叶榆水所钟而为此川薮也。

过不韦县，

县，故九隆哀牢之国也。有牢山，其先有妇人名沙壹，居于牢山，捕鱼水中，触沉木若有感，因怀孕，产十子。后沉木化为龙，出水，九子惊走，小子不能去，背龙而坐，龙因舐之。其母鸟语，谓背为九，谓坐为隆，因名为九隆。及长，诸兄遂相共推九隆为王。后牢山下有一夫一妇，生十女，九隆皆以为妻，遂因孳育，皆画身像龙文，衣皆著尾。九隆死，世世不与中国通。汉建武二十三年，王遣兵来，乘革船南下，攻汉鹿茤民，鹿茤民弱小，将为所擒。于是天大震雷，疾雨，南风漂起，水为逆流，波涌二百馀里，革船沉没，溺死数千人。后数年，复遣六王，将万许人攻鹿茤，鹿茤王与战，杀六王，哀牢耆老共埋之。其夜，虎掘而食之。明旦但见骸骨。惊怖引去，乃惧，谓其耆老小王曰：哀牢犯徼，自古有之，今此攻鹿茤，辄被天诛，中国有受命之王乎？何天佑之明也？即遣使诣越巂奉献，求乞内附，长保塞徼。汉明帝永平十二年，置为永昌郡，郡治不韦县。盖秦始皇徙吕不韦子孙于此，故以不韦名县。北去叶榆六百馀里，叶榆水不迳其县，自不韦北注者，卢仓禁水耳。叶榆水自县南迳遂久县东，又迳姑复县西，与淹水合。又东南迳永昌邪龙县，县以建兴三年刘禅分隶云南，于不韦县为东北。

东南出益州界，

叶榆水自邪龙县东南迳秦臧县〔六〕，南与濮水〔七〕同注滇池泽于连然、双柏县也。叶榆水自泽又东北迳滇池县南，又东迳同并县南，又东迳漏江县，伏流山下，复出蝮口，谓之漏江。左思蜀都赋曰：漏江洑流溃其阿，汩若汤谷之扬涛，沛若濛汜之涌波。诸葛亮之平南中也，战于是水之南。叶榆水又迳贲古县北，东与盘江〔八〕合。盘水〔九〕出律高县东南盬町山〔一〇〕，东迳梁水郡北、贲古县南，水广百馀步，深处十丈，甚有瘴气，朱褒之反，李恢追至盘江者也。建武十九年，伏波将军马援上言：从麊泠〔一一〕出贲古，击益州，臣所将骆越万馀人〔一二〕，便习战斗者二千兵以上，弦毒矢利，以数发，矢注如雨，所中辄死。愚以行兵此道最便，盖承藉水利，用为神捷也。盘水又东迳汉兴县。山溪之中，多生邛竹、桄榔树，树出面，而夷人资以自给。故蜀都赋曰：邛竹缘岭。又曰：面有桄榔。盘水北入叶榆水，诸葛亮入南，战于盘东是也。

入牂柯郡西随县北为西随水，又东出进桑关，

进桑县，牂柯之南部都尉治也。水上有关，故曰进桑关也。故马援言，从麊泠水道出进桑王国，至益州贲古县，转输通利，盖兵车资运所由矣。自西随至交趾，崇山接险，水路三千里。叶榆水又东南绝温水而东南注于交趾。

过交趾麊泠县北，分为五水，络交趾郡中，至南界，复合为三水，东入海。

尚书大传曰：尧南抚交趾于禹贡荆州之南垂。幽荒之外，故越也〔一三〕。周礼，南八蛮，雕题、交趾，有不粒食者焉。春秋不见于传，不通于华夏，在海岛，人民鸟语。秦始皇开越岭南，立苍梧、南海、交趾、象郡。汉武帝元鼎二年，始并百越〔一四〕，启七郡。于是乃置交趾刺史，以督领之，初治广信，所以独不称

州。时又建朔方，明已始开北垂。遂辟交趾于南，为子孙基址也。羸泠县，汉武帝元鼎六年开，都尉治。交州外域记曰：越王〔一五〕令二使者典主交趾、九真二郡民，后汉遣伏波将军路博德讨越王，路将军到合浦，越王令二使者，赍牛百头，酒千钟，及二郡民户口簿，诣路将军，乃拜二使者为交趾、九真太守，诸雒〔一六〕将主民如故。交趾郡及州本治于此也。州名为交州。后朱䳒雒将子名诗，索羸泠雒将女名徵侧为妻，侧为人有胆勇，将诗起贼，攻破州郡，服诸雒将皆属徵侧为王，治羸泠县，复交趾、九真二郡民二岁调赋。后汉遣伏波将军马援将兵讨侧，诗走入金溪究，三岁乃得。尔时西蜀并遣兵共讨侧等，悉定郡县，为令长也。山多大蛇，名曰髯蛇，长十丈，围七八尺，常在树上伺鹿兽，鹿兽过，便低头绕之，有顷鹿死，先濡令湿讫，便吞，头角骨皆钻皮出。山夷始见蛇不动时，便以大竹签签蛇头至尾，杀而食之，以为珍异。故杨氏南裔异物志曰：髯惟大蛇，既洪且长，采色驳荦，其文锦章，食豕吞鹿，腴成养创，宾享嘉宴，是豆是觞。言其养创之时，肪腴甚肥，搏之以妇人衣投之，则蟠而不起，走便可得也。北二水，左水东北迳望海县南，建武十九年，马援征徵侧置。又东迳龙渊县北，又东合南水，水自羸泠县东迳封溪县北。交州外域记曰：交趾昔未有郡县之时，土地有雒田，其田从潮水上下，民垦食其田，因名为雒民，设雒王、雒侯〔一七〕，主诸郡县。县多为雒将，雒将铜印青绶。后蜀王子将兵三万来讨雒王、雒侯，服诸雒将，蜀王子因称为安阳王。后南越王尉佗〔一八〕举众攻安阳王，安阳王有神人名皋通，下辅佐，为安阳王治神弩一张，一发杀三百人，南越王知不可战，却军住武宁县。按晋太康记，县属交趾。越遣太子名始，降服安阳王，称臣事之。安阳王不知通神人，遇之无道，通便去，语王曰：能持此弩王天下，不能持此弩者亡天下。通去，安阳王有女名曰媚珠，见始端正，珠与始交通，始问珠，令取父弩视之，始见弩，便盗以锯截弩讫，便逃归报南越王。南越〔一九〕进兵攻之，安阳王发弩，弩折遂败。安阳王下船迳出于海，今平道县后王宫城见有故处。晋太康地记，县属交趾，越遂服诸雒将。马援以西南治远〔二〇〕，路迳千里，分置斯县，治城郭，穿渠通导溉灌，以利其民。县有猩猩兽，形若黄狗，又状貆豘，人面，头颜端正，善与人言，音声丽妙，如妇人好女，对语交言，闻之无不酸楚。其肉甘美，可以断谷，穷年不厌。又东迳浪泊，马援以其地高，自西里进屯此。又东迳龙渊县故城南，又东，左合北水。建安二十三年立州之始，蛟龙蟠编于南、北二津，故改龙渊以龙编为名也。卢循之寇交州也，交州刺史杜慧度率水步晨出南津，以火箭攻之，烧其船舰，一时溃散。循亦中矢赴水而死，于是斩之，传首京师。慧度以斩循勋，封龙编侯。刘欣期交州记曰：龙编县功曹左飞，曾化为虎，数月，还作吏。既言其化，亦化无不在，牛哀易虎，不识厥兄，当其革状，安知其讹变哉。其水又东迳曲易县，东流注于浪鬱。经言，于郡东界复合为三水，此其二也。其次一水，东迳封溪县南，又西南迳西于县南，又东迳羸𨻻县北，又东迳北带县南，又东迳稽徐县，泾水注之。水出龙编县高山，东南流入稽徐县，注于中水。中水又东迳羸𨻻县南，交州外域记曰：县，本交趾郡治也。林邑记曰：自交趾南行，都官塞浦出焉。

其水自县东迳安定县，北带长江，江中有越王所铸铜船，潮水退时，人有见之者。其水又东流，隔水有泥黎城，言阿育王所筑也。又东南合南水，南水又东南迳九德郡北，交州外域记曰：交趾郡界有扶严究，在郡之北，隔渡一江，即是水也。江水对交趾朱载县〔二一〕，又东迳浦阳县北，又东迳无切县北。建武十九年九月，马援上言：臣谨与交趾精兵万二千人，与大兵合二万人，船车大小二千艘，自入交趾，于今为盛。十月，援南入九真，至无切县，贼渠降，进入馀发，渠帅朱伯弃郡亡入深林巨薮，犀象所聚，羊牛数千头，时见象数十百为群。援又分兵入无编县，王莽之九真亭，至居风县，帅不降，并斩级数十百，九真乃靖。其水又东迳句漏县，县带江水，江水对安定县。林邑记所谓外越、安定、纪粟者也。县江中有潜牛，形似水牛，上岸斗，角软还入江水，角坚复出。又东与北水合，又东注鬱，乱流而逝矣。此其三也。平撮通称，同归鬱海。故经有入海之文矣。

夷水出巴郡鱼复县江，

夷水，即佷山〔二二〕清江也。水色清照十丈，分沙石。蜀人见其澄清，因名清江也。昔廪君浮土舟于夷水，据捍关而王巴，是以法孝直有言，鱼复捍关，临江据水，实益州祸福之门。夷水又东迳建平沙渠县，县有巫城水，南岸山道五百里，其水历县东出焉。

东南过佷山县南，

夷水自沙渠县入〔二三〕，水流浅狭，裁得通船。东迳难留城南，城即山也。独立峻绝，西面上里馀得石穴，把火行百许步，得二大石碛，并立穴中，相去一丈，俗名“阴阳石”。阴石常湿，阳石常燥。每水旱不调，居民作威仪服饰，往入穴中，旱则鞭阴石，应时雨多；雨则鞭阳石，俄而天晴。相承所说，往往有效。但捉鞭者不寿，人颇恶之，故不为也。东北面又有石室，可容数百人，每乱，民入室避贼，无可攻理，因名难留城也。昔巴蛮有五姓，未有君长，俱事鬼神，乃共掷剑于石穴，约能中者，奉以为君。巴氏子务相乃中之，又令各乘土舟，约浮者，当以为君，惟务相独浮，因共立之，是为廪君。乃乘土舟从夷水下至盐阳。盐水有神女，谓廪君曰：此地广大，鱼盐所出，愿留共居。廪君不许，盐神暮辄来宿，旦化为虫，群飞蔽日，天地晦暝，积十馀日。廪君因伺便射杀之，天乃开明。廪君乘土舟下及夷城，夷城石岸险曲，其水亦曲。廪君望之而叹，山崖为崩。廪君登之，上有平石方二丈五尺，因立城其傍而居之。四姓臣之。死，精魂化而为白虎，故巴氏以虎饮人血，遂以人祀。盐水，即夷水也。又有盐石，即阳石也。盛弘之以是推之，疑即廪君所射盐神处也。将知阴石，是对阳石立名矣。事既鸿古，难为明征。夷水又东迳石室，在层岩之上，石室南向，水出其下，悬崖千仞，自水上径望见，每有陟山岭者，扳木侧足而行，莫知其谁。村人骆都，小时到此室边采蜜，见一仙人坐石床上，见都，凝瞩不转，都还，招村人重往，则不复见，乡人今名为仙人室。袁山松云：都孙息尚存。夷水又东与温泉三水合，大溪南北夹岸，有温泉对注，夏暖冬热，上常有雾气，疡痍百病，浴者多愈。父老传此泉先出盐，于今水有盐气。夷水有盐水之名，此亦其一也。夷水又东迳佷山县故城南，县即山名也。

孟康曰：音恒，出药草。恒山今世以银为音也，旧武陵之属县。南一里即清江东注矣。南对长杨溪〔二四〕，溪水西南潜穴，穴在射堂村东六七里。谷中有石穴，清泉溃流三十许步，复入穴，即长杨之源也。水中有神鱼，大者二尺，小者一尺，居民钓鱼，先陈所须多少，拜而请之，拜讫投钩饵，得鱼过数者，水辄波涌，暴风卒起，树木摧折。水侧生异花，路人欲摘者，皆当先请，不得辄取。水源东北之风井山，回曲有异势，穴口大如盆。袁山松云：夏则风出，冬则风入，春秋分则静。余往观之，其时四月中，去穴数丈，须臾寒飘。卒至六月中〔二五〕尤不可当。往人有冬过者，置笠穴中，风吸之，经月还步杨溪得其笠，则知潜通矣。其水重源显发，北流注于夷水。此水清泠，甚于大溪，纵暑伏之辰，尚无能澡其津流也。县北十馀里有神穴，平居无水，时有渴者，诚启请乞，辄得水；或戏求者，水终不出。县东十许里至平乐村，又有石穴出清泉中，有潜龙。每至大旱，平乐左近村居，辇草秽著穴中。龙怒，须臾水出，荡其草秽，傍侧之田，皆得浇灌。从平乐顺流五六里，东亭村北山甚高峻，上合下空，空窍东西，广二丈许，起高如屋，中有石床，甚整顿，傍生野韭，人往乞者，神许则风吹别分，随偃而输，不得过越，不偃而输辄凶，往观者去时特平，暨处自然恭肃矣。

又东过夷道县北，

夷水又东迳虎滩，岸石有虎像，故因以名滩也。夷水又东迳釜濑，其石大者如釜，小者如刁斗，形色乱真，惟实中耳。夷水又东北，有水注之，其源百里，与丹水出西南望州山。山形竦峻，峰秀甚高。东北白岩壁立，西南小演通行。登其顶，平可有三亩许，上有故城，城中有水，登城望见一州之境，故名望州山，俗语讹，今名武锺山。山根东有涌泉成溪，即丹水所发也。下注丹水，天阴欲雨，辄有赤气，故名曰丹水矣。丹水又迳亭下，有石穴甚深，未尝测其远近。穴中蝙蝠大如乌，多倒悬。玄中记曰：蝙蝠百岁者倒悬，得而服之，使人神仙。穴口有泉，冬温夏冷，秋则入藏，春则出游〔二六〕。民至秋阑断水口，得鱼，大者长四五尺，骨软肉美，异于馀鱼。丹水又迳其下，积而为渊，渊有神龙，每旱，村人以芮草投渊上流，鱼则多死，龙怒，当时大雨。丹水又东北流，两岸石上有虎迹甚多，或深或浅，皆悉成就自然，咸非人工。丹水又北注于夷水，水色清澈，与大溪同。夷水又东北迳夷道县北而东注。

东入于江。

夷水又迳宜都北，东入大江，有泾、渭之比，亦谓之佷山北溪。水所经皆石山，略无土岸。其水虚映，俯视游鱼，如乘空也。浅处多五色石，冬夏激素飞清，傍多茂木空岫，静夜听之，恒有清响。百鸟翔禽，哀鸣相和，巡颓浪者，不觉疲而忘归矣。

油水出武陵孱陵县西界，

县有白石山，油水所出，东迳其县西，与沲水合，水出高城县沲山，东迳其县下，东至孱陵县，入油水也。

东过其县北，

县治故城，王莽更名孱陆也。刘备孙夫人，权妹也，又更修之。其城背油向泽。

又东北入于江。

油水自孱陵县之东北迳公安县西，又北流注于大江。

澧水出武陵充县西，历山东过其县南，

澧水自县东迳临澧、零阳二县故界，水之南岸，白石双立，厥状类人，高各三十丈，周四十丈。古老传言，昔充县尉与零阳尉共论封境，因相伤害，化而为石，东标零阳，西揭充县。充县废省，临澧即其地，县，即充县之故治，临侧澧水，故为县名，晋太康四年置。澧水又东，茹水注之，水出龙茹山，水色清澈，漏石分沙。庄辛说楚襄王，所谓饮茹溪之流者也。茹水东注澧水。

又东过零阳县之北，

澧水东与温泉水会，水发北山石穴中，长三十丈，冬夏沸涌，常若汤焉。温水南流，注于澧水。澧水又东合零溪水，源南出零阳之山〔二七〕，历溪北注澧水。澧水又东，九渡水注之，水南出九渡山〔二八〕，山下有溪，又以九渡为名。山兽咸饮此水，而迳越他津，皆不饮之。九渡水北迳仙人楼下，傍有石，形极方峭，世名之为仙楼。水自下历溪，曲折逶迤倾注。行者间关，每所褰溯，山水之号，盖亦因事生焉。九渡水又北流注于澧水。澧水又东，娄水入焉，水源出巴东界，东迳天门郡娄中县北，又东迳零阳县，注于澧水。澧水又东迳零阳县南，县即零溪以著称矣。澧水又迳溇阳县〔二九〕，右会溇水。水出建平郡，东迳溇阳县南，晋太康中置。溇水又左合黄水，黄水出零阳县西，北连巫山溪，出雄黄，颇有神异，采常以冬月，祭祀，凿石深数丈，方得佳黄，故溪水取名焉。黄水北流注于溇水，溇水又东注澧水，谓之溇口。澧水又东迳澧阳县南，南临澧水，晋太康四年立，天门郡治也。吴永安六年，武陵郡嵩梁山，高峰孤竦，素壁千寻，望之苕亭，有似香炉。其山洞开，玄朗如门，高三百丈，

广二百丈，门角上各生一竹，倒垂下拂，谓之天帚。孙休以为嘉祥，分武陵置天门郡。澧水又东历层步山，高秀特出，山下有峭涧，泉流所发，南流注于澧水。

又东过作唐县北，

作唐县，后汉分孱陵县置。澧水入县，左合涔水，水出西北天门郡界，南流迳涔坪屯〔三〇〕，屯堨涔水，溉田数千顷。又东南流，注于澧水。澧水又东，澹水出焉。澧水又南迳故郡城东，东转迳作唐县南。澧水又东迳南安县南，晋太康元年，分孱陵立。澹水注之，水上承澧水于作唐县，东迳其县北，又东注于澧，谓之澹口。王仲宣赠士孙文始诗曰：悠悠澹澧者也。澧水又东与赤沙湖水〔三一〕会，湖水北通江而南注澧，谓之沙口〔三二〕。澧水又东南注于沅水，曰澧口。盖其枝渎耳。离骚曰：沅有芷兮澧有兰。

又东至长沙下雋县西北，东入于江。

澧水流注于洞庭湖，俗谓之曰澧江口也。

沅水出牂柯且兰县，为旁沟水〔三三〕，又东至镡成县，为沅水，东过无阳县，

无水出故且兰，南流至无阳故县，县对无水，因以氏县。无水又东南入沅，谓之无口。沅水东迳无阳县，南临运水，水源出东南岸许山西北，迳其县南流，注于熊溪。熊溪南带移山，山本在水北，夕中风雨，旦而山移水南，故山以移为名，盖亦苍梧郁州、东武怪山之类也。熊溪下注沅水，沅水又东迳辰阳县，县有龙溪水，南出于龙峤之山，北流入于沅。沅水又东，潒水注之，水南出扶阳之山，北流会于沅。沅水又东与序溪合，水

出武陵郡义陵县鄜梁山，西北流迳义陵县，王莽之建平县也，治序溪。其城，刘备之秭归。马良出五溪，绥抚蛮夷，良率诸蛮所筑也。所治序溪，最为沃壤，良田数百顷，特宜稻，修作无废，又西北入于沅。沅水又东合溆水，水导源溆溪〔三四〕，北流注沅。沅水又东迳辰阳县南，东合辰水，水出县三山谷，东南流，独母水注之，水源南出龙门山，历独母溪，北入辰水。辰水又迳其县北，旧治在辰水之阳，故即名焉。楚辞所谓夕宿辰阳者也，王莽更名会亭矣。辰水又右会沅水，名之为辰溪口。武陵有五溪，谓雄溪、樠溪〔三五〕、无溪〔三六〕、酉溪，辰溪其一焉。夹溪悉是蛮左所居，故谓此蛮五溪蛮也。水又迳沅陵县西，有武溪，源出武山，与酉阳分山，水源石上有盘瓠迹犹存矣。盘瓠者，高辛氏之畜狗也。其毛五色，高辛氏患犬戎之暴，乃募天下有能得犬戎之将军吴将军头者，妻以少女。下令之后，盘瓠遂衔吴将军之首于阙下，帝大喜，未知所报。女闻之，以为信不可违，请行，乃以配之。盘瓠负女入南山，上石室中。所处险绝，人迹不至。帝悲思之，遣使不得进。经二年〔三七〕，生六男六女。盘瓠死，因自相夫妻，织绩木皮，染以草实，好五色衣，裁制皆有尾。其母白帝，赐以名山，其后滋蔓，号曰蛮夷。今武陵郡夷，即盘瓠之种落也。其狗皮毛，嫡孙世宝录之。武水南流注于沅。沅水又东，施水注之，水南出施山溪，源有阳欺崖，崖色纯素，望同积雪。下有二石室，先有人居处其间，细泉轻流，望川竞注，故不可得以言也〔三八〕。施水北流会于沅，沅水又东迳沅陵县北，汉故顷侯吴阳之邑也，王莽改曰沅陆。县北枕沅水。沅水又东迳县故治北，移县治，县之旧城置都尉府，因冈傍阿，势尽川陆，临沅对酉，二川之交会也。酉水导源益州巴郡临江县，故武陵之充县酉源山，东南流迳无阳故县南，又东迳迁陵故县界，与西乡溪合，即延江之枝津，更始之下流，谓之西乡溪口。酉水又东迳迁陵县故城北，王莽更名曰迁陆也。酉水东迳酉阳故县南，县，故酉陵也。酉水又东迳沅陵县北，又东南迳潘承明垒西，承明讨五溪蛮，营军所筑也。其城跨山枕谷。酉水又南注沅水，阚骃谓之受水，其水所决入，名曰酉口。沅水又迳窦应明城侧，应明以元嘉初伐蛮所筑也。沅水又东，溪水南出茗山，山深回险，人兽阻绝，溪水北泻沅川。沅水又东与诸鱼溪水合，水北出诸鱼山，山与天门郡之澧阳县分岭，溪水南流会于沅。沅水又东，夷水入焉，水南出夷山，北流注沅。夷山东接壶头山〔三九〕，山高一百里，广圆三百里。山下水际，有新息侯马援征武溪蛮停军处。壶头径曲多险，其中纡折千滩。援就壶头，希效早成，道遇瘴毒，终没于此。忠公获谤，信可悲矣。刘澄之曰：沅水自壶头枝分，跨三十三渡，迳交趾龙编县，东北入于海。脉水寻梁，乃非关究〔四〇〕，但古人许以传疑，聊书所闻耳。

又东北过临沅县南，

临沅县与沅南县分水。沅南县西有夷望山，孤竦中流，浮险四绝，昔有蛮民避寇居之，故谓之夷望也。南有夷望溪水，南出重山，远注沅。沅水又东得关下山，东带关溪，泻注沅渎。沅水又东历临沅县西，为明月池、白璧湾。湾状半月，清潭镜澈，上则风籁空传，下则泉响不断。行者莫不拥楫嬉游，徘回爱玩。沅水又东历三石涧，鼎足均跱，秀若削成。其侧茂竹便娟，致可玩也。又东带绿萝山〔四一〕，绿萝蒙羃，颓岩临水，实钓渚渔咏之胜地，其迭响若钟音，信为神仙之所居。沅水又东迳平山西，南临沅水，寒松上荫，清泉下注，栖托者不能自绝于其侧。沅水又东迳临沅县南，县南临沅水，因以为名，王莽更之曰监沅也。县南有晋征士汉寿人袭玄之墓，铭，太元中车武子立。县治武陵郡下，本楚之黔中郡矣。秦昭襄王二十七年，使司马错以陇蜀军攻楚，楚割汉北与秦。至三十年，秦又取楚巫黔及江南地，以为黔中郡。汉高祖二年，割黔中故治为武陵郡，王莽更之曰建平也。南对沅南县，后汉建武中所置也。县在沅水之阴，因以沅南为名。县治故城，昔马援讨临乡所筑也。沅水又东历小湾，谓之枉渚。渚东里许，便得枉人山。山西带修溪一百馀里，茂竹便娟，披溪荫渚，长川迳引，远注于沅。沅水又东入龙阳县，有澹水出汉寿县西杨山〔四二〕，南流东折，迳其县南。县治索城，即索县之故城也。汉顺帝阳嘉中，改从今名。阚骃以为兴水所出，东入沅。而是水又东历诸湖，方南注沅，亦曰渐水也。水所入之处，谓之鼎口。沅水又东历龙阳县之汜洲〔四三〕，洲长二十里，吴丹杨太守李衡，植柑于其上，临死敕其子曰：吾州里有木奴千头，不责衣食，岁绢千匹。太史公曰：江陵千树橘，可当封君。此之谓矣。吴末，衡柑成，岁绢千匹。今洲上犹有陈根馀枿，盖其遗也。沅水又东迳龙阳县北，城侧沅水〔四四〕。沅水又东合寿溪，内通大溪口，有木连理，根各一岸而凌空交合。其上承诸湖，下注沅水。

又东至长沙下隽县西，北入于江。

沅水下注洞庭湖，方会于江。

泿水出武陵镡成县北界沅水谷，

山海经曰：祷过之山，泿水出焉，而南流注于海是也。

南至鬱林潭中县，与邻水合，

水出无阳县，县，故镡成也。晋义熙中，改从今名。俗谓之移溪，溪水南历潭中，注于泿水。

又东至苍梧猛陵县，为鬱溪；又东至高要县，为大水。

鬱水出鬱林之阿林县，东迳猛陵县。猛陵县在广信之西南，王莽之猛陆也。泿水于县，左合鬱溪，乱流迳广信县。地理志，苍梧郡治，武帝元鼎六年开，王莽之新广郡，县曰广信亭。王氏交广春秋曰：元封五年，交州自羸𨻻县移治于此。建安十六年，吴遣临淮步骘为交州刺史，将武吏四百人之交州，道路不通。苍梧太守长沙吴巨，拥众五千，骘有疑于巨，先使谕巨，巨迎之于零陵，遂得进州。巨既纳骘而后有悔，骘以兵少，恐不存立。巨有都督区景，勇略与巨同，士为用，骘恶之，阴使人请巨，巨往告景勿诣骘。骘请不已，景又往，乃于厅事前中庭俱斩，以首徇众，即此也。鬱水又迳高要县，晋书地理志曰：县东去郡五百里，刺史夏避毒，徙县水居也。县有鹄奔亭，广信苏施妻始珠，鬼讼于交州刺史何敞处，事与蘩亭女鬼同。王氏交广春秋曰：步骘杀吴巨、区景，使严舟船，合兵二万，下取南海。苍梧人衡毅、钱博，宿巨部伍，兴军逆骘于苍梧高要峡口，两军相逢于是，遂交战，毅与众投水死者千有馀人。

又东至南海番禺县西，分为二，其一南入于海；

鬱水分泿南注。

其一又东过县东，南入于海。

泿水东别迳番禺，山海经谓之贲禺者也。交州治中合浦姚文式问云：何以名为番禺？答曰：南海郡昔治在今州城中，与番禺县连接，今入城东南偏有水坈陵，城倚其上，闻此县人名之为番山，县名番禺，傥谓番山之禺也。汉书所谓浮牂柯〔四五〕，下离津，同会番禺。盖乘斯水而入越也。秦并天下，略定扬、越，置东南一尉，西北一候，开南海以谪徙民。至二世时，南海尉任嚣，召龙川令赵佗曰：闻陈胜作乱，豪杰叛秦，吾欲起兵，阻绝新道，番禺负险，可以为国。会病绵笃，无人与言，故召公来告以大谋。嚣卒，佗行南海尉事，则拒关门设守，以法诛秦所置吏，以其党为守，自立为王。高帝定天下，使陆贾就立佗为南越王〔四六〕，剖符通使。至武帝元鼎五年，遣伏波将军路博德等攻南越〔四七〕，王五世九十二岁而亡。以其地为南海、苍梧、鬱林、合浦、交趾、九真、日南也。建安中，吴遣步骘为交州。骘到南海，见土地形势，观尉佗旧治处，负山带海，博敞渺目，高则桑土，下则沃衍，林麓鸟兽，于何不有。海怪鱼鳖，鼋鼍鲜鳄〔四八〕，珍怪异物，千种万类，不可胜记。佗因冈作台，北面朝汉，圆基千步，直峭百丈，顶上三亩，复道回环，逶迤曲折，朔望升拜，名曰朝台。前后刺史郡守，迁除新至，未尝不乘车升履，于焉逍遥。骘登高远望，睹巨海之浩茫，观原薮之殷阜，乃曰：斯诚海岛膏腴之地，宜为都邑。建安二十二年，迁州番禺，筑立城郭，绥和百越，遂用宁集。交州治中姚文式问答云：朝台在州城东北三十里。裴渊广州记曰：城北有尉佗墓，墓后有大冈，谓之马鞍冈。秦时占气者言：南方有天子气。始皇发民，凿破此冈，地中出血。今凿处犹存，以状取目，故冈受厥称焉。王氏交广春秋曰：越王〔四九〕赵佗，生有奉制称藩之节，死有秘奥神密之墓。佗之葬也，因山为坟，其垅茔可谓奢大，葬积珍玩。吴时遣使发掘其墓，求索棺柩，凿山破石，费日损力，卒无所获。佗虽奢僭，慎终其身，乃令后人不知其处，有似松、乔迁景，牧竖固无所残矣。邓德明南康记曰：昔有卢耽，仕州为治中，少栖仙术，善解云飞，每夕辄凌虚归家，晓则还州，尝于元会至朝，不及朝列，化为白鹄至阙前，回翔欲下，威仪以石掷之，得一只履，耽惊还就列，内外左右，莫不骇异。时步骘为广州，意甚恶之，便以状列闻，遂至诛灭。广州记称吴平，晋滕脩为刺史，脩乡人语脩，鰕须长一赤〔五〇〕。脩责以为虚。其人乃至东海，取鰕须长四赤，速送示脩，脩始服谢，厚为遣。其一水南入者，鬱川分派，迳四会入海也。其一即川东别迳番禺城下，汉书所谓浮牂柯，下离津，同会番禺。盖乘斯水而入于越也。泿水又东迳怀化县入于海。水有鳍鱼，裴渊广州记曰：鳍鱼长二丈，大数围，皮皆鑢物，生子，子小随母觌食，惊则还入母腹。吴录地理志曰：鳍鱼子，朝索食，暮入母腹。南越志曰：暮从脐入，旦从口出，腹里两洞，肠贮水以养子，肠容二子，两则四焉。

其馀水又东至龙川，为涅水，屈北入员水。

泿水枝津衍注，自番禺东历增城县。南越志曰：县多鵕鸃。鵕鸃，山鸡也，光采鲜明，五色炫耀，利距善斗，世以家鸡斗之，则可擒也。又迳博罗县西界龙川。左思所谓目龙川而带垧者也。赵佗乘此县而跨据南越矣。

员水又东南一千五百里，入南海。

东历揭阳县[五一]，王莽之南海亭，而注于海也。

〔一〕青蛉县　大典本、黄本、吴本、注笺本、何校明钞本、王校明钞本、项本、沈本、五校钞本、七校本、注释本、张本、注疏本均作“蜻蛉县”，练湖书院钞本作“精蛉县”。

〔二〕临池泽　案临池泽即今程海，在今云南永胜以南金沙江流域，为水经注记叙长江最西处。

〔三〕明李元阳西洱海志(古今天下名山胜概记卷四十七)引水经注云“注罢谷山，洱水出焉”，滇记卷五之一山川系大理府浪穹县罢谷山引水经注与西洱海志同。又名胜志云南卷十五大理府太和县引水经注云“叶榆河水罢谷山数泉涌起如珠树，世传黑水伏流，别派自西北来，汇于县东为巨泽”，当均是此段中佚文。

〔四〕吊鸟山　黄本、项本、沈本、张本、滇系卷八之一艺文系引水经注均作“吊鸟山”。

札记吊鸟山：

卷三十七叶榆河经“益州叶榆河，出其县北界，屈从县东北流”注中，记载了一种群鸟飞集吊鸟山的现象，注文说：

(叶榆)县西北八十里，有吊鸟山，众鸟千百为群，其会，鸣呼啁哳，每岁七八月至，十六七日则止，一岁六至。雉雀来吊，夜燃火伺取之。其无嗉不食，似特悲者，以为义则不取也。俗言凤凰死于此山，故众鸟来吊，因名“吊鸟”。

这是一种奇怪的鸟类现象。不过郦道元足迹未到南方，水经注对南方各地的记载，郦氏都是根据当时流行的资料。这项记载，郦道元虽然并不说明来源，其实是引自续汉书郡国志所引的广志。郦道元的时代，广志尚未亡佚，所以他也可能直接引自广志，不过文字小有不同而已。吊鸟山的现象是否属实，还需要和其他记载加以核对。

在郦道元以后的约一千年，著名的旅行家徐霞客来到这个地方。他在滇游日记八，己卯（崇祯十二年，一六三九年）三月初二的日记中记载了邓川州凤羽（今云南省洱源县南）所听到的这奇怪的鸟类现象。所记只是地名与水经注稍有不同。水经注作吊鸟山，而徐霞客作鸟吊山。徐霞客说：

> 晨餐后，尹具数骑，邀余游西山。盖西山即凤羽之东垂也。条冈数十支，俱向东蜿蜒而下，北为土主坪。……从土主庙更西上十五里，即关坪，为凤羽绝顶。其南白王庙后，其山更高，望之雪光皑皑而不及登。凤羽，一名鸟吊山，每岁九月，鸟千万为群，来集坪间，皆此地所无者，土人举火，鸟辄投之。

说明郦道元在一千年前记载的这种鸟类现象，徐霞客在一千年后再次亲身得到证实。不过，徐霞客在这里的时候正值三月，而这种奇怪的“鸟会”要到九月（郦道元说七八月）才出现，所以徐氏虽然亲历其地，但并未亲见其事。

云南人民出版社一九八五年出版的校注本徐霞客游记，在这一天的日记之后，校注者云南大学历史系朱惠荣先生作了一条注释：

> 这种动人的奇景至今仍然存在，每年中秋前后，在大

雾迷蒙，细雨绵绵的夜晚，成群结队按一定路线迁徙的候鸟，迷失了方向，在山间徘徊乱飞，当地群众在山上四处点燃火把诱鸟，火光缭乱，群鸟乱扑。鸟吊山的奇景，在云南不止一处，墨江哈尼族自治县坝溜公社瑶家寨附近的大风丫口，至今每年秋天总有二三晚“鸟会”，有时也出现在春季。

朱惠荣先生说“每年中秋前后”，则郦道元所说的“每岁七八月至”和徐霞客所说的“每岁九月”都没有错。从朱注中知道参加“鸟会”的都是迷失方向的候鸟。郦道元的记载是“夜燃火伺取之”，徐霞客的记载是“土人举火，鸟辄投之”，而朱注则说“当地群众在山上四处点燃火把诱鸟”。从水经注到朱注，历时一千四百多年，燃火诱捕候鸟的习俗未变，这倒是令人杞忧的。候鸟应该保护，怎能大量诱捕。水经注中就已有保护候鸟的记载，卷四十渐江水经“北过馀杭，东入于海”注云：

昔大禹即位十年，东巡狩，崩于会稽，因而葬之。有鸟来，为之耘，春拔草根，秋啄其秽，是以县官禁民，不得妄害此鸟，犯则刑无赦。

与会稽的这种保护候鸟的措施相比，鸟吊山这种长期的群众性捕杀候鸟，当然是十分不幸的。不过，最近我在云南民族出版社出版的民族文化一九八六年第六期中，读到一篇目击这种“鸟会”的杨圭臬所写的鸟吊山一文，使我不胜慰藉，因为诱捕候鸟的事，现在已经停止了。杨文说：

鸟雀越来越多，简直像雨点般朝火光扑来。有的叽叽喳喳啼叫，有的引颈长鸣，震动山谷。这时，只要拿一根长竹竿，随意刷打就可以打下许多鸟雀。据说，过去也是这样的，但近年来已再没有人打鸟了。只有偶尔用网兜捕捉几只奇异的鸟类饲养。而上山林的都是来“赶鸟会”，欣赏这种大自然奇观。

至于大量的候鸟来自何处，杨文中也有较详的说明：

一位特地从昆明动物研究所赶来参加“鸟会”的科学工作者告诉我，这些鸟中，大部分是从青海湖的鸟岛飞来的。像领鸥这种鸟，就只有青海湖才有。我感到很惊奇，他慢慢地跟我说，这些都是候鸟，每年冬天都要飞到孟加拉湾一带过冬，到第二年春天返回，鸟吊山刚好是候鸟南迁的中途站，于是就有这么多鸟雀了。

〔五〕禹贡：“导黑水至于三危，入于南海”蔡传引水经注云“叶榆泽以叶榆所积得名”，当是此句下佚文。尚书通考卷七黑水引水经注、明吴国辅古今舆地图卷下引水经注、禹贡水道考异南条水道考异卷五引水经注、禹贡论卷下四十一引水经注均与蔡传同。

〔六〕秦臧县　大典本、黄本、吴本、王校明钞本、项本、沈本、注释本、张本、滇系卷八之一艺文系引水经注均作“秦藏县”。

〔七〕濮水　何本、注释本均作“僕水”。

〔八〕盘江　孙潜校本作“盤江”。

〔九〕盘水　孙潜校本作“盤水”。

〔一〇〕盤町山　大典本、黄本、吴本、注笺本、何校明钞本、项本、沈本、张本、注疏本、滇系卷八之一艺文系引水经注均作“盘町山”。谭本云：“既称盘江、盘水，则亦当为盘町，不则俱当作‘盤’。”

〔一一〕 浫泠　大典本作"麊泠"，黄本、吴本、注笺本、严本、何校明钞本、王校明钞本、项本、沈本、注释本、张本、方舆纪要卷一一二广西七安南交州府浪泊引水经注均作"麊泠"。

〔一二〕 骆越　札记水经注记"越"："水经注记载的越名和越，涉及卷篇甚多，但主要集中在卷二十九沔水注、卷三十六温水注、卷三十七叶榆河注、泿水注及卷四十渐江水注四卷之中。注文记及的名称有越、大越、南越、外越、百越、骆越等。记及的地区主要是东南地区、西南地区和今中南半岛等。在水经注有关越族及其分布地区的种种记载之中，值得研究的是，第一，从名称上说，越与南越、百越、外越、骆越等之间，存在什么差异？第二，从地区上说，东南地区的越，与西南地区及中南半岛等地的越有什么关系。这两个问题，通过从水经注的记载进行寻索，看来都有一些信息可以作为继续研究的依据。"

〔一三〕 参见注〔一二〕。

〔一四〕 参见注〔一二〕。

〔一五〕 参见注〔一二〕。

〔一六〕 雒　同"骆"，参见注〔一二〕。

〔一七〕 "雒民"、"雒王"、"雒侯"之"雒"同"骆"。

〔一八〕 参见注〔一二〕。

〔一九〕 参见注〔一二〕。

〔二〇〕 西南治远　王校明钞本作"西于治远"，王国维明钞本水经注跋："叶榆水注，晋太康地记封溪县属交阯，马援以西于治远，路迳千里，分置斯县。诸本'西于'并作'西南'（黄省曾本作'西干'）。案汉书地理志、续汉书郡国志，交阯郡皆有西于县。下注亦云，其次一水东迳封溪县南，又西南迳西于县南，则上注亦当作‘西于’明矣。”

〔二一〕江水对交趾朱戴县　王校明钞本作“江北对交阯朱戴县”，王国维明钞本水经注跋：“叶榆水注，江北对交阯朱戴县，诸本‘北’并作‘水’，均以此本为长。而戴校并不从，不识大典本与此本有异同，抑由戴氏校勘未密，或竟舍大典本而从他本。要之，宋本与大典本既残阙，益感此本之可贵矣。三百年来治郦氏书者殆近十家，然朱王孙虽见宋本，而所校不尽可据。全氏好以己所订正之处，托于其先人所见宋本，戴氏则托于大典本，而宋本与大典本胜处，朱、戴二本亦未能尽之。虽于郦书不为无功，而于事实则去之弥远，若以此本为主，尽列诸本异同及诸家订正之字于下，亦今日不可已之事业欤。甲子二月。”

〔二二〕伹山　禹贡锥指卷七引水经注、长江图说卷十一杂说三引水经注均作“很山”，佩文韵府卷三十四上四纸水夷水引水经注作“狼山”，林水录钞水经注作“狼山”。

〔二三〕县入　注疏本作“入县”。疏：“戴、赵‘入县’乙作‘县入’。会贞按：注承经过伹山县之文，云夷水自沙渠入县，此县字指伹山，谓自沙渠入伹山县也。注中言入某县者甚多，戴、赵不察耳。”

〔二四〕长杨溪　广博物志卷四十二草木一引水经注作“长杨水”。

〔二五〕须臾寒飘卒至六月中　注疏本作“须臾寒慄言至六月中”。疏：“朱作‘慓’，笺曰，当作‘慄’。赵改‘慄’，戴改‘飘’。守敬案：天中记二引此作‘慄’。”又疏：“朱‘言’作‘卒’，戴同，以

‘卒至’二字属上。赵据黄本改‘言’。守敬按:明钞本作‘言’,天中记引此同。”

〔二六〕殿本在此下案云:“案二语言鱼之出入,此上当有脱文。”注释本在上句“冬温夏冷”下云:“按此处有脱文,盖言泉水有鱼,故下有秋藏冬游之文。”

〔二七〕零阳之山　黄本、项本、沈本均作“陵阳之山”。

〔二八〕九渡山　大典本作“九度山”。

〔二九〕溇阳县　注笺本、项本、注释本、张本均作“澧阳县”。札记牛渚县:“卷三十七澧水注的溇阳县……注文不仅提出县名,而且都说明建县年代,但两汉志和晋、宋、齐诸志也均不载。”

〔三〇〕涔坪屯　大典本、黄本、沈本均作“涔评屯”。

〔三一〕赤沙湖水　方舆纪要卷七十七湖广三岳州华容县赤沙湖引水经注作“赤沙湖”。

〔三二〕沙口　注笺本、项本、张本、隆庆岳州府志卷七职方考决口引水经注均作“决口”。

〔三三〕注疏本疏:“赵云汉志、续志皆作‘故且兰’,落‘故’字。又云:至晋志始去‘故’字。宋志且兰令,汉旧县故且兰是也。此条经文与江水篇氐道县同一例。守敬按:山海经(海内东经)郭注引水经亦皆无‘故’字。后汉书梁竦传注、通鉴汉武帝元光五年、晋武帝太康元年注引水经亦皆无‘故’字,盖后汉末已省‘故’字,而三国时人作经因之。故洪亮吉补三国疆域志、吴增仅三国郡县表并作‘且兰故城’,详见温水篇。山海经谓沅水出象郡镡城西,秦时无故且兰县,故就镡城言。汉志系沅水于牂柯郡故且兰。说文,沅水出牂柯郡故且兰,故此经据之云出牂柯且兰。惟旁沟水之名,于古无征，盖出当时俗称耳。今沅水上源曰猪梁河，出越州西北。”

〔三四〕 溆溪 注笺本、项本、注释本、张本均作“柱溪”。

〔三五〕 㮋溪 黄本、沈本、嘉庆常德府志卷五山川考二沅水引水经注均作“楠溪”，孙潜校本、明方舆要览湖广第九引水经注作“横溪”。

〔三六〕 无溪 后汉书卷二十四列传十四马援传“武威将军刘尚击武陵五溪蛮夷”注引水经注、玉海卷二十三地理陂塘堰湖汉武陵五溪引水经注、舆地纪胜卷七十五荆湖北路辰州景物上引水经注、方舆胜览卷三十常德府山川五溪引水经注、通鉴卷四十四汉纪三十六光武帝建武二十四年“将四万馀人征五溪”胡注引水经注、寰宇通志卷五十七辰州府五溪引水经注、康熙字典水部沅引水经注、清宫梦仁读书纪数略卷十一地部山川类武陵五溪引水经注、乾隆湖南通志卷一七二拾遗一五溪引水经注均作“沅溪”。

〔三七〕 注疏本疏：“全‘二’改‘三’，会贞按：后汉书‘二’作‘三’。”

〔三八〕 故不可得以言也 注疏本作“故不可以言也”，删“得”字。疏：“赵‘不可’下据孙潜校增‘得’字，戴增同。守敬按：此句究费解。”

〔三九〕 壶头山 大典本、黄本、注笺本、项本、沈本、张本、嘉庆常德府志卷四山川考一壶头山引水经注均作“胡头山”。

〔四〇〕 注疏本熊会贞疏：“会贞按：壶头在今湖南境。龙编见叶榆水篇，在今越南境，中隔广西省，且五岭以北，水皆北流，安有自壶头枝分，南迳龙编县入海之道？刘说谬极，故郦氏驳之。”

〔四一〕 广博物志卷五地形一山引水经注云：“武陵绿萝山，

素岩若雪，松如插翠，流风叩阿，有丝桐之韵，土人歌曰：仰兹山兮迢迢，层石构兮嵯峨，朝日丽兮阳岩，落景梁兮阴阿，郭壑兮生音，吟籁兮相和，敷芳兮绿林，恬淡兮润波，乐兹潭兮安流，缓尔楫兮咏歌。”当是此句下佚文。清杜文澜古谣言卷二十九武陵绿萝山土人歌及王仁俊经籍佚文水经注佚文均与广博物志同。

〔四二〕西杨山　乾隆湖南通志卷十二山川志七常德府武陵县渐水引水经注作“西阳山”。

〔四三〕汜洲　大典本、黄本、沈本、方舆纪要卷八十湖广六常德府龙阳县汎洲引水经注作“汎洲”。

〔四四〕城侧沅水　注疏本作“城侧临沅水”。疏：“朱无‘临’字，戴同，赵增。守敬按：赵增是也，全书多有临侧之文。”

〔四五〕牂柯　大典本、黄本、沈本、名胜志湖广卷十六常德府武陵县引水经注均作“牂牁”。

〔四六〕参见注〔一二〕。

〔四七〕参见注〔一二〕。

〔四八〕札记马来鳄：

卷三十七泿水经“其一又东过县东，南入于海”注中，描述了活动于我国南方的一些动物。注文说：

吴遣步骘为交州。骘到南海，见土地形势，观尉佗旧治处，负山带海，博敞渺目，高则桑土，下则沃衍，林麓鸟兽，于何不有。海怪鱼鳖，鼋鼍鲜鳄，珍怪异物，千种万类，不可胜记。

由于郦道元足迹未到南方，所以水经注记载的南方河流，错误是很多的。泿水一篇，按其注文内容，上游即今广西东北部的洛清河，中下游则包括今柳江、黔江和西江。经文所谓“东过县东”，这个县，指的是番禺县，即今广州。所以注文所述步骘观看的“土地形势”，即今珠江三角洲一带。在步骘所看到的动物中，鼍和鳄二者，是特别值得重视的。这里首先可以研究的是，步骘所见的鼍和鳄是两种动物抑是一种动物。步骘是淮阴人，服官于吴，长江流域的鼍当然是见到过的。初到南方，在珠江流域骤见这种形状相像而体躯比鼍大许多的鳄，或许就两者混而为一，因此，鼍和鳄二字并见。三国以后，西晋的张华在其所著博物志中就区别了这两种动物，该书卷九说：“南海有鳄鱼，形如鼍。”张华已经知道，两者不过是形状相似，而并非一种动物。不过这两者，除了形状相似外，人类猎取它们所作的用途也很相似，古人用鼍皮作鼓，称为鼍鼓，而现在外国人猎取鳄的目的，主要也是为了价值很高的鳄皮。当然，按动物分布的地区来看，鼍是不大可能在珠江三角洲出现的。泿水注告诉我们一个很重要的动物地理资料，这就是在公元三世纪时，珠江三角洲的鳄是很多的。但如上所述，这个鳄，绝不是古人称鼍和现在称为扬子鳄（Alligator sinensis）的动物，而是今天动物分类中的马来鳄（Crocodylus porosus）。直到唐朝，这种动物在今广东省沿海的溪潭之间，仍然多有存在。这是一种凶猛的爬虫类动物，与长江流域以鱼、蛙之类为食物的鼍完全不同。韩愈诗：“恶溪瘴毒聚，雷霆常汹汹。鳄鱼大如舡，牙眼怖杀侬。”“体大如舡”，这当然是马来鳄无疑了。韩愈另外还撰了一篇祭鳄鱼文，文中说到：“而鳄鱼睅然不安溪潭，据处食民畜、熊、豕、鹿、獐，以肥其身。”其凶猛可见。这种动物属于鳄目的食鱼鳄亚科，现在广东沿海早已绝迹了。从全世界来说，它也是较少的动物，据动物分类学家的统计，全世界现存的爬行纲鳄目动物，只有一科，八属，二十五种。浪水注记载的马来鳄既已在我国绝迹，故中国目前存在的鳄目动物，已仅有一科，一属，一种，即扬子鳄了。扬子鳄需要保护，也就是这个道理。

韩愈在潮州当刺史，这个时候，潮州的鳄鱼很多，所以他要以一羊、一猪祭它们，要它们“其率丑类，南徙于海”，以免为害百姓。想不到事隔一千二百年，整个鳄目在世界上都已成为珍稀动物，凡是存在这种动物的国家和地区，都以法律加以保护了。

〔四九〕参见注〔一二〕。

〔五〇〕殿本在此下案云:“案古字，‘尺’通用‘赤’。”注疏本疏:“戴云:按古字‘尺’通用‘赤’。赵云:按三国志注引交广记‘一赤’作‘一丈’，下‘四赤’作‘四丈四尺’。守敬按:御览九百四十三引王隐晋书此作虾长一丈，下作虾须长四五尺，原注，广州记亦云，即郦氏所引广州记也，而文异。御览又引北户录，此作虾须一丈，下作须长四丈，亦异。虾与鰕通。”

〔五一〕揭阳县　练湖书院钞本作“揭杨县”。

水经注卷三十八

资水　涟水　湘水　漓水　溱水

资水〔一〕出零陵都梁县路山，

资水出武陵郡无阳县界唐糺山〔二〕，盖路山之别名也。谓之大溪水。东北迳邵陵郡武冈县南，县分都梁之所置也。县左右二冈对峙，重阻齐秀，间可二里，旧传后汉伐五溪蛮，蛮保此冈，故曰武冈，县即其称焉。大溪迳建兴县南〔三〕，又迳都梁县南，汉武帝元朔五年，以封长沙定王子敬侯遂〔四〕之邑也。县西有小山，山上有渟水，既清且浅，其中悉生兰草，绿叶紫茎，芳风藻川，兰馨远馥，俗谓兰为都梁，山因以号，县受名焉。

东北过夫夷县，

夫水出县西南零陵县界少延山，东北流迳扶县南，本零陵之夫夷县也。汉武帝元朔五年，以封长沙定王子敬侯义之邑也。夫水又东注邵陵水，谓之邵陵浦，水口也。

东北过邵陵县之北，

县治郡下，南临大溪，水迳其北，谓之邵陵水。魏咸熙二年，吴宝鼎元年，孙皓分零陵北部，立邵陵郡于邵陵县，县，故昭陵也。溪水东得高平水口，水出武陵郡沅陵县首望山，西南迳高平县南，又东入邵陵县界，南入于邵水。邵水又东会云泉水，水出零陵永昌县云泉山，西北流迳邵阳南，县，故昭阳也。云泉水又北注邵陵水，谓之邵阳水口。自下东北出益阳县，其间迳流山峡，名之为茱萸江，盖水变名也。

又东北过益阳县北，

县有关羽濑，所谓关侯滩也。南对甘宁故垒。昔关羽屯军水北，孙权令鲁肃、甘宁拒之于是水。宁谓肃曰：羽闻吾咳唾之声，不敢渡也，渡则成擒矣。羽夜闻宁处分，曰：兴霸声也，遂不渡。茱萸江又东迳益阳县北，又谓之资水。应劭曰：县在益水之阳。今无益水，亦或资水之殊目矣。然此县之左右，处处有深潭，渔者咸轻舟委浪，谣咏相和，罗君章所谓其声绵邈者也。水南十里有井数百口，浅者四五尺，或三五丈，深者亦不测其深。古老相传，昔人以杖撞地，辄便成井。或云古人采金沙处，莫详其实也。

又东与沅水合于湖中，东北入于江也。

湖，即洞庭湖也。所入之处，谓之益阳江口。

涟水出连道县西，资水之别。

水出邵陵县界，南迳连道县，县故城在湘乡县西百六十里。控引众流，合成一溪。东入衡阳湘乡县，历石鱼山下〔五〕，多玄石，山高八十馀丈，广十里，石色黑而理若云母〔六〕。开发一重，辄有鱼形，鳞鳍首尾，宛若刻画，长数寸，鱼形备足。烧之作鱼膏腥，因以名之。涟水又迳湘乡县，南临涟水，本属零陵，长沙定王子昌邑。涟水又屈迳其县东，而入湘南县也。

东北过湘南县南，又东北至临湘县西南，东入于湘。

涟水自湘南县东流，至衡阳湘西县界，入于湘水也。于临湘县为西南者矣。

湘水出零陵始安县阳海山，

即阳朔山也。应劭曰：湘出零山。盖山之殊名也。山在始安县北，县，故零陵之南部也〔七〕。魏咸熙二年，孙皓之甘露元年，立始安郡。湘、漓同源，分为二水。南为漓水，北则湘川，东北流。罗君章湘中记曰：湘水之出于阳朔，则觞为之舟；至洞庭，日月若出入于其中也。

东北过零陵县东，

越城峤水南出越城之峤，峤即五岭之西岭也。秦置五岭之戍，是其一焉。北至零陵县，下注湘水。湘水又迳零陵县南，又东北迳观阳县，与观水合。水出临贺郡之谢沐县界，西北迳观阳县西，县，盖即水为名也。又西北流，注于湘川，谓之观口也。

又东北过洮阳县东，

洮水出县西南大山，东北迳其县南，即洮水以立称矣。汉武帝元朔五年，封长沙定王子节侯拘〔八〕为侯国，王莽更名之曰洮治也。其水东流，注于湘水。

又东北过泉陵县西，

营水出营阳泠道县南山〔九〕，西流迳九疑山下，蟠基苍梧之野，峰秀数郡之间。罗岩九举，各导一溪，岫壑负阻，异岭同势，游者疑焉，故曰九疑山。大舜窆其阳，商均葬其阴。山南有舜庙，前有石碑，文字缺落，不可复识。自庙仰山极高，直上可百馀里。古老相传，言未有登其峰者。山之东北泠道县界，又有舜庙，县南有舜碑，碑是零陵太守徐俭立。营水又西迳营道县，冯水注之，水出临贺郡冯乘县东北冯冈，其水导源冯溪，西北流，县以托名焉。冯水带约众流，浑成一川，谓之北渚，历县北西至关下。关下，地名也，是商舟改装之始。冯水又左合萌渚之水，水南出于萌渚之峤，五岭之第四岭也。其山多锡，亦谓之锡方矣。渚水北迳冯乘县西，而北注冯水，冯水又迳营道县而右会营水。营水又西北屈而迳营道县西，王莽之九疑亭也。营水又东北迳营浦县南，营阳郡治也。魏咸熙二年，吴孙皓分零陵置，在营水之阳，故以名郡矣。营水又北，都溪水注之。水出舂陵县北二十里仰山，南迳其县西。县，本泠道县之舂陵乡，盖因舂溪为名矣。汉长沙定王分以为县。武帝元朔五年，封王中子买为舂陵侯。县故城东又有一城，东西相对，各方百步。古老相传，言汉家旧城，汉称犹存，知是节侯故邑也。城东角有一碑，文字缺落，不可复识。东南三十里，尚有节侯庙。都溪水又南迳新宁县东，县东傍都溪。溪水又西迳县南，左与五溪俱会，县有五山，山有一溪，五水会于县门，故曰都溪也。都溪水自县又西北流，迳泠道县北与泠水合，水南出九疑山，北流迳其县西南，县指泠溪以即名，王莽之泠陵县也。泠水又北流注于都溪水，又西北入于营水。营水又北流入营阳峡。又北至观阳县而出于峡。大、小二峡之间，为沿溯之极艰矣。营水又西北迳泉陵县西，汉武帝元朔五年，以封长沙定王子节侯贤之邑也。王莽名之曰溥润，零陵郡治，故楚矣。汉武帝元鼎六年，分桂阳置。太史公曰：舜葬九疑，实惟零陵。郡取名焉，王莽之九疑郡也。下邳陈球为零陵太守，桂阳贼胡兰攻零陵，激流灌城，球辄于内因地势，反决水淹贼，相拒不能下。县有白土乡，零陵先贤传曰：郑产字景载，泉陵人也，为白土啬夫。汉末多事，国用不足，产子一岁，辄出口钱。民多不举子，产乃敕民勿得杀子，口钱当自代出。产言其郡县，为表上言，钱得除，更名白土为更生乡也。晋书地道记曰：县有香茅，气甚芬香，言贡之以缩酒也。营水又北流注于湘水。湘水又东北与应水合，水出邵陵县历山，崕隥险阻，峻崿万寻，澄源湛于下，应水涌于上。东南流迳应阳县南，晋分观阳县立，盖即应水为名也。应水又东南流迳有鼻墟南，王隐曰：应阳县，本泉陵之北部，东五里有鼻墟，言象所封也。山下有象庙，言甚有灵，能兴云雨。余所闻也，圣人之神曰灵，贤人之精气为鬼，象生不慧，死灵何寄乎？应水又东南流而注于湘水。湘水又东北得氵乇口，水出永昌县北罗山，东南流迳石燕山东，其山有石，绀而状燕，因以名山。其石或大或小，若母子焉，及其雷风相薄，则石燕群飞，颉颃如真燕矣。罗君章云：今燕不必复飞也。其水又东南迳永昌县南，又东流注于湘水。又东北迳祁阳县南，又有馀溪水注之。水出西北邵陵郡邵陵县，东南流注于湘。其水扬清泛浊，水色两分。湘水又北与宜溪水合，水出湘东郡之新宁县西南、新平故县东，新宁，故新平也。众川泻浪，共成一津，西北流，东岸山下有龙穴，宜水迳其下，天旱则拥水注之，便有雨降。宜水又西北注于湘。湘水又西北得舂水口。水上承营阳舂陵县西北潭山，又北迳新宁县东，又西北流，注于湘水也。

又东北过重安县东，又东北过酃县西，承水从东南来注之〔一〇〕。

承水〔一一〕出衡阳重安县西邵陵县界邪姜山，东北流至重安县，迳舜庙下，庙在承水之阴。又东合略塘，相传云，此塘中有铜神，今犹时闻铜声于水，水辄变绿作铜腥，鱼为之死。承水又东北迳重安县南，汉长沙顷王子度邑也。故零陵之锺武县，王莽更名曰锺桓也。武水入焉，水出锺武县西南表山，东流至锺武县故城南，而东北流，至重安县注于承水，至湘东临承县〔一二〕北，东注于湘，谓之承口〔一三〕。临承即故酃县也。县，即湘东郡治也，郡旧治在湘水东，故以名郡。魏正元二年，吴主孙亮分长沙东部立。县有石鼓，高六尺，湘水所迳，鼓鸣则土有兵革之事。罗君章云：扣之声闻数十里。此鼓今无复声。观阳县东有裴岩，其下有石鼓，形如覆船，扣之清响远彻，其类也。湘水又北历印石，石在衡山县南湘水右侧，盘石或大或小，临水，石悉有迹，其方如印，累然行列，无文字，如此可二里许，因名为印石也。湘水又北迳衡山县东，山在西南，有三峰：一名紫盖，一名石囷，一名芙容。芙容峰最为竦杰，自远望之，苍苍隐天。故罗含云：望若阵云，非清霁素朝，不见其峰。丹水涌其左，澧泉流其右。山经谓之岣嵝，为南岳也。山下有舜庙，南有祝融冢。楚灵王之世，山崩毁其坟，得营丘九头图。禹治洪水，血马祭山，得金简玉字之书。芙容峰之东有仙人石室，学者经过，往往闻讽诵之音矣。衡山东南二面临映湘川，自长沙至此，江湘七百里中，有九向九背。故渔者歌曰：帆随湘转，望衡九面。山上有飞泉下注，下映青林，直注山下，望之若幅练在山矣。湘水又东北迳湘南县东，又历湘西县南，分湘南置也，衡阳郡治。魏甘露二年，吴孙亮分长沙西部立治，晋湘南太守何承天，徙治湘西矣。十三州志曰：日华水出桂阳郴县日华山，西至湘南县入湘。地理志曰：郴县有耒水，出耒山，西至湘南西入湘。湘水又北迳麓山东，其山东临湘川，西旁原隰，息心之士，多所萃焉。

又东北过阴山县西，洣水从东南来注之；又北过醴陵县西，漉水从东南来注之。

续汉书五行志曰：建安八年，长沙醴陵县有大山，常鸣如牛呴声。积数年，后豫章贼攻没县亭，杀掠吏民，因以为候。湘水又北迳建宁县〔一四〕，有空泠峡，惊浪雷奔，浚同三峡。湘水又北迳建宁县故城下，晋太始中立。

又北过临湘县西，浏水从县西北流注。

县南有石潭山，湘水迳其西，山有石室、石床，临对清流。湘水又北迳昭山西，山下有旋泉，深不可测，故言昭潭无底也，亦谓之曰湘州潭。湘水又北迳南津城西，西对橘洲，或作吉字。为南津洲尾。水西有橘洲子戍〔一五〕，故郭尚存。湘水又北，左会瓦官水口，湘浦也。又迳船官西，湘洲商舟之所次也。北对长沙郡，郡在水东州城南，旧治在城中，后乃移此。湘水左迳麓山东，上有故城。山北有白露水口，湘浦也。又右迳临湘县故城西县治，湘水滨临川侧，故即名焉。王莽改号抚陆，故楚南境之地也。秦灭楚，立长沙郡，即青阳之地也。秦始皇二十六年，令曰：荆王献青阳以西。汉书邹阳传曰：越水长沙，还舟青阳。注张晏曰:青阳,地名也。苏林曰:青阳,长沙县也。汉高祖五年,以封吴芮为长沙王。是城即芮筑也。汉景帝二年,封唐姬子发为王,都此。王莽之镇蛮郡也。于禹贡则荆州之域。晋怀帝以永嘉元年,分荆州、湘中诸郡立湘州,治此。城之内,郡廨西有陶侃庙,云旧是贾谊宅地。中有一井,是谊所凿,极小而深,上敛下大,其状似壶。傍有一脚石床,才容一人坐形,流俗相承云,谊宿所坐床。又有大柑树,亦云谊所植也。城之西北有故市,北对临湘县之新治。县治西北有北津城,县北有吴芮冢,广逾六十八丈,登临写目,为廛郭之佳憩也。郭颁世语云:魏黄初末,吴人发芮冢取木,于县立孙坚庙,见芮尸容貌衣服并如故。吴平后,与发冢人于寿春见南蛮校尉吴纲,曰:君形貌何类长沙王吴芮乎?但君微短耳。纲瞿然曰:是先祖也。自芮卒至冢发四百年,至见纲又四十馀年矣。湘水左合誓口,又北得石椁口,并湘浦也。右合麻溪水口,湘浦也。湘水又北迳三石山东,山枕侧湘川北,即三石水口也,湘浦矣。水北有三石戍,戍城为二水之会也。湘水又迳浏口戍西,北对浏水。

又北,沩水从西南来注之。

沩水出益阳县马头山,东迳新阳县南,晋太康元年,改曰新康矣。沩水又东入临湘县,历沩口戍东,南注湘水。湘水又北合断口,又北,则下营口,湘浦也。湘水之左岸有高口水,出益阳县西,北迳高口戍南,又西北,上鼻水自鼻洲上口受湘西入焉,谓之上鼻浦。高水西北与下鼻浦合,水自鼻洲下口首受湘川,西通高水,谓之下鼻口。高水又西北右屈为陵子潭,东北流注湘为陵子口。湘水自高口戍东，又北，右会鼻洲，左合上鼻口，又北，右对下鼻口〔一六〕，又北得陵子口。湘水右岸，铜官浦出焉。湘水又北迳铜官山，西临湘水，山土紫色，内含云母，故亦谓之云母山也〔一七〕。

又北过罗县西，溳水从东来流注。

湘水又北迳锡口戍东，又北，左派谓之锡水，西北流迳锡口戍北，又西北流，屈而东北，注玉水焉。水出西北玉池，东南流注于锡浦，谓之玉池口。锡水又东北，东湖水注之，水上承玉池之东湖也。南注于锡，谓之三阳泾〔一八〕，水南有三戍，又东北注于湘。湘水自锡口北出，又得望屯浦，湘浦也。湘水又北，枝津北出，谓之门泾〔一九〕也。湘水纡流西北，东北合门水，谓之门泾口。又北得三溪水口，水东承大湖，西通湘浦，三水之会，故得三溪之目耳。又北，东会大对水口，西接三津泾〔二〇〕。湘水又北迳黄陵亭西，右合黄陵水口，其水上承大湖，湖水西流，迳二妃庙南，世谓之黄陵庙也。言大舜之陟方也，二妃从征，溺于湘江，神游洞庭之渊，出入潇湘之浦。潇者，水清深也〔二一〕。湘中记曰：湘川清照五六丈，下见底石如摴蒱矢，五色鲜明，白沙如霜雪，赤崖若朝霞，是纳潇湘之名矣。故民为立祠于水侧焉，荆州牧刘表刊石立碑，树之于庙，以旌不朽之传矣。黄水又西流入于湘，谓之黄陵口。昔王子乒〔二二〕有异才，年二十而得恶梦，作梦赋，二十一溺死于湘浦，即斯川矣。湘水又北迳白沙戍西，又北，右会东町口，溳水也。湘水又左合决湖口，水出西陂，东通湘渚。湘水又北，汨水注之。水东出豫章艾县桓山，西南迳吴昌县北，与纯水合。

水源出其县东南纯山，西北流，又东迳其县南，又北迳其县故城下。县是吴主孙权立。纯水又右会汨水，汨水又西迳罗县北，本罗子国也。故在襄阳宜城县西，楚文王移之于此，秦立长沙郡，因以为县，水亦谓之罗水。汨水又西迳玉笥山，罗含湘中记云：屈潭之左有玉笥山，道士遗言，此福地也。一曰地脚山。汨水又西为屈潭，即汨罗渊也。屈原怀沙，自沉于此，故渊潭以屈为名。昔贾谊、史迁，皆尝迳此，弭楫江波，投吊于渊。渊北有屈原庙，庙前有碑，又有汉南太守程坚碑，寄在原庙。汨水又西迳汨罗戍南，西流注于湘。春秋之罗汭矣，世谓之汨罗口。湘水又北，枝分北出，迳汨罗戍西，又北迳磊石山〔二三〕东，又北迳磊石戍西，谓之苟导泾矣，而北合湘水。湘水自汨罗口西北迳磊石山西，而北对青草湖，亦或谓之为青草山也。西对悬城口，湘水又北得九口，并湘浦也。湘水又东北为青草湖口，右会苟导泾北口，与劳口合，又北得同拌口，皆湘浦右池者也。

又北过下隽县西，微水从东来流注。

湘水左会清水口〔二四〕，资水也，世谓之益阳江。湘水之左，迳鹿角山东，右迳谨亭戍西，又北合查浦，又北得万石浦〔二五〕，咸湘浦也。侧湘浦北有万石戍。湘水左则沅水注之，谓之横房口，东对微湖，世或谓之麋湖也。右属微水，即经所谓微水经下隽者也。西流注于江，谓之麋湖口。湘水又北迳金浦戍，北带金浦水，湖溠也。湘水左则澧水注之，世谓之武陵江。凡此四水，同注洞庭，北会大江，名之五渚。战国策曰：秦与荆战，大破之，取洞庭五渚者也。湖水广圆五百馀里，日月若出没于其中。山海经云:洞庭之山,帝之二女居焉。沅、澧之风,交潇、湘之浦,出入多飘风暴雨。湖中有君山、编山〔二六〕,君山有石穴,潜通吴之包山〔二七〕,郭景纯所谓巴陵地道者也。是山,湘君之所游处,故曰君山矣。昔秦始皇遭风于此,而问其故博士。曰:湘君出入则多风。秦王乃赭其山。汉武帝亦登之,射蛟于是山。东北对编山,山多篪竹。两山相次,去数十里,回峙相望,孤影若浮。湖之右岸有山,世谓之笛乌头石,石北右会翁湖口,水上承翁湖,左合洞浦,所谓三苗之国,左洞庭者也。

又北至巴丘山,入于江。

山在湘水右岸,山有巴陵故城,本吴之巴丘邸阁城也。晋太康元年立巴陵县于此,后置建昌郡。宋元嘉十六年,立巴陵郡,城跨冈岭,滨阻三江。巴陵西对长洲,其洲南分湘浦,北届大江,故曰三江也。三水所会,亦或谓之三江口矣。夹山列关,谓之射猎,又北对养口,咸湘浦也。水色青异,东北入于大江,有清浊之别,谓之江会也。

漓水亦出阳海山,

漓水与湘水,出一山而分源也。湘、漓之间,陆地广百馀步,谓之始安峤。峤,即越城峤也。峤水自峤之阳南流注漓,名曰始安水,故庾仲初之赋扬都云:判五岭而分流者也。漓水又南与沩水合,水出西北邵陵县界,而东南流至零陵县,西南迳越城西。建安十六年,交州刺史赖恭,自广信合兵小零陵越城迎步骘,即是地也。沩水又东南流注于漓水,汉书所谓出零陵下漓水者也。漓水又南合弹丸溪,水出于弹丸山,山有涌泉,奔流冲激，山嵁及溪中，有石若丸，自然珠圆，状弹丸矣，故山水即名焉。验其山有石窦，下深数丈，洞穴深远，莫究其极。溪水东流注于漓水，漓水又南迳始兴县〔二八〕东，魏元帝咸熙二年，吴孙皓分零陵南部立始兴县。漓水又南，右会洛溪，溪水出永丰县西北洛溪山，东流迳其县北。县，本苍梧之北乡，孙皓割以为县。洛溪水又东南迳始安县而东注漓水。漓水又东南流入熙平县，迳羊濑山，山临漓水，石间有色类羊。又东南迳鸡濑山，山带漓水，石色状鸡。故二山以物象受名矣。漓水又南得熙平水口，水源出县东龙山，西南流迳其县南，又西与北乡溪水合，水出县东北北乡山，西流迳其县北，又西流南转，迳其县西。县，本始安之扶乡也，孙皓割以为县。溪水又南注熙平水，熙平水又西注于漓水。县南有朝夕塘，水出东山西南，有水从山下注，塘一日再增再减，盈缩以时，未尝愆期，同于潮水，因名此塘为朝夕塘矣。漓水又西迳平乐县界，左合平乐溪口，水出临贺郡之谢沐县南，历山西北流，迳谢沐县西南，西南流至平乐县东南，左会谢沐众溪，派流凑合，西迳平乐南，孙皓割苍梧之境立以为县，北隶始安。溪水又西南流注于漓水，谓之平乐水。

南过苍梧荔浦县，

濑水出县西北鲁山之东，迳其县西与濡水合，水出永丰县西北濡山，东南迳其县西，又东南流入荔浦县，注于濑溪，又注于漓水。漓水之上有关。漓水又南，左合灵溪水口，水出临贺富川县北符灵冈，南流迳其县东，又南注于漓水也。

又南至广信县，入于鬱水。

溱水出桂阳临武县南，绕城西北屈东流〔二九〕，

溱水导源县西南，北流迳县西，而北与武溪合。山海经曰：肄水〔三〇〕出临武西南，而东南注于海。入番禺西，肄水，盖溱水之别名也。武溪水出临武县西北桐柏山，东南流，右合溱水，乱流东南迳临武县西，谓之武溪。县侧临溪东，因曰临武县，王莽更名大武也。溪又东南流，左会黄岑溪水〔三一〕。水出郴县黄岑山〔三二〕，西南流，右合武溪水。武溪水又南入重山，山名蓝豪，广圆五百里，悉曲江县界，崖峻险阻，岩岭干天，交柯云蔚，霾天晦景，谓之泷中。悬湍回注，崩浪震山，名之泷水。

东至曲江县安聂邑东，屈西南流，

泷水又南出峡，谓之泷口，西岸有任将军城，南海都尉任嚣所筑也。嚣死，尉佗自龙川始居之。东岸有任将军庙。泷水又南合泠水，泠水东出泠君山〔三三〕，山，群峰之孤秀也。晋太元十八年，崩十馀丈，于是悬涧瀑挂，倾流注壑，颓波所入，灌于泷水。泷水又右合〔三四〕林水，林水出县东北洹山。王歆之始兴记曰：林水源里有石室，室前磐石上，行罗十瓮，中悉是饼银，采伐遇之不得取，取必迷闷。晋太元初，民封驱之家仆，密窃三饼归，发看，有大蛇螫之而死。湘州记曰：其夜，驱之梦神语曰：君奴不谨，盗银三饼，即日显戮，以银相偿。觉视，则奴死银在矣。林水自源西注于泷水。又与云水合，水出县北汤泉，泉源沸涌，浩气云浮，以腥物投之，俄顷即热〔三五〕。其中时有细赤鱼游之，不为灼也。西北合泷水。又有藉水，上承沧海水，有岛屿焉。其水吐纳众流，西北注于泷水。泷水又南历灵鹫山，山，本名虎郡山，亦曰虎市山，以虎多暴故也。晋义熙

中，沙门释僧律，葺宇岩阿，猛虎远迹，盖律仁感所致，因改曰灵鹫山。泷水又南迳曲江县东，云县昔号曲红。曲红，山名也，东连冈是矣。泷中有碑，文曰〔三六〕：按地理志，曲江旧县也。王莽以为除虏，始兴郡治，魏元帝咸熙二年，孙皓分桂阳南部立。县东傍泷溪，号曰北泷水。水左即东溪口也。水出始兴东江州南康县界石阎山，西流而与连水〔三七〕合。水出南康县凉热山连溪。山，即大庾岭也，五岭之最东矣，故曰东峤山。斯则改装之次，其下船路名涟溪。涟水南流，注于东溪，谓之涟口。庾仲初谓之大庾峤水也。东溪亦名东江，又曰始兴水。又西，邪阶水注之，水出县东南邪阶山，水有别源，曰巢头。重岭衿泷，湍奔相属，祖源双注，合为一川。水侧有鼻天子城，鼻天子，所未闻也。邪阶水又西北注于东江。江水又西迳始兴县南，又西入曲江县，郯水注之，水出浮岳山，山蹑一处，则百馀步动，若在水也，因名浮岳山。南流注于东江。东江又西与利水合，水出县之韶石北山，南流迳韶石下，其高百仞，广圆五里，两石对峙，相去一里，小大略均似双阙，名曰韶石。古老言，昔有二仙，分而憩之，自尔年丰，弥历一纪。利水又南迳灵石下，灵石，一名逃石，高三十丈，广圆五百丈。耆旧传言，石本桂林武城县〔三八〕，因夜迅雷之变，忽然迁此，彼人来见叹曰：石乃逃来。因名逃石，以其有灵运徙，又曰灵石。其杰处，临江壁立，霞驳有若缋焉。水石惊濑，传响不绝，商舟淹留，聆玩不已。利水南注东江，东江又西注于北江，谓之东江口。溱水自此，有始兴大庾之名，而南入浈阳县也。

过浈阳县，出洭浦关，与桂水合，

溱水南迳浈阳县西，旧汉县也，王莽之綦武〔三九〕矣。县东有浈石山，广圆三十里，挺崿大江之北，盘址长川之际，其阳有石室，渔叟所憩。昔欲于山北开达郡之路，辄有大蛇断道，不果。是以今行者，必于石室前泛舟而济也。溱水又西南历皋口、太尉二山之间，是曰浈阳峡。两岸杰秀，壁立亏天，昔尝凿石架阁，令两岸相接，以拒徐道覆。溱水出峡，左则浈水注之。水出南海龙川县西，迳浈阳县南，右注溱水。故应劭曰：浈水西入溱是也。溱水又西南，洭水入焉。山海经所谓湟水出桂阳西北山，东南注肄，入敦浦〔四〇〕西者也。溱水又西南，迳中宿县会一里水，其处隘，名之为观岐〔四一〕。连山交枕，绝崖壁竦，下有神庙，背阿面流，坛宇虚肃，庙渚攒石巉岩，乱峙中川，时水洊至，鼓怒沸腾，流木沦没，必无出者，世人以为河伯下材。晋中朝时，县人有使者至洛，事讫将还，忽有一人寄其书云：吾家在观岐〔四二〕前，石间悬藤，即其处也，但叩藤，自当有人取之。使者谨依其言，果有二人出外，取书并延入水府，衣不沾濡。言此似不近情，然造化之中，无所不有，穆满西游，与河宗论宝。以此推之，亦为类矣。溱水又西南迳中宿县南，吴孙皓分四会之北乡立焉。

南入于海。

溱水又南注于鬱而入于海。

〔一〕资水　名胜志湖广卷十长沙府益阳县引水经注、康熙湖广通志卷九堤防长沙府引水经注、乾隆长沙府志卷五山川志益阳县澬江引水经注均作“澬水”。

〔二〕唐紏山　方舆纪要卷七十五湖广七宝庆府武冈州都梁山引水经注作“唐纠山”。

〔三〕注疏本疏:“守敬按:宋志武刚,晋武分都梁立,而晋志脱此县,齐志作武刚。据元和志,梁以太子讳纲,故为武强,则‘刚’字不误。此注作武冈,谓有二冈,县即其称,乃别有所据。”段熙仲校记:“按元和志三十云:吴宝鼎元年改为武冈县,因武冈为名。一云:晋武帝分都梁县置。杨疏谓别有所据是也。”

〔四〕遂　注疏本作“定”。疏:“赵据史记年表改‘定’作‘遂’,戴改同。会贞按:汉表作‘定’,但名与定王之谥同,疑史表是。”

〔五〕广博物志卷五地形总地山引水经注云:“石鱼山本名立石山。”当是此句下佚文。

〔六〕札记化石:

卷三十八溎水经“溎水出连道县西,资水之别”注中,也记载了一处鱼类化石。注云:

> (溎水)东入衡阳湘乡县,历石鱼山下,多玄石,山高八十馀丈,广十里,石色黑而理若云母。开发一重,辄有鱼形,鳞鳍首尾,宛若刻画,长数寸,鱼形备足。

这段记载鱼类化石的文字,因为描述得十分清楚,所以一读便知。由于古人没有关于化石的知识,有时往往与其他一些传说相附会,如上述关于防风氏骨骼的神话一样。所以郦注凡是涉及这类记载的,都值得作一点分析。

〔七〕方舆纪要卷一〇七广西二桂林府兴安县灵渠引水经注云:“湘水自零陵西南,谓之澪渠。”当是此段中佚文。

〔八〕节侯拘　注疏本作“靖侯狗彘”。疏:“朱笺曰:旧本作洮阳侯拘。案汉书表作狩燕,而史记年表作狗彘,恐史记讹也。孙案:索隐引汉表作将燕。戴作节侯拘,云有脱误。”

〔九〕南山　黄本、注笺本、项本、张本、注疏本均作“流山”,五校钞本、七校本、注释本作“留山”。沈本注云:“疑当作‘营’。”

〔一〇〕注疏本熊会贞按:“此句有讹文。承水在湘西,是从西南来注,非东南。别有耒水在湘东,是从东南来注。此‘东南’当‘西南’之讹,否则,承水为耒水之讹。承、耒形近。”

〔一一〕承水　楚宝卷三十八山水湘水引水经注、奉使纪胜引水经注均作“烝水”。

〔一二〕临承县　渊鉴类函卷二十九地部石鼓山引水经注、奉使纪胜引水经注、乾隆衡州府志卷六山川引水经注均作“临烝县”。

〔一三〕承口　乾隆衡州府志卷六山川临烝县引水经注作“烝口”。

〔一四〕殿本在此下案云:“案此下,原本及近刻有‘而旁湘水县北’六字,系讹舛衍文,归有光本所无,今删去。”注疏本改“而旁湘水县北”为“西旁湘水”。疏:“朱‘西’作‘而’。戴以‘而旁湘水县北’六字为讹舛衍文,依归有光删。赵改‘而’作‘西’。”

〔一五〕注疏本疏:“朱笺曰:孙云,疑作‘橘子洲戍’。赵云:按子戍,戍之小者耳,犹子城之类。守敬按:梁武帝与萧宝夤书,有小城、小戍之文,则赵说当是。在今善化县西湘江中。”段熙仲校记:“按:孙说近似,但传钞者二字倒互耳。清一统志二百七十六橘洲下引水经注作‘橘子洲’。沈钦韩迳改‘橘子洲戍’,引方舆胜览在善化县西湘江中，准以地望沈改是也。”

〔一六〕右对下鼻口　注疏本作“左对下鼻口”。疏：“朱作‘右对’，戴、赵同。守敬按：下鼻口在湘水之左，是左对，非右也，此为‘左’之误无疑。”

〔一七〕寰宇记卷一一四江南道十二潭州长沙县引水经注云：“西临铜水，山土紫色，内含云母，服之不朽。”此处，“铜水”、“服之不朽”，当是此句下佚文。

〔一八〕三阳泾　五校钞本、七校本、注释本均作“三阳逕”。

〔一九〕门泾　注笺本、项本、注释本、张本均作“门逕”。

〔二〇〕三津泾　注笺本、项本、注释本、张本均作“三津逕”。

〔二一〕康熙湖广通志卷九堤防永州府引水经注云：“潇水出九疑三分石，自夏阳至宁远城下，过大洋，出青口入泷。”当是此句下佚文。

〔二二〕王子屮　注疏本作“王子山”。疏：“戴以‘山’为讹改作‘屮’。守敬按：后汉书文苑传，王延寿，字文考，注：一字子山，以文义求之，周王寿考，如南山之寿，两字皆应与名相应，是作‘屮’乃大典本之讹，戴氏不能订正，反以‘山’为讹，疏矣。”段熙仲校记：“按：杨氏未见大典本，于此又得一证。检大典本卷一万一千一百四十一第十页后第一行作‘子山’，不作‘屮’，全、赵皆作‘山’，所据本不误。戴氏谓近刻作‘山’，则所见朱笺本亦作‘山’，不知何所据而改‘屮’。”案陈桥驿复校水经注疏卷首熊会贞亲笔水经注疏修改意见（熊原无题，此题为陈所加），其中一条云：“先生未见残宋本、大典本、明钞本。此书各卷，凡说残宋、大典、明钞，不得属之先生。当概删残宋本作某句、大典本作某句、明钞本作某句。”

此条下，熊氏又云："今拟不删，以先生说，改为岭香孙世兄补疏。全书各卷中，先生按残宋本作某，或大典本、明钞本作某，尽改为先梅按残宋本作某、大典本作某、明钞本作某。每卷开首题名加一行，作孙先梅补疏。"熊氏此亲笔影印刊于台北中华书局影印水经注疏第一册（全书共十八册）卷首，段氏未见此台北本，亦未及见排印本之出版，故校记有此"又得一证"之语。案杨先梅，字岭香，为杨守敬孙，曾襄助熊会贞录出残宋、大典、明钞三本中的文字异同，事见陈桥驿熊会贞与水经注疏，收入于水经注研究四集，杭州出版社二〇〇三年出版。

〔二三〕磊石山　吴本、注笺本、项本、注释本、张本、注疏本、通鉴卷一六二梁纪十八武帝太清三年"湘州刺史河东王誉军于青草湖"胡注引水经注、楚宝卷三十八山水洞庭湖引水经注、方舆纪要卷八十湖广六长沙府湘阴县青草湖引水经注、雍正湖广通志卷十一山川志湘阴县引水经注、乾隆湖南通志卷六山川志一长沙府上长沙县湘江引水经注均作"垒石山"。

〔二四〕清水口　注笺本、项本、张本、禹贡会笺卷六"九江孔殷"徐笺引水经注均作"水清口"。隆庆岳州府志卷七职方考五潴引水经注、楚宝卷三十八山水洞庭湖引水经注、乾隆湖南通志卷十一山川志六岳州府巴陵县洞庭湖引水经注、乾隆长沙府志卷五山川志益阳县资江引水经注、嘉庆常德府志卷五山川考二洞庭湖引水经注均作"小清口"。

〔二五〕万石浦　注笺本、项本、注释本、张本均作"万浦"。

〔二六〕编山　乾隆湖南通志卷十一山川志六岳州府巴陵县艑山引水经注作"艑山"。

〔二七〕包山　黄本、沈本均作“苞山”。

〔二八〕始兴县　注疏本作“始安县”。疏：“朱作‘始兴县’，戴、赵同。会贞按：始兴县见溱水篇，不在此。此乃迳始安县之讹。汉置始安县，至梁未废。即今临桂县治，在漓水滨。岂有漓水先迳始安，注绝不及之，而反见于后迳始安之洛溪水乎？若谓吴尝别置始兴县于此，则三国志及各地志皆不言，郦氏何所据？则‘始兴’当作‘始安’审矣，今订。”

〔二九〕名胜志广东卷二南雄府保昌县引水经注云：“即修仁水也，南齐建三枫亭临其下流，谓之五渡水。”当是此篇中佚文。

〔三〇〕肄水　注疏本作“肆水”。疏：“戴、赵改‘肆’作‘肄’，下同。会贞按：海内东经文作‘肄’。郭璞注：音如‘肄习’之‘肄’。今经文正作‘肄’，如此不须用音，故郝懿行谓郭本不作‘肄’，以此注引作‘肆’为是，然则不当改。”

〔三一〕黄岑溪水　注笺本、项本、张本、乾隆湖南通志卷十四山川志九郴州宜章县玉溪引水经注均作“黄泠溪水”。

〔三二〕黄岑山　残宋本、注笺本、项本、张本、乾隆湖南通志卷十四山川志九郴州宜章县玉溪引水经注均作“黄泠山”。

〔三三〕泠君山　练湖书院钞本作“泠君水山”。

〔三四〕又右合　注疏本作“又左合”。疏：“朱无‘又’字，赵同，戴增。朱‘左’作‘右’，戴、赵同。会贞按：泷水东南流，据下文林水西注泷水，则林水在泷水之左，当作‘左合’，今订。”

〔三五〕殿本在“热”字下案云：“案近刻讹作‘熟’。”陈桥驿水经注记载的温泉（收入于水经注研究，天津古籍出版社一九八五年出版）云：“这里的‘俄顷即热’，在大典本、黄省曾本、吴琯本、何焯校明钞本、王国维校明钞本、注释本、注疏本等之中，都作‘俄顷即熟’。惟注笺本、项绸本和殿本等易‘熟’为‘热’。‘热’和‘熟’虽然一字之差，但以之描述水温，其差距却是很大的。若按殿本等本，这是一般的热泉，若按大典诸本，这就是一处过热泉。因此不能不加以分辨。按御览引幽明录所载：

始兴云水，源有汤泉，每至霜雪，见其上蒸气数十丈，生物投之，须臾便熟。

从幽明录所记载的来看，郦注的‘腥物’可能是‘生物’的音讹。上文如作‘生物’，下文自然应该作‘熟’，可见大典诸本比殿本等可靠，殿本的‘热’字，宜改为‘熟’字。”

〔三六〕“文曰”下显然有佚文。注疏本疏：“朱‘文曰’下接地理志云云，有脱误。全、赵、戴同。会贞按：此碑是汉桂阳太守周府君功勋碑，文载隶释，中有自瀑亭至乎曲红之语，注引碑以证曲红，当有此句。”熊疏是。惟熊所云全、赵、戴同不确。赵氏水经注释云：“一清按，泷中碑是汉桂阳太守周府君功勋碑也。”以下并全引碑文，以其过长，不录。

〔三七〕连水　注释本作“涟水”。

〔三八〕桂林武城县　残宋本作“桂阳汝城县”，王国维宋刊水经注残本跋：“卷三十八溱水注，石本桂阳汝城县，诸本‘汝城’并作‘武城’，惟明钞本与此本同。案桂阳无武城县，故朱笺疑为临武之讹。而沈炳巽则改‘桂阳’为‘桂林’，赵、戴从之。不知武城乃汝城之讹，晋宋桂阳郡，固有汝城县也。”

〔三九〕綦武　注笺本、项本、五校钞本、七校本、注释本、张本均作“基武”。

〔四〇〕东南注肆入敦浦　注疏本作"东南注肆入郭浦"。疏:"戴、赵据山海经改'肆'作'肄',改'郭'作'敦'。守敬按:海内东经文。'肆'字是,不当改,见本篇首。'郭'、'敦'未知孰误,当仍旧。毕沅、郝懿行据此改山海经作'郭',亦臆断。"

〔四一〕观岐　注疏本作"观峡"。疏:"朱'峡'作'岐'。戴、赵同。……守敬按:御览五十三引此作'观峡',又引王韶之始兴记,中宿县有观峡,横峦交枕,绝崖岸𡶲。盖郦所本,则'岐'为'峡'之误。"段熙仲校记:"按:诸家'峡'讹为'岐',杨疏改'峡'。沈钦韩疏证引寰宇记百五十七亦作'观峡',一统志引此注同。则'岐'字乃'峡'字之讹无疑。"

〔四二〕注疏本作"观峡"。疏:"朱'观'下有脱文,戴、赵增'岐'字。守敬按:于文当有'峡'字,御览引亦无'峡'字,则脱误已久,戴、赵不知上'岐'为误字,据增,失之。"

水经注卷三十九

洭水[一]出桂阳县卢聚，

水出桂阳县西北上驿山卢溪，为卢溪水，东南流迳桂阳县故城，谓之洭水。地理志曰：洭水出桂阳，南至四会是也。洭水又东南流，峤水注之，水出都峤之溪[二]，溪水下流历峡，南出是峡，谓之贞女峡。峡西岸高岩名贞女山，山下际有石如人，形高七尺，状如女子，故名贞女峡。古来相传，有数女取螺于此，遇风雨昼晦，忽化为石。斯诚巨异，难以闻信。但启生石中，挚呱空桑，抑斯类矣。物之变化，宁以理求乎？溪水又合洭水，洭水又东南入阳山县，右合涟口水，源出县西北百一十里石塘村，东南流。水侧有豫章木，本径可二丈，其株根犹存，伐之积载，而斧迹若新。羽族飞翔不息，其旁众枝飞散远集，乡亦不测所如，惟见一枝，独在含洭水矣[三]。涟水东南流注于洭。洭水又东南流而右与斟水合[四]，水导源近出东岩下，穴口若井，一日之中，十溢十竭，信若潮流，而注洭水。洭水又南迳阳山县故城西，耆旧传曰，往昔县长临县，辄迁擢超级，大史迳观，言势使然。掘断连冈，流血成川，城因倾阤，遂即倾败。阁下大鼓，飞上临武，乃之桂阳，追号“圣鼓”。自阳山达乎桂阳之武步驿，所至循圣鼓道也，其道如堑，迄于鼓城矣。洭水又迳阳山县南，县，故含洭县之桃乡，孙皓分立为县也。洭水又东南流也。

东南过含洭县，

应劭曰：洭水东北入沅。瓒注汉书：沅在武陵，去洭远，又隔湘水，不得入沅。洭水东南，左合翁水。水出东北利山湖，湖水广圆五里，洁逾凡水，西南流注于洭，谓之翁水口。口已下东岸有圣鼓杖，即阳山之鼓杖也。横在川侧，虽冲波所激，未尝移动。百鸟翔鸣，莫有萃者。船人上下以篙撞者，辄有疟疾。洭水又东南，左合陶水，水东出尧山。山盘纡数百里，有赭岩迭起，冠以青林，与云霞乱采。山上有白石英，山下有平陵，有大堂基。耆旧云：尧行宫所。陶水西迳县北，右注洭水。洭水又迳含洭县西。王歆始兴记曰：县有白鹿城，城南有白鹿冈。咸康中，郡民张鲂为县，有善政，白鹿来游，故城及冈并即名焉。

南出洭浦关，为桂水。

关在中宿县，洭水出关，右合溱水〔五〕，谓之洭口。山海经谓之湟水。徐广曰：湟水一名洭水，出桂阳，通四会，亦曰灌水也。汉武帝元鼎元年，路博德为伏波将军，征南越，出桂阳，下湟水，即此水矣。桂水，其别名也。

深水出桂阳卢聚，

吕忱曰:深水一名邃水,导源卢溪,西入营水,乱流营波,同注湘津。许慎云:深水出桂阳南平县也。经书桂阳者,县本隶桂阳郡,后割属始兴。县有卢溪、卢聚,山在南平县之南,九疑山东也。

西北过零陵营道县南,又西北过营浦县南〔六〕,又西北过泉陵县,西北七里至燕室邪〔七〕,入于湘。

水上有燕室丘,亦因为聚名也。其下水深不测,号曰龙渊。

锺水出桂阳南平县都山〔八〕,北过其县东,又东北过宋渚亭,又北过锺亭,与灌水合。

都山,即都庞之峤〔九〕,五岭之第三岭也。锺水即峤水也。庾仲初曰:峤水南入始兴溱水〔一〇〕,注于海。北入桂阳,湘水注于江是也。灌水,即桂水也。灌、桂声相近,故字随读变,经仍其非矣。桂水出桂阳县北界山,山壁高耸,三面特峻,石泉悬注,瀑布而下。北迳南平县而东北流届锺亭,右会锺水,通为桂水也。故应劭曰:桂水出桂阳,东北入湘。

又北过魏宁县之东,

魏宁,故阳安也。晋太康元年,改曰晋宁。县在桂阳郡东百二十里,县南、西二面,阻带清溪,桂水无出县东理,盖县邑流移,今古不同故也。

又北入于湘〔一一〕。

耒水出桂阳郴县南山,

耒水发源出汝城县东乌龙白骑山,西北流迳其县北,西流三十里,中有十四濑,各数百步,浚流奔急,竹节相次,亦为行旅溯涉之艰难也。又西北迳晋宁县北，又西，左合清溪水口。水出县东黄皮山，西南流历县南，又西北注于耒水。汝城县在郡东三百馀里，山又在县东，耒水无出南山理也。

又北过其县之西，

县有渌水〔一二〕，出县东侠公山〔一三〕，西北流，而南屈注于耒，谓之程乡溪。郡置酒官，酝于山下，名曰程酒，献同酃也。耒水又西，黄水注之。水出县西黄岑山，山则骑田之峤，五岭之第二岭也。黄水东北流，按盛弘之云：众山水出注于大溪，号曰横流溪。溪水甚小，冬夏不干，俗亦谓之为贪泉，饮者辄冒于财贿，同于广州石门贪流矣。廉介为二千石，则不饮之。昔吴隐之挹而不乱，贪岂谓能渝其贞乎〔一四〕？盖亦恶其名也。刘澄之谓为一涯溪，通四会殊为孟浪而不悉也。庾仲初云：峤水南入始兴，溱水注海，即黄岑水入武溪者也。北水入桂阳湘水，注于大江，即是水也。右则〔一五〕千秋水注之，水出西南万岁山，山有石室，室中有钟乳，山上悉生灵寿木，溪下即千秋水也。水侧民居，号万岁村。其水下合黄水，黄水又东北，迳其县东，右合除泉水，水出县南湘陂村。村有圆水，广圆可二百步，一边暖，一边冷。冷处极清绿，浅则见石，深则见底。暖处水白且浊，玄素既殊，凉暖亦异，厥名除泉，其犹江乘之半汤泉也。水盛则泻黄溪，水耗则津径辍流。郴旧县也，桂阳郡治也，汉高帝二年，分长沙置。地理志曰：桂水所出。因以名也。王莽更名南平，县曰宣风，项羽迁义帝所筑也。县南有义帝冢，内有石虎，因呼为白虎郡。东观汉记曰：茨充字子河，为桂阳太守，民惰懒，少粗履，足多剖裂，茨教作履。今江南知织履,皆充之教也。黄溪东有马岭山,高六百馀丈,广圆四十许里,汉末有郡民苏耽栖游此山。桂阳列仙传云:耽,郴县人,少孤,养母至孝。言语虚无,时人谓之痴。常与众儿共牧牛,更直为帅,录牛无散。每至耽为帅,牛辄徘徊左右,不逐自还。众儿曰:汝直,牛何道不走耶?耽曰:非汝曹所知。即面辞母云:受性应仙,当违供养。涕泗又说:年将大疫,死者略半,穿一井饮水,可得无恙。如是有哭声甚哀。后见耽乘白马还此山中,百姓为立坛祠,民安岁登,民因名为马岭山。黄水又北流注于耒水,谓之郴口。耒水又西迳华山之阴,亦曰华石山,孤峰特耸,枕带双流,东则黄溪、耒水之交会也。耒水东流沿注,不得北过其县西也。两岸连山,石泉悬溜,行者辄徘徊留念,情不极已也。

又北过便县之西,

县,故惠帝封长沙王子吴浅为侯国,王莽之便屏也。县界有温泉水,在郴县之西北,左右有田数千亩〔一六〕,资之以溉。常以十二月下种,明年三月谷熟。度此水冷,不能生苗,温水所溉,年可三登。其馀波散流,入于耒水也。

又西北过耒阳县之东,

耒阳旧县也,盖因水以制名,王莽更名南平亭。东傍耒水,水东肥南,有郡故城。县有溪水,东出侯计山,其水清澈,冬温夏冷,西流,谓之肥川。川之北有卢塘,塘池八顷,其深不测。有大鱼常至,五月辄一奋跃,水涌数丈,波襄四陆,细鱼奔迸,随水登岸,不可胜计。又云:大鱼将欲鼓作,诸鱼皆浮聚。水侧注西北,迳蔡洲。洲西,即蔡伦故宅,傍有蔡子池。伦,汉黄门，顺帝之世，捣故鱼网为纸，用代简素，自其始也。

又北过鄙县东，

县有鄙湖，湖中有洲，洲上民居，彼人资以给酿，酒甚醇美，谓之鄙酒，岁常贡之。湖边尚有鄙县故治，西北去临承县十五里，从省隶〔一七〕。十三州志曰：大别水南出耒阳县太山，北至鄙县入湖也。

北入于湘。

耒水西北至临承县而右注湘水，谓之耒口也。

洣水出茶陵县上乡，西北过其县西，

水出江州安成郡广兴县太平山，西北流迳茶陵县之南〔一八〕。汉武帝元朔四年，封长沙定王子节侯䜣之邑也，王莽更名声乡矣。洣水又屈而过其县，西北流注也。地理志谓之泥水者也。

又西北过攸县南，

攸水出东南安成郡安复县封侯山，西北流迳其县北。县北带攸溪，盖即溪以名县也。汉武帝元朔四年，封长沙定王子则为攸舆侯，即地理志所谓攸县者也。攸水又西南流入茶陵县，入于洣水也。

又西北过阴山县南，

县，本阳山县也，县东北犹有阳山故城，即长沙孝王子宗之邑也。言其势王，故堑山堙谷，改曰阴山县。县上有容水自侯昙山下注洣水，谓之容口。水有大穴，容一百石，水出于此，因以名焉。洣水又西北迳其县东，又西迳历口，县有历水，下注洣，谓之历口。洣水又西北与洋湖水会，水出县西北乐薮冈下洋湖，湖去冈七里，湖水下注洣，谓之洋湖口。洣水东北有峨山，县东北又有武阳龙尾山，并仙者羽化之处。上有仙人及龙马迹，于其处得遗咏。虽神栖白云，属想芳流，藉念泉乡，遗咏在兹。览其馀诵，依然息远，匪直邈想霞踪，爰其文咏可念，故端牍抽札，以诠其咏。其略曰：登武阳，观乐薮，峨岭千蘢洋湖口，命蜚螭，驾白驹，临天水，心踟蹰，千载后，不知如〔一九〕。盖胜赏神乡，秀情超拔矣。

又西北入于湘。

漉水出醴陵县东漉山，西过其县南，

醴陵县，高后四年封长沙相侯越为国，县南临渌水〔二〇〕，水东出安城乡翁陵山。余谓漉、渌声相近，后人藉便以渌为称。虽翁陵名异，而即麓是同。

屈从县西西北流，至漉浦，注入于湘。

浏水出临湘县东南浏阳县，西北过其县，东北与涝水合。

浏水出县东江州豫章县首裨山，导源西北流，迳其县南，县凭溪以即名也。又西北注于临湘县也。

西入于湘。

溳水出豫章艾县，

春秋左氏传曰：吴公子庆忌谏夫差，不纳，居于艾是也。王莽更名治翰。

西过长沙罗县西，

罗子自枝江徙此，世犹谓之为罗侯城也。溳水又西流积而为陂，谓之町湖也。

又西至累石山，入于湘水。

累石山在北，亦谓之五木山，山方尖如五木状，故俗人藉以名之。山在罗口北，湏水又在罗水南，流注于湘，谓之东町口者也。

赣水出豫章南野县，西北过赣县东，

山海经曰：赣水出聂都山，东北流注于江，入彭泽西也。班固称南野县，彭水所发，东入湖汉水。庾仲初谓大庾峤水北入豫章，注于江者也。地理志曰：豫章水出赣县西南，而北入江。盖控引众流，总成一川，虽称谓有殊，言归一水矣。故后汉郡国志曰：赣有豫章水。雷次宗云：似因此水为其地名。虽十川均流，而此源最远，故独受名焉。刘澄之曰：县东南有章水，西有贡水，县治二水之间，二水合赣字，因以名县焉。是为谬也。刘氏专以字说水，而不知远失其实矣。豫章水导源东北流，迳南野县北，赣川石阻，水急行难，倾波委注，六十馀里。又北迳赣县东，县即南康郡治。晋太康五年，分庐江立。豫章水右会湖汉水，水出雩都县，导源西北流，迳金鸡石，其石孤竦临川，耆老云：时见金鸡出于石上，故石取名焉。湖汉水又西北迳赣县东，西入豫章水也。

又西北过庐陵县西，

庐陵县，即王莽之桓亭也。十三州志称，庐水西出长沙安成县。武帝元光六年，封长沙定王子刘苍为侯国，即王莽之用成也。吴宝鼎中立以为安成郡。东至庐陵，入湖汉水也。

又东北过石阳县西，

汉和帝永平九年，分庐陵立。汉献帝初平二年，吴长沙桓王立庐陵郡，治此。豫章水又迳其郡南，城中有井，其水色半清半黄，黄者如灰汁，取作饮粥，悉皆金色，而甚芬香。

又东北过汉平县南，又东北过新淦县西〔二一〕，

牵水西出宜春县，汉武帝元光六年，封长沙定王子刘成为侯国，王莽之脩晓也。牵水又东迳吴平县，旧汉平也。晋太康元年，改为吴平矣。牵水又东迳新淦县，即王莽之偶亭，而注于豫章水。湖汉及赣，并通称也。又淦水出其县下，注于赣水。

又北过南昌县西〔二二〕，

盱水出南城县〔二三〕，西北流迳南昌县南，西注赣水。又有浊水注之，水出康乐县，故阳乐也。浊水又东迳望蔡县，县因汝南上蔡民萍居此土，晋太康元年，改为望蔡县。浊水又东迳建成县，汉武帝元光〔二四〕四年，封长沙定王子刘拾为侯国，王莽更名之曰多聚也。县出燃石，异物志曰：石色黄白而理疏，以水灌之便热，以鼎著其上，炊足以熟，置之则冷，灌之则热，如此无穷。元康中，雷孔章入洛，赍石以示张公。张公曰：此谓燃石。于是乃知其名。浊水又东至南昌县东，流入于赣水。赣水又历白社西，有徐孺子墓。吴嘉禾中，太守长沙徐熙于墓隧种松，太守南阳谢景于墓侧立碑。永安中，太守梁郡夏侯嵩于碑傍立思贤亭。松大合抱，亭世修治，至今谓之聘君亭也。赣水又北历南塘，塘之东有孺子宅，际湖南小洲上。孺子名穉，南昌人，高尚不仕，太尉黄琼辟不就。桓帝问尚书令陈蕃：徐穉、袁闳，谁为先后？蕃答称：袁生公族，不镂自雕；至于徐穉，杰出薄域，故宜为先。桓帝备礼征之，不至。太原郭林宗有母忧，穉往吊之，置生刍于庐前而去。众不知其故，林宗曰：

必孺子也。诗云：生刍一束，其人如玉。吾无德以堪之。年七十二卒。赣水又迳谷鹿洲，即蓼子洲也，旧作大艑处。赣水又北迳南昌县故城西，于春秋属楚，即令尹子荡师于豫章者也。秦以为庐江南部，汉高祖六年〔二五〕，始命陈婴以为豫章郡，治此，即陈婴所筑也。王莽更名，县曰宜善，郡曰九江焉。刘歆云：湖汉等九水入彭蠡，故言九江矣。陈蕃为太守，署徐稺为功曹，蕃在郡不接宾客，惟稺来，特设一榻，去则悬之，此即悬榻处也。建安中，更名西安，晋又名为豫章。城之南门曰松阳门，门内有樟树，高七丈五尺，大二十五围，枝叶扶疏，垂荫数亩。应劭汉官仪曰：豫章，樟树生庭中，故以名郡矣。此树尝中枯，逮晋永嘉中，一旦更茂，丰蔚如初，咸以为中宗之祥也。礼斗威仪曰：君政讼平，豫樟常为生。太兴中，元皇果兴大业于南，故郭景纯南郊赋云：弊樟擢秀于祖邑是也。以宣王祖为豫章故也。赣水北出，际西北历度支步，是晋度支校尉立府处。步，即水渚也。赣水又迳郡北为津步，步有故守贾萌庙，萌与安侯张普争地，为普所害，即日灵见津渚，故民为立庙焉。水之西岸有盘石，谓之石头，津步之处也。西行二十里曰散原山〔二六〕，叠嶂四周，杳邃有趣。晋隆安末，沙门竺昙显建精舍于山南，僧徒自远而至者相继焉。西北五六里有洪井，飞流悬注，其深无底，旧说洪崖先生之井也。北五六里有风雨池，言山高濑激，激著树木，霏散远洒若雨。西有鸾冈，洪崖先生乘鸾所憩泊也。冈西有鹄岭，云王子乔控鹄所迳过也。有二崖，号曰大萧、小萧，言萧史所游萃处也。雷次宗云：此乃系风捕影之论，据实本所未辩，聊记奇闻，以广井鱼之听矣。又按谢庄诗，庄常游豫章，观井赋诗，言鸾冈四周有水，谓之鸾陂，似非虚论矣。东大湖〔二七〕十里二百二十六步，北与城齐，南缘回折至南塘，本通章江，增减与江水同。汉永元中，太守张躬筑塘以通南路，兼遏此水。冬夏不增减，水至清深，鱼甚肥美。每于夏月，江水溢塘而过，民居多被水害。至宋景平元年，太守蔡君西起堤，开塘为水门，水盛旱则闭之，内多则泄之，自是居民少患矣。赣水又东北迳王步，步侧有城，云是孙奋为齐王镇此城之，今谓之王步，盖齐王之渚步也。郡东南二十馀里又有一城，号曰齐王城。筑道相通，盖其离宫也。赣水又北迳南昌左尉廨西，汉成帝时，九江梅福为南昌尉居此，后福一旦舍妻子，去九江，传云得仙。赣水又北迳龙沙西，沙甚洁白，高峻而陁，有龙形，连亘五里中，旧俗九月九日升高处也。昔有人于此沙得故冢，刻砖题云：西去江七里半，筮言其吉，卜言其凶。而今此冢垂没于水，所谓筮短龟长也。赣水又迳椒丘城下，建安四年，孙策所筑也。赣水又历钓圻邸阁〔二八〕下，度支校尉治，太尉陶侃移置此也。旧夏月，邸阁前洲没，去浦远。景平元年，校尉豫章，因运出之力，于渚次聚石为洲，长六十馀丈，洲里可容数十舫。赣水又北迳鄡阳县，王莽之豫章县也。馀水注之，水东出馀汗县，王莽名之曰治干也。馀水北至鄡阳县注赣水。赣水又与鄱水合，水出鄱阳县东，西迳其县南，武阳乡也。地有黄金采，王莽改曰乡亭。孙权以建安十五年，分为鄱阳郡。鄱水又西流注于赣。又有缭水〔二九〕入焉，其水导源建昌县，汉元帝永光二年，分海昏立。缭水东迳新吴县，汉中平中立。缭水又迳海昏县，王莽更名宜生，谓之上缭水〔三〇〕，又谓之海昏江。分为二水，县东津上有亭，为济渡之要。其水东北迳昌邑城，而东出豫章大江，谓之慨口。昔汉昌邑王之封海昏也，每乘流东望，辄愤慨而还，世因名焉。其一水枝分别注，入于循水〔三一〕也。

又北过彭泽县西，

循水〔三二〕出艾县西，东北迳豫宁县〔三三〕，故西安也，晋太康元年更从今名。循水又东北迳永循县〔三四〕，汉灵帝中平二年立。循水又东北注赣水。其水总纳十川，同臻一渎，俱注于彭蠡也。

北入于江。

大江南，赣水总纳洪流，东西四十里，清潭远涨，绿波凝净，而会注于江川。

庐江水〔三五〕出三天子都〔三六〕，北过彭泽县西，北入于江。

山海经，三天子都，一曰天子鄣〔三七〕。王彪之庐山赋叙曰：庐山，彭泽之山也，虽非五岳之数，穹隆嵯峨，实峻极之名山也。孙放庐山赋曰：寻阳郡南有庐山，九江之镇也。临彭蠡之泽，接平敞之原。开山图曰：山四方，周四百馀里，叠鄣之岩万仞，怀灵抱异，苞诸仙迹。豫章旧志曰：庐俗，字君孝，本姓匡，父东野王，共鄱阳令吴芮佐汉定天下而亡。汉封俗于鄡阳，曰越庐君。俗兄弟七人，皆好道术，遂寓精于宫亭之山，故世谓之庐山。汉武帝南巡，睹山以为神灵，封俗大明公。远法师庐山记曰：殷、周之际，匡俗先生受道仙人，共游此山，时人谓其所止为神仙之庐，因以名山矣。又按周景式曰：庐山匡俗，字子孝，本东里子，出周武王时，生而神灵，屡逃征聘，庐于此山，时人敬事之。俗后仙化，空庐犹存，弟子睹室悲哀，哭之旦暮，事同乌号。世称庐君，故山取号焉。斯耳传之谈，非实证也。故豫章记以庐为姓，因庐以氏，周氏、远师，或托卢慕为辞，假凭庐以托称。二证既违，二情互爽，按山海经创之大禹，记录远矣。故海内东经曰：庐江出三天子都，入江彭泽西。是曰庐江之名，山水相依，互举殊称，明不因匡俗始。正是好事君子，强引此类，用成章句耳。又按张华博物志曹著传，其神自云姓徐，受封庐山，后吴猛经过，山神迎猛。猛语曰：君王此山近六百年，符命已尽，不宜久居非据。猛又赠诗云：仰瞩列仙馆，俯察王神宅；旷载畅幽怀，倾盖付三益。此乃神道之事，亦有换转，理难详矣。吴猛，隐山得道者也。寻阳记曰：庐山上有三石梁，长数十丈，广不盈尺，杳然无底。吴猛将弟子登山，过此梁，见一翁坐桂树下，以玉杯承甘露浆与猛。又至一处，见数人为猛设玉膏。猛弟子窃一宝，欲以来示世人，梁即化如指。猛使送宝还，手牵弟子，令闭眼相引而过。其山川明净，风泽清旷，气爽节和，土沃民逸，嘉遁之士，继响窟岩，龙潜风采之贤，往者忘归矣。秦始皇、汉武帝及太史公司马迁，咸升其岩，望九江而眺锺、彭焉。庐山之北有石门水，水出岭端，有双石高竦，其状若门，因有石门之目焉。水导双石之中，悬流飞瀑〔三八〕，近三百许步，下散漫十许步，上望之连天，若曳飞练于霄中矣。下有磐石，可坐数十人，冠军将军刘敬宣，每登陟焉。其水历涧，迳龙泉精舍南，太元中，沙门释慧远所建也。其水下入江南岭，即彭蠡泽西天子鄣也。峰隥险峻，人迹罕及。岭南有大道，顺山而下，有若画焉。传云：匡先生所通至江道。岩上有宫殿故基者三，以次而上，最上者极于山峰，山下又有神庙，号曰宫亭庙，故彭湖亦有宫亭之称焉。余按尔雅云：大山曰宫。宫之为名，盖起于此，不必一由三宫也。山庙甚神，能分风擘流，住舟遣使，行旅之人，过必敬祀，而后得去。故曹毗咏云：分风为贰，擘流为两。昔吴郡太守张公直，自守征还，道由庐山，子女观祠，婢指女戏妃像人，其妻夜梦致聘，怖而遽发，明引中流，而船不行。合船惊惧，曰：爱一女而合门受祸也。公直不忍，遂令妻下女于江。其妻布席水上，以其亡兄女代之，而船得进。公直方知兄女，怒妻曰：吾何面目于当世也。复下己女于水中。将渡，遥见二女于岸侧，傍有一吏立曰：吾庐君主簿，敬君之义，悉还二女。故干宝书之于感应焉。山东有石镜，照水之所出。有一圆石，悬崖明净，照见人形，晨光初散，则延曜入石，豪细必察，故名石镜焉。又有二泉常悬注，若白云带山。庐山记曰：白水在黄龙南，即瀑布也。水出山腹，挂流三四百丈，飞湍林表，望若悬素，注处悉成巨井，其深不测。其水下入江渊。庐山之南有上霄石，高壁缅然，与霄汉连接。秦始皇三十六年，叹斯岳远，遂记为上霄焉。上霄之南，大禹刻石志其丈尺里数，今犹得刻石之号焉。湖中有落星石，周回百馀步，高五丈，上生竹木。传曰：有星坠此，因以名焉。又有孤石，介立大湖中，周回一里，竦立百丈，矗然高峻，特为瑰异。上生林木，而飞禽罕集，言其上有玉膏可采，所未详也。耆旧云：昔禹治洪水至此，刻石纪功，或言秦始皇所勒，然岁月已久，莫能合辨之也。

〔一〕洭水　残宋本、大典本、吴本、注笺本、练湖书院钞本、何校明钞本、王校明钞本、注删本、项本、摘钞本、张本、玉海卷二十地理汉水经引水经注、名胜志湖广卷十二桂阳州引水经注均作“汇水”。

〔二〕水出都峤之溪　注疏本作“水出萌渚峤之溪”。疏：“朱‘峤之溪’之上有脱文，赵同。戴增‘峤水注之水出都’七字。守敬按：戴增是也。惟‘都’字当作‘萌渚’二字耳。盖都庞峤在南平，洭水迳桂阳后，无出都庞入洭之水，惟出今连山厅西之横水，西与温水篇出萌渚峤之峤水，北与湘水篇出萌渚峤之萌渚水近。郦氏所叙，当即此水。则作‘水出萌渚峤’为合，戴氏尚未深考也，今订。”

〔三〕殿本在此下案云：“案‘众枝飞散’已下舛误，未详。”注疏本疏：“戴云：‘众枝飞散’已下舛误，未详。会贞按：书钞引始兴记，阳山县有石墟村，村下有豫章木，径可二丈，秦时伐木为鼓，名曰‘圣鼓’。注此条前数句同，盖本始兴记为说。以下书钞与此互有详略，盖各有删节也。戴谓‘飞散’下舛误未详，今寻绎文义，惟‘远集’为‘集远’之倒错耳。又御览五百八十二引盛弘之荆州记，阳山县有豫章木，本径二丈，名为圣木。秦时伐此木为鼓颡，颡成，忽自奔逸，北至桂阳（白帖六十二引作洛阳）。则合下掘冈鼓飞为一事，乃传闻之异辞也。含洭见下。”

〔四〕右与斟水合　注疏本作“左与斟水合”。疏：“朱‘左’讹作‘又’，戴、赵改‘右’。守敬按：洭水东南流下言斟水出东岩下，则水在洭水之左，是‘左合’非‘右合’也，今订。”

〔五〕右合溱水　注疏本作“左合溱水”。疏：“朱‘左’作‘右’，戴、赵同。会贞按：溱水在洭水之左，‘右合’乃‘左合’之误，今订。"

〔六〕又西北过营浦县南　注疏本作"又东北过营浦县南"。疏:"朱作'西北',戴、赵同。会贞按:湘水注营水东北迳营浦县南,且营浦在今道州北,以水道验之,实自州西南,东北迳州南,亦当作东北之确据,则'西'为误字审矣,今订。"

〔七〕燕室邪　注疏本作"燕室丘"。疏:"朱'丘'作'邪',戴、赵同。守敬按:经、注皆与论衡合(见下)。经当作'燕室丘',与注同。盖因'丘'作'邱',又讹为'邪'也,今订。"

〔八〕都山　残宋本、大典本、黄本、沈本、乾隆湖南通志卷十五山川志十桂阳州临武县石柱山引水经注均作"部山"。

〔九〕都庞之峤　残宋本、大典本、黄本、吴本、注笺本、何校明钞本、王校明钞本、项本、沈本、五校钞本、七校本、注释本、张本、丹铅总录卷二地理类五岭考引水经注、禹贡锥指卷七引水经注、明王嘉惠五岭考(古今天下名山胜概记卷四十二)引水经注、乾隆湖南通志卷十五山川志十桂阳州临武县石柱山引水经注均作"部龙之峤"。

〔一〇〕溱水　注笺本、项本、五校钞本、七校本、注释本、张本均作"漼水"。

〔一一〕又北入于湘　注疏本作"又东北入于湘"。疏:"朱此六字与上经文接,戴移此无'东'字。赵据赵琦美本别为一条,在魏宁县注后。守敬按:明钞本无'东'字,黄本有'东'字,惟俱误下耒水经文耳。水今自蓝山县东北,经嘉禾县、桂阳州、耒阳县,于常宁县东北入湘。"

〔一二〕渌水　黄本、吴本、注笺本、练湖书院钞本、项本、沈本、张本、卮林卷一析郦引水经注、楚宝卷三十一山水耒水引水经注均作“绿水”。

〔一三〕侠公山　注笺本、项本、张本、卮林卷一析郦引水经注、楚宝卷三十一山水耒水引水经注均作“侯公山”。

〔一四〕渝其贞乎　注疏本作“污其真乎”。疏：“朱‘渝’作‘污’，‘贞’作‘真’。戴改，赵仍‘污’，改‘贞’。守敬按：残宋本作‘渝’。类聚九引晋安帝纪，吴隐之性廉操，为广州刺史，界有一水，谓之贪泉。古志云，饮此水者，廉士皆贪。隐之始践境，先至水所，酌而饮之，因赋诗以言志云，若使齐夷饮，终当不易心，清操逾厉。”

〔一五〕右则　注疏本作“左则”。疏：“朱‘左则’作‘又则’，戴、赵改‘右则’。守敬按：湖南通志图，此水在郴江之左，则‘右’字误，今订。”

〔一六〕数千亩　注疏本作“数十亩”。疏：“戴改‘十’作‘千’。”熊会贞按：“续汉志郴县注引荆州记：县西北有温泉，其下流有数十亩田，常十二月下种，明年三月，新谷便登，一年三熟。又御览八百二十一引盛弘之荆州记，下流有田，恒资以浸灌，温液所周，正可数亩。过此水气辄冷，不复生苗。合观之，是此注全本荆州记，续汉志注亦作‘数十亩’，则此‘十’字不误。御览作‘数亩’，当脱‘十’字。但御览八百三十七又引盛记下流百里，恒资以溉灌。就百里计之，则田似不止数十亩，而戴作‘数千亩’为可据。今姑仍原文，而存疑于此。”

〔一七〕殿本在此处案云：“案宋太元二十年省酃县入临承，此三字上，当有脱文。”

〔一八〕名胜志湖广卷十二衡州府酃县引水经注云：“泉不常见，遇邑政清明，年谷丰稔，其泉浙然，如米泔暴涌，耆旧相传，疾者饮此多愈。”当是此句下佚文。乾隆衡州府志卷六山川酃县涞泉引水经注与名胜志同。戴本、五校钞本均已录入此文。

〔一九〕陈桥驿水经注的歌谣谚语（郦学新论——水经注研究之三，山西人民出版社一九九二年出版）：

卷三十九洣水经“又西北过阴山县南”注中，有一座风景美丽的龙尾山，注文引用了当地的一首遗咏，描写登临这座名山时的感受。这首遗咏，同样也是经过文学之士加工的，辞藻优美，百读不厌。遗咏云：

登武阳，观乐薮，峨岭千蕤洋湖口，命蜚螭，驾白驹，临天水，心踟蹰，千载后，不知如。

〔二〇〕渌水　名胜志湖广卷十长沙府醴陵县引水经注作“漉水”。

〔二一〕舆地纪胜卷三十四江南西路临江军景物上秀水引水经注云：“南水过新淦县，注于豫章名秀水。”当是此段中佚文。

〔二二〕此以下有佚文数条如下：

雍正江西通志卷三十八古迹南昌府刘繇城引水经注云：“赣水又东迳刘繇城。”

方舆胜览卷十九江西路隆兴府山川西山引水经注云：“有天宝洞天。”

康熙江西通志卷七山川下抚州府小皋水引水经注云：“泸溪水合小皋迳袁州。”

寰宇记卷一〇六江南西道四洪州分宁县引水经注云：“东流曲六百三十八里，出建昌城一百二十八里，入彭蠡湖。”

〔二三〕南城县　注笺本、项本、张本、正德建昌府志卷二山川南城县盱水引水经注均作“南宫县”。

〔二四〕元光　注疏本作“元朔”。疏:“朱作‘元光’。沈氏曰:按本表是‘元朔’。守敬按:史表原是‘元朔’,则‘光’字之误无疑,戴氏亦沿其误。”

〔二五〕此句下注疏本作:“始命灌婴定豫章置南昌县,以为豫章郡治,此即灌婴所筑也。”疏:“朱无此七字,戴同。赵云:按下有脱文。会贞按:赵谓有脱文,而不知所脱何语。考汉书灌婴传云,定豫章,此必言命灌婴定豫章,下言以为豫章郡治,此必先言置县。元和志汉高帝六年置南昌县,然则婴下当有‘定豫章置南昌县’七字。今增。”又疏:“戴以‘灌婴’为讹,并改作‘陈婴’,云:按史记高祖功臣侯年表称堂邑侯陈婴定豫章,汉书同。赵刻改同。守敬按:非也,寰宇记引豫章记,汉高六年,大将军灌婴筑城。又元和志宜春湓口等城,俱云灌婴筑。并云,南壄县,灌婴置。其城当亦婴筑。然则灌婴虽与陈婴共定豫章,而筑诸城者,当灌婴也。”

〔二六〕散原山　五校钞本、七校本、注释本、古今地理述卷七江西省引水经注均作“厌原山”。

〔二七〕东大湖　康熙江西通志卷六山川上南昌府东湖引水经注作“东太湖”。

〔二八〕钓圻邸阁　方舆纪要卷八十三江西一湖口引水经注作“钩圻邸阁”。

〔二九〕缭水　大典本、黄本、注笺本、项本、沈本、张本、通鉴卷六十二汉纪五十四献帝建安三年“言我已别立郡海昏上缭不受发召”胡注引水经注均作“僚水”。

〔三〇〕上缭水　同注〔二九〕各本均作“上僚水”。

〔三一〕循水　孙潜校本、五校钞本、七校本、戴本、注释本、注疏本、寰宇记卷一〇六江南西道四洪州分宁县引水经注、名胜志江西卷一南昌府南昌县引水经注、方舆纪要卷八十四江西二南昌府宁州脩水引水经注、长江图说卷九杂说引水经注、吴疆域图说卷下引水经注均作"脩水"。

〔三二〕循水　注疏本作"脩水"。疏："朱笺曰：汉地理志豫章艾县有脩水，此注作'循'，误也。钱坫亦云：字形相近而误。"

〔三三〕札记牛渚县："卷三十五江水注的沌阳县，卷三十六沫水注的灵道县……卷三十九赣水注的豫宁县，上述四县，注文不仅提出县名，而且都说明建县年代，但两汉志和晋、宋、齐诸志也均不载。由此可知，正史地理志所失载的县名是不在少数的。"

〔三四〕永循县　五校钞本、七校本、注释本、注疏本、吴疆域图说卷下引水经注均作"永脩县"。

〔三五〕札记庐江水：

水经注卷三十九的最后一篇是庐江水，对于庐江水，水经不过寥寥十八字："庐江水出三天子都，北过彭泽县西，北入于江。"郦道元大约写了一千三百字的注文，但这篇注文和其他卷篇写得很不相同，他绝对不谈此水的发源、流程和如何入江的情况，连经文所说的"北过彭泽县西"的话也不作任何解释，一千三百字的注文，主要是引用了王彪之的庐山赋序，孙放的庐山赋，远法师的庐山记以及豫章记、豫章旧志、寻阳记、开山图等，描述了匡庐风景。现在当然不能断定，郦道元当时是否已经知道，水经庐江水是一条错误的、并不存在的河流。按照他注文的通例，经文如有错误，注文总是随即纠谬。但是对于这条河流,他既不纠谬,却又避而不谈。说明不管他是否洞悉此水的错误,至少他对这条河流是一无所知。

水经的庐江水和渐江水均钞自山海经。海内东经说:“渐江水出三天子都,在蛮(案郝懿行本作‘其’)东,在闽西北,入江馀暨南。庐江水出三天子都,入江彭泽西,一曰天子鄣。”但海内南经则说:“三天子鄣山,在闽西海北,一曰在海中。”中国古代有些地理书,如山海经、穆天子传,当然不是说它们没有价值,但是对它们之中的每一个地名,都像现代地名一样地确信其存在就未免过分天真。上述三天子都就是这样的一个例子,因为首创这个地名的山海经,在海内东经和海内南经中就彼此径庭。三天子都在什么地方,山海经的作者显然也是根据当时的传说。因为直到汉书地理志,对于南方的河流,还是相当模糊的。汉志丹阳郡云:“渐江水出南蛮夷中,东入海。”班固没有用三天子都这个地名,说明他对这个地名就持怀疑态度。所有这些早期的地理书的作者都是北方人,他们对于南方的山川地理,所知实在很少。但后来有些学者,在渐江江源已经了解的情况下,反过来把渐江江源所出之地定为三天子都,这实在和汉武帝把于阗南山定为昆仑山一样地可笑。

至于庐江水,当然也是一条错误的河流。但历来却有不少人为水经作各种解释,杨守敬就是其中之一。他撰有山海经汉志水经庐江水异同答问(晦明轩稿上册)一文,长达二千言,用各种理由证明庐江水即是皖清弋江。甚至说:“岂有精如孟坚而不知南北。”其实,班氏对于南方水道,讹误甚多,又何止庐江水而已。郦道元在卷二十九沔水经“又东至会稽馀姚县，东入于海”注中，自己承认对江南河流的无知。他说：“但东南地卑，万流所凑，涛湖泛决，触地成川，枝津交渠，世家分夥，故川旧渎，难以取悉，虽粗依县地，缉综所缠，亦未必一得其实也。”郦道元的这一段话说得非常坦率，但杨守敬在其水经注图凡例中却说：“亦有经文不误而郦氏误指者，如庐江水经文之三天子都，本指黟歙之黄山，而郦氏移至庐山，今则两图之。”杨氏硬说水经不误，无非如他在上述晦明轩稿中的文章，在彭泽县的地理位置上做工夫。彭泽县的地理位置历来虽有变化，但变来变去绝对变不到今芜湖的位置。也就是说，这条莫须有的庐江水，不管作怎样的解释都不可能成为今清弋江。有一些人有一种盲目为古人护短的偏见，越古就越正确，班孟坚就比郦道元正确。其实班氏假使已把江南水道说得清清楚楚，郦道元何至于在上述沔水注中说“未必一得其实也”的话呢？

郦道元的这种“知之为知之，不知为不知”的科学态度令人佩服，在郦氏的时代，对江南河川的知识尚且如此，则何况乎山海经和汉书地理志。却有不少人曲为之解，说明迷信古人和古书的事，由来实已很久了。

〔三六〕三天子都　淳祐临安志卷十山川江浙江引水经注作“天子都山”。

〔三七〕天子鄣　乾隆婺源县志卷三引水经注作“鄣山”。

〔三八〕瀑　残宋本、大典本、王校明钞本、注删本均作“澍”。

水经注卷四十

渐江水〔一〕　斤江水
江以南至日南郡二十水
禹贡山水泽地所在

渐江水出三天子都〔二〕，

山海经谓之浙江〔三〕也。地理志云：水出丹阳黟县南蛮中，北迳其县，南有博山，山上有石，特起十丈，上峰若剑杪。时有灵鼓潜发，正长临县，以山鼓为候，一鸣官长一年，若长雷发声，则官长不吉。浙江又北历黟山，县居山之阳，故县氏之。汉成帝鸿嘉二年，以为广德国，封中山宪王孙云客王于此。晋太康中以为广德县，分隶宣城郡。会稽陈业，洁身清行，遁迹此山。浙江又北迳歙县，东与一小溪合〔四〕。水出县东北翁山，西迳故城南，又西南入浙江。又东迳遂安县南，溪广二百步，上立杭以相通，水甚清深，潭不掩鳞，故名新定，分歙县立之。晋太康中，又改从今名。浙江又左合绝溪〔五〕，溪水出始新县西，东迳县故城南，为东、西长溪。溪有四十七濑，浚流惊急，奔波聒天。孙权使贺齐讨黟、歙山贼，贼固黟之林历山，山甚峻绝，又工禁五兵，齐以铁杙椓山，升出不意，又以白棓击之，气禁不行，遂用奇功平贼。于是立始新之府于歙之华乡，令齐守之，后移出新亭，晋太康元年，改曰新安郡。溪水东注浙江，浙江又东北迳建德县南。县北有乌山〔六〕，山下有庙，庙在县东七里。庙渚有大石，高十丈，围五尺，水濑浚激，而能致云雨。浙江又东迳寿昌县南，自建德至此八十里中，有十二濑，濑皆峻险，行旅所难。县南有孝子夏先墓，先少丧二亲，负土成墓，数年不胜哀，卒。浙江又北迳新城县，桐溪水注之，水出吴兴郡於潜县北天目山〔七〕。山极高峻，崖岭竦叠，西临峻涧。山上有霜木，皆是数百年树，谓之翔风林〔八〕。东面有瀑布〔九〕，下注数亩深沼，名曰浣龙池〔一〇〕。池水南流迳县西，为县之西溪。溪水又东南与紫溪合，水出县西百丈山，即潜山也。山水东南流，名为紫溪，中道夹水，有紫色磐石，石长百馀丈，望之如朝霞，又名此水为赤濑，盖以倒影在水故也。紫溪又东南流迳白石山之阴，山甚峻极，北临紫溪。又东南，连山夹水，两峰交峙，反项对石，往往相捍。十馀里中，积石磊砢，相挟而上。涧下白沙细石，状若霜雪，水木相映，泉石争晖，名曰楼林。紫溪东南流迳桐庐县东为桐溪，孙权藉溪之名以为县目，割富春之地立桐庐县。自县至於潜，凡十有六濑。第二是严陵濑〔一一〕，濑带山，山下有一石室，汉光武帝时，严子陵之所居也。故山及濑皆即人姓名之。山下有磐石，周回十数丈，交枕潭际，盖陵所游也。桐溪又东北迳新城县入浙江。县，故富春地，孙权置，后省并桐庐，咸和九年，复立为县。浙江又东北入富阳县，故富春也。晋后名春，改曰富阳也。东分为湖浦。浙江又东北迳富春县南。县，故王莽之诛岁也。江南有山，孙武皇之先所葬也。汉末，墓上有光，如云气属天。黄武五年，孙权以富春为东安郡，分置诸郡，以讨士宗〔一二〕。浙江又东北迳亭山西，山上有孙权父冢。

北过馀杭，东入于海。

浙江迳县，左合馀干大溪〔一三〕。江北即临安县界。水北对郭文宅，宅傍山面溪，宅东有郭文墓。晋建武元年，骠骑王导迎文，置之西园，文逃此而终，临安令改葬之。建武十六年，县民郎稚作乱，贺齐讨之。孙权分馀杭立临水县，晋改曰临安县。因冈为城，南门尤高。谢安莅郡游县，迳此门，以为难为亭长。浙江又东迳馀杭故县南、新县北，秦始皇南游会稽，途出是地，因立为县，王莽之淮睦〔一四〕也。汉末陈浑移筑南城，县后溪南大塘，即浑立以防水也〔一五〕。县南有三碑，是顾飏、范宁等碑。县南有大壁山〔一六〕，郭文自陆浑迁居也。浙江又东迳乌伤县北〔一七〕，王莽改曰乌孝，郡国志谓之乌伤。异苑曰：东阳颜乌，以淳孝著闻，后有群乌助衔土块为坟，乌口皆伤。一境以为颜乌至孝，故致慈乌，欲令孝声远闻，又名其县曰乌伤矣。浙江又东北流至钱塘县，縠水〔一八〕入焉，水源西出太末县，县是越之西鄙，姑蔑之地也。秦以为县，王莽之末理也。吴宝鼎中，分会稽立，隶东阳郡。縠水东迳独松故冢下，冢为水毁，其砖文：筮言吉，龟言凶，百年堕水中。今则同龟繇矣。縠水又东迳长山县南，与永康溪水合，县，即东阳郡治也。县，汉献帝分乌伤立；郡，吴宝鼎中分会稽置。城居山之阳，或谓之长仙县也。言赤松采药此山，因而居之〔一九〕，故以为名。后传呼乖谬，字亦因改。溪水南出永康县，县，赤乌中分乌伤上浦立。刘敬叔异苑曰：孙权时，永康县有人入山，遇一大龟，即束之以归。龟便言曰：游不量时，为君所得。担者怪之，载出欲上吴王。夜宿越里，缆船于大桑树。宵中，树忽呼龟曰：元绪，奚事尔也？龟曰：行不择日，今方见烹，虽尽南山之樵，不能溃我。树曰：诸葛元逊识性渊长，必致相困，令求如我之徒，计将安治？龟曰：子明无多辞。既至建业，权将煮之，烧柴万车，龟犹如故。诸葛恪曰：燃以老桑乃熟。献人仍说龟言，权使伐桑取煮之，即烂。故野人呼龟曰元绪。其水飞湍北注，至县南门入穀水。穀水又东，定阳溪水注之，水上承信安县之苏姥布〔二〇〕。县，本新安县〔二一〕，晋武帝太康三年，改曰信安。水悬百馀丈，濑势飞注，状如瀑布。濑边有石如床，床上有石牒，长三尺许，有似杂采帖也。东阳记云：信安县有悬室坂，晋中朝时，有民王质，伐木至石室中，见童子四人弹琴而歌，质因留，倚柯听之。童子以一物如枣核与质，质含之便不复饥。俄顷，童子曰：其归。承声而去，斧柯漼然烂尽。既归，质去家已数十年，亲情凋落，无复向时比矣。其水分纳众流，混波东逝，迳定阳县。夹岸缘溪，悉生支竹，及芳枳、木连，杂以霜菊、金橙〔二二〕。白沙细石，状如凝雪，石溜湍波，浮响无辍，山水之趣，尤深人情。县，汉献帝分信安立，溪亦取名焉。溪水又东迳长山县北，北对高山，山下水际，是赤松羽化之处也。炎帝少女追之，亦俱仙矣，后人立庙于山下。溪水又东入于穀水，穀水又东迳乌伤县之云黄山，山下临溪水，水际石壁杰立，高百许丈。又与吴宁溪水合，水出吴宁县下，迳乌伤县入穀，谓之乌伤溪水。闽中有徐登者，女子化为丈夫，与东阳赵昞并善越方。时遭兵乱，相遇于溪，各示所能。登先禁溪水为不流，昞次禁枯柳，柳为生荑。二人相示而笑。登年长，昞师事之。后登身故，昞东入章安，百姓未知，昞乃升茅屋，梧鼎而爨。主人惊怪，昞笑而不应，屋亦不损。又尝临水求渡，船人不许，昞乃张盖坐中，长啸呼风，乱流而济。于是百姓神服，从者如归。章安令恶而杀之，民立祠于永宁，而蚊蚋不能入。昞秉道怀术，而不能全身避害，事同苌弘、宋元之龟，厄运之来，故难救矣。縠水又东入钱唐县〔二三〕，而左入浙江。故地理志曰：縠水自太末东北至钱唐入浙江是也。浙江又东迳灵隐山。山在四山之中，有高崖洞穴，左右有石室三所〔二四〕。又有孤石壁立，大三十围，其上开散，状如莲花。昔有道士，长往不归，或因以稽留为山号。山下有钱唐故县，浙江迳其南，王莽更名之曰泉亭。地理志曰：会稽西部都尉治。钱唐记曰：防海大塘在县东一里许，郡议曹华信家议立此塘，以防海水。始开募有能致一斛土者，即与钱一千。旬月之间，来者云集，塘未成而不复取，于是载土石者，皆弃而去，塘以之成，故改名钱塘焉〔二五〕。县南江侧有明圣湖〔二六〕，父老传言，湖有金牛，古见之，神化不测，湖取名焉。县有武林山，武林水所出也。阚骃云：山出钱水，东入海。吴地记言，县惟浙江，今无此水。县东有定、包诸山，皆西临浙江。水流于两山之间，江川急浚，兼涛水昼夜再来，来应时刻，常以月晦及望尤大，至二月、八月最高，峨峨二丈有馀。吴越春秋以为子胥、文种之神也。昔子胥亮于吴，而浮尸于江，吴人怜之，立祠于江上，名曰胥山。吴录云:胥山在太湖边,去江不百里,故曰江上。文种诚于越,而伏剑于山阴,越人哀之,葬于重山。文种既葬一年,子胥从海上负种俱去,游夫江海。故潮水之前扬波者,伍子胥;后重水者,大夫种。是以枚乘曰:涛无记焉,然海水上潮,江水逆流,似神而非,于是处焉。秦始皇三十七年,将游会稽,至钱唐,临浙江,所不能渡,故道馀杭之西津也。浙江北合诏息湖,湖本名阼湖,因秦始皇帝巡狩所憩,故有诏息之名也。浙江又东合临平湖。异苑曰,晋武时,吴郡临平岸崩,出一石鼓,打之无声,以问张华,华云:可取蜀中桐材,刻作鱼形,扣之则鸣矣。于是如言,声闻数十里。刘道民诗曰:事有远而合,蜀桐鸣吴石。传言此湖草薉壅塞,天下乱;是湖开,天下平。孙皓天玺元年,吴郡上言:临平湖自汉末秽塞,今更开通。又于湖边得石函,函中有小石,青白色,长四寸,广二寸馀,刻作皇帝字,于是改天册为天玺元年。孙盛以为元皇中兴之符征,五湖之石瑞也。钱唐记曰:桓玄之难,湖水色赤,荧荧如丹。湖水上通浦阳江,下注浙江,名曰东江,行旅所从,以出浙江也。浙江又迳固陵城北,昔范蠡筑城于浙江之滨,言可以固守,谓之固陵,今之西陵也。浙江又东迳柤塘〔二七〕,谓之柤渎〔二八〕。昔太守王朗拒孙策,数战不利。孙静说策曰:朗负阻城守,难可卒拔,柤渎去此数十里,是要道也。若从此出,攻其无备,破之必矣。策从之,破朗于固陵。有西陵湖,亦谓之西城湖。湖西有湖城山,东有夏架山,湖水上承妖皋溪,而下注浙江〔二九〕。又迳会稽山阴县,有苦竹里。里有旧城,言句践封范蠡子之邑也。浙江又东与兰溪合,湖南有天柱山,湖口有亭,号曰兰亭〔三〇〕,

亦曰兰上里。太守王羲之、谢安兄弟，数往造焉。吴郡太守谢勖封兰亭侯，盖取此亭以为封号也。太守王廙之，移亭在水中，晋司空何无忌之临郡也，起亭于山椒，极高尽眺矣。亭宇虽坏，基陛尚存。浙江又迳越王允常冢北，冢在木客村，耆彦云：句践使工人伐荣楯，欲以献吴，久不得归，工人忧思，作木客吟。后人因以名地。句践都琅邪，欲移允常冢。冢中生分风，飞沙射人，人不得近，句践谓不欲，遂止。浙江又东北得长湖口〔三一〕，湖广五里，东西百三十里。沿湖开水门六十九所，下溉田万顷，北泻长江〔三二〕。湖南有覆㪷山〔三三〕，周五百里，北连鼓吹山，山西枕长溪，溪水下注长湖。山之西岭有贺台，越入吴，还而成之，故号曰贺台矣。又有秦望山，在州城正南，为众峰之杰，陟境便见。史记云：秦始皇登之，以望南海。自平地以取山顶七里，悬隥孤危，径路险绝。记云：扳萝扪葛，然后能升，山上无甚高木，当由地迥多风所致。山南有嶕岘，岘里有大城，越王无馀之旧都也。故吴越春秋云：句践语范蠡曰：先君无馀，国在南山之阳，社稷宗庙在湖之南。又有会稽之山，古防山也，亦谓之为茅山，又曰栋山。越绝云：栋犹镇也。盖周礼所谓扬州之镇矣。山形四方，上多金玉，下多玞石。山海经曰：夕水出焉，南流注于湖。吴越春秋称，覆釜山之中有金简玉字之书，黄帝之遗谶也。山下有禹庙，庙有圣姑像。礼乐纬云：禹治水毕，天赐神女圣姑，即其像也。山上有禹冢，昔大禹即位十年，东巡狩，崩于会稽，因而葬之。有鸟来，为之耘，春拔草根，秋啄其秽，是以县官禁民，不得妄害此鸟，犯则刑无赦〔三四〕。山东有湮井，去庙七里，深不见底，谓之禹井，云东游者多探其穴也。秦始皇登会稽山，刻石纪功，尚存山侧。孙畅之述书云，丞相李斯所篆也。又有石匮山，石形似匮，上有金简玉字之书，言夏禹发之，得百川之理也。又有射的山，远望山的，状若射侯，故谓射的。射的之西有石室，名之为射堂。年登否，常占射的，以为贵贱之准。的明则米贱，的暗则米贵。故谚云：射的白，斛米百；射的玄，斛米千。北则石帆山〔三五〕，山东北有孤石，高二十馀丈，广八丈，望之如帆，因以为名。北临大湖，水深不测，传与海通。何次道作郡，常于此水中得乌贼鱼〔三六〕。南对精庐，上荫修木，下瞰寒泉，西连会稽山，皆一山也。东带若邪溪〔三七〕，吴越春秋所谓欧冶涸而出铜，以成五剑。溪水上承嶕岘麻溪，溪之下，孤潭周数亩，甚清深。有孤石临潭，乘崖俯视，猿狖惊心，寒木被潭，森沉骇观。上有一栎树，谢灵运与从弟惠连常游之，作连句，题刻树侧。麻潭下注若邪溪，水至清照，众山倒影，窥之如画。汉世刘宠作郡，有政绩，将解任去治，此溪父老，人持百钱出送，宠各受一文。然山栖遁逸之士，谷隐不羁之民，有道则见，物以感远为贵，荷钱致意，故受者以一钱为荣，岂藉费也，义重故耳。溪水下注大湖。邪溪之东，又有寒溪。溪之北有郑公泉，泉方数丈，冬温夏凉，汉太尉郑弘宿居潭侧，因以名泉。弘少以苦节自居，恒躬采伐，用贸粮膳，每出入溪津，常感神风送之，虽凭舟自运，无杖楫之劳。村人贪藉风势，常依随往还。有淹留者，徒辈相谓，汝不欲及郑风邪？其感致如此。湖水自东，亦注江通海。水侧有白鹿山，山北湖塘上旧有亭，吴黄门郎杨哀明居于弘训里，太守张景数往造焉。使开渎作埭，埭之西作亭，亭、埭皆以杨为名。孙恩作贼，从海来，杨亭被烧，后复修立，厥名犹在。东有铜牛山，山有铜穴三十许丈，穴中有大树神庙。山上有冶官，山北湖下有练塘里，吴越春秋云：句践练冶铜锡之处。采炭于南山，故其间有炭渎。句践臣吴，吴王封句践於越百里之地，东至炭渎是也。县南九里有侯山，山孤立长湖中。晋车骑将军孔敬康，少时遁世，栖迹此山。湖北有三小山，谓之鹿野山，在县南六里。按吴越春秋，越之麋苑也。山有石室，言越王所游息处矣。县南湖北有陈音山。楚之善射者曰陈音，越王问以射道，又善其说，乃使简士习射北郊之外。按吴越春秋，音死，葬于国西山上。今陈音山乃在国南五里，湖北有射堂及诸邸舍，连衍相属，又于湖中筑塘，直指南山。北即大越之国，秦改为山阴县〔三八〕，会稽郡治也。太史公曰：禹会诸侯，计于此，命曰会稽。会稽者，会计也。始以山名，因为地号。夏后少康封少子杼以奉禹祠为越，世历殷周，至于允常，列于春秋。允常卒，句践称王，都于会稽。吴越春秋所谓越王都埤中，在诸暨北界。山阴康乐里有地名邑中者，是越事吴处。故北其门，以东为右，西为左，故双阙在北门外，阙北百步有雷门，门楼两层，句践所造，时有越之旧木矣。州郡馆宇，屋之大瓦，亦多是越时故物。句践霸世，徙都瑯邪，后为楚伐，始还浙东。城东郭外有灵汜，下水甚深，旧传下有地道，通于震泽。又有句践所立宗庙，在城东明里中甘滂南。又有玉笥、竹林、云门、天柱精舍，并疏山创基，架林裁宇，割涧延流，尽泉石之好，水流迳通。浙江又北迳山阴县西，西门外百馀步有怪山〔三九〕，本瑯邪郡之东武县山也，飞来徙此，压杀数百家。吴越春秋称:怪山者,东武海中山也。一名自来山,百姓怪之,号曰怪山。亦云:越王无彊为楚所伐,去瑯邪,止东武,人随居山下。远望此山,其形似龟,故亦有龟山之称也。越起灵台于山上,又作三层楼以望云物,川土明秀,亦为胜地。故王逸少云:从山阴道上,犹如镜中行也。浙江之上,又有大吴王、小吴王邨,并是阖闾、夫差伐越所舍处也。今悉民居,然犹存故目。昔越王为吴所败,以五千馀众,栖于稽山,卑身待士,施必及下。吕氏春秋曰:越王之栖于会稽也,有酒投江,民饮其流,而战气自倍。所投,即浙江也。许慎、晋灼并言:江水至山阴为浙江。江之西岸有朱室坞。句践百里之封,西至朱室,谓此也。浙江又东北迳重山西,大夫文种之所葬也。山上有白楼亭,亭本在山下,县令殷朗移置今处。沛国桓俨,避地会稽,闻陈业履行高洁,往候不见。俨后浮海,南入交州。临去,遗书与业,不因行李,系白楼亭柱而去。升陟远望,山湖满目也。永建中,阳羡周嘉上书,以县远,赴会至难,求得分置,遂以浙江西为吴,以东为会稽。汉高帝十二年,一吴也,后分为三,世号三吴:吴兴、吴郡,会稽其一焉。浙江又东迳御儿乡。万善历曰:吴黄武六年正月,获彭绮。是岁,由拳西乡有产儿,堕地便能语,云:天方明,河欲清,鼎脚折,金乃生。因是诏为语儿乡。非也,御儿之名远矣,盖无智之徒,因藉地名,生情穿凿耳。国语曰:句践之地,北至御儿是也。安得引黄武证地哉?韦昭曰:越北鄙在嘉兴。浙江又东迳柴辟南,旧吴、楚之战地矣。备候于此,故谓之辟塞。是以越绝称,吴故从由拳、辟塞渡会稽,凑山阴是也。又迳永兴县北,县在会稽东北百二十里，故馀暨县也。应劭曰：阖闾弟夫概之所邑，王莽之馀衍也。汉末童谣云：天子当兴东南三馀之间。故孙权改曰永兴。县滨浙江，又东合浦阳江。江水导源乌伤县，东迳诸暨县，与泄溪〔四〇〕合。溪广数丈，中道有两高山夹溪，造云壁立，凡有五泄〔四一〕。下泄悬三十馀丈，广十丈；中三泄不可得至，登山远望，乃得见之，悬百馀丈，水势高急，声震水外；上泄悬二百馀丈，望若云垂。此是瀑布，土人号为泄也。江水又东迳诸暨县南，县临对江流。江南有射堂，县北带乌山，故越地也。先名上诸暨，亦曰句无矣。故国语曰：句践之地，南至句无。王莽之疏虏也。夹水多浦，浦中有大湖，春夏多水，秋冬涸浅。江水又东南迳剡县与白石山水会。山上有瀑布，悬水三十丈，下注浦阳江。浦阳江水又东流南屈，又东回北转，迳剡县东，王莽之尽忠也。县开东门向江，江广二百馀步，自昔耆旧传，县不得开南门，开南门则有贼盗。江水翼县转注，故有东渡、西渡焉。东、南二渡通临海，并泛单船为浮航，西渡通东阳，并二十五船为桥航。江边有查浦，浦东行二百馀里，与句章接界。浦里有六里，有五百家，并夹浦居，列门向水，甚有良田。有青溪、馀洪溪、大发溪、小发溪，江上有溪六，溪列溉散入江。夹溪上下，崩崖若倾。东有簟山，南有黄山，与白石三山，为县之秀峰。山下众流泉导，湍石激波，浮险四注。浦阳江又东迳石桥，广八丈，高四丈。下有石井，口径七尺。桥上有方石，长七尺，广一丈二尺。桥头有磐石，可容二十人坐。溪水两旁悉高山，山有石壁二十许丈。溪中相攻，赑响外发，未至桥数里，便闻其声。江水北迳嵊山，山下有亭，亭带山临江，松岭森蔚，沙渚平静。浦阳江又东北迳始宁县嶀山〔四二〕之成功峤〔四三〕，峤壁立临江，欹路峻狭，不得并行，行者牵木稍进，不敢俯视。峤西有山，孤峰特上，飞禽罕至。尝有采药者，沿山见通溪，寻上于山顶，树下有十二方石，地甚光洁。还复更寻，遂迷前路。言诸仙之所憩讌，故以坛讌名山。峤北有嶀浦〔四四〕，浦口有庙，庙甚灵验，行人及樵伐者，皆先敬焉，若相侵窃，必为蛇虎所伤。北则嶀山，与嵊山接，二山虽曰异县，而峰岭相连。其间倾涧怀烟，泉溪引雾，吹畦风馨，触岫延赏。是以王元琳谓之神明境。事备谢康乐山居记。浦阳江自嶀山东北迳太康湖，车骑将军谢玄田居所在。右滨长江，左傍连山，平陵修通，澄湖远镜。于江曲起楼，楼侧悉是桐梓，森耸可爱，居民号为桐亭楼。楼两面临江，尽升眺之趣，芦人渔子，泛滥满焉。湖中筑路，东出趋山，路甚平直。山中有三精舍，高甍凌虚，垂檐带空，俯眺平林，烟杳在下，水陆宁晏，足为避地之乡矣。江有琵琶圻，圻有古冢堕水，甓有隐起字云：筮吉龟凶，八百年落江中。谢灵运取甓诣京，咸传观焉。乃如龟繇，故知冢已八百年矣。浦阳江又东北迳始宁县西，本上虞之南乡也。汉顺帝永建四年，阳羡周嘉上书，始分之旧治。水西常有波潮之患，晋中兴之初，治今处。县下有小江，源出㟃山，谓之㟃浦。迳县下西流注，于浦阳䒠山下注此浦。浦西通山阴浦而达于江。江广百丈，狭处二百步。高山带江，重荫被水，江阅渔商，川交樵隐，故桂棹兰栧，望景争途。江南有故城，太尉刘牢之讨孙恩所筑也。江水东迳上虞县南，王莽之会稽也。本司盐都尉治，地名虞宾。晋太康地记曰：舜避丹朱于此，故以名县，百官从之，故县北有百官桥〔四五〕。亦云：禹与诸侯会事讫，因相虞乐，故曰上虞。二说不同，未详孰是。县南有兰风山，山少木多石，驿路带山傍江，路边皆作栏干。山有三岭，枕带长江，苕苕孤危，望之若倾。缘山之路，下临大川，皆作飞阁栏干，乘之而渡，谓此三岭为三石头。丹阳葛洪，遁世居之，基井存焉。琅邪王方平，性好山水，又爱宅兰风，垂钓于此，以永终朝。行者过之不识，问曰：卖鱼师得鱼卖否？方平答曰：钓亦不得，得复不卖。亦谓是水为上虞江。县之东郭外有渔浦，湖中有大独、小独二山。又有覆舟山，覆舟山下有渔浦王庙，庙今移入里山。此三山孤立水中，湖外有青山、黄山、泽兰山，重岫叠岭，参差入云。泽兰山头有深潭，山影临水，水色青绿。山中有诸坞，有石楗一所，右临白马潭，潭之深无底。传云：创湖之始，边塘屡崩，百姓以白马祭之，因以名水。湖之南即江津也。江南有上塘、阳中二里，隔在湖南，常有水患。太守孔灵符遏蜂山前湖以为埭，埭下开渎，直指南津。又作水楗二所，以舍此江，得无淹溃之害。县东有龙头山，山崖之间，有石井，冬夏常冽清泉，南带长江，东连上陂。江之道南，有曹娥碑，娥父盱，迎涛溺死。娥时年十四，哀父尸不得，乃号踊江介，因解衣投水，祝曰：若值父尸，衣当沉；若不值，衣当浮。裁落便沉，娥遂于沉处赴水而死。县令度尚，使外甥邯郸子礼为碑文，以彰孝烈。江滨有马目山〔四六〕，洪涛一上，波隐是山，势沦崃亭，间历数县，行者难之。县东北上亦有孝子杨威母墓。威少失父，事母至孝，常与母入山采薪〔四七〕，为虎所逼，自计不能御，于是抱母，且号且行，虎见其情，遂弭耳而去。自非诚贯精微，孰能理感于英兽矣。又有吴渎，破山导源，注于胥江。上虞江东迳周市而注永兴。地理志云：县有仇亭，柯水东入海。仇亭在县之东北十里，江北柯水，疑即江也。又东北迳永兴县东，与浙江合，谓之浦阳江。地理志又云：县有萧山，潘水所出，东入海。又疑是浦阳江之别名也，自外无水以应之〔四八〕。浙江又东注于海。故山海经曰：浙江在闽西北入海。韦昭以松江、浙江、浦阳江为三江。

斤江水出交阯龙编县，东北至鬱林领方县，东注于鬱。

地理志云：迳临尘县，至领方县注于鬱。

容容，

夜，

緬，

湛，

乘，

牛渚，

须无，

无濡，

营进，

皇无，

地零，

侵离，

侵离水〔四九〕出广州晋兴郡，郡以太康中分鬱林置，东至临尘入鬱。

无会，

重濑，

夫省，

无变，

由蒲，

王都，

融，

勇外，

此皆出日南郡西，东入于海。容容水在南垂，名之以次转北也。

右二十水，从江已南至日南郡也。

嵩高为中岳，在颍川阳城县西北，

春秋说题辞曰：阴含阳，故石凝为山。国语曰：禹封九山，山，土之聚也。尔雅曰：山大而高曰崧，合而言之为崧高，分而名之为二室。西南有少室，东北有太室。嵩高山记曰：山下岩中有一石室，云有自然经书，自然饮食。又云：山有玉女台，言汉武帝见，因以名台。

泰山为东岳，在泰山博县西北，

岱宗也。王者封禅于其山，示增高也。有金策玉检之事焉。

霍山为南岳，在庐江灊县西南，

天柱山也。尔雅云:大山宫,小山为霍。开山图曰:其山上侵神气,下固穷泉。

华山为西岳,在弘农华阴县西南,

古文之惇物山也。

雷首山在河东蒲坂县东南,

砥柱山在河东大阳县东河中,

王屋山在河东垣县东北也,

昔黄帝受丹诀于是山也。

太行山在河内野王县西北,

王烈得石髓处也。

恒山为北岳,在中山上曲阳县西北,

碣石山在辽西临渝县南水中也,

大禹凿其石,夹右而纳河。秦始皇、汉武帝皆尝登之,海水西侵,岁月逾甚,而苞其山,故言水中矣。

析城山在河东濩泽县西南,

太岳山在河东永安县,

壶口山在河东北屈县东南,

龙门山在河东皮氏县西,

梁山在冯翊夏阳县西北河上,

荆山在冯翊怀德县南,

岐山在扶风美阳县西北,

汧山在扶风汧县之西也,

陇山、终南山、惇物山，在扶风武功县西南也，

西顷山在陇西临洮县西南，

禹贡中条山也。

嶓冢山在陇西氐道县之南，

南条山也。

鸟鼠同穴山在陇西首阳县西南，

郑玄曰：鸟鼠之山，有鸟焉，与鼠飞行而处之。又有止而同穴之山焉，是二山也。鸟名为鵌，似鵽而黄黑色，鼠如家鼠而短尾，穿地而共处，鼠内而鸟外。孔安国曰：共为雌雄。杜彦达曰：同穴止宿，养子互相哺食，长大乃止。张晏言：不相为牝牡，故因以名山。

积石在陇西河关县西南，

山海经云：山在邓林东，河所入也。

都野泽在武威县东北，

县在姑臧城北三百里，东北即休屠泽也。古文以为猪野也。其水上承姑臧武始泽。泽水二源，东北流为一水，迳姑臧县故城西，东北流，水侧有灵渊池。王隐晋书曰：汉末，博士燉煌侯瑾，善内学，语弟子曰：凉州城西泉水当竭，有双阙起其上。至魏嘉平中，武威太守条茂起学舍，筑阙于此泉。太守填水，造起门楼，与学阙相望。泉源徙发，重导于斯，故有灵渊〔五〇〕之名也。泽水又东北流迳马城东，城即休屠县之故城也，本匈奴休屠王都，谓之马城河。又东北与横水合，水出姑臧城下，武威郡，凉州治。地理风俗记曰：汉武帝元朔三年，改雍曰凉州，

以其金行，土地寒凉故也。迁于冀，晋徙治此。王隐晋书曰：凉州有龙形，故曰卧龙城，南北七里，东西三里，本匈奴所筑也。及张氏之世居也，又增筑四城箱各千步。东城殖园果，命曰讲武场；北城殖园果，命曰玄武圃，皆有宫殿。中城内作四时宫，随节游幸。并旧城为五，街衢相通，二十二门，大缮宫殿观阁，采绮妆饰，拟中夏也。其水侧城北流，注马城河。河水又东北，清涧水入焉，俗亦谓之为五涧水也。水出姑臧城东，而西北流注马城河。河水又与长泉水合，水出姑臧东揟次县，王莽之播德也，西北历黄沙阜，而东北流注马城河。又东北迳宣威县故城南，又东北迳平泽、晏然二亭东，又东北迳武威县故城东。汉武帝太初四年，匈奴浑邪王杀休屠王，以其众置武威县，武威郡治，王莽更名张掖。地理志曰：谷水出姑臧南山，北至武威入海。届此水流两分，一水北入休屠泽，俗谓之为西海；一水又东迳百五十里，入猪野，世谓之东海。通谓之都野矣。

合离山在酒泉会水县东北，

合黎山也。

流沙地在张掖居延县东北，

居延泽在其县故城东北，尚书所谓流沙者也。形如月生五日也。弱水入流沙，流沙，沙与水流行也。亦言出锺山，西行极崦嵫之山，在西海郡北。山有石赤白色，以两石相打，则水润，打之不已，润尽则火出，山石皆然，炎起数丈，迳日不灭。有大黑风，自流沙出，奄之乃灭，其石如初。言动火之事，发疾经年，故不敢轻近耳。流沙又迳浮渚，历壑市之国。又迳于鸟山之东、朝云国西，历昆山西南，出于过瀛之山。大荒西经云：西南海之外，流沙出焉。迳夏后开之东，开上三嫔于天，得九辩与九歌焉。又历员丘不死山之西，入于南海。

三危山在燉煌县南，

山海经曰：三危之山，三青鸟居之。是山也，广圆百里，在鸟鼠山西，即尚书所谓窜三苗于三危也。春秋传曰：允姓之奸，居于瓜州。瓜州，地名也。杜林曰：燉煌，古瓜州也。州之贡物，地出好瓜，民因氏之。瓜州之戎，并于月氏者也。汉武帝元鼎六年，分酒泉置。南七里有鸣沙山，故亦曰沙州也。

朱圉山在天水北、冀城南，

即冀县山，有石鼓，开山图谓之天鼓山。九州害起则鸣，有常应。又云：石鼓山有石鼓，于星为河鼓，星动则石鼓鸣，石鼓鸣则秦土有殃。鸣浅殃万物，鸣深则殃君王矣。

岷山在蜀郡湔氐道西，

汉书以为渎山者也。

熊耳山在弘农卢氏县东，

是山也，穀水出其北林也。

荆山在南郡临沮县东北，

东条山也。卞和得玉璞于是山，楚王不理，怀璧哭于其下，王后使玉人理之，所谓和氏之玉焉。

内方山在江夏竟陵县东北，

禹贡注，章山也。

大别山在庐江安丰县西南，

外方山，嵩高是也。

桐柏山在南阳平氏县东南，

陪尾山在江夏安陆县东北，

衡山在长沙湘南县南，

禹治洪水，血马祭衡山，于是得金简玉字之书。按省玉字，得通水理也。

九江地在长沙下巂县西北，

云梦泽在南郡华容县之东，

东陵地在庐江金兰县〔五一〕西北，

敷浅原地在豫章历陵县西，

彭蠡泽在豫章彭泽县西北，

尚书所谓彭蠡既猪，阳鸟攸居也。

中江在丹阳芜湖县西南，东至会稽阳羡县入于海，

震泽在吴县南五十里，

北江在毗陵北界，东入于海，

峄阳山在下邳县之西，

羽山在东海祝其县南也，

县，即王莽之犹亭也。尚书，殛鲧于羽山，谓是山也。山西有羽渊，禹父之所化，其神为黄熊，以入渊矣。故山海经曰：洪水滔天，鲧窃帝之息壤以堙水，不待帝命。帝令祝融杀鲧羽郊者也。

陶丘在济阴定陶县之西南，

陶丘，丘再成也。

菏泽在定陶县东，

雷泽在济阴成阳县西北，

菏水在山阳湖陆县南，

蒙山在太山蒙阴县西南，

大野泽在山阳钜野县东北，

大邳地在河南成皋县北，

尔雅曰：山一成谓之邳。然则大邳山名，非地之名也。

明都泽在梁郡睢阳县东北，

益州沱水在蜀郡汶江县西南，其一在郫县西南，

皆还入江，

荆州沱水在南郡枝江县，

三澨地在南郡邵县北沱。

尚书曰：导汉水，过三澨。地说曰：沔水东行，过三澨合流，触大别山阪〔五二〕。故马融、郑玄、王肃、孔安国等，咸以为三澨水名也。许慎言：澨者，埤增水边土，人所止也。按春秋左传文公十有六年，楚军止于句澨，以伐诸庸。宣公四年，楚令尹子越师于漳澨。定公四年，左司马戌，败吴师于雍澨。昭公二十三年，司马薳越缢于薳澨〔五三〕。服虔或谓之邑，又谓之地。京相璠、杜预亦云水际及边地名也。今南阳、淯阳二县之间，淯水之滨，有南澨、北澨矣。而诸儒之论，水陆相半，又无山源出处之所，津途关路，惟郑玄及刘澄之言在竟陵县界。经云：

邵县北沱。然沱流多矣，论者疑焉，而不能辨其所在。

右禹贡山水泽地所在，凡六十。

〔一〕水经渐江水注补注（陈桥驿水经注研究，天津古籍出版社一九八五年出版，以下简称补注）：

渐江水，“渐”，可能是“浙”之误。山海经只有浙江，没有渐江。以后史记、越绝书、吴越春秋、论衡等书中也只有浙江，没有渐江。提出渐江的代表性著作是说文解字：“渐江水出丹阳黟县南蛮中，东入海，从水，斩声。”但说文同时也有浙江：“江水至会稽山阴为浙江，从水，折声。”在古代，今浙皖一带离中原遥远，其地理情况不易为中原人士所了解，以讹传讹的事常常有之，说文中渐江水与浙江并存，即是其例。“渐”字字形与“浙”字相似，读音据说文与“浙”字为双声字，造成错误是很可能的，成书早于说文的汉书地理志中也有渐江水之名，“渐”字也可能是“浙”字之误。王国维在浙江考（载观堂集林卷十二）中说：“厥后（按指史记以后）袁康、赵晔、王充、朱育、韦昭等，凡南人所云浙江，无不与史记合，许叔重之说，自不能无误。”这种说法是正确的。

水经注八江南诸水（台湾古籍出版有限公司二〇〇二年出版）卷四十陈桥驿题解：“渐江水即今钱塘江，古称浙江，庄子外物篇称淛河。‘渐’、‘浙’、‘淛’均是一音之转，因为这个地区原是越人居住之地，通行越语，至今还保留着不少越语地名，如馀杭、馀姚、诸暨、上虞之类，‘渐’、‘浙’、‘淛’大概都是越语的不同汉译。”

〔二〕补注:

三天子都,此名首先见于山海经。海内东经说:"浙江出三天子都。"在山海经的时代,北方人对于南方的山川地理还相当模糊,在汉代许慎作说文时,还称这个地区为"蛮",可见一斑。在山海经同书之中,三天子都位置在海内东经与海内南经内就大相径庭。因此,当时提出三天子都这个地名的作者,未必了解浙江(指今新安江)上游的地理情况,而三天子都也未必实有其地。到了东晋郭璞,由于他已经明白了浙江(指今新安江)的发源之处,乃把后者倒过来假设前者的所在,说三天子都"今在新安歙县东,今谓之三王山,浙江出其地也"。其实,郭璞并没有证明晋三王山就是古三天子都。以后,如宋叶梦得、清顾祖禹、全祖望直到杨守敬等,都对此作了大量的考证,但是所有这些考证,都是在明确了新安江发源之处以后进行的,无非各自引经据典,把山海经的三天子都放到当时已经完全确定了的浙江发源处的位置上,所以实际上并无多大意义。

〔三〕补注:

浙江,此处浙江在黄本、吴本、练湖书院钞本等之中都作游江,显系刊误。既然浙江可以误作游江,则何尝不可以误作渐江。郦氏虽然按水经立渐江水为篇目,但注文内绝不言渐江,足见郦氏亦不以渐江为然。

〔四〕补注:

"东与一小溪合。"明吴度三天子都考(载雍正江南通志卷十五)说:"黄山虽奇秀,其趾有水,名丰乐溪,亦与众溪相类，亦水经所谓小溪之一支耳。"则吴度以丰乐溪为此一小溪名。注疏本杨守敬疏："今登水出绩溪县东北大障山，西南流至歙县，南入新安江，当即此水也。"则杨守敬以登水为此一小溪。今从歙县与绩溪南流的主要河流有丰乐溪、富资溪、布射溪、登源河四水，在歙县县城附近汇合，称为练江，练江南流，在朱家村以北注入新安江。丰乐溪发源于汤口附近的黄山山麓，与吴度所说同。登源河发源于绩溪大障山北逍遥村，西南流在临溪镇汇合临溪，进入歙县，当是杨守敬所说的登水。此二水均未直接注入新安江，故注文"东与一小溪合"，此小溪于今应为练江。丰乐溪与登源河，均为练江上流。

〔五〕补注：

"浙江又左合绝溪。"注疏本杨守敬疏："今有云源溪，出淳安县西北，南流入新安江，疑即绝溪，但所出所迳与注异，当是注误。"按注云："浙江又左合绝溪，溪水出始新县西。"今云源溪已在始新县以东，与注文不合，故未必是注误。今街源溪发源于屯溪以南的皖、浙边境，东流在街口以南注入新安江，正在始新县之西，以此当郦注绝溪，较云源溪更为近似。

〔六〕补注：

县北有乌山。今梅城北山峦重叠，以乌龙山为最高，达海拔九〇八米，位于梅城东北约五公里，由建德系火山岩构成，挺拔雄伟，当为水经注乌山。

〔七〕补注：

天目山，位于浙江省西北部今临安县境内，西起浙、皖边境的昱岭和百丈山等，呈西南、东北走向，有西天目、东天目

（在西天目东约九公里）、南天目（在东天目南约十五公里）等主峰，西天目主峰龙王山（在西天目西北约五公里），高达海拔一五八七米，西天目高一五〇六米，东天目高一四七九米，南天目高一〇八五米。全山东西长约一百三十公里，南北宽约二十公里，由花岗岩、粗面岩、流纹岩等构成，山势雄伟挺拔。天目山东迤，最后一个著名的山峰是莫干山，主峰塔山，高七一九米，是避暑胜地。从莫干山向东，没入太湖平原的冲积层之下，杭州的西湖群山，也是它的尾闾。

〔八〕补注：

“山上有霜木，皆是数百年树，谓之翔凤林。”万历西天目山志卷一翔凤林条云：“在天目山之东北峰，高峻耸拔，类天柱、庐阜，上有平地一千五百尺，中有湖，湖产异鱼，人莫能捕。水分流下注：东苏湖，南迤杭郡，西派宣城，北流安吉，上有古木参天，龙须草覆地，径险林深，人迹罕到。”今经实地踏勘，天目山东北诸峰，并无如此平地。但目前天目山森林仍然茂密，西天目山在海拔近四百米的禅源寺一带，即出现大片落叶林和常绿阔叶林，其中落叶树有麻栗（Quercus acutissima）、银杏（Ginkgo biloba），常绿树有苦槠（Castanopsis sclerophylla）、樟（Cinnamomum camphora）等，树身高大，树冠茂密，其中最大的麻栗树，胸径达一点六米，树龄已长达二三百年。从禅源寺到老殿（高海拔一千米）之间，则有大片常绿乔木的柳杉林，柳杉（Cryptomeria fortunei）是天目山最富有特色的植物（除天目山外，仅在庐山存在），最大的柳杉树，胸径超过二米，树高三十馀米，树龄最长的已超过千年。在老殿前百馀米处的一株最大柳杉，称为“大树王”，胸径达二点九五米。据钱文选天目山游记说：“大树王名千秋树，又名九抱树，闻树皮可作药饵，香客每剥其皮，故近根丈馀，被剥者不少，恐年久树将不保。”钱游天目山在一九三四年，则当时此树尚活。今树已枯死，但仍屹立不倒。此外，这一带松科植物也较多，如金钱松(Pseudolarix amabilis)、马尾松(Pinus massoniana)、黄山松(Pinus tainancensis)等，金钱松最高可达五十馀米，胸径粗大的马尾松也在一米以上。

〔九〕补注：

“东面有瀑布”，王校明钞本作“南有瀑布”，名胜志浙江卷一杭州府於潜县引水经注作“东西瀑布”。按万历西天目山志卷一(浙江图书馆藏钞本)龙池条云：“龙池有三：上池、中池、下池，俱在天目东北峰下，有溪曰大径口、小径口，有潭形如仰箕，曰箕潭，中有巨石，潭水注入上池，在山东垂崖下，高五十仞。”按大径口、小径口及箕潭今在西天目以东鲍家村北约一里，已为建国后兴建的西关水库所淹没，从箕潭下泻的瀑布，因为水源断竭，今已消失，瀑布形成的泷壶即上池、中池、下池，也已逐渐淤塞湮废，唯下池东侧摩崖有“龙潭”二字，尚依稀可辨。此瀑布下游原注入紫溪，与水经注所记合，故殿本“东面有瀑布”，当以此瀑布为是。又据清释松华撰东天目昭明禅寺志卷一天目八景之一悬崖瀑布条云：“其一在东崖白龙池，其二在西崖白云岗。”此东、西二瀑布仍然存在，东崖瀑布在东天目昭明寺以东，瀑布自白龙池下泻，高约六十馀米，瀑布下有泷壶，土名斤线潭。西崖瀑布在昭明寺以西，约位于海拔八百米高程处(高于东崖瀑布),瀑布出自白云岗,约高五十馀米,分九级下泻,瀑布下无明显泷壶。此二瀑布与名胜志所引"东西瀑布"合。但此东西二瀑布汇合后,注入南苕溪,即水经注"馀干(杭)大溪",则与"又东南与紫溪合"之语相径庭。

〔一〇〕浣龙池　残宋本、大典本、吴本、注笺本、练湖书院钞本、注疏本、咸淳临安志卷二十六山川五於潜县天目山引水经注、名胜志浙江卷一杭州府於潜县引水经注、古今天下名山胜概记卷十九浙江七引水经注均作"蛟龙池"。注疏本疏:"赵'蛟'改'浣',云:御览引此作'浣'。戴本改同。守敬按:非也。缪荃孙辑吴兴记(大典二千二百五十八)天目山有蛟龙池,耆老相传,入山之人,常见山边一美人,蛟所化也,则池原名蛟龙。"

〔一一〕补注:

严陵濑,当为今七里泷,系沿江一著名峡谷,峡谷从梅城以下约五公里开始,全长约二十四公里,两岸为建德系火山岩山地,严子陵钓台即在北岸钓台附近,两岸高山耸峙,北岸如化坪山、天堂坪等,都在海拔三百米以上,南岸的大块山,超过海拔五百米,钓台上下河段长约七华里,故称七里泷。峡谷中水平而深,舟人有"有风七里,无风七十里"之谚。目前此峡谷已建坝发电,即富春江水电站。

〔一二〕殿本在此下案云:"案此有脱误。朱谋㙔引吴志云,黄武五年秋,分三郡恶地十县,置东安郡,治富春,以全琮为太守,平讨山越。又全琮传云,是时,丹阳、吴、会山民复为寇贼,攻没属县,权分三郡险地为东安郡,琮领太守,招诱降附。"

〔一三〕馀干大溪　五校钞本、七校本、注释本均作“馀杭大溪”，谭本云：“‘馀干’疑作‘馀杭’。”

〔一四〕淮睦　注笺本、项本、五校钞本、七校本、张本均作“进睦”。

〔一五〕雍正浙江通志卷五十三水利二馀杭县南下湖引水经注云“县后溪南大塘，陈浑立以防水，在后汉熹平二年”，“在后汉熹平二年”一句，当是此处佚文。

〔一六〕大壁山　孙潜校本、五校钞本、七校本均作“大涤山”。

〔一七〕札记乌伤：

卷四十渐江水经“北过馀杭，东入于海”注中，注文引述了一个刘宋刘敬叔所撰异苑中的故事：

> 浙江又东迳乌伤县北，王莽改曰乌孝……异苑曰：东阳颜乌，以淳孝著闻，后有群乌助衔土块为坟，乌口皆伤。一境以为颜乌至孝，故致慈乌，欲令孝声远闻，又名其县曰乌伤矣。

作为民间传说，这是一个很动人的故事。但是作为乌伤的地名来源，却完全不是这样一回事。乌伤是秦会稽郡所置县之一，是今浙江省境内历史上第一批建置的县。这一批县有十馀之多，除山阴、海盐两县是用的汉语名称外，其馀各县都是越语地名，乌伤也包括在内。谭其骧教授曾经说过：“今浙江地方多以句、於、姑、馀、无、乌等为地名，与古代吴越语的发音有关。”（邹逸麟谭其骧论地名学，载地名知识一九八二年第二期）所以乌伤是个典型的越语地名。

在今浙江、苏南、皖南、赣东一带，春秋战国时代是於越族居住的地方，这一带的地名，原来都是越语地名。秦始皇建郡县制，汉族移入这个地区，原来的越语地名，就发生了汉化或半汉化的过程。前面提到的山阴和海盐，因为查有实据，都是汉化的例子。前者在越绝书卷八有明确记载："秦始皇帝以其三十七年，东游之会稽……因徙天下有罪適吏民，置海南故大越处，以备东海外越，乃更名大越曰山阴。"证明"山阴"这个汉语县名，是公元前二一〇年从越语地名大越改称的。后者在越绝书卷二也有确证："海盐县，始为武原乡。"在同书卷八还有一条旁证："越人谓盐曰馀。"这说明汉语中的"盐"，在越语中称"馀"。所以"海盐"是汉语县名，它是从越语武原改称的。

乌伤据郦注王莽时曾改为乌孝。东汉初又恢复乌伤原名，唐武德七年(六二四)，改为义乌，沿袭至今。实际上，王莽的乌孝和从唐代起的义乌，都是从"乌口皆伤"这个民间传说中引申出来的。而且由此可知，刘敬叔所撰的异苑，是一本神话传说，这里面的许多传奇故事，并不是刘个人编造出来的，而是他所搜集的民间传说。因为王莽既已改乌伤为乌孝，说明在刘敬叔以前四个世纪，这个"乌口皆伤"的故事已经流传了。把乌伤改为乌孝和义乌，这是越语地名半汉化的例子，因为它和大越改山阴及武原改海盐不同，毕竟还保留着一个越语常用字"乌"。

在上述古代於越族居住的地区，这种半汉化的越语地名是很多的。单单在浙江水注这一篇中，这样的地名就有不少。

把这类地名搜集起来进行分析研究，可以从中了解古代於越族的不少情况，对于民族史和地名学的研究，都具有重要的意义。

〔一八〕縠水　天启衢州府志卷一舆地志山川引水经注、嘉庆常山县志卷一建置引水经注均作“縠水”，浙中古迹考卷四金华府吴东阳郡治引水经注、雍正浙江通志卷四十七古迹九吴东阳郡治引水经注均作“瀫水”。

〔一九〕御览卷六十九地部三十四涧引水经注云：“赤松涧在东阳，赤松子游金华山，以火自烧而化，故山上有赤松子之祠，涧自山出，故曰赤松涧。”当是此段中佚文。

〔二〇〕补注：

“水上承信安县之苏姥布。”大典本、黄本、吴本、注笺本均无“水”字。按苏姥布，据天启衢州府志卷一：“即城北之苏姥滩。”今访衢江船工，苏姥滩在衢县城北一里衢江之中，此处江面宽约四百米，两岸平坦无丘阜，滩长约五十米，水流平缓，于航行已无碍。滩东约五百米，有浮石渡（今建有浮石大桥，是衢县通建德要津），江面紧缩，仅百馀米，两岸有红色砂岩构成的丘阜，虽经人工削凿，其南岸丘阜距水面尚有十馀米。浮石渡东，江面复开朗，为浮石潭，甚渊深。据此，古苏姥布瀑布可能位于今浮石渡，而浮石潭当为此瀑布形成的泷壶。

〔二一〕吴越春秋越王无馀外传第六“南逾赤岸”徐天祜注引水经注云：“新安县南白石山，名广阳山，水曰赤岸水。”当是此句下佚文。五校钞本已录入此句。

〔二二〕按支竹，不知何物。注疏本杨守敬疏：“疑当作‘文’。”

按文竹(Asparagus plumosus),是百合科多年生草本植物,茎细弱,枝纤细呈羽状,开白色小花,今常作观赏植物。芳枳(Hovenia dulcis),鼠李科落叶乔木,夏月开白色小花,结圆形小果实。木连,即薜荔(Ficus pumila),桑科无花果属常绿藤本植物,夏秋开花,果实富于果胶,可制凉粉。霜菊,即野菊(Chrysanthemum indicum),菊科,多年生草本,晚秋开黄色小花。金橙(Citrus sinensis),芸香科植物,橙、橘、柑均是其类,今此处一带盛产橘,称为衢橘。

〔二三〕钱唐县　大典本、注笺本、项本、张本、康熙钱塘县志卷一形胜引水经注、雍正浙江通志卷三十九古迹一汉钱塘县旧治引水经注均作"钱塘县"。

〔二四〕补注:

"浙江又东迳灵隐山,山在四山之中,有高崖洞穴,左右有石室三所,又有孤石壁立,大三十围,其上开散,状如莲花。"按灵隐山的位置,历来并无定论,晋咸和元年(三二六),印度僧人慧理看到今灵隐一带的山峰奇秀,以为是"仙灵所隐",遂建灵隐寺,故后来一般认为灵隐山指灵隐寺附近诸山。但据历来方志及目前地形图,灵隐寺附近诸山均各有其名,其中并无灵隐山。康熙灵隐寺志卷一说灵隐寺"在武林山",雍正浙江通志卷九说"武林山即灵隐山"。按汉书地理志:"武林山,武林水所出,东入海。"则所谓武林山或灵隐山,可能是西湖群山的总称。但注文云"山在四山之中",以下又有"有高崖洞穴"数句,显系喀斯特地貌的描述。今西湖外围高山如北高峰、天竺山、五云山等,多由泥盆纪的千里岗砂岩构成,绝无喀斯特现象。这一带砂岩山岳的内侧,分布着若干石炭二叠纪的飞来峰石灰岩所构成的丘阜,如吴山、将台山、玉皇山、南高峰、飞来峰等,其中吴山、将台山、玉皇山均濒江或旁湖,不"在四山之中",南高峰周围有山,但其东麓均为培塿,北麓的三台山亦仅海拔八十馀米,其实濒湖,亦非"在四山之中"。唯有飞来峰,高仅稍过海拔百米,而其周围有不少砂岩群山如北高峰、天马山、天竺山等,都是海拔三百米乃至四百米以上的山岳,其位置确"在四山之中",其喀斯特地貌与注文亦颇相类,故灵隐山当以今飞来峰的可能性最大。

〔二五〕札记防海大塘:

卷四十渐江水经"北过馀杭,东入于海"注中,郦道元从刘宋刘道真所撰的钱唐记中钞录了一个关于防海大塘的故事。注云:

> (灵隐)山下有钱唐故县,浙江迳其南,王莽更名之曰泉亭。地理志曰:会稽西部都尉治。钱唐记曰:防海大塘在县东一里许,郡议曹华信家议立此塘,以防海水。始开募有能致一斛土者,即与钱一千。旬月之间,来者云集,塘未成而不复取,于是载土石者,皆弃而去,塘以之成,故改名钱塘焉。

案我国古籍引及钱唐记防海大塘的,除水经注,尚有后汉书朱儁传注和通典卷一八二,内容基本相同。这是一个荒诞不经而却是具有价值的故事。其所以荒诞不经,只要引一段后人的校语就可以说明。今天津图书馆所藏的一部全祖望五校水经注中,在此防海大塘下,有一段施廷枢手写的校语。施云:

钱塘得名以钱水也。国语:陂唐污庳,以成其美。盖唐即后世之塘字,说文无塘字,可按也。则钱塘者,钱水之塘。非如所传华信千钱诳众之陋也。

在这样一条怒潮汹涌的大河之口,要修建一条海塘谈何容易。而钱唐记却把此事当作一种儿戏。修建一条海塘,有许多工作要做,其中工程最大的,除了运土以外,还有夯土。哪里是挑几担土石就可以完成的。若是先来者不给钱,后者也就不会再来,哪能积得起修建一条海塘的土石来,而且,既然把海塘的名称与"钱"联系起来,那么,给钱才能称"钱塘",不给钱怎称"钱塘"?所以这个故事是荒诞不经的。

既然荒诞不经,却为什么又说这个故事具有价值呢?这是因为,这个故事所记载的,是我国历史上记载的第一条海塘。郦道元撰写水经注,他是十分重视水利工程的,诸如河水注的金堤和八激堤,鲍丘水注的车箱渠,沮水注的郑渠,江水注的都安大堰等等,不胜枚举,其中有的记载得非常详细。但是在全国漫长的海岸线上,却只能在渐江水注中记及这个防海大塘的工程。说明沿海开发的远远落后于内地,所以直到郦道元的时代,沿海的水利工程还无足称道。因此,防海大塘实是我国最早的具有一定规模的海塘。虽然故事语涉无稽,但它所反映的今钱塘江口修建海塘,应该是真实的。当然,初期修建的海塘,工程可能是相当简陋的,但如施廷枢所说,绝不会是"千钱诳众之陋"。

由于刘道真的钱唐记早已亡佚,我们无法核实内容。但据渐江水注所引的几句,我们从中也可以看出一点端倪。其中一句说“(灵隐)山下有钱唐故县”,这个“钱唐故县”,当然是秦所置的钱唐县。钱唐县建立在灵隐山下,当然是由于当时平原上有海潮之患的缘故。另一句说“防海大塘在县东一里许”,这里所说的“县”,显然不是秦代故县,而是刘宋时代的钱唐县。刘宋钱唐县位于防海大塘西一里许,说明县治已经迁出山区而进入平原。县治能离开山区进入平原,显然就是因为沿海修建了防海大塘,足以屏障海潮的缘故。所以说“钱塘”的故事虽属荒谬,但防海大塘的修建却是事实。钱唐记的这一记载,仍然是具有价值的。

〔二六〕补注:

明圣湖,明田汝成西湖游览志卷一:“西湖,故明圣湖也。”注疏本亦引一统志云“一名钱塘湖,亦名上湖”,均指西湖而言。故自来学者多以明圣湖为西湖。但也有提出不同意见的,清赵一清曾撰西湖非明圣湖辨一文(载定乡小识卷八),认为明圣湖在定山乡(今杭州市西南郊)。按艺文类聚卷九引钱塘记云:“明圣湖在县南,去县三里,父老相传,湖有金牛。”水经注云:“县南江侧有明圣湖,父老传言,湖有金牛,古见之,神化不测,湖取名焉。”此文也可能从钱唐记引来。据此,明圣湖可以肯定在钱塘县境内的钱塘江边,也可能就是西湖。但由于秦钱唐县治究在何处?从西汉到南北朝末,钱唐县治的迁移过程如何?目前都尚未确切查明,故“县南江侧”、“去县三里”等句,都还不能正确解释,所以明圣湖究竟是否西湖的问题,犹待继续研究。

〔二七〕相塘　黄本、吴本、注笺本、何校明钞本、王校明钞本、项本、沈本、张本、嘉泰会稽志卷十祖渎引水经注、康熙绍兴府志（张志）卷八山川志五祖渎引水经注、乾隆绍兴府志卷六地理志六祖渎引水经注、乾隆萧山县志卷五山川浙江引水经注、古今图书集成职方典卷九八四祖渎引水经注均作“祖塘”。

〔二八〕祖渎　同注〔二七〕各本均作“祖渎”。

〔二九〕殿本在此处案云：“案‘浙江又迳固陵城北’至此，原本及近刻并讹在后‘渡会稽凑山阴是也’之下，‘又迳永兴县北’之上，今据归有光本改正。”陈桥驿我说胡适（原载辞海新知一九九九年第四辑，收入于水经注研究四集，杭州出版社二〇〇三年出版）：“王国维说官本水经注曾‘五引归有光本’。其实这是王氏的偶误（案此语出王氏聚珍本戴校水经注跋，王云：‘戴氏官本校语，除朱本及所谓近刻外，从未一引他本，独于卷三十一、卷三十二、卷四十中，五引归有光本）。官本引归有光本实有七次（案卷三十一沅水注，卷三十二沘水注、肥水注、羌水注，卷三十三江水注，卷三十八湘水注，卷四十渐江水注共七次）。胡适因此事批评王国维是‘不容宽恕的’（手稿第六集中册）。其实这类偶误在手稿也很常见，例如第九集下册张淏云谷杂记文中，胡适推断张淏年龄：‘我们可以暂时推断他生在隆兴五六年（一一六九——一一七〇）。’其实，按殿本云谷杂记提要，张淏是绍兴二十七年（一一五七）进士，则胡适所推断的出生年代，已在他中进士后十年，即使提要有讹，但隆兴年号只有两年，何来五六年的推断？”

又案，殿本案语引归有光本，此本当时应为四库馆所藏，但以后绝于人间。胡适与王国维之争，在于戴所引归本次数，王、胡均未论及归本是否确有其书？而史学家孟森（心史）以为归本亡佚已久,戴震所引,实属伪托,他于民国二十五年十一月十二日在益世报读书周刊第七十四期发表戴东原所谓归有光本水经注一文,手稿第五集下册录入此文:

王国维跋聚珍本戴校水经注云:"戴氏官本校语,除朱本及所谓近刻外,从未一引他本,独于卷三十一、卷三十二、卷四十中,五引归有光本。"今核此五条,均与全、赵本同,其归氏本久佚,惟赵清常、何义门见之。全氏曾见赵、何校本,于此五条,并不著归有光如此,孙潜夫传校赵本,其卷四十尚在,亦不言归本有此异同。以东原之厚诬大典观之,所谓引归本,疑亦伪记也。

〔三〇〕札记兰亭:

卷四十渐江水经"北过馀杭,东入于海"注云:

浙江又东与兰溪合,湖南有天柱山,湖口有亭,号曰兰亭,亦曰兰上里。太守王羲之、谢安兄弟,数往造焉。吴郡太守谢勖封兰亭侯,盖取此亭以为封号也。太守王廙之,移亭在水中,晋司空何无忌之临郡也,起亭于山椒,极高尽眺矣。亭宇虽坏,基陛尚存。

这是目前可见的记载兰亭的最早文献。这段记载所提供的重要资料之一是:"吴郡太守谢勖封兰亭侯。"谢虽然官为郡守,却是个不见于正史的人物。他封兰亭侯的事,对于说明兰亭的性质极有用处。清于敏中浙程备览绍兴府(浙江图书馆藏钞本)云:"或云兰亭非右军始,旧有兰亭即亭堠之亭,与邮铺相似,因右军禊会,遂名于天下。"从谢勖封兰亭侯的记载中,可以证明于敏中的说法是正确的。按后汉制度,列侯功大者食县,小者食乡、亭。关羽封寿亭侯即是其例。因此,兰亭侯的“兰亭”,决非亭台楼阁之亭,而是如于敏中所说的亭堠之亭。兰亭原是县以下的一个小的行政区划单位,所以郦注说:“亦曰兰上里。”“里”同样也是县以下的小行政区划单位。

渐江水注对兰亭提供的另一重要资料是,在东晋一代中,兰亭就迁移了三次:从鉴湖湖口迁到鉴湖之中,又从鉴湖之中迁移到天柱山顶(椒)。历史上著名的王羲之兰亭修禊,其时兰亭在天柱山下的鉴湖湖口。

东晋永和九年(三五三)三月上巳,王羲之与谢安、谢万等名流四十二人修禊于此,事见晋书王羲之传。与会者赋诗多首,而王撰文为之序,即是著名的兰亭诗序(此文流传的文题甚多,如上巳日会兰亭曲水诗并序、兰亭集序、兰亭修禊序、三月三日兰亭诗序、临河记、兰亭记等等)。相传王羲之用鼠须笔在乌丝阑茧纸上,把这篇三百五十二字的文章一气写成,成为我国书法艺术中的极品。从此,“兰亭”一词就具有两种涵义,一是作为名胜古迹的兰亭,一是作为书法极品的兰亭。

作为名胜古迹的兰亭,其地址以后经常迁移。寰宇记卷九十六引顾野王舆地志云:“山阴郭西有兰渚,渚有兰亭,王羲之所谓曲水之胜境,制序于此。”兰渚是鉴湖中的一个小岛,则南朝梁、陈之间,兰亭又迁回湖中。此说既为寰宇记所引,说明直到宋初,兰亭大概仍在湖中。但南宋嘉泰会稽志卷十引华镇兰亭记:“山阴天章寺,即逸少修禊之地,有鹅池、墨池,引溪流相注。”华镇是北宋元丰年代人,说明到北宋末叶,兰亭又从湖中迁到天章寺。关于天章寺的地理位置,吕祖谦于淳熙元年(一一七四)曾道经此处,在其入越记(东莱文集)中有明确记载,与天柱山已经全不相涉。天章寺在元末毁于火,到明嘉靖二十七年(一五四八),绍兴知府沈啓又在天章寺故址以北择地重建,亭址从此不再变迁。

今兰亭与东晋兰亭已经全不相涉。清吴骞槎在尖阳丛笔卷一(适园丛书)云:"今之游兰亭者求右军故迹,不特茂林修竹风景已非,即流觞曲水之地亦无可据,盖今所谓,去兰亭旧址远矣。"全祖望在其宋兰亭石柱铭(鲒埼亭集卷二十四)一文中也指出:"自刘宋至赵宋,其兴废不知又几度,顾不可考。若以天柱山之道按之,其去今亭三十里。"

作为书法艺术极品的兰亭,因真迹早已亡佚,仅有后代临摹本流传。各家临摹中,以唐欧阳询的定武本为著名(旧题定武兰亭肥本)。民国六年(一九一七),上海有正书局影印的兰亭集序即是此本。又有清乾隆帝收集的兰亭八柱帖,一九七三年上海书画社影印的唐人摹兰亭墨迹三种,即是八柱帖的一部分。其中第一种传为冯承素摹本,即历来所称的神龙本,论者以为与真迹最为接近,因而久负盛名。一九六四年北京出版社汇集故宫博物院所藏历代临摹兰亭的著名墨迹,影印出版兰亭墨迹汇编,已经集其大成。近人有论证兰亭非右军所书者,文章多属臆度,议论实无根据。而历来临摹名本中,"每览昔人"及"后之览者"二"览"字均书作"揽",显系王羲之避其曾祖王览之讳,兰亭出于右军,即此一端,就可定案。凭空翻案,岂有此理!

〔三一〕长湖即今鉴湖,唐以前称镜湖,宋代起流行鉴湖之名。

后汉会稽郡守马臻于永和五年初创，围堤蓄水，南起会稽山北麓，北至今萧甬铁路以南，东西长，南北狭，面积逾二百平方公里。全湖至南宋初期已基本湮废，今鉴湖是湮废后的残留部分，参见陈桥驿古代鉴湖兴废与山会平原农田水利，载地理学报一九六二年第三期，又收入于吴越文化论丛，中华书局一九九九年出版。

〔三二〕雍正浙江通志卷十五山川七镜湖引水经注云："浙江又东北得长湖口，湖广东西百三十里，北泻长江，又名太湖。""又名太湖"一句，当是此处佚文。

〔三三〕覆斟山　嘉泰会稽志卷十八引水经注作"覆斗山"。李慈铭校本云："案覆斗山，殿本作'覆斟'，疑即覆鬴山，五百里字有讹。"按覆斟山今称覆釜岭，位于秦望山以东，云门、若耶山以北，高海拔二百馀米，当南池、施家桥到平水的山道附近。

〔三四〕札记会稽鸟耘：

水经注几次记及会稽鸟耘的故事，说明这个故事在古代是很有名的。卷一河水经"屈从其东南流，入渤海"注云："群象以鼻取水洒地，若苍梧、会稽，象耕、鸟耘矣。"卷十三灅水经"灅水出雁门阴馆县，东北过代郡桑乾县南"注云："池在山原之上，世谓之天池……池中尝无斥草，及其风箨有沦，辄有小鸟翠色，投渊衔出，若会稽之耘鸟也。"以上两处论及会稽的"鸟耘"和"耘鸟"，不熟悉掌故的人，或许莫名其妙。但读了卷四十渐江水经"北过馀杭，东入于海"注中的一段文字，来源就会清楚，注云：

昔大禹即位十年，东巡狩，崩于会稽，因而葬之。有鸟来，为之耘，春拔草根，秋啄其秽，是以县官禁民，不得妄害此鸟，犯则刑无赦。

在中国古代的神话故事中，鸟兽报德的记载是很多的。关于会稽鸟耘的故事以及河水注所记："若苍梧、会稽，象耕、鸟耘矣"的事，北魏阚骃十三州志也有此记载（据御览所引）。但现在能见的古代文献中，最早记载这些故事的，当是越绝书。此书卷八说："大越滨海之民，独以鸟田。"又说，因为禹死会稽，"无以报民功，教民鸟田，一盛一衰。当禹之时，舜死苍梧，象为民田也。禹至此者，亦有因矣"。此外，吴越春秋卷六也记及："天美禹德，而劳其功，使百鸟还为民田。"这就是所谓象耕鸟耘的故事。这类故事在古代必然相当流行，所以水经注和其他一些古籍都把它记载了下来。

像这样一类因人的功德感动鸟兽的故事，或许属于古人劝人为善的一种方法。历来有很多类似的记载，在水经注中，仅渐江水注一篇之中，除了上述会稽鸟耘以外，尚有两处：一处是："东阳颜乌，以淳孝著闻，后有群乌助衔土块为坟，乌口皆伤。一境以为颜乌至孝，故致慈乌，欲令孝声远闻，又名其县曰乌伤矣。"……同卷还有一例："（杨）威少失父，事母至孝，常与母入山采薪，为虎所逼，自计不能御，于是抱母，且号且行，虎见其情，遂弭耳而去。自非诚贯精微，孰能理感于英兽矣。"最后两句，道出了故事编者的用心。所以不管是颜乌、杨威，乌鸦、老虎，其实都是子虚乌有的。

但苍梧象耕和会稽鸟耘却不同，尽管舜和禹也都是传说中的人物，但中国历史都早已记下了他们的名氏，而苍梧的多象和会稽的鸟群也都是实有其物。当然，象与舜的关系，鸟与禹的关系,都是无稽之谈。

先说象,现在国内只有西双版纳还有这种动物,但在古代,南方各地都有象的存在。不要说苍梧,即在今浙江省境内,直到唐末、五代,仍有象活动的历史记载。例如十国春秋卷十八,吴越宝正六年(九三一):“秋七月,有象入信安境,王命士兵取之,圈而育焉。”又吴越备史卷四癸丑三年(九五三):“东阳有大象自南方来,陷陂湖而获之。”至于会稽的鸟,这是一种至今仍然存在的从北方南来的候鸟。学名称为绿头鸭(Anas platyrhynchos),俗称野鸭,至今仍然南来北去,只是由于生态环境的改变,南方的栖居地比过去已经小得多了。

对于象耕和鸟耘的虚妄,王充早已作过解释,他在论衡偶会篇中说:“传曰:舜葬苍梧,象为之耕;禹葬会稽,鸟为之田。失事之实,虚妄之言也。”在书虚篇,他又解释了象耕鸟耘的现象及其道理:“传书言,舜葬于苍梧,象为之耕;禹葬会稽,鸟为之田。盖以圣德所致,天地鸟兽报佑之也。……鸟田象耕,报佑舜禹,非其实也。实者,苍梧多象之土,会稽众鸟所居。禹贡曰:彭蠡既潴,阳鸟悠居,天地之情,鸟兽所行也。象自蹈土,鸟自食苹,土蹶草尽,若耕田状,壤靡泥易,人随种之。”至于这些“耘鸟”是什么鸟,从何处来,王充也有解释,偶会篇说:“雁鹄集于会稽,去避碣石之寒。来遭民田之毕,蹈履民田,啄食草粮。粮尽食索,春雨适作,避热北去,复至碣石。象耕灵陵,亦如是焉。”这里,王充所说的“雁鹄”,就是我在前面指出的学名称为绿头鸭的候鸟。在王充的时代,今钱塘江口和曹娥江沿岸,还有大片沼泽地,是这种候鸟越冬的极好环境，所以会稽鸟耘的现象，王充显然是目击的。直到今天，这种候鸟仍然到这一带越冬，当然，数量和栖息地域，都比过去要小得多了。

浙江水注记载的会稽鸟耘的故事，和其他这类故事一样，尽管事涉虚妄，但从劝人为善这一点来说，故事的意义显然是积极的。而其中有几句话，现在看来特别具有价值，即："是以县官禁民，不得妄害此鸟，犯则刑无赦。"这种鸟类既为民耘田，当然是益鸟，因此县官加以保护，否则就予以法律制裁。这或许是我国有关动物保护的最早记载。

〔三五〕石帆山　即今吼山，越绝书称为犬山，此书卷八云："犬山者，句践罢吴畜犬猎南山白鹿，欲得献吴，神不可得，故曰犬山，其高为犬亭，去县二十五里。"此山是平原中的孤立丘阜之一，最高峰坝头山，高海拔一七七米，山上有蘑姑石(demoiselle)二处，即水经注所谓"孤石高二十馀丈，广八丈，望之如帆"。蘑姑石是一种地质现象，由垂直节理的凝灰岩体与水平节理的凝灰岩体因风化而崩塌的残留部分。

〔三六〕乌贼鱼，又称墨鱼，为头足纲、乌贼科动物。我国沿海常见的有金乌贼(Sepia esculenta)和无针乌贼(Sepiella maindroni)两种，舟山群岛一带，每年五六月间大群前来产卵，称为墨鱼泛。

〔三七〕若邪溪，今名平水江。越绝书卷十一作"若耶溪"："赤堇之山，破而出锡；若耶之溪，涸而出铜。"是鉴湖水系中最长的支流。

〔三八〕乾隆绍兴府志卷六地理志六川山阴县引水经注云："山阴县北五里有新河，西北十里有运进塘。"当是此处佚文。

〔三九〕怪山，在今绍兴城内南侧，是崛起于冲积层之上的侏罗纪凝灰岩孤丘，最高点仅海拔三十二米，据越绝书卷八所载，越王句践曾在此山上建造一座怪游台，高四十六丈，周围五百三十二步，是我国历史上有文字记载的第一座综合性天文台和气象台，即水经注所云："又作三层楼以望云物。"晋末在山巅建成一座七级浮图，称为应天塔，屡毁屡修，至今犹存，故称塔山。

〔四〇〕补注：

泄溪，今称五泄溪，浦阳江支流之一，上流从雷鼓山（高海拔二三五米）顶巅的响铁岭绕雷鼓山山谷而下，在此约一千五百米的流程中构成了五泄瀑布。第一泄在响铁岭边，今瀑布已消失，成为一处较小的急流，瀑布下的泷壶已不存在。第二、第三、第四三泄位于海拔一百五十米上下的高程上，二泄与三泄相距仅十馀米，三泄与四泄相距亦仅二十馀米，此三处瀑布均宽五六米，高十馀米，瀑布下均有深达数米的泷壶。第五泄在雷鼓山麓，瀑布宽约十馀米，高三十馀米，瀑布下的泷壶称为东龙潭，深达十米左右。今东龙潭以下约二公里处的夹岩寺已筑坝蓄水，形成一蓄水量达一千万公方的五泄水库，供发电和灌溉之用。

〔四一〕札记五泄：

卷四十渐江水经"北过馀杭，东入于海"注中，记载了诸暨县的五泄瀑布。注云：

（浙江）又东合浦阳江。江水导源乌伤县，东迳诸暨县，与泄溪合。溪广数丈，中道有两高山夹溪，造云壁立，凡有五泄。下泄悬三十馀丈，广十丈；中三泄不可得至，登山远望,乃得见之,悬百馀丈,水势高急,声震水外;上泄悬二百馀丈,望若云垂。此是瀑布,土人号为泄也。

水经注全书记载瀑布共六十四处,但绝大部分不用"瀑布"这个词汇。全书出现"瀑布"这个词汇仅十三处,而渐江水注一篇占了四处,五泄是其中之一。"此是瀑布,土人号为泄也。""泄",可能是古代越族留下的语言。水经注的这条记载,正和越绝书卷二"越人谓船为须虑",又卷八"越人谓盐曰馀"一样。汉语"船",越语称为"须虑";汉语"盐",越语称为"馀";汉语"瀑布",越语称为"泄",这是极少数几个至今尚可查考的越语普通名词,对后人研究古代越语方面,是一种值得珍视的资料。

在上述注文中,"凡有五泄"及"中三泄不可得至"二句,现在可见的古代主要版本,如残宋本、大典本、黄省曾刊本、吴琯刊本、明练湖书院钞本(天津图书馆藏)、何焯校明钞本、王国维校明钞本、朱谋㙔水经注笺、朱子臣水经注删以及清初的版本如沈炳巽水经注集释订讹、项䌹刊本等等,"凡有五泄"的"五"字,均作"三"字,"中三泄不可得至"的"三"字均作"二"字。但天津图书馆藏的全祖望五校钞本,却分别作"五"字和"三"字。此后,赵一清水经注释,戴震武英殿本,全氏七校本,杨、熊注疏本,都和五校钞本一样,分别作"五"和"三"。

除了上述许多本子作"凡有三泄"和"中二泄不可得至"以外,凡引及郦注的其他宋、明和清初文献,也莫不如此。特别是嘉泰会稽志卷十和大明舆地名胜志浙江卷四,此二书所引,均是宋本郦注,也都作"三"和"二"。说明嘉泰志和曹学佺所见的宋本,都和今北京图书馆所藏的残宋本一样。现在看来,首先把"三"改作"五",把"二"改作"三"的,必是全、赵二人。

但既然各本均作"三"作"二",全、赵又是根据什么作这种修改的呢?这个问题,我曾长期百思莫解。后来读康熙绍兴府志(俞志)卷四山川志五泄山引明朱曰范五泄行赠李武选诗云:"水经五泄三泄著,其馀二泄不可去。"这才使我恍然大悟,全、赵把"三泄"改成"五泄",其根据必是地方志。因为嘉泰会稽志卷十所列的条目就是"五泄",而明清以来,各浙江通志、绍兴府志、诸暨县志所载,也均作"五泄"。全、赵据以改"三"为"五",可以无疑。把上句"三泄"改成"五泄"后,下句"中二泄不可得至",又改"二"为"三",其理亦甚明,因注文中,上泄、下泄均记载清楚,则"登山远望,乃得见之"的,当然尚有三泄,则古本"二"必是"三"之误。

全、赵据地方志改动郦注的事,当然也不能排除他们同时也亲身游历了这个名胜。因为至今在五泄瀑布一带残留的明、清摩崖题刻甚多(但不见全、赵的),全、赵均是浙人,其家乡距离五泄又都不远(全氏曾掌教越城蕺山书院),去此处游览考察,当然是很有可能的。

现在五泄已经修葺成为一个美丽的名胜旅游地,其山苍翠深邃,分东龙潭和西龙潭二区,五级瀑布在东龙潭,瀑布顺山盘旋而下,鏧声如雷,气势雄伟,令人流连忘返。西龙潭则曲径通幽,引人入胜,其间也有瀑布一处。由于修建了盘山石级和栏杆,水经注所说不能见到的三泄,也可以攀登欣赏了。

我于一九八五年十月底，承诸暨县志编委会之邀，偕内人游览了郦注记载的这个著名风景区，的确不同凡响。游览以后，陪游诸君事前准备了纸笔，要我题写几句以付新的摩崖。我无准备，只好信手题了七言一绝："五级飞清千嶂翠，西龙幽壑东龙水。老来到此绝胜处，脚力尽时山更美。"诗下自注："胡诌几句，用记五泄之游。'飞清'即是瀑布，此词独郦注有之，亦以记生平学郦也。"

游览后的当晚，在诸暨西子宾馆中忽然想到，在郦注这段注文中的"五"、"三"二字中，还有一个值得思考的问题，因为从戴震对此二字的校改中，可以证明戴震必见赵本无疑。胡适为了要证明戴震无辜，花大力气考证，写出一篇戴震未见赵一清书的十组证据（胡适手稿第一集中册）。胡氏的洋洋大文，但用此一个"五"字就可以全盘驳倒。因为这个"五"字是任何版本均作"三"字。唯独全、赵二本改"三"为"五"的。郦注版本中绝无其他例子，胡适的考证虽然尽其所能地周详，却想不到就在这个毫不引人注意的"五"字之上出了事故。失一子而丢全局。这样的事并非没有例子。总不能说，戴震也是用明、清地方志校改殿本的吧。

〔四二〕嶀山　大典本、嘉泰会稽志卷九嶀山引水经注、剡录卷二山水志引水经注、名胜志浙江卷四绍兴府上虞县引水经注、张元忭三江考引水经注、康熙绍兴府志（张志）卷五山川志二嶀山引水经注、康熙绍兴府志（王志、俞志）卷六山川志三引水经注、雍正浙江通志卷二十二形胜引水经注、乾隆嵊县志卷二地理志古迹许元度宅引水经注、嘉庆上虞县志卷一地理三嶀山引水经注均作"嶀山”。水经注正误举例亦作“崿山”,并注云:“崿,原作‘嶂’,以字形相似而误。”

〔四三〕成功峤　大典本、黄本、吴本、注笺本、何校明钞本、王校明钞本、练湖书院钞本、注删本、项本、沈本、摘钞本、五校钞本、张本、嘉泰会稽志卷九崿山引水经注、佩文韵府卷八八齐豁通豁引水经注均作“成工峤”。

〔四四〕嶂浦　同注〔四二〕各本均作“崿浦”。

〔四五〕乾隆绍兴府志卷七建置志一上虞县城引水经注云:“江水又东迳县南,盖今百官地也。”当是此段中佚文。

〔四六〕浙江山川古迹记卷四绍兴府马目山引水经注云:“曹娥江滨有马目山。”“曹娥”二字当是此句中佚文。康熙绍兴府志(王志、俞志)卷五山川志二山下马目山引水经注、雍正浙江通志卷十五山川七马目山引水经注均与浙江山川古迹记同。

〔四七〕薪　残宋本作“旅”,王国维宋刊水经注残本跋:卷四十渐江水注,“入山采旅,诸本皆作‘薪’。案后汉书光武纪,野谷旅生。注,旅,寄也,不因播种而生,故曰旅。今字书作穭,音吕。又献帝纪,尚书郎以下,自出采稆。注引埤苍曰:穭,自生也,稆与穭同。郦云‘采旅’,正与范书语合,诸本改作‘薪’,盖缘不知‘采旅’为何语耳。”陈桥驿王国维与水经注(中华文史论丛一九八九年第二辑,又收入于郦学新论——水经注研究之三,山西人民出版社一九九二年出版)云:“这个‘薪’字,显然是某一个自以为是的校勘者所轻率臆改的。因为‘旅’字字形熟悉,他一见之下,全然不想到小学书上对此还有其他训诂,而肯定它是一个错字,一笔就改成‘薪’字。从此以讹传讹,流传至今。其实这一臆改,显然失去了郦书原意。因为‘采旅’和‘采薪’大不相同,‘旅’是野生食物,‘薪’是燃料。前者需要识别何者可食,何者不可食,但采集的劳动量不大;后者无需识别,但采集的劳动量甚大。因此,孝子携母上山,当然是‘采旅’而不是‘采薪’。”

〔四八〕康熙绍兴府志(王志)卷七山川志四海引水经注云:“又东迳槎渎,注于海。”当是此段中佚文。

〔四九〕侵离水　注笺本、项本、注释本、张本、注疏本均作“侵黎水”。

〔五〇〕灵渊　吴本作“灵源池”,注笺本、项本、张本均作“灵源”。

〔五一〕札记牛渚县:“卷四十禹贡山水泽地所在篇经文中提到的金兰县,注文不仅因各志不载而不加纠正,而且在卷三十二决水篇中,注文也提出了‘庐江金兰县’之名,说明尽管各志不载,但庐江郡下金兰县的建置是确实存在的。”

〔五二〕大别山阪　大典本、黄本、吴本、注笺本、何校明钞本、王校明钞本、项本、沈本、张本、禹贡水道考异南条水道考异卷一过三澨引水经注、禹贡会笺卷十一过三澨至于大别南入于江徐文靖笺引水经注均作“大别山陂”。

〔五三〕蘧澨　戴本、注释本、禹贡集解卷三过三澨引水经注均作“蓬澨”。沈本云:“蘧澨或是左传因上蘧越而误,本作‘蓬’也。”水经注笺刊误卷十二云:“宋绍兴间,括苍李如篪作东园图说引左传正作‘蓬澨’,可见世本之非,当据六朝旧典以正之也。”